JN175339

The Japanese Breast Cancer Society Clinical Practice Guidelines for Breast Cancer 2022

編

金原出版株式会社

序

2004年に薬物療法に関するガイドラインが初めて発刊されて以来，会員のみならず乳癌診療に携わるすべての人の羅針盤として高い評価を得ている診療ガイドラインである。今回は治療編(薬物療法，外科療法，放射線療法)と疫学・診断編(疫学・予防，検診・画像診断，病理診断)について詳細な改訂が行われた。ガイドラインの作成は2018年の改訂から「Minds診療ガイドライン作成マニュアル」に準拠して作業が進められている。一方，診療ガイドライン委員会に内包されていた診療ガイドライン評価委員会を独立させて，ガイドライン作成の初期段階から客観的かつ批判的に意見をいただいた。その結果，推奨文および推奨の強さを決定する推奨決定会議は国内で最も厳しいと考えられる利益相反の条件を課したうえで審議が行われた。ガイドラインは，総説，標準治療として確立したBQ(バックグラウンドクエスチョン)，新たなエビデンスを益と害のバランスを考慮しつつ日常診療に還元するCQ(クリニカルクエスチョン)，そして近い将来の課題に関するFRQ(フューチャーリサーチクエスチョン)から構成されている。

乳癌の診療は精密医療の時代にあるが，ゲノム医療を日常診療に実装するために診療ガイドラインが果たす役割は極めて大きい。その例として，2018年版の疫学・診断編に記載された遺伝性乳癌卵巣癌症候群に対するリスク低減手術に関する推奨の強さとエビデンスレベルに基づいて，「BRCA1・BRCA2遺伝子変異陽性者へのリスク低減治療に対する公的保険収載を求める要望書」が厚生労働省に提出された。その結果，2020年春からの保険診療につながった。今回のガイドライン改訂も国民が安心できる乳癌診療につながることを期待してやまない。最後に，質量ともに充実し国内外に誇るべき成果物の作成にあたり，統括いただいた佐治委員長をはじめ作成に携わられたすべての皆様に心からの敬意と謝意を表します。

2022年5月

日本乳癌学会 理事長
井本　滋

作成委員一覧

■ 診療ガイドライン委員会

委員長	佐治　重衡	福島県立医科大学医学部 腫瘍内科学講座
副委員長	岩田　広治	愛知県がんセンター 乳腺科
委　員	大谷彰一郎	大谷しょういちろう乳腺クリニック
	九冨　五郎	札幌医科大学附属病院 消化器・総合、乳腺・内分泌外科
	遠山　竜也	名古屋市立大学大学院医学研究科 乳腺外科学
	徳永えり子	国立病院機構九州がんセンター 乳腺科
	中島　一毅	川崎医科大学総合医療センター 外科
	吉田　正行	国立がん研究センター中央病院 病理診断科
	吉村　通央	京都大学大学院医学研究科 放射線腫瘍学・画像応用治療学講座

■ 薬物療法小委員会

委員長	遠山　竜也	名古屋市立大学大学院医学研究科 乳腺外科学
副委員長	永井　成勲	埼玉県立がんセンター 乳腺腫瘍内科
	高橋　將人	北海道大学大学院医学院 外科学講座 乳腺外科学教室〔患者向け GL 担当〕
委　員	石原　幹也	三重大学医学部附属病院 がんセンター
	岩本　高行	岡山大学病院 乳腺・内分泌外科
	木川雄一郎	関西医科大学附属病院 乳腺外科
	小泉　　圭	浜松医科大学医学部附属病院 乳腺外科
	近藤　直人	名古屋市立大学大学院医学研究科 乳腺外科学
	笹田　伸介	広島大学病院 乳腺外科
	下井　辰徳	国立がん研究センター中央病院 腫瘍内科
	髙田　正泰	京都大学大学院医学研究科 乳腺外科学
	内藤　陽一	国立がん研究センター東病院 総合内科
	中村　力也	千葉県がんセンター 乳腺外科
	成井　一隆	横浜市立大学附属市民総合医療センター 乳腺・甲状腺外科
	服部　正也	愛知県がんセンター 乳腺科
	原　　文堅	がん研究会有明病院 乳腺内科
	松本　光史	兵庫県立がんセンター 腫瘍内科
	宮下　　穣	東北大学大学院医学系研究科 乳腺・内分泌外科
	山中　隆司	神奈川県立がんセンター 乳腺内分泌外科
	吉波　哲大	大阪大学大学院医学系研究科 乳腺・内分泌外科学

■ 外科療法小委員会

委員長	九冨　五郎	札幌医科大学附属病院 消化器・総合、乳腺・内分泌外科
副委員長	坂井　威彦	がん研究会有明病院 乳腺センター 乳腺外科
	枝園　忠彦	岡山大学病院 乳腺・内分泌外科〔患者向け GL 担当〕
委　員	麻賀　創太	杏林大学医学部 乳腺外科
	有賀　智之	がん・感染症センター都立駒込病院 外科(乳腺)・遺伝子診療科
	石飛　真人	三重大学医学部附属病院 乳腺外科

久芳さやか　長崎大学大学院 移植・消化器外科
澤木　正孝　愛知県がんセンター 乳腺科
寺田かおり　秋田大学医学部附属病院 乳腺・内分泌外科
冨田　興一　大阪大学大学院医学系研究科 形成外科

放射線療法小委員会

委員長　吉村　通央　京都大学大学院医学研究科 放射線腫瘍学・画像応用治療学講座
副委員長　山内智香子　滋賀県立総合病院 放射線治療科
佐貫　直子　市立四日市病院 放射線科〔患者向け GL 担当〕
委　員　扇田　真美　東京大学医学部附属病院 放射線科
川村麻里子　名古屋大学大学院医学系研究科 量子介入治療学
河守　次郎　聖路加国際病院 放射線腫瘍科
濱本　　泰　国立病院機構四国がんセンター 放射線治療科
平田希美子　京都市立病院 放射線治療科

患者向けガイドライン小委員会

委員長　徳永えり子　国立病院機構九州がんセンター 乳腺科
副委員長　坂東　裕子　筑波大学医学医療系 乳腺甲状腺内分泌外科
委　員　阿部　恭子　東京医療保健大学 千葉看護学部 臨床看護学
桜井なおみ　一般社団法人 CSR プロジェクト
日置　三紀　滋賀医科大学医学部附属病院 薬剤部
御舩　美絵　若年性乳がんサポートコミュニティ Pink Ring

診療ガイドライン評価委員会

委員長　向井　博文　国立がん研究センター東病院 腫瘍内科
副委員長　増田　慎三　名古屋大学大学院医学系研究科 病態外科学講座 乳腺・内分泌外科学
委　員　北田　正博　旭川医科大学 外科学講座 呼吸器乳腺外科
鹿間　直人　順天堂大学院医学研究科 放射線治療学
首藤　昭彦　国立がん研究センター中央病院 乳腺外科
高畠　大典　高知医療センター 乳腺甲状腺外科
角田　博子　聖路加国際病院 放射線科
森谷　卓也　川崎医科大学 病理学
山口　　雄　虎の門病院 臨床腫瘍科

アドバイザー

ガイドライン作成方法　吉田　雅博　公益財団法人日本医療機能評価機構（Minds）
国際医療福祉大学医学部 消化器外科学教室
生物統計　吉村　健一　広島大学病院 未来医療センター

外部委員

生物統計　青木　　岳　広島大学病院 広島臨床研究開発支援センター 生物統計室

システマティック・レビュー委員

薬物療法　尾崎　友理　愛知県がんセンター 乳腺科
金本　佑子　大阪大学大学院医学系研究科 乳腺・内分泌外科学
髙塚　大輝　愛知県がんセンター 乳腺科
羽山　晶子　千葉県がんセンター 乳腺外科
東　　千尋　三重大学医学部附属病院 乳腺センター

外科療法	植弘奈津恵	がん研究会有明病院 乳腺センター 乳腺外科
	大西　　舞	がん・感染症センター都立駒込病院 外科(乳腺)
	尾崎　友理	愛知県がんセンター 乳腺科
	島　　宏彰	札幌医科大学附属病院 消化器・総合、乳腺・内分泌外科
	髙橋絵梨子	秋田大学医学部附属病院 乳腺・内分泌外科
	田港見布江	大阪大学医学部 形成外科
	突沖　貴宏	岡山大学病院 乳腺・内分泌外科
	土屋　あい	杏林大学医学部 乳腺外科
	野呂　　綾	三重県立総合医療センター 乳腺外科
	森田　　道	長崎大学大学院 移植・消化器外科/乳腺・内分泌外科
放射線療法	相部　則博	京都府立医科大学 放射線科
	芹澤　　徹	築地神経科クリニック 東京ガンマユニットセンター
	小野　幸果	京都大学大学院医学研究科 放射線腫瘍学・画像応用治療学
	金本　彩恵	新潟県立がんセンター新潟病院 放射線治療科
	神﨑　博充	国立病院機構四国がんセンター 放射線治療科
	澤柳　　昴	東京大学医学部附属病院 放射線科
	清水口卓也	がん・感染症センター都立駒込病院 放射線治療部
	陣内　　遥	東京大学医学部附属病院 放射線科
	関口　建次	苑田会放射線クリニック
	高橋　加奈	国立がん研究センター中央病院 放射線治療科
	鶴岡慎太郎	愛媛大学医学部附属病院 放射線科
	土井　歓子	広島がん高精度放射線治療センター
	中村　太祐	国立病院機構長崎医療センター 放射線科
	原田亜里咲	がん研究会有明病院 放射線治療部
	牧田　憲二	国立病院機構四国がんセンター 放射線治療科
	松本　紗衣	福井県立病院 陽子線がん治療センター

協力者

薬物療法	多田真奈美	関西医科大学附属病院 乳腺外科
	吉田　奈央	関西医科大学附属病院 乳腺外科

目次

外科療法

推奨の強さ

放射線療法

推奨の強さ

乳癌診療ガイドライン2022年版
作成にあたって

乳癌診療ガイドライン2022年版作成にあたって

―診療現場で役立つ，医師と患者のShared Decision Makingのためのガイドラインを目指して―

1. 乳癌診療ガイドライン作成の経緯

2002(平成14)年に厚生労働科学研究費補助金 研究報告書として作成された“科学的根拠に基づく乳がん診療ガイドライン作成に関する研究”が，現在の乳癌診療ガイドラインの始まりである。その後，ガイドラインの作成は日本乳癌学会(以下，本学会)に移管され，臨床試験検討委員会が担当して2004年と2005年にそれぞれの分野別(薬物療法，外科療法，放射線療法，検診・診断，疫学・予防)に5つの冊子として初版が刊行された。そして薬物療法は3年ごとの2回の改訂，その他4冊は3年後の1回の改訂を経て，2011年に現在の体裁と同じ，治療編と疫学・診断編の2分冊として発刊された。その後も日々蓄積されるデータと標準治療の変化に対応すべく改訂の間隔を2年ごととして，2013年，2015年と改訂版を発刊してきた。2011年には会員向けとして乳癌診療ガイドラインWEB版を公開し，2015年からこのWEB版はすべての人が自由に閲覧できる公開版となっている。また，他のがん種のガイドラインに先立ち，2009年には患者さんやそのご家族に読んでいただくことを目的とした「患者さんのための乳がん診療ガイドライン」の初版を発行し，これも医師向け乳癌診療ガイドラインの約1年遅れで2～3年ごとに改訂版を発行している。

乳癌診療ガイドラインは初版から，科学的根拠に基づいたガイドラインとして，多くの臨床試験等のデータのレビューを行い，そのデータの「エビデンスレベル(試験デザインに基づいたエビデンスの評価)」によって信頼性を担保したうえで，エキスパートの作成委員が協議し，ガイドラインの執筆を行い，推奨に迷うクリニカルクエスチョン(CQ)では，作成委員会の中で投票が行われ，A，B，C1，C2，Dの「推奨グレード」を決定してきた。2004年というガイドライン黎明期に行われたこれらの作成手順は，他領域の関連学会からも高く評価され，その後の各ガイドライン作成に影響を与えている。また「患者さんのための乳がん診療ガイドライン」は，乳癌経験者や看護師，薬剤師など，多職種が執筆者として参加するガイドラインとして作成され，患者さんに信頼される情報源として重要な役割を果たしている。

一方，2015年版の乳癌診療ガイドラインまでは，大規模ランダム化比較試験(RCT)で有意な結果が得られたCQや，複数試験のメタアナリシスデータがあるCQは，レベル1のエビデンスが存在するという理由で「強く推奨する」とされてきた。すなわちこの基準においては，主として効果におけるアウトカムの差が確実に存在するかが重要であり，その効果を得るためにどれくらいの毒性の上乗せを許容できるのか，その効果の差は本当に臨床的に意味のある差なのかなど「有益性と有害性のバランス」がとれているかについては十分検証されていなかった。

2. 2018年版からの乳癌診療ガイドライン作成方法の変化

このような状況の中，世界的なガイドライン作成の標準化の流れの中で，2015年版まで使用してきた乳癌診療ガイドラインの作成手順を変更する必要性が生じた。2018年版の乳癌診療ガイドラインは，「Minds（Medical Information Distribution Service）診療ガイドライン作成の手引き2014」，「Minds 診療ガイドライン作成マニュアル 2017」を参考に作成をしている。Minds 診療ガイドライン作成マニュアルは，公益財団法人日本医療機能評価機構内に設置されている EBM 医療情報部（Minds 事務局）によって発行，公開されており，2014 年に ver. 1.0 が公開され，現在の最新版は「Minds 診療ガイドライン作成マニュアル 2020 ver. 3.0」である。

最初に「益と害」の具体的な指標としてのアウトカム（例えば，「益」として「全生存期間」，「害」として「毒性」など）を，あらかじめ CQ ごとに数個設定し，アウトカムごとに 1～9 点までの重要度の点数を付けることで，アウトカムの「重み付け」をする。次に CQ に関連したキーワードから文献検索，抽出の後に，アウトカムごとに定量的あるいは定性的システマティック・レビューを行い，益と害のバランスを考慮して，CQ に対する推奨の強さを各小委員会で決定した。定量的レビューとしては，各エビデンスのアウトカム評価を，それぞれの文献中データを元に独自にメタアナリシスを行い記録として残し，これを元に検討を行った。さらに各小委員会から提案された推奨文および推奨の強さを，推奨決定会議（複数の医師，看護師，薬剤師，乳癌経験者など，十数名の委員が参加）での議論・投票で最終決定している。推奨を決定する投票においては，薬剤が関連する CQ ではその販売製薬企業との利益相反が一定基準を超えている場合，またその薬剤の開発臨床試験で主導的な立場にある場合などは，その委員は投票権を辞退している。これら一連の作業は，2015 年版までのガイドライン作成過程と比べて，より客観的で作成者の判断の偏りが入る余地の少ないガイドラインの作成手順であるといえる。そしてこの最終決定に基づき，担当委員が解説文の執筆を行い，相互レビューのうえで最終版を完成させている。今回発行する 2022 年版乳癌診療ガイドラインは，この 2018 年版での作成法をもとに，「Minds 診療ガイドライン作成マニュアル 2020 ver. 3.0」にできるだけ準拠しながら進めた。また，2018 年版乳癌診療ガイドラインについての会員アンケート調査を 2021 年 2 月 19 日～3 月 4 日に実施し，600 名を超える会員からの回答結果をもとに，より使用しやすいガイドラインとするために，独自の工夫も行った。

3. 2022 年版乳癌診療ガイドラインの内容と作成過程

今回の改訂を行うにあたり，新たな委員長および委員会メンバーが任命され，2020 年 10 月にキックオフ会議を開催した。旧版の WEB 版改訂を行った後，2021 年 2 月に全体委員会を行い，2022 年版の作成が開始された。

1）ガイドラインの構成

総説：治療の基本的概念・流れ，言葉の定義，歴史的な経過，最低限必要な教科書的な知識などを記載。2022 年版からは，治療・診断の流れと各治療の役割を全体として把握しやすくすることを目的に，①治療編では「治療編（薬物療法・外科療法・放射線療法）総説」として各 CQ へのリンク先がわかるフローチャートなどを掲載した。

BQ（バックグラウンドクエスチョン）：基本的には標準治療として位置付けられ，必ず実施すべき診療とされているもの。または，広く実施されているものの，根拠を強くするような新たなデータは出てこないと考えられるもの。

CQ（クリニカルクエスチョン）：日常臨床で判断に迷うテーマを取り上げ，定量的あるいは定性的システマティック・レビューを行い，推奨決定会議の投票を経て，推奨および推奨の強さを決定し，その内容について，推奨決定会議の議論のポイント等も踏まえて解説している。

FRQ(フューチャーリサーチクエスチョン)：CQとして取り上げるにはまだデータが不足しているが，今後の重要な課題と考えられるCQについて，現状の考え方を説明している。また，新たなデータの創出が期待されるもの。

2）作業手順

(1) **BQ，CQ，FRQの設定**：2018年版のCQを照合しつつ整理し，取り上げるCQおよびBQとFRQを決定した(作成開始時はCQとして設定したものの，最終的にFRQやBQに変更となったものもある)。

(2) **CQの作成手順**：CQに関してのみ以下の手順(3)～(18)を行った。BQとFRQのステートメントについては診療ガイドライン委員会内のディスカッションにて決定しており，原則として手順(9)「エビデンスの評価」以降の作業は行っていない。

(3) **CQの構成要素**：CQの構成要素はPICO〔P：Patients(介入を受ける対象)，I：Intervention(推奨するかどうか検討する介入)，C：Comparisons(Iと比較したい介入)，O：Outcome(アウトカム)〕と呼ばれる形式で抽出した。

(4) **アウトカムの設定**：各CQに対して，数個のアウトカムを設定した。このアウトカムは「益」と「害」が必ず含まれるように設定しなければならない。前述したように，アウトカムには1～9点までの重要度の点数を付けて，それぞれのアウトカムの「重み付け」をする。この「重み付け」は，「推奨とその強さ」を決定する際の判断材料になる。

(5) **エビデンスの収集**：各委員は担当CQごとに関連するキーワードを設定し，ご協力いただいた日本医学図書館協会に送付して検索式を立て，網羅的に検索を行った。検索データベースはPubMed，医中誌Web，Cochrane Libraryを用いた。各CQの検索式の詳細は，本学会のホームページ(http://jbcs.gr.jp/)に掲載する。

(6) **一次スクリーニング**：各委員は一次スクリーニングとして文献リストの題名・抄録・索引語から明らかにCQに合致していない文献を除外，必要に応じてキーワードの追加，検索式の変更を行い再度スクリーニングを行った。

(7) **二次スクリーニング**：次に各委員は二次スクリーニングとして，一次スクリーニングで残した文献の本文を読み，アウトカムごとに採用文献を決定した。選択基準は原則としてランダム化比較試験とし，該当文献がない場合は観察研究も含めることとした。

(8) **ハンドサーチ**：さらにハンドサーチで重要文献を追加して，可能な限り漏れのない検索を心掛けた。

(9) **エビデンスの評価(個々の論文の評価)**：アウトカムごとにまとめられた文献集合の個々の論文について，研究デザイン(介入研究，観察研究)ごとに，バイアスリスク(risk of bias 9要素：選択バイアス，実行バイアスなど)，非直接性(indirectness：従来の「外的妥当性」，「一般化可能性」に相当)を評価した。

(10) **エビデンス総体(body of evidence)(＝エビデンスの強さ)の評価**：1つのアウトカムで選択抽出された複数の論文をまとめて，エビデンスの総体を評価する。評価の方法は，研究デザインによって分類(RCT群，観察研究群)してまとめ，改めて，①バイアスリスク(risk of bias 9要素)，

②非直接性(indirectness)を評価し，これに加えて，③非一貫性(inconsistency)，④不精確(imprecision)，⑤出版バイアス(publication bias)などを評価した。RCTでは「エビデンスの強さ」を“強”から始めて，上記①～⑤を考慮して，必要であれば段階を下げて最終評価とした。観察研究ではエビデンスの強さの評価を，①効果が大きい(large effect)，②用量反応勾配あり(dose-dependent gradient)，③可能性のある交絡因子が提示された効果を減弱させている(plausible confounder)の要素で優れたものは1段階上げるなどの評価を行った。

(11) エビデンスの強さの分類：エビデンスの評価の判定は，1つひとつのアウトカムに対して，関係論文内容を上記規定で評価集約し，最終的に1つのCQに対する「エビデンス総体」として「エビデンスの強さ」を「強」，「中」，「弱」，「とても弱い」の4段階に分類した。この分類が益と害の大きさとバランスに対する確実性を評価していることになる。

なお，2015年版までのガイドラインでは「エビデンスレベル」という表現を用いてきたが，「エビデンスレベル」と「エビデンスの強さ」は同じ意味ではない。従来用いられてきた「エビデンスレベル」という表現は，ランダム化第Ⅲ相比較試験やコホート試験といった「試験デザイン」のみに基づいており，試験そのものの「質」を問うものではなかった。一方，2018年版のガイドラインから使用している「エビデンスの強さ」は，バイアスリスクなど，手順(9)(10)で記載したような，規定の因子を1つずつ丹念に評価したうえで決定される。したがって，ランダム化第Ⅲ相比較試験が複数あっても，その臨床試験の「質」によって，「エビデンスの強さ」は「強」ではなく「中」になることもある。

(12) エビデンスの統合〔定性的システマティック・レビューと定量的システマティック・レビュー(メタアナリシス)〕：各CQのアウトカムごとに，定量的システマティック・レビューが可能なものは，ガイドライン作成委員が，このガイドラインのために独自にメタアナリシスを行い評価した。定量的評価(メタアナリシス)ができないものは，論理性・確実性などを文脈から評価する定性的システマティック・レビューのみを行った。各CQのシステマティック・レビューの詳細は，本学会のホームページ(http://jbcs.gr.jp/)に掲載する。2022年版からは59名のシステマティック・レビュー(SR)チームも(6)～(12)の過程に関わっている。SRチームのみで，エビデンスの収集と評価を行うことが，独立性の確保という点では良いとされており，一部の領域では独立分業での作成を行うことができた。しかし，作業量の膨大さや，SRチームの人的リソースの問題があり，この分業体制を正しくとるためには大きな課題が残っている。

(13) 推奨の作成：各領域の小委員会でCQごとに，①アウトカム全般に関するエビデンスの強さ，②益と害のバランス，③患者の価値観や好み，④コスト(＝コストに関する報告やガイドラインがあれば利用するが，なければ評価に入れない)の4要素を考慮して「推奨」と「推奨の強さ」を決定し，推奨文を推奨決定会議に提出した。推奨の作成に際してわが国での保険承認の有無は考慮することはなく，上記4要素によって決定した。

(14) 推奨決定会議の開催：各小委員会〔薬物療法，外科療法，放射線療法，疫学予防，検診・診断(病理はCQなし)〕で提案された「推奨」と「推奨の強さ」についてWEB推奨決定会議で提案，質疑応答，議論，投票を行い(投票ツールによる無記名自動集計)，それぞれのCQについて，最終的な「推奨」と「推奨の強さ」を決定した。

(15) 推奨決定会議における利益相反(COI)管理：推奨決定会議の開催前に，各小委員会からCQ，推奨文，それらに関連する企業名をリストとして提出した。ジェネリック薬とその販売企業は対象外とし，オリジナル薬とその販売企業のみを対象とした。ジェネリック薬がすでに販売されている薬剤のみが関わる CQ は関連企業なしとした。推奨決定会議参加予定の委員について，2018 年，2019 年，2020 年の利益相反管理自己申告書を資料として，下記の基準で参加者と，その参加者が投票を棄権する CQ を事前に決定した。また，いわゆるアカデミック COI については，その CQ の推奨決定に関連があると自身が考える，臨床試験(治験，国際臨床試験，国内臨床試験)の研究代表責任者，実行委員等の役割をしていた場合は，その CQ に対する権利を放棄することとし，事前に決定した。

本人，配偶者，一親等親族が該当する場合は推奨決定会議に参加できない：

① 企業や営利を目的とした団体の役員，顧問職については，1 つの企業または団体からの報酬額が年間 50 万円以上である場合。
② 株の保有については，1 つの企業について 1 年間の株による利益(配当，売却益の総和)が，50 万円以上，あるいは当該企業の全株式の 5%以上を保有している場合。
③ 企業や営利を目的とした団体からの特許権使用料については，1 つの特許権使用料が年間 100 万円以上である場合。
④ 企業や営利を目的とした団体が提供する寄付講座に所属がある場合。

本人，配偶者，一親等親族が該当する場合は，推奨決定会議には参加できるが，その企業関連 CQ の投票権利は放棄する：

⑤ 企業や営利を目的とした団体から，会議の出席(発表)に対し，研究者を拘束した時間・労力に対して支払われた日当(講演料など)については，1 つの企業または団体からの年間の日当(実費分を除く)が合計 50 万円以上である場合。
⑥ 企業や営利を目的とした団体がパンフレットなどの執筆に対して支払った原稿料については，1 つの企業または団体からの年間の原稿料が合計 50 万円以上である場合。
⑦ 企業や営利を目的とした団体が提供する研究費については，1 つの企業または団体から，申告者が実質的に使途を決定し得る研究契約金で実際に割り当てられた総額が年間 100 万円以上である場合。
⑧ 企業や営利を目的とした団体が提供する奨学(奨励)寄附金については，1 つの企業または団体から，申告者が実質的に使途を決定し得る奨学(奨励)寄附金で実際に割り当てられた総額が年間 100 万円以上である場合。

(16) 推奨決定会議の参加者と推奨決定投票のルール：4 日間にわたって推奨決定会議が行われた。参加者は各小委員会委員長，副委員長，数名ずつの小委員会委員，乳癌経験者 2 名，薬剤師 1 名，看護師 1 名，ガイドライン委員長，副委員長からなり，計 40～50 名が各回に参加した。推奨決定会議の進行手順は以下の通りである。

①会議の開始前に，強い推奨と弱い推奨の基準について，当委員会で独自に作成した判断基準を明示した(**表 1**)。

強く推奨：

例外はあるとしても，ほぼ実施することを勧める
対象を絞っている CQ では 90%の患者さんで実施
対象が広い場合は 70～80%くらいの患者さんで実施

弱く推奨：

対象を絞っている CQ では 50%以上の患者さんで実施
対象が広い場合は 30～40%以上くらいの患者さんで実施

1 つの CQ に複数の推奨文がある場合：

いずれかの推奨文を優先的に勧めることを念頭に，強い推奨と弱い推奨に振り分けることは可能とした。

②小委員会委員長もしくは担当委員が CQ の背景，推奨に至るエビデンス，システマティック・レビューの結果，小委員会での議論の内容と推奨文，推奨の強さについて提示する。

③参加委員からの質問を受ける。
④COIにより，そのCQで投票ができない委員を明示する。
⑤投票ツールを使用し，下記のいずれかを選択して投票を行う。

A. 行うことを強く推奨する
B. 行うことを弱く推奨する
C. 行わないこと弱く推奨する
D. 行わないこと強く推奨する
E. 棄権（意見を決められない等の場合）
F. COIによる棄権

⑥推奨文に対する合意率の計算の分母はA～Dの合計人数である。
⑦推奨決定は合意率70％を超えればその推奨文で決定とする。70％に満たない場合は，投票を3回まで実施する。議論を受け，推奨文を変更することもある。3回目の投票が合意率70％未満の場合に「合意に至らず」とする。

(17) **未承認薬，患者の経済的負担，医療経済に関する扱い**：未承認の薬剤，検査に関するCQでは，保険承認，適用の有無を推奨決定の判断には影響させないこととし，科学的に患者にとって有益か害であるかの視点でその推奨を決定した。ただし，本文中に保険承認や保険適用状況については記載している。Minds診療ガイドライン作成マニュアルでは，“保険承認されていないことは実費が患者に請求されるのでコストの害として推奨に影響する”とされており，上記の基準は本乳癌診療ガイドラインでの独自の判断基準となる。

医療経済としては，Mindsではindividual perspective（個人の視点，ミクロ），population perspective（集団の視点，マクロ）に分けている。保険承認されている薬剤・検査などで，患者個々における経済的負担（ミクロ）に大きな差がある場合は，エビデンス総体や推奨の決定の中で益と害の要因として因子に入れることができることとした。

社会全体としての経済的負担（マクロ）については，基本的に2022年版では評価を行わないこととした。自治体検診などでは，ある程度の社会的経済評価・費用対効果は推奨を決める要因になるので，CQによってはマクロの経済評価が勘案されている。

(18) **解説文の執筆**：推奨決定会議の結果を受け，各小委員会でCQの解説文を執筆した。解説文にはエビデンスの強さとその根拠，益と害のバランス，患者の希望に一貫性はあるか（多様性はあるか），経済的な観点（国の視点ではなく，あくまで個人の），推奨決定会議の議論の内容（意見の相違点，日本の臨床で注意する点など）を記載している。

(19) **評価委員会による評価**：評価委員会で独立性をもって，本ガイドラインの作成プロセスが評価される予定である。

(20) **パブリックコメントと理事会での承認**：推奨決定会議の後に，CQごとの推奨文・合意率などが出た段階で，理事会にこれらについて報告した。初稿完成後の2022年3月18日～4月8日に，理事および学会会員からのパブリックコメントを募集した。パブリックコメントの意見や指摘を反映した最終稿を作成し，これについて理事会での承認を得て最終版が確定した。

4. 推奨の強さ，エビデンスグレード，エビデンスの強さ，合意率，推奨におけるポイント

推奨の強さは「Minds 診療ガイドライン作成マニュアル 2020 ver. 3.0」に準拠し 4 段階に分かれている(**表 1**)。カッコ内は，推奨決定会議における強く，弱くの感覚を共有するために独自に作成したものである。疫学・予防の CQ の多くは介入の CQ ではなく，日常生活において気を付けるべきことを CQ として挙げている。よって，行う，行わない等を推奨する立場をとらずに，あくまで科学的な根拠の確からしさをエビデンスグレードとして明示することにした(**表 2**)。「エビデンスの強さ」は推奨文の中に「強」，「中」，「弱」，「とても弱い」の 4 段階で表示した(**表 3**)。CQ ごとに設定したアウトカムすべてにおいて，全体的なエビデンスが強いほど推奨は“強く”なる傾向はある。ただし，根拠となるエビデンスの強さが「中」であっても，行うことを強く推奨する場合もあれば，エビデンスの強さが「強」であっても，行うことを弱く推奨する場合もある。

推奨決定会議の合意率(%)を記載している理由は，例えば同じ「弱く推奨する」でも，合意率 100%と 73%では意味合いが違うためである。少数ではあるが強く推奨という意見もあるのか，逆に弱く推奨しないとする意見もあるのかを知ることで，その推奨文の理解が変わるはずである。また一度の投票で決定されたのか，複数回の投票で合意に至ったのかで意見の相違があるか否かも理解できるようになっている。つまり，現場で shared decision making をする際に，専門家の間でも意見が分かれていることを共有したうえで，患者さんとの意思決定に利用していただきたい。なお，3 回の投票でも推奨の強さについて合意に至らなかったものは，「推奨の強さ：1〜2(合意に至らず)，エビデンスの強さ：弱，合意率：強い推奨 53%(18/34)，弱い推奨 47%(16/34)」などのように記載されている。根拠となったエビデンスがどれくらい確からしいものであるか，どのように意見が分かれたのかを知ることができる。

2022 年版からは，CQ と推奨文の下に，「推奨におけるポイント」という項目が記載されている。推奨文を理解するために必要な条件や情報，注意点が明示されているため，注意して読んでいただきたい。また，各 CQ の最後には，推奨決定会議における投票結果の詳細を記載した。

5. 保険承認，保険適用状況による記載の工夫

保険承認，保険適用の状況により特に薬剤については表記を変えて記載している。

・乳癌に対して適応のある薬剤の薬剤名はすべて片仮名表記とし，一般名を用いた。例：タモキシフェン

・日本ではどの疾患に対しても使用が許可されていない薬剤については薬剤名を英名表記とし，その後に(未承認)と加えた。例：neratinib(未承認)

・日本では乳癌以外の他の疾患に対しては使用が許可されているものの乳癌には許可されていない薬剤については，薬剤名は片仮名表記とし，その後に(保険適用外)と加えた。例：ラロキシフェン(保険適用外)

表 1　推奨の強さ

推奨の強さ	推奨文	臨床的意味
1	行うことを強く推奨する	行うことが強く勧められる （対象を絞っているCQでは90%の患者さんで実施する，対象が広い場合は70～80%くらいの患者さんで実施する）
2	行うことを弱く推奨する	必ず行わなければならないということではなく，益と害のバランスおよび患者の価値観などを踏まえ，現場で相談し，どちらかというと行うことを勧める （対象を絞っているCQでは50%以上の患者さんで実施する，対象が広い場合は30～40%以上くらいの患者さんで実施する）
3	行わないことを弱く推奨する	弱く推奨する裏返しであり，益と害のバランスおよび患者の価値観などから，どちらかというと行わないことを勧める （対象を絞っているCQでは50%以上の患者さんで実施しない，対象が広い場合は30～40%以上くらいの患者さんで実施しない）
4	行わないことを強く推奨する	害が大幅に益を上回る介入であり，行わないことを強く勧める （対象を絞っているCQでは90%の患者さんで実施しない，対象が広い場合は70～80%くらいの患者さんで実施しない）

（　）カッコ内は，推奨決定会議における強く，弱くの感覚を共有するために作成したもの。

表 2　エビデンスグレード（疫学・予防の領域に限り採用）

Convincing（確実）	発癌リスクに関連することが，確実であると判断できる十分な証拠があり，予防行動をとることが勧められる
Probable（ほぼ確実）	発癌リスクに関連することが，ほぼ確実であると判断できる十分な根拠があり，予防行動をとることが一般的に勧められる
Limited-suggestive（可能性あり）	「確実」「ほぼ確実」と判断できないが，発癌リスクとの関連性を示唆する根拠がある
Limited-no conclusion（証拠不十分）	データが不十分であり，発癌リスクとの関連性について結論付けることができない
Substantial effect on risk unlikely（大きな関連なし）	発癌リスクに対して実質的な影響はないと判断する十分な根拠がある

エビデンスグレードの判定根拠はWorld Cancer Research Fund（WCRF，世界がん研究基金）/American Institute for Cancer Research（AICR，米国がん研究協会）から公表された「食物・栄養・身体活動とがん予防：国際的な視点から第2版（2007）」（https://wcrf.org/）に準じた。

表 3　推奨決定のための，アウトカム全般のエビデンスの確実性（強さ）

A（強）	効果の推定値が推奨を支持する適切さに強く確信がある
B（中）	効果の推定値が推奨を支持する適切さに中程度の確信がある
C（弱）	効果の推定値が推奨を支持する適切さに対する確信は限定的である
D（とても弱い）	効果の推定値が推奨を支持する適切さをほとんど確信できない

6. 資金源

本ガイドライン作成にあたり掛かる費用(交通費，会議費，印刷費，文献検索費等)は，すべて本学会より拠出されており，特定の企業等からの提供は受けていない。

7. 利益相反

本ガイドラインの発刊は，本学会の承認を受けた事業であり，他のいかなる団体からの影響も受けていない。本学会は，ガイドライン作成に関与した委員(診療ガイドライン委員，各小委員会委員，外部委員，アドバイザー)の利益相反について就任時点での状況を利益相反委員会において確認した。委員長，委員等への就任基準は日本乳癌学会のホームページで公開されている(https://jbcs.gr.jp/)。

前述のように，推奨決定会議での投票の際には，利益相反(経済的 COI，学術的 COI)状況を事前に確認し，COI がある場合は当該 CQ の投票を棄権することで意見の偏りを防ぐ努力をした。各委員の COI は本学会のホームページ(https://jbcs.gr.jp/)に掲載されている。

8. 今後の改訂

次の改訂版出版時期は未定である。しかし目まぐるしく進歩する医療の中で，エビデンスの創出は日進月歩である。この進歩に合わせるように，半年ごとにエビデンスの蓄積を確認して，WEB 版については随時改訂(追加，修正等)を行う予定である。また，“患者さんのための乳がん診療ガイドライン”については 2023 年に改訂版が出版される予定である。

9. おわりに

現在の医療においては，さまざまな分野・疾患のガイドラインを確認しながら，診療活動をしていくことが求められている。ガイドラインの作成ルールも年々変化しており，より公平で，より客観的なものになっているが，その作成ルールが強調されすぎたあまりに，読者にとって理解が難しくなっているものもある。また，ガイドラインの作成ルールに沿う作成ができないために，名称をガイドラインからガイドブックやハンドブックなどに変更するなど，本末転倒のような状況もあり，まだまだ試行錯誤が続いているように個人的には感じている。

本ガイドラインも，2018 年版作成時には大きく変化した作成ルールへの対応が求められ，前委員長の岩田広治先生の素晴らしいリーダーシップのもと，誰も知らない深い森の中を歩きながら少しずつ道を探していき，ついに明るい場所にたどりついたような作成の日々であった。2022 年版では，その経験をもとに地図をみながら，また会員の皆様のさまざまな意見を事前にお聞きしながら，できるだけわかりやすいものになるように工夫を重ねてきたつもりではある。とはいえ，まだまだ不思議な硬さも，融通の悪さも残ってはいると自覚しており，次版での改善を期待して，読者の皆さまのご意見をいただければと思う。

我々の日常診療は介入(診断，外科療法，放射線療法，薬物療法など)の連続であり，どの手段をとるかの判断の際に，無意識に益と害を考慮して選んでいるはずである。ガイドラインは標準的な診療の道標であるとともに，正確な情報を確認するためのツールでもあると考えている。しかし，患者の状況によっては，標準的な選択ができない場合もあり，それがガイドラインでは推奨のないものであるかもしれない。しかし，それを共有・認識したうえで，次の介入を決めていくプロセス（shared decision making）こそ，相互に信頼できる関係性を構築するうえで重要ではないかと考えている。乳癌診療ガイドラインはこのような乳癌治療の現場の中で，医療者が患者さんとともに歩んでいく際のツールとして使用していただきたい。

最後に本ガイドライン作成に多くの時間を費やし尽力くださった委員の先生方，外部委員・アドバイザー・SR チームの先生方，前版に引き続き多くのアドバイス等をいただいた国際医療福祉大学の吉田雅博教授，日本医学図書館協会の河合富士美氏に深謝するとともに，診療ガイドライン評価委員会，本学会理事各位，ならびに編集担当の金原出版佐々木瞳氏，宇野和代氏に，この場を借りて御礼を申し上げたい。

診療ガイドライン委員会

委員長　佐治 重衡

副委員長　岩田 広治

乳癌診療ガイドライン 2022 年版

治療編　総説

Ⅰ．用語の定義

(1) 早期乳癌(early breast cancer；EBC)

切除可能乳癌(Stage 0－ⅢA)を指す。

【豆知識】「早期乳癌」の定義の歴史

わが国では，「Stage 0 および I」の乳癌を「早期乳癌」と定義してきた〔乳癌取扱い規約(第18版)〕。しかし，これは日本独自の定義であり，欧米(英語)での“early breast cancer”の定義〔「切除可能乳癌(Stage 0－ⅢA)」〕とは異なるため，「早期乳癌(early breast cancer)」の用語の使い方に混乱が生じていた。乳癌診療ガイドラインを作成するうえで対象とした臨床試験は，欧米での“early breast cancer”の定義が採用されていることから，本ガイドラインでは，日本語での「早期乳癌」を，欧米での“early breast cancer”の定義に合わせて，「切除可能乳癌(Stage 0－ⅢA)」と定義した。

【豆知識】StageⅢAの扱い

遠隔転移を有しないT3 and/or N2の乳癌はStageⅢAに分類される〔乳癌取扱い規約(第18版)〕。StageⅢAは，「切除可能局所進行乳癌」に分類されることもある。「切除可能」であることから，本ガイドラインでは，欧米の“early breast cancer”の定義に準じて「早期乳癌」に含めることにした。

(2) 局所進行乳癌(locally advanced breast cancer；LABC)

遠隔転移を有しない局所進行乳癌，「StageⅢB，ⅢC」を指す。StageⅢBの乳癌とは，胸壁固定や皮膚潰瘍などを認めるいわゆる「T4症例」であり，StageⅢCの乳癌とは，領域リンパ節転移が広範囲で，同側鎖骨上リンパ節転移を認めるようないわゆる「N3症例」を指す。

(3) 転移・再発乳癌(metastatic breast cancer；MBC)

遠隔転移を有するいわゆるStageⅣの乳癌(「転移乳癌」)と初期治療後に遠隔転移をきたした乳癌(「再発乳癌」)を合わせて，本ガイドラインでは「転移・再発乳癌」と呼ぶ。

【豆知識】転移乳癌

「転移性乳癌」という用語がStageⅣの乳癌(転移乳癌)の意味で，日常診療で用いられることがあるが，「転移性乳癌」は，他臓器原発の癌が乳房へ転移した癌を指すことがあるため，本ガイドラインでは，StageⅣの乳癌は「転移乳癌」と呼ぶことにした。

【豆知識】Advanced breast cancer(ABC)

「Advanced breast cancer(ABC)」は，「局所進行乳癌(locally advanced breast cancer；LABC)」と，「転移・再発乳癌(metastatic breast cancer；MBC)」を含む。

Ⅱ．非浸潤性乳管癌（ductal carcinoma *in situ*；DCIS）

1．治療の流れ

【非浸潤性乳管癌の治療の流れ】

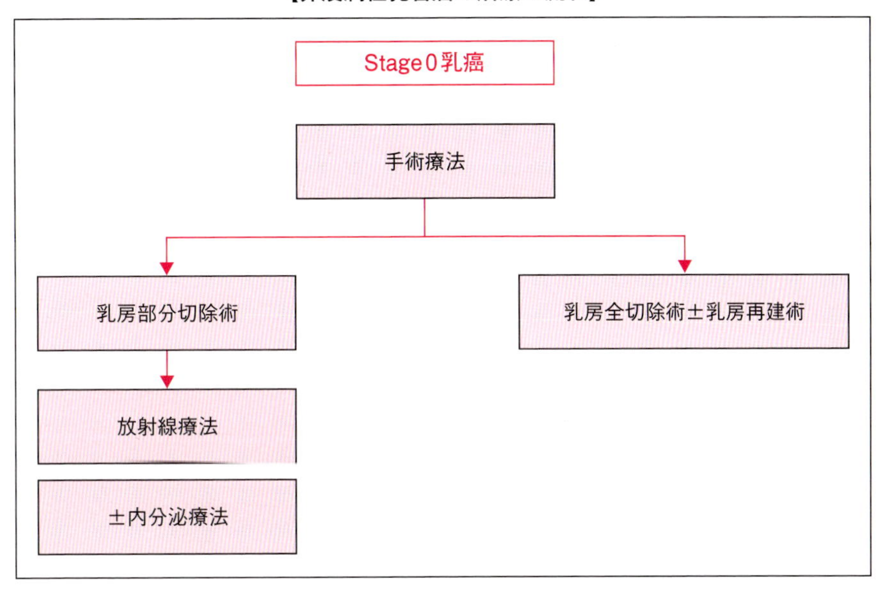

2．定 義

- 非浸潤性乳管癌の臨床病期（Stage）は，「Tis」「Stage 0」であり，Tis N0 M0 と定義される。
- 「乳管内癌」とも呼ばれる。
- 乳癌細胞が乳管内にとどまっているもの。
  - ✧ 関連課題：病理診断 BQ7「非浸潤性乳管癌（DCIS）で核グレードや面皰壊死の有無を評価することは勧められるか？」
  - ✧ 関連課題：病理診断 FRQ2「非浸潤性乳管癌におけるホルモン受容体や HER2 の検索は勧められるか？」

【豆知識】非浸潤性小葉癌

非浸潤性小葉癌（lobular carcinoma *in situ*；LCIS）は，乳癌取扱い規約（第 18 版）では「非浸潤癌」に分類されるが，DCIS とは異なり，浸潤癌の前駆病変というよりも，乳癌発生の高リスク病変と考えられている。

- ✧ 関連課題：病理診断 総説 4「細胞診や針生検で良悪性の鑑別が困難な病変の取り扱いについて」

3．疫 学

- 日本乳癌学会の統計（2018 年乳癌登録集計確定版）によると，Stage 0 乳癌の割合は全乳癌の 14.2％であった。

4. 予 後

➢ 理論的には遠隔転移をきたすことはない。

➢ 術後10年の乳癌死亡率（breast cancer-specific mortality）は0.8〜0.9%である[1)]。

5. 治療方針

1）局所療法

➢ 手術±放射線療法が治療の主体となる。

✧ 関連課題：外科BQ2「術前診断が非浸潤性乳管癌である場合，センチネルリンパ節生検は勧められるか？」

✧ 関連課題：外科FRQ1「非浸潤性乳管癌に対する非切除は勧められるか？」

✧ 関連課題：外科FRQ2「浸潤癌/非浸潤癌に対する乳房部分切除術において，断端陽性と診断された場合に外科的切除は勧められるか？」

✧ 関連課題：放射線BQ2「非浸潤性乳管癌に対して乳房部分切除術後に放射線療法は勧められるか？

2）薬物療法

➢ ホルモン受容体陽性乳癌の場合，「乳房内再発」の予防目的として内分泌療法が治療選択肢となるが，生命にかかわる「遠隔転移」の予防目的ではないため，「益」と「害」のバランスを考慮して投与の是非を決定する。

✧ 関連課題：薬物CQ1「ホルモン受容体陽性非浸潤性乳管癌に対して乳房部分切除術後の内分泌療法は推奨されるか？」

3）その他の関連課題

✧ 関連課題：放射線CQ1「全乳房照射において通常分割照射と同等の治療として寡分割照射は勧められるか？」

【豆知識】病期（Stage）と術式について

日本乳癌学会の統計（2018年乳癌登録集計確定版）によると，乳房部分切除術の割合は，Stage 0で42.5%，Stage Iで58.5%，Stage II Aで33.5%，Stage II Bで22.1%，Stage III Aで15.0%であり，Stage 0での乳房部分切除術の割合は，Stage Iよりも低かった。

参考文献

1）Narod SA, Iqbal J, Giannakeas V, Sopik V, Sun P. Breast cancer mortality after a diagnosis of ductal carcinoma in situ. JAMA Oncol. 2015; 1(7): 888-96.[PMID: 26291673]

Ⅲ．早期乳癌(Stage Ⅰ-ⅢA)(Stage 0 以外)

1. 治療の流れ

【Stage Ⅰ-ⅢA の早期乳癌に対する治療の流れ】

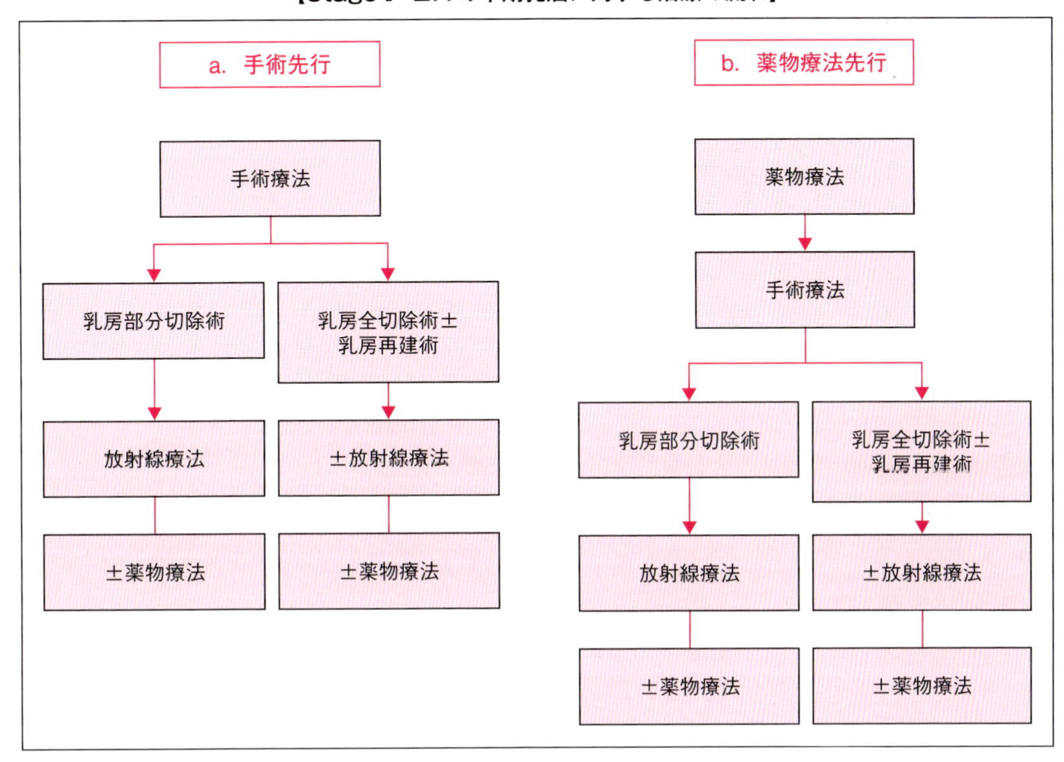

2. 治療の目的

- 初期治療の目的は，術前診断で癌が進展していると考えられる原発巣および腋窩リンパ節への局所療法(外科療法＋放射線療法)と，全身療法(薬物療法)により潜在的な微小転移を根絶・制御し，治癒およびより長い生存期間を目指すことである。

3. 予 後

1）治療効果予測因子(predictive factor)

(1) ホルモン受容体(hormone receptor；HR)

内分泌療法の治療効果予測因子。エストロゲン受容体(estrogen receptor；ER)とプロゲステロン受容体(progesterone receptor；PgR)のタンパク発現を免疫組織化学法(IHC 法)により評価する。「ER 陽性または(and/or)PgR 陽性」のとき，内分泌療法が有効と判断する。しかし，ER は内分泌療法に対する治療効果予測因子である一方で，PgR は予後予測因子としての役割のほうが大きい[1)]。

✧ 関連課題：病理診断 BQ3「ホルモン受容体検査はどのような目的で，どのように行うか？」
✧ 関連課題：病理診断 BQ4「HER2 検査はどのような目的で，どのように行うか？」

【豆知識】ER と PgR の生物学的・臨床的意義
PgR は，ER と列記されることが多いが，乳癌における生物学的・臨床的意義は ER とは大きく異なる。ER は，内分泌療法の治療効果予測因子であるとともに予後予測因子でもあるが，PgR は予後予測因子としての意味合いが強い。ER は，転写因子であり，リガンドであるエストロゲンと結合して，DNA 上のエストロゲン応答配列（estrogen responsive element；ERE）などに結合して，5,000 以上の下流の標的遺伝子の発現を促進する。一方，PgR は ER の標的遺伝子の一つであり，乳癌の増殖への関与は明らかでない。ER と PgR がともに陽性であることは，乳癌の増殖において ER 経路が機能している乳癌であると解釈される。

(2) HER2（human epidermal growth factor receptor 2）
抗 HER2 療法の治療効果予測因子であるとともに，予後予測因子でもある。タンパク過剰発現または DNA の遺伝子増幅の有無で評価する。

(3) 多遺伝子アッセイ
化学療法の治療効果予測因子。予後予測因子でもある。Oncotype DX などを用いて癌組織の遺伝子発現を評価し，化学療法の効果を予測することができる。

✧ 関連課題：薬物 CQ11「ホルモン受容体陽性 HER2 陰性乳癌に対して，多遺伝子アッセイの結果によって，術後化学療法を省略することは推奨されるか？」

(4) *BRCA1/2* 遺伝子
PARP〔poly（ADP-ribose）polymerases〕阻害薬（オラパリブ）の治療効果予測因子。病的な生殖細胞系列の *BRCA1/2* 遺伝子変異（以下，*BRCA* 病的バリアント）の有無は，PARP 阻害薬の治療効果予測因子である。

(5) PD-L1（programmed cell death 1 ligand 1）発現
免疫チェックポイント阻害薬の治療効果予測因子。

✧ 関連課題：病理診断 FRQ5「浸潤性乳癌における PD-L1 検査はどのように行うか？」

2）予後予測因子（prognostic factor）

(1) 臨床病期（Stage）
➢ T：腫瘍浸潤径。予後予測因子の一つ。
➢ N：腋窩リンパ節転移。転移個数が増えるに従って予後不良となる。

(2) グレード
組織学的グレード（腺管形成スコア＋核異型スコア＋核分裂像スコア）または核グレード（核異形スコア＋核分裂像スコア）で評価する。

✧ 関連課題：病理診断 総説 3「浸潤性乳管癌の病理学的グレード分類」

(3) ホルモン受容体（HR）
ER は内分泌療法に対する治療効果予測因子であるとともに，予後予測因子でもある。PgR は予後予測因子としての意味合いが強い。

✧ 関連課題：病理診断 BQ3「ホルモン受容体検査はどのような目的で，どのように行うか？」

(4) HER2

HER2は抗HER2療法に対する治療効果予測因子であるとともに，予後予測因子でもある。

✧ 関連課題：病理診断BQ4「HER2検査はどのような目的で，どのように行うか？」

(5) Ki67

➢ 細胞増殖マーカーの一つ。浸潤癌成分における陽性率をラベリングインデックスとして表す。

➢ 標準化された染色法や判定法は確立されていない。

➢ Ki67と予後との関連については複数のメタアナリシスで検証されており，Ki67高値は乳癌における予後不良因子である。

➢ Ki67の化学療法効果予測因子としての意義は乏しい。

✧ 関連課題：病理診断FRQ1「浸潤性乳癌におけるKi67評価はどのような症例に勧められるか？ 評価方法はどのようにしたらよいのか？」

3）治療効果・予後予測ツール

➢ 治療効果・予後予測ツールとして，Predict(https://breast.predict.nhs.uk/)がある。腫瘍浸潤径，腋窩リンパ節転移の有無と転移個数，グレード，年齢，閉経状況，ER状況，HER2状況，Ki67を入力することで，手術のみ施行したときの生存率(ベースラインリスク)と薬物療法の上乗せ効果を算出できる。なお，Predictの結果を利用する際には，Predictで算出されるのは，無病生存率(disease-free survival；DFS)ではなく，全生存率(overall survival；OS)であること，英国のがん登録データベースを用いてつくられたツールであることに注意が必要である。

【豆知識】ベースラインリスク(baseline risk)とは

周術期の薬物療法を検討する場合，まず最初に，手術のみを行った場合にどの程度の再発が予測されるかを推定する。これを「ベースラインリスク(baseline risk)」と呼ぶ。次に，適応となる薬物療法を追加した場合の「相対的な再発リスク抑制効果(relative risk reduction)」を推測し，ベースラインリスクと相対的な再発リスク抑制効果から，「絶対的(実質的)な再発リスク抑制効果(absolute risk reduction)」を算出する。例えば，患者Aのベースラインリスクが30%(言い換えれば，70%の無再発生存率)で，薬剤Bの相対的な再発リスク抑制効果が50%であった場合，患者Aに薬剤Bを使用することで，0.3×0.5＝0.15，つまり15%の絶対的な再発リスク抑制効果が得られることが期待され，無再発生存率は85%と算出される。

4. 治療方針

a. 外科療法

1）乳房に対する手術

➢ 乳房全切除術の適応

① 乳癌病変が広範で乳房部分切除術では整容性が保てない患者

② 局所再発リスクが高い，局所進行もしくは炎症性乳癌患者

③ 乳房部分切除をした際に放射線療法ができない患者

④ リスク低減乳房切除術を行う遺伝性乳癌卵巣癌症候群の患者

➢ 皮膚温存乳房全切除術（skin sparing mastectomy；SSM），乳頭温存乳房全切除術（nipple sparing mastectomy；NSM）の適応

① SSM：（ⅰ）術前 Stage Ⅱ以下，（ⅱ）皮膚浸潤なし，（ⅲ）大胸筋浸潤なし，（ⅳ）高度のリンパ節転移なし，（ⅴ）皮膚欠損が生じないか，もしくは小範囲で緊張なく縫合閉鎖ができる，以上をすべて満たす症例*

② NSM：SSM の適応に加えて，造影 MRI で乳頭腫瘍間距離が十分保たれている（2 cm 以上）症例*

*日本乳房オンコプラスティックサージャリー学会が定める組織拡張器（インプラント）やインプラント使用要件基準に準拠

➢ 乳房部分切除術の適応

① 乳癌を断端陰性で部分切除し，整容性が保てること

② 温存乳房への放射線療法が可能であること

＊具体的には，多発癌が異なる乳腺腺葉領域に認められたり，広範囲に乳癌の進展が認められる場合，患者が乳房温存療法を希望しない場合は適応外である。

✧ 関連課題：放射線 総説 2「乳房手術後に放射線療法が勧められない場合」

✧ 関連課題：疫学・予防 CQ5「BRCA 病的バリアントをもつ乳癌患者に乳房温存療法は勧められるか？」

➢ 乳房温存療法（乳房部分切除術＋温存乳房への放射線照射）の適応条件を満たす病期Ⅰ，Ⅱの乳癌では乳房部分切除術が行われることが多い。

➢ 乳房部分切除術の場合，オンコプラスティックサージャリーの手技を積極的に取り入れて，整容性を高める工夫をする。

➢ 乳房部分切除術において，切除断端陽性は乳房内再発のリスク因子となる。

➢ 切除断端陽性の定義：乳房部分切除術の断端に関するコンセンサスガイドライン〔Society of Surgical Oncology（SSO）と American Society for Radiation Oncology（ASTRO）〕では，浸潤癌では「切除断端に浸潤癌，非浸潤癌の露出があること」，非浸潤癌では「切除断端から 2 mm 未満に非浸潤癌があること」を断端陽性の定義としている[2)]。

✧ 関連課題：外科 FRQ2「浸潤癌/非浸潤癌に対する乳房部分切除術において，断端陽性と診断された場合に外科的切除は勧められるか？」

✧ 関連課題：病理診断 BQ5「乳房部分切除術の病理組織学的断端診断はどのように行うか？」

➢ 温存乳房への放射線療法併用で温存乳房内再発は有意に減少し，生存率向上にも寄与するため，標準治療となっている。

✧ 関連課題：放射線 BQ1「Stage Ⅰ－Ⅱ乳癌に対する乳房部分切除術後の放射線療法として全乳房照射は勧められるか？」

➢ 温存乳房への放射線照射により，治療後10年での乳癌再発の絶対リスクを15.7％減少（35.0％→19.3％）させるだけでなく，15 年での乳癌死の絶対リスクを 3.8％減少（25.2％→21.4％）させることが示された〔Early Breast Cancer Trialists' Collaborative Group（EBCTCG）のメタアナリシス〕[3)]。

✧ 関連課題：放射線 BQ1「Stage Ⅰ－Ⅱ乳癌に対する乳房部分切除術後の放射線療法として全乳房照射は勧められるか？」

➢ その他の関連課題

✧ 関連課題：外科 BQ1「術前化学療法で縮小した浸潤性乳癌に対する乳房温存療法は勧められるか？」

✧ 関連課題：外科 BQ5「妊娠期乳癌に手術を行うことは勧められるか？」

✧ 関連課題：外科 BQ6「高齢者の乳癌に対しても手術療法は勧められるか？」

✧ 関連課題：外科 FRQ3「術前化学療法で臨床的に完全奏効を得られた浸潤性乳癌に対する非切除は勧められるか？」

✧ 関連課題：外科 FRQ4「Non-surgical ablation は早期乳癌の標準的な局所療法として勧められるか？」

✧ 関連課題：外科 FRQ14「潜在性乳癌に対して，乳房非切除は勧められるか？」

✧ 関連課題：放射線 CQ1「全乳房照射において通常分割照射と同等の治療として寡分割照射は勧められるか？」

✧ 関連課題：放射線 CQ2「乳房部分切除術後に断端が陰性の場合，全乳房照射後の腫瘍床に対するブースト照射は勧められるか？」

✧ 関連課題：放射線 CQ3「乳房部分切除術後の照射法として加速乳房部分照射(APBI)は勧められるか？」

2）腋窩リンパ節に対する手術

(1) 腋窩リンパ節郭清(axillary lymph node dissection；ALND)

➢ 乳癌の局所・領域リンパ節は，腋窩リンパ節，鎖骨上リンパ節，内胸リンパ節に分類される。

➢ 病理学的リンパ節転移個数は，強い予後因子であり，リンパ節転移の状態を正確に知ることは術後薬物療法や放射線療法の決定に重要な情報となる。

➢ 臨床的に明らかな腋窩リンパ節転移陽性患者では，レベルⅡまでの腋窩リンパ節郭清が勧められる。

注：レベルⅠリンパ節とは，小胸筋外縁より外側の腋窩リンパ節で，レベルⅡリンパ節とは，小胸筋背側および胸筋間(Rotter)の腋窩リンパ節を指す〔☞乳癌取扱い規約(第 18 版)参照〕。

➢ 術前化学療法で腋窩リンパ節転移が臨床的に消失した患者に対する腋窩治療について，現在複数の臨床試験が行われている。

✧ 関連課題：放射線 FRQ1「術前化学療法が奏効した場合でも乳房全切除術後放射線療法(PMRT)は勧められるか？」

➢ レベルⅢの郭清は，レベルⅡに肉眼的リンパ節転移が認められる場合や，術中に明らかなレベルⅢの転移陽性のリンパ節が疑われる場合に行う。

注：レベルⅢリンパ節とは，小胸筋内縁より内側の腋窩リンパ節を指す〔☞乳癌取扱い規約(第 18 版)参照〕。

➢ 内胸リンパ節領域への局所治療は，外科療法ではなく放射線療法が主体となる。歴史的には，内胸リンパ節郭清を加える拡大乳房全切除術(現在は行われない)は，内胸リンパ節郭清を伴わない乳房全切除術と比較しても再発・生存を改善しないことが示されている。

✧ 関連課題：放射線 CQ6「乳房手術後に腋窩リンパ節転移陽性で，領域リンパ節照射あるいは乳房全切除術後放射線療法(PMRT)を行う患者に対して，内胸リンパ節領域を含めることが勧められるか？」

➢ その他の関連課題

✧ 関連課題：放射線 BQ4「乳房部分切除術後に腋窩リンパ節転移 4 個以上の患者では領域リンパ節(鎖骨上)への放射線療法は勧められるか？」

✧ 関連課題：放射線 CQ4「乳房部分切除術および腋窩郭清後の腋窩リンパ節転移 1～3 個の患者では，領域リンパ節(鎖骨上)を照射野に含めることが勧められるか？」

(2) センチネルリンパ節生検（sentinel lymph node biopsy；SLNB）

➢ センチネルリンパ節（sentinel lymph node；SLN）とは，「腫瘍から最初にリンパ流を受けるリンパ節」と定義される。

✧ 関連課題：病理診断 BQ6「センチネルリンパ節の病理学的検索はどのように行うか？」

➢ cN0 乳癌に対しては SLNB が標準術式である。

➢ SLNB の手技は，トレーサー（SLN を同定する物質）を腫瘍周囲もしくは乳輪下に注射し，SLN を同定する。

➢ 同定法として，色素法，ラジオアイソトープ法および両者の併用法が報告され，最近ではインドシアニングリーンを用いた蛍光法も利用されている。

➢ SLN 転移陰性または SLN 微小転移（定義：0.2 mm より大きく，2 mm 以下/0.2 mm 以下でも細胞数が 200 個を超える）の場合，ALND を省略できる。

➢ SLN 転移陽性症例に対する腋窩リンパ節非郭清を検証した ACOSOG Z0011 試験[4]の結果から，乳房部分切除術で SLN のマクロ転移（定義：2 mm 以上）個数が 2 個までの場合，ALND を省略できる。

✧ 関連課題：外科 CQ1b「センチネルリンパ節に転移を認める患者に対して腋窩リンパ節郭清省略は勧められるか？（マクロ転移の場合）」

✧ 関連課題：放射線 FRQ3「センチネルリンパ節に転移を認めたが腋窩リンパ節郭清が省略された患者に，領域リンパ節への放射線療法が勧められるか？」

➢ SLN が内胸リンパ節に描出された場合の対応：内胸センチネルリンパ節の情報により，ステージングおよび術後療法が変更され，予後が改善される可能性はあるものの，データが不十分である。また，腋窩リンパ節転移を伴わない内胸センチネルリンパ節転移陽性乳癌の割合が少ないことからも，現時点では内胸リンパ節に対する SNLB を推奨する段階には至っていない。

✧ 関連課題：外科 FRQ5「内胸リンパ節領域にセンチネルリンパ節を認めた場合，生検は勧められるか？」

➢ 術前化学療法前後で臨床的腋窩リンパ節転移陰性乳癌に対しては，センチネルリンパ節生検を行うことができる。

✧ 関連課題：外科 CQ2a「術前化学療法の前後とも臨床的腋窩リンパ節転移陰性の乳癌に対してセンチネルリンパ節生検による腋窩リンパ節郭清省略は推奨されるか？」

3）乳房再建術

(1) 乳房再建の時期と回数

➢「一次再建」とは乳房全切除術と同時に行う再建であり，「二次再建」とは乳房全切除術後に一定期間を経て行う再建を指す。

✧ 関連課題：外科 CQ3「乳房再建を希望するリンパ節転移陽性乳癌患者に対して，乳房全切除術後の一次乳房再建は勧められるか？」

➢「一期再建（one-stage reconstruction）」とは 1 回の手術で再建を行う方法であり，「二期再建（two-stage reconstruction）」とは，まず組織拡張器（エキスパンダー）を用いて皮膚を伸展させてから後日再建する（エキスパンダーをインプラントまたは自家組織に置き換える）方法を指す。

✧ 関連課題：外科 BQ3「胸壁照射歴のある患者に対する乳房再建は勧められるか？」
✧ 関連課題：外科 FRQ7「術前化学療法後の乳房再建は勧められるか？」
✧ 関連課題：放射線 BQ8「乳房全切除術後の再建乳房に対する放射線療法は勧められるか？」

(2) 乳房再建術時の乳腺組織の切除範囲

➢「皮膚温存乳房全切除術(skin-sparing mastectomy；SSM)」は乳頭乳輪組織と乳腺組織を全切除する術式であり，「乳頭温存乳房全切除術(nipple-sparing mastectomy；NSM)」は乳頭乳輪組織を含む乳房皮膚をすべて温存し，乳腺組織のみを全切除する術式である。

(3) 乳房再建術式

① 組織拡張器(エキスパンダー)＋インプラント

➢ 乳腺が全切除され，大胸筋が温存されている症例が適応となる。まず，エキスパンダーを挿入し，皮膚や大胸筋を伸展させた，6カ月程度あとに，インプラントの入れ替え術を行う。
➢ 特殊な合併症として「ブレスト・インプラント関連未分化大細胞型リンパ腫(BIA-ALCL)」がある。発生頻度はテクスチャードブレスト・インプラント全体では約2,200～86,000人に1人の割合とされている[5)]。

② 広背筋皮弁

➢ 広背筋皮弁は乳房再建において最も利用しやすい自家組織の一つであり，広背筋とその直上の脂肪組織を移植材料として用いる筋皮弁である。
➢ 広背筋皮弁の採取量には限度があり，大きな組織量を必要とする再建には向いていない。

③ 腹直筋皮弁

➢ 腹直筋皮弁は片側の腹直筋を血流の担体とし，下腹部の皮膚皮下脂肪を移植材料として用いるスタンダードな筋皮弁である。
➢ 腹直筋を採取することによる腹壁の脆弱化が合併症として存在し，腹直筋を犠牲にしない同様の手術が出現したため，施行例は減少傾向である。

④ 深下腹壁動脈穿通枝皮弁(DIEP flap)

➢ 深下腹壁動脈穿通枝皮弁は腹直筋を犠牲にせずに臍周囲の太い穿通枝とそれに連続する深下腹壁動静脈のみを茎とする皮弁であり，腹直筋皮弁に比べると機能的な損失がほとんどなく有益な皮弁である。
➢ 皮弁血管を内胸動静脈や胸背動静脈に顕微鏡下で吻合しなければならず，難易度は高く，手術時間も比較的長い。
➢ 大きく下垂した乳房も再建可能であるが，下腹部に乳房と同等の脂肪組織および太い穿通枝を有することが前提となる。

⑤ 脂肪注入(保険適用外)

➢ 下腹部や大腿内側から余剰脂肪を吸引し，遠心分離にかけて脂肪細胞のみを採取して患部に注入する方法。
✧ 関連課題：外科 FRQ6「乳房再建法としての脂肪注入は勧められるか？」

【豆知識】乳頭乳輪再建について
さまざまな方法が報告されているが，乳頭再建は健側乳頭半切移植や局所皮弁法があり，乳輪再建はTattoo（保険適用外）や大腿内側基部の皮膚移植が主に行われている。

(4) 乳房部分切除術時の乳房再建術

- 長所として，乳癌手術時に一次的に行うと，①切除検体の大きさ，厚さ，重量などが正確にわかる，②切除側の皮下脂肪，乳腺切離断端の状態が正確にわかる，③移動（充填）に用いる周囲組織の血行の信頼性が高い，などが挙げられる。
- 短所として，術後照射が加わることにより，経時的に乳房が萎縮するため，左右の対称性を保つことが難しい場合もある。
- 乳房部分切除術後の部分もしくは区域欠損に対しては，乳腺弁，遊離真皮脂肪，脂肪注入（保険適用外），有茎および遊離皮弁などが用いられることがある。

【豆知識】乳房オンコプラスティックサージャリー
乳房オンコプラスティックサージャリー（oncoplastic breast surgery；OPBS）は，乳癌の根治性と乳癌術後の整容性を追求する目的で生まれた手術手技を表す用語・概念であり，1990年代に提唱された。乳癌切除術に追加で実施する整容性に関する手技を表す言葉として用いる。その中で，特に乳房部分切除術後に追加で実施する整容性に関する手技を表す言葉として，乳房温存オンコプラスティックサージャリー（oncoplastic breast-conserving surgery；OPBCS）がある。そのほか，胸壁合併切除術時の胸壁再建なども OPBS に該当する。

b. 薬物療法

1）早期乳癌に対する周術期薬物療法の意義

- 周術期に行う薬物療法の目的は，潜在的な「微小転移」の根絶・制御により，治癒およびより長い生存期間を目指すことである。
- 治療効果予測因子を調べて，内分泌療法（ホルモン受容体の発現の有無），抗 HER2 療法（HER2 蛋白の過剰発現もしくは HER2 遺伝子増幅の有無），PARP 阻害薬（生殖細胞系列の *BRCA* 病的バリアントの有無），免疫チェックポイント阻害薬（PD-L1 発現の有無）の適応を確認する。
- 化学療法の適応は，腋窩リンパ節転移の有無や腫瘍径などの臨床病理学的因子（予後予測因子）による再発リスクや，ホルモン受容体陽性 HER2 陰性乳癌で対象となる場合は多遺伝子アッセイの結果に基づいて決める。
- 抗 HER2 療法および免疫チェックポイント阻害薬は，化学療法と併用して行うことが標準である。

2）内分泌療法の作用機序とその特性

(1) エストロゲン

- 脂溶性ステロイドホルモンであるエストロゲンは，卵胞ホルモンと称される性ステロイドホルモンで，エストロン（E1），エストラジオール（E2），エストリオール（E3）の 3 種類からなる。

➢ エストラジオール(E2)は，エストロゲンのなかで最も強い卵胞ホルモン作用をもつ。
➢ エストロゲンの作用は，エストロゲンの標的臓器に存在するエストロゲン受容体(ER：estrogen receptor)を介して発揮される。

(2) エストロゲン受容体(ER)

➢ 核内受容体スーパーファミリーの一つであり，リガンド依存性の転写因子である。
➢ 標的遺伝子のDNAに結合する「DNA結合領域」と，エストロゲンが結合する「リガンド結合領域」をもつ。

(3) 選択的エストロゲン受容体モジュレーター(selective estrogen receptor modulator；SERM)

➢ タモキシフェンは，エストロゲンがERに結合する部位(リガンド結合領域)と同じ部位に結合してエストロゲンがERに結合するのを“競合阻害”する薬剤である。
➢ ERが存在するエストロゲンの標的臓器により，エストロゲン作用と抗エストロゲン作用による症状がさまざまな程度で発現する。
➢ 乳腺組織に対しては，エストロゲンとは異なり，アンタゴニストとして作用して増殖を抑制する働きをする。一方で，子宮内膜や骨，心血管系などでは，エストロゲンと同様にアゴニストとして働く。

【豆知識】CYP2D6遺伝子多型とタモキシフェン

• タモキシフェンは主にCYP2D6により4-OH-タモキシフェンとエンドキシフェンに代謝され，エンドキシフェンが主な抗エストロゲン作用を担っていると考えられている。
• CYP2D6遺伝子多型とタモキシフェンの治療効果予測の研究が行われてきたが，CYP2D6の遺伝子多型には人種差があること，研究結果に一貫性が認められないことなどから，タモキシフェンの治療効果を予測する十分な根拠はないと考えられる。

(4) 選択的エストロゲン受容体分解薬(selective estrogen receptor degrader；SERD)

➢ SERDは，以前はselective estrogen receptor down-regulatorと呼ばれていたが，現在は，selective estrogen receptor degraderと呼ばれる。
➢ SERDは，ERが転写因子として働く際の“二量体化を阻害”するとともに，“ERの分解”を促進することでその機能を発揮する。
➢ 早期乳癌での適応はない。

(5) LH-RH(luteinizing hormone-releasing hormone)アゴニスト

➢ 閉経前女性では主に卵巣から女性ホルモンが供給される。
➢ 脳の視床下部から放出された黄体形成ホルモン放出ホルモン(LH-RH)は下垂体前葉を刺激して，性腺刺激ホルモンである黄体形成ホルモン(luteinizing hormone；LH)，卵胞刺激ホルモン(follicle stimulating hormone；FSH)の分泌を促す。そして，これらのホルモンが卵巣を刺激してエストロゲンが分泌される。
➢ 卵巣からのエストロゲン分泌を抑える方法が卵巣機能抑制であり，その薬剤がLH-RHアゴニストである。
➢ LH-RHアゴニストを投与すると，LH-RHが高濃度に持続的に供給され，下垂体のLH-RH受容体が占拠される。この際，LH，FSHの放出が一過性に亢進するが，LH-RHアゴニストによる刺激が継続すると，下垂体のLH-RH受容体の取り込みと分解が亢進して，LH-RH受容体数の減少（down regulation）を招き，下垂体細胞の反応性が低下して，LH，FSHの分泌が抑制され，卵巣からのエストロゲン分泌が抑制される。

(6) アロマターゼ阻害薬

- 副腎皮質から分泌されるアンドロゲン（男性ホルモン）は，脂肪組織などに存在するアロマターゼによりエストロゲンに変換される。
- このアロマターゼを選択的に阻害する薬剤がアロマターゼ阻害薬である。現在は，第三世代のアロマターゼ阻害薬として，非ステロイド系のアナストロゾール，レトロゾール，ステロイド系のエキセメスタンが汎用されている。

✧ 関連課題：薬物BQ1「ホルモン受容体陽性乳癌に対して内分泌療法は有効か？」

3）周術期化学療法の歴史と種類

(1) CMF療法

- 1975年に，ミラノのNational Cancer Instituteで施行された多剤併用レジメン，CMF（シクロホスファミド＋メトトレキサート＋フルオロウラシル）療法の有効性が初めて報告された[6]。
- EBCTCGによるメタアナリシスにより，CMFは手術単独に比べて年間再発率（annual odds of recurrence；AOR）を24％低下させることが示された[7]。

(2) アンスラサイクリン系薬剤

- アンスラサイクリン系薬剤を含むレジメンには，AC（ドキソルビシン＋シクロホスファミド），EC（エピルビシン＋シクロホスファミド）などさまざまなものがあるが，EBCTCGによるメタアナリシスにより，アンスラサイクリン系薬剤を含むレジメンはCMFと比較して，年間再発率（AOR）を12％低下させることが示された[7]。
- しかし，アンスラサイクリン系薬剤を含むレジメンの代表であるACとCMFを直接比較した2つの臨床試験の結果では，ACとCMFの有効性には差を認めていない[8]。
- アンスラサイクリン系薬剤は，レジメンにより効果に差がある可能性がある。

✧ 関連課題：薬物CQ7「化学療法を行うHER2陰性の早期乳癌に対して，アンスラサイクリンとタキサンの順次投与は勧められるか？」

(3) 静注フルオロウラシル（5-FU）薬の意義

- 乳癌の化学療法レジメンとして，FEC療法やCAF療法など，アンスラサイクリン系レジメンに静注5-FU薬を同時併用した多剤併用レジメンが使用されてきた歴史がある。しかし，大規模臨床試験（GIM2試験，NSABP B-36試験）の結果から，EC療法への静注5-FU薬の追加レジメン（FEC療法）は，AC/EC療法と比較して予後を改善しなかった[9,10]。
- 以上より，アンスラサイクリン系レジメンとしては，AC療法またはEC療法が勧められる。
- 一方で，FEC療法は，AC/EC療法への5-FUの上乗せ効果が認められないばかりでなく，5-FUによる有害事象の増加も危惧されるため勧められない。

(4) タキサン系薬剤

- 乳癌周術期の薬物療法においてよく使用されるタキサン系薬剤には，ドセタキセル，パクリタキセルがある。

➢ 乳癌術後療法として，アンスラサイクリン系薬剤にタキサン系薬剤を追加することで乳癌の予後が改善する。

➢ タキサン系薬剤を主体とした非アンスラサイクリン系レジメンであるTC療法(ドセタキセル＋シクロホスファミド併用療法)も行われている。

✧ 関連課題：薬物CQ7「化学療法を行うHER2陰性の早期乳癌に対して，アンスラサイクリンとタキサンの順次投与は勧められるか？」

✧ 関連課題：薬物CQ8「化学療法を行うHER2陰性の早期乳癌に対して，TC療法は勧められるか？」

(5) dose-dense療法

➢ Norton-Simon仮説とは，腫瘍量が多いときには化学療法の感受性が低く，腫瘍が小さいときには化学療法の効果が高いというものであり，dose-dense療法の理論的根拠となっている。

➢ 化学療法の効果は，単位時間あたりに投与される薬剤の量(dose intensity；DI)に影響を受ける。

➢ DIを保つには，一回あたりの投与量を高めるdose escalationという方法と，投与間隔を縮めて投与するdose-denseという方法がある。しかし，dose escalationの考え方に基づく臨床試験では有効性を示すことができなかった。

➢ EBCTCGのメタアナリシスでは，同じ治療薬剤とサイクル数の投与期間を短縮することで，年間の再発リスクを17%低下させることが報告されている[11]。

✧ 関連課題：薬物CQ9「化学療法を行う早期乳癌に対して，dose-dense化学療法は勧められるか？」

【豆知識】早期乳癌化学療法のescalationとde-escalation

2017年のザンクトガレンコンセンサス会議で早期乳癌治療のescalation(エスカレーション)とde-escalation(デ・エスカレーション)がテーマとして取り上げられ，癌のステージやバイオロジーに応じて，外科治療，放射線治療および薬物治療の強度を個別に適切に加減することについて検証，議論された[12]。この会議で，多遺伝子アッセイの結果，ER陽性HER2陰性の再発低リスク患者に対して，治療のDe-escalationとして化学療法の省略が推奨された(☞薬物CQ11参照)。化学療法施行時においては，腫瘍径やリンパ節転移の有無，サブタイプ，併存症，患者の嗜好などに応じて個別にレジメンが検討される。De-escalationとしてアンスラサイクリン系薬剤回避レジメンが選択されるケースがある(☞薬物CQ8，FRQ3参照)。また，わが国では，化学療法が困難なHER2陽性の高齢者ではトラスツズマブ単剤による治療も選択される(☞薬物CQ15参照)。Escalationとして，アンスラサイクリン系薬剤へのタキサン系薬剤の順次投与，dose-dense化学療法，トラスツズマブへのペルツズマブの併用などがある(☞薬物CQ7，9，14参照)。近年では，術前化学療法の効果に応じて術後化学療法のescalationが，カペシタビンやT-DM1を用いて行われている(☞本総説Ⅲ. 4. h. 6. (1)「残存病変に基づく治療選択(residual-disease guided approach)」，薬物CQ10，13参照)

✧ 関連課題：薬物CQ7「化学療法を行うHER2陰性の早期乳癌に対して，アンスラサイクリンとタキサンの順次投与は勧められるか？」

✧ 関連課題：薬物CQ8「化学療法を行うHER2陰性の早期乳癌に対して，TC療法は勧められるか？」

✧ 関連課題：薬物CQ13「術前薬物療法で病理学的完全奏効(pCR)が得られなかったHER2陽性早期乳癌

に対する術後薬物療法として，トラスツズマブ エムタンシンは勧められるか？」
✧ 関連課題：薬物 CQ14「術後薬物療法を行う HER2 陽性早期乳癌に対して，トラスツズマブにペルツズマブを加えることは勧められるか？」
✧ 関連課題：薬物 FRQ3「HER2 陽性早期乳癌に対する術後薬物療法として，アンスラサイクリンを省略したタキサンとトラスツズマブによる併用療法は勧められるか？」

4）B 型肝炎ウイルス（HBV）再活性化の対策

➢「B 型肝炎治療ガイドライン（免疫抑制・化学療法により発症する B 型肝炎対策ガイドライン）」（日本肝臓学会編）に準じた対応を行う。肝臓専門医へコンサルトを行う。
➢ HBV 感染患者において免疫抑制・化学療法などにより HBV が再増殖することを HBV 再活性化と称する。HBV 再活性化は，キャリアからの再活性化と既往感染者からの再活性化に分類される。
➢ 化学療法前に，HBs 抗原，HBc 抗体および HBs 抗体を測定する。
➢ HBs 抗原が陰性で HBs 抗体または HBc 抗体が陽性の場合は，HBV DNA 定量を実施する。
➢ HBs 抗原陽性例または HBV DNA 定量が 20 IU/mL（1.3 Log IU/mL）以上の既往感染者に化学療法を行う際は，速やかに核酸アナログの投与を開始する。
➢ HBs 抗体または HBc 抗体が陽性の場合，HBV DNA 量のモニタリングは 1～3 カ月ごとを目安に行う。
➢ 核酸アナログ投与終了後も少なくとも 12 カ月間は HBV DNA モニタリングを含めた経過観察を行う。

5）発熱性好中球減少症（febrile neutropenia；FN）の対策

➢「発熱性好中球減少症（FN）診療ガイドライン」（日本臨床腫瘍学会編）に準じた対応を行う。
➢ FN の定義：腋窩温≧37.5℃の発熱を生じ，好中球数が 500/μL 未満，あるいは 1,000/μL 未満で 48 時間以内に 500/μL 未満に減少することが予想される状態（上記ガイドラインより）。
➢ FN はオンコロジーエマージェンシーであり，迅速な対応が必要である。
➢ FN 患者では重症化リスクの評価と抗菌薬投与を速やかに行う。
➢ 抗菌薬は抗緑膿菌作用を有する β ラクタム薬の単剤治療が推奨される。
➢ 重症化リスクが低いと評価した患者は経口抗菌薬（モキシフロキサシン単剤やシプロフロキサシン＋アモキシシリン/クラブラン酸の併用など）による外来治療も可能であるが，服薬が適切に行えるかどうかや急変時の診療体制，病院への交通手段や通院時間，介護者の有無なども勘案する。
➢ 重症化リスクの評価には MASCC スコアなどが有用だが，スコアだけでなく好中球減少の予想期間，重要臓器障害の有無，消化管粘膜障害の有無などを加えた総合的な判断が望ましい。
➢ 入院/外来どちらの場合も初期治療開始後 72 時間程度で再評価を行う。

6）癌治療と妊孕性温存について

➢ 説明をすべき対象患者：化学療法や長期の内分泌療法を行う予定で，将来，妊娠・出産を希望する患者。
➢ 乳癌患者においては，化学療法や長期間の内分泌療法による卵巣機能低下により自然妊娠が望めない場合があることから，生殖補助医療を用いた胚凍結，卵子凍結，卵巣組織凍結などの生殖機能温存法を用いて，癌治療後に生殖補助医療を用いて妊娠を試みるという方法をとることができる。

➢ 患者の予後と生殖医療ならびに妊娠・出産が疾患に与える影響を十分に考慮し，乳癌治療後に妊娠・出産を経て児を養育することについて可能かどうかを検討したうえで生殖医療医にコンサルトする。

✧ 関連ガイドライン：日本がん・生殖医療学会編「乳癌患者の妊娠・出産と生殖医療に関する診療ガイドライン」

(1) 生殖補助医療（assisted reproductive technology；ART）

➢ 胚（受精卵）の凍結保存，未受精卵子凍結保存，卵巣組織の凍結保存の3つの方法がある。

① **胚（受精卵）の凍結保存**：パートナーがいる場合，胚（受精卵）の凍結保存は，不妊症患者に対するARTとして，その有効性・安全性がほぼ確立した技術とされているため，胚（受精卵）の凍結保存は，米国生殖医学会，ASCO，国際妊孕性温存学会，日本がん・生殖医療学会および日本癌治療学会等のガイドラインで推奨されている。日本産科婦人科学会の統計では胚あたりの妊娠率は30～35％である。

② **未受精卵子凍結保存**：パートナーがいない場合は未受精卵子凍結保存が考慮されるが，融解卵子1個あたりの妊娠率は4.5～12％である。

③ **卵巣組織の凍結保存**：パートナーの有無によらず考慮されるが，摘出した卵巣の利用は現時点では自己移植のみで，移植組織に腫瘍組織が含まれる可能性も指摘されている。まだ研究段階の方法と位置付けられている。

➢ 不妊患者に対する生殖補助医療（ART）は有効性・安全性が確立しており，癌・生殖医療においても重要な技術の一つとされている。

➢ 若年女性が化学療法の施行を選択する場合，妊孕性の温存が大きな問題となるため，化学療法開始前に将来の挙児希望について話し合い，挙児希望がある場合は生殖医療専門医と連携し，治療計画を立てる必要がある。

(2) LH-RHアゴニスト

➢「化学療法誘発性閉経」の予防目的で使用することがある。しかし，「妊孕性維持」に関するエビデンスは乏しい。

✧ 関連ガイドライン：日本がん・生殖医療学会編「乳癌患者の妊娠・出産と生殖医療に関する診療ガイドライン」

【豆知識】バイオ医薬品とバイオシミラー（バイオ後続品）

◆ バイオ医薬品：遺伝子組み換え技術を応用して生きた細胞（細胞，酵母，細菌など）によって生産され，化学合成の医薬品と比べて分子量が大きく複雑な構造をしている。有効成分は抗体などタンパク質由来の医薬品である。

◆ バイオシミラー（バイオ後続品）：乳癌領域においてはトラスツズマブのバイオシミラーが承認されている。バイオシミラーは，アミノ酸配列は先行品と同一であるが，先発品企業の特有の製造工程にはアクセスできないため，異なるプロセス（異なる細胞株，培養工程，装置など）で製造されており，糖鎖や不純物の割合など先発品と完全には一致しない。このため，厳格な品質試験，非臨床試験および臨床試験を通じて先行品との直接比較により，同等・同質の品質，有効性および安全性が担保されている。

7）術後薬物療法

➤ 手術後に微小転移を根絶・抑制することを目的に薬物療法を行う。周術期の薬物療法は，術後に行うことが多いが，状況によって，術前に行うこともある（Ⅲ．4．b．6）術前薬物療法を参照）。

(1) 術後内分泌療法

① 閉経前

➤ 再発リスクや年齢を考慮して，タモキシフェンと LH-RH アゴニストを併用する。

➤ 再発リスクが低い場合には，タモキシフェン単剤を使用する。

➤ タモキシフェン 5 年間投与は，コントロール（タモキシフェンなし）と比較して約 40％の再発抑制効果と 30％の乳癌死抑制効果が，EBCTCG のメタアナリシスにより示されている[13)]。

➤ タモキシフェンの投与は，10 年間投与のほうが 5 年間投与より再発抑制効果および乳癌死抑制効果が高い。

✧ 関連課題：薬物 CQ4「浸潤性乳癌に対して，術後 5 年間の内分泌療法後に内分泌療法の追加投与は勧められるか？」

➤ LH-RH アゴニストの投与期間は複数の大規模臨床試験では 5 年間であった。

✧ 関連課題：薬物 CQ2「閉経前ホルモン受容体陽性乳癌に対する術後内分泌療法として何が推奨されるか？」

✧ 関連課題：薬物 CQ4「浸潤性乳癌に対して，術後 5 年間の内分泌療法後に内分泌療法の追加投与は勧められるか？」

➤ LH-RH アゴニストを使用する場合，アロマターゼ阻害薬と LH-RH アゴニストの併用も選択肢の一つである。

✧ 関連課題：薬物 BQ1「ホルモン受容体陽性乳癌に対して内分泌療法は有効か？」

✧ 関連課題：薬物 CQ2「閉経前ホルモン受容体陽性乳癌に対する術後内分泌療法として何が推奨されるか？」

➤ 再発リスクが高い場合には，内分泌療法と併用して S-1 を 1 年間内服することが勧められる。

✧ 関連課題：薬物 CQ5「ホルモン受容体陽性 HER2 陰性乳癌に対する術後療法として，内分泌療法に S-1 を併用することは勧められるか？」

➤ 再発リスクが高い場合には，内分泌療法と併用してアベマシクリブを 2 年間内服することが勧められる。

✧ 関連課題：薬物 CQ6「ホルモン受容体陽性 HER2 陰性乳癌に対する術後療法として，内分泌療法にアベマシクリブを併用することは勧められるか？」

➤ POTENT 試験（S-1）と monarchE 試験（アベマシクリブ）の組み入れ対象患者の違い：
早期乳癌に対する内分泌療法と S-1 併用療法と，アベマシクリブ併用療法の推奨の根拠となった臨床試験〔POTENT 試験（S-1）と monarchE 試験（アベマシクリブ）〕の組み入れ対象となった患者には重複する部分と重複しない部分があるため，治療選択の参考資料として，それぞれの臨床試験の患者背景等を**表 1** に示す。

表 1 POTENT 試験と monarchE 試験の概要

	POTENT 試験	monarchE 試験*
症例数	1,930(S-1 併用 957 vs 内分泌療法単独 973)	5,637(アベマシクリブ併用 2,808 vs 内分泌療法単独 2,829)
相対的な再発リスク**	Moderate-high risk	High risk
介入治療期間	S-1 を 1 年間	アベマシクリブを 2 年間
介入治療中断	198(21%)	982(17%)
フォローアップ期間	52.2 カ月	27.1 カ月
腋窩リンパ節転移陽性	1,228(63%)	5,622(99%)
N1-3 症例	657(34%)***	2260(40%)
N4 個以上	189(10%)***	3362(60%)
術前化学療法	392(20%)	2,056(36%)
術前または術後化学療法	1,076(56%)	5,376(95%)
IDFS	HR 0.63(95%CI 0.49-0.81)	HR 0.70(95%CI 0.59-0.82)
DDFS/DRFS	101(11%) vs 155(16%) DDFS の HR は報告されていない。	191(6.8%) vs 278(10%) HR 0.69(95%CI 0.57-0.83)
IDFS リンパ節転移陽性	HR 0.70(95%CI 0.52-0.93)	HR 0.70(95%CI 0.59-0.82)****

*monarchE 試験は，わが国で薬事承認対象外のコホート 2 の症例を含んだデータである。
**各試験の再発リスクは，相対的には monarchE 試験のほうがよりハイリスク症例を対象としている。
***POTENT 試験では，リンパ節転移の詳細不明または欠測症例 382 例(20%)を含む。
****腋窩リンパ節転移陰性/欠測 15 例(0.3%)を含む。
IDFS : invasive disease-free survival, DDFS : distant disease-free survival, DRFS : distant relapse-free survival, HR : hazard ratio.

- ✧ 関連課題：薬物 CQ5「ホルモン受容体陽性 HER2 陰性乳癌に対する術後療法として，内分泌療法に S-1 を併用することは勧められるか？」
- ✧ 関連課題：薬物 CQ6「ホルモン受容体陽性 HER2 陰性乳癌に対する術後療法として，内分泌療法にアベマシクリブを併用することは勧められるか？」

➤ その他の関連課題

- ✧ 関連課題：薬物 BQ2「タモキシフェンは子宮内膜癌(子宮体癌)発症のリスクを増加させるか？」
- ✧ 関連課題：薬物 BQ10「内分泌療法によるホットフラッシュ・関節痛の対策として薬物療法は推奨されるか？」
- ✧ 関連課題：薬物 FRQ2「浸潤径 0.5 cm 以下でリンパ節転移陰性のホルモン受容体陽性乳癌に対して，術後内分泌療法省略は推奨されるか？」

② 閉経後

➤ アロマターゼ阻害薬が勧められる。

➤ タモキシフェンも選択肢の一つである。

- ✧ 関連課題：薬物 BQ1「ホルモン受容体陽性乳癌に対して内分泌療法は有効か？」
- ✧ 関連課題：薬物 BQ2「タモキシフェンは子宮内膜癌(子宮体癌)発症のリスクを増加させるか？」

✧ 関連課題：薬物 CQ3「閉経後ホルモン受容体陽性乳癌に対する術後内分泌療法として何が推奨されるか？」

✧ 関連課題：薬物 CQ4「浸潤性乳癌に対して，術後 5 年間の内分泌療法後に内分泌療法の追加投与は勧められるか？」

➢ 再発リスクが高い場合には，内分泌療法と併用して S-1 を 1 年間内服することが勧められる。

✧ 関連課題：薬物 CQ5「ホルモン受容体陽性 HER2 陰性乳癌に対する術後療法として，内分泌療法に S-1 を併用することは勧められるか？」

➢ 再発リスクが高い場合には，内分泌療法と併用してアベマシクリブを 2 年間内服することが勧められる。

✧ 関連課題：薬物 CQ6「ホルモン受容体陽性 HER2 陰性乳癌に対する術後療法として，内分泌療法にアベマシクリブを併用することは勧められるか？」

➢ その他の関連課題

✧ 関連課題：薬物 BQ10「内分泌療法によるホットフラッシュ・関節痛の対策として薬物療法は推奨されるか？」

✧ 関連課題：薬物 BQ11「アロマターゼ阻害薬使用患者における骨粗鬆症の予防・治療に骨吸収抑制薬(ビスホスホネート，デノスマブ)は推奨されるか？」

✧ 関連課題：薬物 FRQ2「浸潤径 0.5 cm 以下でリンパ節転移陰性のホルモン受容体陽性乳癌に対して，術後内分泌療法省略は推奨されるか？」

(2) 術後化学療法

➢ 術後化学療法の適応とそのレジメンの決定には，エストロゲン受容体(ER)，プロゲステロン受容体(PgR)，HER2 発現状況によるサブタイプ別のアプローチが必要である。再発リスクと化学療法の感受性を考慮して，その適応とレジメンを決定する。

➢ 多遺伝子アッセイ：Oncotype DX を用いて化学療法の効果を予測することができる。

✧ 関連課題：薬物 CQ11「ホルモン受容体陽性 HER2 陰性乳癌に対して，多遺伝子アッセイの結果によって，術後化学療法を省略することは推奨されるか？」

➢ 以下の 5 レジメンと「再発リスク抑制効果」と「有害事象」の関係，および該当する薬物療法 CQ を**図 1** に示す。

① dose-dense アンスラサイクリンとタキサン順次投与(dd AC/EC→タキサン)

② 3 週毎を基本としたアンスラサイクリンとタキサン順次投与(AC/EC→タキサン)

③ 非アンスラサイクリン系レジメンである TC(ドセタキセル＋シクロホスファミド)療法(4 サイクル)

④ TC 療法(6 サイクル)

⑤ アンスラサイクリン系レジメン〔AC(ドキソルビシン＋シクロホスファミド)療法/EC(エピルビシン＋シクロホスファミド)療法〕(4 サイクル)

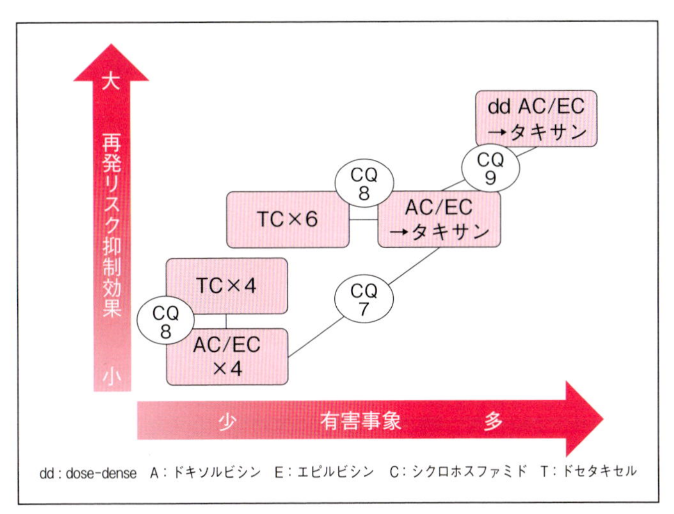

図 1　化学療法レジメンと再発リスク抑制効果・有害事象の関係

- dose-dense アンスラサイクリンとタキサン順次投与(dd AC/EC→タキサン)に対する TC 療法の位置づけは定まっていないため，上図はガイドライン薬物療法小委員会においてコンセンサスベースに作成した。
- アンスラサイクリンとタキサンの順次投与(AC/EC→タキサン)は，AC/EC×4 サイクルと比較して，再発リスク抑制効果が高い。
  - ✧ 関連課題：薬物 CQ7「化学療法を行う HER2 陰性の早期乳癌に対して，アンスラサイクリンとタキサンの順次投与は勧められるか？」
- アンスラサイクリンとタキサンの投与方法では，dose-dense 療法(dd AC/EC→タキサン)は，3 週毎を基本とした順次投与(AC/EC→タキサン)と比較して，再発リスク抑制効果が高い。
  - ✧ 関連課題：薬物 CQ9「化学療法を行う早期乳癌に対して，dose-dense 化学療法は勧められるか？」
- TC×4 サイクルは，AC/EC×4 サイクルと比較して，再発リスク抑制効果が高い。
  - ✧ 関連課題：薬物 CQ8「化学療法を行う HER2 陰性の早期乳癌に対して，TC 療法は勧められるか？」
- TC×6 サイクルは，3 週毎を基本としたアンスラサイクリンとタキサン順次投与(AC/EC→タキサン)と同等の再発リスク抑制効果を示す。
  - ✧ 関連課題：薬物 CQ8「化学療法を行う HER2 陰性の早期乳癌に対して，TC 療法は勧められるか？」
- トリプルネガティブ乳癌に対してはさまざまな薬剤が開発されている。
  - ✧ 関連課題：薬物 CQ16「周術期トリプルネガティブ乳癌に対して，免疫チェックポイント阻害薬は勧められるか？」
  - ✧ 関連課題：薬物 CQ17「トリプルネガティブ早期乳癌に対して，プラチナ製剤は勧められるか？」
  - ✧ 関連課題：薬物 FRQ4「浸潤径 1 cm 以下・リンパ節転移陰性のトリプルネガティブ乳癌に対して，術後化学療法は勧められるか？」

- その他の関連課題
  - ✧ 関連課題：薬物 BQ9「化学療法施行前もしくは治療中に種々のワクチン接種は推奨されるか？」

(3) 術後抗 HER2 療法

➢ 術後に使用できる抗 HER2 薬には，トラスツズマブ，ペルツズマブ，トラスツズマブ エムタンシン（T-DM1）がある。

➢ HER2 陽性乳癌に対する術後薬物療法には，化学療法薬に抗 HER2 薬を併用し，その後，抗 HER2 療法のみを継続する。

➢ HER2 陽性乳癌に対する術後抗 HER2 療法として，再発リスクが高い場合，トラスツズマブに加えてペルツズマブを投与する。

✧ 関連課題：薬物 CQ14「術後薬物療法を行う HER2 陽性早期乳癌に対して，トラスツズマブにペルツズマブを加えることは勧められるか？」

➢ 術前化学療法＋抗 HER2 療法で，病理学的完全奏効（pathological complete response；pCR）を得られなかった場合には，術後抗 HER2 療法としてトラスツズマブ エムタンシンを用いる。

✧ 関連課題：薬物 CQ13「術前薬物療法で病理学的完全奏効（pCR）が得られなかった HER2 陽性早期乳癌に対する術後薬物療法として，トラスツズマブ エムタンシンは勧められるか？」

➢ 化学療法＋抗 HER2 療法を行う場合に，アンスラサイクリン系薬剤を省略することもある。

✧ 関連課題：薬物 FRQ3「HER2 陽性早期乳癌に対する術後薬物療法として，アンスラサイクリンを省略したタキサンとトラスツズマブによる併用療法は勧められるか？」

➢ 浸潤腫瘍径 1 cm 以下・リンパ節転移陰性症例においてもトラスツズマブを併用することで予後を改善する可能性はあるが，質の高いエビデンスは乏しい。

➢ 周術期の抗 HER2 療法の実施期間は 1 年が標準である。

➢ 抗 HER2 療法により心機能低下を認めることがあるため，3 カ月に 1 回程度の定期的な心エコーを行う。

➢ 化学療法の有害事象が問題となる高齢者では，トラスツズマブ単剤療法も選択肢の一つである。

✧ 関連課題：薬物 CQ15「高齢者の HER2 陽性早期乳癌に対する術後薬物療法として，トラスツズマブのみによる治療は勧められるか？」

8）術前薬物療法

(1) 術前薬物療法の意義とその適応

➢ 適応とその意義

- 局所進行乳癌（Stage ⅢB，ⅢC）：ダウンステージング目的に術前化学療法行う。
- 早期乳癌（Stage ⅠC-ⅢA）：乳房部分切除術を行うことを目的に，あるいは，下記の「残存病変に基づく治療選択（residual disease-guided approach）」を目的として術前化学療法を行うことがある。

➢ 予後：OS と DFS において術前化学療法と術後化学療法で有意差は認めない。

➢「残存病変に基づく治療選択（residual disease-guided approach）」

- 術前化学療法，または術前化学療法＋抗 HER2 療法の効果に応じて，より適切な術後薬物療法を選択することができるため，「残存病変に基づく治療選択」を行うことが妥当と判断された症例は，術前化学療法または術前化学療法＋抗 HER2 療法の適応となる。

✧ 関連課題：薬物 CQ10「術前化学療法で病理学的完全奏効（pCR）が得られなかった HER2 陰性早期乳癌

に対する術後化学療法として，カペシタビンは勧められるか？」

✧ 関連課題：薬物 CQ13「術前薬物療法で病理学的完全奏効（pCR）が得られなかった HER2 陽性早期乳癌に対する術後薬物療法として，トラスツズマブ エムタンシンは勧められるか？」

➢ 術前薬物療法を施行する前には必ず組織診を行い，浸潤性乳癌であることを病理学的に確認するとともに，ホルモン受容体・HER2 状況を確認する。

✧ 関連課題：病理診断 BQ8「針生検検体を用いたホルモン受容体や HER2 の検索は勧められるか？」

➢ 術前薬物療法後の病理学的完全奏効（pCR）の無再発生存期間や全生存期間の代替エンドポイントとしての意義

- 一部のサブタイプを除いて病理学的完全奏効（pCR）は良好な予後因子である。
- pCR と予後が検討された CTNeoBC プール解析[14]の結果から，pCR を原発巣の浸潤癌の消失とリンパ節転移の消失の両方（ypT0/is ypN0）とすると，有意に pCR 群で予後が良いことが示された〔より厳格な pCR の基準（ypT0 ypN0）と同程度に予後を予測するとされた〕。
- サブタイプ別では，ホルモン受容体陽性・HER2 陰性かつ組織学的グレード 1/2 のサブタイプでは，pCR 群と non pCR 群とで予後との間に有意差は認めず，ホルモン受容体陽性・HER2 陰性かつ組織学的グレード 3，HER2 陽性かつホルモン受容体陰性，トリプルネガティブといった増殖力が高いサブタイプでは pCR 群で予後が良好であった。

✧ 関連課題：病理診断 BQ2「術前化学療法後，病理組織学的に治療効果を判定することは勧められるか？」

【豆知識】ypTNM 分類

遺残癌の量を段階的に評価する方法として，ypTNM 分類が広く用いられている。この場合の接頭辞“y”は，治療中または治療後の病期分類であることを示している。

(2) HER2 陰性患者に対する術前化学療法

➢「残存病変に基づく治療選択（residual disease-guided approach）」：術前化学療法で，病理学的完全奏効（pCR）を得られなかった場合には，術後化学療法としてカペシタビンを6～8サイクル用いる。

✧ 関連課題：薬物 CQ10「術前化学療法で病理学的完全奏効（pCR）が得られなかった HER2 陰性早期乳癌に対する術後化学療法として，カペシタビンは勧められるか？」

➢ 化学療法レジメン：術後化学療法で用いる化学療法レジメンを術前に用いる。基本的には，アンスラサイクリン系とタキサン系薬剤の順次投与をベースとしたレジメンが行われる（詳細はⅢ. 4. b. 5）(2)術後化学療法を参照のこと）。

✧ 関連課題：薬物 CQ16「周術期トリプルネガティブ乳癌に対して，免疫チェックポイント阻害薬は勧められるか？」

✧ 関連課題：病理診断 FRQ5「浸潤性乳癌における PD-L1 検査はどのように行うか？」

(3) HER2 陽性患者に対する術前化学療法＋抗 HER2 療法

➢ 手術可能な HER2 陽性浸潤性乳癌に術前化学療法を施行する場合は，抗 HER2 薬であるトラスツズマブを併用する。化学療法にトラスツズマブを併用することで高い pCR 率が得られる。

➢ 術前薬物療法として，トラスツズマブに加えてペルツズマブを併用することがある。

✧ 関連課題：薬物 CQ12「術前薬物療法を行う HER2 陽性早期乳癌に対して，トラスツズマブにペルツズマブを加えることは勧められるか？」

➢「残存病変に基づく治療選択（residual disease-guided approach）」：術前化学療法＋抗 HER2 療法で，病理学的完全奏効（pCR）を得られなかった場合には，術後抗 HER2 療法としてトラスツズマブ エムタンシンを 14 サイクル用いる。

✧ 関連課題：薬物 CQ13「術前薬物療法で病理学的完全奏効（pCR）を得られなかった HER2 陽性早期乳癌に対する術後薬物療法として，トラスツズマブ エムタンシンは勧められるか？」

➢ 周術期の抗 HER2 療法は，術前・術後を合わせて合計 1 年間行う。

(4) 術前内分泌療法

① 閉経前患者に対する術前内分泌療法

➢ 閉経前女性に対して乳房部分切除術を目的とした術前内分泌療法のエビデンスは乏しく，勧められない。

✧ 関連課題：薬物 FRQ1「ホルモン受容体陽性 HER2 陰性浸潤性乳癌に対して，術前内分泌療法は勧められるか？」

② 閉経後患者に対する術前内分泌療法

➢ 乳房部分切除術を目的とした術前内分泌療法は，その有効性は化学療法と同等であるものの，至適投与期間や予後への影響は不明である。

✧ 関連課題：薬物 FRQ1「ホルモン受容体陽性 HER2 陰性浸潤性乳癌に対して，術前内分泌療法は勧められるか？」

9）薬物療法に関するその他の課題

① 周術期の薬物療法について

✧ 関連課題：薬物 BQ3「病理分類で特殊型と診断された乳癌では，組織型に応じた周術期薬物療法を行うことが勧められるか？」

✧ 関連課題：薬物 BQ4「原発巣の明らかでない腋窩リンパ節転移（腺癌）に対して，乳癌に準じた薬物療法は勧められるか？」

✧ 関連課題：薬物 FRQ7「早期高齢者乳癌患者に対して周術期薬物療法は勧められるか？」

✧ 関連課題：薬物 FRQ8「妊娠期乳癌に対して周術期の薬物療法は勧められるか？」

✧ 関連課題：薬物 FRQ9「原発乳癌に対する再発予防を目的とする術後薬物療法として骨吸収抑制薬（ビスホスホネート製剤，デノスマブ）は勧められるか？」

② 男性患者への術後内分泌療法について

✧ 関連課題：薬物 FRQ6「早期男性乳癌に対する薬物療法は何が推奨されるか？」

③ 術後化学療法・分子標的療法について

✧ 関連課題：薬物 FRQ5「*BRCA* 病的バリアントを有する乳癌患者の周術期薬物療法として何が勧められるか？」

④ 放射線療法とのタイミングについて

✧ 関連課題：放射線 BQ9「乳房手術後放射線療法の適切なタイミングはどのようなものか？」

10）癌に対する薬物療法に関連するガイドライン一覧

① B 型肝炎治療ガイドライン（免疫抑制・化学療法により発症する B 型肝炎対策ガイドライン）（日本肝臓学会編）

② 発熱性好中球減少症(FN)診療ガイドライン(日本臨床腫瘍学会編)
③ G-CSF 適正使用ガイドライン(日本癌治療学会編)
④ 制吐薬適正使用ガイドライン(日本癌治療学会編)
⑤ 腫瘍崩壊症候群(TLS)診療ガイダンス(日本臨床腫瘍学会編)
⑥ 乳癌患者の妊娠・出産と生殖医療に関する診療ガイドライン(日本がん・生殖医療学会編)
⑦ 成人・小児進行固形がんにおける臓器横断的ゲノム診療のガイドライン(日本臨床腫瘍学会/日本癌治療学会/日本小児血液・がん学会編)
⑧ がん治療におけるアピアランスケアガイドライン(日本がんサポーティブ学会編)

c. 術後放射線療法

1) 目的と対象

- 目的：局所・領域リンパ節再発と乳癌死の抑制である。
- 対象：乳房部分切除術後，または，再発リスクの高い乳房全切除術後症例である。
- リンパ節領域照射を含む温存乳房または胸壁照射は，局所制御のみならず，生存に寄与する可能性もある。
- 放射線療法の局所制御の効果は，年齢や腫瘍因子，全身療法の併用に関係なく，一定の割合でみられ，再発リスクが高いほど効果的である。
- 乳癌術後の局所制御は長期生存率に影響するので，局所・領域リンパ節再発のリスクが高い患者には初期治療としての集学的治療の中で放射線療法を行う。
  - ✧ 関連課題：放射線 BQ9「乳房手術後放射線療法の適切なタイミングはどのようなものか？」
  - ✧ 関連課題：放射線 BQ10「*BRCA* 病的バリアントを有する乳癌患者に対し，乳房手術後の放射線療法は勧められるか？」

2) 放射線療法の種類(初期治療)

(1) X 線

乳癌初期治療ではリニアック(直線加速器)による 4～6 MV のエネルギーを用いることが多い。

(2) 電子線

X 線と同じくリニアックより発生する。飛程が短く，深層に達しないため，比較的表在性の病変の治療に用いられる。

3) 照射方法(初期治療)

(1) 全乳房照射

乳房部分切除術後の乳房全体をターゲットとして術後照射を行う。これまでの標準治療では，1 回線量を 2 Gy として 5 週間の治療期間を要するが，1 回線量を増量し，総治療期間の短縮を図る寡分割照射法も用いられる。

- ✧ 関連課題：放射線 BQ1「Stage Ⅰ-Ⅱ乳癌に対する乳房部分切除術後の放射線療法として全乳房照射は勧められるか？」
- ✧ 関連課題：放射線 BQ3「術前化学療法後に病理学的完全奏効(pCR)が得られた乳房部分切除術後患者でも，温存乳房への放射線療法は勧められるか？」
- ✧ 関連課題：放射線 BQ4「乳房部分切除術後に腋窩リンパ節転移 4 個以上の患者では領域リンパ節(鎖骨上)への放射線療法は勧められるか？」
- ✧ 関連課題：放射線 CQ5「乳房全切除術後および腋窩郭清後の腋窩リンパ節転移 1～3 個の患者では，乳房全切除術後放射線療法(PMRT)が勧められるか？」
✧ 関連課題：放射線 FRQ2「乳房部分切除術後の領域リンパ節照射あるいは乳房全切除術後放射線療法(PMRT)を行う患者に対して，通常分割照射と同等の治療として寡分割照射は勧められるか？」

(2) ブースト照射

全乳房照射後に若年者や切除断端近接・陽性などの再発のリスクが高い切除腔およびその周囲組織(腫瘍床)に追加照射することである。

✧ 関連課題：放射線 CQ2「乳房部分切除術後に断端が陰性の場合，全乳房照射後の腫瘍床に対するブースト照射は勧められるか？」

(3) 乳房部分照射

全乳房照射後の温存乳房内再発の大部分は腫瘍床近傍から発生することから，全乳房照射ではなく，腫瘍床のみを対象とした照射法である。方法としては術中照射，小線源治療，X 線による外照射があり，総照射期間を 1 日ないし 2 週間程度に短縮した場合は加速乳房部分照射(APBI)と呼ばれる。

✧ 関連課題：放射線 CQ3「乳房部分切除術後の照射法として加速乳房部分照射(APBI)は勧められるか？」

(4) 乳房温存療法における領域リンパ節照射

乳房部分切除術後の全乳房照射では領域リンパ節を意図的にはターゲットに含めないが，下部腋窩は照射野に含まれる。郭清された腋窩へ意図的に照射を行った場合，上肢の浮腫などの有害反応が有意に増加するが，腋窩の制御率が有意に向上したとの報告はない。よって，郭清後の腋窩リンパ節への照射は勧められない。リンパ節転移陽性の再発高リスク患者では鎖骨上リンパ節や内胸リンパ節を含めることがある。

✧ 関連課題：放射線 BQ4「乳房部分切除術後に腋窩リンパ節転移 4 個以上の患者では領域リンパ節(鎖骨上)への放射線療法は勧められるか？」
✧ 関連課題：放射線 CQ4「乳房部分切除術および腋窩郭清後の腋窩リンパ節転移 1～3 個の患者では，領域リンパ節(鎖骨上)を照射野に含めることが勧められるか？」
✧ 関連課題：放射線 FRQ3「センチネルリンパ節に転移を認めたが腋窩リンパ節郭清が省略された患者に，領域リンパ節への放射線療法が勧められるか？」

(5) 乳房全切除術後放射線療法(PMRT)

乳房全切除術後の胸壁および領域リンパ節を含む照射法である。X 線単独あるいは電子線との併用で照射する。1 回線量は 2 Gy とする通常分割法を用いることが多い。鎖骨上リンパ節を照射することが標準であるが，その際はレベルⅢリンパ節へも照射される。内胸リンパ節へも照射することがある。

✧ 関連課題：放射線 BQ5「乳房全切除術後に腋窩リンパ節転移 4 個以上の患者では，乳房全切除術後放射線療法(PMRT)が勧められるか？」
✧ 関連課題：放射線 BQ7「リンパ節転移陰性で腫瘍径が大きい場合もしくは手術後断端陽性の場合は乳房全切除術後放射線療法(PMRT)が勧められるか？」
✧ 関連課題：放射線 BQ6「乳房全切除術後放射線療法(PMRT)では胸壁ならびに鎖骨上リンパ節領域を照射野に含めるべきか？」
✧ 関連課題：放射線 CQ5「乳房全切除術後および腋窩郭清後の腋窩リンパ節転移 1～3 個の患者では，乳房全切除術後放射線療法(PMRT)が勧められるか？」
✧ 関連課題：放射線 CQ6「乳房手術後に腋窩リンパ節転移陽性で，領域リンパ節照射あるいは乳房全切除術後放射線療法（PMRT）を行う患者に対して，内胸リンパ節領域を含めることが勧められるか？」

✧ 関連課題：放射線 FRQ1「術前化学療法が奏効した場合でも乳房全切除術後放射線療法（PMRT）は勧められるか？」

✧ 関連課題：放射線 FRQ2「乳房部分切除術後の領域リンパ節照射あるいは乳房全切除術後放射線療法（PMRT）を行う患者に対して，通常分割照射と同等の治療として寡分割照射は勧められるか？」

4）放射線療法による有害事象

(1) 皮膚・乳房

ほとんどの患者において急性期に放射線皮膚炎がみられ，しばらくは色素沈着が残る。乳房の硬さの増加，発汗や皮脂分泌の低下も，照射後数年間はみられることがある。

(2) 肺

放射線肺臓炎や乾性咳嗽などの呼吸器症状を主とするCOP（cryptogenic organizing pneumonia）/BOOP（bronchiolitis obliterans organizing pneumonia）様肺炎がみられることがある。

(3) 上肢，神経，骨

センチネルリンパ節生検の普及とそれによる腋窩郭清省略が行われるようになり，上肢リンパ浮腫は低減している。領域リンパ節への照射によりリンパ浮腫のリスクは上昇する。肥満がリンパ浮腫のリスク因子であることも報告されている。上腕神経叢障害に関しては，鎖骨上窩にも照射した患者で認められることがある。また，肋骨骨折も認められることがある。

(4) 心臓

左側乳癌治療後は心臓の有害事象が問題となり，数年後から少なくとも20年間はリスクが増加する。したがって心臓への照射線量低減の配慮は必須である。

5）放射線療法に関するその他の課題

✧ 関連課題：放射線 BQ10「*BRCA* 病的バリアントを有する乳癌患者に対し，乳房手術後の放射線療法は勧められるか？」

参考文献

1) Dowsett M, Houghton J, Iden C, Salter J, Farndon J, A'Hern R, et al. Benefit from adjuvant tamoxifen therapy in primary breast cancer patients according oestrogen receptor, progesterone receptor, EGF receptor and HER2 status. Ann Oncol. 2006; 17(5): 818-26. [PMID: 16497822]

2) Morrow M, Van Zee KJ, Solin LJ, Houssami N, Chavez-MacGregor M, Harris JR, et al. Society of Surgical Oncology-American Society for Radiation Oncology-American Society of Clinical Oncology consensus guideline on margins for breast-conserving surgery with whole-breast irradiation in ductal carcinoma in situ. J Clin Oncol. 2016; 34(33): 4040-6. [PMID: 27528719]

3) Early Breast Cancer Trialists' Collaborative Group (EBCTCG), Darby S, McGale P, Correa C, Taylor C, Arriagada R, et al. Effect of radiotherapy after breast-conserving surgery on 10-year recurrence and 15-year breast cancer death: meta-analysis of individual patient data for 10,801 women in 17 randomised trials. Lancet. 2011; 378 (9804): 1707-16. [PMID: 22019144]

4) Giuliano AE, Ballman KV, McCall L, Beitsch PD, Brennan MB, Kelemen PR, et al. Effect of axillary dissection vs no axillary dissection on 10-year overall survival among women with invasive breast cancer and sentinel node metastasis: the ACOSOG Z0011 (Alliance) randomized clinical trial. JAMA. 2017; 318(10): 918-26. [PMID: 28898379]

5) American Society of Plastic Surgeons. BIA-ALCL Physician Resources. https://www.plasticsurgery.org/for-medical/professionals/health-policy/bia-alcl-physician-resources (Page last updated on April 24, 2020)

6) Bonadonna G, Brusamolino E, Valagussa P, Rossi A, Brugnatelli L, Brambilla C, et al. Combination chemotherapy as an adjuvant treatment in operable breast cancer. N Engl J Med. 1976; 294(8): 405-10. [PMID: 1246307]

7) Polychemotherapy for early breast cancer: an overview of the randomised trials. Early Breast Cancer Trialists' Collaborative Group. Lancet. 1998; 352(9132): 930-42. [PMID: 9752815]

8) Fisher B, Anderson S, Tan-Chiu E, Wolmark N, Wickerham DL, Fisher ER, et al. Tamoxifen and chemotherapy for axillary node-negative, estrogen receptor-negative breast cancer: findings from National Surgical Adjuvant Breast and Bowel Project B-23. J Clin Oncol. 2001; 19(4): 931-42. [PMID: 11181655]
9) Del Mastro L, De Placido S, Bruzzi P, De Laurentiis M, Boni C, Cavazzini G, Durando A, et al; Gruppo Italiano Mammella(GIM)investigators. Fluorouracil and dose-dense chemotherapy in adjuvant treatment of patients with early-stage breast cancer: an open-label, 2×2 factorial, randomised phase 3 trial. Lancet. 2015; 385(9980): 1863-72. [PMID: 25740286]
10) Samuel JA, Wilson JW, Bandos H et al. NSABP B-36: a randomized phase Ⅲ trial comparing six cycles of 5-fluorouracil(5-FU), epirubicin, and cyclophosphamide(FEC)to four cycles of adriamycin and cyclophosphamide (AC)in patients(pts)with node-negative breast cancer. Cancer Res 2015; 75(Suppl 9): [Abstract S3-02].
11) Early Breast Cancer Trialists' Collaborative Group(EBCTCG). Increasing the dose intensity of chemotherapy by more frequent administration or sequential scheduling: a patient-level meta-analysis of 37 298 women with early breast cancer in 26 randomised trials. Lancet. 2019; 393(10179): 1440-52. [PMID: 30739743]
12) Curigliano G, Burstein HJ, Winer EP, Gnant M, Dubsky P, Loibl S, et al; St. Gallen International Expert Consensus on the Primary Therapy of Early Breast Cancer 2017. De-escalating and escalating treatments for early-stage breast cancer: the St. Gallen International Expert Consensus Conference on the Primary Therapy of Early Breast Cancer 2017. Ann Oncol. 2017; 28(8): 1700-12. [PMID: 28838210]
13) Early Breast Cancer Trialists' Collaborative Group(EBCTCG), Davies C, Godwin J, Gray R, Clarke M, Cutter D, et al. Relevance of breast cancer hormone receptors and other factors to the efficacy of adjuvant tamoxifen: patient-level meta-analysis of randomised trials. Lancet. 2011; 378(9793): 771-84. [PMID: 21802721]
14) Cortazar P, Zhang L, Untch M, Mehta K, Costantino JP, Wolmark N, et al. Pathological complete response and long-term clinical benefit in breast cancer: the CTNeoBC pooled analysis. Lancet. 2014; 384(9938): 164-72. [PMID: 24529560]

Ⅳ．局所進行乳癌（StageⅢB，ⅢC）

1．治療の流れ

【局所進行乳癌に対する治療の流れ】

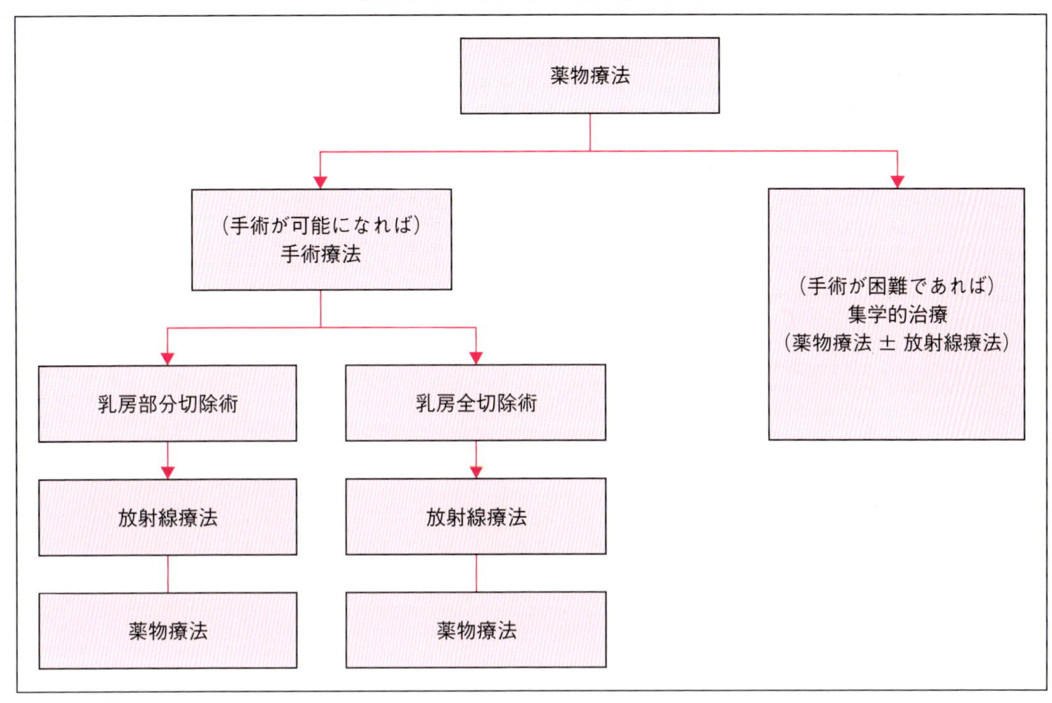

2．定 義

- 局所進行乳癌（locally advanced breast cancer；LABC）は，遠隔転移を有しない局所進行乳癌（StageⅢB，ⅢC）を指す。

3．治療の目的

- 手術を可能にするために薬物療法を先行する。
- 薬物療法のレジメンは，「早期乳癌」に準じる。

【豆知識】炎症性乳癌

炎症性乳癌は，「乳癌取扱い規約（第18版）」では「通常腫瘤は認めず，皮膚のびまん性発赤，浮腫，硬結を示す」臨床的特徴を有する病態とされ，通常の乳癌とは区別されているが，臨床的には局所進行乳癌との共通点も多い。

4. 治療方針

- まず薬物療法を行い，続いて局所療法（外科療法および放射線療法）を行うという集学的治療が標準的である。
- 薬物療法：標準的化学療法レジメンは，早期乳癌と同様に，HER2陰性ではアンスラサイクリン含有レジメンとタキサンとの順次併用療法であり，HER2陽性例ではアンスラサイクリン系レジメンと抗HER2薬（トラスツズマブとペルツズマブの併用）とタキサンの同時併用レジメンの順次投与である。
  - ✧ 関連課題：薬物CQ12「術前薬物療法を行うHER2陽性早期乳癌に対して，トラスツズマブにペルツズマブを加えることは勧められるか？」
- 局所再発リスクを低減させるために，手術を施行した患者には放射線療法を行う。

V．転移・再発乳癌

1．治療の目的

➢ 転移・再発乳癌に対する治療の目的は，以下の３つのＰであり，前二者は「生活の質(QOL)の維持・改善」とも言い換えられる。

①「癌による症状の緩和(palliate symptoms)」

②「癌による症状出現の先送り(prevent symptoms)」

③「生存期間の延長(prolong survival)」

2．転移・再発乳癌の現状と治療の原則

➢ 転移・再発乳癌は，根治が困難である。

✧ 関連課題：薬物 FRQ14「転移・再発乳癌に対して治癒を目指した治療を行うことは勧められるか？」

➢ 転移・再発乳癌の予後は，サブタイプによって異なり，全生存期間の中央値は，ホルモン受容体陽性 HER2 陰性乳癌では 44.8 カ月，HER2 陽性では 58 カ月，トリプルネガティブ乳癌は 14.2 カ月との報告がある[1)]。

➢ 治療としては，薬物療法を中心とした集学的治療を行う。

➢ 転移・再発乳癌治療においては，癌に由来する苦痛を対症的に取り除くことを目的とする緩和治療を積極的に併用する。

➢ 転移・再発乳癌に対して局所療法を加えることで生存期間の延長が得られるかどうかについてのエビデンスは未確立であり，現在，臨床試験が進行中である。少数転移(オリゴ転移：oligometastasis)に対する局所療法が生存率の延長に寄与する可能性はあるが，エビデンスは十分ではない。

✧ 関連課題：外科 FRQ12「肺，骨，肝転移巣に対する外科的切除は勧められるか？」

✧ 関連課題：放射線 FRQ6「少数個転移・再発では，体幹部定位放射線治療が勧められるか？」

3．治療選択において考慮すべき因子

➢ 転移・再発乳癌は多様な背景をもつため，以下の４つを治療選択において考慮する。

① 患者の個別性

② 腫瘍の個別性

③ エビデンス

④ 患者の希望

➢ 患者の個別性については以下を考慮する。

① 年齢

② 併存症の有無

③ 社会的・経済的背景　など

➢ 腫瘍の個別性については以下を考慮する。

① 腫瘍の生物学的特性（ER，PgR，HER2，PD-L1，*BRCA* 病的バリアントなど）
② 転移臓器とその広がり
③ 再発までの期間（disease-free interval；DFI）
④ 術前・術後薬物療法の種類
⑤ 癌による症状の有無　など

4．治療方針

a．薬物療法

- 治療開始前に，治療効果予測因子であるホルモン受容体（ER，PgR）と HER2 状況の評価を必ず行う。可能であれば転移病巣から組織を採取して評価することが望ましいが，不可能である場合は原発腫瘍で行う。
- ホルモン受容体と HER2 状況により治療方針が大きく異なる。
- 薬物療法には，内分泌療法，化学療法，分子標的療法，免疫療法がある。
- 乳癌における「免疫療法」は，「免疫チェックポイント阻害薬」による治療を指す。
- トリプルネガティブ乳癌（アンスラサイクリン・タキサン既治療例）の場合，治療開始前に，さらに，①PD-L1 発現の検査と，②生殖細胞系列 *BRCA* 病的バリアントの検査を行い，①では免疫チェックポイント阻害薬，②では PARP 阻害薬の適応の有無をそれぞれ確認する。→「V. 4. a. a-2. トリプルネガティブ転移・再発乳癌の場合」参照。
  ✧ 関連課題：病理診断 FRQ5「浸潤性乳癌における PD-L1 検査はどのように行うか？」
- ホルモン受容体陽性 HER2 陰性であり，かつ軟部組織や骨転移がない場合，あるいは内臓転移があっても差し迫った生命の危険（例えば，広範な肝転移や肺転移，癌性リンパ管症など，「visceral crisis」とも呼ぶ）がない場合や，再発までの期間（DFI）が長い症例などは，内分泌療法から開始する。
- ホルモン受容体陽性 HER2 陰性であっても，差し迫った生命の危機がある内臓転移（visceral crisis）を有する場合は化学療法から治療を開始する。

【豆知識】Visceral crisis（ヴィッセラル クライシス）とは

ABC5 コンセンサスガイドライン（Advanced Breast Cancer 5th International Consensus Conference）[2]では，visceral crisis とは，徴候や症状，臨床検査で評価される重度の臓器障害，および疾患の急速な進行と定義される。Visceral crisis は，単に内臓転移が存在することではなく，最も迅速で効果的な治療の臨床的適応となる重要な臓器障害を意味する。

◆肝の visceral crisis：肝転移が原因でビリルビンが急速に増加して，基準値上限の 1.5 倍を超える状態。
◆肺の visceral crisis：安静時の呼吸困難が急速に悪化して，胸水を排出しても緩和されない状態。

- 原発巣と転移巣では，ホルモン受容体と HER2 の発現状況が異なる場合もある。
- バイオマーカーが原発巣と転移巣で異なった場合には，少なくともどちらかで陽性と判定されれば，そのバイオマーカーに関連する薬剤の有効性が期待できるため，投与を考慮する。
  ✧ 関連課題：薬物 BQ8「乳癌骨転移に対して骨修飾薬（デノスマブ，ゾレドロン酸）は推奨されるか？」

✧ 関連課題：薬物 BQ12「乳癌治療として補完・代替療法は推奨されるか？」
✧ 関連課題：薬物 FRQ17「転移・再発男性乳癌に対する薬物療法は何が推奨されるか？」
✧ 関連課題：薬物 FRQ16「転移・再発高齢者乳癌に対する薬物療法として何が推奨されるか？」
✧ 関連課題：薬物 FRQ19「乳癌脳転移および髄膜播種に抗悪性腫瘍薬は勧められるか？」
✧ 関連課題：薬物 FRQ20「乳癌診療において次世代シークエンサー等を用いた遺伝子パネル検査は有用か？」
✧ 関連課題：薬物 FRQ21「乳腺悪性葉状腫瘍の遠隔転移に対して薬物療法は勧められるか？」

a-1. ホルモン受容体(HR)陽性 HER2 陰性転移・再発乳癌の場合

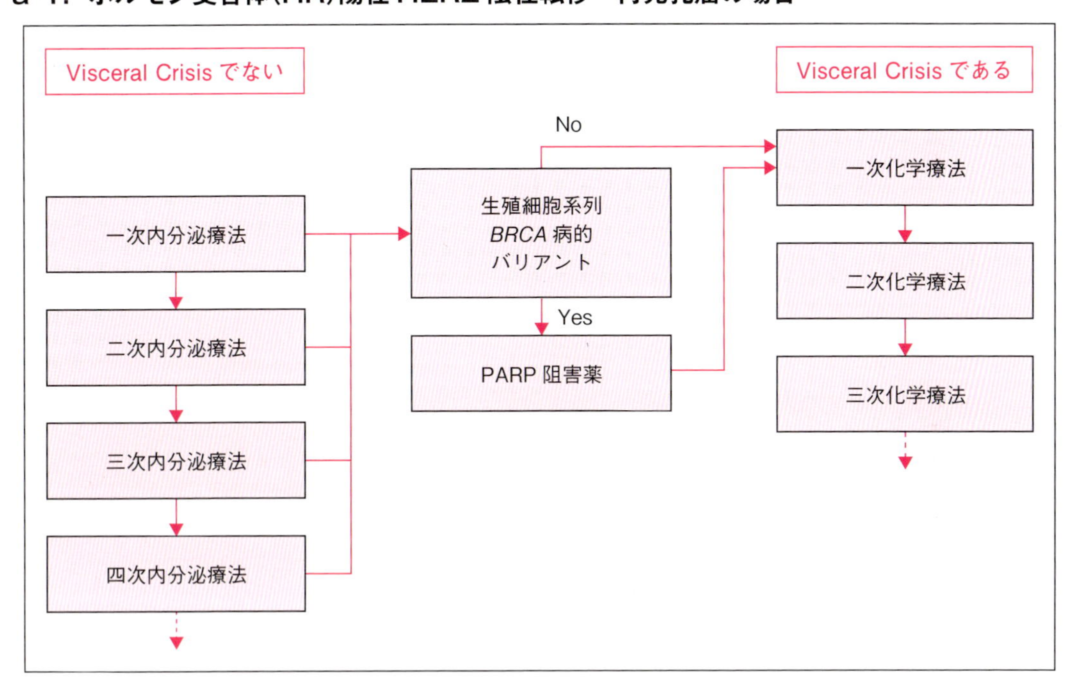

1) 一次・二次内分泌療法の定義

➢ 再発時期にかかわらず，転移・再発後に「最初に行う内分泌療法」は，すべて「一次内分泌療法」と定義し，「その次に行う内分泌療法」を「二次内分泌療法」と定義する。

2) 術後療法で用いた内分泌療法が再発一次内分泌療法の選択に及ぼす影響

➢ ホルモン受容体陽性の転移・再発乳癌に対する内分泌療法を行う際は，再発時期や周術期に使用した内分泌療法の種類を考慮のうえ薬剤を選択すべきである。

➢ ABC3 コンセンサスガイドライン(Advanced Breast Cancer 3rd International Consensus Conference)では，術後内分泌療法を開始して 2 年以内に再発した症例を「primary (de novo) endocrine resistance」，開始 2 年以降の再発を「secondary (acquired) endocrine resistance」と定義している[3]。

➢「術後内分泌療法治療中もしくは内分泌療法終了から 1 年以内」の再発に対する内分泌療法には，術後内分泌療法と異なる薬剤を選択する。

➢「術後内分泌療法終了から 1 年以上」経過してからの再発に対する内分泌療法は，術後内分泌療法と同じ薬剤の再投与(CDK4/6 阻害薬の併用投与を含む)も選択肢となる。

3）治療方針

- ホルモン受容体陽性 HER2 陰性であり，かつ軟部組織や骨転移，あるいは内臓転移であっても差し迫った生命の危険（visceral crisis）（広範な肝転移や肺転移，癌性リンパ管症など）がない場合，再発までの期間（DFI）が長い症例などは，内分泌療法±CDK4/6 阻害薬から開始する。
- ホルモン受容体陽性 HER2 陰性であっても，差し迫った生命の危機がある内臓転移（visceral crisis）を有する場合は化学療法から治療を開始する。
- 生殖細胞系列の *BRCA* 病的バリアントの有無（BRACAnalysis® 検査）を必ず調べて，PARP 阻害薬（オラパリブ）の適応の有無を確認しておく。検査を施行する時期は，周術期のアンスラサイクリン・タキサン既治療例の場合には内分泌療法中に，アンスラサイクリン・タキサン未治療例の場合には，それらを終了する前が適切である。
- PARP 阻害薬（オラパリブ）の適応：アンスラサイクリンおよびタキサン既治療 HER2 陰性進行・再発乳癌。なお，アンスラサイクリンとタキサンの使用が周術期であっても適応となる。
  - ✧ 関連課題：薬物 CQ32「生殖細胞系列 *BRCA* 病的バリアントを有する進行・再発乳癌患者の薬物療法として，PARP 阻害薬は推奨されるか？」
- 一次内分泌療法が奏効した場合は，無効になるまで治療を継続する。同様に visceral crisis の有無や直前の内分泌療法の感受性などを参考に，二次以降の内分泌療法を行う。
- 内分泌療法が無効と判断される場合は化学療法に移行する。
  - ✧ 関連課題：薬物 FRQ11「*PIK3CA* 変異陽性ホルモン受容体陽性 HER2 陰性転移・再発乳癌に対して，PI3K 阻害薬は有用か？」

(1) 閉経前患者に対する内分泌療法

- 一次内分泌療法として，CDK4/6 阻害薬＋LH-RH アゴニスト＋非ステロイド系アロマターゼ阻害薬併用療法が勧められる。
- 一次内分泌療法として，LH-RH アゴニスト＋タモキシフェン，または，LH-RH アゴニスト＋アロマターゼ阻害薬も選択肢である。
- 一次療法として，内分泌療法のみを施行した場合，二次内分泌療法として，CDK4/6 阻害薬＋LH-RH アゴニスト＋フルベストラント併用療法が勧められる。
  - ✧ 関連課題：薬物 BQ5「閉経前ホルモン受容体陽性転移・再発乳癌に対して最も有用な卵巣機能抑制方法は何か？」
  - ✧ 関連課題：薬物 CQ18「閉経前ホルモン受容体陽性 HER2 陰性転移・再発乳癌に対する一次内分泌療法として，何が推奨されるか？」
  - ✧ 関連課題：薬物 CQ19「閉経前ホルモン受容体陽性 HER2 陰性転移・再発乳癌に対する二次以降の内分泌療法として，何が推奨されるか？」

(2) 閉経後患者に対する内分泌療法

- 一次内分泌療法として，CDK4/6 阻害薬＋非ステロイド系アロマターゼ阻害薬併用療法が勧められる。
- 一次内分泌療法にアロマターゼ阻害薬単剤が使用された場合の二次内分泌療法として，CDK4/6 阻害薬＋フルベストラント併用療法が勧められる。
- 三次内分泌療法として，エキセメスタン＋エベロリムスが勧められる。

✧ 関連課題：薬物 CQ20「閉経後ホルモン受容体陽性 HER2 陰性転移・再発乳癌に対する一次内分泌療法として，何が推奨されるか？」

✧ 関連課題：薬物 CQ21「閉経後ホルモン受容体陽性 HER2 陰性転移・再発乳癌の一次療法にアロマターゼ阻害薬単剤を使用したときの二次内分泌療法として，何が推奨されるか？」

✧ 関連課題：薬物 CQ22「閉経後ホルモン受容体陽性 HER2 陰性転移・再発乳癌に対する三次治療以降の内分泌療法として，何が推奨されるか？」

✧ 関連課題：薬物 FRQ10「閉経後ホルモン受容体陽性 HER2 陰性転移・再発乳癌の二次内分泌療法として何が推奨されるか？（一次内分泌療法として，アロマターゼ阻害薬単剤を行った場合は CQ21 参照）」

(3) 内分泌療法終了後の薬剤選択

➢ *BRCA* 病的バリアントを有する場合：PARP 阻害薬を投与する。

✧ 関連課題：薬物 CQ32「生殖細胞系列 *BRCA* 病的バリアントを有する進行・再発乳癌患者の薬物療法として，PARP 阻害薬は推奨されるか？」

➢ *BRCA* 病的バリアントを有しない場合：化学療法を行う〔V. 4. a. a-2. 3)(1)③トリプルネガティブ乳癌（PD-L1 陰性，かつ，*BRCA* 病的バリアントを有しない）の治療方針参照〕。

➢ 化学療法奏効後の内分泌療法による維持療法で，化学療法継続よりも QOL の改善が期待されるが，治療効果を維持できるかどうかは不明である。

✧ 関連課題：薬物 FRQ15「転移・再発乳癌に対して，化学療法奏効後に内分泌療法による維持療法は勧められるか？」

a-2. トリプルネガティブ転移・再発乳癌の場合

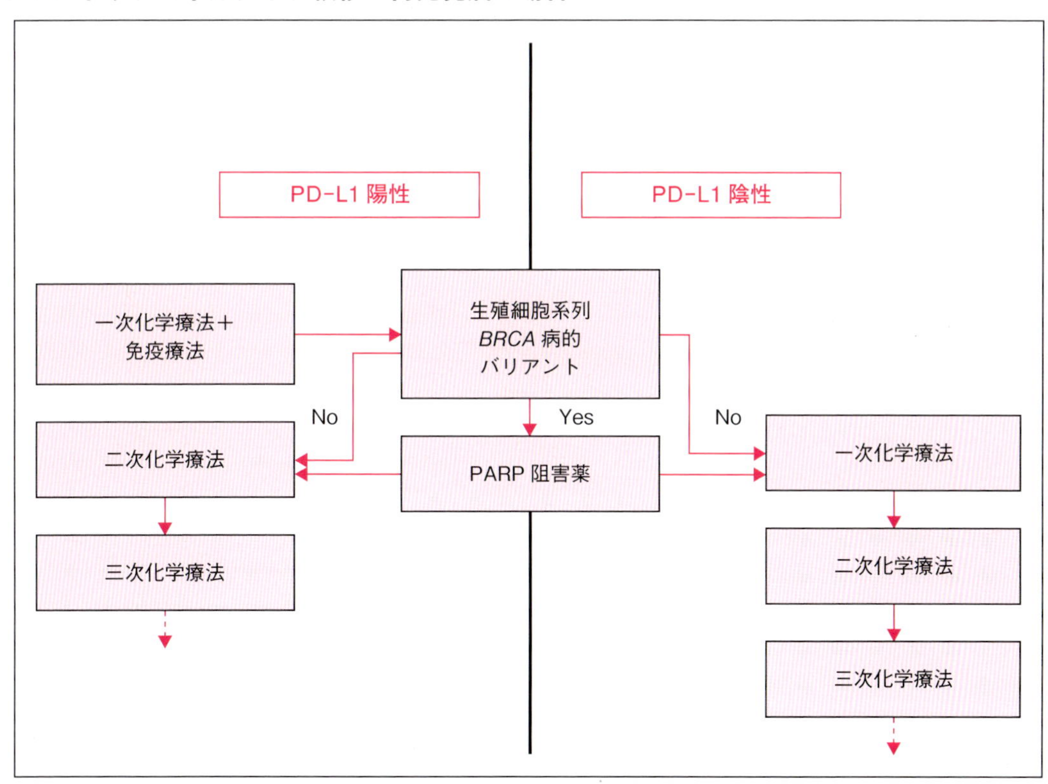

1）一次・二次化学療法の定義

➢ 内分泌療法と同様に，再発時期にかかわらず，転移・再発後に「最初に行う化学療法」をすべて「一次化学療法」と定義し，「その次に行う化学療法」を「二次化学療法」と定義する。

2）治療開始前に行う検査

➢ 周術期のアンスラサイクリン・タキサン既治療例の場合には，治療開始前に，①PD-L1 発現の検査と，②生殖細胞系列の *BRCA* 病的バリアントの検査（BRACAnalysis® 検査）を行い，①では免疫チェックポイント阻害薬，②では PARP 阻害薬の適応の有無をそれぞれ確認する。

➢ アンスラサイクリン・タキサン未治療例の場合には，それらを終了する前に，生殖細胞系列の *BRCA* 病的バリアントの有無を必ず調べて，PARP 阻害薬の適応の有無を確認する。

✧ 関連課題：病理診断 FRQ5「浸潤性乳癌における PD-L1 検査はどのように行うか？」

✧ 関連課題：薬物 CQ31「転移・再発乳癌に対して PD-1/PD-L1 阻害薬は勧められるか？」

✧ 関連課題：薬物 CQ32「生殖細胞系列 *BRCA* 病的バリアントを有する進行・再発乳癌患者の薬物療法として，PARP 阻害薬は推奨されるか？」

3）治療方針

(1) PD-L1 発現，*BRCA* 病的バリアントの有無の確認

①PD-L1 陽性の場合

➢ 一次治療として，免疫チェックポイント阻害薬＋化学療法併用療法が勧められる。

✧ 関連課題：薬物 CQ31「転移・再発乳癌に対して PD-1/PD-L1 阻害薬は勧められるか？」

➢ *BRCA* 病的バリアントも有する場合：一次治療としての，免疫チェックポイント阻害薬＋化学療法併用療法と PARP 阻害薬を比較した試験は存在しない。しかし，免疫チェックポイント阻害薬＋化学療法併用療法の臨床試験のエビデンスは一次療法しかない一方で，PARP 阻害薬の臨床試験の対象患者は一次療法以降の患者も含んでいることから，上図では，免疫チェックポイント阻害薬＋化学療法併用療法を優先したが，PARP 阻害薬を先行することも選択肢の一つである[4)]。

②PD-L1 陰性，かつ，*BRCA* 病的バリアントを有する場合

➢ PARP 阻害薬（オラパリブ）の投与が勧められる。

✧ 関連課題：薬物 CQ32「生殖細胞系列 *BRCA* 病的バリアントを有する進行・再発乳癌患者の薬物療法として，PARP 阻害薬は推奨されるか？」

③PD-L1 陰性，かつ，*BRCA* 病的バリアントを有しない場合

➢ 化学療法薬単剤が勧められる。

✧ 関連課題：薬物 BQ6「HER2 陰性転移・再発乳癌に対する一次・二次化学療法として，アンスラサイクリン系薬剤は推奨されるか？」

✧ 関連課題：薬物 BQ7「HER2 陰性転移・再発乳癌に対する一次・二次化学療法として，タキサン系薬剤は推奨されるか？」

✧ 関連課題：薬物 CQ23「HER2 陰性転移・再発乳癌に対する一次・二次化学療法として，ベバシズマブを併用することは推奨されるか？」

✧ 関連課題：薬物 CQ24「HER2 陰性転移・再発乳癌に対する一次・二次化学療法として，経口フッ化ピリミジンは推奨されるか？」

✧ 関連課題：薬物 CQ25「HER2 陰性転移・再発乳癌に対する一次・二次化学療法として，エリブリンは推奨されるか？」
✧ 関連課題：薬物 CQ30「転移・再発トリプルネガティブ乳癌に対してプラチナ製剤は勧められるか？」
✧ 関連課題：薬物 FRQ12「HER2 陽性転移・再発乳癌に対する三次以降の治療で推奨される治療は何か？」

(2) 化学療法の実施方法

- 化学療法は，単剤順次投与が基本。
- 化学療法の同時併用は単剤投与よりも奏効率は高いものの毒性が増加し，臨床的に有意な生存期間の延長は認められないため，転移・再発乳癌に対する化学療法では単剤順次投与が勧められる。

(3) 転移・再発乳癌に対する動注化学療法

- 転移・再発乳癌に対して，動注化学療法は行うべきでない。
- 転移・再発乳癌には全身薬物療法が標準治療である。動注化学療法が全身化学療法に勝るというエビデンスは存在しない。
- 動注化学療法の最適レジメンは不明であり，手技が煩雑でカテーテルトラブルのリスクがあることなどを考慮すると，日常臨床で転移・再発乳癌に対する動注化学療法は行うべきでない。

(4) 化学療法の継続期間

- 転移・再発乳癌に対する有効性の示された化学療法を三次治療以降も順に使用していくことは妥当であるが，漫然と治療を継続するのではなく，個々の症例の治療経過，治療目標，リスクとベネフィットのバランスなどを考慮して，慎重に治療方針を検討する必要がある。

(5) MSI-high 乳癌に対するペムブロリズマブ

- マイクロサテライト不安定性が高頻度に認められる場合を microsatellite instability(MSI)-high と呼ぶ。
- TCGA のデータベースでは乳癌の中で MSI-high 腫瘍は 1.53%(16/1,044 例)であった。
- PD-1 阻害薬であるペムブロリズマブが,「がん化学療法後に増悪した進行・再発の高頻度マイクロサテライト不安定性(MSI-high)を有する固形癌(標準的な治療が困難な場合に限る)」を対象に承認された。
- MSI-high の判定には MSI 検査キット(FALCO), FoundationOne® CDx がんゲノムプロファイルが，ニボルマブ(結腸・直腸癌)およびペムブロリズマブ(固形癌)のコンパニオン診断薬として承認されている。

【豆知識】マイクロサテライト不安定性とは

DNA 複製の際に生じるミスマッチを修復する機能(mismatch repair；MMR)の低下により，1 から数塩基の繰り返し配列(マイクロサテライト)の反復回数に変化が生じた状態をマイクロサテライト不安定性という。

治療編　総説

【豆知識】臓器横断的治療(tumor-agnostic therapy)とは

臓器横断的治療(tumor-agnostic therapy)とは，原発巣やがん種を越えて，バイオロジーに基づいて薬剤選択を行う治療を指す。2018年12月，わが国において，進行・再発の高頻度マイクロサテライト不安定性(MSI-high)を有する固形癌に対して，抗PD-1抗体であるペムブロリズマブが薬事承認された。臓器横断的な適応症をもつ薬剤としては国内でのはじめての承認となった。さらに，*NTRK*融合遺伝子陽性固形癌に対するTRK阻害薬の有効性が示され，2019年6月にエヌトレクチニブが承認され，臓器横断的な承認として，国内で2番目の薬剤となった。その後，2021年3月にはTRK阻害薬のラロトレクチニブも承認されている。

【豆知識】*NTRK*融合遺伝子と乳腺分泌癌

*NTRK*遺伝子ファミリーは癌遺伝子であり，*NTRK1〜3*までが知られている。*NTRK1〜3*はそれぞれ受容体チロシンキナーゼであるtropomyosin receptor kinase(TRK)A，TRKB，TRKCをコードする。乳腺分泌癌の約90%に*NTRK*融合遺伝子を認める。乳腺分泌癌は，非常に稀な乳癌(全乳癌の0.15%以下)であり，多くはトリプルネガティブ乳癌である。乳腺分泌癌以外の乳癌においても，*NTRK*融合遺伝子は稀ながら報告されている(FoundationCoreデータベースでは乳癌30,182例で0.39%)[5]。

✧ 関連ガイドライン：日本癌治療学会，日本臨床腫瘍学会，日本小児血液・がん学会編「成人・小児進行固形がんにおける臓器横断的ゲノム診療のガイドライン」

a-3. HER2陽性転移・再発乳癌の場合

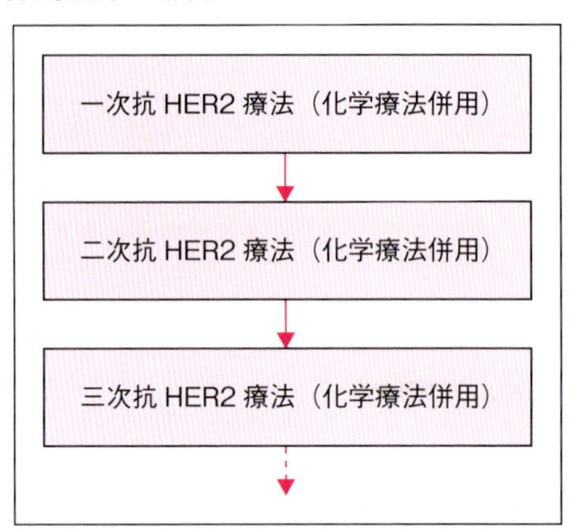

1）一次・二次抗HER2療法の定義

➢ 再発時期にかかわらず，転移・再発後に「最初に行う治療」をすべて「一次治療」と定義し，「その次に行う治療」を「二次治療」と定義する。

2）治療方針

➢ 化学療法と抗HER2療法の併用による生存期間の延長が示されているため，化学療法を併用した抗HER2療法が基本となる。

➢ 一次治療として，トラスツズマブ＋ペルツズマブ＋タキサン併用療法が勧められる。

✧ 関連課題：薬物CQ26「HER2陽性転移・再発乳癌に対する一次治療として，トラスツズマブ＋ペルツズマブ＋タキサン併用療法は推奨されるか？」
- ✧ 関連課題：薬物 CQ27「HER2 陽性転移・再発乳癌に対する一次治療として，トラスツズマブ エムタンシンは推奨されるか？」

➢ 二次治療として，トラスツズマブ デルクステカン(T-DXd)が勧められる。
- ✧ 関連課題：薬物 CQ28「HER2 陽性転移・再発乳癌に対する二次治療として，トラスツズマブ デルクステカンは推奨されるか？」
- ✧ 関連課題：薬物 CQ29「HER2 陽性・ホルモン受容体陽性転移・再発乳癌に対して内分泌療法単独や抗HER2 療法と内分泌療法併用は勧められるか？」

b. 外科療法

➢ 遠隔転移に対する外科的切除に関しては生存期間の延長に寄与するエビデンスはないため，基本的には勧められない。
- ✧ 関連課題：外科 FRQ13「脳転移巣に対する外科的切除は勧められるか？」

➢ 病期Ⅳ乳癌においては，薬物療法を中心とした集学的治療を行うのが原則である。原発巣を切除する臨床的意義に関してはいまだ結論は出ていない。
- ✧ 関連課題：外科 CQ4「Stage Ⅳ乳癌に対する原発巣切除は勧められるか？」

➢ 遠隔転移を伴わない局所・領域リンパ節再発(乳房内再発，局所再発，領域リンパ節再発)に対しては，治癒を念頭に置いて外科治療を含む集学的治療を行う。

➢ 領域リンパ節再発は，腋窩リンパ節再発，鎖骨上リンパ節再発，内胸リンパ節再発の 3 つに分類される。

➢ 遠隔転移を伴わない腋窩リンパ節再発は，初回手術時の遺残である可能性があり，手術の適応がある。
- ✧ 関連課題：外科 BQ4「初回腋窩リンパ節郭清後の腋窩リンパ節再発に対する外科的切除は勧められるか？」
- ✧ 関連課題：薬物 FRQ18「局所・領域再発切除術後に薬物療法は勧められるか？」
- ✧ 関連課題：外科 FRQ11「乳房全切除後の胸壁再発巣に対する外科的切除は勧められるか？」
- ✧ 関連課題：放射線 FRQ4「乳癌の局所・領域リンパ節再発では，根治を目指した放射線療法が勧められるか？」

➢ 乳房温存療法後の局所再発は，いわゆる温存乳房内再発であり，約 10％未満にみられる。

➢ 温存乳房内再発と診断された病変には，もとの癌の遺残による真の再発と，初発の癌とは別に発生した新たな癌とが含まれる。
- ✧ 関連課題：外科 FRQ9「乳房温存療法後の温存乳房内再発に対して再度の乳房部分切除術は勧められるか？」
- ✧ 関連課題：外科 FRQ10「乳房温存療法後の温存乳房内再発に対するセンチネルリンパ節生検は勧められるか？」

c. 放射線療法

1）局所・領域リンパ節再発

➢ 局所再発は，乳房温存療法後では乳房内再発，乳房全切除術後では胸壁再発を指す。

➢ 領域リンパ節再発は，腋窩リンパ節再発，鎖骨上リンパ節再発，内胸リンパ節再発の 3 つに分類される。

➤ 鎖骨上および内胸リンパ節再発は原則的には放射線療法の適応である。

➤ 放射線療法が適応となる局所・領域リンパ節再発に対しては，放射線療法を含む集学的治療により長期間の無病生存期間の継続を目標とする。

✧ 関連課題：放射線 FRQ4「乳癌の局所・領域リンパ節再発では，根治を目指した放射線療法が勧められるか？」

2）遠隔転移

➤ 骨転移・脳転移に対して，原則，放射線療法では治癒は望めないが，疼痛や神経症状など，患者の QOL を低下させるさまざまな症状を予防・緩和することが期待できる。

✧ 関連課題：放射線 FRQ6「少数個転移・再発では，体幹部定位放射線治療が勧められるか？」

(1) 脳転移

➤ 目的：症状改善および癌の頭蓋内制御

✧ 関連課題：放射線 BQ12「乳癌脳転移に対して放射線療法は勧められるか？」

➤ 脳全体に分割照射する全脳照射と，病巣部位のみに限局して 1 回ないし複数回の照射をする定位放射線照射がある。

✧ 関連課題：放射線 CQ8「3 cm 未満で 1～4 個までの乳癌脳転移に対して定位手術的放射線治療（SRS）を行った場合，全脳照射の追加は勧められるか？」

✧ 関連課題：放射線 FRQ5「全身状態のよい 10 個以下の脳転移症例において，一次治療として定位放射線照射（STI）を行い経過観察することで，全脳照射を待機することが勧められるか？」

➤ 定位放射線照射の種類：

- ガンマナイフ：頭部を覆うヘルメットに 201 個のコバルト線源を配置し，コバルト線源からのガンマ線を用いる。
- リニアックを用いた定位放射線照射：汎用のリニアックの照射口に筒状の絞り装置（コーン）または特殊な多分割コリメータを使用し，ガンマナイフと同様にナロービームで多方向から照射する。
- サイバーナイフ：小型のリニアックを工業用ロボットで操作して，多方向から病巣に放射線を集中させる。着脱可能な固定具を使用する。

(2) 骨転移

➤ 目的：疼痛緩和と運動機能維持

➤ 分割照射法以外に，8 Gy の 1 回照射も用いられる。

✧ 関連課題：放射線 BQ11「有痛性乳癌骨転移に対して放射線療法は勧められるか？」

✧ 関連課題：放射線 CQ7「8 Gy/1 回照射は有痛性乳癌骨転移の疼痛緩和を目的とした場合，分割照射と同等の治療として勧められるか？」

✧ 関連課題：放射線 FRQ6「少数個転移・再発では，体幹部定位放射線治療が勧められるか？」

参考文献

1) Grinda T, Antoine A, Jacot W, Blaye C, Cottu PH, Diéras V, et al. Evolution of overall survival and receipt of new therapies by subtype among 20 446 metastatic breast cancer patients in the 2008-2017 ESME cohort. ESMO Open. 2021; 6(3): 100114. [PMID: 33895695]

2) Cardoso F, Paluch-Shimon S, Senkus E, Curigliano G, Aapro MS, André F, et al. 5th ESO-ESMO international consensus guidelines for advanced breast cancer(ABC 5). Ann Oncol. 2020; 31(12): 1623-49. [PMID: 32979513]

3) Cardoso F, Costa A, Senkus E, Aapro M, André F, Barrios CH, et al. 3rd ESO—ESMO international consensus guidelines for advanced breast cancer(ABC 3). Ann Oncol. 2017; 28(12): 3111. [PMID: 28327998]
4) Moy B, Rumble RB, Come SE, Davidson NE, Di Leo A, Gralow JR, et al. Chemotherapy and targeted therapy for patients with human epidermal growth factor receptor 2-negative metastatic breast cancer that is either endocrine-pretreated or hormone receptor-negative: ASCO guideline update. J Clin Oncol. 2021; 39(35): 3938-58. [PMID: 34324366]
5) Westphalen CB, Krebs MG, Le Tourneau C, Sokol ES, Maund SL, Wilson TR, et al. Genomic context of NTRK1/2/3 fusion-positive tumours from a large real-world population. NPJ Precis Oncol. 2021; 5(1): 69.

乳癌診療ガイドライン 2022 年版

薬物療法

1．初期治療

BQ 1 ホルモン受容体陽性乳癌に対して内分泌療法は有効か？

ステートメント

- ホルモン受容体陽性乳癌に対して内分泌療法は有効である。

背景

乳癌の内分泌療法は，Beatson により 1896 年に卵巣摘出術の有効性が報告されたことに始まる。内分泌療法は癌に対する最初の分子標的治療の一つである。ホルモン受容体陽性乳癌は，エストロゲンが乳癌細胞のエストロゲン受容体に結合することにより増殖する。ホルモン受容体陽性乳癌に対する内分泌療法はその作用機序の違いから，エストロゲン受容体を標的とするもの，エストロゲンそのものを標的とするものに分類できる。女性ホルモンの供給は，閉経前女性では主に卵巣からの分泌により，閉経後女性では副腎から分泌されたアンドロゲンが主に脂肪細胞などに存在するアロマターゼにより女性ホルモンに変換されることによる。このため，閉経状況により治療法を概説する。

解説

1）エストロゲン受容体に作用する薬剤

(1) 選択的エストロゲン受容体モジュレーター（selective estrogen receptor modulator；SERM）

このクラスの薬剤としては，タモキシフェン，トレミフェン，ラロキシフェンなどがあるが，乳癌に対してわが国で適応を有するのはタモキシフェン，トレミフェン（閉経後乳癌）である。ラロキシフェンは閉経後骨粗鬆症に対して使用されている。SERM はエストロゲン受容体のリガンド結合領域に結合して，エストロゲンがエストロゲン受容体（ER）に結合するのを競合阻害する。タモキシフェンは臓器によって，エストロゲンの部分的なアゴニストとしてもアンタゴニストとしても作用する[1)]。子宮内膜，骨，心血管系，肝臓などではアゴニストとしての作用を有することが知られている。

タモキシフェンは，浸潤性乳癌の術後（☞薬物 CQ2，3 参照），転移・再発乳癌（☞薬物 CQ18，20 参照）に対してのみならず，非浸潤乳癌の術後（☞薬物 CQ1 参照），乳癌発症高リスク例の乳癌発症予防（☞乳癌診療ガイドライン②疫学・診断編 2022 年版，疫学・予防 BQ17 参照）にも有効性が示されている。

(2) 選択的エストロゲン受容体分解薬（selective estrogen receptor degrader；SERD）

現在使用可能な薬剤はフルベストラントである。ER の二量体化を阻害するとともに，エストロゲン受容体自体の分解を促進することでその機能を発揮する[2)]。SERM とは異なりアゴニスト作用をもたず，SERM がエストロゲン作用を示す子宮内膜，骨などでも抗エストロゲン作用を示す。フルベストラントはタモキシフェンと比べ，エストロゲン受容体の親和性が100倍程度高い。

転移・再発乳癌において，単剤もしくはCDK4/6阻害薬との併用で治療選択肢となる(☞薬物CQ19～21参照)。

2）エストロゲン生成に影響する薬剤

(1) 卵巣機能抑制

卵巣機能抑制方法としては，LH-RHアゴニスト，両側卵巣摘出術，放射線照射がある(卵巣機能抑制方法について☞薬物BQ5参照)。LH-RHアゴニストとしてわが国で使用可能なのはゴセレリン，リュープロレリンである。LH-RHアゴニストは下垂体における黄体形成ホルモン(luteinizing hormone；LH)，卵胞刺激ホルモン(follicle stimulating hormone；FSH)の生成を抑制することで卵巣からのエストロゲンの生成を抑制する。LH-RHアゴニストが下垂体のLH-RH受容体と結合すると，LH，FSHの放出が一過性に亢進するが，LH-RHアゴニストによる刺激が継続すると，下垂体のLH-RH受容体の取り込みと分解が亢進して，LH-RH受容体数の減少(down regulation)を招き，下垂体細胞のLH-RHへの反応性が低下して，LH，FSHの生成が抑制される[3)4)]。このため，LH-RHアゴニスト投与直後には一過性のLH，FSHの上昇をきたす可能性があることに注意が必要である。乳癌術後について，LH-RHアゴニストは単剤あるいは併用で再発を低減することが示されているが[5)]，現在では通常単独では使用されない。また，LH-RHアゴニストを併用することで閉経後状態として，閉経前もしくは閉経期の症例に対して閉経後の標準治療を行うことは海外では広く行われている。

(2) アロマターゼ阻害薬

閉経後女性では，卵巣からのエストロゲン分泌がなく，脂肪などの末梢組織が主なエストロゲン産生源となる。副腎皮質から分泌されるアンドロゲン(男性ホルモン)は，脂肪組織などに存在するアロマターゼによりエストロゲンに変換される。アンドロゲンのうち，テストステロンの1%未満がエストラジオールに，アンドロステンジオンの2～3%がエストロンに変換されると報告されている[6)]。現在わが国で広く使用されているアロマターゼ阻害薬として，レトロゾール，アナストロゾール，エキセメスタンがある。レトロゾール，アナストロゾールは非ステロイド性アロマターゼ阻害薬であり，アロマターゼ活性を可逆的に阻害する[7)]。エキセメスタンはステロイド性アロマターゼ阻害薬で，アロマターゼ活性を非可逆的に阻害する[8)]。これらの薬剤間における有効性の差異はないと考えられている[9)]。閉経後乳癌の術後(☞薬物CQ3参照)[10)]，転移・再発における有効性(☞薬物CQ20参照)[11)]が示されている。また，乳癌発症高リスク例の乳癌発症予防(☞乳癌診療ガイドライン②疫学・診断編2022年版，疫学・予防BQ17参照)にも有効性が示されている。

3）その他

(1) 黄体ホルモン製剤

わが国で使用可能なのは酢酸メドロキシプロゲステロン(medroxyprogesterone acetate；MPA)であり，合成黄体ホルモン薬である。酢酸メゲストロールも海外では使用されるが，わが国では発売されていない。乳癌に対する抗腫瘍効果の作用機序は十分に解明されていない。MPAはランダム化比較試験でタモキシフェンと同程度の有効性が示唆されているが[12)13)]，有害事象として血栓症に注意する必要がある(☞薬物CQ22参照)。

(2) エストロゲン療法

ホルモン受容体陽性乳癌に対する治療戦略はエストロゲン作用の除去を主体に検討されてきているが，エチニルエストラジオールは，基礎実験において，エストロゲン枯渇療法後に使用することで乳癌細胞をアポトーシスに導くことが報告されている[14]。タモキシフェンとジエチルスチルベストロール(DES)を比較したランダム化比較試験では，奏効割合，無増悪生存期間(PFS)には差がなく，DESでは心血管合併症が多いことが報告されていたが，その後の長期経過観察では全生存期間(OS)はむしろDESが優れる傾向が認められた[15](☞薬物CQ22参照)。

黄体ホルモン製剤は血栓症や体重増加，エストロゲン療法は血栓症や腟出血などの有害事象があるため，使用される場合でも後方ラインでの投与がなされる(☞薬物CQ22参照)。

検索キーワード・参考にした二次資料

PubMedで，"Breast Neoplasms/drug therapy"，"Chemotherapy, Adjuvant"，"Antineoplastic Agents, Hormonal"，"Antineoplastic Agents, Hormonal"，"Aromatase Inhibitors"，"Aromatase Inhibitors"，"Estrogen Antagonists"，"Estrogen Antagonists"，"Gonadotropin-Releasing Hormone"，"Tamoxifen"，"Letrozole"，"Anastrozole"，"exemestane"，"Nitriles"，"Triazoles"のキーワードで検索した。検索期間は2021年3月までとし，2,595件がヒットした。

参考文献

1) McInerney EM, Katzenellenbogen BS. Different regions in activation function-1 of the human estrogen receptor required for antiestrogen- and estradiol-dependent transcription activation. J Biol Chem. 1996; 271(39): 24172-8. [PMID: 8798658]
2) Miller TW. Endocrine resistance: what do we know? Am Soc Clin Oncol Educ Book. 2013. [PMID: 23714450]
3) ゾラデックスLA 10.8 mgデポ医薬品インタビューフォーム．2017年1月改定．アストラゼネカ株式会社．
4) リュープリンSR注射用キット11.25 mg　リュープリンPRO注射用キット22.5 mg　医薬品インタビューフォーム．2020年12月改定．武田薬品工業株式会社．
5) Bui KT, Willson ML, Goel S, Beith J, Goodwin A. Ovarian suppression for adjuvant treatment of hormone receptor-positive early breast cancer. Cochrane Database Syst Rev. 2020; 3(3): CD013538. [PMID: 32141074]
6) 林慎一，徳田恵美．エストロゲン依存性乳癌の分子機構と内分泌療法．東京，日本臨床社，2017．
7) Smith IE, Dowsett M. Aromatase inhibitors in breast cancer. N Engl J Med. 2003; 348(24): 2431-42. [PMID: 12802030]
8) Jones SA, Jones SE. Exemestane: a novel aromatase inactivator for breast cancer. Clin Breast Cancer. 2000; 1(3): 211-6. [PMID: 11899645]
9) Goss PE, Ingle JN, Pritchard KI, Ellis MJ, Sledge GW, Budd GT, et al. Exemestane versus anastrozole in postmenopausal women with early breast cancer: NCIC CTG MA.27--a randomized controlled phase Ⅲ trial. J Clin Oncol. 2013; 31(11): 1398-404. [PMID: 23358971]
10) Early Breast Cancer Trialists' Collaborative Group(EBCTCG). Aromatase inhibitors versus tamoxifen in early breast cancer: patient-level meta-analysis of the randomised trials. Lancet. 2015; 386(10001): 1341-52. [PMID: 26211827]
11) Gibson L, Lawrence D, Dawson C, Bliss J. Aromatase inhibitors for treatment of advanced breast cancer in postmenopausal women. Cochrane Database Syst Rev. 2009; 2009(4): CD003370. [PMID: 19821307]
12) Gill PG, Gebski V, Snyder R, Burns I, Levi J, Byrne M, et al. Randomized comparison of the effects of tamoxifen, megestrol acetate, or tamoxifen plus megestrol acetate on treatment response and survival in patients with metastatic breast cancer. Ann Oncol. 1993; 4(9): 741-4. [PMID: 8280654]
13) Iwase H, Yamamoto Y. Clinical benefit of sequential use of endocrine therapies for metastatic breast cancer. Int J Clin Oncol. 2015; 20(2): 253-61. [PMID: 25673474]
14) Haddow A, Watkinson JM, Paterson E, Koller PC. Influence of synthetic oestrogens on advanced malignant disease. Br Med J. 1944; 2(4368): 393-8. [PMID: 20785660]
15) Peethambaram PP, Ingle JN, Suman VJ, Hartmann LC, Loprinzi CL. Randomized trial of diethylstilbestrol vs. tamoxifen in postmenopausal women with metastatic breast cancer. An updated analysis. Breast Cancer Res Treat. 1999; 54(2): 117-22. [PMID: 10424402]

BQ 2 タモキシフェンは子宮内膜癌（子宮体癌）発症のリスクを増加させるか？

ステートメント

- タモキシフェン内服により，主に閉経後において子宮内膜癌（子宮体癌）の発症リスクが増加するが，死亡リスクの有意な増加は認めない。不正性器出血などの症状がある場合は，婦人科での精査が勧められる。

背景

ホルモン受容体陽性乳癌の術後内分泌療法としてタモキシフェンの有用性が確立している（☞薬物 BQ1，CQ2，3 参照）。タモキシフェンの有害事象の一つとして，子宮内膜癌の発症リスク増加が報告されているので概説する。

解説

NSABP P-1 試験（n＝13,388）はタモキシフェンによる乳癌化学予防の効果を検証したランダム化比較試験である。タモキシフェン 5 年内服によって子宮内膜癌罹患の相対リスクは 3.28（95％CI 1.87-6.03）と上昇した[1]。7 年の追跡期間で子宮内膜癌は，試験全体で 70 例（プラセボ群 17 例，タモキシフェン群 53 例）発症したが，うち 67 例（プラセボ群 15 例，タモキシフェン群 52 例）は Stage Ⅰであった。年齢別では 49 歳以下では子宮内膜癌のリスク増加は認めず，50 歳以上では相対リスクは 5.33（95％CI 2.47-13.17）とリスク増加を認めた。IBIS-I 試験（n＝7,145，タモキシフェン 5 年内服）と Royal Marsden 試験（n＝2,494，タモキシフェン 7 年内服）の 3 試験のメタアナリシスでは，タモキシフェンによる子宮内膜癌の相対リスクは 2.13（95％CI 1.36-3.32，I^2＝0.0％）と有意に増加することが示されている[2]。

SEER データベースで 1980～2000 年に乳癌と診断され，初期治療でタモキシフェンを投与された 39,451 人の解析から，子宮内膜癌の O/E（観測値/期待値）は 2.17（95％CI 1.95-2.41）であった[3]。術後タモキシフェンの有効性を検証した 20 試験を含む EBCTCG のメタアナリシスの解析結果[4]から，タモキシフェン 5 年内服で子宮内膜癌の罹患リスクは 2.40 倍に増加することが報告された。子宮内膜癌のリスクには年齢との相関があり，54 歳以下では罹患リスク増加はないが，55 歳以上では罹患リスクは 2.96 倍に増加し，15 年の追跡期間で子宮内膜癌の発症割合は，タモキシフェン群で 3.8％，プラセボ群で 1.1％と 2.6％上昇していた。子宮内膜癌による死亡リスクの有意な増加は認めていない。ほかには，タモキシフェンによる子宮内膜癌発症リスクと，タモキシフェン治療期間，肥満，乳癌発症前のホルモン補充療法との関連が報告されている[5]。

タモキシフェンは5年間投与と比べ10年間投与で再発をより低下させることが報告されている（☞薬物 CQ4 参照）。メタアナリシスの結果から，タモキシフェンの 10 年間投与により，子宮内膜癌のリスクは 5 年間投与と比べ 1.5％から 3.2％へ増加〔リスク比（RR）2.29，95％CI 1.60-3.28，$p<0.001$〕した[6]。しかしながら，延長投与における子宮体癌のリスク上昇と年齢との関係性につ

いては報告されていない。

上記を踏まえ，特に閉経後乳癌患者に対しては，タモキシフェン内服による子宮内膜癌（子宮体癌）のリスクを説明したうえで，不正出血などの症状があればすぐに連絡するように説明しておくことが重要である。タモキシフェン内服前にすでに良性ポリープがあるような「子宮内膜癌高リスク患者」でない限り，定期的な子宮体がん検診が子宮内膜癌の早期発見に有効であるというエビデンスがないことに加えて，子宮に対してより侵襲的な検査を行うことが多くなるなどの不利益を考慮すると，無症状の場合については定期的な子宮体がん検診は推奨されない。

検索キーワード・参考にした二次資料

PubMed で，“Endometrial Neoplasms”，“breast neoplasms”，“endometrial”，“Endometrium”，“tamoxifen/adverse effects”のキーワードで検索した。検索期間は 2021 年 3 月までとし，1,377 件がヒットした。

参考文献

1）Fisher B, Costantino JP, Wickerham DL, Cecchini RS, Cronin WM, Robidoux A, et al. Tamoxifen for the prevention of breast cancer: current status of the National Surgical Adjuvant Breast and Bowel Project P-1 study. J Natl Cancer Inst. 2005; 97(22): 1652-62. [PMID: 16288118]
2）Nelson HD, Fu R, Griffin JC, Nygren P, Smith ME, Humphrey L. Systematic review: comparative effectiveness of medications to reduce risk for primary breast cancer. Ann Intern Med. 2009; 151(10): 703-15, W-226-35. [PMID: 19920271]
3）Curtis RE, Freedman DM, Sherman ME, Fraumeni JF Jr. Risk of malignant mixed mullerian tumors after tamoxifen therapy for breast cancer. J Natl Cancer Inst. 2004; 96(1): 70-4. [PMID: 14709741]
4）Early Breast Cancer Trialists' Collaborative Group (EBCTCG), Davies C, Godwin J, Gray R, Clarke M, Cutter D, et al. Relevance of breast cancer hormone receptors and other factors to the efficacy of adjuvant tamoxifen: patient-level meta-analysis of randomised trials. Lancet. 2011; 378(9793): 771-84. [PMID: 21802721]
5）Bernstein L, Deapen D, Cerhan JR, Schwartz SM, Liff J, McGann-Maloney E, et al. Tamoxifen therapy for breast cancer and endometrial cancer risk. J Natl Cancer Inst. 1999; 91(19): 1654-62. [PMID: 10511593]
6）Fleming CA, Heneghan HM, O'Brien D, McCartan DP, McDermott EW, Prichard RS. Meta-analysis of the cumulative risk of endometrial malignancy and systematic review of endometrial surveillance in extended tamoxifen therapy. Br J Surg. 2018; 105(9): 1098-106. [PMID: 29974455]

ホルモン受容体陽性非浸潤性乳管癌に対して乳房部分切除術後の内分泌療法は推奨されるか？

推奨

- 閉経状況にかかわらずタモキシフェンの投与を弱く推奨する。

  推奨の強さ：2，エビデンスの強さ：強，合意率：90%(43/48)

- 閉経後の場合，アロマターゼ阻害薬の投与を弱く推奨する。

  推奨の強さ：2，エビデンスの強さ：強，合意率：83%(40/48)

推奨におけるポイント

- 閉経前であれば，タモキシフェンの投与が弱く推奨される。
- 閉経後であれば，アロマターゼ阻害薬の投与が弱く推奨され，アロマターゼ阻害薬が使用できない場合や骨関連有害事象の懸念がある場合は，タモキシフェンの投与が弱く推奨される。

背景・目的

非浸潤性乳管癌(ductal carcinoma *in situ*；DCIS)に対する術後内分泌療法の意義について検討した。

解説

非浸潤性乳管癌(DCIS)に対する乳房部分切除術後のタモキシフェン投与に関して，2つのプラセボ対照のランダム化比較試験(UK/ANZ DCIS 試験[1)]，NSABP B-24 試験[2)])を統合解析した。術後タモキシフェン5年投与により，無病生存期間(DFS)が改善する〔ハザード比(HR)0.76，95%CI 0.62-0.94，$p=0.01$〕。温存乳房内の浸潤癌発症も減少傾向が認められる〔リスク比(RR) 0.75，95%CI 0.56-1.02〕。全生存期間(OS)の改善は認めない(RR 1.13，95%CI 0.84-1.52)。有害事象についてはNSABP B-24 試験[3)]で報告されており，Grade 3 以上の有害事象には有意な差は認めなかった(RR 0.91，95%CI 0.64-1.27，$p=0.57$)。

非浸潤性乳管癌に対する乳房部分切除術後のアロマターゼ阻害薬投与については，閉経後女性を対象に，アロマターゼ阻害薬とタモキシフェンの5年内服を比較した2試験(IBIS-Ⅱ DCIS 試験[4)]，NSABP B-35 試験[5)])が報告されている。アロマターゼ阻害薬はタモキシフェンと比較してDFS(HR 0.79，95%CI 0.64-0.97，$p=0.02$)を改善するが，温存乳房内の浸潤癌再発(HR 0.85，95%CI 0.55-1.31，$p=0.46$)，OS(HR 1.06，95%CI 0.84-1.35，$p=0.61$)には有意な改善は認めない。治療関連有害事象は全Gradeでの評価では有意な差は認めないものの，骨折はアロマターゼ阻害薬で多く(RR 1.34，95%CI 1.09-1.65)，血栓塞栓症はタモキシフェンで多い(RR 0.31，95%CI 0.19-0.53)。

DCISに対する乳房部分切除術後の内分泌療法により，DFSの改善，乳房内再発抑制が期待されるが，OSの改善はなく，有害事象は増加し，タモキシフェンとアロマターゼ阻害薬でその割合は異なっている。QOLは評価されていない。患者の希望のばらつきも大きいと考えられる。複数のランダム化比較試験の統合解析の結果であり，エビデンスの強さは「強」とした。

推奨決定会議での投票では，タモキシフェン投与については，「行うことを弱く推奨する」が43/48(90%)，「行わないことを弱く推奨する」が4/48(8%)，「行わないことを強く推奨する」が1/48(2%)であり，推奨は，「閉経状況にかかわらずタモキシフェンの投与を弱く推奨する」とした。また，閉経後患者に対するアロマターゼ阻害薬については，「行うことを弱く推奨する」が40/48(83%)，「行わないことを弱く推奨する」が8/48(17%)であり，「閉経後の場合アロマターゼ阻害薬の投与を弱く推奨する」とした。

[投票結果]

	1. 行うことを強く推奨する	2. 行うことを弱く推奨する	3. 行わないことを弱く推奨する	4. 行わないことを強く推奨する
推奨 1 つ目	0%(0/48)	90%(43/48)	8%(4/48)	2%(1/48)
	総投票数 48 名(棄権 0 名，COI 棄権 0 名)			
推奨 2 つ目	0%(0/48)	83%(40/48)	17%(8/48)	0%(0/48)
	総投票数 48 名(棄権 0 名，COI 棄権 0 名)			

検索キーワード・参考にした二次資料

PubMed で，“Breast Neoplasms”，“Carcinoma, Intraductal, Noninfiltrating”，“Carcinoma, Ductal, Breast”，“Carcinoma in Situ”，“Carcinoma, Lobular”，“Chemotherapy, Adjuvant”，“Antineoplastic Agents, Hormonal”，“Tamoxifen”，“Aromatase Inhibitors”，“Letrozole”，“Anastrozole”，“Exemestane”のキーワードで検索した。医中誌・Cochrane Library も同等のキーワードで検索した。PubMed から 74 編，Cochrane から 34 編，医中誌から 1 編，ハンドサーチにて 1 編を抽出した。一次スクリーニングにて 110 編を抽出し，二次スクリーニングとして 23 編を抽出した。

無浸潤疾患生存期間/温存乳房内の浸潤癌再発，無再発生存期間，全生存期間，治療関連有害事象に関してシステマティック・レビューを行った。

参考文献

1) Cuzick J, Sestak I, Pinder SE, Ellis IO, Forsyth S, Bundred NJ, et al. Effect of tamoxifen and radiotherapy in women with locally excised ductal carcinoma in situ: long-term results from the UK/ANZ DCIS trial. Lancet Oncol. 2011; 12(1): 21-9. [PMID: 21145284]
2) Allred DC, Anderson SJ, Paik S, Wickerham DL, Nagtegaal ID, Swain SM, et al. Adjuvant tamoxifen reduces subsequent breast cancer in women with estrogen receptor-positive ductal carcinoma in situ: a study based on NSABP protocol B-24. J Clin Oncol. 2012; 30(12): 1268-73. [PMID: 22393101]
3) Fisher B, Dignam J, Wolmark N, Wickerham DL, Fisher ER, Mamounas E, et al. Tamoxifen in treatment of intraductal breast cancer: National Surgical Adjuvant Breast and Bowel Project B-24 randomised controlled trial. Lancet. 1999; 353(9169): 1993-2000. [PMID: 10376613]
4) Forbes JF, Sestak I, Howell A, Bonanni B, Bundred N, Levy C, et al; IBIS-Ⅱ investigators. Anastrozole versus tamoxifen for the prevention of locoregional and contralateral breast cancer in postmenopausal women with locally excised ductal carcinoma in situ(IBIS-Ⅱ DCIS): a double-blind, randomised controlled trial. Lancet. 2016; 387(10021): 866-73. [PMID: 26686313]
5) Margolese RG, Cecchini RS, Julian TB, Ganz PA, Costantino JP, Vallow LA, et al. Anastrozole versus tamoxifen in postmenopausal women with ductal carcinoma in situ undergoing lumpectomy plus radiotherapy(NSABP B-35): a randomised, double-blind, phase 3 clinical trial. Lancet. 2016; 387(10021): 849-56. [PMID: 26686957]

CQ 2 閉経前ホルモン受容体陽性乳癌に対する術後内分泌療法として何が推奨されるか？

推 奨

- **再発リスクが低い場合，タモキシフェン単剤の投与を強く推奨する。**
  推奨の強さ：1，エビデンスの強さ：強，合意率：100%(46/46)
- **LH-RH アゴニストとタモキシフェンの併用を強く推奨する。**
  推奨の強さ：1，エビデンスの強さ：強，合意率：98%(39/40)
- **LH-RH アゴニストとアロマターゼ阻害薬の併用を強く推奨する。**
  〔推奨の強さ：1，エビデンスの強さ：中，合意率：85%(34/40)

推奨におけるポイント

- タモキシフェン内服によりDFS，OSが改善する。LH-RH アゴニストを併用することでさらにDFS，OSが改善するが，再発リスクが低い場合，その効果は小さい。
- 再発リスクの評価方法として複合リスクが報告されている(本文を参照)。

背景・目的

閉経前ホルモン受容体陽性乳癌における術後タモキシフェン単独，LH-RH アゴニスト単独，タモキシフェンやアロマターゼ阻害薬と LH-RH アゴニストの併用を比較する試験が行われている。タモキシフェン，LH-RH アゴニストとタモキシフェン併用，LH-RH アゴニストとアロマターゼ阻害薬併用の臨床的意義について検討した。

解 説

1）タモキシフェン

ホルモン受容体陽性乳癌の術後におけるタモキシフェン投与について，EBCTCG によるメタアナリシスが 2011 年に報告されており，採用した[1)]。術後無治療に比較し，無病生存期間(DFS)〔ハザード比(HR)0.64，95%CI 0.60-0.68，p<0.00001〕，全生存期間(OS)(HR 0.89，95%CI 0.86-0.93，p<0.00001)はタモキシフェンにより有意に改善した。エストロゲン受容体陽性乳癌 10,645 例に限った検討でも，タモキシフェン 5 年による再発率比は最初の 5 年間(0～4 年)は 0.53，その後の 5 年間(5～9 年)は 0.68 と減少したが，10 年以降(10～14 年)では 0.97 であった。乳癌による死亡リスクも低下し(死亡率比 0.71)，リスクの低下は 10 年以降も持続して認められた。タモキシフェンの有効性は，年齢，閉経状況，リンパ節転移や化学療法併用の有無にかかわらず認められた。タモキシフェンによる特徴的な有害事象として，子宮内膜癌の罹患リスクの上昇がある(☞薬物 BQ2 参照)。EBCTCG のメタアナリシスでは，子宮内膜癌の罹患リスクは 2.4 倍に増加していた。55 歳以上の女性では，15 年間の罹患率が 1.1%から 3.8%に増加していたが，54 歳以下の女性では罹患リスクの有意な上昇は認めなかった。また，子宮内膜癌による死亡リスクに有意な上昇は認めなかった。そのほかの有害事象(脳卒中　リスク比 1.37，肺動脈血栓症　リスク比 2.30，心

血管イベント リスク比 0.89)については，コントロールと比較して有意なリスク上昇を認めなかった。

20試験を対象としたメタアナリシスであり，またバイアスリスクも低く，エビデンスの強さは「強」とした。益と害のバランスについては，有害事象の発症という「害」に比べて，乳癌再発および乳癌死の減少という「益」が上回ると考えられた。また，患者の希望に関してもバラツキは少ないと考えられた。

2)で述べる通り，LH-RHアゴニストを併用することで，DFS，OSがより改善することが報告されており，複合リスクが高い患者においてLH-RHアゴニスト＋タモキシフェンの有効性が明らかであり，推奨決定会議の投票の結果も，「行うことを強く推奨する」が46/46(100%)であり，推奨は「再発リスクが低い場合，タモキシフェン単剤の投与を強く推奨する」とした。

タモキシフェンの投与期間に関しては，1～2年間のタモキシフェンと比べ，5年間のタモキシフェンの有効性が示されている[1)2)]。タモキシフェン5年間と比べ10年間の有効性も示されており，術後内分泌療法の至適治療期間については薬物CQ4を参照されたい。

内分泌療法開始のタイミングに関しては，何らかの理由で治療開始が遅れた場合もタモキシフェンの有用性が示されている。TAM-02試験では，診断後2年以上経過してからタモキシフェンを開始しても，DFSやOSが改善した[3)]。

2）LH-RHアゴニスト＋タモキシフェン併用

15試験11,538症例を含むコクランの統合解析を採用した[4)]。全体集団においてLH-RHアゴニストを追加することで，DFS，OSのいずれも有意な改善を示した(DFS：HR 0.83，95%CI 0.77-0.90，p<0.00001，OS：HR 0.86，95%CI 0.78-0.94，p=0.001)。この解析のうち，LH-RHアゴニスト＋タモキシフェンとタモキシフェン単独(DFS：HR 0.76，95%CI 0.63-0.92，p=0.005，OS：HR 0.69，95%CI 0.59-0.93，p=0.009)，LH-RHアゴニスト＋タモキシフェン＋化学療法とタモキシフェン＋化学療法(DFS：HR 0.69，95%CI 0.48-0.99，p<0.00001，OS：HR 0.86，95%CI 0.78-0.94，p=0.001)のいずれの対象でもLH-RHアゴニストを追加することの有効性が示唆されている。SOFT試験とTEXT試験の統合解析に際して，subpopulation treatment effect pattern plot(STEPP)法を用いた解析では，年齢，リンパ節転移，グレード，エストロゲン受容体，プロゲステロン受容体，Ki67から算出した複合リスクが高い患者(若年，グレード3，リンパ節転移陽性，Ki67高値など。最も高い複合リスクのquartileでは5年breast cancer-free survivalは77.5%であった)においてLH-RHアゴニスト＋タモキシフェンの有効性が期待される[5)6)]。一方で，ホットフラッシュなど有害事象の増加が認められる(リスク比1.60，95%CI 1.41-1.82)。採用したコクランの統合解析のバイアスリスクは低く，エビデンスの強さは「強」とした。

益と害のバランスについては，再発リスクの高い患者にとって，LH-RHアゴニスト併用によるDFSおよびOSの改善という「益」が，有害事象の増加などの「害」を上回ると考えられた。しかし，再発リスクが低い場合，LH-RHアゴニストを併用した場合，「益」と「害」の差は小さく，患者の希望のばらつきは大きいと考えられた。

推奨決定会議の投票の結果は，「行うことを強く推奨する」が39/40(98%)，「行うことを弱く推奨する」が1/40(3%)であり，推奨は「LH-RHアゴニストとタモキシフェンの併用を強く推奨する」とした。

3）LH-RH アゴニスト＋アロマターゼ阻害薬併用（実地診療ではすでに広く使用されているが，添付文書上は保険適用外となっている）

LH-RH アゴニスト＋アロマターゼ阻害薬と LH-RH アゴニスト＋タモキシフェンの比較に，SOFT/TEXT 試験[7]，ABCSG-12 試験[8]，HOBOE 試験[9]の 3 試験の統合解析を行った。DFS，OS について有意な差を認めなかった（DFS：HR 0.87，95%CI 0.67-1.14，p=0.3，OS：HR 1.07，95%CI 0.70-1.64，p=0.75）。LH-RH アゴニスト＋アロマターゼ阻害薬では，血栓塞栓症の発症が 0.8% と，LH-RH アゴニスト＋タモキシフェンの 1.7% と比較し有意に少なかった（RR 1.60，95%CI 1.41-1.82）。また，LH-RH アゴニスト＋アロマターゼ阻害薬では筋骨格症状，骨粗鬆症が多く，LH-RH アゴニスト＋タモキシフェンでは血栓症，子宮内膜異常が多く，有害事象のプロファイルが異なっていた。

2021 年のサンアントニオ乳癌シンポジウムにおいて，EBCTCG によるメタアナリシス[10]と，SOFT/TEXT 試験の長期フォローアップ結果[11]がそれぞれ報告され，LH-RH アゴニスト＋アロマターゼ阻害薬は LH-RH アゴニスト＋タモキシフェンと比べ，遠隔転移再発を減少させるが，OS には有意な差は認めないことが報告された。

SOFT 試験の登録患者の一部を対象とした SOFT-EST Substudy において，LH-RH アゴニスト＋アロマターゼ阻害薬を使用した症例のなかで，血清エストラジオール値が低下しない例が報告されたため[12]，LH-RH アゴニスト＋アロマターゼ阻害薬を使用する場合は定期的に FSH，E2 を測定するなど注意が必要である。また，わが国におけるアロマターゼ阻害薬の適応は閉経後乳癌である。

試験の間で DFS，OS の結果にばらつきがあるため，エビデンスの強さは「中」とした。益と害のバランスについては，LH-RH アゴニスト＋アロマターゼ阻害薬は LH-RH アゴニスト＋タモキシフェンと同等の有効性が期待され，再発リスクの高い患者にとって，LH-RH アゴニスト併用による再発抑制効果という「益」が，有害事象の「害」を上回ると考えられた。しかし，再発リスクが低い場合，LH-RH アゴニストを併用した場合，「益」と「害」の差は小さく，有害事象のプロファイルが異なることから，患者の希望のばらつきは大きいと考えられた。

推奨決定会議の投票の結果は，「行うことを強く推奨する」が 34/40（85%），「行うことを弱く推奨する」が 6/40（15%）であり，推奨は「LH-RH アゴニストとアロマターゼ阻害薬の併用を強く推奨する」とした。

［投票結果］

	1. 行うことを強く推奨する	2. 行うことを弱く推奨する	3. 行わないことを弱く推奨する	4. 行わないことを強く推奨する
推奨 1 つ目	100%（46/46）	0%（0/46）	0%（0/46）	0%（0/46）
	総投票数 46 名（棄権 0 名，COI 棄権 2 名）			
推奨 2 つ目	98%（39/40）	3%（1/40）	0%（0/40）	0%（0/40）
	総投票数 40 名（棄権 0 名，COI 棄権 8 名）			
推奨 3 つ目	85%（34/40）	15%（6/40）	0%（0/40）	0%（0/40）
	総投票数 40 名（棄権 0 名，COI 棄権 8 名）			

検索キーワード・参考にした二次資料

PubMed で，“Breast Neoplasms”，“Premenopause”，“Chemotherapy, Adjuvant”，“Antineoplastic Agents, Hormonal” のキーワードで検索した。医中誌・Cochrane Library も同等のキーワードで検索した。検索期間は 2018 年 12 月までとし，PubMed から 1,261 編，Cochrane Library から 1,390 編，医中誌から 25 編が抽出され，それ以外にハンドサーチで 8 編の論文が追加された。一次スクリーニングで 61 編の論文が抽出され，二次スクリーニングで 34 編の論文が抽出された。

ガイドライン改訂に際して，検索期間を 2021 年 3 月までとして検索を追加し，PubMed から 48 編，Cochrane Library から 284 編，医中誌から 9 編が追加で抽出され，それ以外にハンドサーチで 6 編の論文が追加された。一次スクリーニングで 26 編の論文が追加され，二次スクリーニングで 10 編の論文が抽出された。

全生存期間，無再発生存期間，治療関連有害事象に関してシステマティック・レビューを行った。

参考文献

1) Early Breast Cancer Trialists' Collaborative Group (EBCTCG), Davies C, Godwin J, Gray R, Clarke M, Cutter D, et al. Relevance of breast cancer hormone receptors and other factors to the efficacy of adjuvant tamoxifen: patient-level meta-analysis of randomised trials. Lancet. 2011; 378(9793): 771-84. [PMID: 21802721]

2) Early Breast Cancer Trialists' Collaborative Group (EBCTCG). Effects of chemotherapy and hormonal therapy for early breast cancer on recurrence and 15-year survival: an overview of the randomised trials. Lancet. 2005; 365(9472): 1687-717. [PMID: 15894097]

3) Delozier T, Switsers O, Génot JY, Ollivier JM, Héry M, Namer M, et al. Delayed adjuvant tamoxifen: ten-year results of a collaborative randomized controlled trial in early breast cancer (TAM-02 trial). Ann Oncol. 2000; 11(5): 515-9. [PMID: 10907942]

4) Bui KT, Willson ML, Goel S, Beith J, Goodwin A. Ovarian suppression for adjuvant treatment of hormone receptor-positive early breast cancer. Cochrane Database Syst Rev. 2020; 3(3): CD013538. [PMID: 32141074]

5) Regan MM, Francis PA, Pagani O, Fleming GF, Walley BA, Viale G, et al. Absolute benefit of adjuvant endocrine therapies for premenopausal women with hormone receptor-positive, human epidermal growth factor receptor 2-negative early breast cancer: TEXT and SOFT trials. J Clin Oncol. 2016; 34(19): 2221-31. [PMID: 27044936]

6) Pagani O, Francis PA, Fleming GF, Walley BA, Viale G, Colleoni M, et al; SOFT and TEXT Investigators and International Breast Cancer Study Group. Absolute improvements in freedom from distant recurrence to tailor adjuvant endocrine therapies for premenopausal women: results from TEXT and SOFT. J Clin Oncol. 2020; 38(12): 1293-303. [PMID: 31618131]

7) Francis PA, Pagani O, Fleming GF, Walley BA, Colleoni M, Láng I, et al; SOFT and TEXT Investigators and the International Breast Cancer Study Group. Tailoring adjuvant endocrine therapy for premenopausal breast cancer. N Engl J Med. 2018; 379(2): 122-37. [PMID: 29863451]

8) Gnant M, Mlineritsch B, Stoeger H, Luschin-Ebengreuth G, Knauer M, Moik M, et al; Austrian Breast and Colorectal Cancer Study Group, Vienna, Austria. Zoledronic acid combined with adjuvant endocrine therapy of tamoxifen versus anastrozol plus ovarian function suppression in premenopausal early breast cancer: final analysis of the Austrian Breast and Colorectal Cancer Study Group Trial 12. Ann Oncol. 2015; 26(2): 313-20. [PMID: 25403582]

9) Perrone F, De Laurentiis M, De Placido S, Orditura M, Cinieri S, Riccardi F, et al. Adjuvant zoledronic acid and letrozole plus ovarian function suppression in premenopausal breast cancer: HOBOE phase 3 randomised trial. Eur J Cancer. 2019; 118: 178-86. [PMID: 31164265]

10) Early Breast Cancer Trialists' Collaborative Group (EBCTCG). Aromatase inhibitors versus tamoxifen in premenopausal women with oestrogen receptor-positive early-stage breast cancer treated with ovarian suppression: a patient-level meta-analysis of 7030 women from four randomised trials. Lancet Oncol. 2022; 23(3): 382-92. [PMID: 35123662]

11) Regan MM, Walley BA, Fleming GF, Francis PA, Colleoni MA, Láng I, et al. Randomized comparison of adjuvant aromatase inhibitor exemestane (E) plus ovarian function suppression (OFS) vs tamoxifen (T) plus OFS in premenopausal women with hormone receptor-positive (HR+) early breast cancer (BC): update of the combined TEXT and SOFT trials. Cancer Res. 2022; 82(4_Supplement): GS2-05.

12) Bellet M, Gray KP, Francis PA, Láng I, Ciruelos E, Lluch A, et al. Twelve-month estrogen levels in premenopausal women with hormone receptor-positive breast cancer receiving adjuvant triptorelin plus exemestane or tamoxifen in the Suppression of Ovarian Function Trial (SOFT): the SOFT-EST substudy. J Clin Oncol. 2016; 34(14): 1584-93. [PMID: 26729437]

CQ 3 閉経後ホルモン受容体陽性乳癌に対する術後内分泌療法として何が推奨されるか？

推奨

- アロマターゼ阻害薬の投与を強く推奨する。
  推奨の強さ：1，エビデンスの強さ：強，合意率：100%(48/48)
- タモキシフェンの投与を弱く推奨する。
  推奨の強さ：2，エビデンスの強さ：強，合意率：96%(44/46)

推奨におけるポイント

- アロマターゼ阻害薬が推奨されるが，アロマターゼ阻害薬が使用できない場合や有害事象が問題になる場合はタモキシフェンを推奨する。

背景・目的

閉経後ホルモン受容体陽性乳癌の術後標準治療は，以前はタモキシフェンであったが，第三世代アロマターゼ阻害薬との複数の比較試験の結果から，アロマターゼ阻害薬の優位性が示された。

解 説

1）アロマターゼ阻害薬

閉経後ホルモン受容体陽性乳癌に対する術後内分泌療法として，アロマターゼ阻害薬の有用性について，2015年にEBCTCGによるメタアナリシス(n＝31,920)が報告されている。アロマターゼ阻害薬はタモキシフェンに比較し，乳癌再発を20%減少させ〔リスク比(RR)0.80，95%CI 0.73-0.88，$p<0.00001$〕，乳癌死亡を15%減少させた(RR 0.85，95%CI 0.75-0.96，$p=0.009$)[1]。アロマターゼ阻害薬では骨折の頻度が増加し(RR 1.35，95%CI 1.21-1.49)，タモキシフェンでは血栓塞栓症死亡(RR 0.38，95%CI 0.15-0.97)，子宮内膜癌の頻度(RR 0.33，95%CI 0.21-0.51)が増加する。脳血管障害死亡(RR 0.94，95%CI 0.57-1.54)には差は認められない。益と害のバランスについては，再発抑制効果である益が害に勝ると考えられた。患者の希望に関しては，有害事象に違いがあることからばらつきがあると考えられた。

推奨決定会議の投票の結果は，「行うことを強く推奨する」48/48(100%)であり，推奨は「アロマターゼ阻害薬の投与を強く推奨する」とした。

アロマターゼ阻害薬の使用のタイミングに関しては，タモキシフェンからの切り替え，アロマターゼ阻害薬からタモキシフェンへの切り替えについても検討した。

複数の第Ⅲ相試験(N-SAS BC03試験[2]，BIG 1-98試験[3]，IES試験[4]，ABCSG 9/ARNO/ITA試験[5])の統合解析を行った。タモキシフェンを2〜3年投与後にアロマターゼ阻害薬に変更し計5年投与することにより，タモキシフェンを5年投与する場合と比べ無病生存期間(DFS)〔ハザード比(HR)0.72，95%CI 0.62-0.83，$p<0.00001$〕および全生存期間(OS)(HR 0.78，95%CI 0.65-0.93，$p=0.005$)の延長を認める[3)〜6)]。有害事象については，アロマターゼ阻害薬への切り替えで

骨折の増加を認め，タモキシフェン群は子宮内膜癌の頻度（RR 0.35，95％CI 0.22–0.55）が多かった。脳血管障害，血栓塞栓症について，差は認めなかった。閉経後ホルモン受容体陽性乳癌に対しては，アロマターゼ阻害薬の使用を強く推奨するため，タモキシフェンから開始する対象は，何らかの理由により，最初にアロマターゼ阻害薬の投与ができなかった患者が想定される。

BIG 1–98 試験のサブグループ解析ではあるが，アロマターゼ阻害薬を 2 年内服後にタモキシフェンに切り替えて合計 5 年投与する群と，アロマターゼ阻害薬を 5 年投与する群の比較において，DFS（HR 0.96，95％CI 0.76–1.21），OS（HR 0.90，95％CI 0.65–1.24）とも差を認めなかった[3)]。

2）タモキシフェン

閉経後ホルモン受容体陽性乳癌の術後におけるタモキシフェン投与について，EBCTCG によるメタアナリシスが 2011 年に報告されている[6)]。タモキシフェンを投与しない場合と比べ，DFS（HR 0.64，95％CI 0.60–0.68，$p<0.00001$），OS（HR 0.89，95％CI 0.86–0.93，$p<0.00001$）はタモキシフェン投与により有意に改善した。エストロゲン受容体陽性乳癌 10,645 例に限った検討でも，タモキシフェン 5 年投与による再発率比は最初の 5 年間（0～4 年）は 0.53，その後の 5 年間（5～9 年）は 0.68 と減少したが，10 年以降（10～14 年）では 0.97 であった。乳癌による死亡リスクも低下し（死亡率比 0.71），リスクの低下は 10 年以降も持続して認められた。タモキシフェンの有効性は，年齢，閉経状況，リンパ節転移や化学療法併用の有無にかかわらず認められた。タモキシフェンによる特徴的な有害事象として，子宮内膜癌の罹患リスクの上昇がある（☞薬物 BQ2 参照）。EBCTCG のメタアナリシスでは，子宮内膜癌の罹患リスクは 2.4 倍に増加しており，55 歳以上の女性では，15 年間の罹患率が 1.1％から 3.8％に増加していたが，子宮内膜癌による死亡リスクに有意な上昇は認めなかった。そのほかの有害事象（脳卒中 RR 1.37，深部静脈血栓 RR 2.30，心血管イベント RR 0.89）については，コントロールと比較して有意なリスク上昇を認めなかった。

20 件の試験を対象としたメタアナリシスであり，またバイアスリスクも低く，エビデンスの強さは「強」とした。益と害のバランスについては，有害事象の発症という「害」に比べて，乳癌再発および乳癌死の減少という「益」が上回ると考えられた。また，患者の希望に関してもばらつきは少ないと考えられた。閉経後患者については，1）で示した通りアロマターゼ阻害薬がタモキシフェンと比べ，乳癌再発，乳癌死亡を減少させることが示されており，タモキシフェンは，何らかの理由によりアロマターゼ阻害薬の投与ができない患者に勧められる。

推奨決定会議の投票の結果は，「行うことを強く推奨する」2/46（4％），「行うことを弱く推奨する」44/46（96％）であり，推奨は「タモキシフェンの投与を弱く推奨する」とした。

［投票結果］

	1．行うことを強く推奨する	2．行うことを弱く推奨する	3．行わないことを弱く推奨する	4．行わないことを強く推奨する
推奨 1 つ目	100％（48/48）	0％（0/48）	0％（0/48）	0％（0/48）
	総投票数 48 名（棄権 0 名，COI 棄権 0 名）			
推奨 2 つ目	4％（2/46）	96％（44/46）	0％（0/46）	0％（0/46）
	総投票数 46 名（棄権 0 名，COI 棄権 0 名）			

検索キーワード・参考にした二次資料

PubMedで，“Breast Neoplasms”，“Postmenopause”，“Chemotherapy, Adjuvant”，“Antineoplastic Agents, Hormonal”，“Aromatase Inhibitors”，“Receptors, Estrogen”，“Tamoxifen”，“Letrozole”，“Anastrozole”，“Exemestane”のキーワードで検索した。医中誌・Cochrane Libraryも同等のキーワードで検索した。検索期間は2016年11月までとし，1,551件がヒットした。PubMedから551編，Cochrane Libraryから442編，医中誌から10編が抽出され，それ以外にハンドサーチで4編の論文が追加された。一次スクリーニングで90編の論文が抽出され，二次スクリーニングで34編の論文が抽出された。

ガイドライン改訂に際して，検索期間を2021年3月までとして検索を追加し，PubMedから23編，Cochrane Libraryから368編，医中誌から9編が追加で抽出され，それ以外にハンドサーチで6編の論文が追加された。一次スクリーニングで33編の論文が追加され，二次スクリーニングで21編の論文が抽出された。

全生存期間，無再発生存期間，治療関連有害事象に関してシステマティック・レビューを行った。

参考文献

1) Early Breast Cancer Trialists' Collaborative Group (EBCTCG). Aromatase inhibitors versus tamoxifen in early breast cancer: patient-level meta-analysis of the randomised trials. Lancet. 2015; 386 (10001): 1341-52. [PMID: 26211827]
2) Aihara T, Takatsuka Y, Ohsumi S, Aogi K, Hozumi Y, Imoto S, et al. Phase Ⅲ randomized adjuvant study of tamoxifen alone versus sequential tamoxifen and anastrozole in Japanese postmenopausal women with hormone-responsive breast cancer: N-SAS BC03 study. Breast Cancer Res Treat. 2010; 121 (2): 379-87. [PMID: 20390343]
3) BIG 1-98 Collaborative Group, Mouridsen H, Giobbie-Hurder A, Goldhirsch A, Thürlimann B, Paridaens R, et al. Letrozole therapy alone or in sequence with tamoxifen in women with breast cancer. N Engl J Med. 2009; 361 (8): 766-76. [PMID: 19692688]
4) Bliss JM, Kilburn LS, Coleman RE, Forbes JF, Coates AS, Jones SE, et al. Disease-related outcomes with long-term follow-up: an updated analysis of the intergroup exemestane study. J Clin Oncol. 2012; 30 (7): 709-17. [PMID: 22042946]
5) Jonat W, Gnant M, Boccardo F, Kaufmann M, Rubagotti A, Zuna I, et al. Effectiveness of switching from adjuvant tamoxifen to anastrozole in postmenopausal women with hormone-sensitive early-stage breast cancer: a meta-analysis. Lancet Oncol. 2006; 7 (12): 991-6. [PMID: 17138220]
6) Early Breast Cancer Trialists' Collaborative Group (EBCTCG), Davies C, Godwin J, Gray R, Clarke M, Cutter D, et al. Relevance of breast cancer hormone receptors and other factors to the efficacy of adjuvant tamoxifen: patient-level meta-analysis of randomised trials. Lancet. 2011; 378 (9793): 771-84. [PMID: 21802721]

CQ 4 浸潤性乳癌に対して，術後5年間の内分泌療法後に内分泌療法の追加投与は勧められるか？

推奨

- タモキシフェン5年投与後にタモキシフェン5年追加投与を行うことを推奨する。
  推奨の強さ：1〜2(合意に至らず)，エビデンスの強さ：中，
  合意率：強い推奨43%(20/47)，弱い推奨57%(27/47)
- 内分泌療法5年投与終了後にアロマターゼ阻害薬2〜5年追加投与を行うことを弱く推奨する。　推奨の強さ：2，エビデンスの強さ：強，合意率：98%(46/47)

推奨におけるポイント

- タモキシフェン5年投与後にタモキシフェン5年追加投与を行うことについて，行うこと自体は推奨されたものの，3回投票を行ったが推奨の強さを決定するに至らなかった。
- 閉経後にはアロマターゼ阻害薬の追加投与が弱く推奨されるが，投与期間については2〜5年のいずれが最適かの検証はされていない(本文参照)。

背景・目的

ホルモン受容体陽性乳癌の術後内分泌療法として，タモキシフェンおよびアロマターゼ阻害薬(閉経後)が推奨される(☞薬物CQ2，3参照)が，本CQでは，その至適治療期間として，5年を超えた延長投与について検討した。

解説

1）タモキシフェン5年投与後，タモキシフェン5年追加投与

タモキシフェン5年投与後の延長投与を検討した試験として5試験(ATLAS試験[1]，NSABP B-14試験[2]，Scottish試験[3]，ECOG試験[4]，aTTom試験[5])が同定された。

このうち，aTTom試験は，大規模試験であるが論文化されていないためメタアナリシスから除外し，ATLAS試験，NSABP B-14試験，Scottish試験，ECOG試験についてメタアナリシスを行った結果，タモキシフェン10年投与によりタモキシフェン5年投与と比べ，無病生存期間(DFS)〔n＝8,480，ハザード比(HR)0.95，95%CI 0.68-1.32，p＝0.75〕，全生存期間(OS)(n＝8,533，HR 1.10，95%CI 0.82-1.47，p＝0.51)に有意な改善を認めなかった。NSABP B-14試験は，リンパ節転移陰性症例のみが対象であり，intention to treat(ITT)解析ではないこと，Scottish試験，ECOG試験は，ホルモン受容体陽性症例に限らず対象としていること，また大規模なaTTom試験を統合解析できなかったことから，この解析のバイアスリスクは非常に深刻であると判断した。

ATLAS試験は，オープンラベルのランダム化第Ⅲ相試験で，タモキシフェン5年投与終了後の早期乳癌症例を対象に，タモキシフェン5年追加投与群と経過観察群とにランダム化し，再発率，乳癌死亡率，有害事象を検討した大規模な試験である。ホルモン受容体陽性乳癌における結果(n＝6,846)が報告されている[1]。再発率はリスク比(RR)0.84(95%CI 0.76-0.94，p＝0.002)と追

加投与による有意なリスク減少を認めた。特に術後10年以降では再発リスクを25%減少する効果を認めた。乳癌死亡率もRR 0.87(95%CI 0.78-0.97, $p=0.01$)と有意なリスク減少を認めた。

aTTom試験はまだ論文化されていないが，aTTom試験とATLAS試験の統合解析(n=17,477)の報告では，乳癌死亡率はタモキシフェン5年追加投与により減少した(RR 0.85, 95%CI 0.77-0.94, $p=0.001$)[6]。この傾向は，5～9年(RR 0.97, 95%CI 0.84-1.15)よりも10年以降でより顕著に認められた(RR 0.75, 95%CI 0.65-0.86, $p=0.00004$)。タモキシフェン5年追加投与により子宮体癌の発症(RR 1.74, 95%CI 1.30-2.34)，静脈血栓症・肺血栓塞栓症(RR 1.87, 95%CI 1.13-3.07)のリスク上昇を認めた(タモキシフェンによる子宮体癌のリスクについては薬物BQ2を参照)。

最も大規模な試験であり，バイアスリスクの低いaTTom試験とATLAS試験の統合解析の結果に基づくと，タモキシフェン5年追加投与は，乳癌死亡を減少する。一方で，害として子宮体癌，静脈血栓症・肺血栓塞栓症の発症リスクは上昇することから，益として期待される絶対的リスク減少効果の大小により益と害のバランスは変わり得る。リンパ節転移陰性など再発リスクの低い早期癌では，タモキシフェン5年追加投与による再発・死亡リスクの絶対的リスク減少効果が大きくはないため，害とのバランスを十分に考慮して適応を判断すべきである。一方，再発リスクが高いと考えられる場合は，益が害を上回ると考えられる。

患者希望については，再発リスクの低い早期乳癌患者では，益としての再発リスク減少に対する期待と，長期に及ぶ有害事象による害とのバランスについて，捉え方が一貫しないと考えられる。再発リスクの高い乳癌患者においては，患者の希望のばらつきは少ないと考える。

推奨決定会議においては，エビデンスの強さ，乳癌死亡の改善の程度，有害事象などが議論され，投票が行われた。タモキシフェン5年投与後にタモキシフェン5年追加投与を行うことについては，行うこと自体は推奨で一致したものの，3回投票を行ったが「推奨の強さ」を決定することはできなかった。3回の投票の結果は下記の通りであった。

1回目は「行うことを強く推奨する」は，29/47(62%)，「行うことを弱く推奨する」18/47(38%)であり，さらに議論を重ねたのちに行った2回目の投票では，「行うことを強く推奨する」は，23/47(49%)，「行うことを弱く推奨する」24/47(51%)であった。3回目の投票では，「行うことを強く推奨する」20/47(43%)，「行うことを弱く推奨する」27/47(57%)であった。最終的に，推奨決定会議において「推奨の強さ」は決定できなかった。

2）内分泌療法5年投与終了後，アロマターゼ阻害薬2～5年追加投与

内分泌療法投与終了後にアロマターゼ阻害薬の追加投与を検討した試験として，MA.17試験[7]，NSABP B-33試験[8]，ANZ0501-LATER試験[9]，MA.17R試験[10]，NSABP B-42試験[11]，AERAS試験[12]，ABCSG 6a試験[13]，DATA試験[14]，GIM-4試験[15]がある。また，ABCSG B16/SALSA試験[16]やIDEAL試験[17]では，アロマターゼ阻害薬2(～3)年追加と5年追加が比較されている。

メタアナリシスの結果，内分泌療法5年投与終了後，アロマターゼ阻害薬2～5年追加投与により，DFS(HR 0.65, 95%CI 0.57-0.74, $p<0.00001$)は有意に改善し，OSも改善傾向を認めた(HR 0.85, 95%CI 0.71-1.04, $p=0.11$)が有意差は認めなかった(**図1**)。

また，学会発表ではあるものの，5年以上の内分泌療法後に，アロマターゼ阻害薬の追加投与を検討したEBCTCGによるメタアナリシスの結果でも，アロマターゼ阻害薬の追加投与により

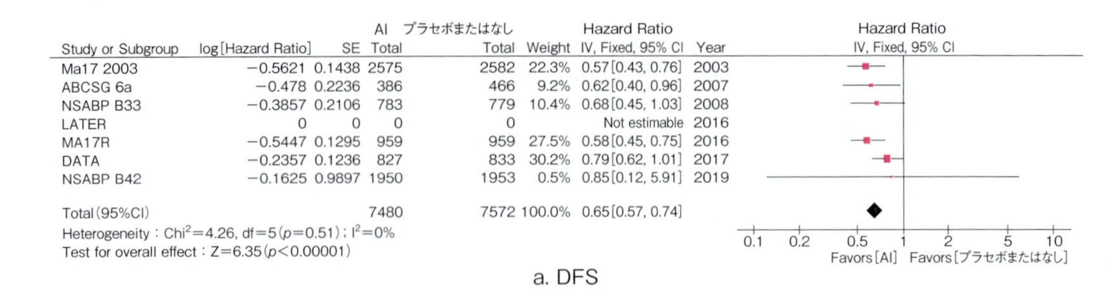

Study or Subgroup	log[Hazard Ratio]	SE	AI Total	プラセボまたはなし Total	Weight	Hazard Ratio IV, Fixed, 95% CI	Year
Ma17 2003	−0.5621	0.1438	2575	2582	22.3%	0.57[0.43, 0.76]	2003
ABCSG 6a	−0.478	0.2236	386	466	9.2%	0.62[0.40, 0.96]	2007
NSABP B33	−0.3857	0.2106	783	779	10.4%	0.68[0.45, 1.03]	2008
LATER	0	0	0	0		Not estimable	2016
MA17R	−0.5447	0.1295	959	959	27.5%	0.58[0.45, 0.75]	2016
DATA	−0.2357	0.1236	827	833	30.2%	0.79[0.62, 1.01]	2017
NSABP B42	−0.1625	0.9897	1950	1953	0.5%	0.85[0.12, 5.91]	2019
Total (95%CI)			7480	7572	100.0%	0.65[0.57, 0.74]	

Heterogeneity：Chi^2=4.26, df=5 (p=0.51)；I^2=0%
Test for overall effect：Z=6.35 (p<0.00001)

a. DFS

Study or Subgroup	log[Hazard Ratio]	SE	AI Total	中止 Total	Weight	Hazard Ratio IV, Fixed, 95% CI	Year
Ma17 2003	−0.2744	0.2345	2575	2582	17.3%	0.76[0.48, 1.20]	2003
ABCSG 6a	−0.1165	0.2097	386	466	21.7%	0.89[0.59, 1.34]	2007
MA17R	−0.1985	0.1855	959	959	27.7%	0.82[0.57, 1.18]	2016
DATA	−0.0943	0.1717	827	833	32.3%	0.91[0.65, 1.27]	2017
NSABP B42	0.1398	0.9703	1950	1953	1.0%	1.15[0.17, 7.70]	2019
Total (95%CI)			6697	6793	100.0%	0.85[0.71, 1.04]	

Heterogeneity：Chi^2=0.56, df=4 (p=0.97)；I^2=0%
Test for overall effect：Z=1.61 (p=0.11)

Hazard Ratio
IV, Fixed, 95% CI
0.2 0.5 1 2 5
Favors[AI]　Favors[中止]

b. OS

図 1　内分泌療法 5 年投与終了後のアロマターゼ阻害薬追加投与

再発の減少が認められている(n＝22,192, RR 0.764, 95%CI 0.700-0.835, p<0.00001)[18]。この解析では，アロマターゼ阻害薬追加前の内分泌療法がタモキシフェンの場合(n＝7,483, RR 0.67, 95%CI 0.55-0.83)，アロマターゼ阻害薬の場合(n＝3,322, RR 0.76, 95%CI 0.56-1.02)，タモキシフェンからアロマターゼ阻害薬へ切り替えた場合(n＝11,387, RR 0.82, 95%CI 0.70-0.97)のいずれにおいても有効性が示唆されている。

有害事象については，骨痛，骨粗鬆症，骨折，心血管イベントについてメタアナリシスを行った。骨痛(RR 1.22, 95%CI 1.10-1.35)，骨粗鬆症(RR 1.21, 95%CI 1.10-1.33)のリスク上昇が認められた。骨折(RR 1.15, 95%CI 0.99-1.34)，心血管イベント(RR 1.17, 95%CI 0.99-1.38)については増加傾向が認められたが有意差には至らなかった。

いずれも質の高いランダム化比較試験に基づく結果であり，エビデンスの強さは「強」とした。

益と害のバランスについては，再発リスクの大きさと再発抑制効果，有害事象により異なると考えられる。再発リスクが高い場合については，益が害に勝ると考えられるが，再発リスクが低い場合については，長期の内分泌療法による有害事象も加味すると，患者の希望についてもばらつきが予測される。

推奨決定会議の投票の結果は，「行うことを強く推奨する」が 1/47(2%)，「行うことを弱く推奨する」が 46/47(98%)であり，推奨は「内分泌療法 5 年投与終了後にアロマターゼ阻害薬 2〜5 年追加投与を行うことを弱く推奨する」とした。

術後アロマターゼ阻害薬の投与期間について検討したメタアナリシスの報告では，内分泌療法 10 年と 7〜8 年の比較(ABCSG B16/SALSA 試験，IDEAL 試験)では，DFS(HR 0.98, 95%CI 0.87-1.11)に有意な差を認めない[19]。一方，内分泌療法 5 年との比較では，10 年投与(AERAS 試験，MA.17 試験，NSABP B-33 試験，NSABP B-42 試験)では DFS は有意に改善し，その程度

(HR 0.67, 95%CI 0.52-0.85)は7〜8年投与(ABCSG 6a試験, DATA試験, GIM-4試験)における DFSの改善(HR 0.79, 95%CI 0.69-0.91)よりも大きい可能性があり, 10年投与に対して7〜8年投与が非劣性であるとは証明されていない。一方, ABCSG B16/SALSA試験では, 10年投与により骨折が増加した(HR 1.35, 95%CI 1.00-1.84)。

以上より, アロマターゼ阻害薬の追加期間については, 再発リスクと有害事象を検討し, 2〜3年とするか5年とするかを判断することが勧められる。

[投票結果]

	1. 行うことを強く推奨する	2. 行うことを弱く推奨する	3. 行わないことを弱く推奨する	4. 行わないことを強く推奨する
推奨1つ目(1回目)	62%(29/47)	38%(18/47)	0%(0/47)	0%(0/47)
	総投票数47名(棄権0名, COI棄権1名)			
推奨1つ目(2回目)	49%(23/47)	51%(24/47)	0%(0/47)	0%(0/47)
	総投票数47名(棄権0名, COI棄権1名)			
推奨1つ目(3回目)	43%(20/47)	57%(27/47)	0%(0/47)	0%(0/47)
	総投票数47名(棄権0名, COI棄権1名)			
推奨2つ目	2%(1/47)	98%(46/47)	0%(0/47)	0%(0/47)
	総投票数47名(棄権0名, COI棄権1名)			

薬物療法

検索キーワード・参考にした二次資料

PubMedで, "Breast Neoplasms", "Chemotherapy, Adjuvant", "Drug administration schedule", "Antineoplastic Agents, Hormonal", "Tamoxifen", "Gonadotropin-Releasing Hormone", "Estrogen Antagonists", "Receptors, Estrogen", "Aromatase Inhibitors"のキーワードと同義語で検索した。医中誌・Cochrane Libraryも同等のキーワードで検索した。検索期間は2018年11月までとし, PubMedから631編, Cochraneから47編, 医中誌から5編, ハンドサーチにて2編を抽出した。一次スクリーニングにて22編を抽出し, 二次スクリーニングとして14編を抽出した。

ガイドライン改訂に際して, 検索期間を2021年3月までとして検索を追加し, PubMedから72編, Cochrane Libraryから132編, 医中誌から1編が追加で抽出され, それ以外にハンドサーチで9編の論文が追加された。一次スクリーニングで34編の論文が追加され, 二次スクリーニングで29編の論文が抽出された。

全生存期間, 無再発生存期間, 治療関連有害事象に関してシステマティック・レビューを行った。

参考文献

1) Davies C, Pan H, Godwin J, Gray R, Arriagada R, Raina V, et al; Adjuvant Tamoxifen: Longer Against Shorter (ATLAS) Collaborative Group. Long-term effects of continuing adjuvant tamoxifen to 10 years versus stopping at 5 years after diagnosis of oestrogen receptor-positive breast cancer: ATLAS, a randomised trial. Lancet. 2013; 381(9869): 805-16. [PMID: 23219286]
2) Fisher B, Dignam J, Bryant J, DeCillis A, Wickerham DL, Wolmark N, et al. Five versus more than five years of tamoxifen therapy for breast cancer patients with negative lymph nodes and estrogen receptor-positive tumors. J Natl Cancer Inst. 1996; 88(21): 1529-42. [PMID: 8901851]
3) Stewart HJ, Forrest AP, Everington D, McDonald CC, Dewar JA, Hawkins RA, et al. Randomised comparison of 5 years of adjuvant tamoxifen with continuous therapy for operable breast cancer. The Scottish Cancer Trials Breast Group. Br J Cancer. 1996; 74(2): 297-9. [PMID: 8688340]
4) Tormey DC, Gray R, Falkson HC. Postchemotherapy adjuvant tamoxifen therapy beyond five years in patients with lymph node-positive breast cancer. Eastern Cooperative Oncology Group. J Natl Cancer Inst. 1996; 88(24): 1828-33. [PMID: 8961972]
5) Gray RG, Rea D, Handley K, Bowden SJ, Perry P, Earl HM, et al. aTTom: long-term effects of continuing adjuvant tamoxifen to 10 years versus stopping at 5 years in 6,953 women with early breast cancer. J Clin Oncol. 2013; 31(18_suppl): 5.
6) Schiavon G, Smith IE. Status of adjuvant endocrine therapy for breast cancer. Breast Cancer Res. 2014; 16(2): 206. [PMID: 25032258]
7) Goss PE, Ingle JN, Martino S, Robert NJ, Muss HB, Piccart MJ, et al. Randomized trial of letrozole following

tamoxifen as extended adjuvant therapy in receptor-positive breast cancer: updated findings from NCIC CTG MA.17. J Natl Cancer Inst. 2005; 97(17): 1262-71. [PMID: 16145047]
8) Mamounas EP, Jeong JH, Wickerham DL, Smith RE, Ganz PA, Land SR, et al. Benefit from exemestane as extended adjuvant therapy after 5 years of adjuvant tamoxifen: intention-to-treat analysis of the National Surgical Adjuvant Breast and Bowel Project B-33 trial. J Clin Oncol. 2008; 26(12): 1965-71. [PMID: 18332472]
9) Zdenkowski N, Forbes JF, Boyle FM, Kannourakis G, Gill PG, Bayliss E, et al; Australia and New Zealand Breast Cancer Trials Group. Observation versus late reintroduction of letrozole as adjuvant endocrine therapy for hormone receptor-positive breast cancer(ANZ0501 LATER): an open-label randomised, controlled trial. Ann Oncol. 2016; 27(5): 806-12. [PMID: 26861603]
10) Goss PE, Ingle JN, Pritchard KI, Robert NJ, Muss H, Gralow J, et al. Extending aromatase-inhibitor adjuvant therapy to 10 years. N Engl J Med. 2016; 375(3): 209-19. [PMID: 27264120]
11) Mamounas EP, Bandos H, Lembersky BC, Jeong JH, Geyer CE Jr, Rastogi P, et al. Use of letrozole after aromatase inhibitor-based therapy in postmenopausal breast cancer(NRG Oncology/NSABP B-42): a randomised, double-blind, placebo-controlled, phase 3 trial. Lancet Oncol. 2019; 20(1): 88-99. [PMID: 30509771]
12) Ohtani S, Iijima K, Higaki K, Sato Y, Hozumi Y, Hasegawa Y, et al. A prospective randomized multi-center open-label phase Ⅲ trial of extending aromatase-inhibitor adjuvant therapy to 10 years—Results from 1697 postmenopausal women in the N-SAS BC 05 trial: arimidex extended adjuvant randomized study(AERAS). Cancer Res. 2019; 79(4_Supplement): GS3-04.
13) Jakesz R, Greil R, Gnant M, Schmid M, Kwasny W, Kubista E, et al; Austrian Breast and Colorectal Cancer Study Group. Extended adjuvant therapy with anastrozole among postmenopausal breast cancer patients: results from the randomized Austrian Breast and Colorectal Cancer Study Group Trial 6a. J Natl Cancer Inst. 2007; 99(24): 1845-53. [PMID: 18073378]
14) Tjan-Heijnen VCG, van Hellemond IEG, Peer PGM, Swinkels ACP, Smorenburg CH, van der Sangen MJC, et al; Dutch Breast Cancer Research Group(BOOG)for the DATA Investigators. Extended adjuvant aromatase inhibition after sequential endocrine therapy(DATA): a randomised, phase 3 trial. Lancet Oncol. 2017; 18(11): 1502-11. [PMID: 29031778]
15) Del Mastro L, Mansutti M, Bisagni G, Ponzone R, Durando A, Amaducci L, et al; Gruppo Italiano Mammella investigators. Extended therapy with letrozole as adjuvant treatment of postmenopausal patients with early-stage breast cancer: a multicentre, open-label, randomised, phase 3 trial. Lancet Oncol. 2021; 22(10): 1458-67. [PMID: 34543613]
16) Gnant M, Fitzal F, Rinnerthaler G, Steger GG, Greil-Ressler S, Balic M, et al; Austrian Breast and Colorectal Cancer Study Group. Duration of adjuvant aromatase-inhibitor therapy in postmenopausal breast cancer. N Engl J Med. 2021; 385(5): 395-405. [PMID: 34320285]
17) Blok EJ, Kroep JR, Meershoek-Klein Kranenbarg E, Duijm-de Carpentier M, Putter H, van den Bosch J, et al; IDEAL Study Group. Optimal duration of extended adjuvant endocrine therapy for early breast cancer; results of the IDEAL trial(BOOG 2006-05). J Natl Cancer Inst. 2018; 110(1). [PMID: 28922787]
18) R Gray; Early Breast Cancer Trialists' Collaborative Group. Effects of prolonging adjuvant aromatase inhibitor therapy beyond five years on recurrence and cause-specific mortality: an EBCTCG meta-analysis of individual patient data from 12 randomised trials including 24,912 women. Cancer Res 2019; 79(4 Suppl): Abstract nr GS3-03.
19) Chen J, Zhang X, Lu Y, Zhang T, Ouyang Z, Sun Q. Optimal duration of endocrine therapy with extended aromatase inhibitors for postmenopausal patients with hormone receptor-positive breast cancer: a meta-analysis. Breast Cancer. 2021; 28(3): 630-43. [PMID: 33387283]

CQ 5 ホルモン受容体陽性 HER2 陰性乳癌に対する術後療法として，内分泌療法に S-1 を併用することは勧められるか？

推奨

● 再発リスクが高い場合，内分泌療法に S-1 を 1 年間併用することを強く推奨する。

推奨の強さ：1，エビデンスの強さ：中，合意率：72%(31/43)

推奨におけるポイント

- 再発リスクに基づく患者選択は，解説文中の POTENT 試験の適格規準および除外規準を参考に決定すること。
- 薬物 CQ6 の投与患者対象と重複する場合，治療の選択に際しては，両治療法の益と害のバランス，患者の希望を考慮して決めること(治療編 総説：Ⅲ. 4. b. 7) (1) ①の「POTENT 試験(S-1)と monarchE 試験(アベマシクリブ)の組み入れ対象患者の違い」参照)。
- 2022 年 5 月末時点の添付文書上で，S-1 は早期乳癌に対して保険適用外である。

背景・目的

閉経前，閉経後 ER 陽性 HER2 陰性乳癌に対する術後療法として，内分泌療法に S-1 を併用することの有用性を検証した臨床試験は，POTENT 試験の 1 試験が存在する。この結果をもとに，ホルモン受容体陽性 HER2 陰性乳癌に対する術後療法として，内分泌療法に S-1 を併用することが有用かどうか検討した。

解 説

POTENT 試験は，Stage Ⅰ-ⅢB の再発リスクが中等度または高度の ER 陽性かつ HER2 陰性の乳癌患者を対象とし，術後内分泌療法 5 年間に対して，経口 S-1 内服投与追加の意義を検証した国内多施設共同非盲検ランダム化第Ⅲ相比較試験である[1]。術後内分泌療法の内容は，閉経前患者ではタモキシフェンまたはトレミフェンと任意の 2 年以上の卵巣機能抑制，閉経後患者ではアナストロゾール，レトロゾールまたはエキセメスタンから選択された。S-1 経口投与は 80-120 mg/日を 14 日投与 7 日休薬のスケジュールで，1 年間投与された。術前化学療法を行った症例は，術前に腋窩リンパ節転移が陽性であったか，術後に原発巣またはリンパ節に病理学的残存病変があった症例を適格とした。また，手術を先行した症例においては，術後化学療法の投与によらず，腋窩リンパ節転移陽性症例または腋窩リンパ節転移陰性でかつその他リスク因子を有する症例が適格とされた(**表 1**)。なお，手術を先行した症例における術後化学療法の必要性は主治医が判断しており，術後化学療法が必要と判断された症例では，本試験への登録前に化学療法は終了していた。

POTENT 試験はわが国の先進医療 B の制度下で実施され，合計 1,930 人の患者が S-1 併用群 957 人と内分泌単独群 973 人にランダム化された。POTENT 試験に登録されたリンパ節転移陽性症例は 64%であり，リンパ節転移 1～3 個は 34%，4 個以上は 9.8%であった(ただし，リンパ節転移があるものの，詳細が不明な症例を 19.8%含む)。また，周術期化学療法が施行された症例は

表 1　POTENT 試験の適格基準：以下の条件を満たす Stage Ⅰ-ⅢB の症例

腋窩リンパ節転移	組織学的グレード	腫瘍径		
		2 cm 未満	2 cm 以上 3 cm 未満	3 cm 以上
なし	1	一部適格①	一部適格②	適格
	2	一部適格②	適格	
	3	適格		
1～3 個	1～3	適格		
4～9 個	1～3	適格		

①明らかな血管侵襲を伴う場合。
②Ki67≧30%，Ki67≧14%かつ Oncotype DX RS≧18，明らかな血管侵襲，のいずれかを満たす場合。
注 1）術前化学療法前にリンパ節転移を認めず，手術で pCR（ypT0/isN0）であった症例は不適格。
注 2）術前内分泌療法症例は，手術検体での評価を用いる。ただしリンパ節に関しては，術前内分泌療法前に病理学的に転移が確認された場合も適格。

55.8%であった。追跡期間中央値 52.2 カ月時点で，中間解析の結果，主要評価項目である浸潤癌の無病生存期間（IDFS）は，S-1 と内分泌療法の併用群が内分泌療法単独に対してハザード比（HR）0.63（95%CI 0.49-0.81，p＝0.0003）と，S-1 の上乗せ効果を認めた。5 年 IDFS 割合は，S-1 と内分泌療法の併用群が 87%，内分泌療法単独が 82%であった。リンパ節転移なしの群での IDFS 改善は HR 0.47（95%CI 0.28-0.77），リンパ節転移ありの群では HR 0.70（95%CI 0.52-0.93）であった。なお，リンパ節転移個数別の IDFS の検討はなされていない。S-1 併用により，内分泌療法単独群と比較してより高い頻度で認められた Grade 3 以上の有害事象としては，好中球数減少（8%），下痢（2%），白血球数減少（2%），ビリルビン値上昇（1%），倦怠感（<1%）などであったが，過去に報告されている S-1 の一般的な有害事象と同程度であった。

上記の結果より，術後内分泌療法に対して，S-1 併用は統計学的に有意な IDFS の改善効果を示したことをもとに，独立データモニタリング委員会の勧告により有効中止している。ただし，現時点では中間解析の結果に基づいており，distant disease-free survival や全生存期間に差を認めるかどうかは明確ではなく，長期フォローアップの結果の確認が必要である。

術後 S-1 の有効性は 1 つの臨床試験のみの結果であるが，十分計画された質の高い研究結果のため，エビデンスの強さは「中」とした。

有害事象の増加はあるものの，ITT 集団において 5 年 IDFS 割合で 5%の改善を認めており，益が害を上回る可能性が非常に高いと判断した。

IDFS の改善はあるものの，有害事象や医療費自己負担の増加があるため，患者の希望はばらつく可能性があると判断した。

推奨決定会議の投票では，POTENT 試験の対象となるホルモン受容体陽性 HER2 陰性の患者に対して術後内分泌療法に S-1 併用を「行うことを強く推奨する」が 72%，「行うことを弱く推奨する」が 28%であった。

以上より，エビデンスの程度，益と害のバランス，患者の希望を考慮し，推奨は「再発リスクが高い場合，内分泌療法に S-1 を 1 年間併用することを強く推奨する」とした。

[投票結果]

1. 行うことを強く推奨する	2. 行うことを弱く推奨する	3. 行わないことを弱く推奨する	4. 行わないことを強く推奨する
72%(31/43)	28%(12/43)	0%(0/43)	0%(0/43)
総投票数 43 名(棄権 0 名,COI 棄権 1 名)			

検索キーワード・参考にした二次資料

S-1の術後療法に関連した論文に限定して，2021年6月9日までの検索を行った。PubMedで，“Breast Neoplasms”の同義語，“Hormone receptor”とその同義語，“endocrine therapy”とその同義語，S-1とその同義語に関して検索した。本CQに対して文献検索を行った結果，PubMed: 49編，Cochrane: 61編，医中誌：44編が抽出された。一次スクリーニングでランダム化比較試験1編の文献が抽出され，二次スクリーニングでランダム化比較試験1編の文献が抽出された。ランダム化比較試験1編のため，定性的システマティック・レビューを行った。

参考文献

1）Toi M, Imoto S, Ishida T, Ito Y, Iwata H, Masuda N, et al. Adjuvant S-1 plus endocrine therapy for oestrogen receptor-positive, HER2-negative, primary breast cancer: a multicentre, open-label, randomised, controlled, phase 3 trial. Lancet Oncol. 2021; 22(1): 74-84. [PMID: 33387497]

CQ 6 ホルモン受容体陽性HER2陰性乳癌に対する術後療法として，内分泌療法にアベマシクリブを併用することは勧められるか？

推 奨

- 再発リスクが高い場合，内分泌療法にアベマシクリブを2年間併用することを強く推奨する。
推奨の強さ：1，エビデンスの強さ：中*，合意率：75%(27/36)

推奨におけるポイント

- 再発リスクに基づく患者選択は，解説文中のmonarchE試験の適格基準，またわが国の保険適用(monarchE試験のコホート1のみ)を参考に決定すること。
- 薬物CQ5の投与患者対象と重複する場合，治療の選択に際しては，両治療法の益と害のバランス，患者の希望を考慮して決めること(治療編 総説：Ⅲ.4.b.7)(1)①の「POTENT試験(S-1)とmonarchE試験(アベマシクリブ)の組み入れ対象患者の違い」参照)。
- 推奨決定会議では，2回目の投票で強い推奨75%，弱い推奨25%となり，強い推奨に決定した。

*推奨決定会議時はエビデンスの強さを「弱」としたが，monarchE試験についての事前に計画された中間解析と追加フォローアップ解析が報告され，それらの一貫性を確認したため，本ガイドライン出版時にはエビデンスの強さを「中」に変更した。

背景・目的

閉経前，閉経後ER陽性HER2陰性乳癌に対する術後療法としてのCDK4/6阻害薬の有用性を検討した臨床試験は，monarchE(アベマシクリブ)[1)]，PALLAS(パルボシクリブ)[2)]，NATALEE〔ribociclib(未承認)〕の3試験と，術前化学療法後のnon-pCRを対象としたPENELOPE-B(パルボシクリブ)[3)]の計4試験が存在する。本CQでは，未報告のNATALEEを除く3試験に関して解説し，ホルモン受容体陽性HER2陰性乳癌に対する術後療法として，特に内分泌療法にアベマシクリブを併用することの意義について検討する。

解 説

1) monarchE試験

再発リスクの高いホルモン受容体陽性HER2陰性乳癌患者を対象として，手術，術前/術後化学療法，また放射線療法などの標準治療施行後，標準的な術後内分泌療法にアベマシクリブ2年間追加の意義を検証する多施設共同非盲検ランダム化第Ⅲ相比較試験(monarchE)が施行された[1)]。適格基準(**表1**)は，コホート1では①腋窩リンパ節転移4個以上の患者，もしくは②腫瘍径5 cm以上，組織学的グレード3のいずれかを満たす腋窩リンパ節転移1〜3個の患者，コホート2では腋窩リンパ節転移1〜3個，腫瘍径が5 cm未満，組織学的グレード1または2，中央判定でのKi67評価≧20%のすべてを満たす患者とされ，5,637人が登録された(併用群2,808人，内分泌療法単独2,829人)。コホート1に5,120人，コホート2は1年遅れて登録が開始され，517人の登録であった。monarchE試験の患者背景は，リンパ節転移陽性患者のみを対象とし，リンパ

表 1 monarchE 試験の適格基準

腋窩リンパ節転移	組織学的グレード	腫瘍径	
		5 cm 未満	5 cm 以上
なし	1～3	不適格	
1～3 個	1～2	コホート 2* (Ki67≧20%のみ適格)	コホート 1
	3	コホート 1	
4 個以上	1～3	コホート 1	

*コホート 2 は本邦適応外

節転移 1～3 個が 39.9%，リンパ節転移 4 個以上の症例が 59.6%であった。また，96.4%の患者が化学療法を受けており，そのうち 87.1%でアンスラサイクリン系とタキサン系の両方を用いたレジメンが使用されていた。第 2 回中間解析(経過観察中央値 15.5 カ月)で，主要評価項目の主解析が行われ，浸潤癌の無病生存期間(IDFS)はハザード比(HR)0.75(95%CI 0.60-0.93，$p=0.01$)と統計学的に有意な改善が報告された。2 年 IDFS は併用群 92.2%，内分泌療法単独群 88.7%と報告された。リンパ節転移状況別での IDFS の改善は，1～3 個の群(コホート 2 を含む)では HR 0.71(0.48-1.06)，4～9 個で HR 0.69(0.48-0.99)，10 個以上では HR 0.79(0.53-1.17)であった。また，経過観察中央値 27.1 カ月時(additional follow-up 1；AFU1)に 1 回目の追加解析が施行された[4)]。ITT 解析(コホート 1 & 2)での IDFS は HR 0.70(95%CI 0.59-0.82，$p<0.0001$)，3 年 IDFS は併用群 88.8%，内分泌療法単独群 83.4%と 5.4%の上乗せ効果が報告された(コホート 2 に関しては観察期間が短く，AFU1 の報告から算出される IDFS イベントは両群で差が認められていない)。AFU1 における有害事象報告では(以下，併用群 vs 内分泌療法単独群の順で記載)，Grade 3 以上の発生頻度が 49.2% vs 15.9%と併用群で多かった。頻度の高い副作用(全 Grade)として，下痢(83.5% vs 8.6%)，好中球減少(45.8% vs 5.6%)，疲労感(40.6% vs 17.8%)などが，また注意すべき副作用(全 Grade)として，静脈血栓症(2.5% vs 0.6%)，間質性肺炎(3.2% vs 1.3%)が報告されている。

2）PALLAS 試験

Stage Ⅱ-Ⅲのホルモン受容体陽性 HER2 陰性乳癌患者を対象とし，術後内分泌療法(タモキシフェン or アロマターゼ阻害薬，閉経前患者は LH-RH アゴニスト併用)にパルボシクリブ 2 年間追加投与の意義を検証する多施設共同非盲検ランダム化第Ⅲ相比較試験(PALLAS)が施行された[2)]。5,760 人の患者が登録され，第 2 回中間解析(追跡期間中央値 23.7 カ月)の時点で，3 年 IDFS はパルボシクリブと内分泌療法の併用で 88.2%，内分泌療法単独で 88.5%であり，上乗せ効果は認められなかった(HR 0.93，95%CI 0.76-1.15，$p=0.51$)。この結果から，試験は無効中止となった。

3）PENELOPE-B 試験

ホルモン受容体陽性 HER2 陰性乳癌患者の術前化学療法後に pCR が得られず，CPS-EG スコア≧3，もしくは≧2 かつリンパ節転移残存の患者を対象として，術後内分泌療法にパルボシクリブ 1 年間(13 サイクル)を追加する多施設共同盲検ランダム化第Ⅲ相比較試験(PENELOPE-B)が施行され，1,250人が登録された。経過観察中央値42.8カ月時，主要評価項目のIDFSにおいてパルボシクリブ追加による有意な改善は認められなかった（HR 0.93，95%CI 0.74-1.17，$p=0.525$）。2年IDFS 88.3% vs 84.0%，3年IDFS 81.2% vs 77.7%，4年IDFS 73.0% vs 72.4%と，2年時に4.3%の上乗せ効果を認めるものの，その後4年時までに経時的に差が縮小していく結果となった。

上記のように，現時点ではアベマシクリブのみが術後治療における有効性を示している。前述の通りコホート2は経過観察が短く，AFU1の時点ではアベマシクリブの追加効果は検出されていない。わが国での術後療法としてのアベマシクリブはmonarchE試験におけるコホート1の適格条件で承認されている。

術後アベマシクリブの有効性は一つの質の高いランダム化比較試験からの結果であるが，経過観察期間が短く，エビデンスの強さは「弱」とした。

有害事象の増加はあるものの，IDFSの改善を認めており，益が害を上回る可能性がある。また，有害事象や医療費自己負担の増加があるため，患者の希望はばらつく可能性があると判断した。

以上より，エビデンスの程度，益と害のバランス，患者の希望に関して検討し，3年IDFSの改善が5.4%と大きいことを重視し，「再発リスクが高い場合，内分泌療法にアベマシクリブを2年間併用することを強く推奨する」とした。ただし，今後，長期経過での有効性の確認を要することに注意が必要である。

推奨決定会議の投票では，1回目の投票で「再発リスクが高い場合，内分泌療法にアベマシクリブを2年間併用することを強く推奨する」が69%，「弱く推奨する」が31%であり，推奨決定基準である70%に達せず再度の検討が行われた。再発リスクの高い患者のみを対象としたmonarchE試験の適格基準のうち，コホート1に限定した推奨であることが議論の中で確認され，2回目の投票で「強く推奨する」が75%，「弱く推奨する」が25%となった。

［投票結果］

	1. 行うことを強く推奨する	2. 行うことを弱く推奨する	3. 行わないことを弱く推奨する	4. 行わないことを強く推奨する
CQ6（1回目）	69%（25/36）	31%（11/36）	0%（0/36）	0%（0/36）
	総投票数36名（棄権0名，COI棄権8名）			
CQ6（2回目）	75%（27/36）	25%（9/36）	0%（0/36）	0%（0/36）
	総投票数36名（棄権0名，COI棄権8名）			

検索キーワード・参考にした二次資料

CDK4/6阻害薬の術後療法に関連した論文に限定して，2011年～2021年3月末の検索を行った。PubMedで，“Breast Neoplasms”の同義語，“Hormone receptor”とその同義語，“endocrine therapy”とその同義語，“CDK4”，“CDK6”，また“CDK4/6 inhibitor”とその同義語に関して検索した。医中誌・Cochrane Libraryも同等のキーワードで検索した。392件ヒットし，論文2編が該当した。さらにハンドサーチで2編追加した。

参考文献

1）Johnston SRD, Harbeck N, Hegg R, Toi M, Martin M, Shao ZM, et al; monarchE Committee Members and Investigators. Abemaciclib combined with endocrine therapy for the adjuvant treatment of HR＋, HER2－, node-positive, high-risk, early breast cancer（monarchE）. J Clin Oncol. 2020; 38(34): 3987-98.［PMID: 32954927］
2）Mayer EL, Dueck AC, Martin M, Rubovszky G, Burstein HJ, Bellet-Ezquerra M, et al. Palbociclib with adjuvant endocrine therapy in early breast cancer（PALLAS）: interim analysis of a multicentre, open-label, randomised,

phase 3 study. Lancet Oncol. 2021; 22(2): 212–22. [PMID: 33460574]

3) Loibl S, Marmé F, Martin M, Untch M, Bonnefoi H, Kim SB, et al. Palbociclib for residual high-risk invasive hr-positive and HER2-negative early breast cancer-the penelope-B trial. J Clin Oncol. 2021; 39(14): 1518–30. [PMID: 33793299]

4) Harbeck N, Rastogi P, Martin M, Tolaney SM, Shao ZM, Fasching PA, et al; monarchE Committee Members. Adjuvant abemaciclib combined with endocrine therapy for high-risk early breast cancer: updated efficacy and Ki-67 analysis from the monarchE study. Ann Oncol. 2021; 32(12): 1571–81. [PMID: 34656740]

FRQ 1 ホルモン受容体陽性HER2陰性浸潤性乳癌に対して，術前内分泌療法は勧められるか？

ステートメント

- 術前内分泌療の至適投与期間や予後への影響は明らかではない。
- 閉経後女性の場合，少なくとも3カ月以上のアロマターゼ阻害薬による内服治療で乳房温存率の向上が期待できる。
- 閉経前女性に対しては，乳房部分切除術を目的とした術前内分泌療法のエビデンスは乏しく勧められない。
- 術前内分泌療法の効果は予後予測因子となるが，術前内分泌療法への反応性を考慮した術後治療は未確立である。

背景

乳房部分切除術を目的とした術前内分泌療法(NET)は有効性において術前化学療法(NAC)と同等と考えられているが，至適投与期間や予後への影響が不明であり，推奨されない[1)]。しかしながら，NETの効果による予後予測と術後の追加薬物療法の有用性が期待されている。

解説

術前薬物療法の有益性は，縮小手術と治療反応性による予後予測およびそれを指標とした術後療法による予後改善である。閉経前症例におけるNETの臨床試験は少なく，主に閉経後症例を対象とした臨床試験の結果からNETの益と害を考察する。

1）縮小手術(乳房部分切除術移行率とリンパ節のダウンステージング)

閉経後女性に対するNETとNACを比較した3試験(GEICAM試験[2)]，NEOCENT試験，Semiglazov et al.[3)])の統合解析において，乳房部分切除術率は28.3% vs 37.2%〔ハザード比(HR) 0.89，95%CI 0.78-1.01〕であった[1)]。また，NETにおけるアロマターゼ阻害薬(AI)とタモキシフェン(TAM)を比較した4試験(IMPACT試験[4)]，P024試験，PROACT試験[5)]，Ellis et al.[6)])の統合解析[1)]では，AIはTAMと比べて乳房部分切除術率を向上させている(45% vs 33%，HR 0.81，95%CI 0.73-0.90)。

リンパ節の治療効果に関してACOSOG Z1031B試験(cN0は約68%含まれる)のycN0割合はNAC群で55.9%，NET群で50.5%であり，GEICAM試験ではそれぞれ51%と58%であった。また，PROACT試験(cN0は含まない)のypN0割合はAIで43.4%(43/99)，TAMで38.5%(42/109)(オッズ比1.26，95%CI 0.72-2.2，$p=0.43$)のリンパ節のダウンステージングを認めている。NETはNACと同等のリンパ節への治療効果を認めている。

2）治療反応性による予後予測と追加薬物療法，術前内分泌療法の治療効果予測

予後予測のバイオマーカーとしてpreoperative endocrine prognostic index(PEPI)[7)]，治療前および治療中のKi67[8)]，およびTransNEOS試験[9)]での治療前のRecurrence Score(RS)が挙げら

れる。IMPACT 試験において，NET 前の生検サンプルの Ki67 では NET の治療効果予測はできないが，治療後の病理組織学的腫瘍径およびリンパ節転移，ER 発現，Ki67 レベルは独立した予後予測因子であり PEPI スコアが提唱された[10]。第Ⅱ相の CARMINA 02 試験（アナストロゾール vs フルベストラント）でも，3 年の無再発生存期間（RFS）はそれぞれ 94.9%，91.2%で PEPI スコア 4 以上が独立した予後予測因子であった。Ki67 の計測意義を第Ⅲ相の大規模試験で評価した POETIC 試験（n＝2,976）は 2 週内服後の Ki67 高値群は予後不良であると報告している[11]。術前内分泌療法の治療効果予測として Trans NEOS においてレトロゾールに対する治療前の RS とレトロゾールの治療効果は相関を示した。NET 施行後に術後化学内分泌療法群と内分泌単独療法群に分け，長期予後を検討した NEOS 試験〔UMIN-CTR（2008）〕は 2013 年 6 月に登録が終了し，予後 10 年の追跡結果待ちである。

3）至適薬剤と投与期間

統合解析で，AI は TAM と比べ乳房温存率を有意に向上させることが報告されている[1]。AI3 剤を比較した ACOSOG-Z1031 試験において臨床的奏効割合は（エキセメスタン：62.9%，レトロゾール：74.8%，アナストロゾール：69.1%）統計学的に有意差を認めていない[12]。

なお，多剤併用療法ではフルベストラント（ALTRNATE 試験[13]），mTOR 阻害薬（Beselga et al[14]）や CDK4/6 阻害薬（neoMONARCH 試験[15]，PALLET 試験[16]，NeoPAL 試験[17]），PI3k 阻害薬（LORELEI 試験[18]）と AI を併用する術前内分泌療法における効果と安全性が検証されている。

上述した乳房部分切除術を主目的とした臨床試験[2)～10)]の内分泌療法の投与期間は 3～6 カ月である。NET の至適期間を検討した Carpenter らの研究では，乳房温存療法が可能となる治療期間中央値は 7.5 カ月（95%CI 6.3-8.5 カ月）で，最大の臨床効果を得るためには 6～12 カ月の治療期間が必要とされた[19]。一方，北条らのエキセメスタンの投与期間を比較した PTEX46 試験では，4 カ月と 6 カ月間では同等の腫瘍縮小効果を示している[20]。以上から，内分泌療法の至適投与期間は明らかではないが，乳房部分切除術を目的とした場合，3 カ月以上の投与が必要である。なお，短期間の術前内分泌療法を評価した POETIC 試験〔AI 内服群（n＝2,976）vs 無投薬群（n＝1,504）〕では，術前 2 週間の AI 内服は予後に影響しないことを報告している（HR 0.92，95%CI 0.75-1.12）。

4）有害事象

主な懸念は病状進行のリスクと重篤な有害事象による手術遅延である。有害事象は P024 試験において，TAM とレトロゾールで各群 57%（G2）であり，ホットフラッシュ（20% vs 24%）と吐き気（5% vs 5%）が多い[21]。上述している臨床試験において，対象や投与期間は異なるものの，病勢進行割合は 1.0～8.8%である[2)～10)]。病勢進行および有害事象が原因で投与中止となった割合は 2.0～11.4%であり，注意を要する。

5）閉経前症例の術前内分泌療法

閉経前女性に対するランダム化比較試験の GEICAM 試験（サブセット解析）では，閉経前女性に対する NET（エキセメスタン＋LH-RH アゴニスト 24 週投与）は NAC（EC4 サイクル後に DOC4 サイクル）と比べ奏効率が劣っていた（44% vs 75%）。なお，NET のレジメンを比較した STAGE 試験[22]は，AI＋LH-RH アゴニストは，TAM＋LH-RH アゴニストと比べ乳房温存率を向上させ（88% vs 68%），有害事象は同等（52% vs 52%）であった。

閉経前女性に対して乳房部分切除術を目的とした術前内分泌療法のエビデンスは乏しく勧めら

れない。

検索キーワード・参考にした二次資料

PubMed で "Breast neoplasms/drug therapy", "Neoadjuvant therapy", "Antineoplastic Agents, Hormonal", "endocrine therapy"のキーワードで検索した。検索期間は2021年3月までとし，154件がヒットした。一次スクリーニングで53編，二次スクリーニングで22編に絞り込んだ。

参考文献

1) Shimoi T, Nagai SE, Yoshinami T, Takahashi M, Arioka H, Ishihara M, et al. The Japanese Breast Cancer Society clinical practice guidelines for systemic treatment of breast cancer, 2018 edition. Breast Cancer. 2020; 27(3): 322-31. [PMID: 32240526]
2) Alba E, Calvo L, Albanell J, De la Haba JR, Arcusa Lanza A, Chacon JI, et al; GEICAM. Chemotherapy(CT)and hormonotherapy(HT)as neoadjuvant treatment in luminal breast cancer patients: results from the GEICAM/2006-03, a multicenter, randomized, phase-Ⅱ study. Ann Oncol. 2012; 23(12): 3069-74. [PMID: 22674146]
3) Semiglazov VF, Semiglazov VV, Dashyan GA, Ziltsova EK, Ivanov VG, Bozhok AA, et al. Phase 2 randomized trial of primary endocrine therapy versus chemotherapy in postmenopausal patients with estrogen receptor-positive breast cancer. Cancer. 2007; 110(2): 244-54. [PMID: 17538978]
4) Smith IE, Dowsett M, Ebbs SR, Dixon JM, Skene A, Blohmer JU, et al; IMPACT Trialists Group. Neoadjuvant treatment of postmenopausal breast cancer with anastrozole, tamoxifen, or both in combination: the Immediate Preoperative Anastrozole, Tamoxifen, or Combined with Tamoxifen(IMPACT)multicenter double-blind randomized trial. J Clin Oncol. 2005; 23(22): 5108-16. [PMID: 15998903]
5) Cataliotti L, Buzdar AU, Noguchi S, Bines J, Takatsuka Y, Petrakova K, et al. Comparison of anastrozole versus tamoxifen as preoperative therapy in postmenopausal women with hormone receptor-positive breast cancer: the Pre-Operative "Arimidex" Compared to Tamoxifen(PROACT)trial. Cancer. 2006; 106(10): 2095-103. [PMID: 16598749]
6) Ellis MJ, Coop A, Singh B, Mauriac L, Llombert-Cussac A, Jänicke F, et al. Letrozole is more effective neoadjuvant endocrine therapy than tamoxifen for ErbB-1- and/or ErbB-2-positive, estrogen receptor-positive primary breast cancer: evidence from a phase Ⅲ randomized trial. J Clin Oncol. 2001; 19(18): 3808-16. [PMID: 11559718]
7) Ellis MJ, Tao Y, Luo J, A'Hern R, Evans DB, Bhatnagar AS, et al. Outcome prediction for estrogen receptor-positive breast cancer based on postneoadjuvant endocrine therapy tumor characteristics. J Natl Cancer Inst. 2008; 100(19): 1380-8. [PMID: 18812550]
8) Ellis MJ, Coop A, Singh B, Tao Y, Llombart-Cussac A, Jänicke F, et al. Letrozole inhibits tumor proliferation more effectively than tamoxifen independent of HER1/2 expression status. Cancer Res. 2003; 63(19): 6523-31. [PMID: 14559846]
9) Iwata H, Masuda N, Yamamoto Y, Fujisawa T, Toyama T, Kashiwaba M, et al. Validation of the 21-gene test as a predictor of clinical response to neoadjuvant hormonal therapy for ER+, HER2-negative breast cancer: the TransNEOS study. Breast Cancer Res Treat. 2019; 173(1): 123-33. [PMID: 30242578]
10) Ellis MJ, Tao Y, Luo J, A'Hern R, Evans DB, Bhatnagar AS, et al. Outcome prediction for estrogen receptor-positive breast cancer based on postneoadjuvant endocrine therapy tumor characteristics. J Natl Cancer Inst. 2008; 100(19): 1380-8. [PMID: 18812550]
11) Smith I, Robertson J, Kilburn L, Wilcox M, Evans A, Holcombe C, et al. Long-term outcome and prognostic value of Ki67 after perioperative endocrine therapy in postmenopausal women with hormone-sensitive early breast cancer(POETIC): an open-label, multicentre, parallel-group, randomised, phase 3 trial. Lancet Oncol. 2020; 21(11): 1443-54. [PMID: 33152284].
12) Ellis MJ, Suman VJ, Hoog J, Lin L, Snider J, Prat A, et al. Randomized phase Ⅱ neoadjuvant comparison between letrozole, anastrozole, and exemestane for postmenopausal women with estrogen receptor-rich stage 2 to 3 breast cancer: clinical and biomarker outcomes and predictive value of the baseline PAM50-based intrinsic subtype--ACOSOG Z1031. J Clin Oncol. 2011; 29(17): 2342-9. [PMID: 21555689]
13) Suman VJ, Ellis MJ, Ma CX. The ALTERNATE trial: assessing a biomarker driven strategy for the treatment of post-menopausal women with ER+/Her2- invasive breast cancer. Chin Clin Oncol. 2015; 4(3): 34. [PMID: 26408301]
14) Baselga J, Semiglazov V, van Dam P, Manikhas A, Bellet M, Mayordomo J, et al. Phase Ⅱ randomized study of neoadjuvant everolimus plus letrozole compared with placebo plus letrozole in patients with estrogen receptor-positive breast cancer. J Clin Oncol. 2009; 27(16): 2630-7. [PMID: 19380449]
15) Hurvitz S, Abad MF, Rostorfer R, Chan D, Egle D. Interim results from neoMONARCH: a neoadjuvant phase Ⅱ

study of abemaciclib in postmenopausal women with HR+/HER2− breast cancer. Ann Oncol. 2016; 27S: ESMO #LBA13.

16) Johnston S, Puhalla S, Wheatley D, Ring A, Barry P, Holcombe C, et al. Randomized phase Ⅱ study evaluating palbociclib in addition to letrozole as neoadjuvant therapy in estrogen receptor-positive early breast cancer: PALLET trial. J Clin Oncol. 2019; 37(3): 178-89. [PMID: 30523750]
17) Ma CX, Gao F, Luo J, Northfelt DW, Goetz M, Forero A, et al. NeoPalAna: neoadjuvant palbociclib, a cyclin-dependent kinase 4/6 inhibitor, and anastrozole for clinical stage 2 or 3 estrogen receptor-positive breast cancer. Clin Cancer Res. 2017; 23(15): 4055-65. [PMID: 28270497]
18) Saura C, Hlauschek D, Oliveira M, Zardavas D, Jallitsch-Halper A, de la Peña L, et al. Neoadjuvant letrozole plus taselisib versus letrozole plus placebo in postmenopausal women with oestrogen receptor-positive, HER2-negative, early-stage breast cancer(LORELEI): a multicentre, randomised, double-blind, placebo-controlled, phase 2 trial. Lancet Oncol. 2019; 20(9): 1226-38. [PMID: 31402321]
19) Carpenter R, Doughty JC, Cordiner C, Moss N, Gandhi A, Wilson C, et al. Optimum duration of neoadjuvant letrozole to permit breast conserving surgery. Breast Cancer Res Treat. 2014; 144(3): 569-76. [PMID: 24562823]
20) Hojo T, Kinoshita T, Imoto S, Shimizu C, Isaka H, Ito H, et al. Use of the neo-adjuvant exemestane in post-menopausal estrogen receptor-positive breast cancer: a randomized phase Ⅱ trial(PTEX46)to investigate the optimal duration of preoperative endocrine therapy. Breast. 2013; 22(3): 263-7. [PMID: 23587451]
21) Eiermann W, Paepke S, Appfelstaedt J, Llombart-Cussac A, Eremin J, Vinholes J, et al; Letrozole Neo-Adjuvant Breast Cancer Study Group. Preoperative treatment of postmenopausal breast cancer patients with letrozole: a randomized double-blind multicenter study. Ann Oncol. 2001; 12(11): 1527-32. [PMID: 11822750]
22) Masuda N, Sagara Y, Kinoshita T, Iwata H, Nakamura S, Yanagita Y, et al. Neoadjuvant anastrozole versus tamoxifen in patients receiving goserelin for premenopausal breast cancer(STAGE): a double-blind, randomised phase 3 trial. Lancet Oncol. 2012; 13(4): 345-52. [PMID: 22265697]

浸潤径 0.5 cm 以下でリンパ節転移陰性のホルモン受容体陽性乳癌に対して，術後内分泌療法省略は推奨されるか？

ステートメント

- 術後内分泌療法が省略可能な対象は，臨床病理学的診断からは明らかでない。

背景

乳癌検診の普及に伴い T1aN0 乳癌が増加している。今まで T1aN0 乳癌を対象とした術後内分泌療法を検討したランダム化比較試験は存在しない。日常診療においては無治療または有害事象の少ないと思われる術後内分泌療法が選択されてきた。近年，乳癌の予後は腫瘍の大きさやリンパ節転移状況に加えて生物学的特徴に影響されることが明らかとなり，原発巣の遺伝子発現に基づき術後全身薬物療法が検討されつつある。

解説

Fisher らは 5 つの NSABP のランダム化比較試験に参加した ER 陽性 T1a, b, N0 乳癌 1,024 人(T1a：70 人，T1b：954 人)の予後を解析している[1]。8 年の無再発生存率(RFS)は外科手術単独群(264 人)の 86%と比べ，外科手術＋タモキシフェン群(540 人)で 93%(p＝0.01)，外科手術＋タモキシフェン＋化学療法群(220 人)で 95%(外科手術＋タモキシフェン群と比べ p＝0.07)であった。全生存率(OS)はそれぞれ 90%，92%，97%，再発リスクは 49 歳以下，小葉癌で高い結果であった。

NSABP B-21 ランダム化比較試験の T1a, bN0M0 乳癌では，放射線単独群(332 人)とタモキシフェン単独群(334 人)，放射線＋タモキシフェン群(334 人)の比較では(T1a は 28%，ER 陽性が 57%含まれる)8 年の OS はどの群にも有意差はなく 93〜94%であり，遠隔再発率もそれぞれ 3.3%，3.2%，1.6%(p＝0.28)であった[2]。一方，温存乳房内再発は放射線＋タモキシフェン群で 2.8%，放射線単独群で 9.3%(p＝0.01)であり，特にホルモン受容体陰性群に比べ，ホルモン受容体陽性群で温存乳房内再発を抑制できる傾向にあった。

なお，ホルモン受容体陽性 T1aN0 乳癌における予後不良因子として，組織学異型度[3]，若年[4]，脈管侵襲[5]，Ki67 高値[6]が報告されている。また，組織型では，medullary, mucinous, papillary, tubular, adenocystic carcinoma[4]は予後良好と報告される。しかしながら，すべての報告で一致した予後予測因子はない。

以上から，ホルモン受容体陽性 T1aN0 乳癌の予後と術後全身薬物療法の必要性は明らかとなっていない。

MINDACT 試験では臨床的低リスク群(n＝3,337)中に遺伝子発現・高リスク群(n＝593)18%を認めている[7]。そのうち約 30%が腫瘍径 1 cm 以下であり，小腫瘍径であっても生物学的予後不良な症例があることを報告している。一方，超低リスク群(n＝157)の 8 年無遠隔再発割合は 98%と予後良好で，そのうち半数は術後薬物療法を受けていなかった[8]。今後は多遺伝子アッセイによる予後予測により内分泌療法の de-escalation も期待される。

検索キーワード・参考にした二次資料

PubMed で "Breast neoplasms/therapy", "Chemotherapy, Adjuvant", "Antineoplastic Agents, Hormonal", "N0 OR node negative" のキーワードで検索した。検索期間は 2021 年 3 月までとし，195 件がヒットした。一次スクリーニングで 58 編，二次スクリーニングで 9 編に絞り込んだ。

参考文献

1) Fisher B, Dignam J, Tan-Chiu E, Anderson S, Fisher ER, Wittliff JL, et al. Prognosis and treatment of patients with breast tumors of one centimeter or less and negative axillary lymph nodes. J Natl Cancer Inst. 2001; 93(2): 112-20. [PMID: 11208880]
2) Fisher B, Bryant J, Dignam JJ, Wickerham DL, Mamounas EP, Fisher ER, et al; National Surgical Adjuvant Breast and Bowel Project. Tamoxifen, radiation therapy, or both for prevention of ipsilateral breast tumor recurrence after lumpectomy in women with invasive breast cancers of one centimeter or less. J Clin Oncol. 2002; 20(20): 4141-9. [PMID: 12377957]
3) Lee AK, Loda M, Mackarem G, Bosari S, DeLellis RA, Heatley GJ, et al. Lymph node negative invasive breast carcinoma 1 centimeter or less in size(T1a, bNOMO): clinicopathologic features and outcome. Cancer. 1997; 79(4): 761-71. [PMID: 9024714]
4) Fisher B, Dignam J, Tan-Chiu E, Anderson S, Fisher ER, Wittliff JL, et al. Prognosis and treatment of patients with breast tumors of one centimeter or less and negative axillary lymph nodes. J Natl Cancer Inst. 2001; 93(2): 112-20. [PMID: 11208880]
5) Mann GB, Port ER, Rizza C, Tan LK, Borgen PI, Van Zee KJ. Six-year follow-up of patients with microinvasive, T1a, and T1b breast carcinoma. Ann Surg Oncol. 1999; 6(6): 591-8. [PMID: 10493629]
6) Colleoni M, Rotmensz N, Peruzzotti G, Maisonneuve P, Viale G, Renne G, et al. Minimal and small size invasive breast cancer with no axillary lymph node involvement: the need for tailored adjuvant therapies. Ann Oncol. 2004; 15(11): 1633-9. [PMID: 15520064]
7) Piccart M, van't Veer LJ, Poncet C, Lopes Cardozo JMN, Delaloge S, Pierga JY, et al. 70-gene signature as an aid for treatment decisions in early breast cancer: updated results of the phase 3 randomised MINDACT trial with an exploratory analysis by age. Lancet Oncol. 2021; 22(4): 476-88. [PMID: 33721561]
8) Lopes Cardozo JMN, Schmidt MK, van't Veer LJ, Cardoso F, Poncet C, Rutgers EJT, et al. Combining method of detection and 70-gene signature for enhanced prognostication of breast cancer. Breast Cancer Res Treat. 2021; 189(2): 399-410. [PMID: 34191200]

CQ 7 化学療法を行うHER2陰性の早期乳癌に対して，アンスラサイクリンとタキサンの順次投与は勧められるか？

推奨

- 再発リスクが高い場合は，アンスラサイクリンとタキサンの順次投与を強く推奨する。
推奨の強さ：1，エビデンスの強さ：強，合意率：92％(45/49)

推奨におけるポイント

- リンパ節転移陽性などの再発リスクが高い場合に推奨される。
- 薬物CQ7〜9の対象は重複する部分があり，再発リスク抑制効果と有害事象を考慮してレジメンを決定することが勧められる(図1)。

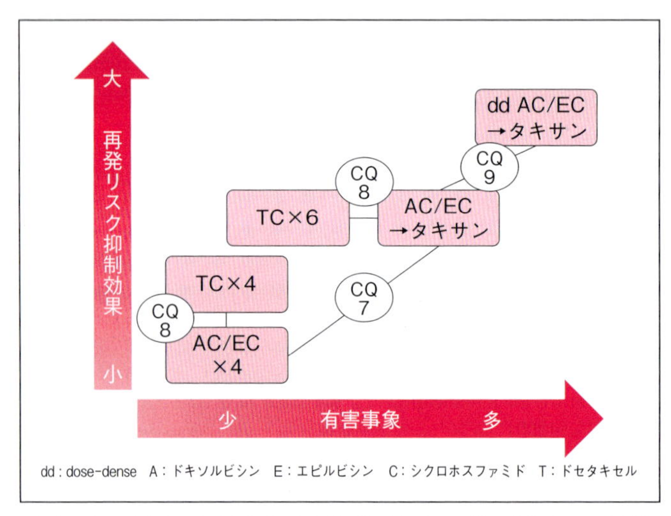

図1　各レジメンの再発リスク抑制効果および有害事象の関係と該当するCQ

背景・目的

タキサンはアンスラサイクリンと交差耐性が少ないと考えられ，術後化学療法にタキサンを追加することで予後の改善が期待される。アンスラサイクリンを含んだ化学療法にタキサンを順次投与として併用することの意義を検討する。

解説

アンスラサイクリンによる術後化学療法にタキサンを追加することの意義を検証した，2019年にコクランから出されたシステマティック・レビュー[1)]を利用した。同システマティック・レビューでは2018年7月16日までの文献が対象とされ，20件のランダム化比較試験(RCT)が抽出されていた。それ以降の文献検索も施行したが，本CQに合致するRCTは認めなかった。そこで，本CQでは先に述べたシステマティック・レビューに含まれる19件のRCTを対象とし

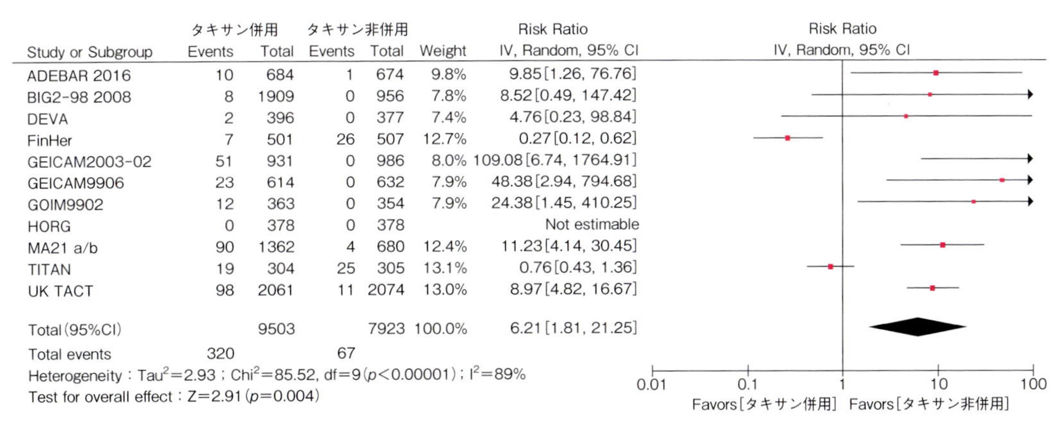

Study or Subgroup	タキサン併用 Events	タキサン併用 Total	タキサン非併用 Events	タキサン非併用 Total	Weight	Risk Ratio IV, Random, 95% CI
ADEBAR 2016	10	684	1	674	9.8%	9.85[1.26, 76.76]
BIG2-98 2008	8	1909	0	956	7.8%	8.52[0.49, 147.42]
DEVA	2	396	0	377	7.4%	4.76[0.23, 98.84]
FinHer	7	501	26	507	12.7%	0.27[0.12, 0.62]
GEICAM2003-02	51	931	0	986	8.0%	109.08[6.74, 1764.91]
GEICAM9906	23	614	0	632	7.9%	48.38[2.94, 794.68]
GOIM9902	12	363	0	354	7.9%	24.38[1.45, 410.25]
HORG	0	378	0	378		Not estimable
MA21 a/b	90	1362	4	680	12.4%	11.23[4.14, 30.45]
TITAN	19	304	25	305	13.1%	0.76[0.43, 1.36]
UK TACT	98	2061	11	2074	13.0%	8.97[4.82, 16.67]
Total (95%CI)		9503		7923	100.0%	6.21[1.81, 21.25]
Total events	320		67			

Heterogeneity：$Tau^2=2.93$；$Chi^2=85.52$, df=9 ($p<0.00001$)；$I^2=89\%$
Test for overall effect：Z=2.91 ($p=0.004$)

図2　メタアナリシス：Grade 3以上の末梢神経障害

た[2)〜20)]。19件のRCTのうち13件はリンパ節転移陽性のみを対象としており，1件のみがホルモン受容体陰性HER2陰性のみを対象としていた。

全生存期間(OS)の延長と無病生存期間(DFS)の延長は，コクランのシステマティック・レビューで報告されている。OSの延長は18件のRCTから24,764例を対象に評価され，ハザード比(HR)0.86(95%CI 0.81-0.91)と統計学的に有意にOSが改善され，そのイベント割合はタキサン非併用群で18.1%，タキサン併用群で15.3%であった。DFSの延長は，19件のRCTから26,866例が対象となる20個の比較がメタアナリシスで評価され，HR 0.86(95%CI 0.82-0.90)と統計学的に有意にDFSが改善され，そのイベント割合はタキサン非併用群で27.9%，タキサン併用群で24.1%であった。

害について，QOLの評価は2件のRCTから356例を対象としたが，両試験で評価の方法が一致しておらず，統合解析はできなかった。2件のRCTともにそれぞれの評価でQOLの有意な低下を認めず，定性的な評価としてQOLが低下する可能性は低いと判断した。ただし，いずれの試験も非盲検であることや一部の症例での解析であることからバイアスリスクが高く，症例数が少ないことなどから，エビデンスの確実性は非常に低いと判断した。次に，Grade 3以上の末梢神経障害については11件のRCTから17,426例を対象に評価した。リスク比が6.21(95%CI 1.81-21.25)と統計学的に有意にリスクが増加していた(**図2**)。タキサン非併用群で0.8%，タキサン併用群で3.4%であり，併用により2.6%増加した。また，高い非一貫性が認められたが，対照群の化学療法が多様であった影響と考えられた。発熱性好中球減少症は10件のRCTから16,068例を対象に評価し，リスク比1.73(95%CI 0.90-3.33)と有意なリスクの増加は認めなかったが，増加の傾向は認められた。Grade 3以上の有害事象は3件のRCTから8,008例を対象に評価し，リスク比は1.03(95%CI 1.02-1.04，$p<0.00001$)と統計学的に有意に増加したが，絶対値の差はわずかであった。

益と害のバランスは，明確な益がある一方で，害の増加はあるものの軽微であることから，益が明らかに上回ると判断した。エビデンスの強さは質の高いRCTが複数あることから強いと判断した。患者の希望は，末梢神経障害などの有害事象が増加するが，高いエビデンスで予後の改善が示されていることから，タキサンの順次投与を併用する方針は多くの症例で一致すると考えた。また，前述のように19のRCTのうち13件はリンパ節転移陽性のみを対象としており，リンパ節転移陰性でのタキサン順次投与は適応を慎重に検討する必要がある。

推奨決定会議の投票の結果は，「行うことを強く推奨する　45/49，合意率　92%」，「行うことを弱く推奨する　4/49」であり，推奨は「再発リスクが高い場合は，アンスラサイクリンとタキサンの順次投与を強く推奨する」とした。ただし，末梢神経障害などの有害事象が増加することに注意が必要である。

[投票結果]

1．行うことを強く推奨する	2．行うことを弱く推奨する	3．行わないことを弱く推奨する	4．行わないことを強く推奨する
92%(45/49)	8%(4/49)	0%(0/49)	0%(0/49)
総投票数49名(棄権0名，COI棄権0名)			

検索キーワード・参考にした二次資料

PubMed，医中誌，Cochrane Libraryで，#1(breast neoplasms)or(breast cancer*)，#2((adjuvant or postoperative or preoperative or neoadjuvant)and(chemotherapy or(drug therapy)))，#3(anthracyclines or doxorubicin or epirubicin or anthracyclines)，#4(taxoids or paclitaxel or docetaxel or nab-paclitaxel)をキーワードとし，検索を行った。検索期間は2021年6月8日までとした。

その結果，1,570編の論文が抽出された。Cochrane(2019)が2018年7月18日までを検索期間としており，それ以降の論文を対象に一次・二次スクリーニングを行ったところ，本CQの主旨に合致する論文は認めなかった。

参考文献

1) Willson ML, Burke L, Ferguson T, Ghersi D, Nowak AK, Wilcken N. Taxanes for adjuvant treatment of early breast cancer. Cochrane Database Syst Rev. 2019; 9(9): CD004421. [PMID: 31476253]
2) Janni W, Harbeck N, Rack B, Augustin D, Jueckstock J, Wischnik A, et al. Randomised phase Ⅲ trial of FEC120 vs EC-docetaxel in patients with high-risk node-positive primary breast cancer: final survival analysis of the ADEBAR study. Br J Cancer. 2016; 114(8): 863-71. [PMID: 27031854]
3) Francis P, Crown J, Di Leo A, Buyse M, Balil A, Andersson M, et al; BIG 02-98 Collaborative Group. Adjuvant chemotherapy with sequential or concurrent anthracycline and docetaxel: Breast International Group 02-98 randomized trial. J Natl Cancer Inst. 2008; 100(2): 121-33. [PMID: 18182617]
4) Boccardo F, Amadori D, Guglielmini P, Sismondi P, Farris A, Agostara B, et al. Epirubicin followed by cyclophosphamide, methotrexate and 5-fluorouracil versus paclitaxel followed by epirubicin and vinorelbine in patients with high-risk operable breast cancer. Oncology. 2010; 78(3-4): 274-81. [PMID: 20530973]
5) Henderson IC, Berry DA, Demetri GD, Cirrincione CT, Goldstein LJ, Martino S, et al. Improved outcomes from adding sequential paclitaxel but not from escalating doxorubicin dose in an adjuvant chemotherapy regimen for patients with node-positive primary breast cancer. J Clin Oncol. 2003; 21(6): 976-83. [PMID: 12637460]
6) Coombes RC, Bliss JM, Espie M, Erdkamp F, Wals J, Tres A, et al. Randomized, phase Ⅲ trial of sequential epirubicin and docetaxel versus epirubicin alone in postmenopausal patients with node-positive breast cancer. J Clin Oncol. 2011; 29(24): 3247-54. [PMID: 21768453]
7) Joensuu H, Bono P, Kataja V, Alanko T, Kokko R, Asola R, et al. Fluorouracil, epirubicin, and cyclophosphamide with either docetaxel or vinorelbine, with or without trastuzumab, as adjuvant treatments of breast cancer: final results of the FinHer Trial. J Clin Oncol. 2009; 27(34): 5685-92. [PMID: 19884557]
8) Martín M, Ruiz A, Ruiz Borrego M, Barnadas A, González S, Calvo L, et al. Fluorouracil, doxorubicin, and cyclophosphamide(FAC)versus FAC followed by weekly paclitaxel as adjuvant therapy for high-risk, node-negative breast cancer: results from the GEICAM/2003-02 study. J Clin Oncol. 2013; 31(20): 2593-9. [PMID: 23733779]
9) Martín M, Rodríguez-Lescure A, Ruiz A, Alba E, Calvo L, Ruiz-Borrego M, et al. Molecular predictors of efficacy of adjuvant weekly paclitaxel in early breast cancer. Breast Cancer Res Treat. 2010; 123(1): 149-57. [PMID: 20037779]
10) Vici P, Brandi M, Giotta F, Foggi P, Schittulli F, Di Lauro L, et al. A multicenter phase Ⅲ prospective randomized trial of high-dose epirubicin in combination with cyclophosphamide(EC)versus docetaxel followed by EC in node-positive breast cancer. GOIM(Gruppo Oncologico Italia Meridionale)9902 study. Ann Oncol. 2012; 23(5): 1121-9. [PMID: 21965475]

11) Fountzilas G, Skarlos D, Dafni U, Gogas H, Briasoulis E, Pectasides D, et al. Postoperative dose-dense sequential chemotherapy with epirubicin, followed by CMF with or without paclitaxel, in patients with high-risk operable breast cancer: a randomized phase Ⅲ study conducted by the Hellenic Cooperative Oncology Group. Ann Oncol. 2005; 16(11): 1762-71. [PMID: 16148021]
12) Polyzos A, Malamos N, Boukovinas I, Adamou A, Ziras N, Kalbakis K, et al. FEC versus sequential docetaxel followed by epirubicin/cyclophosphamide as adjuvant chemotherapy in women with axillary node-positive early breast cancer: a randomized study of the Hellenic Oncology Research Group(HORG). Breast Cancer Res Treat. 2010; 119(1): 95-104. [PMID: 19636702]
13) Mamounas EP, Bryant J, Lembersky B, Fehrenbacher L, Sedlacek SM, Fisher B, et al. Paclitaxel after doxorubicin plus cyclophosphamide as adjuvant chemotherapy for node-positive breast cancer: results from NSABP B-28. J Clin Oncol. 2005; 23(16): 3686-96. [PMID: 15897552]
14) Coudert B, Asselain B, Campone M, Spielmann M, Machiels JP, Pénault-Llorca F, et al; UNICANCER Breast Group. Extended benefit from sequential administration of docetaxel after standard fluorouracil, epirubicin, and cyclophosphamide regimen for node-positive breast cancer: the 8-year follow-up results of the UNICANCER-PACS01 trial. Oncologist. 2012; 17(7): 900-9. [PMID: 22610153]
15) Roy C, Choudhury KB, Pal M, Saha A, Bag S, Banerjee C. Adjuvant chemotherapy with six cycles of AC regimen versus three cycles of AC regimen followed by three cycles of Paclitaxel in node-positive breast cancer. Indian J Cancer. 2012; 49(3): 266-71. [PMID: 23238142]
16) Sakr H, Hamed RH, Anter AH, Yossef T. Sequential docetaxel as adjuvant chemotherapy for node-positive or/and T3 or T4 breast cancer: clinical outcome(Mansoura University). Med Oncol. 2013; 30(1): 457. [PMID: 23322524]
17) Forestieri V. Docetaxel in adjuvant therapy of breast cancer: results of the TAXIT 216 multicenter phase Ⅲ trial. Naples, University of Naples Federico II, 2008.
18) Yardley DA, Arrowsmith ER, Daniel BR, Eakle J, Brufsky A, Drosick DR, et al. TITAN: phase Ⅲ study of doxorubicin/cyclophosphamide followed by ixabepilone or paclitaxel in early-stage triple-negative breast cancer. Breast Cancer Res Treat. 2017; 164(3): 649-58. [PMID: 28508185]
19) Ellis P, Barrett-Lee P, Johnson L, Cameron D, Wardley A, O'Reilly S, et al; TACT Trial Management Group; TACT Trialists. Sequential docetaxel as adjuvant chemotherapy for early breast cancer(TACT): an open-label, phase Ⅲ, randomised controlled trial. Lancet. 2009; 373(9676): 1681-92. [PMID: 19447249; PMCID: PMC2687939]
20) Burnell M, Levine MN, Chapman JA, Bramwell V, Gelmon K, Walley B, et al. Cyclophosphamide, epirubicin, and fluorouracil versus dose-dense epirubicin and cyclophosphamide followed by paclitaxel versus doxorubicin and cyclophosphamide followed by paclitaxel in node-positive or high-risk node-negative breast cancer. J Clin Oncol. 2010; 28(1): 77-82. [PMID: 19901117]

CQ 8 化学療法を行うHER2陰性の早期乳癌に対して，TC療法は勧められるか？

推奨

- TC療法を行うことを弱く推奨する。

推奨の強さ：2，エビデンスレベルの強さ：中，合意率：92%(45/49)

推奨におけるポイント

- TC療法4サイクルはAC/EC療法と比較し，リスク抑制効果は大きく，有害事象は同等と考えられる。
- TC療法6サイクルはアンスラサイクリン→タキサン順次投与と比較し，リスク抑制効果は明らかに劣るものではなく，有害事象は少ないと考えられ，より有害事象を避けたい場合に勧められる。
- 薬物CQ7～9の対象は重複する部分があり，再発リスク抑制効果と有害事象を考慮してレジメンを決定することが勧められる(図1)。

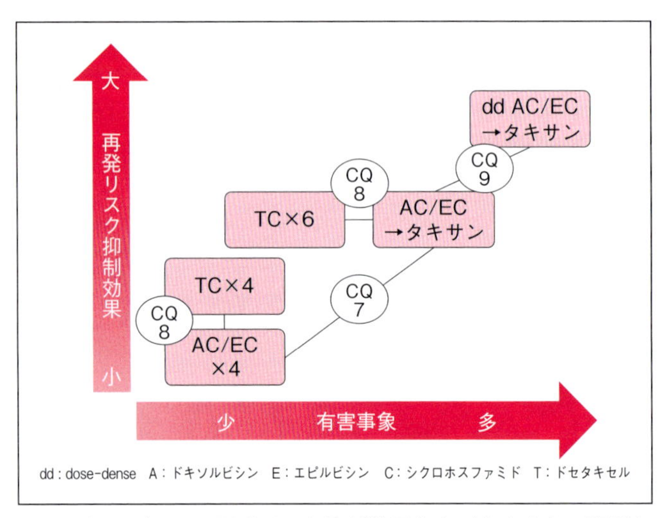

図1 各レジメンの再発リスク抑制効果および有害事象の関係と該当するCQ

背景・目的

早期乳癌に対する化学療法は，再発リスクを有意に低減し，全生存期間を改善する[1)]。HER2陰性の早期乳癌に対する化学療法には，AC療法，TC療法，アンスラサイクリン→タキサン順次投与またはdose-dense化学療法などがある。本CQではTC療法の適応と有効性・安全性について検討した。

解説

1）TC 療法と AC 療法との比較

AC 療法に対して，3 週間毎に 4 回投与する TC 療法の無病生存期間（DFS）の優越性を検証した試験は，US Oncology Research 試験 9735 の 1 つの研究が報告されている[2)]。本試験には早期乳癌患者 1,016 例が 2 群にランダム化されているが，ホルモン受容体陽性が 71%，リンパ節転移陽性が 52% 含まれていた。7 年の DFS〔TC：81% vs AC：75%，ハザード比（HR）0.74，95%CI 0.56–0.98，p=0.033〕ならびに全生存期間（OS）（87% vs 82%，HR 0.69，95%CI 0.50–0.97，p=0.032）は AC 療法よりも TC 療法が有意に良好であった[3)]。有害事象は 2 群間で発熱性好中球減少症や好中球減少症では有意差を認めなかったが，Grade 1～2 の浮腫，筋肉痛および関節痛は TC 療法（p<0.01）に，Grade 1～4 の嘔気・嘔吐は AC 療法（p<0.01）に有意に多く認められた[2)3)]。また，頻度は少ないが，早期の治療関連死として，うっ血性心不全は AC 療法のみに 1 例，心筋梗塞は AC 療法で 4 例，TC 療法で 2 例，晩期の治療関連死として急性白血病が AC 療法に 1 例認められた[2)3)]。

以上より，TC 療法 4 サイクルと AC 療法を検証した RCT はこれまで 1 つのみであるが，7 年と比較的長期のフォローデータもある質の高い RCT であることから，エビデンスの強さは「中」とした。その報告からは，AC 療法に対する TC 療法 4 サイクルの益と害のバランスについて予後は勝るが，有害事象に明らかな優劣はなかったことから，「益」が「害」を上回ると判断した。

2）TC 療法 6 サイクルとアンスラサイクリン→タキサン順次投与との比較

HER2 陰性乳癌に対する化学療法として TC 療法 4 サイクルとアンスラサイクリン→タキサン順次投与を比較した RCT はこれまで報告はないが，TC 療法 6 サイクルとアンスラサイクリン→タキサン順次投与を比較した RCT のシステマティック・レビューが 1 編報告されている[4)]。2 つの RCT と 2 つのプール解析からの 12,741 例が対象であった。DFS は，TC 療法 6 サイクルとアンスラサイクリン→タキサン順次投与では有意な差を認めなった（HR 1.08，95%CI 0.96–1.20，p=0.193）。さらに，DFS のサブグループ解析では，ホルモン受容体陽性群（計 11,143 例：HR 1.05，95%CI 0.86–1.27，p=0.653）および陰性群（計 1,598 例：HR 1.12，95%CI 0.93–1.34，p=0.237），リンパ節転移状況，N1（計 2,242 例：HR 1.06，95%CI 0.65–1.73，p=0.823）および N2（計 678 例：HR 1.25，95%CI 0.82–1.90，p=0.300），さらに閉経前（計 1,251 例：HR 0.78，95%CI 0.56–1.09，p=0.140）および閉経後（計 1,411 例：HR 1.16，95%CI 0.83–1.61，p=0.395）のいずれの群でも 2 レジメン間で有意な差を認めなかった。また OS についても，2 レジメン間で有意な差を認めなかった（HR 1.05，95%CI 0.90–1.22，p=0.555）。有害事象については，前述のシステマティック・レビューの検索期間以降に報告された 1 つの研究[5)]の結果を追加して検討を行った。アンスラサイクリン→タキサン順次投与と TC 療法 6 サイクルの Grade 3～4 の有害事象のうち，発熱性好中球減少症（RR 1.07，95%CI 0.72–1.61，p=0.73），心不全（RR 1.41，95%CI 0.55–3.63，p=0.47）については 2 レジメン間で有意差を認めなかったが，Grade 3～4 のすべての有害事象（5.7% vs 4.7%，RR 1.21，1.14–1.29，p<0.001），嘔吐（2.8% vs 0.8%，RR 3.89，95%CI 1.48–10.20，p=0.006）と末梢神経障害（4.3% vs 2.6%，RR 1.69，95%CI 1.27–2.25，p<0.001）については TC 療法 6 サイクルで有意に少なかった。

以上より，益と害のバランスについて TC 療法 6 サイクルでは，Grade 3～4 のすべての有害事象，嘔吐と末梢神経障害については発症頻度が有意に少ないが，予後に関しては明らかに劣るものではなく，TC療法6サイクルは「益がやや勝る」と考えられた。エビデンスの強さについては，複数のRCTが報告されているが，わが国では4サイクルのTC療法が広く行われており，今回の検討は6サイクルであることや，予後に関しての統計学的な優越性や非劣性が示されていないことなどから「中」とした。

以上から，TC療法4サイクルは，AC療法と比較して益が害を上回る治療と考えられ，推奨される治療である。TC療法6サイクルは，アンスラサイクリン→タキサン順次投与と比較して害は少なく，益は明らかに劣るものではないと判断されるため，アンスラサイクリン→タキサン順次投与の有害事象に懸念がある場合に推奨できる治療と考えられる。

推奨決定会議の投票の結果は，「行うことを強く推奨する 4/49」，「行うことを弱く推奨する 45/49，合意率 92%」であり，推奨は，化学療法を行うHER2陰性の早期乳癌に対して，「TC療法を行うことを弱く推奨する」とした。

[投票結果]

1. 行うことを強く推奨する	2. 行うことを弱く推奨する	3. 行わないことを弱く推奨する	4. 行わないことを強く推奨する
8%(4/49)	92%(45/49)	0%(0/49)	0%(0/49)
			総投票数49名(棄権0名，COI棄権0名)

検索キーワード・参考にした二次資料

PubMed・医中誌・Cochrane Libraryでそれぞれ，“(breast neoplasms)or(breast cancer*)”，“((adjuvant or postoperative or preoperative or neoadjuvant)and(chemotherapy or(drug therapy)))”，“docetaxel and cyclophosphamide”のキーワードで検索した。検索期間は2021年6月4日までとし，936件がヒットした。一次スクリーニングにて16編，二次スクリーニングにて9編に絞り込んだ。このうちAC療法に関しては2編(1試験)を採用した。TC6サイクルとアンスラサイクリン→タキサン順次投与に関してはシステマティック・レビュー1編とRCT 1編を採用し，定性的・定量的システマティック・レビューを行った。

参考文献

1) Anampa J, Makower D, Sparano JA. Progress in adjuvant chemotherapy for breast cancer: an overview. BMC Med. 2015; 13: 195. [PMID: 26278220]
2) Jones SE, Savin MA, Holmes FA, O'Shaughnessy JA, Blum JL, Vukelja S, et al. Phase Ⅲ trial comparing doxorubicin plus cyclophosphamide with docetaxel plus cyclophosphamide as adjuvant therapy for operable breast cancer. J Clin Oncol. 2006; 24(34): 5381-7. [PMID: 17135639]
3) Jones S, Holmes FA, O'Shaughnessy J, Blum JL, Vukelja SJ, McIntyre KJ, et al. Docetaxel with cyclophosphamide is associated with an overall survival benefit compared with doxorubicin and cyclophosphamide: 7-year follow-up of us oncology research trial 9735. J Clin Oncol. 2009; 27(8): 1177-83. [PMID: 19204201]
4) Caparica R, Bruzzone M, Poggio F, Ceppi M, de Azambuja E, Lambertini M. Anthracycline and taxane-based chemotherapy versus docetaxel and cyclophosphamide in the adjuvant treatment of HER2-negative breast cancer patients: a systematic review and meta-analysis of randomized controlled trials. Breast Cancer Res Treat. 2019; 174(1): 27-37. [PMID: 30465156]
5) Ishiguro H, Masuda N, Sato N, Higaki K, Morimoto T, Yanagita Y, et al. A randomized study comparing docetaxel/cyclophosphamide(TC), 5-fluorouracil/epirubicin/cyclophosphamide(FEC) followed by TC, and TC followed by FEC for patients with hormone receptor-positive HER2-negative primary breast cancer. Breast Cancer Res Treat. 2020; 180(3): 715-24. [PMID: 32170634]

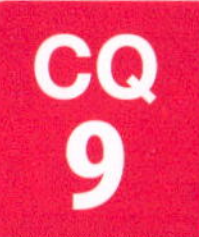

CQ 9 化学療法を行う早期乳癌に対して，dose-dense 化学療法は勧められるか？

推奨

● 再発リスクが高い場合は，dose-dense 化学療法を行うことを強く推奨する。

推奨の強さ：1，エビデンスの強さ：強，合意率：72%(31/43)

推奨におけるポイント

- リンパ節転移陽性やホルモン受容体陰性など，より再発リスクが高い場合に勧められる。
- 薬物 CQ7～9 の対象は重複する部分があり，再発リスク抑制効果と有害事象を考慮してレジメンを決定することが勧められる(図 1)。

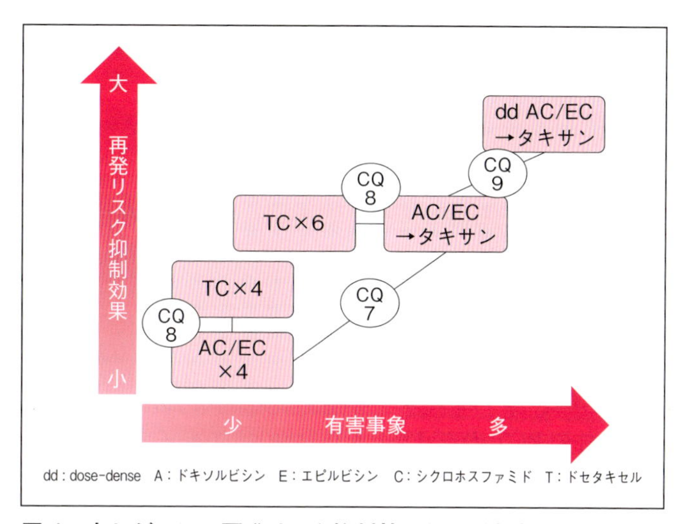

図 1　各レジメンの再発リスク抑制効果および有害事象の関係と該当する CQ

背景・目的

Norton-Simon の仮説[1]に基づき化学療法の投与間隔を短縮した dose-dense 化学療法が，周術期化学療法において有用であるか検討した。

解 説

周術期 dose-dense 化学療法に関する比較試験は複数報告されている。Dose-dense 化学療法は，広義には，G-CSF の併用なしに薬剤量を減らし，投与間隔を短縮したものも含まれるが，狭義には，薬剤の種類や投与量が同じで G-CSF 併用で投与間隔を短くした方法である。本 CQ においては，化学療法の投与期間短縮の有用性を適切に評価することを目的に，対照群と介入群で同じ薬剤が同量投与されているランダム化比較試験(RCT)を用いてメタアナリシスを行った。

該当した 5 つの RCT のうち 3 件は術後化学療法[2)～4)]，2 件は術前化学療法[5)6)]を対象とした試

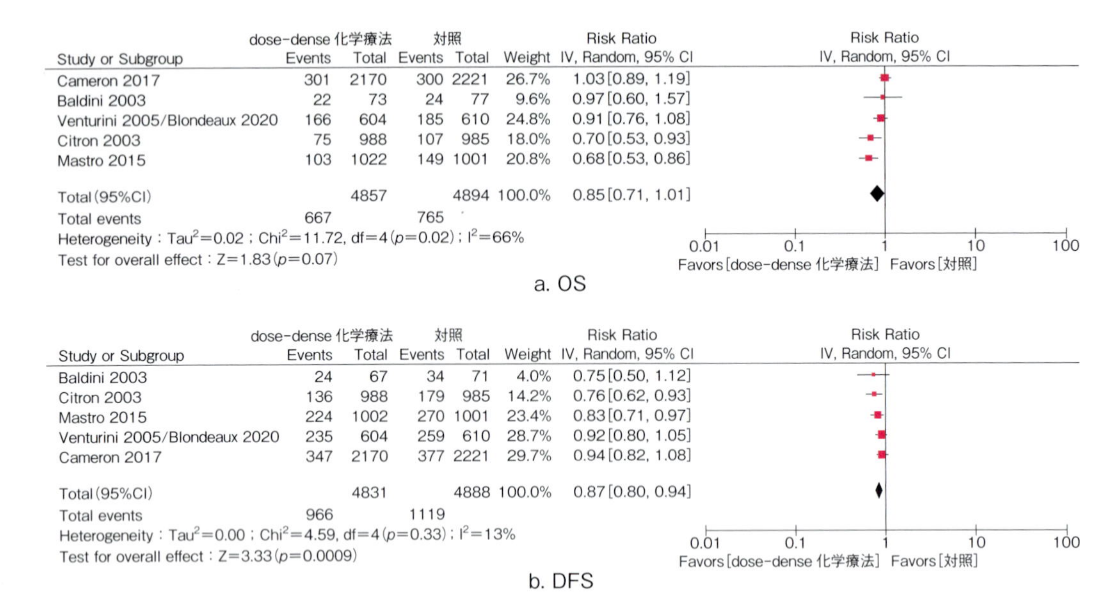

図２　メタアナリシス：dose-dense 化学療法群 vs 対照群

験であった。化学療法は，2つの試験ではアンスラサイクリン系薬剤とタキサン系薬剤の両方がdose-denseであり[3)4)]，2つの試験でアンスラサイクリン系薬剤とタキサン系以外のレジメンが順次投与されており[5)6)]，1つは両方のレジメンがdose-denseとされ，1つはアンスラサイクリン系薬剤を含むレジメンのみがdose-denseとされていた。残る1つの試験ではアンスラサイクリン系薬剤を含むレジメンのdose-denseが用いられていた[2)]。

全生存期間(OS)は5件のRCTから9,751人を対象とし解析を行い，イベントの割合はdose-dense群が13.7%で対照群が15.6%であり，リスク比(RR)0.85(95%CI 0.71-1.01)と統計学的有意差はないが，dose-denseによって改善する傾向を認めた(**図2a**)。無病生存期間(DFS)は，同じく5件のRCTから9,719人を対象として解析を行い，イベントの割合はdose-dense群が20.0%で対照群が22.9%であり，RR 0.87(0.80-0.94)と統計学的に有意な改善が示された(**図2b**)。OSの解析で中等度の非一貫性を認めたが，OS，DFSの検討ともにエビデンスの確実性は「高」と判断した。

QOLについて術前化学療法でdose-dense化学療法を行った1つのRCT(Cameron 2017)を評価した。EORTC QLQ-C30 GHS/QOLの10ポイント以上の低下をイベントとした。QOLの低下は，対照群で57.4%，dose-dense群で67.0%と，dose-dense群で10%(95%CI 3-16)の増加が認められた(RR 1.17，95%CI 1.06-1.29)。本研究は非盲検試験であることやQOLについての多面的な評価ができていないことから，エビデンスの確実性は「低」とした。

その他の害に関するアウトカムとして，貧血は2件のRCTから4,172人を対象に解析した。全GradeではRR 1.48(95%CI 1.23-1.78)と増加し，dose-dense化学療法群で53.4%の頻度であった。しかし，Grade 3以上の貧血に限定すると頻度は0.7%にとどまった。発熱性好中球減少症の評価は1件のRCT，2,155人を対象とした。RR 0.40(95%CI 0.22-0.73)とdose-dense化学療法群でリスクが低下することが示された。Dose-dense化学療法でG-CSFの一次予防が必須とされていたためと考えられた。Grade 3 以上の悪心・嘔吐は 2 件の RCT から 4,172 人を対象に評価し，RR 1.21（0.85-1.73）と増加は認めなかった。

益としては，DFS の一貫した有意な延長と OS 延長の傾向が，高いエビデンスの確実性をもって認められている。一方，害としては，QOL 低下の可能性はあるがエビデンスの確実性が低く，貧血の増加があるものの重篤な貧血の頻度は少ない。このことから益と害のバランスは益が害を上回ると考えられる。エビデンスの強さは，複数の適切に管理された RCT があるので「強」とした。患者希望については，貧血が増加することやペグフィルグラスチム併用が必須となることを考えると必ずしも一貫するとはいえないが，予後改善の益から多くの場合で dose-dense 化学療法が希望されると判断した。

適応に関する検討事項として，本 CQ で採用した 5 つの RCT では再発リスクが低い症例は除外されている。また GIM2 試験の探索的解析として，ホルモン受容体陽性かつ Ki67 低値の場合は dose-dense 化学療法の予後改善効果が乏しいことが報告されている[7]。以上から再発リスクが低い場合やいわゆる luminal A-like のサブタイプの場合は dose－dense 化学療法の適応を特に慎重に検討する必要がある。

推奨決定会議の投票の結果は，「行うことを強く推奨する　31/43，合意率　72％」，「行うことを弱く推奨する　12/43」であり，推奨は「再発リスクが高い場合は，dose－dense 化学療法を行うことを強く推奨する」とした。

薬物療法

［投票結果］

1. 行うことを強く推奨する	2. 行うことを弱く推奨する	3. 行わないことを弱く推奨する	4. 行わないことを強く推奨する
72％（31/43）	28％（12/43）	0％（0/43）	0％（0/43）
総投票数 43 名（棄権 0 名，COI 棄権 6 名）			

検索キーワード・参考にした二次資料

PubMed・医中誌・Cochrane Library で，#1（breast neoplasms）or（breast cancer*），#2（dose dense）をキーワードとして検索を行った。検索期間は 2021 年 6 月 4 日までとした。

その結果，430 編の論文が抽出された。一次・二次スクリーニングを行ったところ，2 件のシステマティック・レビューを含む 6 編の論文が残った。2 つのシステマティック・レビューのうち 1 編が本 CQ と合致し，AMSTAR 基準を満たしており，採用した。そこで，同研究で用いられている 5 編の RCT を利用した[8]。

参考文献

1）Norton L, Simon R. Tumor size, sensitivity to therapy, and design of treatment schedules. Cancer Treat Rep. 1977; 61（7）: 1307-17. [PMID: 589597]

2）Venturini M, Del Mastro L, Aitini E, Baldini E, Caroti C, Contu A, et al. Dose-dense adjuvant chemotherapy in early breast cancer patients: results from a randomized trial. J Natl Cancer Inst. 2005; 97（23）: 1724-33. [PMID: 16333028]

3）Citron ML, Berry DA, Cirrincione C, Hudis C, Winer EP, Gradishar WJ, et al. Randomized trial of dose-dense versus conventionally scheduled and sequential versus concurrent combination chemotherapy as postoperative adjuvant treatment of node-positive primary breast cancer: first report of Intergroup Trial C9741/Cancer and Leukemia Group B Trial 9741. J Clin Oncol. 2003; 21（8）: 1431-9. [PMID: 12668651]

4）Del Mastro L, De Placido S, Bruzzi P, De Laurentiis M, Boni C, Cavazzini G, et al; Gruppo Italiano Mammella（GIM）investigators. Fluorouracil and dose-dense chemotherapy in adjuvant treatment of patients with early-stage breast cancer: an open-label, 2×2 factorial, randomised phase 3 trial. Lancet. 2015; 385（9980）: 1863-72. [PMID: 25740286]

5）Cameron D, Morden JP, Canney P, Velikova G, Coleman R, Bartlett J, et al; TACT2 Investigators. Accelerated versus standard epirubicin followed by cyclophosphamide, methotrexate, and fluorouracil or capecitabine as

adjuvant therapy for breast cancer in the randomised UK TACT2 trial(CRUK/05/19): a multicentre, phase 3, open-label, randomised, controlled trial. Lancet Oncol. 2017; 18(7): 929-45. [PMID: 28600210]
6) Baldini E, Gardin G, Giannessi PG, Evangelista G, Roncella M, Prochilo T, et al. Accelerated versus standard cyclophosphamide, epirubicin and 5-fluorouracil or cyclophosphamide, methotrexate and 5-fluorouracil: a randomized phase Ⅲ trial in locally advanced breast cancer. Ann Oncol. 2003; 14(2): 227-32. [PMID: 12562649]
7) Conte B, Bruzzone M, Lambertini M, Poggio F, Bighin C, Blondeaux E, et al; GIM2 Investigators. Effect of dose-dense adjuvant chemotherapy in hormone receptor positive/HER2-negative early breast cancer patients according to immunohistochemically defined luminal subtype: an exploratory analysis of the GIM2 trial. Eur J Cancer. 2020; 136: 43-51. [PMID: 32634760]
8) Zhou W, Chen S, Xu F, Zeng X. Survival benefit of pure dose-dense chemotherapy in breast cancer: a meta-analysis of randomized controlled trials. World J Surg Oncol. 2018; 16(1): 144. [PMID: 30007402]

CQ 10 術前化学療法で病理学的完全奏効(pCR)が得られなかったHER2陰性早期乳癌に対する術後化学療法として，カペシタビンは勧められるか？

推奨

- カペシタビン6〜8サイクルの投与を強く推奨する。

推奨の強さ：1，エビデンスの強さ：中，合意率：77%(36/47)

推奨におけるポイント

- 乳房およびリンパ節での浸潤癌の消失，または乳管内成分のみ遺残する場合をpCRと定義している。
- 層別解析においては，トリプルネガティブ乳癌でDFS，OSの改善が認められた。

背景・目的

HER2陰性乳癌において，増殖活性の低い一部のタイプを除いては，術前化学療法によって病理学的完全奏効(pCR)が得られなかった(non pCR)場合はpCRが得られた場合に比べ予後不良であることが示されている。本CQではnon pCR症例の予後を改善するため，術前化学療法でnon pCRかどうかを指標に術後療法を検討する治療，いわゆるresidual disease-guided approach(残存病変に基づく治療)としてのカペシタビン(2022年4月時点で，早期乳癌において保険適用外)の意義を検討した。

解説

HER2陰性乳癌において，pCRを指標として術後治療を追加または変更する治療戦略の意義を検証した試験として，1件のランダム化比較試験(RCT)(CREATE-X試験)を認めた。

日本と韓国の共同で行われたCREATE-X試験では，Stage Ⅰ-ⅢBのHER2陰性乳癌に対しアンスラサイクリンもしくはタキサンを含む標準的な術前化学療法を行った後に手術を施行し，pCRが得られていない(non pCR)910例を，術後治療として標準的な治療のみを行う群(対照群)と標準的な治療にカペシタビン6〜8サイクルを併用する群に1対1にランダム化割り付けをした[1)]。pCRの定義は乳房およびリンパ節での浸潤癌の消失とされた。なお，乳管内成分のみ遺残する場合もpCRとされた。計画された中間解析でカペシタビン併用群の有効性が認められ，追跡期間の中央値が3.6年の時点で結果が公表された。カペシタビンのサイクル数は，まず6サイクルで試験が開始され，事前に規定された安全性の確認が行われたうえで8サイクルに変更された。最終的にはカペシタビン群の159例が6サイクル，283例が8サイクルを予定して治療が行われた。なお，相対的用量強度は6サイクルで87.9%，8サイクルで78.7%であった。

無病生存期間(DFS)は，本試験の主要評価項目であるが，ハザード比(HR)0.70(95%CI 0.53-0.92)と統計学的に有意に改善した。その絶対値は，5年のDFSイベント割合が対照群の32.4%から25.9%へ低下した。全生存期間(OS)はHR 0.59(95%CI 0.39-0.90)と統計学的に有意に改善が認められた。その絶対値は5年の死亡割合が対照群の16.4%から10.8%へ低下した。

事前に規定された層別解析では，ホルモン受容体陰性群において，DFS は HR 0.58(95%CI 0.39-0.87)，OS は HR 0.52(95%CI 0.30-0.90)であり，ホルモン受容体陽性群では DFS は HR 0.81 (95%CI 0.55-1.17)，OS は HR 0.7(95%CI 0.38-1.40)と，ホルモン受容体陰性群でより効果が大きい傾向を示した。

害として有害事象について，手足症候群はカペシタビン群で 73.4%，下痢は 21.9%，Grade 3 以上の好中球減少は 6.3%で認められた。ただし，カペシタビン群で治療関連死亡や不可逆性の有害事象は認められなかった。

益と害のバランスは，カペシタビンにより手足症候群，下痢，Grade 3 以上の好中球減少の増加を認めるが，OS および DFS の延長の益を上回るほどではないと考えられる。よって，益と害のバランスは益が上回ると判断した。エビデンスの強さは，CREATE-X 試験は大規模な第Ⅲ相 RCT であり，DFS の改善は臨床的な意義が大きいと判断されるが，中間解析の結果であり OS はイベント数が少ないこと，非盲検試験であることと，本 CQ に該当する RCT が 1 つであることから,「中」とした。患者希望は，予後不良が予測されるなかでの予後改善の可能性があることから，手足症候群や下痢の害はあるものの，多くは希望するほうに一貫すると考えた。

推奨決定会議の投票の結果は，「行うことを強く推奨する　36/47，合意率　77%」，「行うことを弱く推奨する　11/47」であり，推奨は，術前化学療法で病理学的完全奏効(pCR)を得られなかった HER2 陰性早期乳癌に対する術後化学療法として，「カペシタビン 6～8 サイクルの投与を強く推奨する」とした。

[投票結果]

1. 行うことを強く推奨する	2. 行うことを弱く推奨する	3. 行わないことを弱く推奨する	4. 行わないことを強く推奨する
77%(36/47)	23%(11/47)	0%(0/47)	0%(0/47)
			総投票数 47 名(棄権 0 名，COI 棄権 1 名)

検索キーワード・参考にした二次資料

PubMed，医中誌，Cochrane Library で，#1(breast neoplasms)or(breast cancer)，#2((adjuvant or postoperative or preoperative or neoadjuvant)and(chemotherapy or(drug therapy)))，#3(capecitabine or "Ro 09-1978" or "Ro-09-1978" or "Ro09-1978" or Xeloda)をキーワードとし，検索を行った。検索期間は 2021 年 6 月 4 日までとした。

その結果，426 編の論文が抽出された。一次・二次スクリーニングで残った本 CQ の主旨に合致する 1 編の論文(1 つの RCT)を用いて定性的および定量的システマティック・レビューを行った。

参考文献

1) Masuda N, Lee SJ, Ohtani S, Im YH, Lee ES, Yokota I, et al. Adjuvant capecitabine for breast cancer after preoperative chemotherapy. N Engl J Med. 2017; 376(22): 2147-59. [PMID: 28564564]

CQ 11 ホルモン受容体陽性 HER2 陰性乳癌に対して，多遺伝子アッセイの結果によって，術後化学療法を省略することは推奨されるか？

推 奨

- Oncotype DX の RS が 25 以下の場合には，リンパ節転移陰性であれば術後化学療法を省略することを強く推奨する。

推奨の強さ：1，エビデンスの強さ：強，合意率：90%(43/48)

推奨におけるポイント

- Oncotype DX を用いた TAILORx 試験では，RS25 以下の場合には全体集団において化学療法を行わないことによる IDFS(浸潤癌の無病生存期間)の非劣性が証明されているが，探索的解析において，50 歳以下かつ RS16〜25 の女性は化学療法群で遠隔転移再発率の低下が示されており，化学療法を行うことを検討してもよい。リンパ節転移陽性例においては RxPONDER 試験の結果が報告されており，閉経状況に応じた治療選択が今後の課題である。
- Mammaprint や他の多遺伝子アッセイは，本 CQ に対して推奨を行うための根拠となる前向きランダム化比較試験が乏しいため推奨に関わる評価は行わなかった。

背景・目的

術後化学療法により乳癌の予後は改善してきたが，予後因子に基づく治療の選択では化学療法が有用でない症例に対しても治療が行われている可能性がある。本 CQ では，ホルモン受容体陽性 HER2 陰性乳癌に対して多遺伝子アッセイの結果によって化学療法を省略した場合の予後への影響や費用対効果などについて検討し，多遺伝子アッセイが効果予測因子として有用かを検証した。なお，本 CQ では多遺伝子アッセイを実施すべきかの検証ではなく，多遺伝子アッセイの結果を利用すべきかを検証している。

解 説

1）Oncotype DX

Oncotype DX は，ホルマリン固定標本を用いて 16 個の腫瘍関連遺伝子と 5 個の参照遺伝子から構成される 21 個の遺伝子を RT-PCR で解析し，0〜100 の Recurrence Score(RS)を算出する。

ホルモン受容体陽性 HER2 陰性リンパ節転移陰性の早期乳癌に対して，本 CQ に合致し，Oncotype DX を用いた予後の検討が行われた比較試験は，リンパ節転移陰性例を対象とした TAILORx 試験が報告されている[1)]。本試験では浸潤径 1.1〜5 cm または 0.6〜1 cm で組織学的グレード 2 または 3 のリンパ節転移陰性のホルモン受容体陽性 HER2 陰性乳癌 10,273 例を対象に Oncotype DX を施行し，RS≦10：1,629 例は内分泌療法のみ，RS≧26：1,737 例は化学療法＋内分泌療法が実施され，RS11〜25：6,907 例はランダム化され，内分泌療法のみまたは化学療法＋内分泌療法に割り付けられた。浸潤径 1 cm 以下は 13%，腫瘍径 1.1〜2 cm は 63%，2.1〜3 cm は 14% 含まれていた。主要評価は RS11〜25 で内分泌療法に割り付けられた群における浸潤癌の無病生存期間(IDFS)の非劣性を検証することであった。試験の結果は，RS11〜25 の群において 5 年

IDFSは内分泌療法群では92.8%±0.5%，化学療法＋内分泌療法群では93.1%±0.5%であり，ハザード比(HR)1.08(95%CI 0.94-1.24)と非劣性が示された。また，5年全生存期間(OS)は内分泌療法群では98.0%±0.2%，化学療法＋内分泌療法群では98.1%±0.2%であり，HR 0.99(95%CI 0.79-1.22)，5年無遠隔再発期間も内分泌療法群が98.0%±0.3%，化学療法＋内分泌療法群が98.2%±0.2%でHR 1.10(95%CI 0.85-1.41)であり，いずれも非劣性が示された。ランダム化比較されていないが，RS≦10群では内分泌療法のみで5年IDFSは94.0%±0.6%，5年OSは98.0%±0.4%で，RS≧26群では化学療法＋内分泌療法で5年IDFSは87.6%±1.0%，5年OSは95.9%±0.6%であることが示された。この試験の副次的な解析として，RS11〜25の群における認知機能の評価が報告されており，ランダム化後の3カ月・6カ月の評価では，化学療法を行った群で有意な認知機能の低下が認められている[2)]。一方で，12カ月以降には認知機能低下は両群で差がなくなっており，またFACT-GによるQOL評価も12カ月・36カ月の評価では両群に差は認めなかった。

費用対効果についての研究は日本と英国で行われている。わが国のシミュレーション研究ではOncotype DXを実施することで個人のコストは153,565円上昇するが，QALYsの上昇を認めており，1QALY上昇するための費用負担が636,752円とされている[3)]。また，英国の複数の研究でも個人のコストは上昇するが，QALYsの改善を認めており[4)5)]，いずれも費用対効果に優れるとされている。

Oncotype DXに関して，リンパ節転移陰性例に対して化学療法の効果予測を検討した前向き試験はTAILORx試験1つであるが，本試験のランダム化比較部分は適切にデザインされた大規模試験であり，エビデンスの強さは「強」とした。益と害のバランスについては，RS≦25の場合に化学療法を省略した場合，IDFS，OSや無遠隔再発期間の低下は認めないため害はなく，化学療法を行わない場合には有害事象が軽減される益は明らかである。QOL向上に関しては，化学療法を行わないことによる害の減少は明らかであり，短期的な認知機能障害を回避することができる。コストの削減については日本と英国の研究から費用対効果に優れる可能性が報告されており，保険診療となった場合はさらなる患者コストの削減が期待される。よって，Oncotype DXでRS≦25の症例において化学療法を省略することは明らかに益が害を上回ると考えた。Oncotype DXの結果を利用した治療選択についての患者の希望は一致すると考えられた。

推奨決定会議の投票の結果は，「行うことを強く推奨する43/48，合意率90%」，「行うことを弱く推奨する5/48」であり，推奨は「Oncotype DXのRSが25以下の場合には，リンパ節転移陰性であれば術後化学療法を省略することを強く推奨する」とした。ただし，TAILORx試験の探索的解析において，50歳以下かつRS16〜25の女性は化学療法群で遠隔再発の低下が示されており，化学療法を実施することを検討してもよいと考える。ただし，この効果は化学療法によるものなのか，化学療法に伴う閉経によるものなのかの結論は出ていない。

また，リンパ節転移陽性例に対しては，RxPONDER試験の結果が報告されている[6)]。本試験はホルモン受容体陽性HER2陰性早期乳癌術後でリンパ節転移が1〜3個，RS≦25を対象に内分泌療法＋化学療法群と内分泌療法群の2群にランダム化割り付けした比較試験である。主要評価項目はIDFSに対する化学療法の効果とRSが25以下の範囲において，RSが上昇するに従い化学療法の効果が高まるかを検証している。5,083人の患者がランダム化され，全体の2/3が閉経後の患者であった。平均観察期間5.3年の3回目の中間解析(イベント数は予定の58%)において，閉経後と閉経前では化学療法の効果が異なることがわかり，独立モニタリング委員会の勧告により試験結果が公表された。全体集団において，RSが0～25ではRSの違いは化学療法の効果を予測しないとされた。また，5年のIDFSは内分泌療法＋化学療法群で92.2%，内分泌療法群で91.0%と有意な差を認めなかった(HR 0.86，95%CI 0.72-1.03，$p=0.10$)。一方で化学療法の効果と閉経状況の間には交互作用が認められ，閉経後の患者において(n＝3,329)5年IDFSは内分泌療法＋化学療法群で91.3%，内分泌療法群で91.9%と化学療法の有効性は示されなかった(HR 1.02，95%CI 0.82-1.26，$p=0.89$)が，閉経前患者においては(n＝1,655)5年IDFSが内分泌療法＋化学療法群で93.9%，内分泌療法群で89.0%と化学療法群では有意なIDFSの改善が認められた(HR 0.60，95%CI 0.43-0.83，$p=0.002$)。リンパ節転移陽性においても，陰性と同様に閉経状況によって化学療法の効果に違いが認められており，閉経状況に応じた治療選択が今後の課題である。

薬物療法

2）MammaPrint

MammaPrintは，細胞周期，増殖，浸潤，転移，血管新生，シグナル伝達に関連する70遺伝子を用いたマイクロアレイ解析を用い，予後不良群と予後良好群とに分類する。

ホルモン受容体陽性HER2陰性乳癌に対するMammaPrintを用いた本CQに関する前向きランダム化試験は，MINDACT試験1つであり，T1-3，リンパ節転移が3個以内の6,693例(11.6%のホルモン受容体陰性，9.5%のHER2陽性例を含む)が登録され，Adjuvant! Onlineに基づく臨床リスクとMammaPrintに基づくゲノムリスクを評価し，それらの相違があった症例がランダム化され，化学療法を実施する群としない群に割り付けられた[7)]。本試験の主要評価は，臨床高リスク・ゲノム低リスク群1,497例の化学療法を行わなかった群における，5年distant metastatic free survival(DMFS)の95%信頼区間の下限が92%を上回るかを検証することであった。主要評価の結果は，5年DMFSは，94.7%(95%CI 92.5-96.2)であり，95%信頼区間の下限は92%を上回っていることが証明された。その後，臨床高リスク・ゲノム低リスク群における化学療法を実施しない群と実施する群のITT集団の7年後の追跡結果が報告されており，DMFSはそれぞれ89.4%と92.0%でHR 0.66(95%CI 0.48-0.92)，DFSは82.9%と84.6%でHR 0.79(95%CI 0.62-1.02)，OSは94.3%と95.7%でHR 0.69(95%CI 0.45-1.05)であり，いずれも化学療法を行わなかった群において低下する傾向が認められた[8)]。ただし，もともと予後を比較する試験計画ではなかったこと，平均観察期間は8.7年で対象の13.6%で予後の追跡ができなくなっていることに注意が必要である。また，臨床低リスク・ゲノム高リスクの690例もランダム化され，化学療法を実施する群としない群に割り付けられたが，化学療法を行わなかった群のほうがDMFS・DFS・OSのいずれも低下する傾向が認められている。

MammaPrintに関しては，もともと2群を比較する試験デザインではなく，また患者背景としてリンパ節転移陰性と陽性，ホルモン受容体やHER2の陽性と陰性が混在した試験であり，この試験結果から本CQに対する推奨を行うことは困難であると判断した。

3）その他のアッセイ

PAM50[9)10)]やCurebest95GC Breast[11)12)]などは，後向き研究でOncotype DXとの比較検討も交えて予後予測因子としての有用性が報告されているが，化学療法の効果予測を検証する前向き比較試験を認めなかったためシステマティック・レビューを行わなかった。

[投票結果]

1. 行うことを強く推奨する	2. 行うことを弱く推奨する	3. 行わないことを弱く推奨する	4. 行わないことを強く推奨する
90%(43/48)	10%(5/48)	0%(0/48)	0%(0/48)
総投票数48名(棄権0名, COI棄権1名)			

検索キーワード・参考にした二次資料

PubMedで,"Breast Neoplasms","gene expression profiling","gene expression signature","gene assay","21-gene signature","70-gene signature","95-gene classifier","PAM50"などのキーワードで検索した。医中誌・Cochrane Libraryも同等のキーワードで検索した。検索期間は2021年5月までとし,875件がヒットした。ハンドサーチで本CQの主旨に合致する7編の論文を加え,一次スクリーニングで69編に絞り込み,二次スクリーニングで5編に絞り込んだ。これらを用いて定性的システマティック・レビューを行った。

参考文献

1) Sparano JA, Gray RJ, Makower DF, Pritchard KI, Albain KS, Hayes DF, et al. Adjuvant chemotherapy guided by a 21-gene expression assay in breast cancer. N Engl J Med. 2018; 379(2): 111-21. [PMID: 29860917]
2) Wagner LI, Gray RJ, Sparano JA, Whelan TJ, Garcia SF, Yanez B, et al. Patient-reported cognitive impairment among women with early breast cancer randomly assigned to endocrine therapy alone versus chemoendocrine therapy: results from TAILORx. J Clin Oncol. 2020; 38(17): 1875-86. [PMID: 32271671]
3) Yamauchi H, Nakagawa C, Yamashige S, Takei H, Yagata H, Yoshida A, et al. Societal cost-effectiveness analysis of the 21-gene assay in estrogen-receptor-positive, lymph-node-negative early-stage breast cancer in Japan. BMC Health Serv Res. 2014; 14: 372. [PMID: 25190451]
4) Hall PS, Smith A, Hulme C, Vargas-Palacios A, Makris A, Hughes-Davies L, et al; OPTIMA Trial Management Group. Value of information analysis of multiparameter tests for chemotherapy in early breast cancer: the OPTIMA prelim trial. Value Health. 2017; 20(10): 1311-8. [PMID: 29241890]
5) Mariotto A, Jayasekerea J, Petkov V, Schechter CB, Enewold L, Helzlsouer KJ, et al. Expected monetary impact of Oncotype DX score-concordant systemic breast cancer therapy based on the TAILORx trial. J Natl Cancer Inst. 2020; 112(2): 154-60. [PMID: 31165854]
6) Kalinsky K, Barlow WE, Gralow JR, Meric-Bernstam F, Albain KS, Hayes DF, et al. 21-gene assay to inform chemotherapy benefit in node-positive breast cancer. N Engl J Med. 2021; 385(25): 2336-47. [PMID: 34914339]
7) Cardoso F, van't Veer LJ, Bogaerts J, Slaets L, Viale G, Delaloge S, et al; MINDACT Investigators. 70-gene signature as an aid to treatment decisions in early-stage breast cancer. N Engl J Med. 2016; 375(8): 717-29. [PMID: 27557300]
8) Piccart M, van't Veer LJ, Poncet C, Lopes Cardozo JMN, Delaloge S, Pierga JY, et al. 70-gene signature as an aid for treatment decisions in early breast cancer: updated results of the phase 3 randomised MINDACT trial with an exploratory analysis by age. Lancet Oncol. 2021; 22(4): 476-88. [PMID: 33721561]
9) Dowsett M, Sestak I, Lopez-Knowles E, Sidhu K, Dunbier AK, Cowens JW, et al. Comparison of PAM50 risk of recurrence score with Oncotype DX and IHC4 for predicting risk of distant recurrence after endocrine therapy. J Clin Oncol. 2013; 31(22): 2783-90. [PMID: 23816962]
10) Gnant M, Filipits M, Greil R, Stoeger H, Rudas M, Bago-Horvath Z, et al; Austrian Breast and Colorectal Cancer Study Group. Predicting distant recurrence in receptor-positive breast cancer patients with limited clinicopathological risk: using the PAM50 Risk of Recurrence score in 1478 postmenopausal patients of the ABCSG-8 trial treated with adjuvant endocrine therapy alone. Ann Oncol. 2014; 25(2): 339-45. [PMID: 24347518]
11) Naoi Y, Kishi K, Tanei T, Tsunashima R, Tominaga N, Baba Y, et al. Development of 95-gene classifier as a powerful predictor of recurrences in node-negative and ER-positive breast cancer patients. Breast Cancer Res Treat. 2011; 128(3): 633-41. [PMID: 20803240]
12) Naoi Y, Kishi K, Tsunashima R, Shimazu K, Shimomura A, Maruyama N, et al. Comparison of efficacy of 95-gene and 21-gene classifier (Oncotype DX) for prediction of recurrence in ER-positive and node-negative breast cancer patients. Breast Cancer Res Treat. 2013; 140(2): 299-306. [PMID: 23884597]

CQ 12 術前薬物療法を行うHER2陽性早期乳癌に対して，トラスツズマブにペルツズマブを加えることは勧められるか？

推奨

● トラスツズマブにペルツズマブを加えることを強く推奨する。

推奨の強さ：1，エビデンスの強さ：強，合意率：82%(31/38)

推奨におけるポイント

- HER2陽性早期乳癌の術前薬物療法にペルツズマブを加えることについて，予後の改善を検討した研究はないが，HER2陽性乳癌において予後の代替指標とされているpCR率が向上することが示されている。

背景・目的

HER2陽性乳癌は薬物療法に対する感受性が高く，トラスツズマブを術後療法として投与することにより，予後の改善が証明されている。本CQではHER2陽性乳癌に対して術前化学療法を行う場合にトラスツズマブにペルツズマブを加えることの有効性と安全性について検討した。

解説

術前治療において化学療法＋トラスツズマブに対してペルツズマブを加えることの有効性や安全性を検証したランダム化比較試験は，非盲検化第Ⅱ相比較試験であるNeoSphere試験(n＝417)[1)2)]と二重盲検化第Ⅲ相比較試験であるPEONY試験[3)]の2つがある。NeoSphere試験では，HER2陽性乳癌で原発巣が2 cm以上もしくは炎症性乳癌を対象に，トラスツズマブ＋ドセタキセル(TH)群，ドセタキセル＋トラスツズマブ＋ペルツズマブ(THP)群，トラスツズマブ＋ペルツズマブ(HP)群およびドセタキセル＋ペルツズマブ(TP)群のpCR率(原発巣での浸潤癌の消失と定義)を主要評価項目としている。各群でトラスツズマブは術前・術後を通じて計1年投与されているが，術後療法にはいずれの群でもペルツズマブは使用されていない。また，アンスラサイクリン系薬剤とタキサン系薬剤の両方が術前または術後に使用されるように計画されている。ITT解析の結果，pCR率はTH群で29%(95%CI 20.6-38.5)，THP群で45.8%(95%CI 36.1-55.7)と標準治療にペルツズマブを併用することでpCR率は有意に上昇した(p＝0.0141)。この結果は術前治療としてタキサン＋トラスツズマブのみを行った場合にペルツズマブを併用することの効果を示しているが，術前治療の標準レジメンであるアンスラサイクリンとタキサン＋トラスツズマブにペルツズマブを併用した場合のpCR率に与える効果は評価できない。また，DFSはTHP群においてTH群と比較し改善を認めなかったが，ペルツズマブが術後療法としては使用されておらず，この試験結果からはペルツズマブを加えることによるDFSへの効果を判断することは困難である。

PEONY試験では，T2以上の遠隔転移を認めないHER2陽性乳癌に対して，トラスツズマブ＋ドセタキセル(TH)による治療とドセタキセル＋トラスツズマブ＋ペルツズマブ(THP)による治療をそれぞれ4サイクル施行した後に手術を施行しており，pCR率を主要評価項目としている[3)]。術後にはFEC療法を3サイクル施行し，その後トラスツズマブまたはトラスツズマブとペルツズマブ療法（術前治療と同様の抗HER2療法）が13サイクル施行されている。ITT解析の結果，pCR率はTH群で21.8%，THP群で39.3%とpCR率の差は17.5%（95%CI 6.9%-28.0% p=0.001）と統計学的に有意な差を認めた。この結果もNeoSphere試験と同様にアンスラサイクリンとタキサン＋トラスツズマブにペルツズマブを併用した場合のpCR率に与える効果は評価できない。また，DFSとOSの結果は報告されていない。

これら2つのRCTからシステマティック・レビューを行った結果，ペルツズマブを加えることによりpCR率は25.3%から41.4%に〔risk difference：17%（95%CI 9-25%）〕に上昇し，リスク比は1.68（95%CI 1.29-2.19）で有意にpCR率の改善を認めた。また，ペルツズマブを加えることで下痢の頻度はリスク比1.75（95%CI 1.03-2.99）と増加するものの，Grade 3以上の有害事象や心機能低下の頻度は増加しなかった。

ペルツズマブを加えることで示された益はpCR率の向上であり，直接予後の改善を示しているわけではない。しかし，HER2陽性ではpCRの予後への代替性が確認されていることから[4)]，益は大きいと判断した。また，害は下痢の頻度の増加を認めるが，多くはGrade 1〜2であり害は大きくないと判断し，益と害のバランスは益が害を上回ると考えられた。

エビデンスの評価については，ペルツズマブを加えることの益を検証したRCTが2つあり，pCR率の上昇においては一貫した結果が得られていることから，エビデンスの強さは「強」とした。ペルツズマブを加えることで医療費は増加するが，益が確実なことから患者希望は一致すると考えられた。

推奨決定会議の投票の結果は，「行うことを強く推奨する　31/38，合意率　82%」，「行うことを弱く推奨する　7/38」であり，推奨は「トラスツズマブにペルツズマブを加えることを強く推奨する」とした。

［投票結果］

1. 行うことを強く推奨する	2. 行うことを弱く推奨する	3. 行わないことを弱く推奨する	4. 行わないことを強く推奨する
82%（31/38）	18%（7/38）	0%（0/38）	0%（0/38）
			総投票数38名（棄権0名，COI棄権10名）

検索キーワード・参考にした二次資料

PubMedで，"Breast Neoplasms"，"Neoadjuvant Therapy"，"Trastuzumab"，"Pertuzumab"，"Randomized Controlled Trial"のキーワードで検索した。医中誌・Cochrane Libraryも同等のキーワードで検索した。検索期間は2021年5月までとし，275件がヒットした。一次スクリーニングで24編に絞り込み，二次スクリーニングで2編に絞り込んだ。これらを用いて定性的・定量的システマティック・レビューを行った。

参考文献

1）Gianni L, Pienkowski T, Im YH, Roman L, Tseng LM, Liu MC, et al. Efficacy and safety of neoadjuvant pertuzumab and trastuzumab in women with locally advanced, inflammatory, or early HER2-positive breast cancer (NeoSphere): a randomised multicentre, open-label, phase 2 trial. Lancet Oncol. 2012; 13(1): 25-32. [PMID: 22153890]

2）Gianni L, Pienkowski T, Im YH, Tseng LM, Liu MC, Lluch A, et al. 5-year analysis of neoadjuvant pertuzumab and trastuzumab in patients with locally advanced, inflammatory, or early-stage HER2-positive breast cancer (NeoSphere): a multicentre, open-label, phase 2 randomised trial. Lancet Oncol. 2016; 17(6): 791-800. [PMID:

27179402]
3) Shao Z, Pang D, Yang H, Li W, Wang S, Cui S, et al. Efficacy, safety, and tolerability of pertuzumab, trastuzumab, and docetaxel for patients with early or locally advanced ERBB2-positive breast cancer in Asia: the PEONY phase 3 randomized clinical trial. JAMA Oncol. 2020; 6(3): e193692. [PMID: 31647503]
4) Broglio KR, Quintana M, Foster M, Olinger M, McGlothlin A, Berry SM, et al. Association of pathologic complete response to neoadjuvant therapy in HER2-Positive breast cancer with long-term outcomes: a meta-analysis. JAMA Oncol. 2016; 2(6): 751-60. [PMID: 26914222]

CQ 13 術前薬物療法で病理学的完全奏効(pCR)が得られなかったHER2陽性早期乳癌に対する術後薬物療法として，トラスツズマブ エムタンシンは勧められるか？

推奨

- トラスツズマブ エムタンシン14サイクルの投与を強く推奨する。

推奨の強さ：1，エビデンスの強さ：中，合意率：87%(33/38)

推奨におけるポイント

- 行われた術前化学療法が，本CQの根拠になったKATHERINE試験の規定に合致するかを確認すること(「解説」赤字を参照)。
- 乳房およびリンパ節での浸潤癌の消失，または乳管内成分のみ遺残する場合をpCRと定義している。

背景・目的

HER2陽性乳癌において術前化学療法によってpCRが得られなかった(non pCR)場合はpCRが得られた場合に比べ予後不良であることが示されている。本CQではnon pCR症例の予後を改善するため，術前化学療法でnon pCRかどうかを指標に術後療法を検討する治療，いわゆるresidual disease-guided approach(残存病変に基づく治療)としてのトラスツズマブ エムタンシン(T-DM1)の意義を検討した。

解 説

HER2陽性乳癌において，pCRを指標として術後治療を追加または変更する治療戦略の意義を検証した試験として，1件のRCT(KATHERINE試験)から2編の報告を認めた。

KATHERINE試験では，HER2陽性乳癌に対しトラスツズマブを含む標準的な術前化学療法後に手術を行い，pCRが得られていない(non-pCR)1,486例(日本人は含まない)を，術後に14サイクルの，トラスツズマブを投与する群とT-DM1を投与する群に1対1にランダム化割り付けした[1)]。なお，本試験では術前化学療法として，最低9週間のタキサン系薬剤の投与を含む少なくとも6サイクルの化学療法と最低9週間のトラスツズマブ投与が規定されていた。また，抗HER2療法として，トラスツズマブ＋ペルツズマブ併用療法は18%に施行されていた。

試験治療中に，内分泌療法と放射線療法が必要な場合は標準的治療を併用することが許容された(☞放射線BQ9，4)参照)。pCRの定義は，乳房およびリンパ節での浸潤癌の消失で，乳管内成分のみ遺残する場合もpCRとされた。追跡期間の中央値がトラスツズマブ群で40.9カ月，T-DM1群で41.4カ月の時点での中間解析で有効性が事前に規定された水準を上回り，結果が公表された。

主要評価項目であるIDFS(浸潤癌の無病生存期間)の延長は，ハザード比(HR)0.50(95%CI 0.39-0.64)と統計学的に有意に改善され，その絶対値は3年のIDFSイベント割合を22.2%から12.2%へ10%低下させた。全生存期間(OS)の延長はHR 0.70(95%CI 0.47-1.05)と統計学的に有意でなかったが，T-DM1 群で良好な傾向を認めた。観察期間の中央値が 41.4 カ月の時点での絶対値は，死亡割合を 7.5%から 5.7%へ低下させた。

害としては QOL の低下について，トラスツズマブ群 621 例，T-DM1 群 640 例を対象として EORTC QLQ-C30：GHS を用いた臨床的意義のある低下をイベントとして解析したが，リスク比は 1.09（0.96-1.23）と統計学に有意な QOL の低下は認めなかった[2)]。血小板減少はトラスツズマブ群で 2.4%，T-DM1 群で 28.5%であり，リスク比 12.08（7.45-19.58）と統計学的に有意に増加しており，Grade 3 以上の血小板減少は 5.7%で 1 例の死亡例が含まれていた。Grade 3 以上の肝障害はリスク比 1.46（0.24-8.71）と統計学的な有意差は認めなかった。Grade 3 以上の有害事象はトラスツズマブ群が 15.4%，T-DM1 群が 25.7%でリスク比 1.67（1.35-2.06）と統計学的に有意に増加していたが，その半数は血小板数の減少であった。

益と害のバランスについては，血小板減少のリスクの大幅な増加があり，Grade 3 以上の有害事象の増加もあるが明らかな QOL 低下はなく，益の臨床的意義は非常に大きいため，益が害を上回ると判断した。本研究は大規模な第Ⅲ相 RCT であり，IDFS の改善は臨床的な意義が大きいと判断されるが中間解析の結果であることと，本 CQ に該当する RCT は 1 つのみであることから，エビデンスの強さは「中」とした。患者希望は，予後改善の絶対値が大きいことから，概ね一貫して T-DM1 を行う方向に向かうと判断した。

推奨決定会議の投票の結果は，「行うことを強く推奨する　33/38，合意率　87%」，「行うことを弱く推奨する　5/38」であり，推奨は，術前薬物療法で病理学的完全奏効（pCR）が得られなかった HER2 陽性早期乳癌に対する術後薬物療法として，「トラスツズマブ エムタンシン 14 サイクルの投与を強く推奨する」とした。

［投票結果］

1. 行うことを強く推奨する	2. 行うことを弱く推奨する	3. 行わないことを弱く推奨する	4. 行わないことを強く推奨する
87%（33/38）	13%（5/38）	0%（0/38）	0%（0/38）
総投票数 38 名（棄権 0 名，COI 棄権 10 名）			

検索キーワード・参考にした二次資料

PubMed，医中誌，Cohrane Library で，#1（breast neoplasms）or（breast cancer*），#2（（adjuvant or postoperative or preoperative or neoadjuvant）and（chemotherapy or（drug therapy））），#3（“trastuzumab emtansine” or T-DM1 or TDM1 or（response guide*）or Kadcyla）をキーワードとし，検索を行った。検索期間は 2021 年 5 月 21 日までとした。

その結果，285 編の論文が抽出された。一次・二次スクリーニングで残った，本 CQ の主旨に合致する 2 編の論文（1 つの RCT）を用いて定性的および定量的システマティック・レビューを行った。

参考文献

1）von Minckwitz G, Huang CS, Mano MS, Loibl S, Mamounas EP, Untch M, et al; KATHERINE Investigators. Trastuzumab emtansine for residual invasive HER2-positive breast cancer. N Engl J Med. 2019; 380(7): 617-28.［PMID: 30516102］

2）Conte P, Schneeweiss A, Loibl S, Mamounas EP, von Minckwitz G, Mano MS, et al. Patient-reported outcomes from KATHERINE: a phase 3 study of adjuvant trastuzumab emtansine versus trastuzumab in patients with residual invasive disease after neoadjuvant therapy for human epidermal growth factor receptor 2-positive breast cancer. Cancer. 2020; 126(13): 3132-9.［PMID: 32286687］

薬物療法

CQ 14 術後薬物療法を行うHER2陽性早期乳癌に対して，トラスツズマブにペルツズマブを加えることは勧められるか？

推奨

● 再発リスクが高い場合には，トラスツズマブにペルツズマブを加えることを強く推奨する。

推奨の強さ：1，エビデンスの強さ：強，合意率：89％（34/38）

推奨におけるポイント

- APHINITY試験の層別解析において，リンパ節転移陽性の場合にはペルツズマブを加えることによる浸潤癌の無病生存期間（IDFS）の改善を認めており，トラスツズマブにペルツズマブを加えることはリンパ節転移陽性などの再発リスクが高い患者に対して推奨される治療である。

背景・目的

HER2陽性乳癌は薬物療法に対する感受性が高く，トラスツズマブを術後療法として投与することにより，予後の改善が証明されている（☞治療編　総説．Ⅲ．4．b．7）（3）参照）。本CQでは，HER2陽性乳癌に対して術後化学療法を行う場合に，トラスツズマブにペルツズマブを加えることの有効性と安全性について検討した。

解説

HER2陽性乳癌の標準的な術後化学療法にペルツズマブを加えることにより予後が改善するかを検証した試験はAPHINITY試験が唯一報告されている。本試験は，術前化学療法を受けていないHER2陽性早期乳癌症例を対象とした二重盲検ランダム化第Ⅲ相試験である（N＝4,804）。術後化学療法として，アンスラサイクリン系薬剤の後にタキサン系薬剤とトラスツズマブの併用，またはTCH（ドセタキセル＋カルボプラチン＋トラスツズマブ）を行う群（標準治療群）と，標準治療群にさらにペルツズマブを合計1年間併用する群（ペルツズマブ群）にランダム化割り付けを行っている。主要評価項目は浸潤癌の無病生存期間（IDFS）で，全生存期間（OS），安全性，QOLなどを副次評価項目としている。観察期間の中央値45.4カ月の報告では，3年IDFSはペルツズマブ併用群で94.1％，標準治療群で93.2％であり，ハザード比（HR）0.81（95％CI 0.66-1.00，p＝0.0453）とペルツズマブ群で有意に改善された[1]。観察期間の中央値74カ月の報告では，6年IDFSはペルツズマブ併用群で90.6％，標準治療群で87.8％であり，HR 0.76（95％CI 0.64-0.91）とペルツズマブ群の有用性は維持されていた[2]。6年のOSは中間解析の結果として報告されているが，ペルツズマブ併用群で94.8％，標準治療群で93.9％であり，HR 0.85（95％CI 0.67-1.07，p＝0.17）と統計学的な有意差は認めていない。

有害事象に関しては，下痢の頻度がペルツズマブ群で72.3％とプラセボ群の45.2％と比較し高い傾向があり〔リスク比（RR）1.6，95％CI 1.52-1.68〕，特にGrade 3以上の下痢は9.9％に認められており，プラセボ群の3.7％よりも高く発現する（RR 2.69，95％CI 2.12-3.41）。Grade 3以上の有害事象はペルツズマブ群で64.2％，プラセボ群で57.3％であり，有意に増加（RR 1.12，95％CI

1.07-1.17)が認められているが，そのほとんどは下痢によるものであった。心機能低下についてはRR 2.29(95%CI 1.00-5.25)と有意なリスクの増加が認められたが，絶対数の差はペルツズマブ群で0.8%，プラセボ群で0.3%とほとんど認めなかった。

エビデンスの強さは，1つのRCTのみだが大規模なランダム化第Ⅲ相試験であり，有意な差を示した研究であることから「強」とした。益と害のバランスについては，IDFSを改善することの意義は大きいが，層別解析によってリンパ節転移陽性群はペルツズマブ併用によるIDFSの改善を認める一方で，リンパ節転移陰性群ではIDFSの改善を認めておらず，益の大きさは再発リスクによって変化することが考えられる。害としては下痢などの有害事象が増加するため，再発リスクの低い患者は益が上回るとは考えられず，患者希望は再発リスクにより異なると考えられる。

推奨決定会議の投票の結果は，「行うことを強く推奨する　34/38，合意率　89%」，「行うことを弱く推奨する　4/38」であり，推奨は「再発リスクが高い場合には，トラスツズマブにペルツズマブを加えることを強く推奨する」とした。なお，再発リスクの評価は，APHINITY試験の適格基準を参考にし，主にリンパ節転移の有無で判断することが望ましい。

[投票結果]

1. 行うことを強く推奨する	2. 行うことを弱く推奨する	3. 行わないことを弱く推奨する	4. 行わないことを強く推奨する
89%(34/38)	11%(4/38)	0%(0/38)	0%(0/38)
			総投票数38名(棄権0名，COI棄権10名)

検索キーワード・参考にした二次資料(要追記)

PubMedで，“Breast neoplasms”，“Chemotherapy, Adjuvant”，“Trastuzumab”，“Pertuzumab”，“Randomized Controlled Trial”のキーワードで検索した。医中誌・Cochrane Libraryも同等のキーワードで検索した。検索期間は2021年5月までとし，244件がヒットした。一次スクリーニングで17編の論文が抽出され，二次スクリーニングで2編の論文に絞り込み，この2編を用いて定性的・定量的システマティック・レビューを行った。

参考文献

1) von Minckwitz G, Procter M, de Azambuja E, Zardavas D, Benyunes M, Viale G, et al; APHINITY Steering Committee and Investigators. Adjuvant pertuzumab and trastuzumab in early HER2-positive breast cancer. N Engl J Med. 2017; 377(2): 122-31. [PMID: 28581356]
2) Piccart M, Procter M, Fumagalli D, de Azambuja E, Clark E, Ewer MS, et al; APHINITY Steering Committee and Investigators. Adjuvant pertuzumab and trastuzumab in early HER2-positive breast cancer in the APHINITY trial: 6 years' follow-up. J Clin Oncol. 2021; 39(13): 1448-57. [PMID: 33539215]

HER2陽性早期乳癌に対する術後薬物療法として，アンスラサイクリンを省略したタキサンとトラスツズマブによる併用療法は勧められるか？

ステートメント

- HER2陽性早期乳癌に対するアンスラサイクリンを省略した術後薬物療法は，予後を悪化させることなく，心不全などの有害事象を減少させる可能性はあるが，薬剤や対象患者の適切な選択が今後の検討課題である。

背景

HER2陽性早期乳癌に対して，アンスラサイクリンを含む術後化学療法に加えてトラスツズマブを併用することは，乳癌の再発率・死亡率の減少をもたらす[1)〜5)]。一方，アンスラサイクリンの併用療法では，心不全の増加や白血病などの二次がんの発生などの有害事象が問題となり，近年，アンスラサイクリンを省略した術後薬物療法の開発が進められている。

解説

HER2陽性早期乳癌に対して，アンスラサイクリンを省略したタキサンとトラスツズマブの併用療法を検証した術後薬物療法の臨床試験として，カルボプラチン＋ドセタキセル＋トラスツズマブ(TCH)，パクリタキセル＋トラスツズマブ，ドセタキセル＋シクロホスファミド＋トラスツズマブの3レジメンについて報告がある。

1）カルボプラチン＋ドセタキセル＋トラスツズマブ(TCH)療法

TCH療法については，HER2陽性でリンパ節転移陽性および高リスク・リンパ節転移陰性症例3,222例を対象とした術後治療に関するBCIRG 006試験[3)]の最終解析結果が報告されている[6)]。10年無病生存率(DFS)はAC→TH(ドセタキセル＋トラスツズマブ)で74.6%，TCHで73.0%，AC→T(ドセタキセル)で67.9%，10年OSはAC→THで85.9%，TCHで83.3%，AC→Tで78.7%と，いずれもトラスツズマブ併用で有意に予後の改善を認めた。AC→THとアンスラサイクリン回避レジメンのTCHで予後に有意な差は認められなかったが，もともと2レジメン間の同等性を検証できる検出力はなかった。一方，うっ血性心不全はAC→THで2.0%，TCHで0.4%，10%以上の左室駆出率(LVEF)低下はAC→THで19.2%，TCHで9.4%と心疾患関連の有害事象の頻度はTCHで有意に低かった。白血病の発症はAC→Tで6例，AC→THで1例，TCHで1例に認めた。BCIRG 006試験におけるEORTC QLQ-C30やBR-23を用いたhealth-related quality of life(HRQOL)の検討では，いずれの治療レジメンでも良好であったが，TCHはより忍容性の高い治療方法であったと報告されている[7)]。

2）パクリタキセル＋トラスツズマブ療法

パクリタキセル＋トラスツズマブ療法は，単群の第Ⅱ相試験が報告されている[8)]。腫瘍径が3 cm以下でリンパ節転移がないHER2陽性症例406例を対象に術後療法を行い，7年追跡調査の結果は，DFSが93%(95%CI 90.4-96.2)，全生存率(OS)が95%(95%CI 92.4-97.7)，局所・領域再発率が98.6%(95%CI 97.4-99.8)と良好な結果が報告されている[9)10)]。有害事象は，パクリタキセル投与中のGrade 3の末梢神経障害は3.2%(95%CI 1.7-5.4)，トラスツズマブ治療中の左室収縮機能障害は0.5%(95%CI 0.1-1.8)であったがトラスツズマブ中止によって心機能は回復している[8)11)]。腫瘍サイズが2 cmより大きかったものは全体の8.9%と少数であったことに注意が必要である。

3）ドセタキセル＋シクロホスファミド＋トラスツズマブ療法

ドセタキセル＋シクロホスファミド＋トラスツズマブ療法も，単群の第Ⅱ相試験が報告されている[12)]。HER2陽性で腫瘍サイズが5 cm以下でリンパ節転移陽性を20.7%含む493例を対象に術後療法を行い，観察期間の中央値が36.1カ月で，2年DFSが97.8%(95%CI 94.2-99.2)，2年OSが99.2%(95%CI 97.8-99.7)と良好な結果が報告されている。頻度の多かったGrade 3以上の有害事象としては，好中球減少症が47.1%，発熱性好中球減少症は6.2%，全身倦怠感は4.3%であった。また，末梢神経障害は0.6%，心不全は0.4%であった。

費用対効果について，Markovモデルから，トラスツズマブ＋パクリタキセル，AC→TH，TCHについての検証が報告されている[13)]。トラスツズマブ＋パクリタキセルは，平均16.17quality-adjusted life-years(QALYs)を獲得するのに178,650ドル必要であり，AC→THとTCHに比べてより高い効果をもたらすことが示されている。

以上より，これまでにアンスラサイクリンを含むレジメンに対して，アンスラサイクリンを省略したタキサンとトラスツズマブの併用療法の優越性や非劣性を検証した臨床試験はないが，TCH療法，パクリタキセル＋トラスツズマブ療法，ドセタキセル＋シクロホスファミド＋トラスツズマブ療法についての報告では，いずれも予後を悪化させることなく心疾患に関する有害事象を減少させる可能性が示唆されている。今後，薬剤や対象患者の適切な選択についてのさらなる検証が必要であると考えられる。

薬物療法

検索キーワード・参考にした二次資料

PubMedで"Breast neoplasms(またはbreast cancer)"，"Adjuvant"，"trastuzumab"，"Paclitaxelまたはdocetaxel and cyclophosphamide"で検索を行った。検索期間は2021年3月31日までとした。298件がヒットし，一次スクリーニングにてハンドサーチ1編を含む20編，二次スクリーニングで10編に絞り込んだ。

参考文献

1) Romond EH, Perez EA, Bryant J, Suman VJ, Geyer CE Jr, Davidson NE, et al. Trastuzumab plus adjuvant chemotherapy for operable HER2-positive breast cancer. N Engl J Med. 2005; 353(16): 1673-84. [PMID: 16236738]
2) Piccart-Gebhart MJ, Procter M, Leyland-Jones B, Goldhirsch A, Untch M, Smith I, et al; Herceptin Adjuvant (HERA) Trial Study Team. Trastuzumab after adjuvant chemotherapy in HER2-positive breast cancer. N Engl J Med. 2005; 353(16): 1659-72. [PMID: 16236737]
3) Slamon D, Eiermann W, Robert N, Pienkowski T, Martin M, Press M, et al. Adjuvant trastuzumab in HER2-positive breast cancer. N Engl J Med. 2011; 365: 1273-83.
4) Perez EA, Romond EH, Suman VJ, Jeong JH, Sledge G, Geyer CE Jr, et al. Trastuzumab plus adjuvant chemotherapy for human epidermal growth factor receptor 2-positive breast cancer: planned joint analysis of overall survival from NSABP B-31 and NCCTG N9831. J Clin Oncol. 2014; 32(33): 3744-52. [PMID: 25332249]
5) Cameron D, Piccart-Gebhart MJ, Gelber RD, Procter M, Goldhirsch A, de Azambuja E, et al; Herceptin Adjuvant (HERA) Trial Study Team. 11 years' follow-up of trastuzumab after adjuvant chemotherapy in HER2-positive early breast cancer: final analysis of the HERceptin Adjuvant (HERA) trial. Lancet. 2017; 389(10075): 1195-205. [PMID: 28215665]
6) Slamon D, Wiermann W, Robert NJ, Giermek J, Martin M, Jasiowka M, et al. Ten year follow-up of BCIRG-006

comparing doxorubicin plus cyclophosphamide followed by docetaxel (AC→T) with doxorubicin plus cyclophosphamide followed by docetaxel and trastuzumab (AC→TH) with docetaxel, carboplatin and trastuzumab (TCH) in HER2+ early breast cancer. Cancer Res. 2016; 76(4_Supplement): S5-04.

7) Au HJ, Eiermann W, Robert NJ, Pienkowski T, Crown J, Martin M, et al; Translational Research in Oncology BCIRG 006 Trial Investigators. Health-related quality of life with adjuvant docetaxel- and trastuzumab-based regimens in patients with node-positive and high-risk node-negative, HER2-positive early breast cancer: results from the BCIRG 006 Study. Oncologist. 2013; 18(7): 812-8. [PMID: 23814044]

8) Tolaney SM, Barry WT, Dang CT, Yardley DA, Moy B, Marcom PK, et al. Adjuvant paclitaxel and trastuzumab for node-negative, HER2-positive breast cancer. N Engl J Med. 2015; 372(2): 134-41. [PMID: 25564897]

9) Tolaney SM, Guo H, Pernas S, Barry WT, Dillon DA, Ritterhouse L, et al. Seven-year follow-up analysis of adjuvant paclitaxel and trastuzumab trial for node-negative, human epidermal growth factor receptor 2-positive breast cancer. J Clin Oncol. 2019; 37(22): 1868-75. [PMID: 30939096]

10) Bellon JR, Guo H, Barry WT, Dang CT, Yardley DA, Moy B, et al. Local-regional recurrence in women with small node-negative, HER2-positive breast cancer: results from a prospective multi-institutional study (the APT trial). Breast Cancer Res Treat. 2019; 176(2): 303-10. [PMID: 31004299]

11) Dang C, Guo H, Najita J, Yardley D, Marcom K, Albain K, et al. Cardiac outcomes of patients receiving adjuvant weekly paclitaxel and trastuzumab for node-negative, ERBB2-positive breast cancer. JAMA Oncol. 2016; 2(1): 29-36. [PMID: 26539793]

12) Jones SE, Collea R, Paul D, Sedlacek S, Favret AM, Gore I Jr, et al. Adjuvant docetaxel and cyclophosphamide plus trastuzumab in patients with HER2-amplified early stage breast cancer: a single-group, open-label, phase 2 study. Lancet Oncol. 2013; 14(11): 1121-8. [PMID: 24007746]

13) Hajjar A, Ergun MA, Alagoz O, Rampurwala M. Cost-effectiveness of adjuvant paclitaxel and trastuzumab for early-stage node-negative, HER2-positive breast cancer. PLoS One. 2019; 14(6): e0217778. [PMID: 31166995]

CQ 15 高齢者のHER2陽性早期乳癌に対する術後薬物療法として，トラスツズマブのみによる治療は勧められるか？

推奨

- 化学療法を行うことが困難な高齢者には，トラスツズマブ単剤による治療を弱く推奨する。
推奨の強さ：2，エビデンスレベルの強さ：弱，合意率：98%(46/47)

推奨におけるポイント

- 対象患者の判断は，RESPECT 試験の適格基準を参考に決定すること。
- 化学療法の併用が可能な高齢者には，化学療法と抗 HER2 療法による治療が推奨される。

背景・目的

トラスツズマブと化学療法の併用療法はHER2陽性早期乳癌の予後を改善させるため，高齢者においても化学療法と抗 HER2 療法が推奨される。しかし，有害事象・併存症や患者の希望などにより化学療法の併用が困難な高齢者も存在する。このような高齢者のHER2陽性早期乳癌に対する術後薬物療法として，化学療法を省略したトラスツズマブ単剤の有効性や安全性などについて検証した。

解 説

高齢者 HER2 陽性早期乳癌に対する化学療法を省略したトラスツズマブ単剤による治療の非劣性を検証した術後薬物療法のランダム化比較試験(RCT)として RESPECT 試験がわが国より報告されている[1)]。70～80 歳かつ浸潤径が 0.5 cm より大きい Stage ⅢA までの HER2 陽性乳癌 265 例を対象にトラスツズマブ単剤またはトラスツズマブと化学療法併用の 2 群に割り付けられた。主要評価項目は無病生存期間(DFS)，副次評価項目は全生存期間(OS)，有害事象や health-related QOL などであった。

患者背景は，Stage Ⅰが最も多く 43.6%，続いて Stage ⅡA の 41.7%であった。Performance status は 9 割以上が 0 であった。化学療法のレジメンはあらかじめ規定されたもののなかから選択するように設定されており，パクリタキセル(35.1%)，アンスラサイクリン(22.9%)，CMF(19.8%)，ドセタキセル(14.5%)，TC(3.1%)の順であった。Relative dose intensity(RDI)はトラスツズマブ単剤で 84.4%，化学療法併用群で 81.8%であった。全体の約半数はホルモン受容体陽性乳癌であったが，そのうち 14.2%に選択的エストロゲン受容体モジュレーター(selective estrogen receptor modulator；SERM)が，69.3%にアロマターゼ阻害薬が投与されていた。

主要評価項目である 3 年 DFS はトラスツズマブ単剤で 89.5%，化学療法併用で 93.8%であり，ハザード比(HR)1.36(95%CI 0.72-2.58，$p=0.51$)と化学療法併用に対するトラスツズマブ単剤の非劣性は証明できなかった。本試験ではイベント数が少なかったために restricted mean survival time(RMST)による補足的な解析が追加され，化学療法省略による 3 年 DFS の消失は 0.39 カ月と示された。また，3 年 OS はトラスツズマブ単剤で 97.2%，化学療法併用 96.6%であり，HR 1.07(95%CI 0.36-3.19)であった。

有害事象は，全 Grade の脱毛(2.2% vs 71.7%，$p<0.0001$)はトラスツズマブ単剤群で有意に低かった。Grade 3〜4 の非血液学的有害事象はトラスツズマブ単剤で 11.9%，化学療法併用で 29.8%と 2 倍以上の差があり，両群間で有意差を認めた($p=0.0003$)。Grade 4 の血液学的有害事象は，化学療法併用で 13.7%であったが，トラスツズマブ単剤では認めなかった($p<0.0001$)。感覚性神経障害はパクリタキセル群のみ報告されており全 Grade で 65.2%であった。また，うっ血性心不全は両群で認められなかった。

RESPECT 試験では health-related QOL についての報告がある[1)2)]。QOL は FACT-G などの質問紙票により，登録時，2 カ月後，12 カ月後および 36 カ月後に調査が行われた。275 例のうち，231 例(84%)が解析された。FACT-G においてベースラインから 5 ポイント以上の QOL の低下は，2 カ月後(31% vs 48%，$p=0.003$)，12 カ月後(19% vs 38%，$p=0.009$)と，化学療法併用群と比較してトラスツズマブ単剤群で，有意に QOL が維持されていた。しかし，36 カ月では 2 群間での有意差は消失していた。化学療法を行うにあたっては，1 年間程度の QOL 悪化に配慮する必要がある。

エビデンスの強さは，1 つの RCT のみのため，「弱」とした。益と害のバランスについては，イベント数が少なく DFS の非劣性が証明されたわけではないが，追加解析では化学療法省略による DFS の消失は 0.39 カ月とわずかであり，一方で，化学療法省略による有害事象の減少は明らかであるといえるため，「益」が「害」を上回ると判断した。

推奨決定会議の投票の結果は，「行うことを弱く推奨する　46/47，合意率　98%」，「行わないことを弱く推奨する　1/47」であり，推奨は「化学療法を行うことが困難な高齢者には，トラスツズマブ単剤による治療を弱く推奨する」とした。トラスツズマブ単剤は有害事象が減少することは明らかであるが，化学療法併用に対する DFS の非劣性や，無治療に対する優越性が証明されているわけではないことに注意が必要である。また，化学療法を行うことが可能かどうかの判断には，高齢者総合的機能評価などを用いることが可能である。

[投票結果]

1. 行うことを強く推奨する	2. 行うことを弱く推奨する	3. 行わないことを弱く推奨する	4. 行わないことを強く推奨する
0%(0/47)	98%(46/47)	2%(1/47)	0%(0/47)
総投票数 47 名(棄権 0 名，COI 棄権 2 名)			

検索キーワード・参考にした二次資料

PubMed・医中誌・Cochrane Library で，それぞれ "Breast Neoplasms", "Chemotherapy, Adjuvant", "Trastuzumab", "Aged", "randomized controlled trial" のキーワードで検索した。検索期間は 2021 年 6 月 4 日までとし，1 編のハンドサーチを加え，387 編がヒットした。一次スクリーニングで 4 編，二次スクリーニングで 2 編に絞り込んだ。これら 2 編(1 試験)を用いて解説文の作成を行った。

参考文献

1) Sawaki M, Taira N, Uemura Y, Saito T, Baba S, Kobayashi K, et al; RESPECT study group. Randomized controlled trial of trastuzumab with or without chemotherapy for HER2-positive early breast cancer in older patients. J Clin Oncol. 2020; 38(32): 3743-52. [PMID: 32936713]

2) Taira N, Sawaki M, Uemura Y, Saito T, Baba S, Kobayashi K, et al; RESPECT Study Group. Health-related quality of life with trastuzumab monotherapy versus trastuzumab plus standard chemotherapy as adjuvant therapy in older patients with HER2-positive breast cancer. J Clin Oncol. 2021; 39(22): 2452-62. [PMID: 33835842]

CQ 16 周術期トリプルネガティブ乳癌に対して，免疫チェックポイント阻害薬は勧められるか？

推 奨

- ペムブロリズマブ（抗 PD–1 抗体）の投与を弱く推奨する。

推奨の強さ：2，エビデンスの強さ：中，合意率：80%（32/40）

推奨におけるポイント

- 対象患者の選定，併用薬剤，用法・用量は，解説文にある当該臨床試験（KEYNOTE–522 試験）の適格基準や投与レジメンを参考に決定すること。

背景・目的

手術可能なトリプルネガティブ乳癌に対して，潜在的な微小転移を制御するため周術期の化学療法が勧められている。トリプルネガティブ乳癌の周術期化学療法に免疫チェックポイント阻害薬（2022 年 5 月時点で，早期乳癌では保険適用外）の併用が推奨されるかを検証した。

解 説

推奨の作成は，全生存期間（OS）の延長を最重要，続いて無イベント生存率（EFS）の延長と病理学的完全奏効（pCR）率の向上を同等の重要性，次に QOL，毒性を同等の重要性，最後にコストを重要なアウトカムと設定して評価した。

術前治療の対象となるトリプルネガティブ乳癌の周術期乳癌に対して免疫チェックポイント阻害薬の有用性を検討した 2 つのランダム化比較第Ⅲ相試験がある[1)~3)]。適格基準は腫瘍径が T2 以上，または腫瘍径が T1c かつリンパ節転移陽性であり，いずれの試験も術前治療と術後に免疫チェックポイント阻害薬が投与されている。

EFS については，ペムブロリズマブ（抗 PD–1 抗体）の投与を行う KEYNOTE–522 試験で，3 年の EFS でペムブロリズマブ併用群が 84.5%，プラセボ群が 76.8%〔ハザード比（HR）0.63，95%CI 0.48–0.82，$p<0.001$〕と統計学的に有意な改善が示された[2)]。アテゾリズマブ（抗 PD–L1 抗体）の投与を行う IMpassion031 試験では HR 0.76（95%CI 0.4–1.44）と報告されているが[1)]，報告時の評価はまだ immature な状況である。いずれの試験においても，OS についての評価は，報告時ではまだ immature な状況である[1)2)]。pCR 率については，IMpassion031 試験ではアテゾリズマブ併用群で 58%，プラセボ群で 41%〔$p=0.0044$（significance boundary；0.0184）〕[1)]，KEYNOTE–522 試験ではペムブロリズマブ併用群で 64.8%，プラセボ群で 51.2%（$p<0.001$）[3)]と，いずれも PD–L1 の発現によらず免疫チェックポイント阻害薬の投与で向上した。毒性については，KEYNOTE–522 試験では Grade 3 以上の有害事象がペムブロリズマブ併用群で 76.8%，プラセボ群で 72.2% であった[3)]。IMpassion031 試験では Grade 3 以上の有害事象がアテゾリズマブ併用群で 57%，プラセボ群で 53%であり，免疫チェックポイント阻害薬を併用した群で Grade 3 以上の有害事象が多く，免疫関連有害事象の増加が認められた[1)]。免疫関連有害事象に関し，KEYNOTE–522 試験

ではペムブロリズマブ併用群で甲状腺機能低下症が15.1％（プラセボ群5.7％），副腎機能障害が2.6％（プラセボ群0％）と報告されており[2]，不可逆的な有害事象となる可能性もあるため，特に周術期の治療として益と害のバランスには留意が必要と考えた。治療コストのデータは不足していた。

以上のエビデンスの強さについては，pivotal試験と考え得るランダム化比較第Ⅲ相試験であるが，いずれの薬剤においても1試験であり，エビデンスの強さは「中」とした。トリプルネガティブ乳癌の周術期化学療法として，ペムブロリズマブを併用することでEFSの改善，pCR率の向上が示されており，重篤な有害事象や免疫関連有害事象はペムブロリズマブの併用により増加するが，益が害を上回ると考えた。OSの結果は確実ではなく，不可逆的な免疫関連有害事象もあるため，患者希望については多様性があると考えられた。アテゾリズマブの併用についてはpCR率の向上が示されているが，予後に関するデータが不足していた。

推奨決定会議では，EFSのデータが利用できるペムブロリズマブのみ投票を行い，「行うことを弱く推奨する」が80％，「行うことを強く推奨する」が20％で，推奨は「ペムブロリズマブ（抗PD-1抗体）の投与を弱く推奨する」に決定した。

［投票結果］

1. 行うことを強く推奨する	2. 行うことを弱く推奨する	3. 行わないことを弱く推奨する	4. 行わないことを強く推奨する
20％（8/40）	80％（32/40）	0％（0/40）	0％（0/40）
			総投票数40名（棄権0名，COI棄権3名）

検索キーワード・参考にした二次資料

PubMedで，“Breast neoplasms”，“Neoadjuvant therapy”，“Adjuvant therapy”，“Triple-negative breast cancer”，“Immunotherapy”，“Immune checkpoint inhibitors”，“Atezolizumab”，“Pembrolizumab”のキーワードとその同義語で検索した。医中誌・Cochrane Libraryも同等のキーワードで検索した。2021年3月までの検索期間で250編がヒットした。そこからハンドサーチによる1編[2]を加えた3編を採用し，これらをもとに，定性的・定量的システマティック・レビューを行った。

参考文献

1）Mittendorf EA, Zhang H, Barrios CH, Saji S, Jung KH, Hegg R, et al. Neoadjuvant atezolizumab in combination with sequential nab-paclitaxel and anthracycline-based chemotherapy versus placebo and chemotherapy in patients with early-stage triple-negative breast cancer（IMpassion031）: a randomised, double-blind, phase 3 trial. Lancet. 2020; 396（10257）: 1090-100.［PMID: 32966830］
2）Schmid P, Cortes J, Dent R, Pusztai L, McArthur H, Kümmel S, et al; KEYNOTE-522 Investigators. Event-free survival with pembrolizumab in early triple-negative breast cancer. N Engl J Med. 2022; 386（6）: 556-67.［PMID: 35139274］
3）Schmid P, Cortes J, Pusztai L, McArthur H, Kümmel S, Bergh J, et al; KEYNOTE-522 Investigators. Pembrolizumab for early triple-negative breast cancer. N Engl J Med. 2020; 382（9）: 810-21.［PMID: 32101663］

CQ 17 トリプルネガティブ早期乳癌に対して，プラチナ製剤は勧められるか？

推奨

● プラチナ製剤の投与を強く推奨する。

推奨の強さ：1，エビデンスの強さ：強，合意率：70%(31/44)

推奨におけるポイント

- 薬物 CQ16 も参照のこと。
- 具体的な治療対象や推奨レジメンの提示は困難である。
- 推奨決定会議では 3 回の投票となり，3 回目の投票で「強く推奨する」70%と「弱く推奨する」30%となり，最終的に「強く推奨する」に決定した。

背景・目的

トリプルネガティブ乳癌には一定の割合で DNA 修復機構に障害を有するものが含まれることから DNA 傷害性抗癌薬であるプラチナ製剤の効果が期待されている。本 CQ では，トリプルネガティブ早期乳癌の周術期化学療法におけるプラチナ製剤の使用について検討した。

解 説

推奨の作成においては，全生存期間(OS)の延長を最重要，次に無イベント生存率(EFS)の延長と病理学的完全奏効(pCR)率の向上，続いて QOL と毒性(toxicity)，最後にコストを重要なアウトカムと設定した。

文献スクリーニングにて 12 の臨床試験(第Ⅲ相試験 4 つ，第Ⅱ相試験 8 つ)を抽出した(**表 1**)。そのうち 9 つの試験は術前化学療法[1)〜9)]，3 つの試験は術後化学療法のセッティングで行われた[10)〜12)]。安藤らの試験は HER2 陰性乳癌を対象としており，そのうちトリプルネガティブ乳癌の占める割合は 42%であった。INFORM 試験は *BRCA1/2* 病的バリアントを有する HER2 陰性乳癌を対象としており，そのうちトリプルネガティブ乳癌の占める割合は 69%であった。GeparSixto 試験はトリプルネガティブ乳癌もしくは HER2 陽性乳癌を対象としており，そのうちトリプルネガティブ乳癌の占める割合は 54%であった。GeparOcto 試験は HER2 陽性や luminal B タイプを含む高リスク乳癌を対象としており，そのうちトリプルネガティブ乳癌の占める割合は 43%であった。その他の 8 試験はすべてトリプルネガティブ乳癌を対象としていた。本 CQ のメタアナリシスは，HER2 陽性乳癌やホルモン受容体陽性乳癌を含む各試験の ITT 集団を対象として行われた。

多くの試験はオープンラベルで行われており，盲検化されていたのは 1 試験のみであった。検討された治療レジメンは，試験によりばらつきがあり，アンスラサイクリンとタキサンを含む同じ化学療法レジメンにプラチナ製剤を追加して比較した試験は 5 試験で，うち 1 試験はアンスラサイクリンとして国内未承認の non-pegylated liposomal doxorubicin が用いられていた。その他

表 1　メタアナリシスに含めた臨床試験の概要

試験名/発表者	発表年	対象症例	デザイン	セッティング	介入		対照	
Li Q	2020	N = 143, TNBC, EBC	第Ⅲ相	術後	ddPCb	P 150 mg/m^2, Cb AUC = 3, q2w, 8 cycles	ddEC-P	EC 80, 600 mg/m^2, q2w, 4 cycles；P 175 mg/m^2, q2w, 4 cycles
Yu KD	2020	N = 647, TNBC, EBC	第Ⅲ相	術後	PCb	P 80 mg/m^2, Cb AUC = 2, 3W1R, 6 cycles	FEC-D	FEC 500, 100, 500 mg/m^2, q3w, 3 cycles；D 100 mg/m^2, q3w, 3 cyces
Du F	2020	N = 308, TNBC, EBC	ランダム化第Ⅱ相	術後	D/PCb	D 75 mg/m^2 or P 175 mg/m^2, Cb AUC = 5, q3w, 6 cycles	EC-D/P	EC 90, 600 mg/m^2, q3w, 4 cycles；D 75 mg/m^2 or P：175 mg/m^2, q3w, 4 cycles
Ando M, Iwase M	2014, 2020	N = 179, HER2-, EBC (N = 75, TNBC)	ランダム化第Ⅱ相	術前	PCb-FEC	Cb AUC = 5, q3w, P 80 mg/m^2, weekly, 4 cycles；FEC 500, 100, 500 mg/m^2, q3w, 4 cycles	P-FEC	P 80 mg/m^2, weekly, 4 cycles；FEC 500, 100, 500 mg/m^2, q3w, 4 cycles
INFORM	2020	N = 118, HER2-, *gBRCA*m, EBC (N = 82, TNBC)	ランダム化第Ⅱ相	術前	CDDP	CDDP 75 mg/m^2, q3w, 4 cycles	AC	AC 60, 600 mg/m^2, q2-3w, 4 cycles
GeparOcto	2019	N = 945, high risk EBC (N = 403, TNBC)	第Ⅲ相	術前	PM + Cb for TNBC + HP for HER2 +	P 80 mg/m^2, M 20 mg/m^2, weekly, 18 doses；Cb AUC = 1.5, weekly, 18 doses	ddEPC + HP for HER2 +	E 150 mg/m^2, q2w, 3 cycles；P 225 mg/m^2, q2w, 3 cycles；C 2,000 mg/m^2, q2w, 3 cycles
GeparSixto	2014, 2018	N = 588, TNBC or HER2 +, EBC (N = 315, TNBC)	ランダム化第Ⅱ相	術前	PMCb + Bev for TNBC + HL for HER2 +	P 80 mg/m^2, M 20 mg/m^2, Cb AUC = 1.5, weekly, 18 doses	PM + Bev for TNBC + HL for HER2 +	P 80 mg/m^2, M 20 mg/m^2, weekly, 18 doses
BrighTNess	2018	N = 634, TNBC, EBC	第Ⅲ相	術前	PCb + Veliparib-AC	P 80 mg/m^2, weekly, 12 doses；AC 60, 600 mg/m^2, q2-3w, 4 cycles Cb AUC = 6, q3w, 4 cycles Veliparib, 50 mg bid	PCb-AC P-AC	P 80 mg/m^2, weekly, 12 doses；AC 60, 600 mg/m^2, q2-3w, 4 cycles Cb AUC = 6, q3w, 4 cycles
WSG-ADAPT-TN	2018	N = 336, TNBC, EBC	ランダム化第Ⅱ相	術前	nab-P + Cb	nab-P 125 mg/m^2, Cb AUC = 2, 2W1R, 4 cycles	nab-P + G	nab-P 125 mg/m^2, G 1,000 mg/m^2, 2W1R, 4 cycles
Zhang P	2016	N = 91, TNBC, EBC	ランダム化第Ⅱ相	術前	PCb	P 175 mg/m^2, Cb AUC = 5, q3w, 4-6 cycles	EP	E 75 mg/m^2, P 175 mg/m^2, q3w, 4-6 cycles
CALGB 40603	2015	N = 443, TNBC, EBC	ランダム化第Ⅱ相	術前	PCb-ddAC P-ddAC + Bev PCb-ddAC + Bev	P 80 mg/m^2, weekly, 12 doses；AC 60, 600 mg/m^2, q2w, 4 cycles Cb AUC = 6, q3w, 4 cycles Bev 10 mg/kg, q2w, 9 doses	P-ddAC	P 80 mg/m^2, weekly, 12 doses；AC 60, 600 mg/m^2, q2w, 4 cycles
GEICAM/2006-03	2012	N = 94, TNBC, EBC	ランダム化第Ⅱ相	術前	EC-DCb	EC, 90, 600 mg/m^2, q3w, 4 cycles；D 75 mg/m^2, Cb AUC = 6, q3w, 4 cycles	EC-D	EC, 90, 600 mg/m^2, q3w, 4 cycles；D 100 mg/m^2, q3w, 4 cycles

dd：dose-dense, P：パクリタキセル, Cb：カルボプラチン, E：エピルビシン, C：シクロホスファミド, F：フルオロウラシル, D：ドセタキセル, CDDP：シスプラチン, A：ドキソルビシン, M：non-pegylated liposomal doxorubicin, nab-P：アルブミン懸濁型パクリタキセル, G：ゲムシタビン, *gBRCA*m：生殖細胞系列 *BRCA* 病的バリアント保持, HP：トラスツズマブ + ペルツズマブ, Bev：ベバシズマブ, HL：トラスツズマブ + ラパチニブ

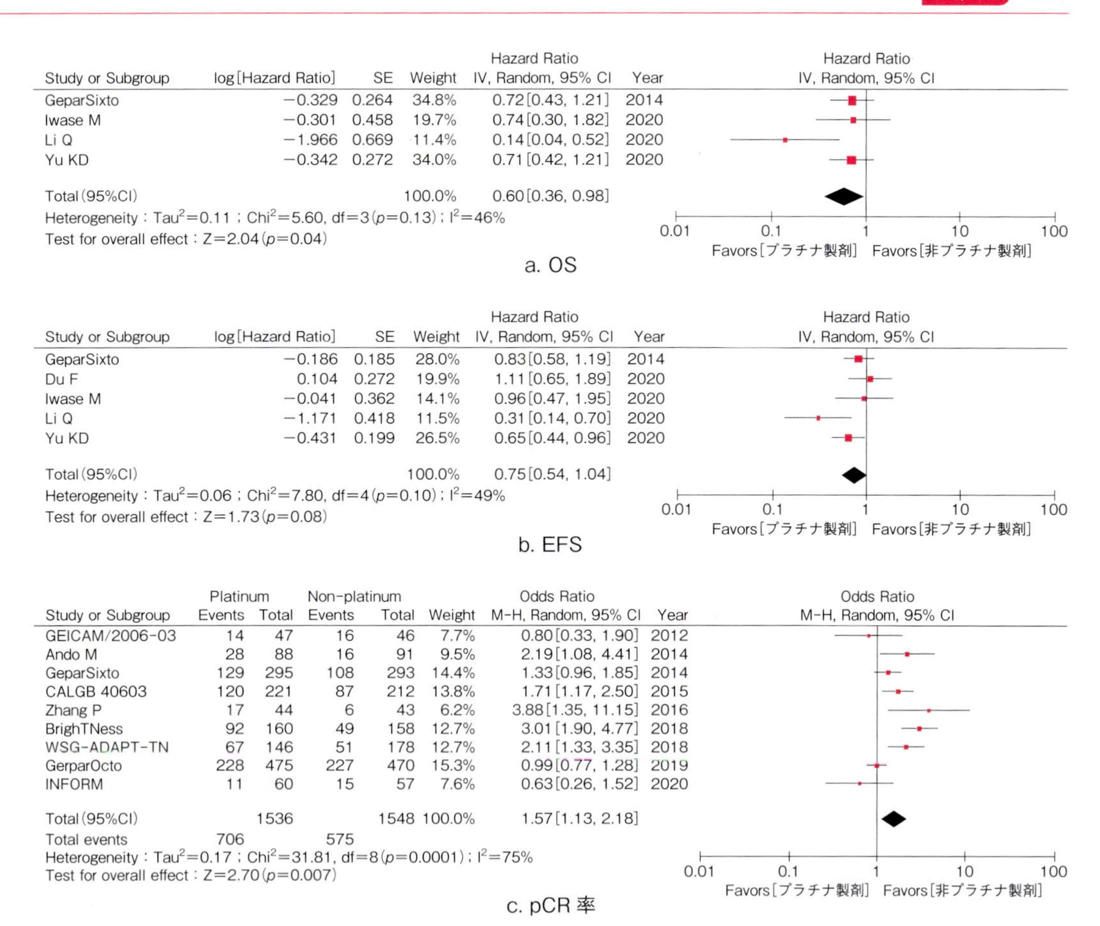

図 1 メタアナリシス(ITT 集団)：プラチナ製剤 vs 非プラチナ製剤

7 試験では，対照群と試験治療群で異なる化学療法レジメンを背景にプラチナ製剤の効果が比較されていた。

各臨床試験の ITT 集団を用いて，OS，EFS，pCR 率，toxicity についてメタアナリシスを行った(**図 1**)。なお，QOL とコストについて検討した試験は抽出されなかった。

OS を副次評価項目とした 2 つの術後化学療法の試験と 2 つの術前化学療法の試験のメタアナリシスを行った結果，ハザード比(HR)0.60(95%CI 0.36-0.98)とプラチナ製剤による OS 延長が認められた[11)〜14)]。EFS を主要評価項目とした 3 つの術後化学療法の試験と副次評価項目とした 2 つの術前化学療法の試験のメタアナリシスを行った結果，HR 0.75(95%CI 0.54-1.04)とプラチナ製剤により EFS が延長する傾向を認めたが有意差は認めなかった[10)〜14)]。pCR 率を主要評価項目とした 9 つの術前化学療法の試験のメタアナリシスを行った結果，オッズ比(OR)1.57(95%CI 1.13-2.18)とプラチナ製剤による pCR 率向上が認められた[1)〜9)]。

Toxicity については，Grade 3 以上の好中球減少，発熱性好中球減少，貧血，血小板減少，悪心，末梢神経障害の発現について検討した。その結果，血液毒性について，好中球減少〔リスク比(RR)1.28，95%CI 0.83-1.98〕，貧血(RR 7.07，95%CI 1.08-46.34)，血小板減少(RR 3.14，95%CI 1.01-9.72)とプラチナ製剤により増加傾向にあった。

感度分析としてトリプルネガティブ乳癌のデータのみを抽出し，OS，EFS，pCR率に関してメタアナリシスを行った結果，ITT集団を用いた場合と同様の傾向が認められた(OS：HR 0.44，95％CI 0.22-0.87，EFS：HR 0.58，95％CI 0.37-0.89，pCR率：OR 1.82，95％CI 1.32-2.52)。

なお，プラチナ製剤の使用について，術前化学療法と術後化学療法のどちらで使用すべきか，トリプルネガティブ乳癌のうちどのような対象に使用すべきか，プラチナ製剤を使用する場合の至適レジメンは何か，といった疑問については，本メタアナリシスから明らかにすることはできない。

NCCN，ASCO，ESMOガイドラインでは，トリプルネガティブ乳癌の術後化学療法におけるプラチナ製剤の使用は推奨しておらず，術前化学療法での使用については，pCR率上昇を認めるとしつつも適切な治療対象の設定が困難であり，長期予後に関するデータが不十分であるとして慎重な姿勢である。本CQの文献検索の対象ではないが，EA 1131試験では，術前化学療法後に残存病変を有するトリプルネガティブ乳癌を対象に，術後治療としてカルボプラチンとカペシタビンの効果が比較検討された。本試験は中間解析でさらなる症例集積により仮説の検証は困難であると判断され中止された。Basalサブタイプに分類された308例の検討結果は，3年経過時のIDFS(浸潤癌の無病生存期間)はカルボプラチン群42％，カペシタビン群49％とカルボプラチンのカペシタビンに対する非劣性も優越性も示されず，Grade 3以上の有害事象はカルボプラチン群に多かった[15)]。一方で，高リスクのトリプルネガティブ乳癌を対象に術前化学療法における免疫チェックポイント阻害薬の効果を検証したKEYNOTE-522試験では，対照群の治療としてカルボプラチンを含むレジメンが設定されていた。推奨される化学療法レジメンとしてパクリタキセル(80 mg/m^2，weekly)＋カルボプラチン(AUC 5 mg・min/mL，q3 wまたはAUC 1.5 mg・min/mL，weekly)→ACまたはECと設定されていた。

メタアナリシスの結果から，プラチナ製剤によりOS，EFSの延長やpCR率の向上が期待される。しかしながら，多くはオープンラベルの試験であることからバイアスリスクを認め，対照群に設定されている治療レジメン・用量設定にばらつきや現状との乖離があり，ITT集団のうちトリプルネガティブ乳癌の占める割合は79％程度であり，非直接性が認められる。プラチナ製剤により血液毒性は増加する傾向にあるが，QOLや費用対効果については検討されていない。患者希望についても多様性があると考えられる。以上より，最重要と設定したOSでは有意な改善を認めたが，非直接性の問題と海外のガイドラインの推奨を鑑み，薬物療法小委員会では推奨度の強さを判断できなかった。

推奨決定会議では，非直接性やエビデンスの強さの判断について議論が行われた。非直接性は必ずしも高いとはいえないという意見がある一方で，推奨レジメンの具体的な提示が困難である，などとの意見が出た。1回目の投票では，「行うことを強く推奨する」が35％，「行うことを弱く推奨する」が65％であり，規定の70％を超えず合意に至らなかった。その後，「益」として最重要に設定したOSのメタアナリシスでは改善があり，大きな異質性も認めないことが再度確認され，2回目の投票が行われた。しかし，「行うことを強く推奨する」が59％，「行うことを弱く推奨する」が41％であり，再度合意には至らなかった。そこで，さらに，OSに関するメタアナリシスの対象症例の確認，データの解釈について慎重に議論を行い，3回目の投票が行われた。その結果，「行うことを強く推奨する」が70％，「行うことを弱く推奨する」が30％となり，推奨は「プラチナ製剤の投与を強く推奨する」に決定した。

[投票結果]

	1. 行うことを強く推奨する	2. 行うことを弱く推奨する	3. 行わないことを弱く推奨する	4. 行わないことを強く推奨する
CQ17（1回目）	35%(15/43)	65%(28/43)	0%(0/43)	0%(0/43)
	総投票数43名(棄権0名，COI棄権0名)			
CQ17（2回目）	59%(26/44)	41%(18/44)	0%(0/44)	0%(0/44)
	総投票数44名(棄権0名，COI棄権0名)			
CQ17（3回目）	70%(31/44)	30%(13/44)	0%(0/44)	0%(0/44)
	総投票数44名(棄権0名，COI棄権0名)			

検索キーワード・参考にした二次資料

"breast neoplasms", "triple negative breast neoplasms", "chemotherapy, adjuvant", "neoadjuvant therapy", "platinum", "carboplatin", "cisplatin" をキーワードに文献検索を行い，PubMed 127編，Cochrane 217編，医中誌38編，ハンドサーチ3編の論文が抽出された。これらに対して一次スクリーニング，二次スクリーニングを行い，前述の12試験(論文14編)に対してシステマティック・レビューを行った。

薬物療法

参考文献

1) Alba E, Chacon JI, Lluch A, Anton A, Estevez L, Cirauqui B, et al. A randomized phase Ⅱ trial of platinum salts in basal-like breast cancer patients in the neoadjuvant setting. Results from the GEICAM/2006-03, multicenter study. Breast Cancer Res Treat. 2012; 136(2): 487-93. [PMID: 23053638]
2) Ando M, Yamauchi H, Aogi K, Shimizu S, Iwata H, Masuda N, et al. Randomized phase Ⅱ study of weekly paclitaxel with and without carboplatin followed by cyclophosphamide/epirubicin/5-fluorouracil as neoadjuvant chemotherapy for stage Ⅱ/ⅢA breast cancer without HER2 overexpression. Breast Cancer Res Treat. 2014; 145(2): 401-9. [PMID: 24728578]
3) Gluz O, Nitz U, Liedtke C, Christgen M, Grischke EM, Forstbauer H, et al. Comparison of neoadjuvant nab-paclitaxel+carboplatin vs nab-paclitaxel+gemcitabine in triple-negative breast cancer: randomized WSG-ADAPT-TN trial results. J Natl Cancer Inst. 2018; 110(6): 628-37. [PMID: 29228315]
4) Loibl S, O'Shaughnessy J, Untch M, Sikov WM, Rugo HS, McKee MD, et al. Addition of the PARP inhibitor veliparib plus carboplatin or carboplatin alone to standard neoadjuvant chemotherapy in triple-negative breast cancer(BrighTNess): a randomised, phase 3 trial. Lancet Oncol. 2018; 19(4): 497-509. [PMID: 29501363]
5) Schneeweiss A, Möbus V, Tesch H, Hanusch C, Denkert C, Lübbe K, et al. Intense dose-dense epirubicin, paclitaxel, cyclophosphamide versus weekly paclitaxel, liposomal doxorubicin(plus carboplatin in triple-negative breast cancer)for neoadjuvant treatment of high-risk early breast cancer(GeparOcto-GBG 84): A randomised phase Ⅲ trial. Eur J Cancer. 2019; 106: 181-92. [PMID: 30528802]
6) Sikov WM, Berry DA, Perou CM, Singh B, Cirrincione CT, Tolaney SM, et al. Impact of the addition of carboplatin and/or bevacizumab to neoadjuvant once-per-week paclitaxel followed by dose-dense doxorubicin and cyclophosphamide on pathologic complete response rates in stage Ⅱ to Ⅲ triple-negative breast cancer: CALGB 40603(Alliance). J Clin Oncol. 2015; 33(1): 13-21. [PMID: 25092775]
7) Tung N, Arun B, Hacker MR, Hofstatter E, Toppmeyer DL, Isakoff SJ, et al. TBCRC 031: Randomized phase ii study of neoadjuvant cisplatin versus doxorubicin-cyclophosphamide in germline BRCA carriers with HER2-negative breast cancer(the INFORM trial). J Clin Oncol. 2020; 38(14): 1539-48. [PMID: 32097092].
8) von Minckwitz G, Schneeweiss A, Loibl S, Salat C, Denkert C, Rezai M, et al. Neoadjuvant carboplatin in patients with triple-negative and HER2-positive early breast cancer(GeparSixto; GBG 66): a randomised phase 2 trial. Lancet Oncol. 2014; 15(7): 747-56. [PMID: 24794243]
9) Zhang P, Yin Y, Mo H, Zhang B, Wang X, Li Q, et al. Better pathologic complete response and relapse-free survival after carboplatin plus paclitaxel compared with epirubicin plus paclitaxel as neoadjuvant chemotherapy for locally advanced triple-negative breast cancer: a randomized phase 2 trial. Oncotarget. 2016; 7(37): 60647-56. [PMID: 27447966].
10) Du F, Wang W, Wang Y, Li M, Zhu A, Wang J, et al. Carboplatin plus taxanes are non-inferior to epirubicin plus cyclophosphamide followed by taxanes as adjuvant chemotherapy for early triple-negative breast cancer. Breast Cancer Res Treat. 2020; 182(1): 67-77. [PMID: 32394350]
11) Li Q, Wang J, Mu Y, Zhang T, Han Y, Wang J, et al. Dose-dense paclitaxel plus carboplatin vs. epirubicin and cyclophosphamide with paclitaxel as adjuvant chemotherapy for high-risk triple-negative breast cancer. Chin J

Cancer Res. 2020; 32(4): 485-96. [PMID: 32963461]
12) Yu KD, Ye FG, He M, Fan L, Ma D, Mo M, et al. Effect of adjuvant paclitaxel and carboplatin on survival in women with triple-negative breast cancer: a phase 3 randomized clinical trial. JAMA Oncol. 2020; 6(9): 1390-6. [PMID: 32789480]
13) Iwase M, Ando M, Aogi K, Aruga T, Inoue K, Shimomura A, et al. Long-term survival analysis of addition of carboplatin to neoadjuvant chemotherapy in HER2-negative breast cancer. Breast Cancer Res Treat. 2020; 180(3): 687-94. [PMID: 32140811]
14) Loibl S, Weber KE, Timms KM, Elkin EP, Hahnen E, Fasching PA, et al. Survival analysis of carboplatin added to an anthracycline/taxane-based neoadjuvant chemotherapy and HRD score as predictor of response-final results from GeparSixto. Ann Oncol. 2018; 29(12): 2341-7. [PMID: 30335131]
15) Mayer IA, Zhao F, Arteaga CL, Symmans WF, Park BH, Burnette BL, et al. Randomized phase iii postoperative trial of platinum-based chemotherapy versus capecitabine in patients with residual triple-negative breast cancer following neoadjuvant chemotherapy: ECOG-ACRIN EA1131. J Clin Oncol. 2021; 39(23): 2539-51. [PMID: 34092112]

FRQ 4 浸潤径 1 cm 以下・リンパ節転移陰性のトリプルネガティブ乳癌に対して，術後化学療法は勧められるか？

ステートメント

- 浸潤径 1 cm 以下・リンパ節転移陰性のトリプルネガティブ乳癌に対して術後化学療法が予後を改善させるというデータは乏しい。
- この群に対する化学療法の効果予測因子や適切なレジメンについての検討が今後の課題である。

背景

浸潤径 1 cm 以下・リンパ節転移陰性の乳癌は一般的には予後良好であるが[1)]，トリプルネガティブ乳癌は，他の乳癌サブタイプに比べて悪性度が高く予後が不良とされている[2)]。トリプルネガティブ乳癌に対する周術期薬物療法の中心は化学療法であるが，浸潤径 1 cm 以下・リンパ節転移陰性の場合，ほとんどの臨床試験において適格基準から外れており，化学療法の有効性については明らかにされていない。

解説

これまでに浸潤径 1 cm 以下・リンパ節転移陰性のトリプルネガティブ乳癌に対する術後化学療法の有効性に関するランダム化比較試験（RCT）の報告は認めないが，複数の後ろ向き研究の結果が報告されており，**表 1** に主要な報告の概要を示す。サンプル数，フォローアップ期間，解析方法などから論文を選択した。結果については，1 つの研究の中で複数の解析がされている場合は，主解析を採用した。主解析が明記されていない場合は，多変量解析，単変量解析の順で 1 つの結果を採用した。

報告の中には T1a/T1b で結果をそれぞれ解析したものもあり，腫瘍サイズごとに解説を行う。

T1a においては，SEER[3)]，オランダ[4)]，NCCN[5)]のデータベースからの報告で，計 1,486 例のうち 287 例（19.3%）に化学療法が施行されており，2 群間で検定がされたものでは，化学療法が予後を改善させたとするものはなかった。T1b においては，SEER[3)]，オランダ[4)]，NCCN[5)]のデータベースからの報告で，計 3,414 例のうち 1,210 例（35.4%）に化学療法が施行されていた。こちらも 2 群間で化学療法が予後を改善させたという報告はなかった。フランス[6)]とメモリアルスローンケタリングがんセンター（MSKCC）[7)]のデータベースを加え，T1a/b において検討すると，計 5,378 例のうち，1,756 例（32.7%）に化学療法が施行されていたが，2 群間で化学療法が予後を改善させたという報告はなかった。

また，化学療法のレジメンについても検討されている報告が 3 編あった。オランダからの報告[4)]では，アンスラサイクリン＋タキサン系：44%，アンスラサイクリン系：13%，タキサン系：8%，NCCN からの報告[5)]では，アンスラサイクリン系：57.4%，アンスラサイクリン＋タキサン系：21.0%，タキサン系：13.8%，CMF：4.1%，また MSKCC からの報告[7)]では CMF/メソトレ

表 1　浸潤径 1 cm 以下・リンパ節転移陰性のトリプルネガティブ乳癌に対する術後化学療法の有効性の検討

報告者	発表年	対象	患者数	CT 施行率	追跡期間中央値	主な結果
Du ZL, SEER[3]	2020	T1a	1,103	22.3%	45 カ月	OS：HR 0.68, 95%CI 0.28–1.69, P＝0.407
		T1b	2,227	39.8%		OS：HR 0.86, 95%CI 0.57–1.31, P＝0.236
Steenbruggen TG, オランダ[4]	2020	T1a	284	6.3%	8.2 年	BCSS：HR 4.28, 95%CI 1.12–16.4
		T1b	923	16.7%		BCSS：HR 1.12, 95%CI 0.51–2.49
Vaz-Luis I, NCCN[5]	2014	T1a	99	25.2%	5.5 年	5y-DRSF：No CT：93% 95%CI 84–97；CT：100%
		T1b	264	64.4%		5y-DRSF：No CT：90% 95%CI 81–95；CT：96% 95%CI 90–98
de Nonneville A, フランス[6]	2017	T1a/b	284	51%	CT あり：48.23 カ月 CT なし：55.05 カ月	DFS：HR 0.77, 95%CI 0.40–1.46, P＝0.419
Ho AY, MSKCC[7]	2012	T1a/b	194	58%	73 カ月	5y-LRRFS：CT/No CT：96.2% vs 96%, P：NS 5y-DRFS CT/No CT：95.9% vs 94.5%, P：NS

MSKCC：メモリアルスローンケタリングがんセンター, CT：chemotherapy, BCSS：breast cancer specific survival, DRFS：distant relapse-free survival, LRRFS：locoregional recurrence-free survival.

キサート，5-フルオロウラシル，ロイコボリン(MFL)：56.6%，アンスラサイクリン＋タキサン系：24.8%，アンスラサイクリン系：12.4%，が投与されていた。化学療法レジメンの時代的変遷もあり，どのレジメンが適切であるかについての一定の見解は得られていない。

海外のガイドラインでは，浸潤径 1 cm 以下・リンパ節転移陰性のトリプルネガティブ乳癌に対して，化学療法の推奨はさまざまではあるが，根拠となる文献が示されているものはなかった。NCCN ガイドライン(Ver. 1. 2021)では T1a では無治療，T1b では化学療法を考慮，ザンクトガレン国際コンセンサスガイドラインでは T1a では患者ごとに，T1b では TC(ドセタキセル＋シクロホスファミド)[8]，Pan-Asian adapted ESMO Clinical Practice Guidelines では腫瘍サイズによらず化学療法を推奨となっている[9]。

以上より，後ろ向き研究の結果からは浸潤径 1 cm 以下・リンパ節転移陰性のトリプルネガティブ乳癌に対して 4 割以上の症例に術後化学療法が行われていたが，化学療法が予後を改善させたという報告はなく，現時点において予後の改善のために術後化学療法を勧める根拠は乏しいと考えられる。ただし，腫瘍サイズやリンパ節転移状況以外の背景因子が化学療法施行の決定に関与していた可能性があり，化学療法の有効性についての結論は出ていないため，この群に対する化学療法の効果予測因子や適切なレジメンについての検討が今後の課題である。

検索キーワード・参考にした二次資料

PubMed で “Breast neoplasms(または breast cancer)”，“Adjuvant”，“T1ab(または)1 cm または pT1ab”，“chemotherapy” のキーワードで検索した。検索期間は 2021 年 3 月までとした。195 件がヒットし，一次スクリーニングでハンドサーチ 4 編を含む 15 編，二次スクリーニングで 9 編に絞り込んだ。

参考文献

1) Welch HG, Prorok PC, O'Malley AJ, Kramer BS. Breast-cancer tumor size, overdiagnosis, and mammography screening effectiveness. N Engl J Med. 2016; 375(15): 1438-47. [PMID: 27732805]
2) Nishimura R, Arima N. Is triple negative a prognostic factor in breast cancer? Breast Cancer. 2008; 15(4): 303-8. [PMID: 18369692]
3) Du ZL, Wang Y, Wang DY, Zhang L, Bian ZM, Deng Y, et al. Evaluation of a beneficial effect of adjuvant chemotherapy in patients with stage I triple-negative breast cancer: a population-based study using the SEER 18 database. Breast Cancer Res Treat. 2020; 183(2): 429-38. [PMID: 32647940]
4) Steenbruggen TG, van Werkhoven E, van Ramshorst MS, Dezentjé VO, Kok M, Linn SC, et al. Adjuvant chemotherapy in small node-negative triple-negative breast cancer. Eur J Cancer. 2020; 135: 66-74. [PMID: 32554215]
5) Vaz-Luis I, Ottesen RA, Hughes ME, Mamet R, Burstein HJ, Edge SB, et al. Outcomes by tumor subtype and treatment pattern in women with small, node-negative breast cancer: a multi-institutional study. J Clin Oncol. 20140; 32(20): 2142-50. [PMID: 24888816]
6) de Nonneville A, Gonçalves A, Zemmour C, Cohen M, Classe JM, Reyal F, et al. Adjuvant chemotherapy in pT1ab node-negative triple-negative breast carcinomas: Results of a national multi-institutional retrospective study. Eur J Cancer. 2017; 84: 34-43. [PMID: 28780480]
7) Ho AY, Gupta G, King TA, Perez CA, Patil SM, Rogers KH, et al. Favorable prognosis in patients with T1a/T1bN0 triple-negative breast cancers treated with multimodality therapy. Cancer. 2012; 118(20): 4944-52. [PMID: 22392492]
8) Burstein HJ, Curigliano G, Thürlimann B, Weber WP, Poortmans P, Regan MM, et al; Panelists of the St Gallen Consensus Conference. Customizing local and systemic therapies for women with early breast cancer: the St. Gallen International Consensus Guidelines for treatment of early breast cancer 2021. Ann Oncol. 2021; 32(10): 1216-35. [PMID: 34242744]
9) Park YH, Senkus-Konefka E, Im SA, Pentheroudakis G, Saji S, Gupta S, et al. Pan-Asian adapted ESMO clinical practice guidelines for the management of patients with early breast cancer: a KSMO-ESMO initiative endorsed by CSCO, ISMPO, JSMO, MOS, SSO and TOS. Ann Oncol. 2020; 31(4): 451-69. [PMID: 32081575]

病理分類で特殊型と診断された乳癌では，組織型に応じた周術期薬物療法を行うことが勧められるか？

ステートメント

- 特殊型と診断された乳癌においても浸潤性乳管癌に準じた薬物療法を行うことが妥当であるが，組織型の特性（予後，サブタイプの傾向，薬物療法感受性）も考慮した薬物療法を行う。

背景

浸潤性乳管癌以外の特殊型として，浸潤性小葉癌（invasive lobular carcinoma），粘液癌（mucinous carcinoma），アポクリン癌（apocrine carcinoma），浸潤性微小乳頭癌（invasive micropapillary carcinoma），管状癌（tubular carcinoma），髄様癌（medullary carcinoma），化生癌（metaplastic carcinoma），腺様囊胞癌（adenoid cystic carcinoma）などがあり，浸潤性乳癌の約 10％を占めている。組織型ごとの特性（予後やサブタイプの傾向）と，それぞれに適した薬物療法を選択すべきか概説した。

解説

乳癌特殊型を対象としたランダム化比較試験はほとんど行われておらず，エビデンスに基づいて治療方針を検討することは困難だが，一般的には下記のような考え方となっている。

浸潤性小葉癌（invasive lobular carcinoma）の発生頻度は約 5％で，近年，増加傾向にある。典型的な浸潤性小葉癌は，ホルモン受容体陽性，HER2 陰性で，組織学的グレード 3 の割合が低い[1)2)]ことが知られている一方，ホルモン受容体陰性や HER2 陽性の亜集団も存在する[3)]。予後は比較的良好とされているが，浸潤性乳管癌よりも晩期の再発症例がやや多いとの報告もある[1)]。また，多形浸潤性小葉癌（pleomorphic invasive lobular carcinoma）と呼ばれる悪性度の高い亜集団の存在も報告されている[4)]。初期治療後の再発部位はおおむね浸潤性乳管癌と同じであるが，腹膜播種などの通常の浸潤性乳管癌にはみられない再発形式をとることがある[5)]。浸潤性小葉癌の特徴である E-カドヘリン欠損と ROS1 阻害の合成致死に着目した治療など，組織型に特異的な治療が開発されているが[6)]，現在は浸潤性小葉癌に対する薬物療法は通常の浸潤性乳管癌に準じて行うことが妥当である。

粘液癌（mucinous carcinoma）の発生頻度は約 3％である。純型と混合型に亜分類され，純型の予後は良好であるが，混合型の予後は浸潤性乳管癌と同等とされている。NCI のがん登録（Surveillance, Epidemiology, and End Results；SEER）をもとにした純型粘液癌 13,329 症例を対象とした解析によると，浸潤性乳管癌と比較して，50 歳未満の割合は少なく 70 歳以上の割合が多く，エストロゲン受容体陽性の頻度が高く，HER2 陽性の頻度が低く，組織学的に低分化である頻度が低く，リンパ節転移の頻度が低かった[7)]。粘液癌全体の予後（生存率）は浸潤性乳管癌と比較して良好であり〔ハザード比（HR）0.336（95％CI 0.308–0.368），$p<0.001$〕，リスク因子によるプロペ

ンシティスコアを揃えた解析でも有意に予後良好であった〔HR 0.649(95%CI 0.574-0.735)，p<0.001〕。また，エストロゲン受容体の状況およびリンパ節転移の状況を考慮した予後解析において，粘液癌においては化学療法による予後改善効果がなかったと報告されている[7)]。

粘液癌に対する周術期薬物療法は内分泌療法単独が勧められるが，ホルモン受容体陰性やHER2陽性の場合や，高度の腋窩リンパ節転移を伴う場合は典型的な粘液癌とはいえないため，浸潤性乳管癌に準じて化学療法を追加するのが妥当である。

アポクリン癌(apocrine carcinoma)の発生頻度は約1%である。予後は良好とする報告から不良とする報告までさまざまであるが，通常型の浸潤性乳管癌とあまり変わらないとする報告が最も多い[8)]。エストロゲン受容体，プロゲステロン受容体およびHER2は陰性の症例が多い[9)]。アンドロゲン受容体の陽性率が高いとされ[9)]，アンドロゲン受容体阻害薬が有効である可能性があるが[10)]，確立はしていない。薬物療法は通常の浸潤性乳管癌に準じて行うことが妥当と考えられる。

浸潤性微小乳頭癌(invasive micropapillary carcinoma)の発生頻度は約1%であり[11)]，エストロゲン受容体陽性，プロゲステロン受容体陽性，HER2陰性の症例が多い[12)]。高率にリンパ節転移を伴い予後不良とされる一方で[11)]，ステージをマッチさせた浸潤性乳管癌との比較では，局所再発は多いものの生存期間は変わらないとされる[13)14)]。高率にリンパ管侵襲を伴い[11)15)]，局在診断および局所療法に配慮を要すると思われるが，薬物療法は通常の浸潤性乳管癌に準じて行うことが妥当である。

管状癌(tubular carcinoma)の発生頻度は約0.2%であり，エストロゲン受容体陽性，プロゲステロン受容体陽性，HER2陰性の症例が多い。11施設における管状癌205例の報告によると，臨床的ステージをマッチさせた浸潤性乳管癌615例よりも予後良好で，観察期間の中央値70カ月で再発7例のうち5例が対側乳癌，1例が局所再発，1例が骨転移であり，5年無再発生存率は98.8%であった[16)]。この報告では80%以上の症例が，エストロゲン受容体陽性，HER2陰性，組織学的グレードⅠ，T1，N0で術後化学療法は実施されなかった。また，他の単施設での管状癌307例の報告では，約14%(46/307)に腋窩リンパ節転移を認めたものの，全症例の10年乳癌特異的生存率(breast cancer-specific survival)は約97%と非常に良好な結果であった[17)]。この報告では，全症例のうち89例(29%)は手術のみで術後薬物療法は施行されなかった。

以上より，典型的な管状癌は，ホルモン受容体陽性・腋窩リンパ節転移陰性で予後良好であり，術後薬物療法は内分泌療法単独または薬物療法なしが妥当である。一方で，ホルモン受容体陰性や腋窩リンパ節転移陽性の場合は典型的な管状癌とはいえず，浸潤性乳管癌に準じて化学療法の追加を考慮することが妥当である。

髄様癌(medullary carcinoma)の発生頻度は約0.03〜8%であり，発生頻度のばらつきが目立つことから診断基準が統一されていないと考えられる。エストロゲン受容体陰性・プロゲステロン受容体陰性・HER2陰性のいわゆるトリプルネガティブ乳癌に分類される症例が多いのが特徴である。NCIのがん登録(SEER)における髄様癌1,617例の解析によると，エストロゲン受容体陰性・プロゲステロン受容体陰性の症例が多く，組織学的グレードも高いものが多かった[18)]。IBCSGの13試験に登録された髄様癌127例の解析によると，約80%の症例がエストロゲン受容体陰性またはプロゲステロン受容体陰性であり，組織学的グレード3の症例が86%を占めた[19)]。同報告によると，髄様癌の予後は，ホルモン受容体陰性やグレード3の症例が多いにもかかわらず，通常型の浸潤性乳管癌よりも良いという結果であった[19]。しかしながら，診断基準が統一されていないため，薬物療法は浸潤性乳管癌に準じて行うのが妥当である。

化生癌(metaplastic carcinoma)は，扁平上皮細胞，間葉系細胞，紡錘細胞，軟骨細胞および骨細胞への分化を特徴とする浸潤癌であり，その発生頻度は0.2～1%とされる[20]。腺扁平上皮癌，線維腫症様化生癌，紡錘細胞癌，扁平上皮癌，器質産生癌などが含まれ[20]，ほとんどがエストロゲン受容体陰性・プロゲステロン受容体陰性・HER2陰性のいわゆるトリプルネガティブ乳癌の所見を示し[21][22]，組織学的グレードと予後の関連は不確実とされる[20]。また，浸潤性乳管癌と比較してリンパ節転移の頻度は低いが，遠隔転移の頻度はやや高い[23]。放射線療法が予後を改善する報告がある一方で[24]，化学療法の感受性が乏しいとする報告も存在するため[25][26]，薬物療法は個々の症例ごとに検討すべきであろう。

腺様嚢胞癌(adenoid cystic carcinoma)の発生頻度は約0.1%である。唾液腺などにみられる同名の癌と同様の組織像を示す極めて稀な疾患である。エストロゲン受容体陰性・プロゲステロン受容体陰性・HER2陰性のいわゆるトリプルネガティブ乳癌の所見を示す症例が多いにもかかわらず，10年生存率は約95%と極めて良好なことが特徴である[27]。2013年のザンクトガレンコンセンサス会議では，極めて良好な予後を理由に，本特殊型に対してはトリプルネガティブ乳癌であっても腋窩リンパ節転移陰性であれば化学療法は行わなくてもよいだろうと述べられている[28]。

ランダム化比較試験のサブグループ解析として特殊型乳癌症例における薬物療法の効果をみた報告は2件あり，いずれも，ホルモン受容体陽性早期乳癌の閉経後女性を対象に，術後内分泌療法として，タモキシフェン，レトロゾール，タモキシフェン→レトロゾール，レトロゾール→タモキシフェンの4群を比較したBIG 1-98試験のサブグループ解析であった[29][30]。粘液癌と管状癌については，いずれの群でも再発が少ない傾向がみられたが，タモキシフェンとレトロゾールの効果の差はみられなかった[29]。浸潤性小葉癌については，浸潤性乳管癌よりも，タモキシフェンとレトロゾールの再発抑制効果の差が大きく，レトロゾールがより有効である傾向が認められた[30]。

検索キーワード・参考にした二次資料

PubMedで，"Breast Neoplasms"，"Adenocarcinoma, Mucinous"，"Adenocarcinoma"，"Carcinoma, Adenoid Cystic"，"Carcinoma, Medullary"，"Sweat Gland Neoplasms"，"Carcinoma, Lobular"，"mucinous carcinoma-associated antigen"，"other"，"unusual"，"type"，"apocrine"のキーワードで検索した。また，適宜ハンドサーチを追加した。特殊型のみを対象とする大規模ランダム化比較試験は見出せなかった。

参考文献

1) Pestalozzi BC, Zahrieh D, Mallon E, Gusterson BA, Price KN, Gelber RD, et al; International Breast Cancer Study Group. Distinct clinical and prognostic features of infiltrating lobular carcinoma of the breast: combined results of 15 International Breast Cancer Study Group clinical trials. J Clin Oncol. 2008; 26(18): 3006-14. [PMID: 18458044]

2) Orvieto E, Maiorano E, Bottiglieri L, Maisonneuve P, Rotmensz N, Galimberti V, et al. Clinicopathologic characteristics of invasive lobular carcinoma of the breast: results of an analysis of 530 cases from a single institution. Cancer. 2008; 113(7): 1511-20. [PMID: 18704988]

3) McCart Reed AE, Kalinowski L, Simpson PT, Lakhani SR. Invasive lobular carcinoma of the breast: the increasing importance of this special subtype. Breast Cancer Res. 2021; 23(1): 6. [PMID: 33413533]

4) Haque W, Arms A, Verma V, Hatch S, Brian Butler E, Teh BS. Outcomes of pleomorphic lobular carcinoma versus invasive lobular carcinoma. Breast. 2019; 43: 67-73. [PMID: 30496936]

5) Ferlicot S, Vincent-Salomon A, Médioni J, Genin P, Rosty C, Sigal-Zafrani B, et al. Wide metastatic spreading in infiltrating lobular carcinoma of the breast. Eur J Cancer. 2004; 40(3): 336-41. [PMID: 14746850]
6) Bajrami I, Marlow R, van de Ven M, Brough R, Pemberton HN, Frankum J, et al. E-cadherin/ROS1 inhibitor synthetic lethality in breast cancer. Cancer Discov. 2018; 8(4): 498-515. [PMID: 29610289]
7) Zhang H, Zhang N, Li Y, Liang Y, Yang Q. Evaluation of efficacy of chemotherapy for mucinous carcinoma: a surveillance, epidemiology, and end results cohort study. Ther Adv Med Oncol. 2020; 12: 1758835920975603. [PMID: 33425023]
8) Vranic S, Schmitt F, Sapino A, Costa JL, Reddy S, Castro M, et al. Apocrine carcinoma of the breast: a comprehensive review. Histol Histopathol. 2013; 28(11): 1393-409. [PMID: 23771415]
9) Vranic S, Feldman R, Gatalica Z. Apocrine carcinoma of the breast: a brief update on the molecular features and targetable biomarkers. Bosn J Basic Med Sci. 2017; 17(1): 9-11. [PMID: 28027454]
10) Traina TA, Miller K, Yardley DA, Eakle J, Schwartzberg LS, O'Shaughnessy J, et al. Enzalutamide for the treatment of androgen receptor-expressing triple-negative breast cancer. J Clin Oncol. 2018; 36(9): 884-90. [PMID: 29373071]
11) Liu F, Yang M, Li Z, Guo X, Lin Y, Lang R, et al. Invasive micropapillary mucinous carcinoma of the breast is associated with poor prognosis. Breast Cancer Res Treat. 2015; 151(2): 443-51. [PMID: 25953688]
12) Marchiò C, Iravani M, Natrajan R, Lambros MB, Savage K, Tamber N, et al. Genomic and immunophenotypical characterization of pure micropapillary carcinomas of the breast. J Pathol. 2008; 215(4): 398-410. [PMID: 18484683]
13) Wu Y, Zhang N, Yang Q. The prognosis of invasive micropapillary carcinoma compared with invasive ductal carcinoma in the breast: a meta-analysis. BMC Cancer. 2017; 17(1): 839. [PMID: 29228910]
14) Ye F, Yu P, Li N, Yang A, Xie X, Tang H, et al. Prognosis of invasive micropapillary carcinoma compared with invasive ductal carcinoma in breast: a meta-analysis of PSM studies. Breast. 2020; 51: 11-20. [PMID: 32172190]
15) Vingiani A, Maisonneuve P, Dell'orto P, Farante G, Rotmensz N, Lissidini G, et al. The clinical relevance of micropapillary carcinoma of the breast: a case-control study. Histopathology. 2013; 63(2): 217-24. [PMID: 23763700]
16) Cho WK, Choi DH, Lee J, Park W, Kim YB, Suh CO, et al. Comparison of failure patterns between tubular breast carcinoma and invasive ductal carcinoma (KROG 14-25). Breast. 2018; 38: 165-170. [PMID: 29413404]
17) Livi L, Paiar F, Meldolesi E, Talamonti C, Simontacchi G, Detti B, et al. Tubular carcinoma of the breast: outcome and loco-regional recurrence in 307 patients. Eur J Surg Oncol. 2005; 31(1): 9-12. [PMID: 15642419]
18) Li CI, Uribe DJ, Daling JR. Clinical characteristics of different histologic types of breast cancer. Br J Cancer. 2005; 93(9): 1046-52. [PMID: 16175185]
19) Huober J, Gelber S, Goldhirsch A, Coates AS, Viale G, Öhlschlegel C, et al. Prognosis of medullary breast cancer: analysis of 13 International Breast Cancer Study Group (IBCSG) trials. Ann Oncol. 2012; 23(11): 2843-51. [PMID: 22707751]
20) WHO Classification of Tumours Editorial Board. Breast tumours. Lyon (France): International Agency for Research on Cancer; 2019.
21) Rakha EA, Coimbra ND, Hodi Z, Juneinah E, Ellis IO, Lee AH. Immunoprofile of metaplastic carcinomas of the breast. Histopathology. 2017; 70(6): 975-85. [PMID: 28029685]
22) Schroeder MC, Rastogi P, Geyer CE Jr, Miller LD, Thomas A. Early and locally advanced metaplastic breast cancer: presentation and survival by receptor status in Surveillance, Epidemiology, and End Results (SEER) 2010-2014. Oncologist. 2018; 23(4): 481-8. [PMID: 29330212]
23) Paul Wright G, Davis AT, Koehler TJ, Melnik MK, Chung MH. Hormone receptor status does not affect prognosis in metaplastic breast cancer: a population-based analysis with comparison to infiltrating ductal and lobular carcinomas. Ann Surg Oncol. 2014; 21(11): 3497-503. [PMID: 24838367]
24) Tseng WH, Martinez SR. Metaplastic breast cancer: to radiate or not to radiate? Ann Surg Oncol. 2011; 18(1): 94-103. [PMID: 20585866]
25) Jung SY, Kim HY, Nam BH, Min SY, Lee SJ, Park C, et al. Worse prognosis of metaplastic breast cancer patients than other patients with triple-negative breast cancer. Breast Cancer Res Treat. 2010; 120(3): 627-37. [PMID: 20143153]
26) Luini A, Aguilar M, Gatti G, Fasani R, Botteri E, Brito JA, et al. Metaplastic carcinoma of the breast, an unusual disease with worse prognosis: the experience of the European Institute of Oncology and review of the literature. Breast Cancer Res Treat. 2007; 101(3): 349-53. [PMID: 17009109]
27) Vranic S, Bender R, Palazzo J, Gatalica Z. A review of adenoid cystic carcinoma of the breast with emphasis on its molecular and genetic characteristics. Hum Pathol. 2013; 44(3): 301-9. [PMID: 22520948]
28) Goldhirsch A, Winer EP, Coates AS, Gelber RD, Piccart-Gebhart M, Thürlimann B, et al; Panel members. Per-

sonalizing the treatment of women with early breast cancer: highlights of the St Gallen International Expert Consensus on the primary therapy of early breast cancer 2013. Ann Oncol. 2013; 24(9): 2206–23. [PMID: 23917950]

29) Munzone E, Giobbie-Hurder A, Gusterson BA, Mallon E, Viale G, Thürlimann B, et al; International Breast Cancer Study Group and the BIG 1-98 Collaborative Group. Outcomes of special histotypes of breast cancer after adjuvant endocrine therapy with letrozole or tamoxifen in the monotherapy cohort of the BIG 1-98 trial. Ann Oncol. 2015; 26(12): 2442–9. [PMID: 26387144]

30) Metzger Filho O, Giobbie-Hurder A, Mallon E, Gusterson B, Viale G, Winer EP, et al. Relative effectiveness of letrozole compared with tamoxifen for patients with lobular carcinoma in the BIG 1-98 trial. J Clin Oncol. 2015; 33(25): 2772–9. [PMID: 26215945]

原発巣の明らかでない腋窩リンパ節転移(腺癌)に対して，乳癌に準じた薬物療法は勧められるか？

ステートメント

- 原発巣不明の腋窩リンパ節転移(潜在性乳癌)に対しては，転移腋窩リンパ節の病理組織学的検討を行い，外科切除または放射線治療など局所に加えて，腋窩リンパ節転移陽性乳癌に準じた薬物療法を実施することが標準的である。

背景

発症時に転移巣のみが同定される原発不明癌は，全癌種の2～4%を占める悪性腫瘍で[1]，その予後は一般的に不良である[2]。しかし，病巣の分布や組織型等による分類で，特定の治療により長期の予後が期待できるサブグループが存在する[3)4]。女性，腺癌，腋窩リンパ節転移(潜在性乳癌)も予後良好群の一つで，乳癌に準じた治療が推奨されている[5]。本BQでは潜在性乳癌の治療のうち，特に薬物療法について概説する(☞外科FRQ14参照)。

解説

1）診断

腋窩リンパ節腫大を有する患者に対しては，腋窩リンパ節の細胞診による良悪性の診断を行い，さらに，針生検あるいは摘出生検により，ER，PgR，HER2などの免疫組織化学法を含めた病理診断を行う。近年は転移巣の遺伝子発現プロファイルにより原発巣を同定する分子生物学的アプローチも発達してきており，米国では商業ベースの診断として臨床に用いられている[6)7]。

2）薬物療法

薬物療法としては，Stage ⅡまたはStage Ⅲの原発乳癌に対する治療同様に，化学療法を主体とした治療を実施する。さらに，HER2陽性例では抗HER2薬，ホルモン受容体陽性例では内分泌療法を実施する。

化学療法に関して，局所療法に化学療法を追加することで，生存率が改善されることを示唆する報告がある[8)～10]。原発不明の腋窩リンパ節転移(腺癌)42例を対象とした1件の後ろ向きの検討では，局所治療後に化学療法(FAC，CMF等)を追加した場合(14例)と化学療法なし(28例)の比較では，5年生存率は93%と64%で化学療法実施例が良好な結果であった[10]。化学療法については，局所療法前での実施も報告されており[11]，転移腋窩リンパ節が大きい場合などは局所療法前の化学療法実施を考慮する。

抗HER2薬に関しては，原発巣不明の腋窩リンパ節転移(腺癌)のみを対象として，その有効性を検証した報告はない。小規模な後ろ向きの検討において，HER2陽性例にトラスツズマブなど抗HER2薬が実施されていることが報告されている[9]。

内分泌療法については，抗HER2薬同様，その有効性を検証した研究はない。複数の後ろ向きの検討では，ホルモン受容体陽性例に対して内分泌療法が選択されていることが報告されている[11)12)]。

以上より，原発巣不明の腋窩リンパ節転(腺癌)に対しては，局所療法に併せて，転移腋窩リンパ節の ER，PgR，HER2 などの病理組織学的所見に基づいて，化学療法，抗 HER2 薬，内分泌療法を行うことが標準的である。

検索キーワード・参考にした二次資料

PubMed にて，"occult breast cancer"，"occult breast carcinoma"，"latent breast carcinoma"，"latent breast cancer"，"Breast Neoplasms"，"Neoplasms, Unknown Primary"，"axilla*"，"axillary lymph node"，"lymph node"，"detection"，"diagnosis"，"therapy"，"sentinel node" のキーワードを用いて検索した。

参考文献

1) Greco FA, Burris HA 3rd, Erland JB, Gray JR, Kalman LA, Schreeder MT, et al. Carcinoma of unknown primary site. Cancer. 2000; 89(12): 2655-60. [PMID: 11135228]
2) Pavlidis N. Cancer of unknown primary: biological and clinical characteristics. Ann Oncol. 2003; 14 Suppl 3: iii11-8. [PMID: 12821533]
3) Pavlidis N, Briasoulis E, Hainsworth J, Greco FA. Diagnostic and therapeutic management of cancer of an unknown primary. Eur J Cancer. 2003; 39(14): 1990-2005. [PMID: 12957453]
4) Hemminki K, Riihimäki M, Sundquist K, Hemminki A. Site-specific survival rates for cancer of unknown primary according to location of metastases. Int J Cancer. 2013; 133(1): 182-9. [PMID: 23233409]
5) NCCN. Clinical practice guidelines in oncology: BREAST CANCER, version 4.2021
6) Greco FA, Lennington WJ, Spigel DR, Hainsworth JD. Molecular profiling diagnosis in unknown primary cancer: accuracy and ability to complement standard pathology. J Natl Cancer Inst. 2013; 105(11): 782-90. [PMID: 23641043]
7) Monzon FA, Koen TJ. Diagnosis of metastatic neoplasms: molecular approaches for identification of tissue of origin. Arch Pathol Lab Med. 2010; 134(2): 216-24. [PMID: 20121609]
8) Woods RL, Fox RM, Tattersall MH, Levi JA, Brodie GN. Metastatic adenocarcinomas of unknown primary site: a randomized study of two combination-chemotherapy regimens. N Engl J Med. 1980; 303(2): 87-9. [PMID: 6991941]
9) Goldberg RM, Smith FP, Ueno W, Ahlgren JD, Schein PS. 5-fluorouracil, adriamycin, and mitomycin in the treatment of adenocarcinoma of unknown primary. J Clin Oncol. 1986; 4(3): 395-9. [PMID: 3754004]
10) Ellerbroek N, Holmes F, Singletary E, Evans H, Oswald M, McNeese M. Treatment of patients with isolated axillary nodal metastases from an occult primary carcinoma consistent with breast origin. Cancer. 1990; 66(7): 1461-7. [PMID: 2207996]
11) Fayanju OM, Jeffe DB, Margenthaler JA. Occult primary breast cancer at a comprehensive cancer center. J Surg Res. 2013; 185(2): 684-9. [PMID: 23890400]
12) Sohn G, Son BH, Lee SJ, Kang EY, Jung SH, Cho SH, et al. Treatment and survival of patients with occult breast cancer with axillary lymph node metastasis: a nationwide retrospective study. J Surg Oncol. 2014; 110(3): 270-4. [PMID: 24863883]

FRQ 5 *BRCA* 病的バリアントを有する乳癌患者の周術期薬物療法として何が勧められるか？

ステートメント

- *BRCA* 病的バリアントを有する再発高リスク初発乳癌に対して，PARP 阻害薬であるオラパリブの有用性が示された。
- *BRCA* 病的バリアントを有するトリプルネガティブ乳癌に対してプラチナ製剤を含む術前化学療法が検討されている。

背景

乳癌における生殖細胞系列 *BRCA*（g*BRCA*）病的バリアントを有する症例は5％程度と少ない。統合解析の結果では，g*BRCA* 病的バリアントの有無は予後に影響しない〔n＝10,180，ハザード比（HR）1.06，95％CI 0.84-1.34，p＝0.61〕[1)]。

g*BRCA* 病的バリアントを有する進行・再発乳癌に対して，PARP〔poly（ADP-ribose）polymerase〕阻害薬は従来の化学療法と比較し，無増悪生存期間（PFS）の延長を示した。また，g*BRCA* 病的バリアントを有する進行・再発乳癌に対して，プラチナ製剤による高い奏効割合が報告されている（☞薬物 FRQ13 参照）。

これらの結果を受け，g*BRCA* 病的バリアントを有する乳癌の周術期治療も検討がなされている。

解説

1）PARP 阻害薬

BRCA1/2 遺伝子が正常に機能していない細胞において PARP を阻害すると，相同組み換えによる DNA 修復酵素が働かず相同組み換え修復不全（homologous recombination deficiency；HRD）となり，これにより細胞は合成致死へ誘導される。

PARP 阻害薬であるオラパリブについて，術前・術後化学療法終了後の g*BRCA* 病的バリアントを有する再発高リスク患者に対して，術後オラパリブ追加の有用性を検証する第Ⅲ相試験（OlympiA 試験）の結果が報告されている[2)]。術前化学療法が行われた場合，トリプルネガティブ乳癌（TNBC）では non-pCR（乳房および/あるいは腋窩リンパ節に浸潤癌が残存），ホルモン受容体陽性乳癌では non-pCR かつ clinical and pathological stage（CPS）and estrogen-receptor status and histologic grade（EG）スコア 3 以上，術後化学療法が行われた場合 TNBC では pT2 以上あるいは pN1 以上，ホルモン受容体陽性乳癌では腋窩リンパ節転移 4 個以上を対象に，オラパリブ 1 年間内服とプラセボ 1 年間内服が比較された。1,836 人がランダム化され，3 年の浸潤癌の無病生存期間（IDFS）はオラパリブ群 85.9％，プラセボ群 77.1％，HR 0.58（99.5％CI 0.41-0.82，p＜0.001）とオラパリブ群で有意な改善を認めた。全生存期間（OS）は中間解析時点では有意ではないものの，オラパリブ群で改善する傾向がみられた（HR 0.68，99.5％CI 0.44-1.05，p＝0.02）。

PARP 阻害薬の術前投与については，talazoparib（未承認）の第Ⅱ相試験が報告されている[3]。*gBRCA* 病的バリアントを有する 1 cm 以上の浸潤性乳癌 20 例を対象に，talazoparib 1 mg/日を 6 カ月間投与し，pCR 率は 53％であり，今後の開発が期待される。

以上より，*gBRCA* 病的バリアントを有する再発高リスク初発乳癌に対して，PARP 阻害薬であるオラパリブの有用性が示され，術前 PARP 阻害薬投与の有効性も期待される。また，転移・再発乳癌では，*gBRCA* 病的バリアントではなく，腫瘍細胞における *BRCA* 病的バリアントを有する乳癌に対してもオラパリブの有効性が示されており[4]，周術期においてもその効果が期待される。

2）プラチナ製剤

TNBC では他のサブタイプよりも *gBRCA1* 病的バリアントを有する頻度が高く，その多くがいわゆる basal-like タイプの発現をしていることが知られており，TNBC での *gBRCA* 病的バリアントの有無による薬剤感受性の検討が進められている。

TNBC に対する術前カルボプラチン＋エリブリンの第Ⅱ相試験において，HRD が pCR の予測因子であったと報告された[5]。*gBRCA* 病的バリアントはプラチナ感受性の重要なバイオマーカーである可能性があるが，PARP 阻害薬やプラチナ製剤の作用機序には HRD による合成致死が重要であり，*BRCA* 遺伝子の機能不全を含む HRD がこれら薬剤のバイオマーカーとなることが示唆されている。

gBRCA 病的バリアントを有する TNBC に対するプラチナ製剤を含む術前化学療法のメタアナリシスでは，7 つの試験 808 例の TNBC が統合解析され，このうち 159 例が *gBRCA* 病的バリアントを有し，pCR 率は 58.4％であったが，*gBRCA* 病的バリアントを有しない 410 例の pCR 率（50.7％）と有意差は認めなかった[6]。

ドイツで行われた GeparSixto（GBG 66）試験では，TNBC および HER2 陽性乳癌患者を対象とし，TNBC 患者（n＝315）に対してはパクリタキセル＋リポソーム化ドキソルビシン＋ベバシズマブ併用化学療法へのカルボプラチン併用の有無を比較した[7]。TNBC での乳房および腋窩リンパ節の pCR 率は，カルボプラチン併用群で 53.2％，非併用群で 36.9％であった。カルボプラチン併用により Grade 3 以上の有害事象として，好中球数減少，貧血，血小板数減少，下痢が増強した。*gBRCA1* および *gBRCA2* 病的バリアントの有無を確認された TNBC 患者（n＝291）におけるカルボプラチン併用の有無を比較した結果も報告されている[8]。カルボプラチン併用群では pCR 率は *BRCA* 病的バリアントを有しない患者で 55.0％，*BRCA* 病的バリアントを有する患者で 65.4％（オッズ比 1.55，95％CI 0.64-3.74，p＝0.33），非併用群において pCR 率は *BRCA* 病的バリアントを有しない患者で 36.4％，*BRCA* 病的バリアントを有する患者で 66.7％（オッズ比 3.50，95％CI 1.39-8.84，p＝0.008）であった。カルボプラチン併用群と非併用群で同等の pCR 率が得られていることから，コントロール群のパクリタキセル＋リポソーム化ドキソルビシン＋ベバシズマブ併用化学療法に含まれていたドキソルビシンによる DNA 修復阻害作用によりカルボプラチン上乗せ効果がみられなかった可能性が議論されている。

以上より，*BRCA* 病的バリアントを有するトリプルネガティブ乳癌に対するプラチナ製剤を含む術前化学療法により，高い pCR 率が報告されているが，プラチナ製剤上乗せにより pCR 率が上昇するかどうかについては確立しておらず，今後の検討課題である。

検索キーワード・参考にした二次資料

PubMed で，"Breast Neoplasms"，"BRCA1 Protein"，"BRCA2 Protein"，"Genes, BRCA1"，"Genes, BRCA2" のキーワードで検索した。検索期間は 2019 年 2 月までとし，91 件がヒットした。追加で，"talazoparib or olaparib" "breast neoplasms" のキーワードで検索した。検索期間は 2019 年 2 月までとし，306 件がヒットした。検索期間を 2021 年 3 月までとして，PubMed で，"Breast Neoplasms/drug therapy"，"Chemotherapy, Adjuvant"，"Neoadjuvant Therapy"，"BRCA1 Protein"，"Genes, BRCA1"，"Genes, BRCA2"，"BRCA2 Protein"，"BRCA2 protein, human" のキーワードで検索し，140 件がヒットした。

参考文献

1) Templeton AJ, Gonzalez LD, Vera-Badillo FE, Tibau A, Goldstein R, Šeruga B, et al. Interaction between hormonal receptor status, age and survival in patients with BRCA1/2 germline mutations: a systematic review and meta-regression. PLoS One. 2016; 11(5): e0154789. [PMID: 27149669]
2) Tutt ANJ, Garber JE, Kaufman B, Viale G, Fumagalli D, Rastogi P, et al; OlympiA Clinical Trial Steering Committee and Investigators. Adjuvant olaparib for patients with BRCA1- or BRCA2-mutated breast cancer. N Engl J Med. 2021; 384(25): 2394-405. [PMID: 34081848]
3) Litton JK, Scoggins ME, Hess KR, Adrada BE, Murthy RK, Damodaran S, et al. Neoadjuvant talazoparib for patients with operable breast cancer with a germline brca pathogenic variant. J Clin Oncol. 2020; 38(5): 388-94. [PMID: 31461380]
4) Tung NM, Robson ME, Ventz S, Santa-Maria CA, Nanda R, Marcom PK, et al. TBCRC 048: phase Ⅱ study of olaparib for metastatic breast cancer and mutations in homologous recombination-related genes. J Clin Oncol. 2020; 38(36): 4274-82. [PMID: 33119476]
5) Kaklamani VG, Jeruss JS, Hughes E, Siziopikou K, Timms KM, Gutin A, et al. Phase Ⅱ neoadjuvant clinical trial of carboplatin and eribulin in women with triple negative early-stage breast cancer(NCT01372579). Breast Cancer Res Treat. 2015; 151(3): 629-38. [PMID: 26006067]
6) Caramelo O, Silva C, Caramelo F, Frutuoso C, Almeida-Santos T. The effect of neoadjuvant platinum-based chemotherapy in BRCA mutated triple negative breast cancers-systematic review and meta-analysis. Hered Cancer Clin Pract. 2019; 17: 11. [PMID: 30962858]
7) von Minckwitz G, Schneeweiss A, Loibl S, Salat C, Denkert C, Rezai M, et al. Neoadjuvant carboplatin in patients with triple-negative and HER2-positive early breast cancer(GeparSixto; GBG 66): a randomised phase 2 trial. Lancet Oncol. 2014; 15(7): 747-56. [PMID: 24794243]
8) Hahnen E, Lederer B, Hauke J, Loibl S, Kröber S, Schneeweiss A, et al. Germline mutation status, pathological complete response, and disease-free survival in triple-negative breast cancer: secondary analysis of the GeparSixto randomized clinical trial. JAMA Oncol. 2017; 3(10): 1378-85. [PMID: 28715532]

FRQ 6 早期男性乳癌に対する薬物療法は何が推奨されるか？

ステートメント

- 内分泌療法は，タモキシフェン単剤を考慮する。タモキシフェンの使用が困難な場合には，アロマターゼ阻害薬＋LH-RH アゴニストを考慮してもよい。
- 化学療法は，早期女性乳癌に準じて考慮する。
- 分子標的療法は，早期女性乳癌に準じて考慮してもよい。

背景

男性に発生する乳癌は全乳癌の 1％未満と稀な疾患である。診断年齢は女性より高く，ホルモン受容体陽性 HER2 陰性が約 9 割を占める。15～20％に乳癌家族歴が存在し，男性乳癌における生殖細胞系列の *BRCA1* 病的バリアントは 0～4％，*BRCA2* 病的バリアントは 4～16％にみられる[1)2)]。早期男性乳癌のみを対象として薬物療法による再発抑制効果を検討したランダム化比較試験は存在せず，実地診療においては，女性乳癌に準じた薬物療法が行われている。男性におけるエストロゲンの一部は精巣由来であり[3)]，アロマターゼ阻害薬単剤ではエストラジオールを完全に抑制することはできない[4)5)]ことを考慮する必要がある。

解説

早期男性乳癌を対象とした後ろ向き観察研究において，術後薬物療法を施行した患者は施行していない患者よりも予後が良好であったことが報告されている[6)]。男性は女性に比べて平均寿命が短く，乳癌発症年齢も高いことから，期待される予後が女性乳癌よりも短くなることに注意を要するが，現時点では，早期女性乳癌に準じた薬物療法により再発抑制を図ることが考慮される。

ホルモン受容体陽性 HER2 陰性早期男性乳癌の術後内分泌療法としてはタモキシフェン投与が考慮される[1)2)]。早期男性乳癌を対象とした術後 1 年（1988 年以降は 2 年）のタモキシフェン単アームの試験で，5 年時全生存率（OS）はタモキシフェン 61％，historical controls 44％（$p=0.006$），5 年時無病生存率（DFS）はタモキシフェン 56％，historical controls 28％（$p=0.0005$）とタモキシフェンで良好であった[7)]。また，前向きコホート研究において，タモキシフェン投与群では非投与群に比べ DFS の延長がみられ（$p=0.002$），再発または死亡はタモキシフェン投与群で 13.9％，非投与群で 22.6％であった[8)]。男性乳癌における術後内分泌療法の至適投与期間は確立されていないが，早期女性乳癌に準じて，術後タモキシフェンは 5 年間の投与が考慮される。また，再発リスクが高いと考えられる術後 5 年間のタモキシフェンを完遂した男性乳癌患者においては，さらにタモキシフェン投与を 5 年間延長することを考慮してもよい。早期男性乳癌患者 64 人の後ろ向き研究において，タモキシフェンによる体重増加 14 人（22％），性機能低下 14 人（22％）があり，13 人（20.3％）で有害事象による治療中止が報告されている[9)]。また，男性乳癌患者ではタモキシフェン開始から 18 カ月までの期間に血栓症リスクが高くなるという報告があり[10)]，注意を要する。

男性においては精巣におけるエストロゲン産生があり[3]，アロマターゼ阻害薬単剤はエストラジオールを35～62%減少させるが，完全に抑制することはできない[4)5)]。早期男性乳癌および女性乳癌患者に対するタモキシフェンとアロマターゼ阻害薬の効果を検討した後ろ向き研究において，タモキシフェンでは5年生存率に差がなかった（男性乳癌89.2%，女性乳癌85.1%，$p=0.972$）が，アロマターゼ阻害薬では男性乳癌において有意に5年生存率が低下していた（男性乳癌73.3%，女性乳癌85.0%，$p=0.028$）[11]。ホルモン受容体陽性男性乳癌を対象に治療後のエストラジオール値の変化を検討したMale-GBG 54試験において，3カ月後のエストラジオールはLH-RHアゴニスト＋タモキシフェン群で85%減少，LH-RHアゴニスト＋アロマターゼ阻害薬群で72%減少したが，LH-RHアゴニストの追加によるQOL低下やホットフラッシュ，性機能低下等の有害事象の増加も報告されている[12]。早期男性乳癌に対してタモキシフェンやアロマターゼ阻害薬にLH-RHアゴニストを追加した際の再発抑制効果は不明であり，前向き試験による検証が望まれる。

早期男性乳癌においても化学療法による再発抑制が期待される。アンスラサイクリン含有レジメンまたはCMF療法を施行したStage Ⅱ－Ⅲの男性乳癌に80%以上の5年生存率が複数報告されている[13]。Surveillance, Epidemiology, and End Results（SEER）データベースからStage Ⅰ－Ⅲの男性乳癌患者を抽出し，術後化学療法を施行された257人と施行されていない257人を比較した研究において，化学療法を受けた患者ではOSが延長した（4年OS：97.5% vs 95.2%，$p<0.001$）が，Stage Ⅰ－ⅡAでは有意な差はみられなかった[14]。男性乳癌においても，女性乳癌と同様に，化学療法の判断に多遺伝子アッセイが有用である可能性が示唆されている[15]。

新規薬剤に関して，ホルモン受容体陽性HER2陰性乳癌の術後内分泌療法にアベマシクリブの上乗せ効果を検証したmonarchE試験[16]，HER2陽性乳癌の標準的な術後化学療法へのペルツズマブの上乗せ効果を検証したAPHINITY試験[17]，および生殖細胞系列*BRCA1/2*病的バリアントを有し，かつHER2陰性乳癌で術前・術後化学療法を完了した早期乳癌患者へのオラパリブの追加効果を検討したOlympiA試験[18]において男性乳癌患者が含まれていたが，その数は少なく，性別によるサブグループ解析は実施されていない。これらの薬剤の男性乳癌における効果を判断するにはさらなる検討が望まれるが，これまでにこれら薬剤の効果が男性乳癌で減弱する可能性を示唆した報告はない。

以上のように早期男性乳癌の治療法は確立していない。現時点では，ホルモン受容体陽性早期男性乳癌の術後内分泌療法にはタモキシフェン単剤を考慮する。アロマターゼ阻害薬単剤では再発抑制効果が不十分と考えられることから，タモキシフェンの使用が困難な場合には，アロマターゼ阻害薬＋LH-RHアゴニストを考慮してもよい。また，アベマシクリブ，ペルツズマブ，オラパリブの追加は，早期女性乳癌に準じて考慮してもよい。

検索キーワード・参考にした二次資料

PubMedで，"Breast neoplasms"，"Male"，"Chemotherapy, Adjuvant"，"Antineoplastic Agents, Hormonal"，"Neoadjuvant Therapy"をキーワードとして検索した。検索期間は2021年3月までとし，ランダム化比較試験27報，メタアナリシス2報がヒットした。ハンドサーチで16報の論文を追加した。このなかから主要な論文18報を選択した。

参考文献

1) Hassett MJ, Somerfield MR, Baker ER, Cardoso F, Kansal KJ, Kwait DC, et al. Management of male breast cancer: ASCO Guideline. J Clin Oncol. 2020; 38(16): 1849-63. [PMID: 32058842]
2) Giordano SH. Breast cancer in men. N Engl J Med. 2018; 378(24): 2311-20. [PMID: 29897847]
3) Hemsell DL, Grodin JM, Brenner PF, Siiteri PK, MacDonald PC. Plasma precursors of estrogen. Ⅱ. Correlation of the extent of conversion of plasma androstenedione to estrone with age. J Clin Endocrinol Metab. 1974; 38(3): 476-9. [PMID: 4815174]
4) Leder BZ, Rohrer JL, Rubin SD, Gallo J, Longcope C. Effects of aromatase inhibition in elderly men with low or borderline-low serum testosterone levels. J Clin Endocrinol Metab. 2004; 89(3): 1174-80. [PMID: 15001605]
5) Hayes FJ, Seminara SB, Decruz S, Boepple PA, Crowley WF Jr. Aromatase inhibition in the human male reveals a hypothalamic site of estrogen feedback. J Clin Endocrinol Metab. 2000; 85(9): 3027-35. [PMID: 10999781]
6) Giordano SH, Perkins GH, Broglio K, Garcia SG, Middleton LP, Buzdar AU, et al. Adjuvant systemic therapy for male breast carcinoma. Cancer. 2005; 104(11): 2359-64. [PMID: 16270318]
7) Ribeiro G, Swindell R. Adjuvant tamoxifen for male breast cancer(MBC). Br J Cancer. 1992; 65(2): 252-4. [PMID: 1739625]
8) Eggemann H, Brucker C, Schrauder M, Thill M, Flock F, Reinisch M, et al. Survival benefit of tamoxifen in male breast cancer: prospective cohort analysis. Br J Cancer. 2020; 123(1): 33-37. [PMID: 32367072]
9) Pemmaraju N, Munsell MF, Hortobagyi GN, Giordano SH. Retrospective review of male breast cancer patients: analysis of tamoxifen-related side-effects. Ann Oncol. 2012; 23(6): 1471-4. [PMID: 22085764]
10) Eggemann H, Bernreiter AL, Reinisch M, Loibl S, Taran FA, Costa SD, et al. Tamoxifen treatment for male breast cancer and risk of thromboembolism: prospective cohort analysis. Br J Cancer. 2019; 120(3): 301-5. [PMID: 30655614]
11) Eggemann H, Altmann U, Costa SD, Ignatov A. Survival benefit of tamoxifen and aromatase inhibitor in male and female breast cancer. J Cancer Res Clin Oncol. 2018; 144(2): 337-41. [PMID: 29098396]
12) Reinisch M, Seiler S, Hauzenberger T, Kamischke A, Schmatloch S, Strittmatter HJ, et al. Efficacy of endocrine therapy for the treatment of breast cancer in men: results from the male phase 2 randomized clinical trial. JAMA Oncol. 2021; 7(4): 565-72. [PMID: 33538790]
13) Izquierdo MA, Alonso C, De Andres L, Ojeda B. Male breast cancer. Report of a series of 50 cases. Acta Oncol. 1994; 33(7): 767-71. [PMID: 7993644]
14) Li WP, Gao HF, Ji F, Zhu T, Cheng MY, Yang M, et al. The role of adjuvant chemotherapy in stage Ⅰ-Ⅲ male breast cancer: a SEER-based analysis. Ther Adv Med Oncol. 2020; 12: 1758835920958358. [PMID: 33014148]
15) Massarweh SA, Sledge GW, Miller DP, McCullough D, Petkov VI, Shak S. Molecular characterization and mortality from breast cancer in men. J Clin Oncol. 2018; 36(14): 1396-404. [PMID: 29584547]
16) Johnston SRD, Harbeck N, Hegg R, Toi M, Martin M, Shao ZM, et al; monarchE Committee Members and Investigators. Abemaciclib combined with endocrine therapy for the adjuvant treatment of HR+, HER2−, node-positive, high-risk, early breast cancer(monarchE). J Clin Oncol. 2020; 38(34): 3987-98. [PMID: 32954927]
17) von Minckwitz G, Procter M, de Azambuja E, Zardavas D, Benyunes M, Viale G, et al; APHINITY Steering Committee and Investigators. Adjuvant pertuzumab and trastuzumab in early HER2-positive breast cancer. N Engl J Med. 2017; 377(2): 122-31. [PMID: 28581356]
18) Tutt ANJ, Garber JE, Kaufman B, Viale G, Fumagalli D, Rastogi P, et al; OlympiA Clinical Trial Steering Committee and Investigators. Adjuvant olaparib for patients with BRCA1- or BRCA2-mutated breast cancer. N Engl J Med. 2021; 384(25): 2394-405. [PMID: 34081848]

FRQ 7 早期高齢者乳癌患者に対して周術期薬物療法は勧められるか？

癌治療において高齢者は併存症，臓器機能の面から薬物療法の合併症により標準治療が不十分な場合が多い。乳癌診療ガイドライン 2018 年版において「高齢者乳癌に対する術後薬物療法として何が勧められるか？」として CQ26 に内分泌療法，化学療法，抗 HER2 療法に関しての記載がある。しかし，2022 年版を作成するにあたり，高齢者に限定したランダム化比較試験は少数であり，システマティック・レビューを行うことができない項目もあるため FRQ とした。また，化学療法および抗 HER2 療法に関しては，「高齢者のがん薬物療法ガイドライン」(日本臨床腫瘍学会/日本癌治療学会　編集，南江堂，2019 年)内に下記の 3 つの CQ があり，詳細に説明されているので，そちらを参照されたい。

① CQ10：高齢者ホルモン受容体陽性，HER2 陰性乳がんの術後化学療法でアントラサイクリン系抗がん薬を投与すべきか？

② CQ11：高齢者トリプルネガティブ乳がんの術後化学療法でアントラサイクリン系抗がん薬の省略は可能か？

③ CQ12：高齢者 HER2 陽性乳がん術後に対して，術後薬物療法にはどのような治療が推奨されるか？

FRQ 7a 内分泌療法の場合

ステートメント

- **ホルモン受容体陽性の高齢者乳癌に対する術後内分泌療法として，アロマターゼ阻害薬もしくはタモキシフェンを投与することが妥当である。**

背景

乳癌診療ガイドライン 2018 年版では CQ26a としてレビューを行い，「ホルモン受容体陽性の高齢者乳癌に対する術後内分泌療法として，アロマターゼ阻害薬もしくはタモキシフェンの投与を強く推奨する」とした。今回，2022 年版を作成するにあたり，下記検索キーワードで文献検索を行ったが，高齢者に限定したランダム化第Ⅲ相比較試験は存在しなかった。このため，EBCTCG メタアナリシス[1)]や BIG 1-98/ATAC 試験[2)]など大規模臨床試験のサブグループ解析をもとにレビューを行った。なお，本 FRQ で採用した内分泌療法に対する試験では，主に 70 歳以上と 70 歳未満で比較していたため，70 歳以上を高齢者と定義した。

解説

EBCTCG メタアナリシスのサブグループ解析(70 歳以上)では，無治療に対してタモキシフェンを投与することにより，全生存期間(OS)は有意ではない($p=0.09$)ものの，ハザード比(HR)

0.80と改善する傾向にあり，再発率に関しては有意に改善する結果であった(HR 0.52，95%CI 0.35-0.75)[1]。有害事象の一つである，子宮内膜癌の発生率は55～69歳の群では増加する(相対リスク2.96，$p=0.0001$)ものの，70歳以上では両群で差はなかった。

アロマターゼ阻害薬5年投与とタモキシフェン5年投与を比較したメタアナリシスのサブグループ解析(70歳以上)では，アロマターゼ阻害薬群で再発率は低い傾向にあったが，その差は大きいものではない(HR 0.81，95%CI 0.67-0.99)[3]。また，OSに関しては，全体でもアロマターゼ阻害薬とタモキシフェンに有意差はなく(8年時累積死亡率18.0% vs 17.8%，$p=0.3$)，高齢者に限定した解析はない。このため有効性の観点から，タモキシフェン，アロマターゼ阻害薬のいずれかに限定することはできない。

有害事象においては，骨折・骨粗鬆症は年齢に関係なくアロマターゼ阻害薬内服により増加する。また，75歳以上では虚血性心疾患がアロマターゼ阻害薬により増加する傾向であった。血栓症は両群で差を認めていない。

高齢者であってもホルモン受容体陽性乳癌に対しては，内分泌療法により再発抑制効果を認めるため，再発リスクに応じて内分泌療法を施行すべきである。しかし，アロマターゼ阻害薬とタモキシフェンで，その有効性に大きな差があるとはいえない。それぞれの薬剤に特有の有害事象があるため，患者の併存症，患者希望，副作用に併せて薬剤選択を行うべきである。

検索キーワード・参考にした二次資料

PubMed，Cochraneで，"Breast Neoplasms/therapy"，"Aged"，"Adjuvant"のキーワードを用いて検索し，それぞれ682編，139編が抽出された。また，医中誌で，乳房腫瘍，高齢者，アジュバント療法のキーワードを用いて検索し，7編が抽出された。計828編が抽出され，一次スクリーニングで6編，二次スクリーニングで3編の論文が抽出された。

参考文献

1) Early Breast Cancer Trialists' Collaborative Group(EBCTCG), Davies C, Godwin J, Gray R, Clarke M, Cutter D, et al. Relevance of breast cancer hormone receptors and other factors to the efficacy of adjuvant tamoxifen: patient-level meta-analysis of randomised trials. Lancet. 2011; 378(9793): 771-84. [PMID: 21802721]
2) Crivellari D, Sun Z, Coates AS, Price KN, Thürlimann B, Mouridsen H, et al. Letrozole compared with tamoxifen for elderly patients with endocrine-responsive early breast cancer: the BIG 1-98 trial. J Clin Oncol. 2008; 26(12): 1972-9. [PMID: 18332471]
3) Dowsett M, Cuzick J, Ingle J, Coates A, Forbes J, Bliss J, et al. Meta-analysis of breast cancer outcomes in adjuvant trials of aromatase inhibitors versus tamoxifen. J Clin Oncol. 2010; 28(3): 509-18. [PMID: 19949017]

FRQ 7b 化学療法の場合

ステートメント

- 高齢者乳癌に対する周術期の化学療法としては，標準的化学療法を行うことが妥当と考えられる。

背景

乳癌診療ガイドライン2018年版ではCQ26bとしてレビューを行い，「高齢者乳癌に対する周術期の化学療法として標準的化学療法を行うことが推奨される」とした。その後，2019年に日本臨床腫瘍学会/日本癌治療学会から「高齢者のがん薬物療法ガイドライン」[1]が刊行され，高齢者に対する化学療法に対する詳細な検討がなされている。今回，2022年版を作成するにあたり，下記検索キーワードで文献検索を行ったが，新たな追加文献はなかった。

解説

文献検索において，新たな高齢者に限定したランダム化第Ⅲ相比較試験は存在しなかった。このため，高齢者の周術期薬物療法に関しては，「高齢者のがん薬物療法ガイドライン」のCQ10，およびCQ11を参照されたい[1]。

一般的に高齢者とは65歳以上を指すが，日常診療においては年齢だけでなく，全身状態を評価して治療方針を考案することとなる。このため，今後は暦年齢のみではなく，身体機能，認知機能，社会的要素など高齢者総合的機能評価（comprehensive geriatric assessment；CGA）等を用いることが一般的になっていくと予測され，CGAを組み込んだ臨床試験も進行中である。また，化学療法による副作用を予測するようなツール（Cancer and Aging Research Group Chemo Toxicity Caluculator：http://www.mycarg.org/Chemo_Toxicity_Calculator）の使用もNCCNガイドラインでは推奨されている[2]。

薬物療法

検索キーワード・参考にした二次資料

PubMed，Cochraneで，“Breast Neoplasms/therapy”，“Aged”，“Adjuvant”のキーワードで検索した。検索期間は2021年3月までとし，それぞれ682編，139編がヒットした。また，医中誌にて，乳房腫瘍，高齢者，アジュバント療法のキーワードを用いて検索し，7編が抽出された。計828編が抽出され，一次スクリーニングで18編，二次スクリーニングで4編の論文が抽出された。

参考文献

1）日本臨床腫瘍学会，日本癌治療学会編．高齢者のがん薬物療法ガイドライン．東京，南江堂，2019.
2）NCCN. Clinical practice guidelines in Oncology: Older Adult Oncology. Version 1. 2021
http://www.nccn.org（アクセス日：2021/9）

FRQ 7c HER2陽性乳癌の場合

ステートメント

- **HER2陽性の高齢者乳癌に対して術後化学療法を行うとき，化学療法と抗HER2療法を併用することが妥当と考えられる。**

背景

乳癌診療ガイドライン2018年版ではCQ26cとしてシステマティック・レビューを行い「HER2陽性の高齢者乳癌に対して術後化学療法を行うとき，抗HER2療法を併用することを強く推奨する」とした。その後，2019年に日本臨床腫瘍学会/日本癌治療学会から「高齢者のがん薬物療法ガイドライン」[1]が刊行され，高齢者HER2陽性乳癌術後に対する薬物療法に対して詳細な検討がなされている。しかし，乳癌診療ガイドライン2018年版同様に，採用されている4つのランダム化第Ⅲ相比較試験はいずれも高齢者を対象としたものではなく，サブグループ解析に対する定性的システマティック・レビューである。2022年版を作成するにあたり，下記検索キーワードで文献検索を行い，これまでの論文に新たに 1 件の文献が追加された。

解 説

高齢者を含む HER2 陽性の術後薬物療法に関する，4 つのランダム化第Ⅲ相比較試験は HERA 試験[2)]，BCIRG 006 試験[3)]，NSABP B-31 試験[4)]，N 9831 試験[5)]である。いずれの試験も高齢者の割合は低いものの，60 歳以上のサブグループ解析においても，無病生存期間(DFS)，OS の改善を認めている。

しかし，トラスツズマブ追加による副作用として最も懸念される心毒性に関して NSABP B-31/N 9831 試験で報告されており，60 歳以上の患者では 50 歳未満の患者に比し，心血管イベントが高率(HR 3.2，95%CI 1.55-6.81)であったことに留意が必要である。

これまで HER2 陽性の術後薬物療法において，化学療法を併用しない場合のトラスツズマブ単剤の有効性は示されていなかった。わが国で行われた RESPECT 試験では 70～80 歳の HER2 陽性乳癌患者 275 人を，試験治療であるトラスツズマブ単独療法群と標準治療である化学療法＋トラスツズマブ併用療法群に割り付けている[6)]。主評価項目である無増悪生存期間(PFS)(3 年)は単独療法群：89.5%，併用療法群：93.8%(HR 1.36，95%CI 0.72-2.58，$p=0.51$)であり，非劣性は証明されなかった。しかし，副作用は食思不振：7.4% vs 44.3%($p<0.0001$)，脱毛：2.2% vs 71.7%($p<0.0001$)，Grade 3～4 以上の非血液毒性：11.9% vs 29.8%($p=0.0003$)(いずれも単独療法群 vs 併用療法群)であり副作用は少なかった。また，QOL は治療開始 1 年時までは有意に良好であった。以上の結果から，化学療法が投与できない高齢者にはトラスツズマブ単独療法も選択肢の一つとなり得ることが示唆された。

検索キーワード・参考にした二次資料

PubMed，Cochrane で，"Breast Neoplasms/therapy"，"Aged"，"Adjuvant" のキーワードで検索した。検索期間は 2021 年 3 月までとし，それぞれ 682 編，139 編がヒットした。一次スクリーニングで 18 編，二次スクリーニングで 5 編の論文が抽出された。

参考文献

1) 日本臨床腫瘍学会，日本癌治療学会編．高齢者のがん薬物療法ガイドライン．東京，南江堂，2019.
2) Cameron D, Piccart-Gebhart MJ, Gelber RD, Procter M, Goldhirsch A, de Azambuja E, et al; Herceptin Adjuvant (HERA) Trial Study Team. 11 years' follow-up of trastuzumab after adjuvant chemotherapy in HER2-positive early breast cancer: final analysis of the HERceptin Adjuvant (HERA) trial. Lancet. 2017; 389(10075): 1195-205. [PMID: 28215665]
3) Slamon D, Eiermann W, Robert N, Pienkowski T, Martin M, Press M, et al; Breast Cancer International Research Group. Adjuvant trastuzumab in HER2-positive breast cancer. N Engl J Med. 2011; 365(14): 1273-83. [PMID: 21991949]
4) Perez EA, Romond EH, Suman VJ, Jeong JH, Sledge G, Geyer CE Jr, et al. Trastuzumab plus adjuvant chemotherapy for human epidermal growth factor receptor 2-positive breast cancer: planned joint analysis of overall survival from NSABP B-31 and NCCTG N9831. J Clin Oncol. 2014; 32(33): 3744-52. [PMID: 25332249]
5) Tolaney SM, Barry WT, Dang CT, Yardley DA, Moy B, Marcom PK, et al. Adjuvant paclitaxel and trastuzumab for node-negative, HER2-positive breast cancer. N Engl J Med. 2015; 372(2): 134-41. [PMID: 25564897]
6) Sawaki M, Taira N, Uemura Y, Saito T, Baba S, Kobayashi K, et al; RESPECT study group. Randomized controlled trial of trastuzumab with or without chemotherapy for HER2-positive early breast cancer in older patients. J Clin Oncol. 2020; 38(32): 3743-52. [PMID: 32936713]

FRQ 8 妊娠期乳癌に対して周術期の薬物療法は勧められるか？

ステートメント

- 妊娠中の内分泌療法および抗 HER2 療法を含めた分子標的治療は行うべきではない。
- 妊娠前期（0～14 週未満）の化学療法は行うべきではない。
- 妊娠中期（14～28 週未満）・後期（28 週以降）での化学療法は，長期の安全性は確立されていないが，必要と判断される場合は考慮してもよい。

背 景

妊娠期乳癌は比較的稀であるが，出産年齢の高齢化と乳癌罹患率の上昇でわが国でも増加傾向にある[1)]。妊娠期乳癌は母体と胎児，両者の健康を考慮に入れて治療を行わなければならず，多職種が関わったマネジメントが必要である。妊娠期乳癌に対する薬物療法の前向き介入研究は存在せず，本項では限られた報告から妊娠期乳癌に対する薬物療法の安全性について検討した。

解 説

1）化学療法

化学療法を器官形成期にあたる妊娠前期（first trimester，0～14 週未満）に行うことで先天性奇形，染色体異常，死産，流産のリスクが高まり，胎児奇形は出生児の 15～20％に認められると報告されている[2)]。よってこの時期に化学療法を行うべきではない。妊娠中期（second trimester，14～28 週未満）および妊娠後期（third trimester，28 週以降）に化学療法を行っても，先天性奇形の頻度は 1～4％と一般的な妊娠・出産の頻度と変わらないことが複数の後ろ向き研究で報告されている[3)4)]。しかし，妊娠中期以降の化学療法により，胎児発育不良，早産や出産後の器官未成熟の割合の増加が報告されている[5)]。妊娠中期以降で化学療法を行った 81 例の前向き観察研究では，先天異常は 3％と一般コホートと変わりない結果であった[6)]。447 例の前向き観察研究では，化学療法施行例で低出生体重児，産科的合併症が多い傾向にあったが，臨床的に有意な差は認められなかった[7)]。以上から，妊娠中の化学療法は長期の安全性が確立しておらず，娩出後に行うのが原則であるが，妊娠中期・後期で化学療法が必要と判断される際には考慮してもよい。

妊娠期乳癌で最も安全性と有効性が示されているレジメンは，AC 療法（ドキソルビシン＋シクロホスファミド）と FAC 療法（フルオロウラシル＋ドキソルビシン＋シクロホスファミド）である[3)5)～7)]。しかし，アンスラサイクリン系薬剤の曝露による胎児の心疾患や不妊への影響に関する長期のデータは不足している。Dose-dense AC 療法やエピルビシンに関する安全性のデータはより少ない。

タキサン（パクリタキセル，ドセタキセル）投与に関するレビューは 2 件あり，いずれも妊婦・胎児への安全性や忍容性は保たれているとの報告であった[8)9)]。ただし，あくまで少数例で報告された後ろ向き研究のレビューであり，出版バイアスの関与は否定できない。タキサンはドキソルビシンと比較して妊娠期乳癌での使用例が少ないため，現時点ではアンスラサイクリン投与ができない場合(既に限界量まで投与，不応例など)を除いて使用は勧められない。

2）内分泌療法

妊娠期乳癌に対する内分泌療法は，妊娠前期では催奇形性，妊娠中期以降では胎児の機能的発育への影響から使用は避けるべきである。また，エストロゲンは子宮筋を弛緩させ妊娠を維持する方向に作用しており，内分泌療法によるエストロゲン作用の抑制は妊娠継続に影響を与える可能性がある。妊娠期乳癌に対してタモキシフェンを使用した報告のレビューでは，出生した138人中16人(11.6%)で先天性奇形を認めた[10)]。また，タモキシフェンに関するAstraZeneca Safety Databaseの139胎児の検討では，妊娠中絶(23胎児)や自然流産(12胎児)や死産(3胎児)があり，57胎児の経過は不明であった。最終的に44胎児が出生し，このうち11人(25%)に先天性奇形を認めた[11)]。一般的な妊娠，出産に比べ，先天性奇形や流産の頻度が高く，妊娠期のタモキシフェンの使用は勧められない。LH-RHアゴニストやアロマターゼ阻害薬は安全性に関するデータは不足しており，その使用は勧められない。

タモキシフェンの半減期は20.6～33.8時間と長く，継続投与した場合，約4週で定常状態になるとされる。代謝産物が体内から検出されなくなるまでには内服終了後約2カ月を要するとされるため，タモキシフェンの投薬終了後2カ月は妊娠を避けるべきである[12)]。

3）抗HER2療法およびその他の分子標的治療

妊娠期乳癌に対する抗HER2療法の安全性は確立されていない。妊娠期乳癌にトラスツズマブを使用した17件の症例報告(18妊婦，19新生児)をまとめたレビューでは，妊娠中に最も多く認められた異常は羊水過少症で，妊娠中期以降に投与を受けた73.3%(11/15例)で認められた。妊娠前期の投与では認められなかった(0/3例)。出生時に異常を認めなかった新生児10人はその後の発育も健常であったが(観察期間中央値9カ月)，出生時に異常を認めた新生児9人中4人がその後死亡した[13)]。HERA試験登録症例でトラスツズマブ投与中もしくは投与終了から3カ月以内に妊娠した16例の報告では，5例で妊娠継続・出産となり，妊娠出産の合併症や先天性奇形は認められなかった[14)]。NeoALTTO/ALLTO試験登録症例で試験薬投与中に妊娠した12例の報告では，5例で妊娠継続・出産となり，妊娠出産の合併症や先天性奇形は認められなかった[15)]。これらの症例は妊娠前期に抗HER2療法(トラスツズマブおよびラパチニブ)は終了していた。ペルツズマブについては症例報告を認めるのみで，T-DM1に関しては報告がない。

妊娠前期に抗HER2療法を受け出産した報告は散見されるが，いずれの報告も少数例であり長期の安全性のデータはなく，妊娠期乳癌に対して抗HER2療法は勧められない。現在進行している抗HER2療法を行った妊娠期乳癌の前向き観察研究であるMotHER試験(NCT 00833963)の結果は今後注視する必要がある。

ハーセプチンおよびトラスツズマブのバイオシミラーの添付文書には，「妊娠する可能性のある女性には，本剤投与中及び投与終了後最低7カ月間は，適切な避妊法を用いるよう指導すること。」と記載されている。トラスツズマブ投与後の安全性については十分なデータはなく，添付文書に従い，投与終了後最低7カ月間は妊娠を勧めるべきでないと考えられる。

4）支持療法

化学療法を施行する際に制吐薬として5-HT_3受容体拮抗型制吐薬やデキサメタゾンを併用して

も，胎児への重篤な影響は報告されていない[16)17)]。NK_1受容体阻害薬については安全性を検討するだけのデータは十分ではない[17)]。また，G-CSF 製剤は限られたデータによるものではあるが胎児への影響は大きくないとされている[15)16)]。いずれも妊娠中期以降の投与に大きな問題はないとされているが，長期の安全性は確認されていないため，使用する際には適応を慎重に判断する必要がある。

検索キーワード・参考にした二次資料

PubMed で，“breast cancer”，“pregnancy”，“safety”，“treatment”，“chemotherapy”，“endocrine therapy”，“trastuzumab” のキーワードで検索した。また，適宜ハンドサーチを追加した。また，二次資料として，日本がん・生殖医療学会編「乳がん患者の妊娠・出産と生殖医療に関する診療の手引き 2021 年版」(金原出版) を用いた。

参考文献

1) 蒔田益次郎．妊娠関連乳癌の頻度と予後について．乳癌の臨床．2013; 28(1): 7-16.
2) Ebert U, Löffler H, Kirch W. Cytotoxic therapy and pregnancy. Pharmacol Ther. 1997; 74(2): 207-20. [PMID: 9336023]
3) Hahn KM, Johnson PH, Gordon N, Kuerer H, Middleton L, Ramirez M, et al. Treatment of pregnant breast cancer patients and outcomes of children exposed to chemotherapy in utero. Cancer. 2006; 107(6): 1219-26. [PMID: 16894524]
4) Ring AE, Smith IE, Jones A, Shannon C, Galani E, Ellis PA. Chemotherapy for breast cancer during pregnancy: an 18-year experience from five London teaching hospitals. J Clin Oncol. 2005; 23(18): 4192-7. [PMID: 15961766]
5) Cardonick E, Iacobucci A. Use of chemotherapy during human pregnancy. Lancet Oncol. 2004; 5(5): 283-91. [PMID: 15120665]
6) Murthy RK, Theriault RL, Barnett CM, Hodge S, Ramirez MM, Milbourne A, et al. Outcomes of children exposed in utero to chemotherapy for breast cancer. Breast Cancer Res. 2014; 16(6): 500. [PMID: 25547133]
7) Loibl S, Han SN, von Minckwitz G, Bontenbal M, Ring A, Giermek J, et al. Treatment of breast cancer during pregnancy: an observational study. Lancet Oncol. 2012; 13(9): 887-96. [PMID: 22902483]
8) Mir O, Berveiller P, Goffinet F, Treluyer JM, Serreau R, Goldwasser F, et al. Taxanes for breast cancer during pregnancy: a systematic review. Ann Oncol. 2010; 21(2): 425-6. [PMID: 19887464]
9) Zagouri F, Sergentanis TN, Chrysikos D, Dimitrakakis C, Tsigginou A, Zografos CG, et al. Taxanes for breast cancer during pregnancy: a systematic review. Clin Breast Cancer. 2013; 13(1): 16-23. [PMID: 23122538]
10) Barthelmes L, Gateley CA. Tamoxifen and pregnancy. Breast. 2004; 13(6): 446-51. [PMID: 15563850]
11) Braems G, Denys H, De Wever O, Cocquyt V, Van den Broecke R. Use of tamoxifen before and during pregnancy. Oncologist. 2011; 16(11): 1547-51. [PMID: 22020212]
12) Pagani O, Partridge A, Korde L, Badve S, Bartlett J, Albain K, et al; Breast International Group; North American Breast Cancer Group Endocrine Working Group. Pregnancy after breast cancer: if you wish, ma'am. Breast Cancer Res Treat. 2011; 129(2): 309-17. [PMID: 21698406]
13) Zagouri F, Sergentanis TN, Chrysikos D, Papadimitriou CA, Dimopoulos MA, Bartsch R. Trastuzumab administration during pregnancy: a systematic review and meta-analysis. Breast Cancer Res Treat. 2013; 137(2): 349-57. [PMID: 23242615]
14) Azim HA Jr, Metzger-Filho O, de Azambuja E, Loibl S, Focant F, Gresko E, et al. Pregnancy occurring during or following adjuvant trastuzumab in patients enrolled in the HERA trial(BIG 01-01). Breast Cancer Res Treat. 2012; 133(1): 387-91. [PMID: 22367645]
15) Lambertini M, Martel S, Campbell C, Guillaume S, Hilbers FS, Schuehly U, et al. Pregnancies during and after trastuzumab and/or lapatinib in patients with human epidermal growth factor receptor 2-positive early breast cancer: Analysis from the NeoALTTO(BIG 1-06)and ALTTO(BIG 2-06)trials. Cancer. 2019; 125(2): 307-16. [PMID: 30335191]
16) Amant F, Loibl S, Neven P, Van Calsteren K. Breast cancer in pregnancy. Lancet. 2012; 379(9815): 570-9. [PMID: 22325662]
17) Shachar SS, Gallagher K, McGuire K, Zagar TM, Faso A, Muss HB, et al. Multidisciplinary management of breast cancer during pregnancy. Oncologist. 2017; 22(3): 324-34. [PMID: 28232597]

原発乳癌に対する再発予防を目的とする術後薬物療法として骨吸収抑制薬(ビスホスホネート製剤，デノスマブ)は勧められるか？

ステートメント

- 原発乳癌に対する再発予防を目的とした骨吸収抑制薬の投与により，再発リスクは低下する可能性がある。しかしながら，顎骨壊死の増加を伴い，適切な投与対象・薬剤・量・期間などが未確立であり，今後の検討課題である。また，原発乳癌に対する保険適用を有する薬剤がない点も問題である。

背景

乳癌の再発予防を目的とする術後薬物療法としての骨吸収抑制薬に関して，ビスホスホネート製剤についてはEBCTCGのメタアナリシス[1]のサブ解析で，閉経状態(投与開始時に閉経後，または閉経前でLH-RHアナログを投与中)の患者においては乳癌死亡〔リスク比(RR)0.82，p=0.002〕，全再発(RR 0.86，p=0.002)，骨転移再発(RR 0.72，p=0.0002)の有意な改善を認めた。しかし，未閉経状態の患者においては有効性が示されなかった。ビスホスホネート製剤を投与された患者群に，顎骨壊死の有意なリスク増加がみられた。コクランレビューも行われているが[2]，基本的に同様の結論である。ASCOの周術期の骨吸収抑制薬使用に関するガイドラインでは，「全身治療の適応となる閉経後乳癌の患者に対して，利用可能であれば，ゾレドロン酸4 mgを半年毎またはクロドロン酸1,600 mgを毎日投与」が推奨されている[3]。ESMOの早期乳癌に対するガイドラインでは，「低エストロゲン状態の女性に対してはビスホスホネート製剤の使用」が推奨されている[4]。

解説

検索で同定された8試験(**表1**)を概説する。

NSABP B-34試験はStage Ⅰ-Ⅲ乳癌患者を対象に，試験治療であるクロドロン酸(1,600 mg/日)内服3年とプラセボとを比較した[7]。2001年1月～2004年3月に3,311人が登録された。フォローアップ期間中央値90カ月の時点の報告では，主要評価項目である無病生存期間(DFS)(ITT)ではハザード比(HR)0.91(p=0.27)と有意差がみられなかった。サブ解析で50歳以上ではBMFS(bone metastasis free survival)でHR 0.62(p=0.047)，OSでもHR 0.8(p=0.094)と良い傾向がみられた。顎骨壊死(ONJ)疑いがクロドロン酸群に1人みられた。本研究の限界としてはアドヒアランスが低いこと(実薬群で56%，プラセボ群60%)が挙げられる。

GAIN試験は腋窩リンパ節転移陽性乳癌患者を対象に，試験治療であるイバンドロン酸ナトリウム水和物(50 mg/日)内服2年と経過観察とを比較した[8]。2004年8月～2008年7月に2,015人が登録された。中間解析の時点でイベント数が少なく，計画になかったfutility analysisを追加し途中終了，結果の公表が勧告された。フォローアップ期間中央値38.7カ月の時点での報告は，主要評価項目であるDFSではHR 0.945(p=0.589)と有意差がみられなかった。ONJがイバンドロン酸群で2人みられた。本研究の特徴は，化学療法の強度についての検討も行う2×2要因デザインである。本研究の最大の限界は途中終了である。

AZURE試験はStage Ⅱ-Ⅲ乳癌患者を対象に，試験治療であるゾレドロン酸4 mg点滴を5年(毎月半年，3カ月毎2年，半年毎2.5年)と経過観察とを比較した。2003年9月～2006年2月に3,360人が登録された[9]。フォローアップ期間中央値84カ月の時点での報告では，主要評価項目であるDFS(ITT)ではHR 0.94($p=0.3$)と有意差がみられなかった。サブ解析で閉経後ではIDFS(浸潤癌の無病生存期間)においてHR 0.77(0.63-0.96)と良い傾向がみられた。特に，閉経後5年以上経過した集団においてDFSでHR 0.77と良い傾向がみられた。ONJがゾレドロン酸群で26人(プラセボ群0人)にみられた。

ABCSG-12試験は閉経前Stage Ⅰ-Ⅱ乳癌でLH-RHアナログ＋内分泌療法の投与を受けるERまたはPgR陽性，かつリンパ節転移個数10未満の患者を対象に，試験治療であるゾレドロン酸4 mg点滴を3年(半年毎)と経過観察とを比較した[10]。1999年6月～2006年5月に1,803人が登録された。主要評価項目であるDFS(ITT)ではHR 0.77($p=0.042$；ただし有意水準は$\alpha=0.025$)と有意差を認めなかった。サブ解析で40歳より上ではDFSでHR 0.7(0.51-0.96)と良い傾向がみられた。ONJはみられなかった。本研究の特徴は内分泌療法の比較(タモキシフェン対アナストロゾール)も行う2×2要因デザインの試験であること，本研究の限界は腫瘍径の小さい(T1が約75%)腋窩リンパ節陰性(pN0が約2/3)の患者が多く含まれていることである。

GBG-36/ABCSG-29/NATAN試験はアンスラサイクリン＋タキサン併用術前化学療法後に浸潤癌が残存した乳癌患者を対象に，試験治療であるゾレドロン酸4 mg点滴を5年(毎月半年，3カ月毎2年，半年毎2.5年)と経過観察とを比較した[11]。2005年1月～2006年9月に693人が登録された。フォローアップ期間中央値54.7カ月の時点で，イベント数が想定より少なくfutility analysisを行ったところpositiveになる確率が15%未満と判断され，独立データモニタリング委員会(IDMC)から試験中止と結果の公表を勧告された。主要評価項目であるDFS(ITT)ではHR 0.96($p=0.789$)と有意差を認めなかった。サブ解析で55歳より上ではDFSでHR 0.832と若干良い傾向がみられた。ONJはゾレドロン酸群で5人(プラセボ群0人)にみられた。本研究の限界は途中終了である。

HOBOE試験は閉経前ホルモン受容体乳癌でLH-RHアナログを投与される患者を対象に，試験治療であるゾレドロン酸点滴5年(半年毎)と経過観察とを比較した[12]。2004年3月～2015年8月に1,065人が登録された。フォローアップ期間中央値64カ月の時点での解析で，主要評価項目であるDFS(ITT)はHR 0.70($p=0.12$)と有意差を認めなかった。サブ解析はHER2に関するもののみ行われた。ONJはゾレドロン酸群で4人(プラセボ群0人)にみられた。本研究の限界は，当初骨密度の変化を主要評価項目として開始されたものを2009年にDFSを主要評価項目として登録患者を増やした点と，内分泌療法の比較も含む3群試験(タモキシフェンvsレトロゾールvsレトロゾール＋ゾレドロン酸)である点が挙げられる。

ABCSG-18試験は閉経後ホルモン受容体陽性乳癌で化学療法終了後にアロマターゼ阻害薬内服中の患者を対象に，デノスマブ60 mg皮下注射を半年毎(アロマターゼ阻害薬内服中継続)とプラセボとを比較した[5]。2006年12月～2013年7月に3,425人が登録された。フォローアップ期間中央値73カ月の解析で，副次評価項目であるDFS(ITT)はHR 0.82と有意差を認めた。サブ解析で60歳未満ではDFSでHR 0.64と特に良い傾向がみられた。ONJについて，確定例は認めな

表 1 術後薬物療法として骨吸収薬を検証した試験

試験名	対象	登録	試験薬	試験群	コントロール群	フォローアップ期間中央値
NSABP B-34試験[7)]	Stage Ⅰ-Ⅲ	3,311人	クロドロン酸(1,600 mg/日)	内服3年	プラセボ	90カ月
GAIN試験[8)]	腋窩リンパ節転移陽性	2,015人	イバンドロン酸ナトリウム水和物酸(50 mg/日)	内服2年	経過観察	38.7カ月(途中終了)
AZURE試験[9)]	Stage Ⅱ-Ⅲ	3,360人	ゾレドロン酸4 mg	点滴5年	経過観察	
ABCSG-12試験[10)]	閉経前Stage Ⅰ-Ⅱ, ERまたはPgR陽性, リンパ節転移個数10未満	1,803人	ゾレドロン酸4 mg	点滴を3年(半年毎)	経過観察	
GBG-36/ABCSG-29/NATAN試験[11)]	術前化学療法後に浸潤癌が残存した乳癌患者	693人	ゾレドロン酸4 mg	点滴5年(毎月0.5年, 3カ月毎2年, 半年毎2.5年)	経過観察	54.7カ月(試験中止)
HOBOE試験[12)]	閉経前ホルモン受容体乳癌でLH-RHアナログを投与	1,065人	ゾレドロン酸	点滴5年(半年毎)	経過観察	64カ月
ABCSG-18試験[5)]	閉経後ホルモン受容体陽性乳癌で化学療法終了後にAI内服中の患者	3,425人	デノスマブ60 mg	皮下注射を半年毎	プラセボ	73カ月
D-CARE試験[6)]	Stage Ⅱ-Ⅲ乳癌	4,509人	デノスマブ120 mg	皮下注射を5年(毎月半年, 3カ月毎4年半)	プラセボ	67.3カ月

かったが, 疑い例がデノスマブ群に20人, プラセボ群で11人にみられた。本研究の限界は, 主要評価項目である骨折までの期間が2015年に報告された際にIDMCの勧告で盲検が解除されている点が挙げられる。

D-CARE試験はStage Ⅱ-Ⅲ乳癌を対象に, 試験治療であるデノスマブ120 mg皮下注射を5年(毎月半年, 3カ月毎4年半)とプラセボとを比較した[6)]。2010年6月～2012年8月に4,509人が登録された。フォローアップ期間中央値67.3カ月の時点での解析で, 副次評価項目であるDFS(ITT)はHR 1.04($p=0.57$)と有意差を認めなかった。サブ解析で50歳未満(HR 0.99), 50歳以上(HR 1.09)のどちらでも良い傾向はみられていない。ONJ疑いはデノスマブ群で122名(5%), プラセボ群4人(<1%)であった。主要評価項目であるBMFSでもHR 0.97($p=0.7$)と有意差は認めな

DFS(ITT)	サブ解析		OS	(ONJ)	本研究の限界	特徴
HR 0.91(p=0.27)	50歳以上	HR 0.62(p=0.047)BMFS	HR 0.8(p=0.094)	1人vs 0人	アドヒアランスが低い(実薬群で56%，プラセボ群60%)	
HR 0.945(p=0.589)				2人vs 0人	途中終了	化学療法の強度についての検討も行う2×2要因デザイン
HR 0.94(p=0.3)	閉経後	HR 0.77(0.63-0.96)DFS		26人vs 0人		(毎月0.5年，3カ月毎2年，半年毎2.5年)
HR 0.77(p=0.042；ただし有意水準はα=0.025)	40歳以上	HR 0.7(0.51-0.96)DFS		0人vs 0人	(T1が約75%)腋窩リンパ節陰性(pN0が約2/3)	内分泌療法の比較(タモキシフェン対アナストロゾール)も行う2×2
HR 0.96(p=0.789)	55歳より上	HR 0.832		5人vs 0人	イベント数が想定より少なく試験中止勧告	
HR 0.70(p=0.12)	HER2			4人vs 0人	①主要評価項目を骨密度の変化からDFSへ変更②内分泌療法の比較も含む3群試験	
HR 0.82と有意差を認めた	60歳未満	HR 0.64と特に良い傾向		(疑い)20人vs 11人	①主要評価項目である骨折②盲検が解除	
HR 1.04(p=0.57)	50歳未満/50歳以上	(HR 0.99)/(HR 1.09)		(疑い)122人(5%)vs 4人(<1%)		HR 0.97(p=0.7)BMFS

かった。

これらの試験で，ABCSG-18試験以外は個々の試験はネガティブであり，サブ解析で閉経後や50歳以上など低エストロゲン状態と考え得る部分集団についてのみ有用性が示唆されている試験がいくつかみられた。また，介入も経口薬，ゾレドロン酸，デノスマブとばらつきがあり，ゾレドロン酸の投与スケジュールやデノスマブの投与量・投与スケジュールにもばらつきがみられている。

これら8試験を対象に，早期乳癌に対する再発予防を目的とした骨吸収抑制薬の有用性を検討するメタアナリシスを実施した。アウトカムとしてはDFS，OS，BMFS，有害事象(ONJ，腎障害，低カルシウム血症)を検討した。

骨吸収抑制薬の投与により，DFSイベントはわずかだが統計学的有意差をもって減少した（HR 0.92，95%CI 0.85-0.99）。死亡（HR 0.94，95%CI 0.85-1.02），または骨転移再発（HR 0.95，95%CI 0.83-1.08）については有意な改善を認めなかった。有害事象に関して，顎骨壊死は有意に増加した（RR 19.8，95%CI 8.94-43.85）。腎障害（RR 0.88，95%CI 0.73-1.06）と低カルシウム血症（RR 1.65，95%CI 0.69-3.9）は有意差を認めなかった。

益と害のバランスとしては，DFSはわずかに改善するが，OSやBMFSは改善しない。また，ONJは増加するため，確実とはいえない，とした。

患者の希望については，患者の嗜好性分析はないものの，治療効果が小さい一方で有害事象（ONJ）が増加するため，大きくばらつくと判断した。

本FRQは，原発乳癌に対する再発予防を目的とする術後薬物療法として骨吸収抑制薬（ビスホスホネート製剤，デノスマブ）は勧められるかを検討する新たなCQとして提案され，エビデンスの程度，益と害のバランス，患者希望などを勘案し，推奨文案は「早期乳癌に対する再発予防を目的とした骨吸収抑制薬の投与を弱く推奨する」として提示した。しかしながら，推奨決定会議の議論において，投与薬剤，投与量，投与期間などのばらつきが大きいことなどを理由に推奨決定は困難とされ，今回もFRQとして検討することになった。

検索キーワード・参考にした二次資料

PubMedで，"Breast Neoplasms"，"Diphosphonates/bisphosphonate/Denosumab/Bone density conservation agents"，"early"，"adjuvant" のキーワードを掛け合わせ検索した。PubMedから325編，Cochrane Libraryから126編，医中誌から168編が抽出された。一次スクリーニングで13編が抽出され，二次スクリーニングでさらにDFSを報告しているランダム化試験の文献に限定した結果，8編が抽出された。

参考文献

1) Early Breast Cancer Trialists' Collaborative Group (EBCTCG). Adjuvant bisphosphonate treatment in early breast cancer: meta-analyses of individual patient data from randomised trials. Lancet. 2015; 386(10001): 1353-61. [PMID: 26211824]
2) O'Carrigan B, Wong MH, Willson ML, Stockler MR, Pavlakis N, Goodwin A. Bisphosphonates and other bone agents for breast cancer. Cochrane Database Syst Rev. 2017; 10(10): CD003474. [PMID: 29082518]
3) Dhesy-Thind S, Fletcher GG, Blanchette PS, Clemons MJ, Dillmon MS, Frank ES, et al. Use of adjuvant bisphosphonates and other bone-modifying agents in breast cancer: a cancer care ontario and american society of clinical oncology clinical practice guideline. J Clin Oncol. 2017; 35(18): 2062-81. [PMID: 28618241]
4) Cardoso F, Kyriakides S, Ohno S, Penault-Llorca F, Poortmans P, Rubio IT, et al; ESMO Guidelines Committee. Electronic address: clinicalguidelines@esmo.org. Early breast cancer: ESMO Clinical Practice Guidelines for diagnosis, treatment and follow-up. Ann Oncol. 2019; 30(8): 1194-220. [PMID: 31161190]
5) Gnant M, Pfeiler G, Steger GG, Egle D, Greil R, Fitzal F, et al; Austrian Breast and Colorectal Cancer Study Group. Adjuvant denosumab in postmenopausal patients with hormone receptor-positive breast cancer (ABCSG-18): disease-free survival results from a randomised, double-blind, placebo-controlled, phase 3 trial. Lancet Oncol. 2019; 20(3): 339-51. [PMID: 30795951]
6) Coleman R, Finkelstein DM, Barrios C, Martin M, Iwata H, Hegg R, et al. Adjuvant denosumab in early breast cancer (D-CARE): an international, multicentre, randomised, controlled, phase 3 trial. Lancet Oncol. 2020; 21(1): 60-72. [PMID: 31806543]
7) Paterson AH, Anderson SJ, Lembersky BC, Fehrenbacher L, Falkson CI, King KM, et al. Oral clodronate for adjuvant treatment of operable breast cancer (National Surgical Adjuvant Breast and Bowel Project protocol B-34): a multicentre, placebo-controlled, randomised trial. Lancet Oncol. 2012; 13(7): 734-42. [PMID: 22704583]
8) von Minckwitz G, Möbus V, Schneeweiss A, Huober J, Thomssen C, Untch M, et al. German adjuvant intergroup node-positive study: a phase Ⅲ trial to compare oral ibandronate versus observation in patients with high-risk early breast cancer. J Clin Oncol. 2013; 31(28): 3531-9. [PMID: 23980081]
9) Coleman R, Cameron D, Dodwell D, Bell R, Wilson C, Rathbone E, et al; AZURE investigators. Adjuvant zole-

dronic acid in patients with early breast cancer: final efficacy analysis of the AZURE(BIG 01/04) randomised open-label phase 3 trial. Lancet Oncol. 2014; 15(9): 997-1006. [PMID: 25035292]

10) Gnant M, Mlineritsch B, Stoeger H, Luschin-Ebengreuth G, Knauer M, Moik M, et al; Austrian Breast and Colorectal Cancer Study Group, Vienna, Austria. Zoledronic acid combined with adjuvant endocrine therapy of tamoxifen versus anastrozol plus ovarian function suppression in premenopausal early breast cancer: final analysis of the Austrian Breast and Colorectal Cancer Study Group Trial 12. Ann Oncol. 2015; 26(2): 313-20. [PMID: 25403582]

11) von Minckwitz G, Rezai M, Tesch H, Huober J, Gerber B, Zahm DM, et al; German Breast Group and Austrian Breast and Colon Cancer Study Group Investigators. Zoledronate for patients with invasive residual disease after anthracyclines-taxane-based chemotherapy for early breast cancer—The Phase Ⅲ NeoAdjuvant Trial Add-oN(NaTaN) study (GBG 36/ABCSG 29). Eur J Cancer. 2016; 64: 12-21. [PMID: 27323347]

12) Perrone F, De Laurentiis M, De Placido S, Orditura M, Cinieri S, Riccardi F, et al. Adjuvant zoledronic acid and letrozole plus ovarian function suppression in premenopausal breast cancer: HOBOE phase 3 randomised trial. Eur J Cancer. 2019; 118: 178-186. [PMID: 31164265]

2. 転移・再発乳癌

BQ 5 閉経前ホルモン受容体陽性転移・再発乳癌に対して最も有用な卵巣機能抑制方法は何か？

ステートメント

- 卵巣機能抑制方法として，LH-RH アゴニストや両側卵巣摘出術，放射線照射があるが，最も有用な卵巣機能抑制方法は明らかではない。
- LH-RH アゴニストが一般的に用いられることが多いが，合併症や費用，治療期間を考慮して治療選択する。

背景

閉経前の女性では視床下部からの luteinizing hormone-releasing hormone（LH-RH）により下垂体で LH，FSH が分泌され，卵巣でエストロゲンが生成される。閉経前ホルモン受容体陽性の転移・再発乳癌に対する卵巣機能抑制の手段として，両側卵巣摘出術，卵巣への放射線照射，LH-RH アゴニスト〔LH-RH 作用のため一過性にエストロゲンの上昇があるが，LH-RH 受容体のダウンレギュレーションによりエストロゲンが低下する：ゴセレリン，リュープロレリン☞治療編総説. Ⅲ. 4. b. 2）参照〕投与の 3 種類の方法がある。この中で最も有用な卵巣機能抑制方法はどれかを概説した。

解説

閉経前ホルモン受容体陽性の転移・再発乳癌について 1980 年代に LH-RH アゴニストと他の卵巣機能抑制（両側卵巣摘出術，放射線照射）とのランダム化比較試験（RCT）が 2 試験行われている[1)2)]。いずれの試験においても，病勢進行を抑える期間や生存期間において LH-RH アゴニストと他の卵巣機能抑制との効果は同等であった。また，閉経前ホルモン受容体陽性の転移乳癌に対するタモキシフェンと両側卵巣摘出術もしくは卵巣への放射線照射による卵巣機能抑制との効果を比較した 4 つの RCT をまとめた 1997 年のメタアナリシスにおいては，病状進行や生存率は同等であった[3)]。早期乳癌に対しては卵巣機能抑制の効果を検討した RCT やシステマティック・レビュー，メタアナリシスが行われているが[4)〜6)]，3 つの卵巣機能抑制の効果を比較したものはない。

上記より，閉経前ホルモン受容体陽性転移・再発乳癌に対する 3 種類の卵巣機能抑制方法の治療効果は同等と考えられているが，長期的効果や合併症，費用対効果の違いは明らかではない。実臨床では，合併症等を鑑みて LH-RH アゴニストが使用されることが多い。LH-RH アゴニストと閉経後のホルモン薬（アロマターゼ阻害薬，フルベストラント）を併用する場合には，血液検査（エストラジオール：E2，FSH など）で卵巣機能が抑えられているか確認を行うことが大切である。

検索キーワード・参考にした二次資料

PubMed で "Breast Neoplasms", "premenopause/Premepausal", "Ovariectomy/ovalianablation", "Leuprolide/Goserelin/Triptorelin" のキーワードで検索した。検索期間は 2021 年 3 月までとし，83 件がヒットした。

参考文献

1) Taylor CW, Green S, Dalton WS, Martino S, Rector D, Ingle JN, et al. Multicenter randomized clinical trial of goserelin versus surgical ovariectomy in premenopausal patients with receptor-positive metastatic breast cancer: an intergroup study. J Clin Oncol. 1998; 16(3): 994-9. [PMID: 9508182]
2) Boccardo F, Rubagotti A, Perrotta A, Amoroso D, Balestrero M, De Matteis A, et al. Ovarian ablation versus goserelin with or without tamoxifen in pre-perimenopausal patients with advanced breast cancer: results of a multicentric Italian study. Ann Oncol. 1994; 5(4): 337-42. [PMID: 8075030]
3) Crump M, Sawka CA, DeBoer G, Buchanan RB, Ingle JN, Forbes J, et al. An individual patient-based meta-analysis of tamoxifen versus ovarian ablation as first line endocrine therapy for premenopausal women with metastatic breast cancer. Breast Cancer Res Treat. 1997; 44(3): 201-10. [PMID: 9266099]
4) Pagani O, Regan MM, Walley BA, Fleming GF, Colleoni M, Láng I, et al; TEXT and SOFT Investigators; International Breast Cancer Study Group. Adjuvant exemestane with ovarian suppression in premenopausal breast cancer. N Engl J Med. 2014; 371(2): 107-18. [PMID: 24881463]
5) Early Breast Cancer Trialists' Collaborative Group. Ovarian ablation for early breast cancer. Cochrane Database Syst Rev. 2000; (3): CD000485. [PMID: 10908474]
6) Early Breast Cancer Trialists' Collaborative Group. Ovarian ablation in early breast cancer: overview of the randomised trials. Lancet. 1996; 348(9036): 1189-96. [PMID: 8898035]

CQ 18 閉経前ホルモン受容体陽性 HER2 陰性転移・再発乳癌に対する一次内分泌療法として，何が推奨されるか？

推奨

- 卵巣機能抑制を行い，CDK4/6 阻害薬と非ステロイド性アロマターゼ阻害薬の併用療法を行うことを推奨する。　推奨の強さ：1～2(合意に至らず)，エビデンスの強さ：弱，合意率：強い推奨 53%(18/34)，弱い推奨 47%(16/34)
- 卵巣機能抑制を行い，内分泌療法(単独)を行うことを弱く推奨する。
  ①卵巣機能抑制とタモキシフェンの併用療法を行うことを弱く推奨する。
  推奨の強さ：2，エビデンスの強さ：中，合意率：95%(39/41)
  ②卵巣機能抑制と非ステロイド性アロマターゼ阻害薬の併用療法を行うことを弱く推奨する。　推奨の強さ：2，エビデンスの強さ：弱，合意率：100%(41/41)

推奨におけるポイント

- CDK4/6 阻害薬の併用に関して，推奨決定会議では議論と投票を 3 度行ったが，最終的に強い推奨 53%と弱い推奨 47%で分かれた。
- CDK4/6 阻害薬併用と内分泌療法(単独)の選択に際しては，それぞれの益と害に関して説明のうえ，患者の希望を考慮して決めること。
- 術後内分泌療法中，もしくは終了後 12 カ月以内に再発した患者の一次内分泌療法に関してはCQ19 を参照のこと。

背景・目的

閉経前ホルモン受容体陽性 HER2 陰性転移・再発乳癌に対して，生命に差し迫った状況でない場合には，卵巣機能抑制を行い，内分泌療法(分子標的薬を含む)を考慮すべきである。前治療の有無，術後薬物療法終了からの期間等を考慮し，一次治療の手段としてどのような治療が推奨されるか検証した。一次内分泌療法の定義については，治療編　総説 V. 4. a. a-1.1)を参照のこと。なお，卵巣機能抑制方法は一般的に LH-RH アゴニストが用いられているが，他に手術療法などの選択肢もあるため，それぞれの合併症や治療期間，コストなどを患者と話し合って決めるべきである。

解説

1）卵巣機能抑制を行い，CDK4/6 阻害薬と非ステロイド性アロマターゼ阻害薬の併用療法(添付文書上は保険適用外)を行うことについて

閉経前ホルモン受容体陽性 HER2 陰性転移・再発乳癌患者における一次内分泌療法での CDK 4/6 阻害薬の有効性を検証した試験は MONALEESA-7 試験のみである。タモキシフェン，レトロゾールもしくはアナストロゾールのいずれか一剤とゴセレリンの併用に対して，CDK4/6 阻害薬である ribociclib(未承認)上乗せの有効性が検証され，ribociclib 併用群で無増悪生存期間(PFS)の有意な延長と(ribociclib 群：23.8 カ月，プラセボ群：13.0 カ月，ハザード比(HR)0.55，95%CI

0.44-0.69, $p<0.0001$)[1], 全生存期間(OS)の有意な延長が示されている(ribociclib 群：not reached, プラセボ群：40.9 カ月, HR 0.71, 95%CI 0.54-0.95, $p<0.00973$)[2]。さらに, 患者報告による QOL の評価(EORTC QLQ-C30, global HRQOL)では, 10%以上の低下が起こるまでの期間が ribociclib 群で有意に長かった(HR 0.67, 95%CI 0.52-0.86)[3]。Ribociclib の副作用に QTc の延長があるが, 本試験ではタモキシフェンとの併用時に, より高い発生率であることが報告された〔QTc の 60 ms 以上の延長：タモキシフェン併用時 16%, 非ステロイド性アロマターゼ阻害薬(NSAI)併用時 7%〕。FDA や EMA における ribociclib の承認においては, ribociclib との併用内分泌療法としてタモキシフェンは認められておらず, 閉経前患者での ribociclib 使用時は NSAI＋LH-RH アゴニストとの併用となる。

前述のように, 閉経前の一次内分泌療法において CDK4/6 阻害薬(ribociclib)は生存期間の改善を含めた有効性が示されており, この患者群においては CDK4/6 阻害薬を併用することが望ましい。わが国で承認済のパルボシクリブとアベマシクリブに関しては, 閉経前一次内分泌療法での臨床試験が欠如しており明確なエビデンスはない。しかし, ホルモン受容体陽性 HER2 陰性転移・再発乳癌に対する CDK4/6 阻害薬の臨床試験における有効性は, 閉経後一次内分泌療法, 閉経前, 閉経後二次内分泌療法を対象とした「すべての第Ⅲ相比較試験」において, パルボシクリブ, アベマシクリブ, ribociclib の 3 剤に共通して, 一貫した PFS 延長効果が示されている。OS においては, 一次内分泌療法では前述の MONALEESA-7 試験のほか, 閉経後の MONALEESA-2 試験でも延長が報告された。また, 二次内分泌療法においては閉経前, 閉経後による CDK4/6 阻害薬の PFS 延長効果に差は認められない(☞薬物 CQ19〜21 参照)。これらの現時点で示されているエビデンスから, 閉経前一次内分泌療法だけが「臨床試験の欠如」を原因として治療適応から外れる状況は該当患者にとって不利益が大きいと考えられた。本ガイドラインでは, 閉経前一次内分泌療法においても CDK4/6 阻害薬の併用を推奨する。なお, CDK4/6 阻害薬と併用する内分泌療法は, MONALEESA-7 の有効性, 安全性の結果から NSAI＋LH-RH アゴニストが推奨される。

CDK4/6 阻害薬の併用による有害事象の増加があり(☞薬物 CQ19〜21 参照), 患者の希望にはばらつきが予想される。高額療養費制度を考慮した医療費の自己負担の差は, 他の治療選択肢と比較し限定的である。

推奨決定会議では, 1 回目の投票で, CDK4/6 阻害薬の併用を「行うことを強く推奨する」が 56%,「行うことを弱く推奨する」が 44%であり, 決定基準の 70%合意に達しなかった。その後, 2 回目は 62%と 38%, 3 回目は 53%と 47%の結果であり, 推奨の強さは決定できなかった。

2）卵巣機能抑制を行い, 内分泌療法(単独)を行うことについて

現在, 内分泌療法単独治療がより推奨される患者群を識別するバイオマーカーはなく, 閉経前一次内分泌療法においても CDK4/6 阻害薬の併用は選択肢として患者に提示されるべきである。しかし, 合併症や患者の希望などによっては, 内分泌療法単独が推奨される。

(1) 卵巣機能抑制とタモキシフェンの併用療法を行うことについて

閉経前ホルモン受容体陽性 HER2 陰性転移・再発乳癌に対する一次内分泌療法として, タモキシフェン, 卵巣機能抑制, およびその両者併用の治療法を比較した小規模のランダム化比較試験やそれらのメタアナリシスが行われている。

タモキシフェンと卵巣機能抑制を比較した4試験のランダム化比較試験のメタアナリシス(n＝220)では，両群の効果に関して有意な差を認めなかった[4]。

LH-RHアゴニスト単独，タモキシフェン単独およびその併用とのランダム化比較試験(n＝161)において，併用群が各単独投与に比べ生存期間の有意な延長を示した(生存期間中央値：LH-RHアゴニスト単独2.5年，タモキシフェン単独2.9年，併用群3.7年，p＝0.01)。併用群に対する各単独群の死亡HRは，LH-RHアゴニスト単独群HR 1.95，95％CI 1.23-3.10，タモキシフェン単独群HR 1.63，95％CI 1.03-2.59であった[5]。同試験からの副作用報告では，LH-RHアゴニスト単独，もしくは併用群で，タモキシフェン単独と比べ，ホットフラッシュの増加(全Grade)が報告されているが，Grade 3〜4の有害事象増加の報告はない。

LH-RHアゴニストとタモキシフェンの併用とLH-RHアゴニスト単独を比較した4試験のランダム化比較試験のメタアナリシス(n＝506)では，併用群において生存期間の延長を認めた(生存期間中央値：単独群：2.5年，併用群：2.9年，HR 0.78，95％CI 0.63-0.96，p＝0.02)[6]。メタアナリシスでは有害事象は検討されなかったが，解析に含まれたうち最大の試験(n＝318)からは，ホットフラッシュなど有害事象に関する差は報告されていない[7]。

これらの試験の結果より，ホットフラッシュが増加する可能性はあるものの，生存期間の延長が得られることから，LH-RHアゴニスト単独もしくはタモキシフェン単独と比較し，卵巣機能抑制とタモキシフェン併用による益は害に勝ると考えられる。

LH-RHアゴニストとタモキシフェンの有効性は示されているが，CDK4/6阻害薬という，より有効性の高い治療選択が登場しており，患者の希望にはばらつきがあると考えられる。

推奨決定会議での投票では，「行うことを強く推奨する」が5％，「行うことを弱く推奨する」が95％であった。

以上より，エビデンスの程度，益と害のバランス，患者の希望，またCDK4/6阻害薬併用の選択肢を考慮し，推奨は，「卵巣機能抑制とタモキシフェンの併用療法を行うことを弱く推奨する」とした。

(2) 卵巣機能抑制と非ステロイド性アロマターゼ阻害薬の併用療法を行うことについて

LH-RHアゴニストとNSAIの併用療法は，わが国においても実臨床で使用されている治療選択肢の一つである。しかしながら，同治療法の有効性を検証したランダム化比較試験はなく，これまでの報告は少数例の単群試験のみである。

以下，ホルモン受容体陽性HER2陰性転移・再発乳癌の一次内分泌療法として，NSAIとゴセレリンの併用を検討した試験に関して記載する。Carlsonらは，一次内分泌療法としてアナストロゾールとゴセレリンの併用療法について前向き第Ⅱ相の単アーム試験(n＝35)を実施し，奏効率(ORR)37.5％(95％CI 21-56％)，クリニカルベネフィット率(CBR)71.9％(95％CI 53-86％)，進行までの期間(TTP)8.3カ月(2.1〜63カ月)と報告した[8]。Parkらによる，一次内分泌療法患者を対象とした非ランダム化第Ⅱ相試験では，閉経前患者(35人)におけるレトロゾール＋LH-RHアゴニストと閉経後患者(38人)におけるレトロゾールの有効性が検討された[9]。ORRは閉経前46％ vs 閉経後27％，p＝0.09，CBRは閉経前77％ vs 閉経後74％(p＝0.77)，TTPは閉経前9.5カ月 vs 閉経後8.9カ月であり，両群間に差は認められなかった。Liuらは，35歳以下の患者35人に対して，一次内分泌療法におけるレトロゾールとゴセレリンの併用を検討し，ORR 25.7％，

CBR 65.7%，PFS は 9.6 カ月と報告した[10]。これら試験において，NSAI と LH-RH アゴニストと併用による重篤な毒性は報告されていないが，骨密度の有意な低下が報告されている。

なお，現在参考となり得る最大のデータは，MONALEESA-7 試験のコントロールアームにおける LH-RH アゴニスト＋NSAI 群の治療成績である。同試験からは併用内分泌療法別のサブグループ解析が報告されている。コントロールアームのうち，LH-RH アゴニスト＋タモキシフェン群（n＝90）は PFS 11 カ月（9.1～16.4 カ月），LH-RH アゴニスト＋NSAI 群（n＝247）は 13.8 カ月（12.6～17.4）と報告され，閉経後一次内分泌療法の諸試験における NSAI 単剤の PFS と類似の結果であった。

エビデンスは少なく，LH-RH アゴニストとタモキシフェンの併用よりも優先される治療ではないが，一定の有効性が示されていること，すでに実臨床で広く使用されている状況を鑑み，LH-RH アゴニスト＋NSAI は閉経前一次内分泌療法の治療選択となり得る，とした。有害事象の増加は小さく，LH-RH アゴニスト＋タモキシフェンと比較し，コスト負担の増加も限定的であるが，CDK4/6 阻害薬併用という選択肢もあり，患者の希望はばらつくものと考える。

推奨決定会議での投票では，「行うことを弱く推奨する」が 100％で一致した。

以上より，推奨は，閉経前一次内分泌療法として「卵巣機能抑制と非ステロイド性アロマターゼ阻害薬の併用療法を行うことを弱く推奨する」とした。

なお，術後内分泌療法中，もしくは終了後 12 カ月以内に再発した患者に対する一次内分泌療法に関しては，過去の多くの試験において二次内分泌療法の患者とともに治療効果を評価されている。このため原則として薬物CQ19の推奨に準ずることとする（☞治療編　総説．V．4．a．a-1．参照）。

［投票結果］

	1．行うことを強く推奨する	2．行うことを弱く推奨する	3．行わないことを弱く推奨する	4．行わないことを強く推奨する
推奨 1 つ目（1 回目）	56％（18/32）	44％（14/32）	0％（0/32）	0％（0/32）
	総投票数 32 名（棄権 1 名，COI 棄権 15 名）			
推奨 1 つ目（2 回目）	62％（21/34）	38％（13/34）	0％（0/34）	0％（0/34）
	総投票数 34 名（棄権 0 名，COI 棄権 15 名）			
推奨 1 つ目（3 回目）	53％（18/34）	47％（16/34）	0％（0/34）	0％（0/34）
	総投票数 34 名（棄権 0 名，COI 棄権 15 名）			
推奨 2 つ目①	5％（2/41）	95％（39/41）	0％（0/41）	0％（0/41）
	総投票数 41 名（棄権 0 名，COI 棄権 8 名）			
推奨 2 つ目②	0％（0/41）	100％（41/41）	0％（0/41）	0％（0/41）
	総投票数 41 名（棄権 0 名，COI 棄権 8 名）			

検索キーワード・参考にした二次資料

薬物 CQ18～22 の共通の検索として，PubMed で，“Breast Neoplasms”，“Neoplasm Metastasis”，“Neoplasm Recurrence, Local”，“Endocrine therapy”，“tamoxifen”，“toremifene”，“Fulvestrant”，“Aromatase Inhibitor”，“CDK4/6 inhibitor”，“everolimus”，“Buparlisib”，“pictilisib”，“alpelisib”，“AKT inhibitor” のキーワードとその同義語で検索した。医中誌・Cochrane Library も同等のキーワードで検索した。検索期間は 2016 年 1 月～2021 年 3 月とし，共通の検索結果として 1,370 件がヒットした。LH-RH アゴニスト＋AI，また新たなガイドラインなどに関してはハンドサーチを行った。一次，二次スクリーニングを行い，MONALEESA-7 の QOL 報告，また LH-RH アゴニスト＋AI に関する 2 編などを新たに採用した。

参考文献

1) Tripathy D, Im SA, Colleoni M, Franke F, Bardia A, Harbeck N, et al. Ribociclib plus endocrine therapy for premenopausal women with hormone-receptor-positive, advanced breast cancer(MONALEESA-7): a randomised phase 3 trial. Lancet Oncol. 2018; 19(7): 904-15. [PMID: 29804902]
2) Im SA, Lu YS, Bardia A, Harbeck N, Colleoni M, Franke F, et al. Overall survival with ribociclib plus endocrine therapy in breast cancer. N Engl J Med. 2019; 381(4): 307-16. [PMID: 31166679]
3) Harbeck N, Franke F, Villanueva-Vazquez R, Lu YS, Tripathy D, Chow L, et al. Health-related quality of life in premenopausal women with hormone-receptor-positive, HER2-negative advanced breast cancer treated with ribociclib plus endocrine therapy: results from a phase Ⅲ randomized clinical trial(MONALEESA-7). Ther Adv Med Oncol. 2020; 12: 1758835920943065. [PMID: 32782490]
4) Crump M, Sawka CA, DeBoer G, Buchanan RB, Ingle JN, Forbes J, et al. An individual patient-based meta-analysis of tamoxifen versus ovarian ablation as first line endocrine therapy for premenopausal women with metastatic breast cancer. Breast Cancer Res Treat. 1997; 44(3): 201-10. [PMID: 9266099]
5) Klijn JG, Beex LV, Mauriac L, van Zijl JA, Veyret C, Wildiers J, et al. Combined treatment with buserelin and tamoxifen in premenopausal metastatic breast cancer: a randomized study. J Natl Cancer Inst. 2000; 92(11): 903-11. [PMID: 10841825]
6) Klijn JG, Blamey RW, Boccardo F, Tominaga T, Duchateau L, Sylvester R; Combined Hormone Agents Trialists' Group and the European Organization for Research and Treatment of Cancer. Combined tamoxifen and luteinizing hormone-releasing hormone(LHRH)agonist versus LHRH agonist alone in premenopausal advanced breast cancer: a meta-analysis of four randomized trials. J Clin Oncol. 2001; 19(2): 343-53. [PMID: 11208825]
7) Jonat W, Kaufmann M, Blamey RW, Howell A, Collins JP, Coates A, et al. A randomised study to compare the effect of the luteinising hormone releasing hormone(LHRH)analogue goserelin with or without tamoxifen in pre- and perimenopausal patients with advanced breast cancer. Eur J Cancer. 1995; 31A(2): 137-42. [PMID: 7718316]
8) Carlson RW, Theriault R, Schurman CM, Rivera E, Chung CT, Phan SC, et al. Phase Ⅱ trial of anastrozole plus goserelin in the treatment of hormone receptor-positive, metastatic carcinoma of the breast in premenopausal women. J Clin Oncol. 2010; 28(25): 3917-21. [PMID: 20679610]
9) Park IH, Ro J, Lee KS, Kim EA, Kwon Y, Nam BH, et al. Phase Ⅱ parallel group study showing comparable efficacy between premenopausal metastatic breast cancer patients treated with letrozole plus goserelin and postmenopausal patients treated with letrozole alone as first-line hormone therapy. J Clin Oncol. 2010; 28(16): 2705-11. [PMID: 20421538]
10) Liu X, Qu H, Cao W, Wang Y, Ma Z, Li F, et al. Efficacy of combined therapy of goserelin and letrozole on very young women with advanced breast cancer as first-line endocrine therapy. Endocr J. 2013; 60(6): 819-28. [PMID: 23714650]

CQ 19 閉経前ホルモン受容体陽性 HER2 陰性転移・再発乳癌に対する二次以降の内分泌療法として，何が推奨されるか？

推奨

- LH-RH アゴニスト＋フルベストラント＋CDK4/6 阻害薬の併用療法を行うことを強く推奨する。
  推奨の強さ：1，エビデンスの強さ：中，合意率：97％(30/31)
- 卵巣機能抑制を行い，アロマターゼ阻害薬などの閉経後に用いる内分泌療法薬との併用療法を行うことを弱く推奨する。
  推奨の強さ：2，エビデンスの強さ：弱，合意率：97％(36/37)

推奨におけるポイント

- CDK4/6 阻害薬が未使用の場合は，CDK4/6 阻害薬の併用療法が第一に推奨されるべきである。
- 内分泌療法単独については，CDK4/6 阻害薬の併用療法が適さない患者において検討されるべきである。
- 術後内分泌療法中，もしくは終了後 12 カ月以内に再発した患者の一次内分泌療法も本 CQ に準じる。
- 生命を脅かす病変がなく，内分泌療法抵抗性でないと判断できる場合は，三次治療以降においても内分泌療法を検討する。

背景・目的

ホルモン受容体陽性 HER2 陰性転移・再発乳癌に対する基本的な治療方針は，生命に差し迫った状況でなければ可能な限り内分泌療法を継続することである。一次内分泌療法抵抗性転移・再発乳癌の二次以降の内分泌療法として，どのような治療が推奨されるか検証した。二次内分泌療法の定義は，治療編 総説. V. 4. a. a-1. 1)を参照のこと。

解 説

1）二次内分泌療法

(1) LH-RH アゴニスト＋フルベストラント＋CDK4/6 阻害薬の併用療法について

閉経前転移・再発乳癌を含む，フルベストラントに CDK4/6 阻害薬の併用の有無を評価した質の高いランダム化比較試験は，パルボシクリブの有効性を検討した PALOMA-3 試験と，アベマシクリブの有効性を検討した MONARCH-2 試験がある[1)2)]。

両試験とも閉経前患者に関して，一次内分泌療法を施行中もしくは終了後 1 カ月以内に病勢進行した転移乳癌と，タモキシフェンによる術後内分泌療法施行中もしくは終了後 1 年以内に再発を認めた症例を対象とするが，PALOMA-3 試験では二次以降の内分泌療法後や前化学療法 1 レジメン以内が許容されるのに対し，MONARCH-2 試験には含まれないという違いがある。

PALOMA-3 試験の閉経前サブグループ解析(全症例の 20.7％)において，無増悪生存期間(PFS)はパルボシクリブ併用群で有意に改善を認めた(パルボシクリブ群：9.5 カ月，プラセボ群：5.6 カ月，ハザード比(HR)0.50，95％CI 0.29-0.87)[3)]。全生存期間(OS)は，HR 1.07(95％CI

0.61-1.86)と延長傾向は認められなかった[4)]。有害事象の発生頻度は閉経後患者と同様であった。

MONARCH-2試験での閉経前サブグループ(全症例の17.0%)については，PFSで28.6カ月 vs 10.26カ月(HR 0.477，95%CI 0.302-0.755)と有意な改善が報告されている[5)]。OSはアベマシクリブ群では未達であり，プラセボ群では47.31カ月(HR 0.689，95%CI 0.379-1.252)と有意差は認めなかったが，全体集団と類似の改善傾向が示された[6)]。また有害事象は全体集団と同等であった。

以上より，質の高いランダム化比較試験が2つ存在しているが，サブグループ解析であることを考慮し，エビデンスの強さは「中」とした。

益と害のバランスについては，Grade 3以上の有害事象がCDK4/6阻害薬併用群で有意に高いが，併用によるPFS延長の大きさから益が害に勝る可能性が考慮される。また，CDK4/6阻害薬併用による費用の増加に関しては，患者の希望にばらつきが出ることが予想される。

推奨決定会議での投票では，「行うことを強く推奨する」が97%，「行うことを弱く推奨する」が3%であった。

CDK4/6阻害薬によるPFSの延長に関しては，長期ベネフィットが確立されていると考えられ，エビデンスの程度，益と害のバランス，患者の希望などを勘案し，推奨は「LH-RHアゴニスト＋フルベストラント＋CDK4/6阻害薬の併用療法を行うことを強く推奨する」とした。

(2) LH-RHアゴニストとアロマターゼ阻害薬などの閉経後に用いる内分泌療法薬との併用療法について

タモキシフェン後の二次治療の閉経前乳癌患者を対象としたランダム化比較試験は，一つ報告されている。これは少数例のランダム化第Ⅱ相試験であり，タモキシフェン前治療歴を有する閉経前ホルモン受容体陽性HER2陰性患者に対して，ゴセレリン単剤に対するゴセレリン＋アナストロゾールの併用療法，または，ゴセレリン単剤に対するゴセレリン＋フルベストラントの併用療法の有効性を探索した3アームのランダム化比較試験(FLAG試験)である。主要評価項目は，主治医判断のTTP(time to progression)であり，治療開始を起点として，初めての腫瘍の増大による悪化か，死亡(腫瘍増大の有無にかかわらず)をイベントと定義した。この結果，TTPはゴセレリン単剤が13.5カ月であったのに対して，フルベストラント＋ゴセレリンが16.3カ月(p＝0.049)，ゴセレリン＋アナストロゾールが14.5カ月(p＝0.937)と，フルベストラント併用のTTPが良好であった[7)]。奏効率は併用療法で高い結果であった。なお，フルベストラントの国内の添付文書では，用法・用量として，閉経前乳癌に対しては，LH-RHアゴニスト投与下でCDK4/6阻害薬と併用することとされている。また，LH-RHアゴニストと閉経後の内分泌療法(アロマターゼ阻害薬，フルベストラント)の有効性を検討した単一アーム前向きコホート研究の結果が報告されている[8)9)]。これらの試験において，卵巣機能抑制と内分泌療法の併用によってクリニカルベネフィット率を6割前後の症例に認めている。

以上より，当該対象における治療成績は，新規のランダム化比較試験を含めても，少ない症例数の前向きコホート研究が中心であり，エビデンスの強さは「弱」とした。

一般的に内分泌療法は化学療法と比較して副作用が少ないため，益と害のバランスについては，益が勝ると考えられ，卵巣機能抑制を用いて閉経後の内分泌療法を併用することは，患者の希望等を考慮しても望ましい治療オプションである。患者の希望のばらつきは少ないと思われる。

推奨決定会議での投票では，「行うことを強く推奨する」が3%，「行うことを弱く推奨する」が

97％であった。

以上より，エビデンスの程度，益と害のバランス，患者の希望などを勘案し，推奨は「卵巣機能抑制を行い，アロマターゼ阻害薬などの閉経後に用いる内分泌療法薬との併用療法を行うことを弱く推奨する」とした。

2）三次治療以降の内分泌療法

一般的に後のラインになるに従って，内分泌療法のクリニカルベネフィットは小さくなってくるが，一次治療，二次治療ともに内分泌療法によるクリニカルベネフィットが得られなかった症例や生命に差し迫った症例でない限り，使用していない機序の内分泌療法を順次使用することも許容される。三次以降の内分泌療法においても卵巣機能抑制を行い閉経後の状態とし，前治療で使われていない薬剤（アロマターゼ阻害薬，フルベストラント＋CDK4/6 阻害薬の併用療法など）を用いる。ほかに後期ラインで用いられる内分泌療法としてエストラジオールや酢酸メドロキシプロゲステロン（MPA）があるが，エストラジオールは血栓症や腟出血，MPA は血栓症や体重増加などの有害事象の面から上記の内分泌療法施行後に使用する[10)～12)]。

［投票結果］

	1. 行うことを強く推奨する	2. 行うことを弱く推奨する	3. 行わないことを弱く推奨する	4. 行わないことを強く推奨する
推奨 1 つ目	97％（30/31）	3％（1/31）	0％（0/31）	0％（0/31）
	総投票数 31 名（棄権 0 名，COI 棄権 13 名）			
推奨 2 つ目	3％（1/37）	97％（36/37）	0％（0/37）	0％（0/37）
	総投票数 37 名（棄権 0 名，COI 棄権 7 名）			

検索キーワード・参考にした二次資料

薬物 CQ18～22 の共通の検索として，PubMed で，“Breast Neoplasms”，“Neoplasm Metastasis”，“Neoplasm Recurrence, Local”，“Endocrine therapy”，“tamoxifen”，“toremifene”，“Fulvestrant”，“Aromatase Inhibitor”，“CDK4/6 inhibitor”，“everolimus”，“Buparlisib”，“pictilisib”，“alpelisib”，“AKT inhibitor”のキーワードとその同義語で検索した。医中誌・Cochrane Library も同等のキーワードで検索した。検索期間は 2016 年 1 月～2021 年 3 月とし，共通の検索結果として 1370 件がヒットした。検索期間以後を含めハンドサーチを追加後，一次スクリーニングで 6 件が該当し，二次スクリーニングで MONARCH-2 閉経前患者の論文 1 編を採用した。

参考文献

1）Cristofanilli M, Turner NC, Bondarenko I, Ro J, Im SA, Masuda N, et al. Fulvestrant plus palbociclib versus fulvestrant plus placebo for treatment of hormone-receptor-positive, HER2-negative metastatic breast cancer that progressed on previous endocrine therapy（PALOMA-3）: final analysis of the multicentre, double-blind, phase 3 randomised controlled trial. Lancet Oncol. 2016; 17（4）: 425-39. [PMID: 26947331]

2）Sledge GW Jr, Toi M, Neven P, Sohn J, Inoue K, Pivot X, et al. MONARCH 2: abemaciclib in combination with fulvestrant in women with HR＋/HER2－ advanced breast cancer who had progressed while receiving endocrine therapy. J Clin Oncol. 2017; 35（25）: 2875-84. [PMID: 28580882]

3）Loibl S, Turner NC, Ro J, Cristofanilli M, Iwata H, Im SA, et al. Palbociclib combined with fulvestrant in premenopausal women with advanced breast cancer and prior progression on endocrine therapy: PALOMA-3 results. Oncologist. 2017; 22（9）: 1028-38. [PMID: 28652278]

4）Turner NC, Slamon DJ, Ro J, Bondarenko I, Im SA, Masuda N, et al. Overall survival with palbociclib and fulvestrant in advanced breast cancer. N Engl J Med. 2018; 379（20）: 1926-36. [PMID: 30345905]

5）Neven P, Rugo HS, Tolaney SM, Iwata H, Toi M, Goetz MP, et al. Abemaciclib plus fulvestrant in hormone receptor-positive, human epidermal growth factor receptor 2-negative advanced breast cancer in premenopausal women: subgroup analysis from the MONARCH 2 trial. Breast Cancer Res. 2021; 23（1）: 87. [PMID: 34425869]

6）Sledge GW Jr, Toi M, Neven P, Sohn J, Inoue K, Pivot X, et al. The effect of abemaciclib plus fulvestrant on overall survival in hormone receptor-positive, erbb2-negative breast cancer that progressed on endocrine therapy-MONARCH 2: a randomized clinical trial. JAMA Oncol. 2020; 6（1）: 116-24. [PMID: 31563959]

7) Kim JY, Im SA, Jung KH, Ro J, Sohn J, Kim JH, et al; breast cancer committee of Korean Cancer Study Group (KCSG). Fulvestrant plus goserelin versus anastrozole plus goserelin versus goserelin alone for hormone receptor-positive, HER2-negative tamoxifen-pretreated premenopausal women with recurrent or metastatic breast cancer(KCSG BR10-04): a multicentre, open-label, three-arm, randomised phase Ⅱ trial(FLAG study). Eur J Cancer. 2018; 103: 127-36. [PMID: 30223226]
8) Bartsch R, Bago-Horvath Z, Berghoff A, DeVries C, Pluschnig U, Dubsky P, et al. Ovarian function suppression and fulvestrant as endocrine therapy in premenopausal women with metastatic breast cancer. Eur J Cancer. 2012; 48(13): 1932-8. [PMID: 22459763]
9) Nishimura R, Anan K, Yamamoto Y, Higaki K, Tanaka M, Shibuta K, et al. Efficacy of goserelin plus anastrozole in premenopausal women with advanced or recurrent breast cancer refractory to an LH-RH analogue with tamoxifen: results of the JMTO BC08-01 phase Ⅱ trial. Oncol Rep. 2013; 29(5): 1707-13. [PMID: 23446822]
10) Martoni A, Longhi A, Canova N, Pannuti F. High-dose medroxyprogesterone acetate versus oophorectomy as first-line therapy of advanced breast cancer in premenopausal patients. Oncology. 1991; 48(1): 1-6. [PMID: 1824798]
11) Abrams J, Aisner J, Cirrincione C, Berry DA, Muss HB, Cooper MR, et al. Dose-response trial of megestrol acetate in advanced breast cancer: cancer and leukemia group B phase Ⅲ study 8741. J Clin Oncol. 1999; 17(1): 64-73. [PMID: 10458219]
12) Ellis MJ, Gao F, Dehdashti F, Jeffe DB, Marcom PK, Carey LA, et al. Lower-dose vs high-dose oral estradiol therapy of hormone receptor-positive, aromatase inhibitor-resistant advanced breast cancer: a phase 2 randomized study. JAMA. 2009; 302(7): 774-80. [PMID: 19690310]

CQ 20 閉経後ホルモン受容体陽性 HER2 陰性転移・再発乳癌に対する一次内分泌療法として，何が推奨されるか？

推奨

- 非ステロイド性アロマターゼ阻害薬と CDK4/6 阻害薬の併用を行うことを強く推奨する。
  推奨の強さ：1，エビデンスの強さ：強，合意率：100%（31/31）
- フルベストラント単剤の投与を弱く推奨する。
  推奨の強さ：2，エビデンスの強さ：弱，合意率：97%（36/37）
- アロマターゼ阻害薬単剤の投与を弱く推奨する。
  推奨の強さ：2，エビデンスの強さ：中，合意率：91%（40/44）

推奨におけるポイント

- 非ステロイド性アロマターゼ阻害薬と CDK4/6 阻害薬の併用が第一に検討される。
- アロマターゼ阻害薬単剤については，非ステロイド性アロマターゼ阻害薬と CDK4/6 阻害薬の併用が適さないと考えられる患者において検討されるべきである。
- 非ステロイド性アロマターゼ阻害薬の周術期内分泌療法中，もしくは終了後 12 カ月以内に再発した患者の一次内分泌療法は薬物 CQ21 を参照のこと。

背景・目的

閉経後ホルモン受容体陽性 HER2 陰性転移・再発乳癌に対しては，生命を脅かす病変がない場合，病状コントロールと延命効果に期待した薬物療法としては，化学療法と比較して副作用がより少ない内分泌療法が推奨される[1)2)]。治療編 総説. V. 転移・再発乳癌で説明しているように，転移・再発乳癌に対する一次内分泌療法は，術後内分泌療法の実施の有無とその最終投与から再発までの期間に基づいて，術後内分泌療法で使用した内分泌療法薬の再投与についての判断を行うことが多い。一次内分泌療法として，最適な選択肢を検討することを目的として，本 CQ について検討した。一次内分泌療法の定義については，治療編 総説. V. 4. a. a-1. 1)を参照のこと。

なお，非ステロイド性アロマターゼ阻害薬（AI）の周術期内分泌療法中，もしくは終了後 12 カ月以内に再発した患者に関しては，過去の多くの試験において二次内分泌療法の患者とともに治療効果を評価されている。このため原則として薬物 CQ21 の推奨に準ずることとする。

一方で，タモキシフェンに関しては，AI や CDK4/6 阻害薬併用のランダム化比較試験において，周術期内分泌療法中，終了後の再発時期によらず，基本的には一次内分泌療法として組み入れられていた。これにより，原則として薬物 本 CQ に準ずることとする。ただし，試験ごとに組み入れ基準が微妙に異なっており，注意が必要である。例えば，周術期治療のタモキシフェンやステロイド性 AI であるエキセメスタン内服中もしくは 12 カ月以内に再発した閉経後患者は，パルボシクリブに関しては PALOMA-2 試験に組み入れられたが，アベマシクリブに関してはフルベストラントを併用する MONARCH-2 試験に組み込まれている。各薬剤の使用の際は，これら臨床試験の結果を十分に理解しておく必要がある。治療編 総説. V. 4. a. a-1. を参照のこと。

解説

1）非ステロイド性アロマターゼ阻害薬とCDK4/6阻害薬の併用療法について

閉経後乳癌患者に対する一次内分泌療法として，AIに対するCDK4/6阻害薬の併用を検証したプラセボ対照ランダム化第Ⅲ相試験は，PALOMA-2試験，MONARCH-3試験，MONALEESA-2試験の3つが報告されている。

(1) PALOMA-2試験について

PALOMA-2試験の対象は，ホルモン受容体陽性HER2陰性の進行・再発閉経後乳癌患者であって，術後内分泌療法から1年以上経ってからの再発，あるいは診断時遠隔転移を有するPS 0〜2の患者である。前述のように，周術期治療のタモキシフェンやステロイド性AIであるエキセメスタン内服中もしくは12カ月以内に再発した閉経後患者は組み入れられた。一次内分泌療法として，レトロゾールとパルボシクリブを併用する群(パルボシクリブ群)，またはレトロゾールとプラセボを投与する群(プラセボ群)に，666人の患者が2対1で割り付けられた。この結果，無増悪生存期間(PFS)中央値はパルボシクリブ群で25.3カ月に対してプラセボ群は16.0カ月〔ハザード比(HR)0.568，95%CI 0.457-0.704，$p<0.0001$〕と，有意にパルボシクリブ群で良好であった[3)4)]。このほか，奏効割合(ORR)，クリニカルベネフィット率(CBR)についても，パルボシクリブ群で良好であった。パルボシクリブ群で多く認められた主な有害事象は，好中球減少(82%)，感染症(63%)，白血球減少(40%)，倦怠感(40%)，悪心(37%)などであった[4)]。

(2) MONARCH-3試験について

MONARCH-3試験の対象は，ホルモン受容体陽性HER2陰性の進行・再発閉経後乳癌で，術後内分泌療法から1年以上経ってからの再発，あるいは診断時遠隔転移を有するECOG PS 0〜1の患者である。一次内分泌療法として，非ステロイド性AI(NSAI)とアベマシクリブを併用する群(アベマシクリブ群)，またはNSAIとプラセボを投与する群(プラセボ群)に，493人の患者が2対1で割り付けられた。この結果，PFS中央値はアベマシクリブ群で28.2カ月に対してプラセボ群は14.8カ月(HR 0.525，95%CI 0.415-0.665，$p<0.0001$)と，有意にアベマシクリブ群で良好であった[5)〜7)]。このほかORR，CBRについても，アベマシクリブ群で良好であった。アベマシクリブ群で多く認められた主な有害事象は，下痢(81%)，好中球減少(41%)，倦怠感(40%)，悪心(35%)，腹痛(29%)などであった[6)]。

(3) MONALEESA-2試験について

MONALEESA-2試験の対象は，ホルモン受容体陽性HER2陰性の進行・再発閉経後乳癌患者であって，術後内分泌療法から1年以上経ってからの再発，あるいは診断時遠隔転移を有するECOG PS 0〜1の患者である。患者は，一次内分泌療法として，レトロゾールとribociclib(未承認)を併用する群(ribociclib群)，またはレトロゾールとプラセボを投与する群(プラセボ群)に，668人の患者が1対1で割り付けられた。この結果，PFS中央値はribociclib群で25.3カ月に対してプラセボ群は16.0カ月(HR 0.568，95%CI 0.457-0.704，$p=9.63\times10^{-8}$)と，有意にribociclib群で良好であった[8)9)]。このほか，ORR，CBRについても，ribociclib群で良好であった。ribociclib群で多く認められた主な有害事象は，好中球減少(74%)，悪心(52%)，感染症(50%)，倦怠感(37%)，下痢(35%)などであった[8)]。

また，論文化はされていないため，本CQでのシステマティック・レビューには含んでいない

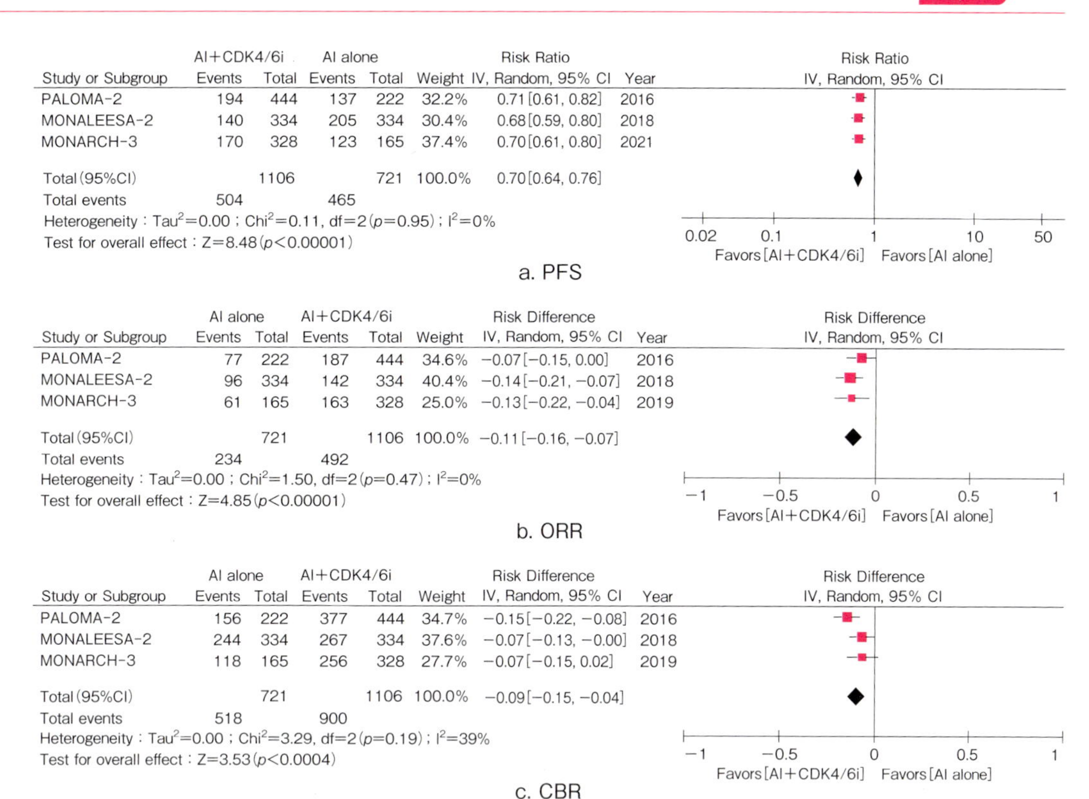

図1　メタアナリシス：AI 単剤 vs AI+CDK4/6 阻害薬

が，ESMO 2021 コングレスにおいて，MONALEESA-2 試験の全生存期間（OS）の結果が発表された[10]。この結果，中央値 80 カ月のフォロー期間における生存期間中央値は，レトロゾール＋ribociclib 群は 63.9 カ月に対してレトロゾール＋プラセボ群は 51.4 カ月（HR 0.76，95%CI 0.63-0.93）と，統計学的有意（$p=0.004$ は事前設定の 0.0219 を下回った）に，ribociclib 併用による全生存期間の延長が示された。

以上，本 CQ では，PALOMA-2 試験[3)4)]，MONARCH-3 試験[5)~7)]，MONALEESA-2 試験[8)9)]を対象にメタアナリシスを実施し，AI 単剤と，AI と CDK4/6 阻害薬の併用療法について比較検討した。この結果，PFS はリスク比 0.70（95%CI 0.64-0.76）（**図 1a**），ORR は risk difference（RD）0.11（95%CI 0.07-0.16）（**図 1b**），CBR は RD 0.09（95%CI 0.04-0.15）（**図 1c**）と，いずれも AI＋CDK4/6 阻害薬併用療法群で良好であった。なお，PALOMA-2 試験においては，術後内分泌療法中および終了後 12 カ月以内の再発症例（エキセメスタンとタモキシフェン治療症例）も 2 割程度存在していた。これら症例でも同様に併用療法で PFS が良好な結果であった（HR 0.50，95%CI 0.33-0.76）。

上記メタアナリシスにおいて，Grade 3 以上の有害事象（**図 2**）に関しては，有意に AI＋CDK4/6 阻害薬併用療法群で高く，AI 単剤に比較して点推定値として 45%（RD 0.47，95%CI 0.35-0.55）の出現頻度増加を認めた。

以上，3 つの質の高いランダム化比較試験のメタアナリシスの結果から，エビデンスの強さは「強」とした。

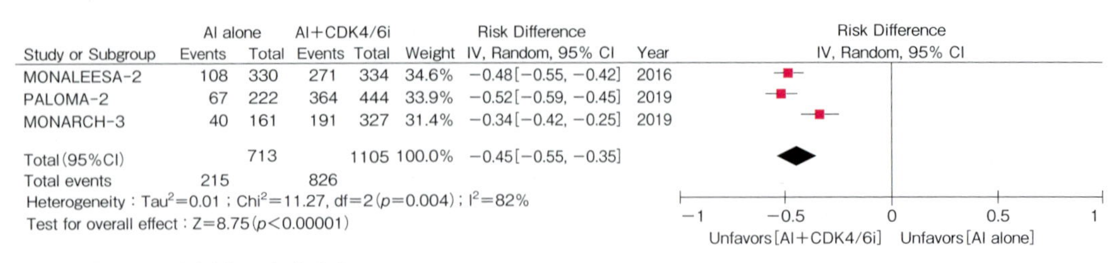

図 2　Grade 3 以上の有害事象

益と害のバランスとしては，これら有害事象の点を鑑みても，ORR，CBR，PFS 延長の効果から，十分，益が害を上回ると判断した。

患者の希望については，患者の嗜好に関した分析はないものの，有効性以外の有害事象，費用負担や投与経路に価値を置いた場合，患者の希望はばらつきがあると判断した。

AI と CDK4/6 阻害薬併用療法について，日本の患者負担分を想定した費用対効果分析はなされていない。ただし，CDK4/6 阻害薬の使用患者においては，高額療養費制度の適用となる薬剤費と想定される。以上より，費用負担が患者の希望に影響する可能性がある。一方で，PALOMA-2 試験の解析によると，QOL は併用により悪化することはなく，疼痛緩和は併用のほうが良い結果であった[11]。MONARCH-3 試験の解析では，全体の QOL は併用により悪化することはなかったが，下痢の項目ではプラセボ群の QOL が良好であった[12]。また，MONALEESA-2 試験の QOL は併用により悪化することはないという結果であった[13]。

推奨決定会議の投票では，「行うことを強く推奨する」が 100％であった。

以上より，エビデンスの程度，益と害のバランス，患者希望などを勘案し，推奨は「非ステロイド性アロマターゼ阻害薬と CDK4/6 阻害薬の併用を行うことを強く推奨する」とした。なお，NSAI と CDK4/6 阻害薬の併用を一次内分泌療法で使用した場合の二次内分泌療法については，薬物 FRQ10 を参照のこと。

2）フルベストラントと CDK4/6 阻害薬の併用療法について

閉経後ホルモン受容体陽性 HER2 陰性転移・再発乳癌に対する一次内分泌療法と二次内分泌療法として，フルベストラントに対する ribociclib の併用を評価したプラセボ対照二重盲検ランダム化第Ⅲ相比較試験として，MONALEESA-3 試験がある（詳細は薬物 CQ21 参照）[14)～16]。このうち，一次治療群と定義された患者は，de novo の Stage Ⅳ，もしくは周術期の内分泌療法が終わって 12 カ月以上経って再発した場合であった。

観察期間中央値 39.4 カ月での一次治療集団の PFS は，ribociclib＋フルベストラント群（ribociclib 群）で 33.6 カ月，プラセボ＋フルベストラント群（プラセボ群）で 19.2 カ月と，HR 0.55（95％CI 0.42–0.72）と，ribociclib 群で有意に良好であった[15]。また，観察期間中央値 56.3 カ月での一次治療集団の OS については，ribociclib 群では中央値に到達せず，プラセボ群は 51.8 カ月で，HR 0.640（95％CI 0.464–0.883）と，有意に ribociclib 群で良好な結果であった[16]。

ORR，CBR については，ITT 集団で上乗せ効果を認めるものの，治療ライン別での治療効果は評価されていない。また，有害事象についても，ITT 集団では ribociclib 群で，好中球数減少（69％），悪心（45％），下痢（29％），白血球数減少（28％），嘔吐（27％）といった代表的な有害事象の増加を認めたが，特に治療ライン別での有害事象の違いは評価されていない[14]。

今回，対象のCDK4/6阻害薬としてはribociclibのみ，さらにサブグループ解析の結果であり，パルボシクリブやアベマシクリブでは同様の比較がなされておらず，わが国で利用可能な他のCDK4/6阻害薬に外挿できるかは結論が出ない。ribociclibに関しては，日本人での安全性の問題があり，わが国での開発が途中でストップした経緯がある。以上より，本CQにおける推奨文には含めないこととした。また，AI単剤治療と比較した，有効性や有害事象の違いは評価されていない。

ホルモン受容体陽性HER2陰性の閉経後乳癌患者の初回治療として，AI＋パルボシクリブに対する，フルベストラント＋パルボシクリブ併用療法の有効性の優越性を検討したオープンラベルランダム化第Ⅱ相比較試験(PARSIFAL)の結果も報告されている[17]。この対象は，術後内分泌療法から1年以上経ってからの再発，あるいは診断時遠隔転移を有するECOG PS 0～2の患者であった。主要評価項目は主治医判断のPFSで，フルベストラント＋パルボシクリブ併用療法群(フルベストラント群)の，レトロゾール＋パルボシクリブ併用療法群(レトロゾール群)に対する優越性または非劣性が検討された。フォローアップ中央値32カ月時点でのPFSは，フルベストラント群で27.9カ月に対してレトロゾール群32.8カ月，HR 1.13(95%CI 0.89-1.45，p=0.32)と，統計学的に優越性および非劣性は示されなかった。ORRについても，フルベストラント群46.5%に対してレトロゾール群50.2%と，両群の間で統計学的な有意差を認めなかった。

3）フルベストラント単剤投与について

閉経後ホルモン受容体陽性HER2陰性転移・再発乳癌に対する一次内分泌療法としてフルベストラント500 mg単剤投与と第三世代AIであるアナストロゾール1 mgとの二重盲検ランダム化第Ⅲ相比較試験FALCON試験が実施されている[18]。ほぼ全例が内分泌療法未治療のStage Ⅳ症例を対象としていた。この結果，PFSがHR 0.797(95%CI 0.637-0.999)と，フルベストラント群で良好な結果であった。ORRについてはフルベストラント群で46%(89/193)，アナストロゾール群で45%(88/196)，オッズ比(OR)1.07(95%CI 0.72-1.61)，CBRについてはフルベストラント群で78%(180/230)，アナストロゾール群で74%(172/232)，OR 1.25(95%CI 0.82-1.93)であり，いずれも両群で差を認めていない。

以上，1つのランダム化比較試験をもとにした結果であり，直接性に問題はあるため，エビデンスの強さは「弱」とした。

FALCON試験において，有害事象の頻度は両群で差を認めなかったものの，関節痛(フルベストラント群17%，アナストロゾール群10%)や筋肉痛(フルベストラント群7%，アナストロゾール群3%)がフルベストラント群で多い報告であった[19]。これら有害事象の点を鑑みても，PFS延長の効果から，十分，益が害を上回ると判断した。HRQOLの結果は，FACT-B質問票に基づいて行われたが，両群に大きな差を認めなかった。

患者の希望については，患者の嗜好に関した分析はないものの，PFSや投与経路(経口と筋肉注射)に価値を置いた場合，患者の希望はばらつきがあると判断した。

一方で，AI単剤と比較したランダム化第Ⅲ相比較試験はFALCON試験1つである。また，FALCON試験はほぼ全例が内分泌療法未治療のStage Ⅳ症例を対象としていたことなどから直接性に問題があり，本CQの対象集団全体でAI単剤よりフルベストラントが有効性の面で優越すると結論付けることは難しい。

また，現在 NSAI と CDK4/6 阻害薬併用療法とフルベストラント単剤とを比較するデータは存在しないが，推奨の優劣を決めるに際しては，エビデンスを形成する試験数，PFS の絶対値とその一貫性を重視した。

推奨決定会議の投票では，「行うことを弱く推奨する」が 97%，「行うことを強く推奨する」が 3%であった。

以上より，エビデンスの程度，益と害のバランス，患者希望などを勘案し，推奨は「フルベストラント単剤の投与を弱く推奨する」とした。なお，フルベストラント単剤を一次内分泌療法で使用した場合の二次内分泌療法については，薬物 FRQ7 を参照のこと。

4）アロマターゼ阻害薬単剤について

前述のように，閉経後ホルモン受容体陽性 HER2 陰性転移・再発乳癌に対する一次内分泌療法として，AI 単剤は，複数のランダム化比較試験における対照群として，CDK4/6 阻害薬の併用療法やフルベストラント単剤に対するランダム化比較試験が実施されている。一方で，これらの試験以前に，AI 単剤と，タモキシフェンおよびその他の内分泌療法を対照群としたランダム化比較試験が多数実施されている。既存のメタアナリシスでは，AI 単剤がタモキシフェンおよびその他の内分泌療法に対して，OS を有意に延長したという報告が複数ある[20)21)]。一方で，AI 単剤とタモキシフェン単剤同士に限った比較では，OS については有意差を認めなかったが，ORR や CBR は AI 単剤で良好であったという報告がある[22)]。ただし，既存のメタアナリシスで AI 単剤と比較されたタモキシフェンやその他内分泌療法は，現在の閉経後一次治療の標準治療とは言い難く，AI 単剤のエビデンスの強さは「中」とした。

他の内分泌療法単剤と比較して，特に注意すべき有害事象が増えるわけではないため，有害事象と比較しても利益が上回ると判断した。

患者の希望のばらつきとしては，患者の嗜好に関した分析は実施されていないものの，ORR，CBR，PFS や投与経路，自己負担の医療費に価値を置いた場合，AI と CDK4/6 阻害薬の併用またはフルベストラント単剤などとの間で，患者の希望はばらつきがあると判断した。

また，1)で述べた NSAI と CDK4/6 阻害薬併用療法の AI 単剤に対する優越性を検討したうえで，AI 単剤を NSAI と CDK4/6 阻害薬併用療法と同列の推奨とはし難いと判断した。

推奨決定会議の投票では，「行うことを弱く推奨する」が 91%，「行うことを強く推奨する」が 5%，「行わないことを弱く推奨する」が 5%であった。

以上より，エビデンスの程度，益と害のバランス，患者希望などを勘案し，推奨は，非ステロイド性アロマターゼ阻害薬と CDK4/6 阻害薬の併用が適さないと考えられる患者に対して，「アロマターゼ阻害薬単剤の投与を弱く推奨する」とした。なお，アロマターゼ阻害薬単剤を一次内分泌療法で使用した場合の二次内分泌療法については，薬物 CQ21 を参照のこと。

［投票結果］

	1. 行うことを強く推奨する	2. 行うことを弱く推奨する	3. 行わないことを弱く推奨する	4. 行わないことを強く推奨する
推奨 1 つ目	100%(31/31)	0%(0/31)	0%(0/31)	0%(0/31)
	総投票数 31 名(棄権 0 名，COI 棄権 13 名)			
推奨 2 つ目	3%(1/37)	97%(36/37)	0%(0/37)	0%(0/37)
	総投票数 37 名(棄権 0 名，COI 棄権 7 名)			
推奨 3 つ目	5%(2/44)	91%(40/44)	5%(2/44)	0%(0/44)
	総投票数 44 名(棄権 0 名，COI 棄権 0 名)			

検索キーワード・参考にした二次資料

薬物 CQ18～22 の共通の検索として，PubMed で，"Breast Neoplasms"，"Neoplasm Metastasis"，"Neoplasm Recurrence, Local"，"Endocrine therapy"，"tamoxifen"，"toremifene"，"Fulvestrant"，"Aromatase Inhibitor"，"CDK4/6 inhibitor"，"everolimus"，"Buparlisib"，"pictilisib"，"alpelisib"，"AKT inhibitor" のキーワードとその同義語で検索した。医中誌・Cochrane Library も同等のキーワードで検索した。検索期間は 2016 年 1 月～2021 年 3 月とし，共通の検索結果として 1,370 件がヒットした。

前回のガイドライン 2018 年版の採用論文 11 論文を含め，一次スクリーニングで 22 編が該当し，二次スクリーニングでハンドサーチ 3 編と ESMO2021 の発表抄録 1 編を加え，第Ⅱ相試験の結果 4 編を除外した 22 編を採用した。

これらをもとに，定性的・定量的システマティック・レビューを行った。

参考文献

1) Cardoso F, Paluch-Shimon S, Senkus E, Curigliano G, Aapro MS, André F, et al. 5th ESO-ESMO international consensus guidelines for advanced breast cancer(ABC 5). Ann Oncol. 2020; 31(12): 1623-49.[PMID: 32979513]
2) Hortobagyi GN. Treatment of breast cancer. N Engl J Med. 1998; 339(14): 974-84. [PMID: 9753714]
3) Finn RS, Martin M, Rugo HS, Jones S, Im SA, Gelmon K, et al. Palbociclib and letrozole in advanced breast cancer. N Engl J Med. 2016; 375(20): 1925-36. [PMID: 27959613]
4) Rugo HS, Finn RS, Diéras V, Ettl J, Lipatov O, Joy AA, et al. Palbociclib plus letrozole as first-line therapy in estrogen receptor-positive/human epidermal growth factor receptor 2-negative advanced breast cancer with extended follow-up. Breast Cancer Res Treat. 2019; 174(3): 719-29. [PMID: 30632023]
5) Goetz MP, Toi M, Campone M, Sohn J, Paluch-Shimon S, Huober J, et al. MONARCH 3: abemaciclib as initial therapy for advanced breast cancer. J Clin Oncol. 2017; 35(32): 3638-46. [PMID: 28968163]
6) Johnston S, Martin M, Di Leo A, Im SA, Awada A, Forrester T, et al. MONARCH 3 final PFS: a randomized study of abemaciclib as initial therapy for advanced breast cancer. NPJ Breast Cancer. 2019; 5: 5. [PMID: 30675515]
7) Johnston S, O'Shaughnessy J, Martin M, Huober J, Toi M, Sohn J, et al. Abemaciclib as initial therapy for advanced breast cancer: MONARCH 3 updated results in prognostic subgroups. NPJ Breast Cancer. 2021; 7(1): 80. [PMID: 34158513]
8) Hortobagyi GN, Stemmer SM, Burris HA, Yap YS, Sonke GS, Paluch-Shimon S, et al. Ribociclib as first-line therapy for hr-positive, advanced breast cancer. N Engl J Med. 2016; 375(18): 1738-48. [PMID: 27717303]
9) Hortobagyi GN, Stemmer SM, Burris HA, Yap YS, Sonke GS, Paluch-Shimon S, et al. Updated results from MONALEESA-2, a phase Ⅲ trial of first-line ribociclib plus letrozole versus placebo plus letrozole in hormone receptor-positive, HER2-negative advanced breast cancer. Ann Oncol. 2018; 29(7): 1541-7. [PMID: 29718092]
10) Hortobagyi GN, Stemmer SM, Burris HA III, Yap YS, Sonke GS, Hart L, et al. LBA17_PR—Overall survival(OS) results from the phase Ⅲ MONALEESA-2(ML-2)trial of postmenopausal patients(pts)with hormone receptor positive/human epidermal growth factor receptor 2 negative(HR+/HER2−)advanced breast cancer(ABC) treated with endocrine therapy(ET) ± ribociclib(RIB). Ann Oncol. 2021; 32(suppl_5): S1283-346.
11) Rugo HS, Diéras V, Gelmon KA, Finn RS, Slamon DJ, Martin M, et al. Impact of palbociclib plus letrozole on patient-reported health-related quality of life: results from the PALOMA-2 trial. Ann Oncol. 2018; 29(4): 888-94. [PMID: 29360932]
12) Goetz MP, Martin M, Tokunaga E, Park IH, Huober J, Toi M, et al. Health-related quality of life in MONARCH 3: abemaciclib plus an aromatase inhibitor as initial therapy in HR+, HER2− advanced breast cancer. Oncologist. 2020; 25(9): e1346-54. [PMID: 32536013]
13) Verma S, O'Shaughnessy J, Burris HA, Campone M, Alba E, Chandiwana D, et al. Health-related quality of life of postmenopausal women with hormone receptor-positive, human epidermal growth factor receptor 2-negative advanced breast cancer treated with ribociclib+letrozole: results from MONALEESA-2. Breast Cancer

Res Treat. 2018; 170(3): 535-45. [PMID: 29654415]

14) Slamon DJ, Neven P, Chia S, Fasching PA, De Laurentiis M, Im SA, et al. Phase Ⅲ randomized study of ribociclib and fulvestrant in hormone receptor-positive, human epidermal growth factor receptor 2-negative advanced breast cancer: MONALEESA-3. J Clin Oncol. 2018; 36(24): 2465-72. [PMID: 29860922]
15) Slamon DJ, Neven P, Chia S, Fasching PA, De Laurentiis M, Im SA, et al. Overall survival with ribociclib plus fulvestrant in advanced breast cancer. N Engl J Med. 2020; 382(6): 514-24. [PMID: 31826360]
16) Slamon DJ, Neven P, Chia S, Jerusalem G, De Laurentiis M, Im S, et al. Ribociclib plus fulvestrant for postmenopausal women with hormone receptor-positive, human epidermal growth factor receptor 2-negative advanced breast cancer in the phase Ⅲ randomized MONALEESA-3 trial: updated overall survival. Ann Oncol. 2021; 32(8): 1015-24. [PMID: 34102253]
17) Llombart-Cussac A, Pérez-García JM, Bellet M, Dalenc F, Gil-Gil M, Ruíz-Borrego M, et al; PARSIFAL steering committee and trial investigators. Fulvestrant-palbociclib vs letrozole-palbociclib as initial therapy for endocrine-sensitive, hormone receptor-positive, ERBB2-negative advanced breast cancer: a randomized clinical trial. JAMA Oncol. 2021; 7(12): 1791-9. [PMID: 34617955]
18) Robertson JFR, Bondarenko IM, Trishkina E, Dvorkin M, Panasci L, Manikhas A, et al. Fulvestrant 500 mg versus anastrozole 1 mg for hormone receptor-positive advanced breast cancer (FALCON): an international, randomised, double-blind, phase 3 trial. Lancet. 2016; 388(10063): 2997-3005. [PMID: 27908454]
19) Robertson JFR, Cheung KL, Noguchi S, Shao Z, Degboe A, Lichfield J, et al. Health-related quality of life from the FALCON phase Ⅲ randomised trial of fulvestrant 500 mg versus anastrozole for hormone receptor-positive advanced breast cancer. Eur J Cancer. 2018; 94: 206-15. [PMID: 29574365]
20) Mauri D, Pavlidis N, Polyzos NP, Ioannidis JP. Survival with aromatase inhibitors and inactivators versus standard hormonal therapy in advanced breast cancer: meta-analysis. J Natl Cancer Inst. 2006; 98(18): 1285-91. [PMID: 16985247]
21) Gibson L, Lawrence D, Dawson C, Bliss J. Aromatase inhibitors for treatment of advanced breast cancer in postmenopausal women. Cochrane Database Syst Rev. 2009; 2009(4): CD003370. [PMID: 19821307]
22) Xu HB, Liu YJ, Li L. Aromatase inhibitor versus tamoxifen in postmenopausal woman with advanced breast cancer: a literature-based meta-analysis. Clin Breast Cancer. 2011; 11(4): 246-51. [PMID: 21737354]

閉経後ホルモン受容体陽性 HER2 陰性転移・再発乳癌の一次療法にアロマターゼ阻害薬単剤を使用したときの二次内分泌療法として，何が推奨されるか？

推 奨

● フルベストラントと CDK4/6 阻害薬の併用療法を行うことを強く推奨する。

推奨の強さ：1，エビデンスの強さ：強，合意率：100%(31/31)

推奨におけるポイント

- フルベストラントと CDK4/6 阻害薬の併用療法が第一に推奨される。
- フルベストラント単剤やエキセメスタンとエベロリムス併用療法などの他の選択肢については解説文を参照のこと。
- 非ステロイド性アロマターゼ阻害薬の周術期内分泌療法中，もしくは終了後 12 カ月以内に再発した患者の一次内分泌療法も本 CQ に準じる。

背景・目的

閉経後ホルモン受容体陽性 HER2 陰性転移・再発乳癌に対しては，生命を脅かす病変がない場合，病状コントロールと延命効果に期待した薬物療法としては，化学療法と比較して副作用がより少ない内分泌療法が推奨され[1]，二次治療以降もエビデンスに応じて，内分泌療法抵抗性と判断するまでは内分泌療法を継続することが勧められる[2]。治療編　総説. V. 転移・再発乳癌で説明しているように，術後内分泌療法の実施の有無とその最終投与から再発までの期間に基づいて，一次内分泌療法以降に，術後内分泌療法で使用した内分泌療法の再投与も候補となり得る。

非ステロイド性アロマターゼ阻害薬投与中または終了後 12 カ月以内の再発症例に対する内分泌療法の治療選択肢については，過去の大規模な臨床試験では二次内分泌療法と合わせた適格規準とされており，薬物 CQ20 ではなく，本 CQ の解説を参照すること。

また，一次内分泌療法としてアロマターゼ阻害薬と CDK4/6 阻害薬の併用療法を使用した場合またはフルベストラント単剤療法を実施した場合の二次内分泌療法に関しては，薬物 FRQ10 を参照のこと。

二次内分泌療法として，最適な選択肢を検討することを目的として，本 CQ について検討した。二次内分泌療法の定義については，治療編　総説. V. 4. a. a-1. 1)を参照のこと。

解 説

1）フルベストラントと CDK4/6 阻害薬の併用療法について

アロマターゼ阻害薬単剤に抵抗性の二次内分泌療法としてのフルベストラントと CDK4/6 阻害薬の併用療法を検証したランダム化比較第Ⅲ相試験として，PALOMA-3 試験[3)〜5)]，MONARCH-2 試験[6)7)]，MONALEESA-3 試験[8)〜10)]が存在する。

(1) PALOMA-3 試験について

PALOMA-3 試験は，ホルモン受容体陽性かつ HER2 陰性(HR＋/HER2－)の，内分泌療法抵抗性の手術不能または再発乳癌患者 521 人を対象とした試験である。二次以降の内分泌療法もしくは早期再発一次内分泌療法を含んでいる。パルボシクリブ群(パルボシクリブ＋フルベストラント)とプラセボ群(プラセボ＋フルベストラント)に2対1の割合にランダム化割り付けされ，主要評価項目を無増悪生存期間(PFS)として実施された。Extended follow up として報告された PFS 中央値は，パルボシクリブ群 9.5 カ月に対してプラセボ群 4.6 カ月，ハザード比(HR) 0.46(95%CI 0.36–0.59)と，パルボシクリブの追加により有意な PFS の延長が示された[4]。観察期間中央値 44.8 カ月における全生存期間(OS)中央値は，パルボシクリブ群で 34.9 カ月に対してプラセボ群で 28.0 カ月であったが，HR 0.81(95%CI 0.64–1.03)と，統計学的な有意差は認められなかった[5]。ただし，事前に設定されていない 73.3 カ月の長期フォローアップの結果が 2021 年の ASCO で報告されており，521 例の ITT 集団がフォローされ，パルボシクリブ群で 34.8 カ月であったのに対してプラセボ群で 28.0 カ月，HR 0.806(95%CI 0.654–0.994，$p=0.0221$)という結果であった[11]。

(2) MONARCH-2 試験について

MONARCH-2 試験は，HR＋/HER2－の，内分泌療法抵抗性の手術不能または再発乳癌患者 669 人を対象としている。二次内分泌療法もしくは早期再発一次内分泌療法の患者に限定して組み入れられている。アベマシクリブ群(アベマシクリブ＋フルベストラント)とプラセボ群(プラセボ＋フルベストラント)に 2 対 1 の割合にランダム化割り付けされ，主要評価項目を PFS として実施された。PFS 中央値はアベマシクリブ群 16.9 カ月に対してプラセボ群 9.3 カ月，HR 0.536 (95%CI 0.445–0.645)と，有意に PFS の延長が示された[7]。さらに OS 中央値は，アベマシクリブ群で 46.7 カ月に対してプラセボ群で 37.3 カ月，HR 0.757(95%CI 0.606–0.945)と，有意にアベマシクリブ群で良好であった[7]。

(3) MONALEESA-3 試験について

MONALEESA-3 試験は，HR＋/HER2－の，内分泌療法未治療または内分泌療法抵抗性の手術不能または再発乳癌患者 726 人を対象としている。閉経後女性と男性が対象とされ，一次および二次内分泌療法の患者が組み入れられている。Ribociclib 群〔ribociclib(未承認)＋フルベストラント〕とプラセボ群(プラセボ＋フルベストラント)に 2 対 1 の割合にランダム化割り付けされ，主要評価項目を PFS として実施された。PFS 中央値は，ribociclib 群が 20.6 カ月に対してプラセボ群が 12.8 カ月，HR 0.59(95%CI 0.49–0.71)と，有意に ribociclib 群で良好であった。これは，二次内分泌療法および内分泌療法抵抗性初回治療群における PFS 中央値は，ribociclib 群 14.6 カ月に対してプラセボ群は 9.1 カ月，HR 0.57(95%CI 0.44–0.74)と，ribociclib 群で良好な結果であった[9]。さらに 56.3 カ月のフォローによる OS 中央値は，ribociclib 群では 53.7 カ月に対してプラセボ群で 41.5 カ月，HR 0.726(95%CI 0.588–0.897)と，有意に ribociclib 群で良好であった[10]。二次内分泌療法および内分泌療法抵抗性初回治療群における OS 中央値は，ribociclib 群 39.7 カ月に対してプラセボ群は 33.7 カ月，HR 0.780(95%CI 0.587–1.037)と，ribociclib 群で良好な傾向であった。

今回，これら 3 試験を対象に，組み入れられた全症例をもとにしたメタアナリシスを実施し，フルベストラント単剤と，フルベストラント＋CDK4/6 阻害薬併用療法の比較を行った。ただし，二次もしくは早期再発一次内分泌療法として組み込まれた症例は，MONARCH-2 試験は全例，PALOMA-3 試験は 5 割程度，また MONALEESA-3 試験では 5 割弱であった。また，閉経後の

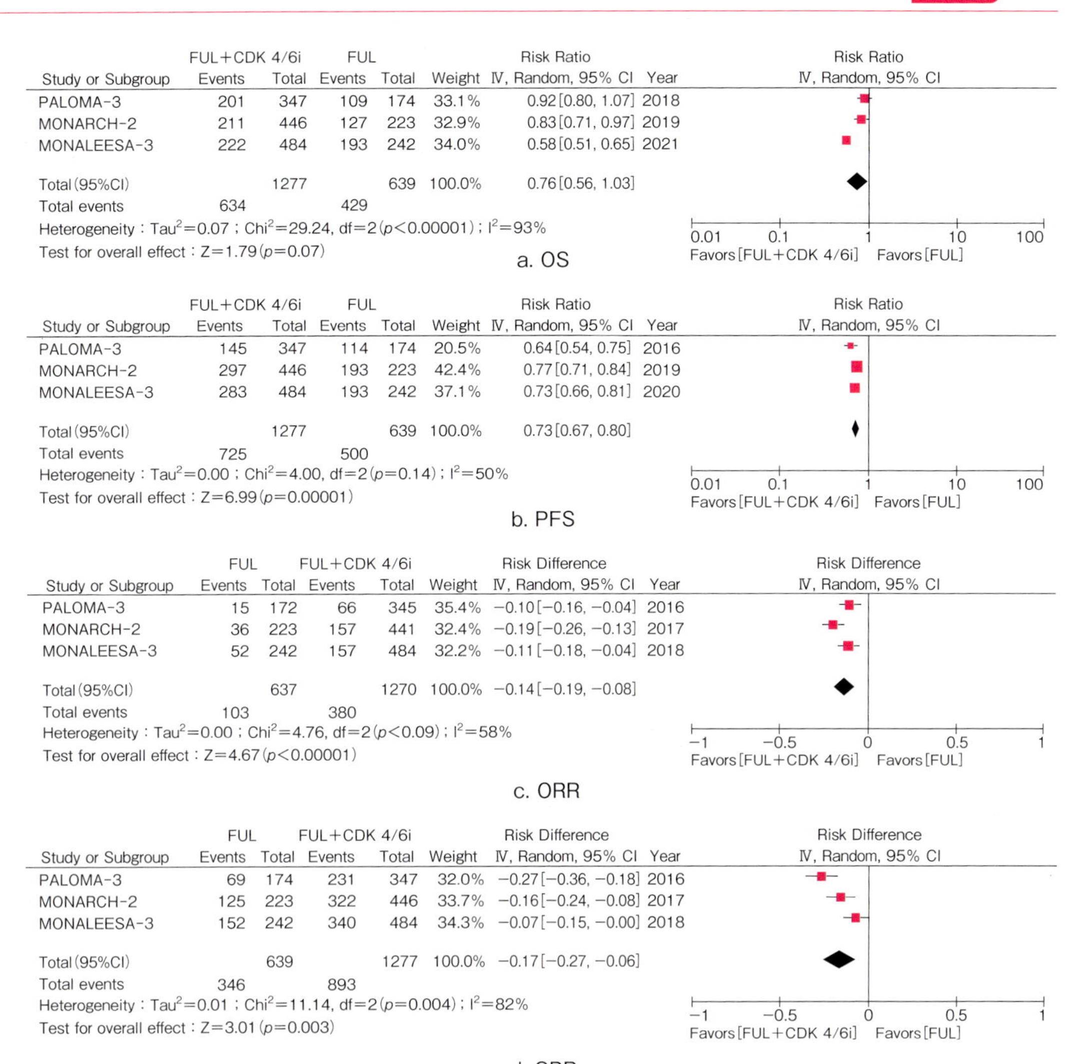

図 1　メタアナリシス(ITT 集団)：フルベストラント+CDK4/6 阻害薬併用療法 vs フルベストラント単剤

患者の割合は，MONALEESA-3 試験では全例が，そして PALOMA-3 試験および MONARCH-2 試験では約 8 割であった。この結果，全体集団における OS はリスク比 0.76(95%CI 0.56-1.03)(**図 1a**)と，CDK4/6 阻害薬併用に有意な傾向にあった。PFS はリスク比 0.73(95%CI 0.67-0.80)(**図 1b**)，全奏効割合(ORR)は risk difference(RD)0.14(95%CI 0.08-0.19)(**図 1c**)，クリニカルベネフィット率(CBR)は RD 0.17(95%CI 0.06-0.27)(**図 1d**)であり，いずれもフルベストラント+CDK4/6 阻害薬併用療法群で良好な結果であった。さらに，OS と PFS について，閉経後のサブグループにおける HR は，3 試験でいずれも併用療法で良好な結果であった。以上より，3 つのランダム化比較試験(RCT)で一貫性をもった結果として，併用療法の利益が示されており，エビデンスの強さは「強」とした。

Grade 3 以上の有害事象に関しては，有意にフルベストラント+CDK4/6 阻害薬併用療法群で高く，フルベストラント単剤に比較して点推定値として 44%の Grade 3 以上の有害事象の出現頻度増加 RD 0.45(95%CI 0.33–0.57)を認めた。

フルベストラント単剤と比較して，有効性の観点で併用の効果の上乗せがあるが，有害事象が増加することを加味すると，患者の希望はばらつきがある可能性があると判断した。

フルベストラントと併用した場合のパルボシクリブの医療コストについて，日本の患者負担分を想定した費用対効果分析はなされていない。ただし，CDK4/6 阻害薬の使用患者においては，高額療養費制度の適用となる薬剤費と想定されることから，費用負担が患者の希望に影響する可能性がある。一方で，PALOMA-3 試験の解析によると，QOL は併用群でより良好であった[12)]。さらに，MONARCH-2 の結果，QOL は単剤群と併用群とで概ね変わりはない結果であったが，悪心・嘔吐，食欲低下，下痢については有意に併用群で不良であった[13)]。MONALEESA-3 試験では，EORTC QLQ-C30 GHS における≧10%の悪化までのカプランマイヤー曲線が評価されたが，両群の間で統計学的有意差は認めなかった〔健康関連 QOL のベースラインより 10%悪化までの時間(time to definitive 10% deterioration；TTD≧10%)，HR＝0.81(95%CI 0.62–1.1)〕[14)]。

推奨決定会議の投票では，「行うことを強く推奨する」が 100%であった。

以上より，エビデンスの程度，益と害のバランス，患者希望などを勘案し，推奨は「フルベストラントと CDK4/6 阻害薬の併用療法を行うことを強く推奨する」とした。

2）フルベストラント 500 mg について

アロマターゼ阻害薬既治療の症例を対象としてフルベストラント単剤の有効性を検討した二次治療の RCT として，EFECT 試験，SoFEA 試験，CONFIRM 試験が存在する。

EFECT 試験では，フルベストラント 250 mg とエキセメスタンが比較された[15)]。この結果，無増悪期間(TTP)の中央値はいずれも 3.7 カ月であり，ORR はフルベストラント群 7.4%とエキセメスタン群 6.7%，CBR はそれぞれ 32.2%と 31.5%であり，いずれも有意差を認めなかった。また，SoFEA 試験は，エキセメスタン vs フルベストラント 250 mg，および，フルベストラント 250 mg vs フルベストラント 250 mg＋アナストロゾール併用療法の 2 群ずつが比較される RCT として実施されたが，いずれの比較においても，PFS，OS，ORR，CBR に統計学的有意差を認めなかった[16)]。フルベストラントが用量依存性に効果が上昇することが推定されていたため，フルベストラント 250 mg(n＝374)とフルベストラント 500 mg(n＝362)を比較する RCT である CONFIRM 試験が実施された[17)18)]。この結果，ORR や CBR は統計学的に差を認めなかったが，PFS および OS で，フルベストラント 500 mg のほうが良好であった。また，Zhang らは中国において，CONFIRM 試験と同様の患者対象にフルベストラント 250 mg とフルベストラント 500 mg の RCT を実施しているものの[19)]，症例数はフルベストラント 250 mg(n＝110)とフルベストラント 500 mg(n＝111)と CONFIRM 試験の 3 分の 1 程度であったこと，さらに統計学的に症例数の設計がなされていないことを含め，今回，これらの統合解析は実施していない。

以上より，CONFIRM 試験をもとにして，1 つの第Ⅲ相試験ではあること，対照群が一般的に使用されないフルベストラント 250 mg 製剤であることから，エビデンスの強さは「弱」とした。

CONFIRM 試験の結果によると，フルベストラントは筋注製剤であるため，注射部位反応が 13%程度で認められ，ほかには消化器症状が 20%，ホットフラッシュは 6〜8%，関節症状が 19%程度に認められるものの，250 mg 製剤と 500 mg 製剤で，有害事象は差を認めない。また，他の内分泌療法と比較して特段注意すべき有害事象が多いわけではなく，益が害を上回ると判断した。

フルベストラント単剤は，フルベストラント＋CDK4/6 阻害薬併用療法との比較で OS，PFS，ORR および CBR において有効性が劣っており，原則，フルベストラント＋CDK4/6 阻害薬併用療法が優先される。

3）エキセメスタンとエベロリムスの併用療法について

BOLERO-2 試験において，非ステロイド性アロマターゼ阻害薬既治療例の二次治療以降の内分泌療法として，エベロリムスとエキセメスタンの併用療法と，エキセメスタン単剤療法が比較されている[20)〜22)]。この結果，併用療法は PFS を有意に延長（HR 0.43，95％CI 0.35–0.54）した。また，ORR および CBR も併用療法が有意に良好であった。しかし，最終解析では OS 中央値は併用群 30.98 カ月，単剤群は 26.55 カ月であり，併用療法により有意な延長は認めなかった。

以上より，1 つの第Ⅲ相試験であることに加え，二次内分泌療法の症例は一部だけであること，対照群のエキセメスタン単剤は現行の標準的内分泌療法とも言い難い点を踏まえ，エビデンスの強さは「弱」とした。

Grade 3 以上の有害事象が，エキセメスタン単剤では 8.4％であるのに対し，エベロリムスとエキセメスタン併用療法は 40.9％と，高い頻度で認めた。併用により，口内炎が 59％，皮疹が 36％，倦怠感 33％，下痢 30％と，有害事象が認められるため，注意を要する。

エベロリムスとエキセメスタン併用療法は，1 つのみの RCT で有効性は報告されているものの，PFS，OS などの最重要なアウトカムに対する一貫した有効性が示されているフルベストラントと CDK4/6 阻害薬併用療法とを比較して考えると，原則，フルベストラント＋CDK4/6 阻害薬併用療法が優先される。

［投票結果］

1. 行うことを強く推奨する	2. 行うことを弱く推奨する	3. 行わないことを弱く推奨する	4. 行わないことを強く推奨する
100%（31/31）	0%（0/31）	0%（0/31）	0%（0/31）
総投票数 31 名（棄権 0 名，COI 棄権 13 名）			

検索キーワード・参考にした二次資料

薬物 CQ18〜22 の共通の検索として，PubMed で，“Breast Neoplasms”，“Neoplasm Metastasis”，“Neoplasm Recurrence, Local”，“Endocrine therapy”，“tamoxifen”，“toremifene”，“Fulvestrant”，“Aromatase Inhibitor”，“CDK4/6 inhibitor”，“everolimus”，“Buparlisib”，“pictilisib”，“alpelisib”，“AKT inhibitor” のキーワードとその同義語で検索した。医中誌・Cochrane Library も同等のキーワードで検索した。検索期間は 2016 年 1 月〜2021 年 3 月とし，共通の検索結果として 1,370 件がヒットした。

前回のガイドライン 2018 年版（Web 改訂版 Ver4.0）の採用論文 18 論文を含め，一次スクリーニングで 18 編が該当し，二次スクリーニングでハンドサーチ 2 編と ASCO2021 の発表抄録 1 編を加えた 22 編を採用した。

これらをもとに，定性的・定量的システマティック・レビューを行った。

参考文献

1）Cardoso F, Paluch-Shimon S, Senkus E, Curigliano G, Aapro MS, André F, et al. 5th ESO-ESMO international consensus guidelines for advanced breast cancer（ABC 5）. Ann Oncol. 2020; 31（12）: 1623–49. ［PMID: 32979513］

2）Hortobagyi GN. Treatment of breast cancer. N Engl J Med. 1998; 339（14）: 974–84. ［PMID: 9753714］

3）Turner NC, Ro J, André F, Loi S, Verma S, Iwata H, et al; PALOMA3 Study Group. Palbociclib in hormone-receptor-positive advanced breast cancer. N Engl J Med. 2015; 373（3）: 209–19. ［PMID: 26030518］

4）Cristofanilli M, Turner NC, Bondarenko I, Ro J, Im SA, Masuda N, et al. Fulvestrant plus palbociclib versus fulvestrant plus placebo for treatment of hormone-receptor-positive, HER2-negative metastatic breast cancer that progressed on previous endocrine therapy（PALOMA-3）: final analysis of the multicentre, double-blind,

phase 3 randomised controlled trial. Lancet Oncol. 2016; 17(4): 425-39. [PMID: 26947331]
5) Turner NC, Slamon DJ, Ro J, Bondarenko I, Im SA, Masuda N, et al. Overall survival with palbociclib and fulvestrant in advanced breast cancer. N Engl J Med. 2018; 379(20): 1926-36. [PMID: 30345905]
6) Sledge GW Jr, Toi M, Neven P, Sohn J, Inoue K, Pivot X, et al. MONARCH 2: abemaciclib in combination with fulvestrant in women with HR+/HER2− advanced breast cancer who had progressed while receiving endocrine therapy. J Clin Oncol. 2017; 35(25): 2875-84. [PMID: 28580882]
7) Sledge GW Jr, Toi M, Neven P, Sohn J, Inoue K, Pivot X, et al. The effect of abemaciclib plus fulvestrant on overall survival in hormone receptor-positive, ERBB2-negative breast cancer that progressed on endocrine therapy-MONARCH 2: a randomized clinical trial. JAMA Oncol. 2020; 6(1): 116-24. [PMID: 31563959]
8) Slamon DJ, Neven P, Chia S, Fasching PA, De Laurentiis M, Im SA, Petrakova K, et al. Phase Ⅲ randomized study of ribociclib and fulvestrant in hormone receptor-positive, human epidermal growth factor receptor 2-negative advanced breast cancer: MONALEESA-3. J Clin Oncol. 2018; 36(24): 2465-72. [PMID: 29860922]
9) Slamon DJ, Neven P, Chia S, Fasching PA, De Laurentiis M, Im SA, et al. Overall survival with ribociclib plus fulvestrant in advanced breast cancer. N Engl J Med. 2020; 382(6): 514-24. [PMID: 31826360]
10) Slamon DJ, Neven P, Chia S, Jerusalem G, De Laurentiis M, Im S, et al. Ribociclib plus fulvestrant for postmenopausal women with hormone receptor-positive, human epidermal growth factor receptor 2-negative advanced breast cancer in the phase Ⅲ randomized MONALEESA-3 trial: updated overall survival. Ann Oncol. 2021; 32(8): 1015-24. [PMID: 34102253]
11) Cristofanilli M, RugoHS, Im SA, Slamon DJ, Harbeck N, Bondarenko I, et al. Overall survival(OS)with palbociclib (PAL)+fulvestrant(FUL)in women with hormone receptor-positive(HR+), human epidermal growth factor receptor 2-negative(HER2−)advanced breast cancer(ABC): updated analyses from PALOMA-3. J Clin Oncol. 2021; 39(15_suppl): 1000.
12) Harbeck N, Iyer S, Turner N, Cristofanilli M, Ro J, André F, et al. Quality of life with palbociclib plus fulvestrant in previously treated hormone receptor-positive, HER2-negative metastatic breast cancer: patient-reported outcomes from the PALOMA-3 trial. Ann Oncol. 2016; 27(6): 1047-54. [PMID: 27029704]
13) Kaufman PA, Toi M, Neven P, Sohn J, Grischke EM, Andre V, et al. Health-related quality of life in MONARCH 2: abemaciclib plus fulvestrant in hormone receptor-positive, her2-negative advanced breast cancer after endocrine therapy. Oncologist. 2020; 25(2): e243-51. [PMID: 32043763]
14) Fasching PA, Beck JT, Chan A, De Laurentiis M, Esteva FJ, Jerusalem G, et al. Ribociclib plus fulvestrant for advanced breast cancer: Health-related quality-of-life analyses from the MONALEESA-3 study. Breast. 2020; 54: 148-54. [PMID: 33065342]
15) Chia S, Gradishar W, Mauriac L, Bines J, Amant F, Federico M, et al. Double-blind, randomized placebo controlled trial of fulvestrant compared with exemestane after prior nonsteroidal aromatase inhibitor therapy in postmenopausal women with hormone receptor-positive, advanced breast cancer: results from EFECT. J Clin Oncol. 2008; 26(10): 1664-70. [PMID: 18316794]
16) Johnston SR, Kilburn LS, Ellis P, Dodwell D, Cameron D, Hayward L, et al. Fulvestrant plus anastrozole or placebo versus exemestane alone after progression on non-steroidal aromatase inhibitors in postmenopausal patients with hormone-receptor-positive locally advanced or metastatic breast cancer(SoFEA): a composite, multicentre, phase 3 randomised trial. Lancet Oncol. 2013; 14(10): 989-98. [PMID: 23902874]
17) Di Leo A, Jerusalem G, Petruzelka L, Torres R, Bondarenko IN, Khasanov R, et al. Results of the CONFIRM phase Ⅲ trial comparing fulvestrant 250 mg with fulvestrant 500 mg in postmenopausal women with estrogen receptor-positive advanced breast cancer. J Clin Oncol. 2010; 28(30): 4594-600. [PMID: 20855825]
18) Di Leo A, Jerusalem G, Petruzelka L, Torres R, Bondarenko IN, Khasanov R, et al. Final overall survival: fulvestrant 500 mg vs 250 mg in the randomized CONFIRM trial. J Natl Cancer Inst. 2014; 106(1): djt337. [PMID: 24317176]
19) Zhang Q, Shao Z, Shen K, Li L, Feng J, Tong Z, et al. Fulvestrant 500 mg vs 250 mg in postmenopausal women with estrogen receptor-positive advanced breast cancer: a randomized, double-blind registrational trial in China. Oncotarget. 2016; 7(35): 57301-9. [PMID: 27359058]
20) Baselga J, Campone M, Piccart M, Burris HA 3rd, Rugo HS, Sahmoud T, et al. Everolimus in postmenopausal hormone-receptor-positive advanced breast cancer. N Engl J Med. 2012; 366(6): 520-9. [PMID: 22149876]
21) Yardley DA, Noguchi S, Pritchard KI, Burris HA 3rd, Baselga J, Gnant M, et al. Everolimus plus exemestane in postmenopausal patients with HR(+)breast cancer: BOLERO-2 final progression-free survival analysis. Adv Ther. 2013; 30(10): 870-84. [PMID: 24158787]
22) Piccart M, Hortobagyi GN, Campone M, Pritchard KI, Lebrun F, Ito Y, et al. Everolimus plus exemestane for hormone-receptor-positive, human epidermal growth factor receptor-2-negative advanced breast cancer: overall survival results from BOLERO-2. Ann Oncol. 2014; 25(12): 2357-62. [PMID: 25231953]

FRQ 10 閉経後ホルモン受容体陽性HER2陰性転移・再発乳癌の二次内分泌療法として何が推奨されるか？（一次内分泌療法として，アロマターゼ阻害薬単剤を行った場合はCQ21参照）

ステートメント

FRQ 10a 一次内分泌療法として，アロマターゼ阻害薬とサイクリン依存性キナーゼ4/6阻害薬の併用療法を行った場合

- 二次内分泌療法として最適な治療法は確立していない。
- 未使用の内分泌療法（mTOR阻害薬等の分子標的治療薬の併用療法を含む）を行うことを考慮してもよい。
- サイクリン依存性キナーゼ4/6阻害薬の再投与を支持するデータは存在しない。
- 耐性機序を考慮した臨床試験が進行中である。

FRQ 10b 一次内分泌療法として，フルベストラント単剤療法を実施した場合

- 二次内分泌療法として最適な治療法は確立していない。
- 未使用の内分泌療法（サイクリン依存性キナーゼ4/6阻害薬等の分子標的治療薬の併用を含む）を行うことを考慮してもよい。

背景

薬物CQ20で示したように，閉経後ホルモン受容体陽性HER2陰性（HR＋HER2－）転移・再発乳癌に対する一次内分泌療法として，アロマターゼ阻害薬（AI）とサイクリン依存性キナーゼ（CDK）4/6阻害薬の併用療法，フルベストラント単剤療法，AI単剤療法の3つが挙げられている。二次治療以降も，生命を脅かす病変がなく[1)]，内分泌療法感受性が残っていると判断される場合は，化学療法と比較して副作用がより少ない内分泌療法を継続することが勧められる[2)]。

薬物CQ21で示したように，AI単剤療法に抵抗性の場合は二次内分泌療法でのランダム化比較試験（RCT）が実施されているが，一次内分泌療法としてAIとCDK4/6阻害薬の併用療法を使用した場合，またはフルベストラント単剤療法を実施した場合の二次内分泌療法に関する臨床試験データは乏しい。

解説

1）一次内分泌療法として，アロマターゼ阻害薬とサイクリン依存性キナーゼ（CDK）4/6阻害薬の併用療法を行った場合

これまでに，一次内分泌治療としてAIとCDK4/6阻害薬の併用療法が実施された場合の二次内分泌療法に関するランダム化比較第Ⅲ相試験は報告されていない。そのため，最適な内分泌療法は確立していない。一方で，CDK4/6阻害薬の耐性機序については，これまで基礎研究やRCT

の附随研究に基づいて多くの機序が報告されている。具体的には，*de novo* のCDK4/6阻害薬耐性機序として *RB1* 欠失，*FAT1* 欠失，CCNE1過剰発現，FGFR1の過剰発現が，獲得耐性としてはPTEN/PI3K/AKT/mTOR経路の活性化，*ESR1* 変異，*RB1* 欠失，*FAT1* 欠失，*FGFR* の増幅や過剰発現，MAPK経路の活性化，*ERBB2* 変異，*AURKA* 増幅，CDK6過剰発現などが報告されている[3)4)]。現在，これら耐性機序を考慮した薬剤が開発されている。以下に，PI3K阻害薬，*ESR1* 変異をターゲットとした薬剤，またCDK4/6阻害薬の病勢進行後の継続投与について解説する。

(1) CDK4/6阻害薬既治療例に対するPTEN/PI3K/AKT/mTOR経路阻害に関して

①PI3K阻害薬とエベロリムスについて

ASCOから発表されている2021年の「ホルモン受容体陽性HER2陰性転移乳癌の内分泌療法と分子標的治療薬に関するガイドラインのアップデート」(以下，ASCO2021ガイドラインアップデート)[5)]やESO-ESMOの進行乳癌に対する国際コンセンサスガイドライン(以下，ABC5)[6)]においては，一次内分泌療法でアロマターゼ阻害薬とCDK4/6阻害薬併用療法を実施した場合の二次内分泌療法は，*PIK3CA* 変異を確認して，陽性であればalpelisib(未承認)とフルベストラント併用療法，陰性であれば内分泌療法とエベロリムスの併用療法が推奨されている。

これは，閉経後AI抵抗性のHR＋HER2－乳癌患者に対して，PI3Kα阻害薬であるalpelisibとフルベストラント併用群とプラセボとフルベストラント群の比較が行われたSOLAR-1試験[7)]と，CDK4/6阻害薬が投与されたHR＋HER2－転移・再発乳癌患者に対するalpelisibとフルベストラント併用(閉経前はLH-RHアゴニスト併用)の効果が検討されたBYLieve試験[8)]の結果に基づく(詳細は薬物FRQ11を参照のこと)。2022年4月時点で，alpelisibはわが国では承認されていない。

また，二次治療で *PIK3CA* 変異陰性例に対して内分泌療法とエベロリムスの併用療法が推奨される点は，前向き試験で検証された結果によるものではない。一方で，リアルワールドデータに基づいた，CDK4/6阻害薬併用内分泌療法後の二次治療や三次治療としてのエベロリムスとエキセメスタン併用療法は，次治療までの期間(time to next treatment；TTNT)がおよそ4～5カ月という報告もあり[9)]，過去のBOLERO-2試験の無増悪生存期間(PFS)と比較して短いことに注意が必要である。

これ以外には，CDK4/6阻害薬に対するalpelisibの併用や，CDK4/6阻害薬既治療例でのPI3K阻害薬の試験が進行中である。

②AKT阻害薬について

PTEN/PI3K/AKT/mTOR経路阻害薬として，汎AKT阻害薬の開発も進んでいる。CDK4/6阻害薬既治療例でのAKT阻害薬の試験が進行中である。

(2) AIとCDK4/6阻害薬併用療法後の *ESR1* 変異に関して

AIとCDK4/6阻害薬併用療法の耐性機序の一つとして *ESR1* 変異が考えられている。*ESR1* 変異陽性乳癌に対しても効果が期待されている薬剤として，経口選択的エストロゲン受容体分解薬(SERD)が存在する。耐性克服の評価として，CDK4/6阻害薬併用療法治療後の症例を含む，内分泌療法既治療例での経口SERDの有効性を検証する試験などが複数実施中である。

(3) AI と CDK4/6 阻害薬併用療法後のその他の機序を対象とした試験について

CDK4/6 阻害薬併用療法後の症例で，AURKA 阻害薬である alisertib の有効性を評価する第Ⅱ相試験が進行中である。FGFR 経路の活性化については，FGFR 阻害薬の開発が進められている。

(4) AI と CDK4/6 阻害薬併用療法後の CDK4/6 阻害薬の継続に関して

AI と CDK4/6 阻害薬併用療法後に病勢進行した場合，二次内分泌療法で CDK4/6 阻害薬を継続する意義は不明である。現在，ランダム化第Ⅱ相試験として MAINTAIN 試験，PACE 試験や PALMIRA 試験などが進行中である。

2）フルベストラント単剤に治療抵抗性の場合

これまでに，一次内分泌治療としてフルベストラント単剤療法が実施された場合の，二次内分泌療法に関したランダム化第Ⅲ相比較試験は報告されていない。そのため，最適な内分泌療法は確立していない。

その場合，実臨床においては，AI と CDK4/6 阻害薬の併用療法，フルベストラントとの CDK4/6 阻害薬の併用療法，エベロリムス併用療法，AI 単剤，タモキシフェン単剤等が候補となることが想定される。CDK4/6 阻害薬と内分泌療法薬（AI やフルベストラント）との併用に関しては，益と害のバランスを症例ごとに検討したうえで考慮してもよい。

フルベストラント使用中に病勢進行した場合，フルベストラントに CDK4/6 阻害薬を追加することの有効性を検証した RCT は報告されていない。一方で，前治療で用いた内分泌療法を継続のうえ，CDK4/6 阻害薬を上乗せすることを検討した前向き試験として，TREnd 試験が報告されている[10]。TREnd 試験は，HR＋HER2－の転移乳癌で，化学療法 1 レジメン以下，1～2 レジメンの内分泌療法歴を有し，直近の内分泌療法として AI かフルベストラント使用中に病勢進行した症例を対象とした第Ⅱ相試験である。パルボシクリブ単剤群（n＝57）と，パルボシクリブを直前の内分泌療法に上乗せする併用群（n＝58）にランダムに割り付けられ，clinical benefit rate（CBR）40％を期待奏効として，各群が独立して評価された。この結果，併用群全体の CBR は 54％であり，主要評価項目は満たしたが，フルベストラント使用歴や前治療数など，サブグループの詳細は報告されていない。探索的な検討として報告された併用群の PFS 中央値は，10.8 カ月（95％ CI 5.6-12.7）であったが，特に前治療の内分泌療法が 6 カ月より長く投与された症例で PFS が長い傾向であった。

RCT ではないが，わが国の前向き試験として，フルベストラント使用中に病勢進行した症例に対してパルボシクリブ追加の有効性を検討する JBCRG-M07（FUTURE 試験；jRCTs021180028）が登録終了している。

検索キーワード・参考にした二次資料

PubMed で，“Breast Neoplasms”，“Neoplasm Metastasis”，“Neoplasm Recurrence, Local”，“Endocrine therapy”，“tamoxifen”，“toremifene”，“Fulvestrant”，“Aromatase Inhibitor”，“CDK4/6 inhibitor”，“everolimus”，“Buparlisib”，“pictilisib”，“alpelisib”，“AKT inhibitor” のキーワードとその同義語で検索した。医中誌・Cochrane Library も同等のキーワードで検索した。検索期間は 2016 年 1 月～2021 年 3 月とし，共通の検索結果として 1,370 件がヒットした。このうち，CDK4/6 阻害薬に関したレビュー 2 件と臨床研究の論文 2 件を採用した。

また，乳癌診療ガイドライン 2018 年版（Ver. 4/2020 年 8 月 23 日改訂版）の FQ20 に採用していた論文と，ハンドサーチによる BYLieve 試験の論文，ASCO のガイドライン 2021 年アップデート，ESO-ESMO 国際コンセンサスガイドライン（ABC5）に基づいた論文をもとにして，解説文の作成を行った。

参考文献

1) Knudsen ES, Shapiro GI, Keyomarsi K. Selective CDK4/6 inhibitors: biologic outcomes, determinants of sensitivity, mechanisms of resistance, combinatorial approaches, and pharmacodynamic biomarkers. Am Soc Clin Oncol Educ Book. 2020; 40: 115-126. [PMID: 32421454]
2) Hortobagyi GN. Treatment of breast cancer. N Engl J Med. 1998; 339(14): 974-84. [PMID: 9753714]
3) Migliaccio I, Bonechi M, McCartney A, Guarducci C, Benelli M, Biganzoli L, et al. CDK4/6 inhibitors: a focus on biomarkers of response and post-treatment therapeutic strategies in hormone receptor-positive HER2-negative breast cancer. Cancer Treat Rev. 2021; 93: 102136. [PMID: 33360919]
4) Wander SA, Cohen O, Gong X, Johnson GN, Buendia-Buendia JE, Lloyd MR, et al. The genomic landscape of intrinsic and acquired resistance to cyclin-dependent kinase 4/6 inhibitors in patients with hormone receptor-positive metastatic breast cancer. Cancer Discov. 2020; 10(8): 1174-93. [PMID: 32404308]
5) Burstein HJ, Somerfield MR, Barton DL, Dorris A, Fallowfield LJ, Jain D, et al. Endocrine treatment and targeted therapy for hormone receptor-positive, human epidermal growth factor receptor 2-negative metastatic breast cancer: ASCO Guideline Update. J Clin Oncol. 2021; 39(35): 3959-77. [PMID: 34324367]
6) Cardoso F, Paluch-Shimon S, Senkus E, Curigliano G, Aapro MS, André F, et al. 5th ESO-ESMO international consensus guidelines for advanced breast cancer(ABC 5). Ann Oncol. 2020; 31(12): 1623-49. [PMID: 32979513]
7) André F, Ciruelos E, Rubovszky G, Campone M, Loibl S, Rugo HS, et al; SOLAR-1 Study Group. Alpelisib for PIK3CA-mutated, hormone receptor-positive advanced breast cancer. N Engl J Med. 2019; 380(20): 1929-40. [PMID: 31091374]
8) Rugo HS, Lerebours F, Ciruelos E, Drullinsky P, Ruiz-Borrego M, Neven P, et al. Alpelisib plus fulvestrant in PIK3CA-mutated, hormone receptor-positive advanced breast cancer after a CDK4/6 inhibitor(BYLieve): one cohort of a phase 2, multicentre, open-label, non-comparative study. Lancet Oncol. 2021; 22(4): 489-98. [PMID: 33794206]
9) Rozenblit M, Mun S, Soulos P, Adelson K, Pusztai L, Mougalian S. Patterns of treatment with everolimus exemestane in hormone receptor-positive HER2-negative metastatic breast cancer in the era of targeted therapy. Breast Cancer Res. 2021; 23(1): 14. [PMID: 33514405]
10) Malorni L, Curigliano G, Minisini AM, Cinieri S, Tondini CA, D'Hollander K, et al. Palbociclib as single agent or in combination with the endocrine therapy received before disease progression for estrogen receptor-positive, HER2-negative metastatic breast cancer: TREnd trial. Ann Oncol. 2018; 29(8): 1748-54. [PMID: 29893790]

FRQ 11 *PIK3CA* 変異陽性ホルモン受容体陽性 HER2 陰性転移・再発乳癌に対して，PI3K 阻害薬は有用か？

ステートメント

- *PIK3CA* 変異陽性ホルモン受容体陽性 HER2 陰性転移・再発乳癌に対する alpelisib（未承認）の有効性が報告されている。

背 景

ER 陽性 HER2 陰性転移・再発乳癌における *PIK3CA* 変異は 30～40％程度と報告されている[1)～3)]。Class Ⅰ PI3 キナーゼには 4 つのアイソフォームが存在し，*PIK3CA*，*PIK3CB*，*PIK3CD*，そして *PIK3CG* の 4 つの遺伝子が，それぞれ p110α，p110β，p110δ，p110γ のアイソフォームをコードする。これまで開発されてきた PI3K 阻害薬は，阻害するアイソフォームにより，汎 PI3K 阻害薬〔buparlisib，pictilisib（ともに未承認）〕，β-sparing PI3K 阻害薬〔taselisib（未承認）〕，選択的 PI3Kα 阻害薬〔alpelisib（未承認）〕に分けられる。PI3K 阻害薬の転移乳癌における有効性に関してこれまでの報告から検証した。

解 説

1）汎 PI3K 阻害薬，β-sparing PI3K 阻害薬

汎 PI3K 阻害薬である buparlisib は，閉経後 ER 陽性 HER2 陰性転移・再発乳癌を対象とし，フルベストラントとの併用での有効性を検証した 2 つの多施設盲検ランダム化第Ⅲ相比較試験（BELLE-2 試験，BELLE-3 試験）において，無増悪生存期間（PFS）の有意な延長が示されたが，いずれも Grade 3 以上の発生の増加が報告された[1)2)4)]。同じく汎 PI3K 阻害薬の pictilisib は，第Ⅱ相比較試験（FERGI 試験）において，全患者，また *PIK3CA* 変異の集団とも PFS の有意な延長が認められず，Grade 3 以上の毒性は増加が報告された[3)]。PI3Kα，γ，δ に対して阻害活性をもつ taselisib も，閉経後，アロマターゼ阻害薬（AI）耐性，化学療法 1 レジメン以下，mTOR 阻害薬未使用において，フルベストラント＋taselisib とフルベストラント＋プラセボの比較が行われ，*PIK3CA* 変異群での PFS 延長が示されたが，Grade 3～4 の副作用の顕著な増加が報告された[5)]。これら薬剤は，毒性増加のため，すべて開発中止となっている。

2）選択的 PI3Kα 阻害薬

Alpelisib は，PI3Kβ，γ，δ に対する阻害活性が弱く，PI3Kα に対して選択的に強い阻害活性をもつ PI3K 阻害薬である。転移・再発治療での AI 使用後の二次治療，または術後療法での AI 使用中もしくは使用後の再発に対する一次治療として，フルベストラント＋alpelisib とフルベストラント＋プラセボを比較する第Ⅲ相試験（SOLAR-1 試験）で有効性が検証された[6)]。主要評価項目の *PIK3CA* 変異群（n＝341）における PFS 中央値はプラセボ群 5.7 カ月に対して併用群 11.0 カ月〔ハザード比（HR）0.65，95％CI 0.50-0.85，$p<0.001$〕と有意な延長が確認された。遺伝子変異のない群（n＝231）では，プラセボ群 5.6 カ月に対して併用群 7.4 カ月（HR 0.85，95％CI 0.58-1.25）

と有意な延長は認められなかった。副次評価項目である *PIK3CA* 変異群での全生存期間(OS)は，プラセボ群 31.4 カ月に対して併用群 39.3 カ月(HR 0.86，95%CI 0.64-1.15，$p=0.15$)であり，有意差は認められなかった[7]。また，遺伝子変異群における奏効率は，26.6% vs. 12.8%と併用群で良好であった[6]。本試験の遺伝子変異群には 20 例(5.9%)の CDK4/6 阻害薬使用後患者が含まれており，少数での検討ではあるが，併用群の奏効率はプラセボ群と比較して HR 0.48(95%CI 0.17-1.36)と有効性は保たれていた。

副作用に関しては Grade 3〜4 の発生が 76% vs 30.3%と併用群で多く認められ，高血糖(36.6% vs 0.7%)，皮疹(9.9% vs 0.3%)，下痢(6.7% vs 0.3%)などが高頻度に報告された[6)8)]。Grade 3 以上の毒性発現までの中央値は，高血糖 15 日，皮疹 13 日，下痢 139 日であった。高血糖はメトホルミン単独または他の抗糖尿病薬との併用で治療された。皮疹は抗ヒスタミン薬などの予防薬使用により発生率の低下を認めており(全 Grade 26.7% vs 64.1%，Grade 3 以上 11.6% vs 22.7%)，alpelisib の使用においては予防治療の併用が推奨される。

海外においては，SOLAR-1 の結果から alpelisib が臨床導入されている国もあるが，わが国においては安全性の点から追加の治験が進行中である。

なお，CDK4/6 阻害薬使用後の alpelisib の有効性に関しては，上記 SOLAR-1 試験に含まれる少数例の報告のほか，国際共同第 II 相非盲検非比較試験である BYLieve 試験で検証されている[9]。BYLieve 試験は，前治療 2 レジメン以下(化学療法は 1 レジメン以下)の *PIK3CA* 変異をもつ ER 陽性 HER2 陰性の局所進行または転移乳癌を有する閉経前，閉経後の女性と男性を対象とし，3 つのコホートで行われた。コホート A では，直前の AI＋CDK4/6 阻害薬で病勢進行が確認された患者に対して alpelisib＋フルベストラントの投与が行われた。コホート B では，直前のフルベストラントと CDK4/6 阻害薬で病勢進行が確認された患者を対象とし，alpelisib＋レトロゾールの投与が行われた。また，コホート C では，AI 投与中または終了後に病勢進行し，その後に化学療法もしくは内分泌療法を受けた患者が登録され，alpelisib＋フルベストラントの投与が行われている。なお，すべてのコホートにおいて，閉経前患者では LH-RH アゴニストが併用された。本試験の主要評価項目は 6 カ月時点で病勢進行なく生存している割合(PFR)であり，95%CI の下限が 30%以上であることを臨床的に意義があるとした。現在までにコホート A は論文での報告，コホート B は学会報告がなされている。コホート A には 127 人が登録され，89%の症例が転移・再発乳癌に対する内分泌療法が 1 レジメン以下の症例であった。*PIK3CA* 変異が確認された 121 人で有効性が評価され，6 カ月時点の PFR は 50.4%(95%CI 41.2-59.6)であり，主要評価項目を満たした。コホート B には 126 人が登録され，転移・再発乳癌に対する内分泌療法が 1 レジメン以下の症例は 59.5%であった。*PIK3CA* 変異が確認された 115 人での 6 カ月時点の PFR は 46.1%(95%CI 36.8-55.6)であり，こちらも主要評価項目を満たしている[10]。

検索キーワード・参考にした二次資料

PubMed で，“Breast Neoplasms”，“breast cancer”，“Estrogen Receptor positive”，“Class I Phosphatidylinositol 3-Kinases”，“PIK3CA”，“Phosphoinositide-3 Kinase Inhibitors”，“Phosphoinositide-3 Kinase”，“buparlisib”，“alpelisib”，“taselisib”，“pictilisib” とその同義語に関して，2009 年〜2021 年 3 月の期間で検索した。72 件がヒットし，8 編の論文を採用し，ハンドサーチで論文 1 編と学会報告を 1 つ採用した。

参考文献

1) Baselga J, Im SA, Iwata H, Cortés J, De Laurentiis M, Jiang Z, et al. Buparlisib plus fulvestrant versus placebo plus fulvestrant in postmenopausal, hormone receptor-positive, HER2-negative, advanced breast cancer (BELLE-2): a randomised, double-blind, placebo-controlled, phase 3 trial. Lancet Oncol. 2017; 18(7): 904-16. [PMID: 28576675]
2) Di Leo A, Johnston S, Lee KS, Ciruelos E, Lønning PE, Janni W, et al. Buparlisib plus fulvestrant in postmenopausal women with hormone-receptor-positive, HER2-negative, advanced breast cancer progressing on or after mTOR inhibition (BELLE-3): a randomised, double-blind, placebo-controlled, phase 3 trial. Lancet Oncol. 2018; 19(1): 87-100. [PMID: 29223745]
3) Krop IE, Mayer IA, Ganju V, Dickler M, Johnston S, Morales S, et al. Pictilisib for oestrogen receptor-positive, aromatase inhibitor-resistant, advanced or metastatic breast cancer (FERGI): a randomised, double-blind, placebo-controlled, phase 2 trial. Lancet Oncol. 2016; 17(6): 811-21. [PMID: 27155741]
4) Campone M, Im SA, Iwata H, Clemons M, Ito Y, Awada A, et al. Buparlisib plus fulvestrant versus placebo plus fulvestrant for postmenopausal, hormone receptor-positive, human epidermal growth factor receptor 2-negative, advanced breast cancer: Overall survival results from BELLE-2. Eur J Cancer. 2018; 103: 147-54. [PMID: 30241001]
5) Dent S, Cortés J, Im YH, Diéras V, Harbeck N, Krop IE, et al. Phase Ⅲ randomized study of taselisib or placebo with fulvestrant in estrogen receptor-positive, PIK3CA-mutant, HER2-negative, advanced breast cancer: the SANDPIPER trial. Ann Oncol. 2021; 32(2): 197-207. [PMID: 33186740]
6) André F, Ciruelos E, Rubovszky G, Campone M, Loibl S, Rugo HS, et al; SOLAR-1 Study Group. Alpelisib for PIK3CA-mutated, hormone receptor-positive advanced breast cancer. N Engl J Med. 2019; 380(20): 1929-40. [PMID: 31091374]
7) André F, Ciruelos EM, Juric D, Loibl S, Campone M, Mayer IA, et al. Alpelisib plus fulvestrant for PIK3CA-mutated, hormone receptor-positive, human epidermal growth factor receptor-2-negative advanced breast cancer: final overall survival results from SOLAR-1. Ann Oncol. 2021; 32(2): 208-17. [PMID: 33246021]
8) Rugo HS, André F, Yamashita T, Cerda H, Toledano I, Stemmer SM, et al. Time course and management of key adverse events during the randomized phase Ⅲ SOLAR-1 study of PI3K inhibitor alpelisib plus fulvestrant in patients with HR-positive advanced breast cancer. Ann Oncol. 2020; 31(8): 1001-10. [PMID: 32416251]
9) Rugo HS, Lerebours F, Ciruelos E, Drullinsky P, Ruiz-Borrego M, Neven P, et al. Alpelisib plus fulvestrant in PIK3CA-mutated, hormone receptor-positive advanced breast cancer after a CDK4/6 inhibitor (BYLieve): one cohort of a phase 2, multicentre, open-label, non-comparative study. Lancet Oncol. 2021; 22(4): 489-98. [PMID: 33794206]
10) Rugo HS, Lerebours F, Juric D, Turner N, Chia s, Drullinsky P, et al. Alpelisib + letrozole in patients with PIK3CA-mutated, hormone-receptor positive (HR+), human epidermal growth factor receptor-2-negative (HER2−) advanced breast cancer (ABC) previously treated with a cyclin-dependent kinase 4/6 inhibitor (CDK4/6i) + fulvestrant: BYLieve study results. Cancer Res. 2021; 81(4_Supplement): PD2-07.

CQ 22 閉経後ホルモン受容体陽性 HER2 陰性転移・再発乳癌に対する三次治療以降の内分泌療法として，何が推奨されるか？

推 奨

- **非ステロイド性アロマターゼ阻害薬耐性の場合，エキセメスタン＋エベロリムス併用療法を行うことを弱く推奨する。**

推奨の強さ：2，エビデンスの強さ：弱，合意率：98％(39/40)

推奨におけるポイント

- 生命を脅かす病変がなく，内分泌療法抵抗性でないと判断できる場合は，内分泌療法の継続を検討する。
- CDK4/6 阻害薬治療後のエキセメスタン＋エベロリムス併用療法の有効性は確立していない。
- 他の内分泌療法の選択肢については，解説文を参照のこと。

背景・目的

閉経後ホルモン受容体陽性転移・再発乳癌に対しては，生命を脅かす病変がない場合，病状コントロールと延命効果に期待した薬物療法として，化学療法と比較して副作用がより少ない内分泌療法が推奨される[1)]。三次治療以降も内分泌療法抵抗性と判断するまでは内分泌療法を継続することを検討する[2)]。三次治療以降の内分泌療法として最適な選択肢を検討した。

解 説

1）非ステロイド性アロマターゼ阻害薬耐性の場合のエキセメスタン＋エベロリムス併用療法について

BOLERO-2 試験において，非ステロイド性アロマターゼ阻害薬(AI)既治療例の二次治療以降の内分泌療法として，エベロリムスとエキセメスタン併用とエキセメスタン単剤療法が比較された[3)～5)]。併用群は全体集団の無増悪生存期間(PFS)を有意に延長〔ハザード比(HR)0.43，95％CI 0.35-0.54，p<0.001〕しており，三次治療以降の症例におけるサブグループ解析結果も同様の傾向を認めた。全体集団で全奏効割合(ORR)，クリニカルベネフィット率(CBR)は併用群で良好であり，全生存期間(OS)は有意差を認めなかったが，治療ラインごとの比較はなされていない(☞薬物 CQ21 参照)。以上より，1つの質の高いランダム化比較試験(RCT)があるが，サブグループ解析のみであり，エビデンスの強さは「弱」とした。

全体集団では，Grade 3 以上の有害事象が，エキセメスタン単剤では 8.4％であるのに対して，エベロリムスとエキセメスタン併用療法では 40.9％と，高い頻度で認めた。生活の質(QOL)について，EORTC QLQ-C30 スコアが 5％以上低下するまでの期間(TDD)は併用群のほうが長かった(8.3 カ月 vs 5.8 カ月，p＝0.0084)[6)]。

三次治療以降の症例のみでのサブグループ解析結果は報告されていないが，益が害を上回る可能性がある。

1つのRCTのサブグループ解析の結果であることや有害事象の増加を加味すると，患者の希望はばらつきがあると判断した。

三次治療以降にエキセメスタンと併用した場合のエベロリムスの医療コストについて，日本の患者負担分を想定した費用対効果分析はなされていない。高額療養費制度の適用となる薬剤費と想定される。以上より，費用負担が患者の希望に影響する可能性がある。

推奨決定会議の投票では，「行うことを弱く推奨する」が98%，「行わないことを弱く推奨する」が3%であった。

以上より，エビデンスの強さ，益と害のバランス，患者希望などを勘案し，推奨は「非ステロイド性アロマターゼ阻害薬耐性の場合，エキセメスタン＋エベロリムス併用療法を行うことを弱く推奨する」とした。

2）未使用の内分泌療法薬，分子標的治療薬について

PALOMA-3試験では，三次治療以降の症例が35%登録されており，サブグループ解析では，PFS，OSとも全体集団と同様の傾向であった(☞薬物CQ21参照)[7)~9)]。サイクリン依存性キナーゼ(CDK)4/6阻害薬未使用の場合は，内分泌療法薬にCDK4/6阻害薬を併用することを検討する。1つのRCTのサブグループ解析であり，エビデンスの強さは「弱」とした。

三次治療以降において，内分泌療法薬単剤で，Best Supportive Care，化学療法と比較して有意に予後が改善した治療は存在しない。また，CDK4/6阻害薬やエベロリムスに抵抗性となった後の内分泌療法薬単剤の治療効果は検討されていない。

タモキシフェン治療後の二次治療以降の症例において第三世代AI(アナストロゾール，レトロゾール，エキセメスタン)とプロゲステロン製剤(酢酸メゲステロール，酢酸メドロキシプロゲステロン)を比較したメタアナリシスでは，第三世代AIがOSを延長したが(HR 0.86，95%CI 0.79-0.94)，三次治療以降の症例は少数のみであった[10)]。

非ステロイド性AI既治療例を対象としたRCTであるEFECT試験では，エキセメスタンとフルベストラント250 mgが比較され，全体集団では無増悪期間(TTP)，ORR，CBRに有意差を認めず(☞薬物CQ21参照)，サブグループ解析の三次治療以降の症例においてもTTPは同様の傾向であった[11)]。

非ステロイド性AI既治療例を対象としてエキセメスタンとトレミフェン120 mgを比較したRCTでは，エキセメスタン群の71%，トレミフェン群の74%が三次治療以降の症例であった[12)]。全体集団の解析では，主要評価項目であるCBR，および副次評価項目であるORR，OSは有意差を認めなかったが，PFSはトレミフェン群で良好であった(HR 0.61，95%CI 0.38-0.99，$p=0.0045$)。サブグループ解析の三次治療以降の症例においても，CBRは同様の傾向であった。

エストロゲン療法については，一次内分泌療法143例を対象としたRCTでジエチルスチルベストロール(diethylstilbestrol；DES)とタモキシフェンのORRに有意差は認めなかったが(41% vs 33%，$p=0.37$)，追跡報告ではDES群のOS中央値が良好であった(3.0年vs 2.4年，$p=0.034$)。しかしながら，DES群は有害事象が多く，12%が有害事象のために治療を中止した[13)14)]。また，AI既治療例66例を対象に高用量(30 mg)と低用量(6 mg)エストラジオールを比較したRCTでは，主要評価項目のCBRに差は認めず(28% vs 29%)，Grade 3以上の有害事象は低用量群で有意に少なかった(34% vs 18%，$p=0.03$)[15)]。

以上より，内分泌療法薬単剤のRCTは複数あるものの，三次治療以降のデータは乏しく，エビデンスの強さは「非常に弱い」とした。

各薬剤の優先順位を決定することは困難であり，前治療薬の作用機序を考慮して，未使用の内分泌療法薬(フルベストラント，アロマターゼ阻害薬，トレミフェン，タモキシフェン)を選択することが妥当である。酢酸メドロキシプロゲステロンは血栓症や体重増加，エストラジオールは血栓症や膣出血などの有害事象の面から後期ラインで使用する。

CDK4/6阻害薬は一次治療あるいは二次治療までに使用することが強く推奨され，分子標的治療薬使用後の内分泌療法薬単剤の有効性は不確定であるため，推奨は記載しなかった。

［投票結果］

1. 行うことを強く推奨する	2. 行うことを弱く推奨する	3. 行わないことを弱く推奨する	4. 行わないことを強く推奨する
0%(0/40)	98%(39/40)	3%(1/40)	0%(0/40)
総投票数40名(棄権1名，COI棄権3名)			

検索キーワード・参考にした二次資料

PubMedで，"Breast Neoplasms"，"Antineoplastic Agents, Hormonal"，"Estrogen Antagonists"，"Gonadotropin-Releasing Hormone"，"Aromatase Inhibitors"，"Receptor, ErbB-2"，"Cyclin-Dependent Kinases"，"Protein Kinase Inhibitors"，"Everolimus"，"Receptors, Estrogen"のキーワードと，"Postmenopause"の同義語で検索した。医中誌・Cochrane Libraryも同等のキーワードで検索した。検索期間は2016年11月までとし，1,334件がヒットした。

さらに2021年3月までの期間で追加検索を行った。PubMedで，"Breast Neoplasms"，"Advanced"，"Antineoplastic Agents, Hormonal"，"Cyclin-Dependent Kinases"の同義語，"P13K Inhibitors"の同義語のキーワードで検索し，医中誌・Cochrane Libraryも同等のキーワードで検索した。743件がヒットし，ハンドサーチで3件の文献を追加した。

参考文献

1) Cardoso F, Paluch-Shimon S, Senkus E, Curigliano G, Aapro MS, André F, et al. 5th ESO-ESMO international consensus guidelines for advanced breast cancer(ABC 5). Ann Oncol. 2020; 31(12): 1623-49. [PMID: 32979513]
2) Hortobagyi GN. Treatment of breast cancer. N Engl J Med. 1998; 339(14): 974-84. [PMID: 9753714]
3) Baselga J, Campone M, Piccart M, Burris HA 3rd, Rugo HS, Sahmoud T, et al. Everolimus in postmenopausal hormone-receptor-positive advanced breast cancer. N Engl J Med. 2012; 366(6): 520-9. [PMID: 22149876]
4) Yardley DA, Noguchi S, Pritchard KI, Burris HA 3rd, Baselga J, Gnant M, et al. Everolimus plus exemestane in postmenopausal patients with HR(+)breast cancer: BOLERO-2 final progression-free survival analysis. Adv Ther. 2013; 30(10): 870-84. [PMID: 24158787]
5) Piccart M, Hortobagyi GN, Campone M, Pritchard KI, Lebrun F, Ito Y, et al. Everolimus plus exemestane for hormone-receptor-positive, human epidermal growth factor receptor-2-negative advanced breast cancer: overall survival results from BOLERO-2. Ann Oncol. 2014; 25(12): 2357-62. [PMID: 25231953]
6) Burris HA 3rd, Lebrun F, Rugo HS, Beck JT, Piccart M, Neven P, et al. Health-related quality of life of patients with advanced breast cancer treated with everolimus plus exemestane versus placebo plus exemestane in the phase 3, randomized, controlled, BOLERO-2 trial. Cancer. 2013; 119(10): 1908-15. [PMID: 23504821]
7) Turner NC, Ro J, André F, Loi S, Verma S, Iwata H, et al; PALOMA3 Study Group. Palbociclib in hormone-receptor-positive advanced breast cancer. N Engl J Med. 2015; 373(3): 209-19. [PMID: 26030518]
8) Cristofanilli M, Turner NC, Bondarenko I, Ro J, Im SA, Masuda N, et al. Fulvestrant plus palbociclib versus fulvestrant plus placebo for treatment of hormone-receptor-positive, HER2-negative metastatic breast cancer that progressed on previous endocrine therapy(PALOMA-3): final analysis of the multicentre, double-blind, phase 3 randomised controlled trial. Lancet Oncol. 2016; 17(4): 425-39. [PMID: 26947331]
9) Turner NC, Slamon DJ, Ro J, Bondarenko I, Im SA, Masuda N, et al. Overall survival with palbociclib and fulvestrant in advanced breast cancer. N Engl J Med. 2018; 379(20): 1926-36. [PMID: 30345905]
10) Mauri D, Pavlidis N, Polyzos NP, Ioannidis JP. Survival with aromatase inhibitors and inactivators versus standard hormonal therapy in advanced breast cancer: meta-analysis. J Natl Cancer Inst. 2006; 98(18): 1285-91. [PMID: 16985247]

11) Chia S, Gradishar W, Mauriac L, Bines J, Amant F, Federico M, et al. Double-blind, randomized placebo controlled trial of fulvestrant compared with exemestane after prior nonsteroidal aromatase inhibitor therapy in postmenopausal women with hormone receptor-positive, advanced breast cancer: results from EFECT. J Clin Oncol. 2008; 26(10): 1664-70. [PMID: 18316794]
12) Yamamoto Y, Ishikawa T, Hozumi Y, Ikeda M, Iwata H, Yamashita H, et al. Randomized controlled trial of toremifene 120 mg compared with exemestane 25 mg after prior treatment with a non-steroidal aromatase inhibitor in postmenopausal women with hormone receptor-positive metastatic breast cancer. BMC Cancer. 2013; 13: 239. [PMID: 23679192]
13) Ingle JN, Ahmann DL, Green SJ, Edmonson JH, Bisel HF, Kvols LK, et al. Randomized clinical trial of diethylstilbestrol versus tamoxifen in postmenopausal women with advanced breast cancer. N Engl J Med. 1981; 304(1): 16-21. [PMID: 7001242]
14) Peethambaram PP, Ingle JN, Suman VJ, Hartmann LC, Loprinzi CL. Randomized trial of diethylstilbestrol vs. tamoxifen in postmenopausal women with metastatic breast cancer. An updated analysis. Breast Cancer Res Treat. 1999; 54(2): 117-22. [PMID: 10424402]
15) Ellis MJ, Gao F, Dehdashti F, Jeffe DB, Marcom PK, Carey LA, et al. Lower-dose vs high-dose oral estradiol therapy of hormone receptor-positive, aromatase inhibitor-resistant advanced breast cancer: a phase 2 randomized study. JAMA. 2009; 302(7): 774-80. [PMID: 19690310]

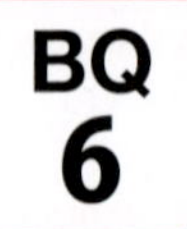

BQ 6 HER2陰性転移・再発乳癌に対する一次・二次化学療法として，アンスラサイクリン系薬剤は推奨されるか？

ステートメント

- 周術期化学療法において，アンスラサイクリン系薬剤が未使用の場合，アンスラサイクリン系薬剤の投与が標準的である。

背景

転移・再発乳癌は，現行の薬物療法では治癒が困難であり，治療の目的は生存期間の延長とQOLの改善である。転移・再発乳癌の一次・二次化学療法として，アンスラサイクリン系薬剤に関するエビデンスが報告されているため，これについて概説する。

解説

転移・再発乳癌の一次・二次化学療法として，アンスラサイクリン系薬剤に関するエビデンスが報告されてきた。その多くは一次化学療法での比較試験であり，二次化学療法のデータは限られている。検討されたアンスラサイクリン系レジメンは，ドキソルビシンやエピルビシン単剤，あるいはAC，EC，CAF，CEFなどの多剤併用レジメンである。

Mauriらは1973～2007年に行われた臨床試験データを用いてネットワークメタアナリシスを行った[1)]。その結果，アンスラサイクリン・タキサンを含まない単剤レジメンと比較して，アンスラサイクリン単剤レジメン，アンスラサイクリン多剤併用レジメンのいずれも全生存期間(OS)を有意に改善した〔ハザード比(HR)0.71，95%CI 0.60-0.84；HR 0.67，95%CI 0.57-0.78〕。

前版薬物CQ18「周術期化学療法においてアンスラサイクリンまたはタキサン系薬剤が未使用のとき，HER2陰性転移・再発乳癌に対する一次化学療法として何が推奨されるか？」において，アンスラサイクリンを含むレジメンと，CMFなどアンスラサイクリンとタキサンのいずれも含まないレジメンを比較した8試験についてメタアナリシスが行われた[2)～8)]。その結果，アンスラサイクリンを含むレジメンがOS(HR 0.79，95%CI 0.69-0.92，$p=0.002$)，奏効率(ORR)(HR 1.29，95%CI 1.07-1.56，$p=0.008$)で有意に優れていた。無増悪生存期間(PFS)，QOL，毒性に関してはデータが不足していた。

同様に，タキサン単剤とアンスラサイクリンを含むレジメンを比較した5試験のメタアナリシスを行った結果，OS，PFS，ORRは同等であった[9)～12)]。QOLの評価がなされていた2試験ではいずれも差は認められなかった。また，タキサンとアンスラサイクリンの併用レジメンと，アンスラサイクリンを含むレジメンを比較した12試験のメタアナリシスを行った結果，併用によってORRは改善するがOS，PFSは同等であった[13)～20)]。また，併用によって毒性は有意に増悪した。QOL評価は1試験のみで行われており，差は認められなかった。

アンスラサイクリンの心毒性には用量依存性がみられることから，その総投与量に注意する必要がある。ドキソルビシンでは総投与量500 mg/m^{2}を，エピルビシンでは900 mg/m^{2}を超えないことが推奨されている。特に周術期化学療法でアンスラサイクリンを使用している場合は，総投与量が上限に近い場合が多く，注意が必要である。また，転移・再発乳癌の治療においてはQOLとのバランスを考慮に入れて用量設定を行う必要がある。周術期化学療法でアンスラサイクリンを未使用である場合も，投与開始前の心機能スクリーニングや投与開始後のモニタリングを行い，総投与量が上限を超えない範囲で投与を行う。

アンスラサイクリンを使用する際に単剤投与とするか多剤併用とするかについては，病状に応じて判断する。単剤投与によるORRは30～47%，多剤併用によるORRは47～54%と報告されている[9)～11)13)19)21)～24)]。しかしながら，OSの違いは明らかではなく，多剤併用は単剤と比較して有害事象の頻度が高い傾向にある[25)]。

したがって，周術期化学療法においてアンスラサイクリン系薬剤が未使用の場合，HER2陰性転移・再発乳癌に対する一次・二次化学療法としてアンスラサイクリン系薬剤の投与を行うのが標準的である。一次・二次化学療法としてアンスラサイクリンとタキサンのどちらを選択するかは優劣つけ難く，前治療歴等から判断する必要がある。また，アンスラサイクリンを使用する際に単剤投与とするか多剤併用とするかについては，病状に応じて判断する。

検索キーワード・参考にした二次資料

“Breast Neoplasms”, “Neoplasm Metastasis”, “Neoplasm Recurrence, Local”, “Anthracycline”, “Doxorubicin”のキーワードで検索し，システマティック・レビューを行った。

参考文献

1) Mauri D, Polyzos NP, Salanti G, Pavlidis N, Ioannidis JP. Multiple-treatments meta-analysis of chemotherapy and targeted therapies in advanced breast cancer. J Natl Cancer Inst. 2008; 100(24): 1780-91. [PMID: 19066278]
2) Ackland SP, Anton A, Breitbach GP, Colajori E, Tursi JM, Delfino C, et al; HEPI 013 study group. Dose-intensive epirubicin-based chemotherapy is superior to an intensive intravenous cyclophosphamide, methotrexate, and fluorouracil regimen in metastatic breast cancer: a randomized multinational study. J Clin Oncol. 2001; 19(4): 943-53. [PMID: 11181656]
3) Aisner J, Weinberg V, Perloff M, Weiss R, Perry M, Korzun A, et al. Chemotherapy versus chemoimmunotherapy (CAF v CAFVP v CMF each +/- MER) for metastatic carcinoma of the breast: a CALGB study. Cancer and Leukemia Group B. J Clin Oncol. 1987; 5(10): 1523-33. [PMID: 3655855]
4) Bull JM, Tormey DC, Li SH, Carbone PP, Falkson G, Blom J, et al. A randomized comparative trial of adriamycin versus methotrexate in combination drug therapy. Cancer. 1978; 41(5): 1649-57. [PMID: 348293]
5) Cummings FJ, Gelman R, Tormey DC, DeWys W, Glick J. Adriamycin plus vincristine alone or with dibromodulcitol or ICRF-159 in metastatic breast cancer. Cancer Clin Trials. 1981; 4(3): 253-60. [PMID: 7026074]
6) Falkson G, Tormey DC, Carey P, Witte R, Falkson HC. Long-term survival of patients treated with combination chemotherapy for metastatic breast cancer. Eur J Cancer. 1991; 27(8): 973-7. [PMID: 1832906]
7) Smalley RV, Lefante J, Bartolucci A, Carpenter J, Vogel C, Krauss S. A comparison of cyclophosphamide, adriamycin, and 5-fluorouracil (CAF) and cyclophosphamide, methotrexate, 5-fluorouracil, vincristine, and prednisone (CMFVP) in patients with advanced breast cancer. Breast Cancer Res Treat. 1983; 3(2): 209-20. [PMID: 6688538]
8) Tormey DC, Gelman R, Band PR, Sears M, Rosenthal SN, DeWys W, et al. Comparison of induction chemotherapies for metastatic breast cancer. An Eastern Cooperative Oncology Group Trial. Cancer. 1982; 50(7): 1235-44. [PMID: 7049347]
9) Katsumata N, Watanabe T, Minami H, Aogi K, Tabei T, Sano M, et al. Phase Ⅲ trial of doxorubicin plus cyclophosphamide (AC), docetaxel, and alternating AC and docetaxel as front-line chemotherapy for metastatic breast cancer: Japan Clinical Oncology Group trial (JCOG9802). Ann Oncol. 2009; 20(7): 1210-5. [PMID: 19254942]
10) Paridaens R, Biganzoli L, Bruning P, Klijn JG, Gamucci T, Houston S, et al. Paclitaxel versus doxorubicin as first-line single-agent chemotherapy for metastatic breast cancer: a European Organization for Research and Treatment of Cancer Randomized Study with cross-over. J Clin Oncol. 2000; 18(4): 724-33. [PMID: 10673513]

11) Sledge GW, Neuberg D, Bernardo P, Ingle JN, Martino S, Rowinsky EK, et al. Phase Ⅲ trial of doxorubicin, paclitaxel, and the combination of doxorubicin and paclitaxel as front-line chemotherapy for metastatic breast cancer: an intergroup trial (E1193). J Clin Oncol. 2003; 21(4): 588-92. [PMID: 12586793]
12) Sparano JA, Makhson AN, Semiglazov VF, Tjulandin SA, Balashova OI, Bondarenko IN, et al. Pegylated liposomal doxorubicin plus docetaxel significantly improves time to progression without additive cardiotoxicity compared with docetaxel monotherapy in patients with advanced breast cancer previously treated with neoadjuvant-adjuvant anthracycline therapy: results from a randomized phase Ⅲ study. J Clin Oncol. 2009; 27(27): 4522-9. [PMID: 19687336]
13) Biganzoli L, Cufer T, Bruning P, Coleman R, Duchateau L, Calvert AH, et al. Doxorubicin and paclitaxel versus doxorubicin and cyclophosphamide as first-line chemotherapy in metastatic breast cancer: The European Organization for Research and Treatment of Cancer 10961 multicenter phase Ⅲ trial. J Clin Oncol. 2002; 20(14): 3114-21. [PMID: 12118025]
14) Bonneterre J, Dieras V, Tubiana-Hulin M, Bougnoux P, Bonneterre ME, Delozier T, et al. Phase Ⅱ multicentre randomised study of docetaxel plus epirubicin vs 5-fluorouracil plus epirubicin and cyclophosphamide in metastatic breast cancer. Br J Cancer. 2004; 91(8): 1466-71. [PMID: 15381937]
15) Bontenbal M, Creemers GJ, Braun HJ, de Boer AC, Janssen JT, Leys RB, et al; Dutch Community Setting Trial for the Clinical Trial Group. Phase Ⅱ to Ⅲ study comparing doxorubicin and docetaxel with fluorouracil, doxorubicin, and cyclophosphamide as first-line chemotherapy in patients with metastatic breast cancer: results of a Dutch Community Setting Trial for the Clinical Trial Group of the Comprehensive Cancer Centre. J Clin Oncol. 2005; 23(28): 7081-8. [PMID: 16192591]
16) Jassem J, Pieńkowski T, Płuzańska A, Jelic S, Gorbunova V, Mrsic-Krmpotic Z, et al; Central & Eastern Europe and Israel Pacitaxel Breast Cancer Study Group. Doxorubicin and paclitaxel versus fluorouracil, doxorubicin, and cyclophosphamide as first-line therapy for women with metastatic breast cancer: final results of a randomized phase Ⅲ multicenter trial. J Clin Oncol. 2001; 19(6): 1707-15. [PMID: 11251000]
17) Langley RE, Carmichael J, Jones AL, Cameron DA, Qian W, Uscinska B, et al. Phase Ⅲ trial of epirubicin plus paclitaxel compared with epirubicin plus cyclophosphamide as first-line chemotherapy for metastatic breast cancer: United Kingdom National Cancer Research Institute trial AB01. J Clin Oncol. 2005; 23(33): 8322-30. [PMID: 16293863]
18) Lyman GH, Green SJ, Ravdin PM, Geyer CE Jr, Russell CA, Balcerzak SP, et al; Southwest Oncology Group Randomized Phase Ⅱ Study. A southwest oncology group randomized phase Ⅱ study of doxorubicin and paclitaxel as frontline chemotherapy for women with metastatic breast cancer. Breast Cancer Res Treat. 2004; 85(2): 143-50. [PMID: 15111772]
19) Nabholtz JM, Falkson C, Campos D, Szanto J, Martin M, Chan S, et al; TAX 306 Study Group. Docetaxel and doxorubicin compared with doxorubicin and cyclophosphamide as first-line chemotherapy for metastatic breast cancer: results of a randomized, multicenter, phase Ⅲ trial. J Clin Oncol. 2003; 21(6): 968-75. [PMID: 12637459]
20) Zielinski C, Beslija S, Mrsic-Krmpotic Z, Welnicka-Jaskiewicz M, Wiltschke C, Kahan Z, et al. Gemcitabine, epirubicin, and paclitaxel versus fluorouracil, epirubicin, and cyclophosphamide as first-line chemotherapy in metastatic breast cancer: a Central European Cooperative Oncology Group International, multicenter, prospective, randomized phase Ⅲ trial. J Clin Oncol. 2005; 23(7): 1401-8. [PMID: 15735116]
21) Chan S, Friedrichs K, Noel D, Pintér T, Van Belle S, Vorobiof D, et al; 303 Study Group. Prospective randomized trial of docetaxel versus doxorubicin in patients with metastatic breast cancer. J Clin Oncol. 1999; 17(8): 2341-54. [PMID: 10561296]
22) Norris B, Pritchard KI, James K, Myles J, Bennett K, Marlin S, et al. Phase Ⅲ comparative study of vinorelbine combined with doxorubicin versus doxorubicin alone in disseminated metastatic/recurrent breast cancer: National Cancer Institute of Canada Clinical Trials Group Study MA8. J Clin Oncol. 2000; 18(12): 2385-94. [PMID: 10856098]
23) O'Brien ME, Wigler N, Inbar M, Rosso R, Grischke E, Santoro A, et al; CAELYX Breast Cancer Study Group. Reduced cardiotoxicity and comparable efficacy in a phase Ⅲ trial of pegylated liposomal doxorubicin HCl (CAELYX/Doxil) versus conventional doxorubicin for first-line treatment of metastatic breast cancer. Ann Oncol. 2004; 15(3): 440-9. [PMID: 14998846]
24) Piccart-Gebhart MJ, Burzykowski T, Buyse M, Sledge G, Carmichael J, Lück HJ, et al. Taxanes alone or in combination with anthracyclines as first-line therapy of patients with metastatic breast cancer. J Clin Oncol. 2008; 26(12): 1980-6. [PMID: 18421049]
25) Carrick S, Parker S, Thornton CE, Ghersi D, Simes J, Wilcken N. Single agent versus combination chemotherapy for metastatic breast cancer. Cochrane Database Syst Rev. 2009; 2009(2): CD003372. [PMID: 19370586]

BQ 7 HER2陰性転移・再発乳癌に対する一次・二次化学療法として，タキサン系薬剤は推奨されるか？

ステートメント

- HER2陰性転移・再発乳癌に対する一次・二次化学療法としてタキサン系薬剤の投与が標準的である。

背景

転移・再発乳癌は，現行の薬物療法では治癒が困難であり，治療の目的は生存期間の延長とQOLの改善である。転移・再発乳癌の一次・二次化学療法として，タキサン系薬剤に関するエビデンスが報告されているため，これについて概説する。

解説

転移・再発乳癌の一次・二次化学療法として，タキサン系薬剤に関するエビデンスが報告されてきた。比較試験の多くは1990年代に行われ，検討されたレジメンはドセタキセル単剤またはパクリタキセル単剤あるいはアンスラサイクリンをはじめとした他の薬剤との併用レジメンであった。その多くは一次化学療法での比較試験で，二次化学療法のデータは限られている。

2015年に更新されたコクランライブラリーのシステマティック・レビューにおいて，転移乳癌に対する一次治療としてのタキサン含有レジメンは，タキサン非含有レジメンと比較し，全生存期間(OS)の延長〔ハザード比(HR)0.93，95%CI 0.87-0.99〕と奏効率(ORR)の改善〔リスク比(RR)1.20，95%CI 1.14-1.27〕が認められた。有害事象においては神経毒性と脱毛のリスクが高く，悪心・嘔吐のリスクは低いとされる[1)]。

前版薬物CQ18「周術期化学療法においてアンスラサイクリンまたはタキサン系薬剤が未使用のとき，HER2陰性転移・再発乳癌に対する一次化学療法として何が推奨されるか？」において，タキサン単剤とアンスラサイクリンを含むレジメンを比較した5試験についてメタアナリシスが行われた[2)〜6)]。その結果，OS(HR 0.93，95%CI 0.83-1.05)，無増悪生存期間(PFS)(HR 1.07，95%CI 0.96-1.20)，ORR(RR 0.92，95%CI 0.70-1.22)は同等で，QOLは評価された3試験で差は認められず，タキサン系薬剤単剤とアンスラサイクリン併用レジメンはほぼ同等の効果と安全性を有すると考えられる。

同様に，タキサンとアンスラサイクリンの併用レジメンと，アンスラサイクリンを含むレジメンを比較した12試験のメタアナリシスを行った結果，併用によってORRは改善するが，OS，PFSは同等で，有害事象の頻度は有意に高かった[7)〜14)]。QOL評価は1試験のみで行われており，差は認められなかった。したがって，転移・再発乳癌治療においては，タキサン系薬剤は併用化学療法よりも単剤の投与が望ましい。

投与スケジュールは，メタアナリシスにおいて毎週投与のパクリタキセル単剤による治療において有害事象の発生率が有意に低く，OSの延長が認められ[15)]，NCCNガイドラインにおいては，これを根拠に毎週投与のパクリタキセルが推奨されている。

周術期化学療法においてタキサン系薬剤が使用された場合は有効性に関する比較試験がなく評価が難しいが，初期治療後のdisease-free interval(DFI)が効果予測因子で，長いほうが効果を見込めるとされている[16)]。

アルブミン懸濁型パクリタキセルは，ヒト血清アルブミンにパクリタキセルを結合させナノ粒子化させた製剤で，3週毎高用量(260 mg/m^2)の投与で，従来のパクリタキセルと比較して高い奏効率とPFSの延長が認められた一方，OSは延長せず，有害事象の頻度は有意に高かった[17)]。わが国では，アルブミン懸濁型パクリタキセルの至適用量を検証するABROAD試験が行われ，3週毎180 mg/m^{2}の有用性が示されている[18)]。

溶媒にポリオキシエチレンヒマシ油を使用し，アレルギー反応の頻度が高く，ときに重篤なアナフィラキシー反応に至ることのある溶媒型パクリタキセルとは異なり，アルブミン懸濁型パクリタキセルはステロイドを含む前投薬を必須とせず，高用量のパクリタキセルを短時間で投与することが可能である。また，アルブミン懸濁型パクリタキセルは溶媒型パクリタキセルやドセタキセル製剤に含有されるエタノールを含まないため，エタノール過敏症(不耐症)患者への投与も可能である。アルブミン懸濁型パクリタキセルの毎週投与としては，アテゾリズマブとの併用で承認されている125 mg/m^{2}週1回3週投薬/1週休薬がある[19)]。

以上，周術期化学療法においてタキサン系薬剤が未使用の場合，HER2陰性転移・再発乳癌に対する一次・二次化学療法としてタキサン系薬剤の投与が標準的である。一次・二次化学療法としてアンスラサイクリンとタキサンのどちらを選択するかは優劣つけ難く，前治療歴等から判断する必要がある。

検索キーワード・参考にした二次資料

PubMedで，“Breast Neoplasms”, “drug therapy”, “Neoplasm Metastasis”, “metastatic breast cancer”, “advanced breast cancer”, “first line chemotherapy”, “second line chemotherapy”のキーワードで検索した。また，適宜ハンドサーチを追加した。

参考文献

1) Ghersi D, Willson ML, Chan MM, Simes J, Donoghue E, Wilcken N. Taxane-containing regimens for metastatic breast cancer. Cochrane Database Syst Rev. 2015; 2015(6): CD003366. [PMID: 26058962]
2) Sledge GW, Neuberg D, Bernardo P, Ingle JN, Martino S, Rowinsky EK, et al. Phase Ⅲ trial of doxorubicin, paclitaxel, and the combination of doxorubicin and paclitaxel as front-line chemotherapy for metastatic breast cancer: an intergroup trial(E1193). J Clin Oncol. 2003; 21(4): 588-92. [PMID: 12586793]
3) Paridaens R, Biganzoli L, Bruning P, Klijn JG, Gamucci T, Houston S, et al. Paclitaxel versus doxorubicin as first-line single-agent chemotherapy for metastatic breast cancer: a European organization for research and treatment of cancer randomized study with cross-over. J Clin Oncol. 2000; 18(4): 724-33. [PMID: 10673513]
4) Katsumata N, Watanabe T, Minami H, Aogi K, Tabei T, Sano M, et al. Phase Ⅲ trial of doxorubicin plus cyclophosphamide(AC), docetaxel, and alternating AC and docetaxel as front-line chemotherapy for metastatic breast cancer: Japan Clinical Oncology Group trial(JCOG9802). Ann Oncol. 2009; 20(7): 1210-5. [PMID: 19254942]
5) Bishop JF, Dewar J, Toner GC, Smith J, Tattersall MH, Olver IN, et al. Initial paclitaxel improves outcome compared with CMFP combination chemotherapy as front-line therapy in untreated metastatic breast cancer. J Clin Oncol. 1999; 17(8): 2355-64. [PMID: 10561297]
6) Yardley DA, Burris HA 3rd, Spigel DR, Clark BL, Vazquez E, Shipley D, et al. A phase Ⅱ randomized crossover study of liposomal doxorubicin versus weekly docetaxel in the first-line treatment of women with metastatic breast cancer. Clin Breast Cancer. 2009; 9(4): 247-52. [PMID: 19933081]
7) Nabholtz JM, Falkson C, Campos D, Szanto J, Martin M, Chan S, et al; TAX 306 Study Group. Docetaxel and

doxorubicin compared with doxorubicin and cyclophosphamide as first-line chemotherapy for metastatic breast cancer: results of a randomized, multicenter, phase Ⅲ trial. J Clin Oncol. 2003; 21(6): 968-75. [PMID: 12637459]

8) Blohmer JU, Schmid P, Hilfrich J, Friese K, Kleine-Tebbe A, Koelbl H, et al. Epirubicin and cyclophosphamide versus epirubicin and docetaxel as first-line therapy for women with metastatic breast cancer: final results of a randomised phase Ⅲ trial. Ann Oncol. 2010; 21(7): 1430-5. [PMID: 20089562]
9) Bonneterre J, Dieras V, Tubiana-Hulin M, Bougnoux P, Bonneterre ME, Delozier T, et al. Phase Ⅱ multicentre randomised study of docetaxel plus epirubicin vs 5-fluorouracil plus epirubicin and cyclophosphamide in metastatic breast cancer. Br J Cancer. 2004; 91(8): 1466-71. [PMID: 15381937]
10) Zielinski C, Beslija S, Mrsic-Krmpotic Z, Welnicka-Jaskiewicz M, Wiltschke C, Kahan Z, et al. Gemcitabine, epirubicin, and paclitaxel versus fluorouracil, epirubicin, and cyclophosphamide as first-line chemotherapy in metastatic breast cancer: a Central European Cooperative Oncology Group International, multicenter, prospective, randomized phase Ⅲ trial. J Clin Oncol. 2005; 23(7): 1401-8. [PMID: 15735116]
11) Biganzoli L, Cufer T, Bruning P, Coleman R, Duchateau L, Calvert AH, et al. Doxorubicin and paclitaxel versus doxorubicin and cyclophosphamide as first-line chemotherapy in metastatic breast cancer: The European organization for research and treatment of cancer 10961 multicenter phase Ⅲ trial. J Clin Oncol. 2002; 20(14): 3114-21. [PMID: 12118025]
12) Jassem J, Pieńkowski T, Płuzańska A, Jelic S, Gorbunova V, Mrsic-Krmpotic Z, et al; Central & Eastern Europe and Israel Pacitaxel Breast Cancer Study Group. Doxorubicin and paclitaxel versus fluorouracil, doxorubicin, and cyclophosphamide as first-line therapy for women with metastatic breast cancer: final results of a randomized phase Ⅲ multicenter trial. J Clin Oncol. 2001; 19(6): 1707-15. [PMID: 11251000]
13) Lyman GH, Green SJ, Ravdin PM, Geyer CE Jr, Russell CA, Balcerzak SP, et al; Southwest Oncology Group Randomized Phase Ⅱ Study. A Southwest Oncology Group Randomized Phase Ⅱ Study of doxorubicin and paclitaxel as frontline chemotherapy for women with metastatic breast cancer. Breast Cancer Res Treat. 2004; 85(2): 143-50. [PMID: 15111772]
14) Langley RE, Carmichael J, Jones AL, Cameron DA, Qian W, Uscinska B, et al. Phase Ⅲ trial of epirubicin plus paclitaxel compared with epirubicin plus cyclophosphamide as first-line chemotherapy for metastatic breast cancer: United Kingdom National Cancer Research Institute trial AB01. J Clin Oncol. 2005; 23(33): 8322-30. [PMID: 16293863]
15) Mauri D, Kamposioras K, Tsali L, Bristianou M, Valachis A, Karathanasi I, et al. Overall survival benefit for weekly vs. three-weekly taxanes regimens in advanced breast cancer: a meta-analysis. Cancer Treat Rev. 2010; 36(1): 69-74. [PMID: 19945225]
16) Guo X, Loibl S, Untch M, Möbus V, Schwedler K, Fasching PA, et al. Re-challenging taxanes in recurrent breast cancer in patients treated with(neo-)adjuvant taxane-based therapy. Breast Care(Basel). 2011; 6(4): 279-83. [PMID: 22164126]
17) Gradishar WJ, Tjulandin S, Davidson N, Shaw H, Desai N, Bhar P, et al. Phase Ⅲ trial of nanoparticle albumin-bound paclitaxel compared with polyethylated castor oil-based paclitaxel in women with breast cancer. J Clin Oncol. 2005; 23(31): 7794-803. [PMID: 16172456]
18) Tsurutani J, Hara F, Kitada M, Takahashi M, Kikawa Y, Kato H, et al. Randomized phase Ⅱ study to determine the optimal dose of 3-week cycle nab-paclitaxel in patients with metastatic breast cancer. Breast. 2021; 55: 63-8. [PMID: 33341707]
19) Mittendorf EA, Zhang H, Barrios CH, Saji S, Jung KH, Hegg R, et al. Neoadjuvant atezolizumab in combination with sequential nab-paclitaxel and anthracycline-based chemotherapy versus placebo and chemotherapy in patients with early-stage triple-negative breast cancer(IMpassion031): a randomised, double-blind, phase 3 trial. Lancet. 2020; 396(10257): 1090-100. [PMID: 32966830]

CQ 23 HER2陰性転移・再発乳癌に対する一次・二次化学療法として，ベバシズマブを併用することは推奨されるか？

推奨

- **化学療法にベバシズマブを併用することを弱く推奨する。**

推奨の強さ：2，エビデンスの強さ：強，合意率：97％(34/35)

推奨におけるポイント

- ベバシズマブに併用する化学療法薬は，パクリタキセルのみ，わが国では保険適用となっている。

背景・目的

血管内皮増殖因子(vascular endothelial growth factor；VEGF)を標的とするベバシズマブを化学療法に併用することが転移・再発乳癌に対して推奨されるか，これまでの臨床試験のデータをもとにシステマティック・レビューを行い検証した。

解 説

推奨の作成は，アウトカムの重要度として全生存期間(OS)の延長を最重要，続いて無増悪生存期間(PFS)，次に生活の質(QOL)，毒性(toxicity)を同等の重要度とし，全奏効率(ORR)を一段階下げた重要度として評価した。毒性は有害事象による治療中止とGrade 3以上の有害事象について評価した。

HER2陰性転移・再発乳癌に対するベバシズマブの有効性を検証した9つのランダム化比較試験を用いてメタアナリシス(n＝5,007)を行った[1)〜8)]。その結果，化学療法単独群と比較し，ベバシズマブの併用は有意にPFSを延長し〔ハザード比(HR)0.73，95％CI 0.65-0.81，$p<0.00001$〕，ORRを改善した(HR 1.49，95％CI 1.30-1.70，$p<0.00001$)。一方で，OSに差は認められなかった(HR 0.94，95％CI 0.86-1.01，$p=0.11$)。また毒性の評価では，有害事象による治療中止(HR 1.42，95％CI 1.10-1.82，$p=0.006$)，Grade 3以上の有害事象は，ベバシズマブ併用で増加した(HR 1.51，95％CI 1.30-1.75，$p<0.00001$)。QOLの評価が行われているのは2試験(E 2100試験[1)]，AVF 2119g試験[2)])のみであり，評価尺度はFACT-Bが使用された。E 2100試験はベースラインからのQOL値の変化量，AVF 2119g試験はQOL値が低下するまでの期間で評価しているが，いずれの試験でも2群間で有意な差は認められなかった。治療コストに関しては，わが国の保険診療下でのデータは不足しており，評価に含めなかった。以上の解析から，推奨度を支えるエビデンスの強さは，各試験のバイアスリスクと各試験間の治療効果のばらつきはあるが，多くの優良な試験で評価されており，「強」とした。

ベバシズマブの併用によってPFSは延長しORRは改善するが，OSに差はなく，毒性は上昇した。また，QOLに差は認められなかった。以上から，益と害のバランスは確実ではあるが大きくないと判断した。

推奨決定会議での投票では，「行うこと強く推奨する」が3%(1/35)，「行うことを弱く推奨する」が97%(34/35)で，推奨は「化学療法にベバシズマブを併用することを弱く推奨する」に決定した。

[投票結果]

1. 行うことを強く推奨する	2. 行うことを弱く推奨する	3. 行わないことを弱く推奨する	4. 行わないことを強く推奨する
3%(1/35)	97%(34/35)	0%(0/35)	0%(0/35)
総投票数35名(棄権0名，COI棄権10名)			

検索キーワード・参考にした二次資料

“Breast neoplasms”，“neoplasm metastasis”，“metastatic breast cancer”，“advanced breast cancer”，“bevacizumab”をキーワードに2021年3月31日までの文献検索を行い，PubMed: 260編，Cochrane: 185編，医中誌: 16編の論文が抽出され，それ以外にハンドサーチで1編が追加された。計462編に対して一次スクリーニングを行い，そのうち抽出された14編に対して二次スクリーニングを行った結果，PFS，ORR，toxicityにおいては8編，OSにおいては7編の論文で定量的システマティック・レビューを行った。また，QOLにおいては2編の論文で定性的システマティック・レビューを行った。

参考文献

1) Miller K, Wang M, Gralow J, Dickler M, Cobleigh M, Perez EA, et al. Paclitaxel plus bevacizumab versus paclitaxel alone for metastatic breast cancer. N Engl J Med. 2007; 357(26): 2666-76. [PMID: 18160686]

2) Miller KD, Chap LI, Holmes FA, Cobleigh MA, Marcom PK, Fehrenbacher L, et al. Randomized phase Ⅲ trial of capecitabine compared with bevacizumab plus capecitabine in patients with previously treated metastatic breast cancer. J Clin Oncol. 2005; 23(4): 792-9. [PMID: 15681523]

3) Miles DW, Chan A, Dirix LY, Cortés J, Pivot X, Tomczak P, et al. Phase Ⅲ study of bevacizumab plus docetaxel compared with placebo plus docetaxel for the first-line treatment of human epidermal growth factor receptor 2-negative metastatic breast cancer. J Clin Oncol. 2010; 28(20): 3239-47. [PMID: 20498403]

4) Martin M, Roche H, Pinter T, Crown J, Kennedy MJ, Provencher L, et al; TRIO 010 investigators. Motesanib, or open-label bevacizumab, in combination with paclitaxel, as first-line treatment for HER2-negative locally recurrent or metastatic breast cancer: a phase 2, randomised, double-blind, placebo-controlled study. Lancet Oncol. 2011; 12(4): 369-76. [PMID: 21429799]

5) Robert NJ, Diéras V, Glaspy J, Brufsky AM, Bondarenko I, Lipatov ON, et al. RIBBON-1: randomized, double-blind, placebo-controlled, phase Ⅲ trial of chemotherapy with or without bevacizumab for first-line treatment of human epidermal growth factor receptor 2-negative, locally recurrent or metastatic breast cancer. J Clin Oncol. 2011; 29(10): 1252-60. [PMID: 21383283]

6) Brufsky AM, Hurvitz S, Perez E, Swamy R, Valero V, O'Neill V, et al. RIBBON-2: a randomized, double-blind, placebo-controlled, phase Ⅲ trial evaluating the efficacy and safety of bevacizumab in combination with chemotherapy for second-line treatment of human epidermal growth factor receptor 2-negative metastatic breast cancer. J Clin Oncol. 2011; 29(32): 4286-93. [PMID: 21990397]

7) von Minckwitz G, Puglisi F, Cortes J, Vrdoljak E, Marschner N, Zielinski C, et al. Bevacizumab plus chemotherapy versus chemotherapy alone as second-line treatment for patients with HER2-negative locally recurrent or metastatic breast cancer after first-line treatment with bevacizumab plus chemotherapy(TANIA): an open-label, randomised phase 3 trial. Lancet Oncol. 2014; 15(11): 1269-78. [PMID: 25273342]

8) Miles D, Cameron D, Bondarenko I, Manzyuk L, Alcedo JC, Lopez RI, et al. Bevacizumab plus paclitaxel versus placebo plus paclitaxel as first-line therapy for HER2-negative metastatic breast cancer(MERiDiAN): a double-blind placebo-controlled randomised phase Ⅲ trial with prospective biomarker evaluation. Eur J Cancer. 2017; 70: 146-55. [PMID: 27817944]

CQ 24 HER2 陰性転移・再発乳癌に対する一次・二次化学療法として，経口フッ化ピリミジンは推奨されるか？

CQ 24a 一次治療の場合

推 奨

- S-1 の投与を弱く推奨する。

推奨の強さ：2，エビデンスの強さ：中，合意率：86％(38/44)

- カペシタビンの投与を弱く推奨する。

推奨の強さ：2，エビデンスの強さ：弱，合意率：86％(38/44)

推奨におけるポイント

- HER2 陰性転移・再発乳癌に対する一次化学療法としてのアンスラサイクリン・タキサン系薬剤については薬物 BQ6，7 を参照すること。

CQ 24b 二次治療の場合

推 奨

- S-1 またはカペシタビンの投与を弱く推奨する。

推奨の強さ：2，エビデンスの強さ：弱，合意率：100％(44/44)

推奨におけるポイント

- HER2 陰性転移・再発乳癌に対する二次化学療法としてのアンスラサイクリン・タキサン系薬剤については薬物 BQ6，7 を参照すること。

背景・目的

転移・再発乳癌は，現行の薬物療法では治癒が困難であり，治療の目的は生存期間の延長と QOL の維持・改善である。経口フッ化ピリミジンは脱毛がない点等がメリットであるが，一次・二次化学療法として経口フッ化ピリミジンが他剤と比べ，推奨されるかどうかを検証した。

本ガイドラインにおける「一次・二次化学療法」の定義として，転移・再発後に「最初に行う化学療法」を，その再発時期にかかわらず，すべて「一次化学療法」とし，その次の化学療法を「二次化学療法」とする。

解 説

1）一次化学療法

(1) S-1

S-1 を一次治療とした試験は，SELECT BC 試験と SELECT BC-CONFIRM 試験があり，それぞれタキサン，アンスラサイクリンに対する S-1 の非劣性をみた試験である[1)2)]。いずれの試験も約 3 割の患者に周術期でタキサンが使用されていた。全生存期間(OS)について，SELECT BC 試験ではS-1のタキサンに対するハザード比(HR)が1.05(95%CI 0.86-1.27), SELECT BC-CONFIRM試験ではアンスラサイクリンに対するHRが1.09(95%CI 0.80-1.48)であった。また, 事前に計画されていた両試験の統合解析では, S-1の標準治療群(タキサン+アンスラサイクリン)に対するHRは1.06(95%CI 0.90-1.25)であった。無増悪生存期間(PFS)は標準治療群で良好な傾向であった(HR 1.16, 95%CI 1.00-1.35)。QOL評価ではS-1がタキサンに比べて優れていたが, S-1とアンスラサイクリンは同等であった。両薬剤で毒性のプロファイルは異なり, アンスラサイクリンおよびタキサンでは脱毛や末梢神経障害の発現頻度が高く, S-1で下痢が高いという結果であった。

(2) カペシタビン

カペシタビン単剤を一次治療で比較した試験は4試験で, うち2試験はペグ化リポソーム塩酸ドキソルビシン, 2試験はCMFと比較している[3)~6)]。周術期にアンスラサイクリンおよびタキサンが使用された患者が1~3割程度含まれていた。ペグ化リポソーム塩酸ドキソルビシンとの比較では, 対象の多くが高齢者であった試験であり, OS, PFS, 全奏効割合(ORR)に差は認められなかった。CMFと比較した2試験の統合解析では, PFS, ORRに差は認めなかったが, OS(HR 0.71, 95%CI 0.56-0.91)でカペシタビンが優れていた。ただし, 対照群がCMFであることに留意が必要である。一方, 一次治療で他剤に対してカペシタビンの上乗せ効果を検討した比較試験は3試験あり, いずれにおいてもPFS, ORRは改善するものの, OSに差は認めなかった。また, 有害事象は上乗せした群で多かった。

一次治療でカペシタビンと他剤の併用療法をアンスラサイクリンおよびタキサンの併用療法と比較した8試験において, メタアナリシスが可能であった試験での結果では, OS, PFS, ORRに差は認められなかった。

(3) その他の経口フッ化ピリミジン

その他の経口フッ化ピリミジンを一次治療でアンスラサイクリンおよびタキサンと比較した試験は認めなかった。

以上の各薬剤のエビデンスの強さに関しては, 各試験のバイアスリスクを考慮して決定した。その中で, カペシタビン単剤を介入群とした試験に関しては対照群が現段階で使用されることが少ないレジメンであり, エビデンスの強さは「弱」とした。「益と害のバランス」については, S-1はアンスラサイクリンおよびタキサンのレジメンに対してOSが大きくは劣らないことが示されており, 脱毛がなく, タキサンに対してはQOLの優越性が示されているため, 一次化学療法として「益」が「害」に勝ると考えた。カペシタビン単剤は, 一次治療でアンスラサイクリンおよびタキサンと比較したデータが乏しいが, CMFに対する優越性が示されており, S-1と同様に脱毛はなく, 一次化学療法として「益」が「害」に勝ると考えた。経口フッ化ピリミジンと他剤の併用療法に関しては, カペシタビンの上乗せによりPFS, ORRは改善するが, OSに差はなく, 有害事象も増加した。転移・再発乳癌の治療では同時併用投与によるメリットと順次投与によるメリットを考慮する必要があり, 治療編 総説も参照されたい。患者の希望については, S-1は脱毛がなくQOLで優れていることから, 患者希望のばらつきは少ないと考えられた。カペシタビンも脱毛がないため, 患者希望のばらつきは少ないと考えられた。

推奨決定会議では, 一次化学療法におけるS-1の推奨を決めるための投票で「行うことを強く推奨する」が11%,「行うことを弱く推奨する」が86%,「行わないことを弱く推奨する」が2%で,推奨は「S-1の投与を弱く推奨する」に決定した。

カペシタビンの推奨を決めるための投票では「行うことを弱く推奨する」が86%,「行わないことを弱く推奨する」が14%で,推奨は「カペシタビンの投与を弱く推奨する」に決定した。

2)二次化学療法

(1) S-1

S-1を二次治療以降として比較した試験は唯一,カペシタビンとの比較試験が挙げられる[7]。OS, PFSは同等であったが,一次～三次治療まで含まれており,HER2陽性・不明が3割前後含まれていたことには留意が必要である。毒性プロファイルは異なる(血小板減少,嘔気がS-1に多く,手足症候群がカペシタビンに多い)が,Grade 3以上の有害事象に大きな差は認められなかった。

(2) カペシタビン

カペシタビン単剤を二次治療以降で検討された試験は3試験であった。すべてアンスラサイクリンおよびタキサン使用例であった。2試験は三次治療まで含めた結果であり,統計処理されている1試験(対照はゲムシタビン+ビノレルビン)では,OS, PFS, ORRで差は認めなかった。二次治療のみ評価した試験は,カペシタビン単剤とエリブリンを比較した301試験で,二次治療群のみを後ろ向きに解析したもののみであった[8]。PFS, ORRに差は認めなかったが,OSはエリブリンで良好な可能性が示唆されている(HR 0.77, 95%CI 0.62-0.97, $p=0.026$)。毒性については,エリブリンでGrade 3以上の有害事象が多かった(エリブリンでは好中球減少が多く,カペシタビンでは手足症候群が多い)。副作用プロファイルの違いはあるが,301試験では全般的QOLに差はなかったと報告されている。

二次治療が含まれた,他剤に対してカペシタビンを上乗せする併用療法を比較した試験は2つあり,いずれもドセタキセルにカペシタビンを上乗せした試験であった[9,10]。一次～三次治療までが含まれるが,1試験ではOS, PFS, ORRでカペシタビンの上乗せが優れていたが,対照群の37%が試験終了後に化学療法が施行されていなかった。もう1試験ではOS, PFS, ORRに差は認めなかった。

(3) その他の経口フッ化ピリミジン

その他の経口フッ化ピリミジンを二次治療で比較した試験は認められなかった。

以上の各薬剤のエビデンスの強さに関しては,各試験のバイアスリスクを考慮して,二次治療で比較した試験が少なく,エビデンスの強さは「弱」とした。「益と害のバランス」について,S-1に関しては,二次治療のエビデンスは少ないものの,その有用性は一次治療で示されており,未使用の場合は「益」が上回る場合があると考えられた。カペシタビンはS-1との同等性が証明されており,同様に「益」が上回ると場合があると考えられた。患者の希望は,脱毛への考え方など個々の価値観によって,また一次治療で経験した有害事象によって多様性があると考えられる。

推奨決定会議では,二次化学療法におけるS-1またはカペシタビンの推奨を決めるための投票で「行うことを弱く推奨する」が合意率100%であり,「S-1またはカペシタビンの投与を弱く推奨する」に決定した。

［投票結果］

	1. 行うことを強く推奨する	2. 行うことを弱く推奨する	3. 行わないことを弱く推奨する	4. 行わないことを強く推奨する
CQ24a 推奨 1 つ目	11%(5/44)	86%(38/44)	2%(1/44)	0%(0/44)
	総投票数 44 名(棄権 0 名，COI 棄権 0 名)			
CQ24a 推奨 2 つ目	0%(0/44)	86%(38/44)	14%(6/44)	0%(0/44)
	総投票数 44 名(棄権 0 名，COI 棄権 0 名)			
CQ24b	0%(0/44)	100%(44/44)	0%(0/44)	0%(0/44)
	総投票数 44 名(棄権 0 名，COI 棄権 0 名)			

検索キーワード・参考にした二次資料

PubMed で，"Breast neoplasms"，"Neoplasm metastasis"，"Metastatic breast cancer"，"Advanced breast cancer"，"Chemotherapy"，"First-line chemotherapy"，"Oral 5-fluorouracil"，"S-1"，"Capecitabine" のキーワードとその同義語で検索した。医中誌・Cochrane Library も同等のキーワードで検索した。2021 年 3 月までの検索期間で 612 編がヒットした。そこからハンドサーチ 1 編の文献を加えた 24 編を採用し，これらをもとに，定性的・定量的システマティック・レビューを行った。

薬物療法

参考文献

1) Takashima T, Mukai H, Hara F, Matsubara N, Saito T, Takano T, et al; SELECT BC Study Group. Taxanes versus S-1 as the first-line chemotherapy for metastatic breast cancer(SELECT BC): an open-label, non-inferiority, randomised phase 3 trial. Lancet Oncol. 2016; 17(1): 90-8. [PMID: 26617202]
2) Mukai H, Uemura Y, Akabane H, Watanabe T, Park Y, Takahashi M, et al. Anthracycline-containing regimens or taxane versus S-1 as first-line chemotherapy for metastatic breast cancer. Br J Cancer. 2021; 125(9): 1217-25. [PMID: 34480096]
3) Smorenburg CH, de Groot SM, van Leeuwen-Stok AE, Hamaker ME, Wymenga AN, de Graaf H, et al. A randomized phase Ⅲ study comparing pegylated liposomal doxorubicin with capecitabine as first-line chemotherapy in elderly patients with metastatic breast cancer: results of the OMEGA study of the Dutch Breast Cancer Research Group BOOG. Ann Oncol. 2014; 25(3): 599-605. [PMID: 24504445]
4) Harbeck N, Saupe S, Jäger E, Schmidt M, Kreienberg R, Müller L, et al; PELICAN Investigators. A randomized phase Ⅲ study evaluating pegylated liposomal doxorubicin versus capecitabine as first-line therapy for metastatic breast cancer: results of the PELICAN study. Breast Cancer Res Treat. 2017; 161(1): 63-72. [PMID: 27798749]
5) Oshaughnessy JA, Blum J, Moiseyenko V, Jones SE, Miles D, Bell D, et al. Randomized, open-label, phase Ⅱ trial of oral capecitabine(Xeloda)vs. a reference arm of intravenous CMF(cyclophosphamide, methotrexate and 5-fluorouracil)as first-line therapy for advanced/metastatic breast cancer. Ann Oncol. 2001; 12(9): 1247-54. [PMID: 11697835]
6) Stockler MR, Harvey VJ, Francis PA, Byrne MJ, Ackland SP, Fitzharris B, et al. Capecitabine versus classical cyclophosphamide, methotrexate, and fluorouracil as first-line chemotherapy for advanced breast cancer. J Clin Oncol. 2011; 29(34): 4498-504. [PMID: 22025143]
7) Yamamoto D, Iwase S, Tsubota Y, Ariyoshi K, Kawaguchi T, Miyaji T, et al. Randomized study of orally administered fluorinated pyrimidines(capecitabine versus S-1)in women with metastatic or recurrent breast cancer: Japan Breast Cancer Research Network 05 Trial. Cancer Chemother Pharmacol. 2015; 75(6): 1183-9. [PMID: 25862350]
8) Pivot X, Im SA, Guo M, Marmé F. Subgroup analysis of patients with HER2-negative metastatic breast cancer in the second-line setting from a phase 3, open-label, randomized study of eribulin mesilate versus capecitabine. Breast Cancer. 2018; 25(3): 370-4. [PMID: 29302858]
9) O'Shaughnessy J, Miles D, Vukelja S, Moiseyenko V, Ayoub JP, Cervantes G, et al. Superior survival with capecitabine plus docetaxel combination therapy in anthracycline-pretreated patients with advanced breast cancer: phase Ⅲ trial results. J Clin Oncol. 2002; 20(12): 2812-23. [PMID: 12065558]
10) Yamamoto D, Sato N, Rai Y, Yamamoto Y, Saito M, Iwata H, et al. Efficacy and safety of low-dose capecitabine plus docetaxel versus single-agent docetaxel in patients with anthracycline-pretreated HER2-negative metastatic breast cancer: results from the randomized phase Ⅲ JO21095 trial. Breast Cancer Res Treat. 2017; 161(3): 473-82. [PMID: 28005247]

CQ 25 HER2 陰性転移・再発乳癌に対する一次・二次化学療法として，エリブリンは推奨されるか？

推奨

● 周術期を含めてアンスラサイクリンおよびタキサン系薬剤既使用例に対して，エリブリンの投与を弱く推奨する。

推奨の強さ：2，エビデンスの強さ：弱，合意率：92%(33/36)

推奨におけるポイント

▍HER2 陰性転移・再発乳癌に対する一次・二次化学療法としてのアンスラサイクリン・タキサン系薬剤については薬物 BQ6，7 を参照すること。

背景・目的

転移・再発乳癌は，現行の薬物療法では治癒が困難であり，治療の目的は生存期間の延長とQOL の維持・改善である。本 CQ では転移・再発乳癌の一次・二次化学療法としてエリブリンが推奨されるかを検証した。本ガイドラインにおける「一次・二次化学療法」の定義として，転移・再発後に「最初に行う化学療法」を「一次化学療法」とし，その次の化学療法を「二次化学療法」とする。

解 説

推奨の作成は，アウトカムの重要度として全生存期間(OS)の延長を最重要，続いて無増悪生存期間(PFS)，次に生活の質(QOL)，毒性(toxicity)を同等の重要度とし，全奏効率(ORR)を一段階下げた重要度として評価した。毒性は有害事象による治療中止と Grade 3 以上の有害事象について評価した。

HER2 陰性転移・再発乳癌に対するエリブリンの有効性を検証したランダム化第Ⅲ相比較試験は論文化されたもので 3 試験存在し，いずれもアンスラサイクリンおよびタキサン系薬剤既使用例を対象としたものである。301 試験が一次～三次治療でカペシタビンと比較しており[1]，EMBRACE(305)試験は三次治療以降で医師選択治療(TPC)[2]と，Yuan らの試験は三次治療以降でビノレルビンと比較した試験である[3]。ここでは本 CQ で唯一対象となる 301 試験について評価を行った。

301 試験は 1,102 例を対象に行われ，主要評価項目は PFS と OS であり，副次評価項目は ORR，QOL，毒性であった。本試験では一次治療が約 2 割，二次治療が約 5 割，三次治療が約 3 割であった。PFS 中央値はエリブリン群で 4.1 カ月，カペシタビン群で 4.2 カ月であり差を認めず〔ハザード比(HR)1.08，95%CI 0.93-1.25，$p=0.30$〕，OS 中央値はエリブリン群で 15.9 カ月，カペシタビン群で 14.5 カ月であり，有意差は認めないもののエリブリン群で延長する傾向にあった(HR 0.88，95%CI 0.77-1.00，$p=0.056$)。ORR は両群間に差は認められなかった(エリブリン群：11.0%，カペシタビン群：11.5%，$p=0.85$)。毒性に関して，有害事象による治療中止は両群間に差は認められなかったが(エリブリン群：8%，カペシタビン群：10%，HR 0.81，95%CI 0.62-1.06，p=0.12)，Grade 3 以上の血液学的毒性はエリブリン群で多く(65% vs 9%)，非血液学的毒性はカペシタビン群で多い結果であった(41% vs 26%)。両薬剤の全般的QOLへ与える影響は同等であった[1]。

エビデンスの強さは，一次・二次化学療法としてのエビデンスは1試験のみであり，「弱」とした。エリブリンの投与はカペシタビンと比較しOSを延長する傾向にあるが，PFS，ORR，QOLに差は認められなかった。毒性はプロファイルが大きく異なるが，有害事象による治療中止は同等であった。以上から，益と害のバランスとして，エリブリンはカペシタビンと同等と考えられる。エリブリンのエビデンスの対象症例は，すべてアンスラサイクリンおよびタキサン系薬剤既使用例であり，未使用例に対する一次・二次化学療法としてのエリブリン投与はエビデンスが乏しく，推奨の判断はできない。そのため，推奨決定会議では，推奨文を「周術期を含めてアンスラサイクリンおよびタキサン系薬剤既使用例に対して，エリブリンの投与を弱く推奨する」として投票を行った。その結果，「行うことを弱く推奨する」が92%(33/36)，「行わないこと弱く推奨する」が8%(3/36)で，推奨は「周術期を含めてアンスラサイクリンおよびタキサン系薬剤既使用例に対して，エリブリンの投与を弱く推奨する」に決定した。

[投票結果]

1. 行うことを強く推奨する	2. 行うことを弱く推奨する	3. 行わないことを弱く推奨する	4. 行わないことを強く推奨する
0%(0/36)	92%(33/36)	8%(3/36)	0%(0/36)
総投票数36名(棄権0名，COI棄権7名)			

検索キーワード・参考にした二次資料

"Breast neoplasms", "neoplasm metastasis", "metastatic breast cancer", "advanced breast cancer", "chemotherapy", "eribulin" をキーワードに2021年3月31日までの文献検索を行い，PubMed: 114編，Cochrane: 248編，医中誌: 68編の論文が抽出された。これらに対して一次スクリーニング，二次スクリーニングを行い，前述の301試験については評価対象としてレビューを行い，他2試験については解説文内で触れた。

参考文献

1) Kaufman PA, Awada A, Twelves C, Yelle L, Perez EA, Velikova G, et al. Phase Ⅲ open-label randomized study of eribulin mesylate versus capecitabine in patients with locally advanced or metastatic breast cancer previously treated with an anthracycline and a taxane. J Clin Oncol. 2015; 33(6): 594-601. [PMID: 25605862]
2) Cortes J, O'Shaughnessy J, Loesch D, Blum JL, Vahdat LT, Petrakova K, et al; EMBRACE(Eisai Metastatic Breast Cancer Study Assessing Physician's Choice Versus E7389)investigators. Eribulin monotherapy versus treatment of physician's choice in patients with metastatic breast cancer(EMBRACE): a phase 3 open-label randomised study. Lancet. 2011; 377(9769): 914-23. [PMID: 21376385]
3) Yuan P, Hu X, Sun T, Li W, Zhang Q, Cui S, et al. Eribulin mesilate versus vinorelbine in women with locally recurrent or metastatic breast cancer: A randomised clinical trial. Eur J Cancer. 2019; 112: 57-65. [PMID: 30928806]

CQ 26 HER2陽性転移・再発乳癌に対する一次治療として，トラスツズマブ＋ペルツズマブ＋タキサン併用療法は推奨されるか？

推奨

- トラスツズマブ＋ペルツズマブ＋ドセタキセルの併用療法を行うことを強く推奨する。
  推奨の強さ：1，エビデンスの強さ：強，合意率：100％(35/35)
- トラスツズマブ＋ペルツズマブ＋パクリタキセルの併用療法を行うことを弱く推奨する。
  推奨の強さ：2，エビデンスの強さ：中，合意率：97％(33/34)

推奨におけるポイント

- HER2陽性転移・再発乳癌に対する一次治療において，トラスツズマブ，ペルツズマブに併用する化学療法としてドセタキセルを強く，パクリタキセルを弱く推奨する。

背景・目的

本CQではHER2陽性転移・再発乳癌に対する一次療法について検証した。

本ガイドラインにおけるHER2陽性転移・再発乳癌に対する「一次治療」の定義は，その再発時期にかかわらず，転移・再発後に「最初に行う治療」とする。その次に施行する治療を「二次治療」とする〔☞治療編　総説. V. 4. a. a-1. 1)参照〕。

「一次治療(転移・再発後に最初に行う抗HER2療法)」で推奨されるレジメンを決めるための因子として，「周術期治療の内容」と「転移・再発までの期間(“treatment-free-interval”)」が挙げられる。

解説

1）トラスツズマブ＋ペルツズマブ＋ドセタキセル併用療法

HER2陽性転移・再発乳癌に対する一次療法としてのペルツズマブの有効性を検証した試験としてCLEOPATRA試験，PUFFIN試験が存在する。両試験ともにトラスツズマブ＋ペルツズマブ＋ドセタキセル併用療法(ペルツズマブ群)とトラスツズマブ＋ドセタキセル併用療法(対照群)を比較した第Ⅲ相ランダム化比較試験であり，主要評価項目は無増悪生存期間(PFS)である。

CLEOPATRA試験は前治療歴のないHER2陽性転移・再発乳癌患者808人を対象としており，PFS中央値はペルツズマブ群が18.7カ月に対して対照群が12.4カ月，ハザード比(HR)0.68(95％CI 0.58-0.81)と有意な延長が示された[1)]。全生存期間(OS)中央値も同様に，ペルツズマブ群が57.1カ月に対して対照群が40.8カ月，HR 0.69(95％CI 0.58-0.82)と有意な延長が示された(観察期間中央値：ペルツズマブ群99.9カ月，対照群98.7カ月，HR 0.68，95％CI 0.56-0.84)[2)]。ペルツズマブ群で対照群より2％以上多く認められたGrade 3以上の有害事象は，好中球減少(53％ vs 51％)，発熱性好中球減少症(13％ vs 7％)，下痢(68％ vs 48％)であったが，ペルツズマブを追加することにより心毒性は増加しなかった[1)]。

PUFFIN試験はCLEOPATRA試験の結果を受けて中国で行われたbridging studyであり，試

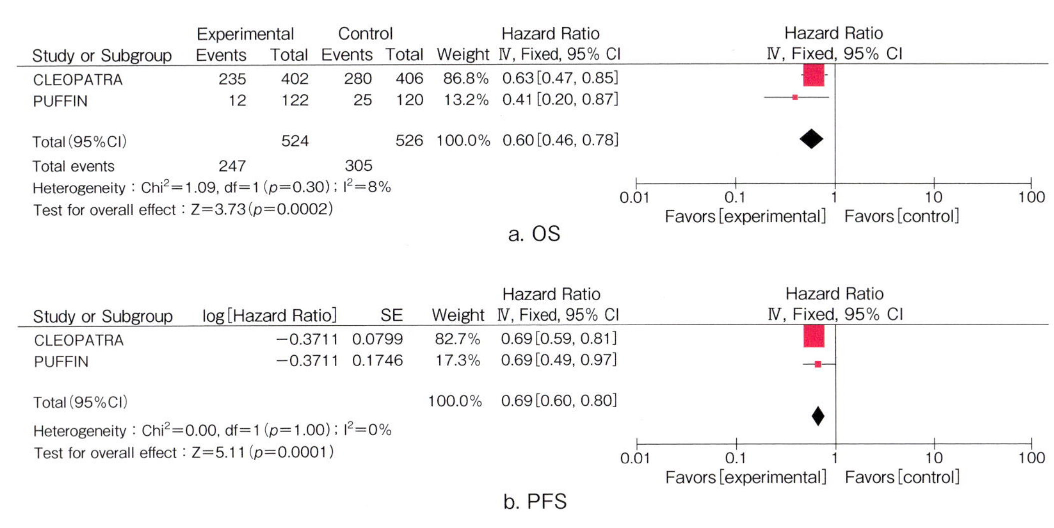

図 1　メタアナリシス：トラスツズマブ＋ペルツズマブ＋ドセタキセル(experimental) vs トラスツズマブ＋ドセタキセル(control)併用療法

験デザイン，対象患者はCLEOPATRA試験と同様で243人を対象としている。PFS中央値はペルツズマブ群が14.5カ月に対して対照群が12.4カ月，HR 0.69(95%CI 0.49–0.99)と有意な延長が示された[3]。OS中央値は両群とも未到達である。

今回，これら2試験を対象にメタアナリシスを実施し，トラスツズマブ＋ドセタキセル併用療法とトラスツズマブ＋ペルツズマブ＋ドセタキセル併用療法の比較を行った。この結果，OSはハザード比0.60(95%CI 0.46–0.78)(**図 1a**)，PFSはハザード比0.69(95%CI 0.60–0.80)(**図 1b**)であり，トラスツズマブ＋ペルツズマブ＋ドセタキセル併用療法群で良好な結果であった。

Grade 3以上の有害事象に関してはトラスツズマブ＋ペルツズマブ＋ドセタキセル併用療法群において，下痢〔リスク比(RR)2.03，95%CI 1.49–2.78)，発熱性好中球減少症(RR 1.80，95%CI 1.20–2.69)の発現頻度の増加を認めたが，ペルツズマブを追加することにより心毒性は増加しなかった。

生活の質(QOL)に関してはCLEOPATRA試験のみが報告されており，両群間で差は認めなかった[1]。

ペルツズマブを併用した場合のペルツズマブの医療コストについて，日本の患者負担分を想定した費用対効果分析はなされていない。

以上のエビデンスより，一次治療としてのトラスツズマブ＋ペルツズマブ＋ドセタキセル併用療法の予後延長効果(益)は明らかであり，毒性(害)とのバランスは確実に上回ると考えられる。本レジメンに対する患者希望は一致していると考えられる。

推奨決定会議での投票では，「行うことを強く推奨する」が合意率100%であり，推奨は「トラスツズマブ＋ペルツズマブ＋ドセタキセルの併用療法を行うことを強く推奨する」とした。

なお，CLEOPATRA試験の適格基準は，周術期化学療法(トラスツズマブ使用有無は問わない)終了から「12カ月」以上経過した症例〔つまり，転移・再発までの期間(“treatment-free interval”)が「12カ月」以上〕，もしくはStage Ⅳ乳癌を対象としている。

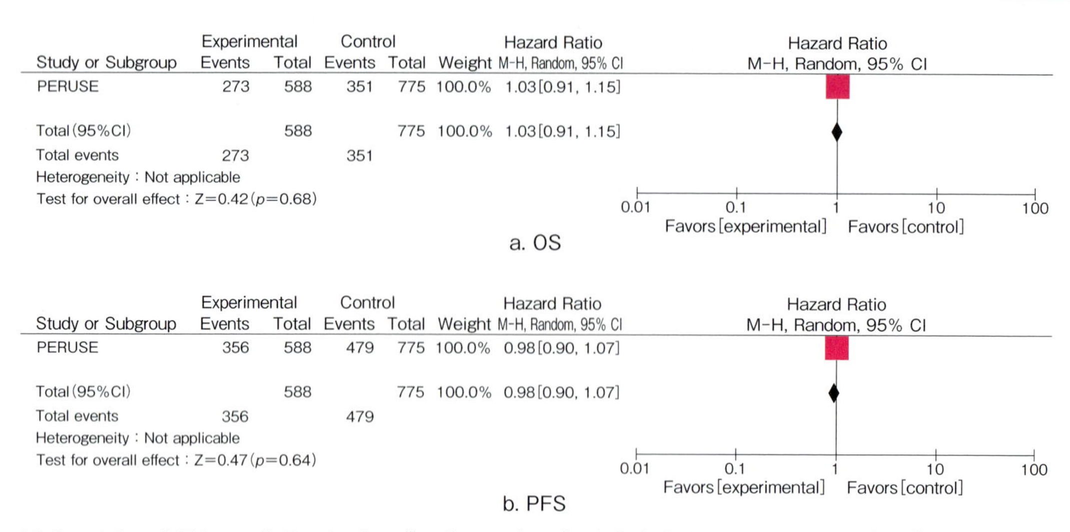

図２　メタアナリシス：トラスツズマブ＋ペルツズマブ＋ドセタキセル vs トラスツズマブ＋ペルツズマブ＋パクリタキセル併用療法

2）トラスツズマブ＋ペルツズマブ＋パクリタキセル併用療法

トラスツズマブ・ペルツズマブに併用する化学療法としてドセタキセル，パクリタキセル，アルブミン懸濁型パクリタキセルの３剤を比較した第Ⅲb相試験としてPERUSE試験が存在する[1)4)]。主要評価項目は安全性であり，副次評価項目としてPFS，OSが含まれている。全体集団におけるOS中央値は65.3カ月(95%CI 60.9–70.9カ月)，PFS中央値は20.7カ月(95%CI 18.9–23.1カ月)であり，CLEOPATRA試験とほぼ同様の結果であった。また，併用化学療法であるドセタキセル群，パクリタキセル群の比較では，OSはハザード比1.03(95%CI 0.91–1.15)(**図2a**)，PFSはハザード比0.98(95%CI 0.90–1.07)(**図2b**)であり，有効性に関して両薬剤間に有意な差はなかった。

有害事象に関して，パクリタキセル群では末梢神経障害の発現が多く(RR 2.6，95%CI 1.78–3.78)，ドセタキセル群では好中球減少症(RR 0.72，95%CI 0.57–0.91)，発熱性好中球減少症(RR 0.11，95%CI 0.05–0.91)が多い傾向であった。心毒性は両薬剤で差を認めなかった。

以上より，ペルツズマブ＋トラスツズマブ＋パクリタキセルの良好な効果と高い忍容性が示されており，HER2陽性転移・再発乳癌に対する一次治療のオプションとして使用可能なレジメンと考える。

推奨決定会議での投票では，「行うことを強く推奨する」が3%，「行うことを弱く推奨する」が97%で，推奨は「トラスツズマブ＋ペルツズマブ＋パクリタキセルの併用療法を行うことを弱く推奨する」に決定した。

3）トラスツズマブ＋ペルツズマブ＋ビノレルビン併用療法

ペルツズマブ＋トラスツズマブ＋ビノレルビンの第Ⅱ相試験(n＝107)では，主要評価項目であるobjective response rateは74.2%(95%CI 63.8–82.9)であった[5)]。また，PFSは14.3カ月(95%CI 11.2–17.5カ月)であった。主な有害事象(全Grade)は，下痢：57.5%，好中球減少症：50.9%であった。

後ろ向き研究ではあるが，ペルツズマブ，トラスツズマブに併用する化学療法としてタキサンとビノレルビンを比較検討したものが存在する[6)7)]。PFS中央値はタキサン群：32.9カ月，ビノレルビン群：14.2カ月(HR 0.56，95%CI 0.36-0.88，$p=0.01$)，OS中央値はタキサン群：56カ月，ビノレルビン群：41カ月(HR 0.69，95%CI 0.39-1.23，$p=0.2$)であり，タキサン群が良好な傾向であった。以上の結果から，タキサン系薬剤が何らかの理由により使用できない患者を除き，一次治療のオプションとはなり得ない。

[投票結果]

	1. 行うことを強く推奨する	2. 行うことを弱く推奨する	3. 行わないことを弱く推奨する	4. 行わないことを強く推奨する
推奨１つ目	100%(35/35)	0%(0/35)	0%(0/35)	0%(0/35)
	総投票数35名(棄権0名，COI棄権8名)			
推奨２つ目	3%(1/34)	97%(33/34)	0%(0/34)	0%(0/34)
	総投票数34名(棄権0名，COI棄権9名)			

検索キーワード・参考にした二次資料

PubMedで，“Breast Neoplasms”，“drug therapy”，“Neoplasm Metastasis”，“Neoplasm Recurrence”，“Local”，“metastatic”，“advanced”，“ErbB-2”，“Epidermal Growth Factor”，“Phosphoproteins”，“Proto-Oncogene Proteins”，“her2”，“Antibodies”，“Monoclonal”，“Humanized/therapeutic use”，“Antibodies”，“Monoclonal”，“Antineoplastic Combined Chemotherapy Protocols/therapeutic use”，“Antineoplastic Agents/therapeutic use”，“Antineoplastic Agents”，Cochraneで，“Breast Neoplasms”，“Drug therapy”，“metastatic or advanced or reccurren”，“erbB-2 or her2 or her-2”，医中誌で，“乳房腫瘍”，“薬物療法”，“転移性腫瘍”，“転移”，“腫瘍”，“再発”，“再発転移”，“erbB-2”，“Receptor”，“her2”，“her-2”，“メタアナリシス”，“ランダム化比較試験”，“準ランダム化比較試験”，“比較研究”，“診療ガイドライン”のキーワードで検索した。さらにハンドサーチにより文献検索を行った。

本CQに対して2021年3月までの期間で文献検索を行った結果，PubMed: 294編，Cochrane: 148編，医中誌：47編が抽出された。一次スクリーニングで20編の文献が抽出され，二次スクリーニングで5編の文献が抽出された。これにハンドサーチでヒットした2編を追加した。うちCQの主旨に関するランダム化試験として，ランダム化比較試験2編のメタアナリシスおよび定性的システマティック・レビューを行った。

参考文献

1) Swain SM, Baselga J, Kim SB, Ro J, Semiglazov V, Campone M, et al; CLEOPATRA Study Group. Pertuzumab, trastuzumab, and docetaxel in HER2-positive metastatic breast cancer. N Engl J Med. 2015; 372(8): 724-34. [PMID: 25693012]
2) Swain SM, Miles D, Kim SB, Im YH, Im SA, Semiglazov V, et al; CLEOPATRA study group. Pertuzumab, trastuzumab, and docetaxel for HER2-positive metastatic breast cancer(CLEOPATRA): end-of-study results from a double-blind, randomised, placebo-controlled, phase 3 study. Lancet Oncol. 2020; 21(4): 519-30. [PMID: 32171426]
3) Xu B, Li W, Zhang Q, Shao Z, Li Q, Wang X, et al. Pertuzumab, trastuzumab, and docetaxel for Chinese patients with previously untreated HER2-positive locally recurrent or metastatic breast cancer(PUFFIN): a phase Ⅲ, randomized, double-blind, placebo-controlled study. Breast Cancer Res Treat. 2020; 182(3): 689-97. [PMID: 32564260]
4) Bachelot T, Ciruelos E, Schneeweiss A, Puglisi F, Peretz-Yablonski T, Bondarenko I, et al; PERUSE investigators. Preliminary safety and efficacy of first-line pertuzumab combined with trastuzumab and taxane therapy for HER2-positive locally recurrent or metastatic breast cancer(PERUSE). Ann Oncol. 2019; 30(5): 766-73. [PMID: 30796821]
5) Miles D, Ciruelos E, Schneeweiss A, Puglisi F, Peretz-Yablonski T, Campone M, et al; PERUSE investigators. Final results from the PERUSE study of first-line pertuzumab plus trastuzumab plus a taxane for HER2-positive locally recurrent or metastatic breast cancer, with a multivariable approach to guide prognostication. Ann Oncol. 2021; 32(10): 1245-55. [PMID: 34224826]
6) Perez EA, López-Vega JM, Petit T, Zamagni C, Easton V, Kamber J, et al. Safety and efficacy of vinorelbine in combination with pertuzumab and trastuzumab for first-line treatment of patients with HER2-positive locally advanced or metastatic breast cancer: VELVET Cohort 1 final results. Breast Cancer Res. 2016; 18(1): 126.

〔PMID: 27955684〕
7) Reinhorn D, Kuchuk I, Shochat T, Nisenbaum B, Sulkes A, Hendler D, et al. Taxane versus vinorelbine in combination with trastuzumab and pertuzumab for first-line treatment of metastatic HER2-positive breast cancer: a retrospective two-center study. Breast Cancer Res Treat. 2021; 188(2): 379-87. 〔PMID: 33772709〕

CQ 27 HER2陽性転移・再発乳癌に対する一次治療として，トラスツズマブ エムタンシンは推奨されるか？

推奨

● トラスツズマブ エムタンシンの投与を行わないことを弱く推奨する。

推奨の強さ：3，エビデンスの強さ：弱，合意率：79％(27/34)

推奨におけるポイント

- 現在の標準治療であるトラスツズマブ，ペルツズマブ，タキサン併用療法との比較はなく，治療効果として劣る可能性がある。
- 高齢者や併存症，全身状態の観点から化学療法の適応とならない患者は本CQの対象ではない。
- 推奨決定会議では3回の投票となり，「行うことを弱く推奨する」と「行わないことを弱く推奨する」に分かれた。

背景・目的

本CQではHER2陽性転移・再発乳癌に対する一次治療としてのトラスツズマブ エムタンシン(T-DM1)の有効性について検証する。

本ガイドラインにおけるHER2陽性転移・再発乳癌に対する「一次治療」の定義は，その再発時期にかかわらず，転移・再発後に「最初に行う治療」とする。その次に施行される治療を「二次治療」とする〔☞治療編 総説. V. 4. a. a-1. 1)参照〕。

「一次治療(転移・再発後に最初に行う抗HER2療法)」で推奨されるレジメンを決めるための因子として，「周術期治療の内容」と「転移・再発までの期間(“treatment-free-interval”)」が挙げられる。

解 説

一次治療としてのトラスツズマブ エムタンシン(T-DM1)の有効性を検討したランダム化比較試験[1)]が1編存在し，定性的システマティック・レビューを行った。

T-DM1＋プラセボ(T-DM1群)vs T-DM1＋ペルツズマブ(T-DM1＋ペルツズマブ群)vs トラスツズマブ＋タキサン(対照群)の第Ⅲ相試験(MARIANNE)(n＝1,095)において，無増悪生存期間(PFS)(観察期間中央値35カ月，T-DM1群14.1カ月，対照群13.7カ月)の延長は認めないが，劣らない〔T-DM1群vs対照群，ハザード比(HR)0.91，95％CI 0.73-1.33〕。また，術前もしくは術後薬物療法でトラスツズマブ，ラパチニブ，タキサンの投与歴がある症例のほうがT-DM1によるPFS延長効果は大きい傾向を示した。OSの中間解析では3群間に差を認めなかった。安全性においてはT-DM1群のほうが対照群に比べ，Grade 3以上の毒性が少なく(45.4％ vs 54.1％)，AST上昇(6.6％ vs 0.3％)，血小板減少(6.4％ vs 0％)，貧血(4.7％ vs 2.8％)がみられた。また，QOLを維持できる期間がT-DM1群のほうが対照群に比べ有意に長い(7.7カ月 vs 3.6カ月，HR 0.70，95％CI 0.57-0.86)。

上述の試験は非盲検下に行われており，エビデンスの強さは「弱」とした。

また，本試験では対照群をトラスツズマブ＋タキサンとしており，現在の標準治療であるトラスツズマブ＋ペルツズマブ＋タキサン併用療法とは異なるため，T-DM1による予後の延長効果(益)は明らかではないが，毒性(害)は少なく，バランスは益が上回ると考えられる。本レジメンに対する患者希望は一致していると考えられる。わが国では一次治療としては保険適用外の薬剤であり，医療経済的評価についての文献はない。

推奨決定会議では，1回目の投票では「行うことを弱く推奨する」および「行わないことを弱く推奨する」は，それぞれ63%，34%，2回目の投票ではそれぞれ38%，59%と意見が分かれた。3回目の投票前に，現在の標準治療であるトラスツズマブ＋ペルツズマブ＋タキサン併用療法の代替療法となり得るか，また，高齢者や全身状態の観点から化学療法の投与が困難な症例は対象としないこととして投票した結果，「行うことを弱く推奨する」は21%，「行わないことを弱く推奨する」は79%という結果となり，推奨は「トラスツズマブ エムタンシンの投与を行わないことを弱く推奨する」に決定した。

[投票結果]

	1. 行うことを強く推奨する	2. 行うことを弱く推奨する	3. 行わないことを弱く推奨する	4. 行わないことを強く推奨する
CQ27（1回目）	3%(1/35)	63%(22/35)	34%(12/35)	0%(0/35)
	総投票数35名(棄権0名，COI棄権9名)			
CQ27（2回目）	3%(1/34)	38%(13/34)	59%(20/34)	0%(0/34)
	総投票数34名(棄権0名，COI棄権10名)			
CQ27（3回目）	0%(0/34)	21%(7/34)	79%(27/34)	0%(0/34)
	総投票数34名(棄権0名，COI棄権10名)			

検索キーワード・参考にした二次資料

PubMedで，“Breast Neoplasms”，“drug therapy”，“Neoplasm Metastasis”，“Neoplasm Recurrence”，“Local”，“metastatic”，“advanced”，“ErbB-2”，“Epidermal Growth Factor”，“Phosphoproteins”，“Proto-Oncogene Proteins”，“her2”，“Antibodies”，“Monoclonal”，“Humanized/therapeutic use”，“Antibodies”，“Monoclonal”，“Antineoplastic Combined Chemotherapy Protocols/therapeutic use”，“Antineoplastic Agents/therapeutic use”，“Antineoplastic Agents”，Cochraneで，“Breast Neoplasms”，“Drug therapy”，“metastatic or advanced or reccurren”，“erbB-2 or her2 or her-2”，医中誌で，“乳房腫瘍”，“薬物療法”，“転移性腫瘍”，“転移”，“腫瘍”，“再発”，“再発転移”，“erbB-2”，“Receptor”，“her2”，“her-2”，“メタアナリシス”，“ランダム化比較試験”，“準ランダム化比較試験”，“比較研究”，“診療ガイドライン”のキーワードで検索した。

本CQに対して2021年3月までの期間で文献検索を行った結果，PubMed: 841編，Cochrane: 242編，医中誌: 86編が抽出された。一次スクリーニングで91編の文献が抽出され，二次スクリーニングで29編の文献が抽出された。うち本CQの主旨に関するランダム化比較試験が1編存在し，これに対して定性的システマティック・レビューを行った。

参考文献

1) Perez EA, Barrios C, Eiermann W, Toi M, Im YH, Conte P, et al. Trastuzumab emtansine with or without pertuzumab versus trastuzumab plus taxane for human epidermal growth factor receptor 2-positive, advanced breast cancer: primary results from the phase Ⅲ MARIANNE study. J Clin Oncol. 2017; 35(2): 141-8. [PMID: 28056202]

CQ 28 HER2陽性転移・再発乳癌に対する二次治療として，トラスツズマブ デルクステカンは推奨されるか？

推 奨

- トラスツズマブ＋ペルツズマブ併用化学療法投与中もしくは投与後に病勢進行となったHER2陽性転移・再発乳癌に対する二次治療として，トラスツズマブ デルクステカン（T-DXd）の投与を強く推奨する。

推奨の強さ：1，エビデンスの強さ：強，合意率：90％（36/40）

推奨におけるポイント

- HER2陽性転移・再発乳癌に対する二次治療において，トラスツズマブ デルクステカンは，トラスツズマブ エムタンシンと比較してPFSを有意に延長した。

背景・目的

本CQではトラスツズマブ＋ペルツズマブ投与中もしくは投与後に病勢進行（PD）となったHER2陽性転移・再発乳癌に対する二次治療におけるトラスツズマブ デルクステカン（T-DXd）およびトラスツズマブ エムタンシン（T-DM1）について有効性と安全性を検証した。

解 説

1）トラスツズマブ デルクステカン（T-DXd）

本レジメンに関するランダム化比較試験が1編存在し，定性的システマティック・レビューを行った。

DESTINY-Breast03試験はHER2陽性局所進行または転移・再発乳癌に対してタキサン＋トラスツズマブを含む治療により増悪した症例，もしくは，術前後にタキサン＋トラスツズマブを含む薬物療法が行われ，投与終了後6カ月以内に再発を認めた症例524人を対象とした，T-DXd vs T-DM1（対象群：T-DM1）の非盲検ランダム化第Ⅲ相試験（DESTINY-Breast03）である[1)]。主要評価項目である無増悪生存期間（PFS）（中央判定）中央値はT-DXd群が未到達に対してT-DM1群が6.8カ月，ハザード比（HR）0.28（95％CI 0.22-0.37）と有意な延長が示された[1)]。主治医判定によるPFSにおいてもT-DXd群25.1カ月に対してT-DM1群7.2カ月，HR 0.26（95％CI 0.20-0.35）と有意な延長が示された。一次治療におけるペルツズマブ投与の有無，ER発現にかかわらずPFSの延長を認めた。全生存率（OS）中央値は観察期間が短く，イベント数が少ないため両群とも未達であるが，12カ月時点での生存率はT-DXd群 vs T-DM1群：94.1％ vs 85.9％，HR 0.55（0.36-0.86）と改善する傾向であった。

安全性においては，T-DXd群において間質性肺疾患を27例（10.5％）に認め，T-DM1群の5例（1.9％）に比し，多い傾向であった。ほかに，T-DM1群より多く認められたGrade 3以上の有害事象は，好中球減少（19.1％ vs 3.1％），白血球減少（6.6％ vs 0.4％），嘔気（6.6％ vs 0.4％），嘔吐

(1.6% vs 0.4%)，倦怠感(5.1% vs 0.8%)であった。QOL に関する報告はない。

DESTINY-Breast03 試験は非盲検ランダム化比較試験であり，エビデンスの強さは「中」とした。

二次治療における T-DXd の予後延長効果(益)が大きいことは明らかである。間質性肺疾患などの毒性(害)はあるものの，バランスは確実に益が上回ると考えられる。本レジメンに対する患者希望は一致していると考えられる。わが国におけるコスト評価の文献はない。

推奨決定会議での投票では，「行うことを強く推奨する」が 90%，「行うことを弱く推奨する」が 10%であり，推奨は「トラスツズマブ＋ペルツズマブ併用化学療法投与中もしくは投与後に病勢進行となった HER2 陽性転移・再発乳癌に対する二次治療として，トラスツズマブ デルクステカン(T-DXd)の投与を強く推奨する」に決定した。

2）トラスツズマブ エムタンシン(T-DM1)

本レジメンに関するランダム化比較試験が 1 編存在し，定性的システマティック・レビューを行った。T-DM1 vs カペシタビン＋ラパチニブ(対照群：XL)の二重盲検ランダム化第Ⅲ相試験(EMILIA)(n＝991)において，PFS(T-DM1 群 9.6 カ月，XL 群 6.4 カ月，HR 0.65，95%CI 0.55-0.77)[2]および OS(T-DM1 群 29.9 カ月，XL 群 25.9 カ月，HR 0.75，95%CI 0.64-0.88)[3]は T-DM1 群で有意に延長していた。奏効率も T-DM1 群 43.6%，XL 群 30.8%と T-DM1 群で良好であった。しかし，上記 1)で述べたように，T-DXd の T-DM1 に対する優越性が明らかとなったため，現時点においては二次治療として T-DM1 の投与は推奨し難いと判断した。

［投票結果］

1. 行うことを強く推奨する	2. 行うことを弱く推奨する	3. 行わないことを弱く推奨する	4. 行わないことを強く推奨する
90%(36/40)	10%(4/40)	0%(0/40)	0%(0/40)
総投票数 40 名(棄権 0 名，COI 棄権 4 名)			

検索キーワード・参考にした二次資料

PubMed で，“Breast Neoplasms”，“drug therapy”，“Neoplasm Metastasis”，“Neoplasm Recurrence”，“Local”，“metastatic”，“advanced”，“ErbB-2”，“Epidermal Growth Factor”，“Phosphoproteins”，“Proto-Oncogene Proteins”，“her2”，“Antibodies”，“Monoclonal”，“Humanized/therapeutic use”，“Antibodies”，“Monoclonal”，“Antineoplastic Combined Chemotherapy Protocols/therapeutic use”，“Antineoplastic Agents/therapeutic use”，“Antineoplastic Agents”，Cochrane で，“Breast Neoplasms”，“Drug therapy”，“metastatic or advanced or recurrence”，“erbB-2 or her2 or her-2”，医中誌で “乳房腫瘍”，“薬物療法”，“転移性腫瘍”，“転移”，“腫瘍”，“再発”，“再発転移”，“erbB-2”，“Receptor”，“her2”，“her-2”，“メタアナリシス”，“ランダム化比較試験”，“準ランダム化比較試験”，“比較研究”，“診療ガイドライン” のキーワードを用いて検索した。さらにハンドリサーチにより文献検索を行った。

本 CQ に対して 2021 年 3 月までの期間で文献検索を行った結果，PubMed: 149 編，Cochrane: 294 編，医中誌：47 編が抽出された。一次スクリーニングで 20 編の文献が抽出され，二次スクリーニングで 3 編の文献が抽出された。文献検索で得られた文献とは別に，DESTINY-Breast03 試験の 1 編を加えた合計 4 論文をもとに各々に対して定性的システマティック・レビューを行った。

参考文献

1) Cortes J, Kim S, Chung W, Im S, Park YH, Hegg R, et al. LBA1—Trastuzumab deruxtecan(T-DXd)vs trastuzumab emtansine(T-DM1)in patients(Pts)with HER2＋metastatic breast cancer(mBC): results of the randomized phase Ⅲ DESTINY-Breast03 study. Ann Oncol. 2021; 32(suppl_5): S1283-346.
2) Verma S, Miles D, Gianni L, Krop IE, Welslau M, Baselga J, et al; EMILIA Study Group. Trastuzumab emtansine for HER2-positive advanced breast cancer. N Engl J Med. 2012; 367(19): 1783-91. [PMID: 23020162]
3) Diéras V, Miles D, Verma S, Pegram M, Welslau M, Baselga J, et al. Trastuzumab emtansine versus capecitabine

plus lapatinib in patients with previously treated HER2-positive advanced breast cancer(EMILIA): a descriptive analysis of final overall survival results from a randomised, open-label, phase 3 trial. Lancet Oncol. 2017; 18(6): 732-42. [PMID: 28526536]

FRQ 12 HER2陽性転移・再発乳癌に対する三次以降の治療で推奨される治療は何か？

ステートメント

- トラスツズマブ デルクステカン（T-DXd）を二次治療で使用していない場合，三次治療におけるT-DXdの有用性が示されている。
- T-DXdを二次治療で使用している場合，三次以降の治療については，個々の症例の状況に応じて，前治療までに使用しなかった薬剤の使用を検討するが，治療シークエンスについてのエビデンスは不十分である。
- 三次以降の治療について，いくつかの新規分子標的薬が開発されFDAの承認を得ているが，日本では未承認である。

背景

HER2陽性転移・再発乳癌に対する三次以降の治療についてのエビデンスを検証した。二次治療でトラスツズマブ デルクステカンを使用した場合の三次治療以降のエビデンスはないため，解説に含めることはできなかった。

解説

1）トラスツズマブ デルクステカン（T-DXd）

トラスツズマブ エムタンシン（T-DM1）治療を受けたHER2陽性の進行・再発乳癌患者を対象とし，北米，欧州および日本を含むアジアで実施されたグローバル第Ⅱ相臨床試験（DESTINY-Breast01）[1]では，5.4 mg/kgを投与された184例において，前治療中央値が6レジメンと濃厚な治療歴があるにもかかわらず奏効率60.9％（95％CI 53.4–68.0），奏効期間中央値14.8カ月（95％CI 13.8–16.9）という良好な結果を認めた。これにより，2020年3月に「化学療法歴のあるHER2陽性の手術不能又は再発乳癌（標準的な治療が困難な場合に限る）」を適応として，国内製造販売承認を取得した。

主な有害事象は，悪心・嘔吐，疲労，脱毛症，便秘，好中球減少等で，Grade 3以上の有害事象は，好中球減少（17.4％），悪心（7.6％），貧血（6.5％），疲労（6.5％）等だった。また，184例中，間質性肺疾患を15例（8.2％）に認め，うち4例（2.2％）に死亡例があったことから，呼吸器専門医と連携して慎重に投与するとともに，有害事象の早期発見が重要である。

2）トラスツズマブ エムタンシン（T-DM1）

三次治療以降のT-DM1に関するランダム化比較試験が2編存在し，統合解析および定性的システマティック・レビューを行った。

2種以上の抗HER2療法の既治療例を対象として，T-DM1と担当医選択の治療（TPC）を2対1で割り付けしたランダム化第Ⅲ相比較試験が行われた（TH3RESA試験，n＝602）[2)3)]。また，T-DM1 vs カペシタビン＋ラパチニブ（対照群：XL）の第Ⅲ相非盲検ランダム化試験（EMILIA試験，

n＝991）[4)5)]においては，39％（n＝500）が三次治療以上であることから2つの試験の統合解析を行った。T-DM1はTPC（68％はトラスツズマブと化学療法の併用）もしくはカペシタビン＋ラパチニブに比べて無増悪生存期間（PFS）〔ハザード比（HR）0.61，95％CI 0.53-0.69〕，全生存期間（OS）（HR 0.73，95％CI 0.64-0.83）の延長を認めた。

TH3RESA試験においてT-DM1はTPCと比較すると奏効率（31％ vs 9％，p＜0.0001）の増加，PFS（T-DM1群6.2カ月，TPC群3.3カ月，HR 0.53，95％CI 0.42-0.66），OS（T-DM1群22.7カ月，TPC群15.8カ月，HR 0.68，95％CI 0.54-0.85）の延長を認めた。さらにT-DM1はTPCよりもGrade 3以上の有害事象が少なく（40％ vs 47％），血小板減少（6％ vs 3％）と出血（4％ vs ＜1％）が多かった。

ただし，これらの試験では前治療にペルツズマブやT-DXdが含まれておらず，現在の標準治療と異なるために解釈には注意が必要である。

3）抗HER2薬の継続

トラスツズマブ既治療（術後療法も含まれる）の転移・再発乳癌（n＝156）に対するカペシタビン単独（X群）とカペシタビンとトラスツズマブ併用（XH群）とのランダム化第Ⅲ相試験（GBG 26/BIG 03-05）[6)7)]の三次治療のサブセット解析のデータを用いた。三次治療として抗HER2薬（約9割がトラスツズマブ＋化学療法）を併用したほうが抗HER2薬を用いない群と比較してpost-progression survival（抗HER2薬あり18.8カ月，抗HER2薬なし13.3カ月，HR 0.63，p＝0.02）を延長した。また，OSも改善傾向が認められた（抗HER2薬あり26.7カ月，抗HER2薬なし20.4カ月，HR 0.70，p＝0.20）。

三次治療としてトラスツズマブ継続については，119例の後ろ向きコホート研究が1編あり[8)]，三次治療以降もトラスツズマブを継続した群は二次治療までで終了した群よりOSが良好（一次：二次：三次以上＝10.6：13.9：32.5カ月，p＝0.0014）である。

トラスツズマブ，ラパチニブを含む抗HER2療法継続の有効性は認められるものの，OSの延長効果を示したものは少なく，解析対象としたデータもサブセット解析やコホート研究のものである。さらに，トラスツズマブの投与継続期間についても一定の見解がない。ペルツズマブの再投与の有効性については日本で第Ⅲ相非盲検ランダム化試験であるPRECIOUS試験が行われ，ペルツズマブ再投与が有効である可能性が示唆されている[9)]。

4）その他の新規分子標的薬

Tucatinib（未承認）はHER2のキナーゼドメインを高度選択的に阻害する経口チロシンキナーゼ阻害薬であり，EGFR阻害作用が少なく，他の類似薬と異なる副作用プロファイルをもつ。トラスツズマブ，ペルツズマブ，T-DM1既治療のHER2陽性転移・再発乳癌（脳転移例を含む）を対象に，tucatinib＋トラスツズマブ＋カペシタビンとプラセボ＋トラスツズマブ＋カペシタビンを2対1に割り付けた，二重盲検ランダム化第Ⅱ相試験（HER2CLIMB試験，n＝612）では，主要評価項目の1年PFSはtucatinib併用群が有意にプラセボ群より良好であった（33.1％ vs 12.3％，HR 0.54，95％CI 0.42-0.71，p＜0.001）[10)]。また，脳転移を有するサブグループにおいても良好な有効性を示しており，頭蓋内病変の進行は，tucatinib併用群で68％減少し（HR 0.32，95％CI 0.22-0.48），死亡リスクは42％減少している（HR 0.58，95％CI 0.40-0.85）[11)]（☞脳転移については薬物FRQ19も参照のこと）。

Neratinib(未承認)はHER1, HER2, HER4に不可逆的に作用する経口チロシンキナーゼ阻害薬である。三次治療以降のHER2陽性転移・再発乳癌を対象として，neratinib＋カペシタビンとラパチニブ＋カペシタビンを比較した第Ⅲ相非盲検ランダム化試験(NALA試験, n＝621)で，主要評価項目のPFSはneratinib群で有意に延長した(PFS中央値8.8カ月対6.6カ月, HR 0.76, 95%CI 0.63-0.93, $p=0.0059$)[12]。しかし，OSの有意差は認めておらず(HR 0.98, 95%CI 0.72-1.07)，neratinib群でGrade 3以上の下痢が多かった。

Marugetuximab(未承認)は抗HER2モノクローナル抗体であり，トラスツズマブと比較し，そのFc領域は活性型Fc受容体であるCD16Aへの親和性が高く，抑制型Fc受容体であるCD32Bへの親和性が低い。これにより，免疫応答の強化が期待される。2レジメン以上の抗HER2薬に抵抗性のHER2陽性転移・再発乳癌患者で三次治療以内(内分泌療法を除く)を対象とした，第Ⅲ相非盲検ランダム化試験(SOPHIA試験, n＝536)で，marugetuximab＋担当医選択化学療法はトラスツズマブ＋担当医選択化学療法に対し，主要評価項目のPFSが有意に延長した(PFS中央値5.8カ月 vs 4.9カ月, HR 0.76, 95%CI 0.59-0.98, $p=0.03$)[13]。また，有害事象にも大きな差はなかった。

以上の分子標的薬についてはFDAで承認を得ているが，いずれもわが国では未承認であり，今後日本での開発・承認が期待される。

検索キーワード・参考にした二次資料

PubMedで，“Breast Neoplasms”, “drug therapy”, “Neoplasm Metastasis”, “Neoplasm Recurrence”, “Local”, “metastatic”, “advanced”, “ErbB-2”, “Epidermal Growth Factor”, “Phosphoproteins”, “Proto-Oncogene Proteins”, “her2”, “Antibodies”, “Monoclonal”, “Humanized/therapeutic use”, “Antibodies”, “Monoclonal”, “Antineoplastic Combined Chemotherapy Protocols/therapeutic use”, “Antineoplastic Agents/therapeutic use”, “Antineoplastic Agents”, Cochraneで，“Breast Neoplasms”, “Drug therapy”, “metastatic or advanced or recurrent”, “erbB-2 or her2 or her-2”, 医中誌で，“乳房腫瘍”, “薬物療法”, “転移性腫瘍”, “転移”, “腫瘍”, “再発”, “再発転移”, “erbB-2”, “Receptor”, “her2”, “her-2”, “メタアナリシス”, “ランダム化比較試験”, “準ランダム化比較試験”, “比較研究”, “診療ガイドライン” のキーワードを用いて検索した。さらにハンドサーチにより文献検索を行った。

参考文献

1) Modi S, Saura C, Yamashita T, Park YH, Kim SB, Tamura K, et al; DESTINY-Breast01 Investigators. Trastuzumab deruxtecan in previously treated HER2-positive breast cancer. N Engl J Med. 2020; 382(7): 610-21. [PMID: 31825192]
2) Krop IE, Kim SB, González-Martín A, LoRusso PM, Ferrero JM, Smitt M, et al. Trastuzumab emtansine versus treatment of physician's choice for pretreated HER2-positive advanced breast cancer(TH3RESA): a randomised, open-label, phase 3 trial. Lancet Oncol. 2014; 15(7): 689-99. [PMID: 24793816]
3) Krop IE, Kim SB, Martin AG, LoRusso PM, Ferrero JM, Badovinac-Crnjevic T, et al. Trastuzumab emtansine versus treatment of physician's choice in patients with previously treated HER2-positive metastatic breast cancer(TH3RESA): final overall survival results from a randomised open-label phase 3 trial. Lancet Oncol. 2017; 18(6): 743-54. [PMID: 28526538]
4) Verma S, Miles D, Gianni L, Krop IE, Welslau M, Baselga J, et al; EMILIA Study Group. Trastuzumab emtansine for HER2-positive advanced breast cancer. N Engl J Med. 2012; 367(19): 1783-91. [PMID: 23020162]
5) Diéras V, Miles D, Verma S, Pegram M, Welslau M, Baselga J, et al. Trastuzumab emtansine versus capecitabine plus lapatinib in patients with previously treated HER2-positive advanced breast cancer(EMILIA): a descriptive analysis of final overall survival results from a randomised, open-label, phase 3 trial. Lancet Oncol. 2017; 18(6): 732-42. [PMID: 28526536]
6) von Minckwitz G, du Bois A, Schmidt M, Maass N, Cufer T, de Jongh FE, et al. Trastuzumab beyond progression in human epidermal growth factor receptor 2-positive advanced breast cancer: a german breast group 26/breast international group 03-05 study. J Clin Oncol. 2009; 27(12): 1999-2006. [PMID: 19289619]
7) von Minckwitz G, Schwedler K, Schmidt M, Barinoff J, Mundhenke C, Cufer T, et al; GBG 26/BIG 03-05 study

group and participating investigators. Trastuzumab beyond progression: overall survival analysis of the GBG 26/BIG 3-05 phase Ⅲ study in HER2-positive breast cancer. Eur J Cancer. 2011; 47(15): 2273-81. [PMID: 21741829]

8) Rayson D, Lutes S, Walsh G, Sellon M, Colwell B, Dorreen M, et al. Trastuzumab beyond progression for HER2 positive metastatic breast cancer: progression-free survival on first-line therapy predicts overall survival impact. Breast J. 2014; 20(4): 408-13. [PMID: 24985529]

9) Yamamoto Y, Iwata H, Taira N, Masuda N, Takahashi M, Yoshinami T, et al. A randomized, open-label, phase Ⅲ trial of pertuzumab re-treatment in HER2-positive, locally advanced/metastatic breast cancer patients previously treated with pertuzumab, trastuzumab, and chemotherapy: The Japan Breast Cancer Research Group-M05(PRECIOUS) study. Cancer Res. 2021; 81(4_Supplement): PD3-11.

10) Murthy RK, Loi S, Okines A, Paplomata E, Hamilton E, Hurvitz SA, et al. Tucatinib, trastuzumab, and capecitabine for HER2-positive metastatic breast cancer. N Engl J Med. 2020; 382(7): 597-609. [PMID: 31825569]

11) Lin NU, Borges V, Anders C, Murthy RK, Paplomata E, Hamilton E, et al. Intracranial efficacy and survival with tucatinib plus trastuzumab and capecitabine for previously treated HER2-positive breast cancer with brain metastases in the HER2CLIMB trial. J Clin Oncol. 2020; 38(23): 2610-9. [PMID: 32468955]

12) Saura C, Oliveira M, Feng YH, Dai MS, Chen SW, Hurvitz SA, et al; NALA Investigators. Neratinib plus capecitabine versus lapatinib plus capecitabine in HER2-positive metastatic breast cancer previously treated with ≥2 HER2-directed regimens: phase Ⅲ NALA Trial. J Clin Oncol. 2020; 38(27): 3138-49. [PMID: 32678716]

13) Rugo HS, Im SA, Cardoso F, Cortés J, Curigliano G, Musolino A, et al; SOPHIA Study Group. Efficacy of margetuximab vs trastuzumab in patients with pretreated ERBB2-positive advanced breast cancer: a phase 3 randomized clinical trial. JAMA Oncol. 2021; 7(4): 573-84. [PMID: 33480963]

CQ 29 HER2陽性・ホルモン受容体陽性転移・再発乳癌に対して内分泌療法単独や抗HER2療法と内分泌療法併用は勧められるか？

推奨

- 化学療法の適応とならないHER2陽性・ホルモン受容体陽性転移・再発乳癌に対して，抗HER2療法と内分泌療法併用を行うことを弱く推奨する。

  推奨の強さ：2，エビデンスの強さ：中，合意率：88％(30/34)

- 化学療法の適応とならないHER2陽性・ホルモン受容体陽性転移・再発乳癌に対して，内分泌療法単独は行わないことを弱く推奨する。

  推奨の強さ：3，エビデンスの強さ：中，合意率：76％(26/34)

推奨におけるポイント

- 抗HER2療法と内分泌療法併用は有害事象が少ないものの，現在の標準治療である抗HER2療法と化学療法併用を比べたOSのデータはなく，その適応に関してはshared decision makingを慎重に行う必要がある。

背景・目的

HER2陽性かつホルモン受容体陽性転移・再発乳癌において，脱毛など化学療法の有害事象を許容できない患者や，全身状態が悪い患者において内分泌療法は選択肢の一つである。本CQでは，HER2陽性かつホルモン受容体陽性転移・再発乳癌に対する内分泌療法単独と抗HER2療法と内分泌療法併用の効果・安全性について検証した。

解説

1）内分泌療法単独vs抗HER2療法＋内分泌療法併用

HER2陽性・ホルモン受容体陽性転移・再発乳癌(閉経後)に対する一次治療として，内分泌療法単独vs抗HER2療法(トラスツズマブ，もしくはラパチニブ)と内分泌療法併用の比較試験が，本CQの文献として3編抽出された(TAnDEM試験[1]，eLEcTRA試験[2]，EGF 30008試験[3])。これらに対して定量的システマティック・レビューを行った結果，内分泌療法単独に対して，抗HER2療法と内分泌療法併用は無増悪生存期間(PFS)〔ハザード比(HR) 0.67，95％CI 0.55-0.81〕を延長させ，奏効率(ORR)〔リスク比(RR) 2.11，95％CI 1.37-3.26〕とクリニカルベネフィット率(CBR)(RR 1.50，95％CI 1.21-1.87)を改善させた。全生存期間(OS)についてはTAnDEM試験しか報告がないが，有意な差を認めていない(中央値28.5カ月vs 23.9カ月，$p=0.325$)。

有害事象に関しては，抗HER2療法と内分泌療法併用により，心疾患(RR 2.66，95％CI 0.66-10.76)，Grade 3以上の非血液毒性(RR 1.60，95％CI 0.81-3.17)とも増加する傾向であった。特にラパチニブを併用した場合には，下痢の発生が高くなる結果(RR 5.12，95％CI 1.96-13.36)であった。QOLに関する報告はEGF 30008試験のみで，FACT-Bを用いて評価されているが[4]，ラパチニブ＋レトロゾール群とプラセボ＋レトロゾール群で，ベースラインから48週目までの変化に有意な差は認めなかった。

2）Dual HER2-blockade＋アロマターゼ阻害薬

前述の3試験とは別に Dual HER2-blockade＋アロマターゼ阻害薬の試験として ALTERNATIVE 試験[5]と PERTAIN 試験[6]があるが，いずれも内分泌療法単独のコントロール群は存在せず，これらについて定性的システマティック・レビューを行った。

ALTERNATIVE 試験は HER2 陽性・ホルモン受容体陽性転移・再発乳癌（閉経後）に対する，ラパチニブ＋トラスツズマブ＋アロマターゼ阻害薬併用療法，トラスツズマブ＋アロマターゼ阻害薬併用療法，ラパチニブ＋アロマターゼ阻害薬併用療法の第Ⅲ相3群比較試験である。3剤併用群はトラスツズマブ＋アロマターゼ阻害薬併用療法に比し，PFS（中央値 11 カ月 vs 5.6 カ月，HR 0.62，95％CI 0.45–0.88，p＝0.0063）を延長した。ラパチニブ＋アロマターゼ阻害薬併用療法群の PFS 中央値は 8.3 カ月であり，トラスツズマブ＋アロマターゼ阻害薬併用療法と有意な差はなかった（HR 0.85，95％CI 0.62–1.17，p＝0.3159）。また，3剤併用群の ORR と CBR はそれぞれ，31.7％，40％であり，PFS と同様に2剤併用群より良好な傾向であった。有害事象については3剤併用群で下痢（69％），発疹（36％），嘔気（22％）と他の2群に比べて高い傾向にあったが，重篤な有害事象は3群いずれも稀であり，有害事象による治療中止割合も低率であった。OS は immature なデータではあるが，3剤併用群がトラスツズマブ＋アロマターゼ阻害薬併用群より延長する傾向にあった（OS 中央値 46.0 カ月 vs 40 カ月，HR 0.60，95％CI 0.35–1.04）。なお，わが国では，EGF 30008 試験の結果を受けてラパチニブ＋アロマターゼ阻害薬併用療法は保険承認されているが，トラスツズマブを加えた3剤併用療法は承認されていない。

PERTAIN 試験は，HER2 陽性・ホルモン受容体陽性の転移もしくは局所進行乳癌（閉経後）に対する一次治療としてトラスツズマブ＋ペルツズマブ＋アロマターゼ阻害薬の3剤併用療法とトラスツズマブ＋アロマターゼ阻害薬併用療法を比較したオープンラベルのランダム化第Ⅱ相試験である。ランダム化後に主治医判断で，アロマターゼ阻害薬前の導入化学療法としてドセタキセルもしくはパクリタキセルを 18〜24 週投与することを許容している（導入化学療法の割合はペルツズマブ併用群と非併用群でそれぞれ 58.1％，55％）。PFS 中央値はペルツズマブ併用群で 18.89 カ月に対し非併用群が 15.80 カ月と有意に併用群で延長していた（HR 0.65，95％CI 0.48–0.89，p＝0.0070）。導入化学療法の有無によるサブグループ解析では，導入化学療法ありにおいてペルツズマブ併用群 vs 非併用群の PFS に差はなく（中央値 16.89 カ月 vs 16.65 カ月，HR 0.75，95％CI 0.50–1.13，p＝0.1633），導入化学療法なしではペルツズマブ用群の PFS が延長していた（中央値 21.72 カ月 vs 12.45 カ月，HR 0.55，95％CI 0.34–0.88，p＝0.0111）。ORR は併用群 63.3％，非併用群 55.7％と有意差はなかった。主な有害事象としては，下痢がペルツズマブ併用群 55.1％，非併用群 36.3％と併用群で多かった。重篤な有害事象はペルツズマブ併用群 33.1％，非併用群 19.4％であり，ペルツズマブによる治療中止割合は 10.2％であった。

HER2 陽性進行・再発乳癌の一次治療に関しては，CLEOPATRA 試験などの結果から，基本的には化学療法と抗 HER2 薬の併用が標準である（☞薬物 CQ26 参照）。メタアナリシスを行った3試験はいずれも現在の標準治療と比較したものではないため，エビデンスの強さは「中」とした。抗 HER2 療法・内分泌療法併用は脱毛をはじめとする有害事象が少ないことが大きな特徴であるが，OSやPFSについて，現在の標準治療と比べた第Ⅲ相試験の結果はないため，益が勝るとはいえないと考えられた。また，導入化学療法後の抗HER2療法と内分泌療法の併用による維持療法に関しては，抗HER2療法単独との比較試験がないためにその有効性については不明であるものの，PERTAIN試験の結果から害が大きく増えることはないと考える。併用する抗HER2療法についてはDual HER2-blockadeのほうがPFSを延長させる可能性があるが，OSや二次治療以降のデータは乏しく，注意が必要である。

推奨決定会議での投票では，「抗HER2療法と内分泌療法併用」に関しては，「行うことを強く推奨する」が12%，「行うことを弱く推奨する」が88%であり，推奨は「化学療法の適応とならないHER2陽性・ホルモン受容体陽性転移・再発乳癌に対して，抗HER2療法と内分泌療法併用を行うことを弱く推奨する」とした。また，「内分泌療法単独」に関しては，「行うことを弱く推奨する」が18%，「行わないことを弱く推奨する」が76%，「行わないことを強く推奨する」が6%であり，推奨は「内分泌療法単独は行わないことを弱く推奨する」とした。

［投票結果］

	1. 行うことを強く推奨する	2. 行うことを弱く推奨する	3. 行わないことを弱く推奨する	4. 行わないことを強く推奨する
推奨１つ目	12%(4/34)	88%(30/34)	0%(0/34)	0%(0/34)
	総投票数34名(棄権0名，COI棄権9名)			
推奨２つ目	0%(0/34)	18%(6/34)	76%(26/34)	6%(2/34)
	総投票数34名(棄権0名，COI棄権9名)			

検索キーワード・参考にした二次資料

PubMed，Cochraneにて，“Breast Neoplasms”，“Neoplasm Metastasis”，“Neoplasm Recurrence”，“Local”，“ErbB-2”，“Estrogen Antagonists”，“Aromatase Inhibitors”のキーワードを用いて検索した。医中誌では，“乳房腫瘍”，“進行再発”，“Erb-2”，“内分泌療法”のキーワードを用いて検索した。2018年版における文献検索期間は2016年11月までとし，1,443件がヒットした。一次スクリーニングで18編，二次スクリーニングで4編の論文が抽出された。今回のガイドライン改訂にあたり，検索期間を2021年3月までとしたところ，539件が新たにヒットした。うち一次スクリーニングで11編，二次スクリーニングで4編の論文が追加抽出され，解説文に記載の通り，定量的および定性的システマティック・レビューを行った。

参考文献

1) Kaufman B, Mackey JR, Clemens MR, Bapsy PP, Vaid V, Wardley A, et al. Trastuzumab plus anastrozole versus anastrozole alone for the treatment of postmenopausal women with human epidermal growth factor receptor 2-positive, hormone receptor-positive metastatic breast cancer: results from the randomized phase Ⅲ TAnDEM study. J Clin Oncol. 2009; 27(33): 5529-37. [PMID: 19786670]
2) Huober J, Fasching PA, Barsoum M, Petruzelka L, Wallwiener D, Thomssen C, et al. Higher efficacy of letrozole in combination with trastuzumab compared to letrozole monotherapy as first-line treatment in patients with HER2-positive, hormone-receptor-positive metastatic breast cancer—results of the eLEcTRA trial. Breast. 2012; 21(1): 27-33. [PMID: 21862331]
3) Schwartzberg LS, Franco SX, Florance A, O'Rourke L, Maltzman J, Johnston S. Lapatinib plus letrozole as first-line therapy for HER-2+hormone receptor-positive metastatic breast cancer. Oncologist. 2010; 15(2): 122-9. [PMID: 20156908]
4) Sherrill B, Amonkar MM, Sherif B, Maltzman J, O'Rourke L, Johnston S. Quality of life in hormone receptor-positive HER-2+metastatic breast cancer patients during treatment with letrozole alone or in combination with lapatinib. Oncologist. 2010; 15(9): 944-53. [PMID: 20798196]
5) Johnston SRD, Hegg R, Im SA, Park IH, Burdaeva O, Kurteva G, et al. Phase Ⅲ, randomized study of dual human epidermal growth factor receptor 2(HER2)blockade with lapatinib plus trastuzumab in combination with an aromatase inhibitor in postmenopausal women with HER2-positive, hormone receptor-positive metastatic breast cancer: updated results of ALTERNATIVE. J Clin Oncol. 2021; 39(1): 79-89. [PMID: 32822287]

6) Rimawi M, Ferrero JM, de la Haba-Rodriguez J, Poole C, De Placido S, Osborne CK, et al; PERTAIN Study Group. First-line trastuzumab plus an aromatase inhibitor, with or without pertuzumab, in human epidermal growth factor receptor 2-positive and hormone receptor-positive metastatic or locally advanced breast cancer (PERTAIN): a randomized, open-label phase ii trial. J Clin Oncol. 2018; 36(28): 2826-35. [PMID: 30106636]

CQ 30 転移・再発トリプルネガティブ乳癌に対してプラチナ製剤は勧められるか？

推奨

- プラチナ製剤の投与を弱く推奨する。

推奨の強さ：2，エビデンスの強さ：弱，合意率：98％(44/45)

推奨におけるポイント

- 転移・再発トリプルネガティブ乳癌を対象としたコクランシステマティック・レビューでは，プラチナ製剤が使用された群でPFS/ORRが有意に良好であったが，結果に異質性があり，エビデンスの強さは弱い。
- 具体的な治療対象や推奨レジメンの提示は困難である。
- 転移・再発トリプルネガティブ乳癌に対するプラチナ製剤と免疫チェックポイント阻害薬の併用レジメンに関しては薬物CQ31を参照のこと。

背景・目的

転移・再発トリプルネガティブ乳癌は予後不良の病態であるが，その一方で化学療法薬に対する感受性が高いとされている。DNA傷害性化学療法薬であるプラチナ製剤の効果について，乳癌診療ガイドラインでは2018年版(追補2019)で初めてCQとして取り上げ(CQ28)，転移・再発トリプルネガティブ乳癌に対するプラチナ製剤を含んだ治療と含まない治療を比較した臨床試験を検索し，メタアナリシスを行った。その結果，全生存期間(OS)と全奏効割合(ORR)に関してはボーダーラインであるがプラチナ製剤の有効性が示され，無増悪生存期間(PFS)はプラチナ製剤で有意に改善し，プラチナ製剤の使用を弱い推奨とした。その後2020年に同様のCQのコクランレビューが発表されたため[1]，今回，2022年版に使用できるかどうか検証するために新たに文献スクリーニングを行った。結果，2021年3月までで，最新のコクランレビューに含まれる文献に追加するものはなく，本CQの推奨作成にあたりコクランシステマティック・レビューを用いた。

解説

このコクランレビューには，プラチナ製剤を含む治療と含まない治療を比較した10個の臨床試験より，1,349人の転移・再発トリプルネガティブ乳癌症例が含まれていた。メタアナリシスの結果，プラチナ製剤を含むレジメンにおいて，OSが良好な傾向であった〔ハザード比(HR)0.85，95％CI 0.73-1.00〕(**図1a**)。また，PFS/無増悪期間（TTP）やORRに関してもプラチナ製剤を含むレジメンのほうが有効であった(PFS/TTP：HR 0.77，95％CI 0.68-0.88)，〔ORR：リスク比(RR)1.40，95％CI 1.22-1.59〕(**図1b，c**)。ただし，PFS/TTPとORRに関しては，試験ごとで結果が異なっており，メタアナリシスの異質性が大きく，注意が必要である。

有害事象に関しては，プラチナ製剤を含むレジメンでGrade 3と4の嘔気/嘔吐，貧血の発生率が有意に上昇していた(嘔気/嘔吐：RR 4.77，95％CI 1.93-11.81)(貧血：RR 3.80，95％CI 2.25-6.42)。また，HRQOLに関して報告した研究はなかった。

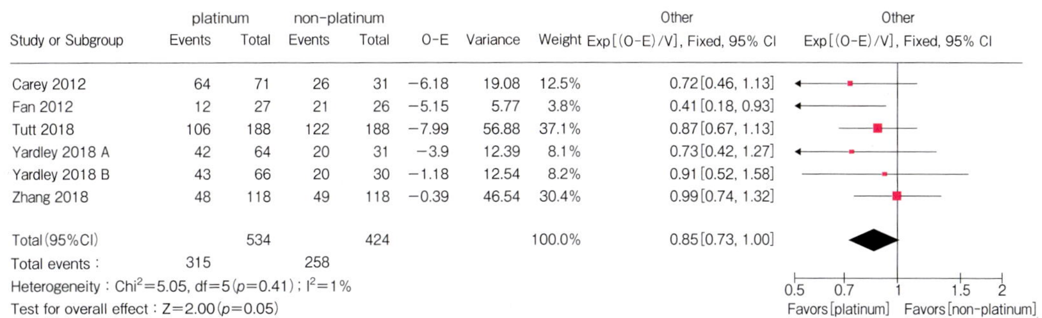

Study or Subgroup	platinum Events	platinum Total	non-platinum Events	non-platinum Total	O-E	Variance	Weight	Other Exp[(O-E)/V], Fixed, 95% CI
Carey 2012	64	71	26	31	−6.18	19.08	12.5%	0.72[0.46, 1.13]
Fan 2012	12	27	21	26	−5.15	5.77	3.8%	0.41[0.18, 0.93]
Tutt 2018	106	188	122	188	−7.99	56.88	37.1%	0.87[0.67, 1.13]
Yardley 2018 A	42	64	20	31	−3.9	12.39	8.1%	0.73[0.42, 1.27]
Yardley 2018 B	43	66	20	30	−1.18	12.54	8.2%	0.91[0.52, 1.58]
Zhang 2018	48	118	49	118	−0.39	46.54	30.4%	0.99[0.74, 1.32]
Total(95%CI)		534		424			100.0%	0.85[0.73, 1.00]
Total events：	315		258					

Heterogeneity：$Chi^2=5.05$, df=5($p=0.41$)；$I^2=1\%$
Test for overall effect：Z=2.00($p=0.05$)
Test for subgroup differences：Not applicable

a. OS

Study or Subgroup	platinum Events	platinum Total	non-platinum Events	non-platinum Total	O-E	Variance	Weight	Other Exp[(O-E)/V], Fixed, 95% CI
Carey 2012	57	71	30	31	−22.86	39.79	16.9%	0.56[0.41, 0.77]
Fan 2012	19	27	26	26	−9.65	7.8	3.3%	0.29[0.14, 0.59]
Han 2018 A	29	41	15	19	−8.3	9.3	3.9%	0.41[0.22, 0.78]
Han 2018 B	24	40	14	19	−9.33	8.51	3.6%	0.33[0.17, 0.65]
Tutt 2018	180	188	183	188	8.75	89.85	38.1%	1.10[0.90, 1.36]
Yardley 2018 A	41	64	23	31	−7.48	14.18	6.0%	0.59[0.35, 0.99]
Yardley 2018 B	44	66	23	30	0.3	15.21	6.5%	1.02[0.62, 1.69]
Zhang 2018	97	118	104	118	−11.72	50.91	21.6%	0.79[0.60, 1.05]
Total(95%CI)		615		462			100.0%	0.77[0.68, 0.88]
Total events：	491		418					

Heterogeneity：$Chi^2=34.78$, df=7($p<0.0001$)；$I^2=80\%$
Test for overall effect：Z=3.93($p<0.0001$)
Test for subgroup differences：Not applicable

Other Exp[(O-E)/V], Fixed, 95% CI
0.5 0.7 1 1.5 2
Favors[platinum] Favors[non-platinum]

b. PFS

Study or Subgroup	platinum Events	platinum Total	non-platinum Events	non-platinum Total	Weight	Risk Ratio M-H, Fixed, 95% CI
Bhattacharyya 2009	37	60	20	66	9.0%	2.04[1.34, 3.09]
Carey 2012	12	65	2	31	1.3%	2.86[0.68, 12.01]
Fan 2012	17	27	4	26	1.9%	4.09[1.59, 10.55]
Mustafa 2019	38	55	26	55	12.3%	1.46[1.05, 2.03]
Stemmler 2011 A	4	6	1	9	0.4%	6.00[0.87, 41.44]
Stemmler 2011 B	3	6	8	15	2.2%	0.94[0.37, 2.38]
Tutt 2018	59	188	64	188	30.3%	0.92[0.69, 1.23]
Yardley 2018 A	47	64	12	29	7.8%	1.77[1.12, 2.80]
Yardley 2018 B	29	59	12	29	7.6%	1.19[0.72, 1.97]
Zhang 2018	76	112	58	115	27.1%	1.35[1.08, 1.68]
Total(95%CI)		642		563	100.0%	1.40[1.22, 1.59]
Total events：	322		207			

Heterogeneity：$Chi^2=21.44$, df=9($p=0.01$)；$I^2=58\%$
Test for overall effect：Z=4.95($p<0.00001$)
Test for subgroup differences：Not applicable

Risk Ratio M-H, Fixed, 95% CI
0.002 0.1 1 10 500
Favors[non-platinum] Favors[platinum]

c. ORR

図 1　メタアナリシス：プラチナ製剤含有レジメン vs プラチナ製剤非含有レジメン(文献 1 より転載)

以上，エビデンスの強さが弱く，有害事象発生率は上昇するが，プラチナ製剤を含むレジメンで OS 延長の可能性があり，PFS/TTP/ORR の結果が良好であること，他サブタイプと比較して治療選択肢の少ないトリプルネガティブ乳癌に対する治療薬が多いことは，患者の希望に沿うと考えられることから，推奨決定会議での投票では，「行うことを強く推奨する」が 2%，「行うことを弱く推奨する」が98%であり，推奨は，転移・再発トリプルネガティブ乳癌の治療選択肢として，「プラチナ製剤の投与を弱く推奨する」とした。

ただし，わが国でシスプラチンは乳癌に対して保険適用となっておらず，2022年5月時点でカルボプラチンはHER2陽性乳癌とPD-L1陽性転移・再発トリプルネガティブ乳癌に対するペムブロリズマブとの併用レジメンにおいて保険診療として認められているのみである。

[投票結果]

1. 行うことを強く推奨する	2. 行うことを弱く推奨する	3. 行わないことを弱く推奨する	4. 行わないことを強く推奨する
2%(1/45)	98%(44/45)	0%(0/45)	0%(0/45)
総投票数45名(棄権1名，COI棄権0名)			

検索キーワード・参考にした二次資料

“breast neoplasms”，“drug therapy”，“antineoplastic agents”，“neoplasm metastasis”，“metastasis”，“advanced”，“recurrent”，“neoplasm recurrence”，“local”，“carboplatin”，“platinum”，“triple negative”，“BRCA”のキーワードで検索した。検索期間は2021年3月までとし，2018年版(追補2019)で抽出された文献に1編追加された。追加された1編は本CQに利用したコクランレビューに含まれていた。

参考文献

1) Egger SJ, Chan MMK, Luo Q, Wilcken N. Platinum-containing regimens for triple-negative metastatic breast cancer. Cochrane Database Syst Rev. 2020; 10(10): CD013750. [PMID: 33084020]

CQ 31 転移・再発乳癌に対して PD-1/PD-L1 阻害薬は勧められるか？

推奨

- **PD-L1 陽性のトリプルネガティブ乳癌に対して，アルブミン懸濁型パクリタキセルにアテゾリズマブを併用することを強く推奨する。**

  推奨の強さ：1，エビデンスの強さ：中，合意率：94%(33/35)

- **PD-L1 陽性のトリプルネガティブ乳癌に対して，化学療法(アルブミン懸濁型パクリタキセル，パクリタキセル，カルボプラチン＋ゲムシタビン)にペムブロリズマブを併用することを強く推奨する。**

  推奨の強さ：1，エビデンスの強さ：中，合意率：97%(38/39)

推奨におけるポイント

- PD-1/PD-L1 阻害薬＋化学療法併用療法において，どのレジメンがより優れているかに関するデータは存在しない。
- PD-1/PD-L1 阻害薬投与にあたっては，免疫関連有害事象に留意しながら，各科連携して対応にあたることが必須である。

背景・目的

腫瘍免疫に対するブレーキである PD-1(programmed cell death-1)[1]とそのリガンドである PD-L1(programmed cell death 1 ligand 1)[2]を標的とした抗体医薬の開発が多くの癌種で進められ，乳癌においても有効性が示されている。本 CQ では，PD-L1 陽性のトリプルネガティブ乳癌に対して適応となったアテゾリズマブ，ペムブロリズマブを対象に，その試験結果をもとに検証する。

解 説

1）トリプルネガティブ乳癌に対するアテゾリズマブ

PD-L1 阻害薬であるアテゾリズマブは，化学療法未施行の切除不能あるいは転移トリプルネガティブ乳癌を対象に行われた IMpassion130 試験の結果をもとに保険承認となった[3]。本試験は，第 Ib 相試験の結果を受けて[4]，902 例の化学療法未施行の切除不能あるいは転移トリプルネガティブ乳癌を対象に，アテゾリズマブとアルブミン懸濁型パクリタキセルの併用と，プラセボとアルブミン懸濁型パクリタキセル併用を比較したランダム化プラセボ対照第Ⅲ相試験である。主要評価項目は無増悪生存期間(PFS)と全生存期間(OS)であり，両主要評価項目は ITT(intention-to-treat)解析集団および PD-L1 陽性集団での評価が予定された。PD-L1 の評価は，SP142 抗体を用いて腫瘍浸潤免疫細胞が 1%以上陽性であるかで判断された。

PFS は，アテゾリズマブ併用群で ITT 解析集団および PD-L1 陽性集団において有意に改善した(ITT 解析集団：PFS 中央値 7.2 カ月 vs 5.5 カ月，ハザード比(HR)0.80，95%CI 0.69-0.92，*p*

＝0.002)(PD-L1 陽性集団：PFS 中央値 7.5 カ月 vs 5.0 カ月，HR 0.62，95%CI 0.49-0.78，p<0.001)。OS は，最終解析で ITT 解析集団において統計学的な有意差は認められなかった(OS 中央値：21.0 カ月 vs 18.7 カ月，HR 0.87，95%CI 0.75-1.02，p＝0.077)。PD-L1 陽性集団においては，階層構造に基づいた統計解析を行う試験デザインであることから検証的なものではなかったが，OS 中央値：25.4 カ月 vs 17.9 カ月(HR 0.67，95%CI 0.53-0.86)と 7.5 カ月の延長を認めた[5)]。全奏効率(ORR)は，アテゾリズマブ併用群で ITT 解析集団および PD-L1 陽性集団において有意に改善した(ITT 解析集団：56.0% vs 45.9%，オッズ比 1.52，95%CI 1.16-1.97，p＝0.002，PD-L1 陽性集団：58.9% vs 42.9%，オッズ比 1.96，95%CI 1.29-2.98，p＝0.002)。

Grade 3 以上の有害事象はアテゾリズマブ併用群で 50%，プラセボ群で 42.9%の症例に認められ，有害事象による治療中止はアテゾリズマブ併用群で 15.9%，プラセボ群で 8.2%と，いずれもアテゾリズマブ併用群で増加傾向にあった。また，adverse events of special interest(AESIs)として指標化された免疫関連有害事象(肝炎，脳脊髄膜炎，肺炎，腸炎，膵炎，腎炎，下垂体機能低下症，副腎皮質機能低下症，甲状腺機能異常症，糖尿病)のなかで Grade 3 以上の頻度は，アテゾリズマブ併用群で 7.5%，プラセボ群で 4.3%であった。QOL に関しては，ITT 集団，PD-L1 陽性集団において全般的 HRQOL と各ドメインの QOL 値が臨床的に意味のある差以上に悪化するまでの期間が評価されたが，いずれも両群で有意な差は認められなかった[6)]。

IMpassion130 試験の質に問題はないが，アテゾリズマブとアルブミン懸濁型パクリタキセルの併用を検証した試験は 1 試験のみであり，エビデンスの強さは「中」とした。アテゾリズマブとアルブミン懸濁型パクリタキセルの併用は，毒性は上昇するが最重要アウトカムの OS は既定の設定から有意差検定が行われていないもののハザード比 0.67 であり，95%信頼区間上限(0.86)が 1.0 を大きく下回っていた。さらに，OS 中央値は絶対値で 7.5 カ月延長されており，PFS の改善も含めて益と害のバランスは確実と考えられる。

推奨決定会議での投票では，「行うことを強く推奨する」が 94%，「行うこと弱く推奨する」が 6%で，推奨は「PD-L1 陽性のトリプルネガティブ乳癌に対して，アルブミン懸濁型パクリタキセルにアテゾリズマブを併用することを強く推奨する」に決定した。

IMpassion131 試験は，化学療法未施行の切除不能あるいは転移トリプルネガティブ乳癌を対象に，アテゾリズマブとパクリタキセルの併用と，プラセボとパクリタキセル併用を比較したランダム化プラセボ対照第Ⅲ相試験である[7)]。主要評価項目は PFS と OS であり，IMpassion130 試験同様に両主要評価項目は ITT 解析集団および PD-L1 陽性集団での評価が予定された。結果は，OS，PFS，ORR，toxicity，QOL いずれにおいてもアテゾリズマブ群とプラセボ群で差がない結果であった。

2）トリプルネガティブ乳癌に対するペムブロリズマブ

PD-1 阻害薬であるペムブロリズマブは，KEYNOTE-355 試験でその有効性が検証されている。本試験は，847 例の化学療法未施行の切除不能あるいは転移トリプルネガティブ乳癌を対象に，ペムブロリズマブと化学療法(パクリタキセルまたはアルブミン懸濁型パクリタキセルまたはゲムシタビン/カルボプラチン)の併用と，プラセボと化学療法(パクリタキセルまたはアルブミン懸濁型パクリタキセルまたはゲムシタビン/カルボプラチン)の併用を比較したランダム化プラセボ対照第Ⅲ相試験である。主要評価項目は PFS と OS に設定され，ITT 集団解析に加えて，

PD-L1 陽性集団での解析も予定された。PD-L1 陽性の定義は，22C3 抗体を用いて combined positive score(CPS)による評価で CPS 10 以上と CPS 1 以上で解析が行われた[8]。

CPS 10 以上での PFS の解析が行われ，ペムブロリズマブ併用群で PFS が有意に延長された(PFS 中央値 9.7 カ月 vs 5.6 カ月，HR 0.65，95%CI 0.49–0.86，p=0.0012)。CPS 1 以上での解析では，ペムブロリズマブ併用群で PFS が良好な傾向が認められたが(PFS 中央値 7.6 カ月 vs 5.6 カ月，HR 0.74，95%CI 0.61–0.90，p=0.0014)，階層構造で設定された P 値境界値(p=0.00111)を満たさなかったため，ITT 集団における統計解析は行われなかった(PFS 中央値 7.5 カ月 vs 5.6 カ月，HR 0.82，95%CI 0.69–0.97，p 値の報告はなし)。また，ESMO2021 で OS の結果が発表され，PD-L1 陽性集団(CPS 10 以上)においてペムブロリズマブ併用群で OS が有意に延長された(OS 中央値 23.0 カ月 vs 16.1 カ月，HR 0.73，95%CI 0.55–0.95，p=0.0093)。PD-L1 陽性集団(CPS 1 以上)での解析ではペムブロリズマブ併用群で OS が良好な傾向が認められたが(OS 中央値 17.6 カ月 vs 16.0 カ月，HR 0.86，95%CI 0.72–1.04，p=0.0563)，階層構造の設定を満たさなかったため，ITT 集団における統計解析は行われなかった(OS 中央値：17.2 カ月 vs 15.5 カ月，HR 0.89，95%CI 0.76–1.05，p 値の報告なし)。

Grade 3 以上の有害事象は，ペムブロリズマブ併用群で 68.1%，プラセボ群で 66.9%の症例に認められ，両群間で差はなかった。免疫関連有害事象はペムブロリズマブ併用群で 25.6%，プラセボ群で 6.0%の症例に認められ，Grade 3 以上の有害事象はペムブロリズマブ併用群で 5.2%，プラセボ群では 0.0%と，いずれもペムブロリズマブ併用によって増加した。

KEYNOTE-355 試験の質に問題はないが，ペムブロリズマブと化学療法の併用を検証した試験は 1 試験のみであり，エビデンスの強さは「中」とした。ペムブロリズマブと化学療法(パクリタキセルまたはアルブミン懸濁型パクリタキセルまたはゲムシタビン/カルボプラチン)の併用は，PD-L1 陽性集団で OS，PFS は有意に改善され，コストの増加を鑑みても益が害を上回ると考えられる。

推奨決定会議での投票では，「行うことを強く推奨する」が 97%，「行うことを弱く推奨する」が 3%で，推奨は「PD-L1 陽性のトリプルネガティブ乳癌に対して，化学療法(アルブミン懸濁型パクリタキセル，パクリタキセル，カルボプラチン＋ゲムシタビン)にペムブロリズマブを併用することを強く推奨する」に決定した。

上記 2 剤で認められる有害事象は他の乳癌治療薬では認められず，がん免疫療法ガイドライン，免疫チェックポイント阻害薬による内分泌障害の診療ガイドライン[9]，ASCO の免疫関連有害事象に関するガイドライン[10]などを参考にするとともに，各科，メディカルスタッフと連携した対応が必須である。

薬物療法

[投票結果]

	1. 行うことを強く推奨する	2. 行うことを弱く推奨する	3. 行わないことを弱く推奨する	4. 行わないことを強く推奨する
推奨 1 つ目	94%(33/35)	6%(2/35)	0%(0/35)	0%(0/35)
	総投票数 35 名(棄権 0 名，COI 棄権 9 名)			
推奨 2 つ目	97%(38/39)	3%(1/39)	0%(0/39)	0%(0/39)
	総投票数 39 名(棄権 0 名，COI 棄権 6 名)			

検索キーワード・参考にした二次資料

"Breast Neoplasms", "drug therapy", "Neoplasm Metastasis", "Neoplasm Recurrence", "metastatic breast cancer", "local advanced breast cancer", "Atezolizumab", "Pembrolizumab", "Immune checkpoint" をキーワードに2021年3月31日までの文献検索を行い，PubMed: 159編，Cochrane: 204編の論文が抽出された。また，適宜ハンドサーチを追加した。

参考文献

1) Ishida Y, Agata Y, Shibahara K, Honjo T. Induced expression of PD-1, a novel member of the immunoglobulin gene superfamily, upon programmed cell death. EMBO J. 1992; 11(11): 3887-95. [PMID: 1396582]
2) Iwai Y, Ishida M, Tanaka Y, Okazaki T, Honjo T, Minato N. Involvement of PD-L1 on tumor cells in the escape from host immune system and tumor immunotherapy by PD-L1 blockade. Proc Natl Acad Sci U S A. 2002; 99(19): 12293-7. [PMID: 12218188]
3) Schmid P, Adams S, Rugo HS, Schneeweiss A, Barrios CH, Iwata H, et al; IMpassion130 Trial Investigators. Atezolizumab and nab-paclitaxel in advanced triple-negative breast cancer. N Engl J Med. 2018; 379(22): 2108-21. [PMID: 30345906]
4) Adams S, Diamond JR, Hamilton E, Pohlmann PR, Tolaney SM, Chang CW, et al. Atezolizumab plus nab-paclitaxel in the treatment of metastatic triple-negative breast cancer with 2-year survival follow-up: a phase 1b clinical trial. JAMA Oncol. 2019; 5(3): 334-42. [PMID: 30347025]
5) Emens LA, Adams S, Barrios CH, Diéras V, Iwata H, Loi S, et al. First-line atezolizumab plus nab-paclitaxel for unresectable, locally advanced, or metastatic triple-negative breast cancer: IMpassion130 final overall survival analysis. Ann Oncol. 2021; 32(8): 983-93. [PMID: 34272041]
6) Adams S, Diéras V, Barrios CH, Winer EP, Schneeweiss A, Iwata H, et al. Patient-reported outcomes from the phase Ⅲ IMpassion130 trial of atezolizumab plus nab-paclitaxel in metastatic triple-negative breast cancer. Ann Oncol. 2020; 31(5): 582-89. [PMID: 32178964]
7) Miles D, Gligorov J, André F, Cameron D, Schneeweiss A, Barrios C, et al; IMpassion131 investigators. Primary results from IMpassion131, a double-blind, placebo-controlled, randomised phase Ⅲ trial of first-line paclitaxel with or without atezolizumab for unresectable locally advanced/metastatic triple-negative breast cancer. Ann Oncol. 2021; 32(8): 994-1004. [PMID: 34219000]
8) Cortes J, Cescon DW, Rugo HS, Nowecki Z, Im SA, Yusof MM, et al; KEYNOTE-355 Investigators. Pembrolizumab plus chemotherapy versus placebo plus chemotherapy for previously untreated locally recurrent inoperable or metastatic triple-negative breast cancer(KEYNOTE-355): a randomised, placebo-controlled, double-blind, phase 3 clinical trial. Lancet. 2020; 396(10265): 1817-28. [PMID: 33278935]
9) 日本内分泌学会．免疫チェックポイント阻害薬による内分泌障害の診療ガイドライン．日内分泌会誌．2018; 948(S. November): 1-11.
10) Brahmer JR, Lacchetti C, Schneider BJ, Atkins MB, Brassil KJ, Caterino JM, et al; National Comprehensive Cancer Network. Management of immune-related adverse events in patients treated with immune checkpoint inhibitor therapy: American Society of Clinical Oncology Clinical Practice Guideline. J Clin Oncol. 2018; 36(17): 1714-68. [PMID: 29442540]

CQ 32 生殖細胞系列 *BRCA* 病的バリアントを有する進行・再発乳癌患者の薬物療法として，PARP 阻害薬は推奨されるか？

推 奨

● アンスラサイクリン系薬剤およびタキサン系薬剤既治療の場合，PARP 阻害薬の単剤投与を強く推奨する。 推奨の強さ：1，エビデンスの強さ：強，合意率：88%(30/34)

推奨におけるポイント

- アンスラサイクリン系薬剤，タキサン系薬剤の治療歴を有する場合，PARP 阻害薬の単剤により PFS が改善する。
- アンスラサイクリン系薬剤，タキサン系薬剤の治療歴を有しない場合のエビデンスは乏しい。

背景・目的

乳癌のうち 5%程度の症例は *BRCA1* あるいは *BRCA2* 遺伝子の生殖細胞系列病原性変異(以下，g*BRCA* 病的バリアント)を有する。g*BRCA* 病的バリアントを有する乳癌は，PARP〔poly (ADP-ribose) polymerase〕阻害薬やプラチナ製剤に対する感受性が高いことが報告されている。g*BRCA* 病的バリアントを有する HER2 陰性進行・再発乳癌患者における PARP 阻害薬の単剤または化学療法併用の意義について検討した。

解 説

PARP 阻害薬の有用性については 4 つのランダム化比較試験があり，本 CQ では，PARP 阻害薬の単剤および PARP 阻害薬併用化学療法について標準的な化学療法と比較検討した。(なお，PARP 阻害薬の単剤と PARP 阻害薬併用化学療法を比較した臨床研究はない。)

1）PARP 阻害薬の単剤

g*BRCA* 病的バリアントを有する HER2 陰性進行・再発乳癌患者を対象として，医師が選択した標準化学療法と比較して PARP 阻害薬を検討したランダム化第Ⅲ相試験は，オラパリブを検討した OlympiAD 試験[1]，talazoparib(未承認)を検討した EMBRACA 試験[2]の 2 編があり，これらからシステマティック・レビューを行った。

OlympiAD 試験ではアンスラサイクリン系薬剤およびタキサン系薬剤，EMBRACA 試験ではそのいずれかの治療歴を有する症例が対象とされた。

PARP 阻害薬は，主治医が選択した標準化学療法と比べ，無増悪生存期間(PFS)を有意に延長〔ハザード比(HR)0.56，95%CI 0.45-0.68〕し，全生存期間(OS)も延長する傾向がみられたが(HR 0.87，95%CI 0.72-1.05)，統計学的には有意でなかった。

有害事象としては，Grade 3 以上の貧血の割合は標準化学療法の 4.6%と比べ PARP 阻害薬で 29.5%(491 人中 145 人)と多く〔リスク比(RR)5.84，95%CI 2.67-12.78〕，Grade 3 以上の好中球数減少はそれぞれ 31.3%と 16.1%であり，PARP 阻害薬で少なかった(RR 0.48，95%CI 0.29-0.81)。

質の高いランダム化第Ⅲ相試験の統合解析であり，エビデンスの強さは「強」とした。益と害のバランスについては，PFSの延長という「益」が有害事象による「害」を上回ると考えられた。なお，医療費を比較検討した論文はなかった。患者の希望に関しては，有害事象のプロファイルによって多少のばらつきが想定されるものと考えられた。

推奨決定会議での投票では，「行うことを強く推奨する」が88%，「行うことを弱く推奨する」が12%であり，推奨は「アンスラサイクリン系薬剤およびタキサン系薬剤既治療の場合，PARP阻害薬の単剤投与を強く推奨する」とした。なお，talazoparibについては未承認である(2022年5月現在)。

2）PARP阻害薬併用化学療法(カルボプラチン＋パクリタキセル)(未承認)

化学療法(パクリタキセルとカルボプラチン)とveliparib(未承認)の併用を検証したBROCADE試験(第Ⅱ相)[3]およびBROCADE3試験(第Ⅲ相)[4]の2試験が報告されている。これらの試験は転移・再発治療で化学療法歴1レジメン以内の症例が対象とされた。

システマティック・レビューの結果，PARP阻害薬と化学療法の併用は化学療法と比べPFSを有意に延長(HR 0.73，95%CI 0.60-0.88)し，OSは統計学的有意差を認めなかった(HR 0.89，95%CI 0.71-1.10)。有害事象としては，PARP阻害薬と化学療法の併用ではGrade 3以上の貧血(RR 1.05，95%CI 0.85-1.30)，および好中球数減少(RR 0.97，95%CI 0.90-1.05)の頻度に有意差は認めない。Veliparibは未承認であり，パクリタキセル＋カルボプラチン併用化学療法は保険適用外のため推奨から除外した(2022年5月現在)。

[投票結果]

1. 行うことを強く推奨する	2. 行うことを弱く推奨する	3. 行わないことを弱く推奨する	4. 行わないことを強く推奨する
88%(30/34)	12%(4/34)	0%(0/34)	0%(0/34)
			総投票数34名(棄権0名，COI棄権14名)

検索キーワード・参考にした二次資料

本CQに対して“BRCA1 mutation”，“BRCA2 mutation”，“PARP inhibitor”，“chemotherapy”，“platinum”のキーワードで文献検索を行った結果，検索期間2018年12月まででPubMedから99編，Cochrane Libraryから252編，医中誌から77編，ハンドサーチで1編の論文を抽出した。2022年ガイドライン改訂に際して，検索期間を2021年3月までとして検索を追加し，PubMedから34編，Cochrane Libraryから118編，医中誌から1編が追加で抽出された。一次スクリーニングで14編の論文が抽出され，二次スクリーニングで7編の論文が抽出された。PARP阻害薬の無再発生存期間，全生存期間，有害事象について，2編のRCTのメタアナリシスを行った。

参考文献

1）Robson M, Im SA, Senkus E, Xu B, Domchek SM, Masuda N, et al. Olaparib for metastatic breast cancer in patients with a germline brca mutation. N Engl J Med. 2017; 377(6): 523-33. [PMID: 28578601]
2）Litton JK, Rugo HS, Ettl J, Hurvitz SA, Gonçalves A, Lee KH, et al. Talazoparib in patients with advanced breast cancer and a germline BRCA mutation. N Engl J Med. 2018; 379(8): 753-63. [PMID: 30110579]
3）Han HS, Diéras V, Robson M, Palácová M, Marcom PK, Jager A, et al. Veliparib with temozolomide or carboplatin/paclitaxel versus placebo with carboplatin/paclitaxel in patients with BRCA1/2 locally recurrent/metastatic breast cancer: randomized phase Ⅱ study. Ann Oncol. 2018; 29(1): 154-61. [PMID: 29045554]
4）Diéras V, Han HS, Kaufman B, Wildiers H, Friedlander M, Ayoub JP, et al. Veliparib with carboplatin and paclitaxel in BRCA-mutated advanced breast cancer(BROCADE3): a randomised, double-blind, placebo-controlled, phase 3 trial. Lancet Oncol. 2020; 21(10): 1269-82. [PMID: 32861273]

FRQ 13 生殖細胞系列 *BRCA* 病的バリアントを有する進行・再発乳癌患者に対してプラチナ製剤は推奨されるか？

ステートメント

- *BRCA* 病的バリアントを有する進行・再発乳癌患者に対して，プラチナ製剤の有効性は期待されるが，*BRCA* 病的バリアントを有する進行・再発乳癌患者を対象としたランダム化比較試験はなく，今後の課題である。

背景

乳癌のうち5%程度の症例は *BRCA1* あるいは *BRCA2* 遺伝子の生殖細胞系列病原性変異(以下，g*BRCA* 病的バリアント)を有する。g*BRCA* 病的バリアントを有する乳癌は，PARP〔poly(ADP-ribose)polymerase〕阻害薬(☞薬物 CQ32 参照)やプラチナ製剤に対する感受性が高いことが報告されている[1]。

解説

g*BRCA* 病的バリアントを有する進行・再発乳癌において，プラチナ製剤の有効性について報告されている。シスプラチンを検討した第Ⅱ相試験では，20 人の g*BRCA1* 病的バリアントを有する乳癌患者を対象にシスプラチン 75 mg/m^2 を 3 週毎に 6 サイクルまで投与し，CR 45%，PR 35%，無増悪生存期間(PFS)中央値は 12 カ月であった[2]。トリプルネガティブ乳癌(TNBC)を対象とした単群第Ⅱ相試験である TBCRC 009 試験では，86 例(69 例がファーストライン，17 例がセカンドライン)が，シスプラチン(43 例)あるいはカルボプラチン(43 例)の投与を受けた[3]。86 例中 77 例で *BRCA* 病的バリアントが検討され，9 例で g*BRCA1* 病的バリアントが，2 例で g*BRCA2* 病的バリアントが認められた。11 例の全奏効割合(ORR)は 54.5%であったが，PFS 中央値は 3.3 カ月であった。BROCADE3 試験は，g*BRCA* 病的バリアントに対してカルボプラチン，パクリタキセルに PARP 阻害薬である veliparib(未承認)の上乗せ効果を検討したランダム化第Ⅲ相試験であった[4]。両群にカルボプラチンを含む化学療法が行われており，PFS 中央値は veliparib 群で 14.5 カ月，対照群 12.6 カ月であった。

g*BRCA* 病的バリアントを有する進行・再発乳癌患者のみを対象にしてプラチナ製剤の有効性を検討したランダム化比較試験はないが，g*BRCA* 病的バリアントを有する進行・再発乳癌患者を含め検証が行われたランダム化第Ⅲ相試験として TNT 試験(カルボプラチン単剤 vs ドセタキセル単剤)[5]，CBCSG 006 試験(シスプラチン＋ゲムシタビン vs パクリタキセル＋ゲムシタビン)[6]がある。TNT 試験は転移・再発乳癌に対する治療としてアンスラサイクリン系薬剤の治療歴のみ許容され，CBCSG 006 試験は転移・再発乳癌に対する初回治療例を対象に行われた。TNT 試験全体では PFS 中央値はカルボプラチン群 3.1 カ月(95%CI 2.4–4.2 カ月)，ドセタキセル群 4.4 カ月(95%CI 4.1–5.1 カ月)であったが，層別化因子ではないものの事前に規定された *BRCA* 病的バリアントを有する患者におけるサブグループ解析では，PFS はカルボプラチン群で良好な傾向がみられた(PFS 中央値 6.8 カ月 vs 4.4 カ月，p=0.002)。*BRCA* 病的バリアントを有する患者における ORR はカルボプラチン群 66.7%，ドセタキセル群 35.7%であった。また，CBCSG 006 試験全体では PFS はシスプラチン群で優れており〔ハザード比(HR)0.692，95%CI 0.523-0.915〕，g*BRCA* 病的バリアントにおけるサブグループ解析でも PFS はシスプラチン群で優れる傾向がみられた(PFS 中央値 8.90 カ月 vs 3.20 カ月，p=0.459)。ORR はシスプラチン群 83.3%，対照群 35.7%であった。しかし，これらの試験は g*BRCA* 病的バリアントを有する進行・再発乳癌患者のみを対象としていないこと，g*BRCA* 病的バリアントの有無は層別化因子でなかったこと，g*BRCA* 病的バリアントを有する例は両試験合わせても 57 例であることから統合解析は実施しなかった。

BRCA 病的バリアントを有する例における OS については，TNT 試験のサブグループ解析が報告されているが，カルボプラチンによる有意な延長はみられなかった(g*BRCA* 病的バリアント p=0.97，腫瘍 *BRCA* 病的バリアント p=0.43)。

わが国では HER2 陰性乳癌に対しては，カルボプラチンがゲムシタビンおよびペムブロリズマブとの併用で PD-L1 陽性 TNBC に対して承認されているが，*BRCA* 病的バリアントの有無による効果の差異は不明である。

以上より，g*BRCA* 病的バリアントを有する進行・再発乳癌患者に対して，プラチナ製剤の有効性は期待されるが，推奨度を決定できるような試験結果はない。g*BRCA* 病的バリアントを有する進行・再発乳癌患者を対象としたランダム化比較試験はなく，今後の課題である。

検索キーワード・参考にした二次資料

本 FRQ に対して，"BRCA1 mutation"，"BRCA2 mutation"，"PARP inhibitor"，"chemotherapy"，"platinum" のキーワードで文献検索を行った。検索期間は 2019 年 2 月までとし，PubMed から 172 編，Cochrane Library から 252 編，医中誌から 77 編が抽出された。検索期間を 2021 年 3 月までとして，"Breast Neoplasms/drug therapy"，"Platinum Compounds"，"Carboplatin"，"Oxaliplatin"，"Organoplatinum Compounds" のキーワードで検索し 99 件がヒットした。

参考文献

1) Byrski T, Huzarski T, Dent R, Gronwald J, Zuziak D, Cybulski C, et al. Response to neoadjuvant therapy with cisplatin in BRCA1-positive breast cancer patients. Breast Cancer Res Treat. 2009; 115(2): 359-63. [PMID: 18649131]
2) Byrski T, Dent R, Blecharz P, Foszczynska-Kloda M, Gronwald J, Huzarski T, et al. Results of a phase Ⅱ open-label, non-randomized trial of cisplatin chemotherapy in patients with BRCA1-positive metastatic breast cancer. Breast Cancer Res. 2012; 14(4): R110. [PMID: 22817698]
3) Isakoff SJ, Mayer EL, He L, Traina TA, Carey LA, Krag KJ, et al. TBCRC009: a multicenter phase ii clinical trial of platinum monotherapy with biomarker assessment in metastatic triple-negative breast cancer. J Clin Oncol. 2015; 33(17): 1902-9. [PMID: 25847936]
4) Diéras V, Han HS, Kaufman B, Wildiers H, Friedlander M, Ayoub JP, et al. Veliparib with carboplatin and paclitaxel in BRCA-mutated advanced breast cancer (BROCADE3): a randomised, double-blind, placebo-controlled, phase 3 trial. Lancet Oncol. 2020; 21(10): 1269-82. [PMID: 32861273]
5) Tutt A, Tovey H, Cheang MCU, Kernaghan S, Kilburn L, Gazinska P, et al. Carboplatin in BRCA1/2-mutated and triple-negative breast cancer BRCAness subgroups: the TNT trial. Nat Med. 2018; 24(5): 628-37. [PMID: 29713086]
6) Zhang J, Lin Y, Sun XJ, Wang BY, Wang ZH, Luo JF, et al. Biomarker assessment of the CBCSG006 trial: a randomized phase Ⅲ trial of cisplatin plus gemcitabine compared with paclitaxel plus gemcitabine as first-line therapy for patients with metastatic triple-negative breast cancer. Ann Oncol. 2018; 29(8): 1741-7. [PMID: 29905759]

BQ 8 乳癌骨転移に対して骨修飾薬(デノスマブ，ゾレドロン酸)は推奨されるか？

ステートメント

- 骨修飾薬(BMA)は，骨転移に伴う随伴症状である骨関連事象(SRE)のリスクを低下させることが示されているため，骨転移を伴う患者に対して，癌薬物療法に骨修飾薬を併用することが標準的である。
- デノスマブはゾレドロン酸よりも有意にSREリスクを低下させることが示されている。

背景

骨転移は転移乳癌患者の50%以上で起こり[1]，骨修飾薬(bone modifying agents；BMA)が使用される以前には病的骨折，脊髄圧迫症状，骨への放射線療法や手術といった骨関連事象(skeletal-related events；SRE)や疼痛，高カルシウム血症などが起こる[2]とされていた。SREは患者のQOLを著しく損なう可能性がある。デノスマブ，ゾレドロン酸などは破骨細胞の機能を抑え，骨吸収を抑制し，乳癌骨転移患者のSREを予防する。

解説

1）デノスマブ

抗RANKLヒト化モノクローナル抗体であるデノスマブと，ゾレドロン酸の効果を検討した3つ(乳癌，前立腺癌，それ以外の固形癌と多発性骨髄腫)のランダム化比較試験(総症例数5,723人)のメタアナリシスでは，デノスマブはSRE(高カルシウム血症を含まない)の発症リスクを有意に14%低下させたが，無増悪生存や全生存には差がなかった[3]。

乳癌患者でのデノスマブとビスホスホネートのランダム化比較試験のメタアナリシス(総症例数2,330人)でもSRE(高カルシウム血症を含む)発症率はデノスマブで有意に少なかった〔オッズ比(OR)0.61，95%CI 0.51-0.72〕[4]。

乳癌患者を対象としてデノスマブとゾレドロン酸を比較したランダム化比較試験では，デノスマブは新規SRE(高カルシウム血症を含まない)発症までの期間を有意に延長させ〔ハザード比(HR)0.82，95%CI 0.71-0.95〕，ゾレドロン酸の新規SRE発症までの期間中央値26.4カ月に対してデノスマブでは未到達であった[5]。また，デノスマブは二次以降のSRE発症リスクも23%抑制した。無増悪生存や全生存は同等であった。有害事象に関して，デノスマブではゾレドロン酸に比べ急性期反応(発熱，骨痛等)や腎機能障害が少ないが，歯痛や低カルシウム血症が多いことが示された。顎骨壊死(ONJ)の発生頻度は両群間で有意差はなかった。

2）ゾレドロン酸

骨転移をもつ乳癌患者を対象として行われたビスホスホネートvsプラセボ，あるいはビスホスホネートありvsなしの9つの臨床試験のメタアナリシスによると，ビスホスホネートはSRE

(高カルシウム血症を含まない)リスクを有意に15%減少させ〔リスク比(RR)0.85, 95%CI 0.77-0.94, p=0.001〕, SRE発症までの期間延長, 疼痛の軽減, QOL向上で優れていたが, 生存への寄与は認めなかった[6]。最も大きくSREリスクを減少させた薬剤はゾレドロン酸(RR 0.59, 95%CI 0.42-0.82)であった。

わが国で行われた乳癌骨転移に対するゾレドロン酸 vs プラセボのランダム化比較試験でも, ゾレドロン酸により1年間のSRE(高カルシウム血症を含まない)の発症リスクを39%低下させ, 新規SRE発症までの期間延長, 疼痛軽減が認められた[7]。

また, ゾレドロン酸により疼痛が軽減し, 有意にQOLが向上したとの報告がある[8]。

ゾレドロン酸の至適投与期間に関する報告はない。過去の臨床試験が1年または2年間を治療期間としているため, 2年間の投与期間での安全性には問題ないと考えられるが, それ以上の長期投与の安全性に関しては不明である。

ゾレドロン酸は通常3～4週間隔の投与を行うが, 12週間隔投与の非劣性を検証した3つのランダム化比較試験の結果が報告されている。ZOOM試験は骨転移に対して12～15カ月のゾレドロン酸治療を継続している425人を対象として, ゾレドロン酸の12週間隔と4週間隔にランダム化割り付けして治療し, 1年間追跡した[9]。追跡期間中央値337日での主要評価項目であるskeletal morbidity rate(高カルシウム血症を含むSRE数/人/年)はそれぞれ0.26, 0.22で12週間隔投与の非劣性が示され, 総SRE発症率, 疼痛, 鎮痛薬使用や顎骨壊死を含む毒性に関しても両群で差がなかった。CALGB 70604(Alliance)試験は骨転移を有する乳癌, 前立腺癌, 多発性骨髄腫患者1,822人(うち乳癌患者855人, 全体の47%)にゾレドロン酸を12週または4週間隔で開始し, 2年間追跡した[10]。追跡期間中央値1.2年での主要評価項目である2年間のSRE(高カルシウム血症を含まない)発症患者は全患者のそれぞれの群で28.6%, 29.5%であり, 12週間隔投与の非劣性が示され, 乳癌患者でも両群間に差がなかった。疼痛, PS, ONJを含む有害事象, skeletal morbidity rateに両群間の有意差はなかった。OPTIMIZE-2試験では, 乳癌骨転移に対して10～15カ月間に9回以上のゾレドロン酸またはパミドロン酸の投与を受けた416人の患者を対象に, 1年間のゾレドロン酸投与の12週または4週間隔を比較した[11]。その結果, 1年間のSRE(高カルシウム血症を含まない)発症率は, 12週間隔では23.2%, 4週間隔では22.0%であり, 12週間隔の非劣性が示された。両群の毒性は同等だった。以上の結果から, 全身状態の良好な骨転移患者では患者との相談によってゾレドロン酸の12週間隔投与を検討できるが, 12週間隔投与の長期的な有効性や安全性についての根拠に乏しいことに留意すべきである。

3）有害事象

(1) 顎骨壊死(osteonecrosis of the jaw；ONJ)

ONJの頻度はゾレドロン酸, デノスマブともに1～10%とされており, ビスホスホネート製剤の種類, 総投与量, 投与期間, 歯科病歴に依存している[12]。いったん発症すると長期化し, 患者のQOLや癌治療に影響を及ぼす可能性があり, 予防が最も重要である。BMAはONJの重要な原因の一つである[13]。わが国でも関連学会で組織されたONJ検討委員会によるポジションペーパーが公表されており[14], 一部の学会のホームページ上で日本語版を閲覧することが可能である。

このポジションペーパーでは, BMAによるONJのリスク因子として口腔衛生状態不良, 歯周病, 不適合義歯, 抜歯やインプラントなどの侵襲的歯科治療などが挙げられている。適切な口腔衛生管理を行うことは，BMA 治療時の ONJ 発症リスクを低下させるとの報告があり[15]，すべての患者で BMA 投与開始前の歯科検診と予防的歯科処置を受けることが推奨されている。抜歯のような顎骨への侵襲的歯科処置は BMA 投与開始 2 週前に終えておくことが望ましいとされている。

顎骨壊死発症後はその治療が完了するまで骨吸収抑制薬の休薬が望まれるが，ポジションペーパーには癌患者では原則として休薬しないと記載されている。日常診療では顎骨壊死の状態，骨転移の状況，薬物療法の効果，患者の希望などを勘案して方針を決定する。

(2) 腎機能障害

ゾレドロン酸の腎機能障害の発生頻度は，個々の腎機能，投与期間に左右されるが，全 Grade において 4.9〜44.5%と報告されている。しかし，多くが Grade 1〜2 の軽症例であり，可逆的かつ一過性である。

デノスマブによる腎機能障害の発症は全 Grade で 3.3〜14.7%，Grade 3 以上の重篤なものは 0.4%と少ない。

(3) 低カルシウム血症

ゾレドロン酸による低カルシウム血症は全 Grade で 3.3〜9.0%，デノスマブは 1.7〜10.8%であり，デノスマブで発生頻度が高い。このため，デノスマブについてはビタミン D および経口カルシウム製剤，もしくはこれらの合剤（デノタスチュアブル配合錠®）の内服が必要である。なお，低カルシウム血症は，投与開始早期（10 日以内）に発現することが多い。

薬物療法

検索キーワード・参考にした二次資料

PubMed で，“Breast Neoplasms/drug therapy”，“Breast Neoplasms/therapy”，“Bone Neoplasms/secondary”，“Bisphosphonates”，“Denosumab” のキーワードを用いて検索し，さらに検索結果は症例報告を除いた治療に関する文献に限定した。加えて重要文献をハンドサーチで検索した。

参考文献

1) Domchek SM, Younger J, Finkelstein DM, Seiden MV. Predictors of skeletal complications in patients with metastatic breast carcinoma. Cancer. 2000; 89(2): 363-8. [PMID: 10918167]
2) Coleman RE, McCloskey EV. Bisphosphonates in oncology. Bone. 2011; 49(1): 71-6. [PMID: 21320652]
3) Chen C, Li R, Yang T, Ma L, Zhou S, Li M, et al. Denosumab versus zoledronic acid in the prevention of skeletal-related events in vulnerable cancer patients: a meta-analysis of randomized, controlled trials. Clin Ther. 2020; 42(8): 1494-507.e1. [PMID: 32718784]
4) Wang X, Yang KH, Wanyan P, Tian JH. Comparison of the efficacy and safety of denosumab versus bisphosphonates in breast cancer and bone metastases treatment: a meta-analysis of randomized controlled trials. Oncol Lett. 2014; 7(6): 1997-2002. [PMID: 24932278]
5) Stopeck AT, Lipton A, Body JJ, Steger GG, Tonkin K, de Boer RH, et al. Denosumab compared with zoledronic acid for the treatment of bone metastases in patients with advanced breast cancer: a randomized, double-blind study. J Clin Oncol. 2010; 28(35): 5132-9. [PMID: 21060033]
6) Wong MH, Stockler MR, Pavlakis N. Bisphosphonates and other bone agents for breast cancer. Cochrane Database Syst Rev. 2012; (2): CD003474. [PMID: 22336790]
7) Kohno N, Aogi K, Minami H, Nakamura S, Asaga T, Iino Y, et al. Zoledronic acid significantly reduces skeletal complications compared with placebo in Japanese women with bone metastases from breast cancer: a randomized, placebo-controlled trial. J Clin Oncol. 2005; 23(15): 3314-21. [PMID: 15738536]
8) Wardley A, Davidson N, Barrett-Lee P, Hong A, Mansi J, Dodwell D, et al. Zoledronic acid significantly improves pain scores and quality of life in breast cancer patients with bone metastases: a randomised, crossover study of community vs hospital bisphosphonate administration. Br J Cancer. 2005; 92(10): 1869-76. [PMID: 15870721]
9) Amadori D, Aglietta M, Alessi B, Gianni L, Ibrahim T, Farina G, et al. Efficacy and safety of 12-weekly versus 4-weekly zoledronic acid for prolonged treatment of patients with bone metastases from breast cancer(ZOOM):

a phase 3, open-label, randomised, non-inferiority trial. Lancet Oncol. 2013; 14(7): 663-70. [PMID: 23684411]
10) Himelstein AL, Foster JC, Khatcheressian JL, Roberts JD, Seisler DK, Novotny PJ, et al. Effect of longer-interval vs standard dosing of zoledronic acid on skeletal events in patients with bone metastases: a randomized clinical trial. JAMA. 2017; 317(1): 48-58. [PMID: 28030702]
11) Hortobagyi GN, Van Poznak C, Harker WG, Gradishar WJ, Chew H, Dakhil SR, et al. Continued treatment effect of zoledronic acid dosing every 12 vs 4 weeks in women with breast cancer metastatic to bone: the optimize-2 randomized clinical trial. JAMA Oncol. 2017; 3(7): 906-12. [PMID: 28125763]
12) Van Poznak C, Somerfield MR, Barlow WE, Biermann JS, Bosserman LD, Clemons MJ, et al. Role of bone-modifying agents in metastatic breast cancer: An American Society of Clinical Oncology-Cancer Care Ontario Focused Guideline Update. J Clin Oncol. 2017; 35(35): 3978-86. [PMID: 29035643]
13) Shapiro CL. Bisphosphonate-related osteonecrosis of jaw in the adjuvant breast cancer setting: risks and perspective. J Clin Oncol. 2013; 31(21): 2648-50. [PMID: 23796994]
14) Japanese Allied Committee on Osteonecrosis of the Jaw, Yoneda T, Hagino H, Sugimoto T, Ohta H, Takahashi S, et al. Antiresorptive agent-related osteonecrosis of the jaw: position paper 2017 of the Japanese Allied Committee on Osteonecrosis of the Jaw. J Bone Miner Metab. 2017; 35(1): 6-19. [PMID: 28035494]
15) Ripamonti CI, Maniezzo M, Campa T, Fagnoni E, Brunelli C, Saibene G, et al. Decreased occurrence of osteonecrosis of the jaw after implementation of dental preventive measures in solid tumour patients with bone metastases treated with bisphosphonates. The experience of the National Cancer Institute of Milan. Ann Oncol. 2009; 20(1): 137-45. [PMID: 18647964]

FRQ 14 転移・再発乳癌に対して治癒を目指した治療を行うことは勧められるか？

ステートメント

- 転移・再発乳癌に対する薬物療法が完全奏効し，あるいは，局所治療（手術や放射線治療など）の追加で腫瘍の残存が画像上検出できない状態となり，その後，再燃のないまま長期生存する症例が報告されている。
- 現時点では，「治癒」という言葉の定義やエンドポイントは確立したものではなく，治癒を目標とする治療方針の妥当性は評価できない。今後，さらなる研究の蓄積が期待される。

背景

転移・再発乳癌では根治（治癒）は期待できず，「全生存期間（OS）」の延長と，「生活の質（QOL）」の向上を目的に薬物療法が行われてきた[1]。しかし，近年の薬物療法の進歩に伴い，薬物療法によって完全奏効が得られ，あるいは，局所治療の追加で腫瘍の残存が画像上検出できない状態となり，その後，再燃のないまま長期経過する症例も経験する[2]。これらの症例は，「治癒」が得られたと考えられるが，転移・再発乳癌でも「治癒」を目指した治療を行うことが妥当かどうかについて検討した。

解説

「治癒」が得られたとする報告の多くは，後ろ向きの症例報告やケースシリーズであり，どのような症例に対してどのような治療（薬物・局所療法）を行うことで「治癒」に近づくかは明らかではない。現時点で，転移・再発乳癌に対して前向きの臨床試験で「治癒」を評価した研究はなく，さらに，「治癒」というエンドポイントの定義として，「完全奏効が得られ，あるいは，局所治療追加で残存病変のない状態となり，他の原因で死亡するまでの間再燃しないこと」は一つと考えられるが，「完全奏効」や「残存病変の有無」を画像評価のみで決められるのか（病理学的な証明が必要か，また微小遺残病変の評価をどう行うか），「再燃」をどのように評価するのかというような点でも議論は定まったものではない。

転移・再発乳癌を対象とした臨床試験で用いられる真のエンドポイントは，OS と QOL であり，主要評価項目として多く用いられるのは，OS，または，その代替エンドポイントとしての無増悪生存期間（PFS）であるが，「治癒率」（完全奏効をきたし，あるいは，局所治療追加で残存病変のない状態となり，観察期間内に再燃せずに生存している症例の割合）というエンドポイントが，これらと比較して有用であるとは言い難い。もし「治癒率」が高くなっても，最終的に再燃し OS の延長に結び付かないのであれば，定義上「治癒」が得られたとしても，その後の長期生存や無再発が保証されるわけではないことからも，「治癒率」を OS に代わるエンドポイントと位置付けるのは困難である。治癒率と PFS 率は，「完全奏効をきたし，あるいは，局所治療追加で残存病変のない状態となっている」か否かに違いがあるだけで，「その後再燃せずに生存しているか」をみる点においては同様のエンドポイントである。治癒とPFSのどちらがより適したOSの代替エンドポイントとなり得るか，治癒とPFSの予後に対する本質的な違いがあるのか，という検討も必要であろう。近年，「完全奏効」や「残存病変の有無」，「再燃」を評価するためにリキッドバイオプシーがさまざまな臨床試験で測定されており，今後の研究成果に期待したい。また，oligometastases（オリゴ転移）という概念も提唱されるが[3]，それについても定義は定まっておらず，腫瘍量が少ないことは治癒を得るための因子なのかについても検証されることが期待される（☞放射線FRQ6参照）。

現時点では，治療の有効性を判断する指標としては，治癒率よりもOSが重視される。すなわち，治癒を目指してより強力な薬物療法を行う方法や，局所治療を加える方法については，ランダム化比較試験でOSの改善が示されていなければ，積極的に推奨する根拠とはならない。ただし，本FRQは，治癒を目指した治療戦略の妥当性をエビデンスに基づいて評価するものであり，個別の症例において，「治癒を目指す」ことを一概に否定するものではない。

検索キーワード・参考にした二次資料

PubMedで“breast neoplasms/drug therapy”，“advanced”，“metastatic”，“recurren*”“Neoplasm”，“Metastasis”，“neoplasm recurrence, local”，“disease free survival”，“tapering”，“reduction*”，“cure”のキーワードとその同義語で検索した。

参考文献

1) Cardoso F, Paluch-Shimon S, Senkus E, Curigliano G, Aapro MS, André F, et al. 5th ESO-ESMO international consensus guidelines for advanced breast cancer(ABC 5). Ann Oncol. 2020; 31(12): 1623-49. [PMID: 32979513]
2) Niikura N, Shimomura A, Fukatsu Y, Sawaki M, Ogiya R, Yasojima H, et al. Durable complete response in HER2-positive breast cancer: a multicenter retrospective analysis. Breast Cancer Res Treat. 2018; 167(1): 81-7. [PMID: 28895005]
3) Hellman S, Weichselbaum RR. Oligometastases. J Clin Oncol. 1995; 13(1): 8-10. [PMID: 7799047]

転移・再発乳癌に対して，化学療法奏効後に内分泌療法による維持療法は勧められるか？

ステートメント

- **化学療法奏効後の内分泌療法による維持療法で，化学療法継続よりもQOLの改善が期待されるが，治療効果を維持できるかどうかは不明である。**

背 景

先行する化学療法に奏効した，または，病勢安定となった後，病勢増悪を確認する前に開始する治療を「維持療法」という。蓄積毒性が問題となる化学療法を継続するよりも，毒性の軽い維持療法に移行するほうが，QOLが改善する可能性がある。化学療法奏効後の維持療法として，内分泌療法を用いることの有効性について検討した。

解 説

転移・再発乳癌に対する薬物療法は，毒性が問題とならない限り，病勢増悪をきたすまで継続するのが一般的であるが，アンスラサイクリン系薬剤の心毒性や，タキサン系薬剤の末梢神経障害など，蓄積毒性が問題となる薬剤では早めの中止が妥当な場合もある。病勢増悪をきたす前に化学療法を中止した場合，積極的治療は行わずに経過観察し，病勢増悪をきたした時点で次のラインの薬物療法を検討することが多いが，薬物療法を中止した直後に，病勢増悪を確認することなく，「維持療法」を開始するという考え方もある。直前の薬物療法が2剤以上の併用療法だった場合に，毒性が問題となる薬剤を中止したうえで，残りの薬剤のみを継続する形の維持療法を「Continuous Maintenance」，直前の薬物療法とは異なる，より毒性の少ない薬剤を用いる維持療法を「Switch Maintenance」と呼ぶ。

Continuous Maintenance型の維持療法としては，パクリタキセル＋ベバシズマブ併用療法後の維持療法として，ベバシズマブのみを継続するもの，トラスツズマブ＋ペルツズマブ＋ドセタキセル併用療法後の維持療法として，トラスツズマブ＋ペルツズマブ併用療法を継続するもの，免疫チェックポイント阻害薬＋化学療法併用療法後の維持療法として，免疫チェックポイント阻害薬のみを継続するものがあるが，化学療法薬をどの程度継続するのがよいのか，維持療法として分子標的治療薬のみを継続することに意味があるのかなどの臨床的疑問には答えが出されていない。

ホルモン受容体陽性転移・再発乳癌に対する化学療法後の内分泌療法による維持療法は，Switch Maintenance型の維持療法として考えられる。European School of Oncology（ESO）とEuropean Society for Medical Oncology（ESMO）によって作成された「第5回進行乳癌に対する国際コンセンサスガイドライン（ABC 5）」[1]では，「化学療法後の内分泌療法による維持療法は，ランダム化試験での評価はなされていないが，妥当な選択肢である」と記載されている。さらに内分泌療法とCDK4/6阻害薬の併用による維持療法については支持するデータがなく，内分泌療法単独で行うべきとしている。一次化学療法で奏効または病勢安定がみられたホルモン受容体陽性の転移乳癌560例を対象とした後ろ向き解析では，内分泌療法による維持療法が施行されなかった252例と比べて，内分泌療法による維持療法が施行された308例で無増悪生存期間(PFS)や全生存期間(OS)が優れていたという報告がある[2)]。

ホルモン受容体陽性かつHER2陽性の転移・再発乳癌に対して，一次治療として抗HER2薬と化学療法の併用療法が行われた後の維持療法として，抗HER2薬と内分泌療法の併用療法が行われることがあり，ABC5では，この維持療法についても，「ランダム化比較試験での評価はなされていないが，妥当な選択肢である」と記載されている。

また，タキサン＋ベバシズマブ併用療法後のベバシズマブ維持療法に内分泌療法を併用する方法も検討されている。前向きコホート試験ではベバシズマブ単剤による維持療法と比較してベバシズマブと内分泌療法の併用による維持療法のほうがPFSを延長することが示された[3)]。GINECO試験は，タキサン＋ベバシズマブを継続する群と内分泌療法(エキセメスタン)＋ベバシズマブによる維持療法を行う群にランダム化し，PFSを比較した[4)]。本試験は中間解析にて内分泌療法＋ベバシズマブ群の優越性を示すことができないことが判明したために早期中止となったが，PFSについてタキサン＋ベバシズマブと内分泌療法＋ベバシズマブの間に有意な差は認めなかった。国内では，パクリタキセル＋ベバシズマブを継続する群と，内分泌療法＋ベバシズマブ維持療法に移行後，増悪をきたした際にパクリタキセル＋ベバシズマブを再導入する群とのランダム化比較試験が行われている。2019年のSABCSでは，ランダム化からパクリタキセル＋ベバシズマブ増悪までの期間(再導入含む)について，内分泌療法＋ベバシズマブ維持療法に移行した群が有意に延長すること，およびOSは両群で有意差を認めないことが報告された。

検索キーワード・参考にした二次資料

"Breast Neoplasms", "Neoplasm Metastasis", "Neoplasm Recurrence, Local", "Antineoplastic Agents, Hormonal", "Aromatase Inhibitors", "Tamoxifen", "Fulvestrant", "Bevacizumab", "Maintenance" のキーワードで検索し，システマティック・レビューを行った。

参考文献

1) Cardoso F, Paluch-Shimon S, Senkus E, Curigliano G, Aapro MS, André F, et al. 5th ESO-ESMO international consensus guidelines for advanced breast cancer(ABC 5). Ann Oncol. 2020; 31(12): 1623-49. [PMID: 32979513]
2) Dufresne A, Pivot X, Tournigand C, Facchini T, Alweeg T, Chaigneau L, et al. Maintenance hormonal treatment improves progression free survival after a first line chemotherapy in patients with metastatic breast cancer. Int J Med Sci. 2008; 5(2): 100-5. [PMID: 18461187]
3) Fabi A, Russillo M, Ferretti G, Metro G, Nisticò C, Papaldo P, et al. Maintenance bevacizumab beyond first-line paclitaxel plus bevacizumab in patients with Her2-negative hormone receptor-positive metastatic breast cancer: efficacy in combination with hormonal therapy. BMC Cancer. 2012; 12: 482. [PMID: 23083011]
4) Trédan O, Follana P, Moullet I, Cropet C, Trager-Maury S, Dauba J, et al. A phase Ⅲ trial of exemestane plus bevacizumab maintenance therapy in patients with metastatic breast cancer after first-line taxane and bevacizumab: a GINECO group study. Ann Oncol. 2016; 27(6): 1020-9. [PMID: 26916095]

FRQ 16 転移・再発高齢者乳癌に対する薬物療法として何が推奨されるか？

ステートメント

- ホルモン受容体陽性の転移・再発高齢者乳癌に対するアロマターゼ阻害薬やフルベストラントは，閉経後の若年者と同様に有効である可能性が高い。
- 内分泌療法＋分子標的薬併用療法に関しては，PFSは若年者と同程度の効果が得られるが，毒性は増す可能性がある。OSに関する情報は若年者と同様にやや乏しく，今後データの蓄積に期待したい。
- 転移・再発高齢者乳癌に対する高齢者への化学療法（＋抗HER2療法，ベバシズマブ，PD-1/PD-L1阻害薬）実施は，若年者と同程度の効果が得られる可能性があるが，毒性の増加が懸念されるため，その適応に関して，日本人患者における適切なgeriatric assessmentの開発とその臨床応用に期待したい。

背景

臨床試験にunfitな高齢者の転移・再発乳癌の多くは，薬物療法によって非高齢者と同様の益が得られるかどうか不明な点が多い。転移・再発高齢者乳癌に対して，どのような薬物療法が推奨されるのかを検討した。

解説

1）内分泌療法

(1) 内分泌療法単独

抽出された4件の文献の内訳は，65歳以上を対象としたランダム化比較試験（RCT）2件，RCTのサブグループ解析とメタアナリシスが各1件であった。これらの文献は研究デザインや介入・対照が異なり，メタアナリシスは困難であったため，定性的システマティック・レビューを行った。

1件のRCTはタモキシフェン（TAM）単独とTAM＋他の内分泌療法の3群比較[1]，ほかはTAM単独と化学療法（CMF）の比較であった[2]。全生存期間（OS）については，1件のRCTでのTAM単独のOSは22カ月であった。CMFとの比較では，TAM単独がOSで優れる傾向であった。無増悪生存期間（PFS）については，TAM単独とTAM＋他の内分泌療法の比較において，TAM単独はPFS：9.2カ月であった。毒性については，1件のRCTにおいてTAM単独群では，めまい，ほてり，体重増加等を認めたが発症頻度は2〜4％と低く，治療関連死，副作用による中止例はなかった。現在，TAMは閉経後転移・再発乳癌に対する標準的な一次・二次内分泌療法ではないことに注意が必要だが，有害事象プロファイルや患者希望を考慮して選択肢の一つとなり得ると考える。

レトロゾールとTAMのRCTのサブグループ解析によると，レトロゾールの無増悪期間

(TTP)は，70歳以上：12.2カ月，70未満：8.8カ月であった[3)]。1件のメタアナリシス(フルベストラント vs 他のアロマターゼ阻害薬)では，フルベストラントは65歳以上においても他のアロマターゼ阻害薬よりTTP/PFSで優れていた[4)]。以上より，高齢者に対する内分泌療法単独として，アロマターゼ阻害薬やフルベストラントは，閉経後の若年者と同様に有効である可能性が高い。

2）内分泌療法＋分子標的治療薬

(1) 内分泌療法＋CDK4/6阻害薬

ホルモン受容体陽性，HER2陰性転移・再発乳癌に対する一次治療として，アロマターゼ阻害薬とCDK4/6阻害薬併用の有効性を示したランダム化比較試験のプール解析がFDAからなされた[5)]。本解析には，PALOMA-2，MONALEESA-2，MONARCH-3の3試験が含まれ，70歳以上/未満，75歳以上/未満で層別し，有効性と安全性が解析された。70歳以上と75歳以上でCDK4/6阻害薬併用のPFSのハザード比はそれぞれ，0.52(95%CI 0.38-0.70)，0.49(95%CI 0.31-0.76)であり，70歳/75歳未満と同様の効果が得られていた。OSに関しては，イベントが少ないものの，年齢別での不一致は認めていない。一方で，フルベストラントとCDK4/6阻害薬併用の有効性を示したPALOMA-3，MONALEESA-3，MONARCH-2の3試験ではOSの結果が判明しており，これらのメタアナリシスでは，65歳以上においても65歳未満と同様にOS延長効果を認めた[6)]。

併用療法の安全性ついては，FDAのプール解析においてGrade 3もしくは4の毒性が75歳以上で88.8%，75歳未満で73.4%と75歳以上に多かった。同様に減量/休止や治療中止も75歳以上に多かった(減量/休薬：75歳以上 81.6% vs 75歳未満 71.1%，治療中止：75歳以上 32% vs 75歳未満 12.1%)。減量/休薬の理由としては，好中球減少，下痢，クレアチニン上昇が上位3つに挙げられた。特に下痢と倦怠感に関しては，75歳以上で多く認められた[5)]。

(2) 内分泌療法＋エベロリムス

エベロリムス＋エキセメスタン併用とエキセメスタンの1件のRCTのサブグループ解析では，OSの情報はなかった[7)]。PFSについては，エベロリムス併用群で良好であった(6.83カ月 vs. 4.01カ月)。毒性については，70歳以上でGrade 3以上の口内炎，非感染性肺臓炎，高血糖が増加した。治療関連死は70歳未満：3人(1.3%)に対し，70歳以上：4人(7.7%)であった。

以上より，高齢者に対する内分泌療法＋分子標的治療薬については，PFSは若年者と同程度の効果が得られるが，OSに関する情報はやや乏しく，今後さらなるデータの蓄積を期待したい。一方で，毒性は若年者より増加する可能性があり，注意が必要である。

3）化学療法

(1) 化学療法単独

抽出された件の文献の内訳は，第Ⅲ相試験が2件，ランダム化第Ⅱ相試験が2件，単アームの第Ⅱ相試験が6件，サブグループ解析が3件，前向きコホート研究が1件であった。抽出された文献は，研究デザインや介入・対照が異なり，メタアナリシスは困難であったため，定性的システマティック・レビューを行った。

2件の第Ⅲ相試験は，60歳以上の397例を対象としたエピルビシンとゲムシタビンの比較[8)]，ほかは65歳以上の78例を対象としたドキシルとカペシタビンの比較であった[9)]。ただし，後者の試験については，予定登録数の約半数で試験が早期中止となっており，注意が必要である。ランダム化第Ⅱ相試験については，パクリタキセル毎週投与とドセタキセル毎週投与の比較[10]，アルブミン混濁型パクリタキセル毎週投与 100 mg/m^{2}と 125 mg/m^{2}の比較[11]であった。そのほか単アームの試験でも，タキサン系薬剤の毎週投与[12)13]，ビノレルビン，カペシタビン[14)15]など毒性が少ないとされる薬剤を採用した研究が多かった。OS に関しては，2 つの第Ⅲ相試験からエピルビシンが 19.1 カ月，ゲムシタビンが 11.8 カ月，ドキシルが 13.8 カ月，カペシタビンが 16.8 カ月と若年者と遜色ない結果であった[8)9]。PFS は，エピルビシンが 6.1 カ月，ゲムシタビンが 3.4 カ月，ドキソルビシン塩酸塩 リポソーム注射薬が 5.6 カ月，カペシタビンが 7.7 カ月であった[8)9]。第Ⅱ相試験のレジメンはさまざまであるが，PFS は 4.7～8.8 カ月であった[10)～18]。

毒性については，エピルビシンとゲムシタビンの RCT では，70 歳以上ではエピルビシン群で粘膜障害，ゲムシタビン群で肺障害の頻度が高かった[8]。ドキソルビシン塩酸塩 リポソーム注射薬とカペシタビンの RCT では，80 歳以上で毒性による治療中止割合が高かった[9]。70 歳以上(28 例)を対象としたパクリタキセル毎週投与とドセタキセル毎週投与のランダム化第Ⅱ相試験では，ドセタキセル群で 2 例の治療関連死を認めた[10]。高齢者限定の研究ではないが，エリブリンの post-hoc 解析では，70 歳以上では末梢神経障害，好中球減少が強く認められた[19]。

(2) 化学療法＋抗 HER2 療法

抽出された 4 件の文献の内訳は，RCT のサブグループ解析，観察研究のサブグループ解析，後ろ向き研究，ランダム化第Ⅱ相試験がそれぞれ 1 件ずつであった。メタアナリシスは困難であり，定性的システマティック・レビューを行った。

OS については，トラスツズマブ併用に関する前向き観察研究(901 例中，65 歳以上は 209 例)では，65 歳以上においてトラスツズマブ併用の OS 中央値は 31.2 カ月，併用なしでは 28.5 カ月であった[20]。PFS もトラスツズマブ併用群が優れていた(11.7 カ月 vs. 4.8 カ月)。SEER データベースを用いた後ろ向きの検討(65 歳以上 610 例)では，トラスツズマブ併用により死亡率が低下した〔ハザード比(HR)0.54，95%CI 0.37-0.74，$p<0.001$〕[21]。ドセタキセル＋ペルツズマブ＋トラスツズマブ併用療法に関する RCT のサブグループ解析では，PFS は 21.6 カ月と若年者と同程度であった[22]。

毒性については，トラスツズマブの観察研究では 75 歳以上のトラスツズマブ併用群で心毒性が増加した[20]。ドセタキセル＋ペルツズマブ＋トラスツズマブ併用療法では，65 歳以上で下痢，倦怠感，食欲不振，嘔吐，味覚障害が増加した[22]。

EORTC 75111-10114 試験は，高齢者を対象とした唯一のオープンラベルのランダム化比較試験である[23]。本試験の対象者は化学療法未治療の高齢者(70 歳以上もしくはプロトコールに定義された日常生活に制限などがある 60 歳以上)で，ペルツズマブ＋トラスツズマブ療法にメトロノミック療法として経口シクロホスファミドを併用する群としない群にランダム化された。主要評価項目は，6 カ月時点での PFS であり，シクロホスファミド併用群で高い傾向にあった(73.4 vs 46.2%，HR 0.65，95%CI 0.37-1.12，$p=0.12$)。また，1 年時点の OS は併用群で 83.8%，非併用群で 63.3%であった(HR 0.92，95%CI 0.44-1.91)。毒性は，併用群で，疲労，嘔気，リンパ球減少，血栓塞栓症の割合が高かった。

(3) 化学療法＋ベバシズマブ

タキサン＋ベバシズマブ併用とタキサン単独療法の2件のRCTのサブグループ解析では，OSに関する情報はなかった[24)25)]。PFSについては，65歳以上においても，ベバシズマブ併用群で優れる傾向であった(ベバシズマブ7.5 mg/kg群 9カ月，ベバシズマブ15 mg/kg群 10.3カ月，コントロール群 7.7カ月)[24)]。毒性については，65歳以上でベバシズマブ特有の高血圧，蛋白尿，血栓症などの毒性が増加した[24)25)]。

(4) 化学療法＋PD-1/PD-L1阻害薬

IMpassion130試験[26)]とKEYNOTE-355試験[27)]の結果に基づき，PD-L1陽性の転移・再発トリプルネガティブ乳癌に対して，化学療法＋PD-1/PD-L1阻害薬投与は本ガイドラインでも強く推奨されている(☞薬物CQ31参照)。これらの試験では，65歳以上の高齢者は22〜26%程度含まれており，サブグループ解析がなされている。いずれもの試験においても65歳以上におけるPFS中央値はPD-1/PD-L1阻害薬併用で優れる傾向にあったが，高齢者に限定した有害事象に関するデータはない。

以上の結果から，高齢者への化学療法(＋抗HER2療法，ベバシズマブ，PD-1/PD-L1阻害薬)実施は，若年者と同程度の効果が得られる可能性があるが，毒性の増加が懸念されるため，併存症や身体・認知機能等を慎重に評価して，その適応を判断する必要がある。

4）PARP阻害薬

*BRCA*病的バリアントを有するHER2陰性転移・再発乳癌に対して，アンスラサイクリン系薬剤およびタキサン系薬剤既治療の場合，PARP阻害薬単剤は本ガイドラインでも強く推奨されている(☞薬物CQ32参照)。しかしながら，PARP阻害薬と，医師が選択した標準化学療法を比較したランダム化第Ⅲ相試験のOlympiAD試験[28)]とEMBRACA試験[29)]いずれにおいても，試験に参加した高齢者の割合は少なく，評価されていない。

5）Geriatric assessmentについて

高齢者の身体・認知機能や心理・栄養状態，社会支援体制などを多面的に評価(geriatric assessment)し，有害事象や予後予測を行うことで，治療選択のshared decision makingの一助にしようとする試みがある。その評価ツールとして，G-8[30)]，Vulnerable Elders Survey-13(VES-13)[31)]，Flemish version of the Triage Risk Screening Tool[32)]，IADL(Instrumental Activities of Daily Living)[33)]など，さまざまなものが開発されている。European Organisation for Research and Treatment of Cancer(EORTC)のElderly Task Forceは，70歳以上の癌患者に対してG-8を標準的なスクリーニングツールとして用いることを推奨している[34)]が，日本人患者において妥当性が検証されていないこともあり，臨床応用は進んでいない。

検索キーワード・参考にした二次資料

PubMedで，"Breast Neoplasms"，"Aged"，"Neoplasm Metastasis"，"Neoplasm Recurrence, Local"，"Antineoplastic Agents"，"Chemotherapy, Adjuvant"，"Antineoplastic Combined Chemotherapy Protocols" のキーワードで検索した。医中誌・Cochrane Libraryも同等のキーワードで検索した。2018年版では，検索期間は2016年11月までとし，1,841件がヒットした。さらにハンドサーチで14件の文献が抽出された。今回2022年版作成にあたり，同様のキーワードで期間を2016年1月〜2021年3月として検索したところ，5件の文献が追加された。

参考文献

1) Rose C, Kamby C, Mouridsen HT, Andersson M, Bastholt L, Møller KA, et al. Combined endocrine treatment of elderly postmenopausal patients with metastatic breast cancer. A randomized trial of tamoxifen vs. tamoxifen + aminoglutethimide and hydrocortisone and tamoxifen + fluoxymesterone in women above 65 years of age. Breast Cancer Res Treat. 2000; 61(2): 103-10. [PMID: 10942095]
2) Taylor SG 4th, Gelman RS, Falkson G, Cummings FJ. Combination chemotherapy compared to tamoxifen as initial therapy for stage Ⅳ breast cancer in elderly women. Ann Intern Med. 1986; 104(4): 455-61. [PMID: 3513684]
3) Mouridsen H, Chaudri-Ross HA. Efficacy of first-line letrozole versus tamoxifen as a function of age in postmenopausal women with advanced breast cancer. Oncologist. 2004; 9(5): 497-506. [PMID: 15477634]
4) Graham J, Pitz M, Gordon V, Grenier D, Amir E, Niraula S. Clinical predictors of benefit from fulvestrant in advanced breast cancer: a meta-analysis of randomized controlled trials. Cancer Treat Rev. 2016; 45: 1-6. [PMID: 26922660]
5) Howie LJ, Singh H, Bloomquist E, Wedam S, Amiri-Kordestani L, Tang S, et al. Outcomes of older women with hormone receptor-positive, human epidermal growth factor receptor-negative metastatic breast cancer treated with a CDK4/6 inhibitor and an aromatase inhibitor: an FDA pooled analysis. J Clin Oncol. 2019; 37(36): 3475-83. [PMID: 31560580]
6) Li J, Huo X, Zhao F, Ren D, Ahmad R, Yuan X, et al. Association of cyclin-dependent kinases 4 and 6 inhibitors with survival in patients with hormone receptor-positive metastatic breast cancer: a systematic review and meta-analysis. JAMA Netw Open. 2020; 3(10): e2020312. [PMID: 33048129]
7) Pritchard KI, Burris HA 3rd, Ito Y, Rugo HS, Dakhil S, Hortobagyi GN, et al. Safety and efficacy of everolimus with exemestane vs. exemestane alone in elderly patients with HER2-negative, hormone receptor-positive breast cancer in BOLERO-2. Clin Breast Cancer. 2013; 13(6): 421-32.e8. [PMID: 24267730]
8) Feher O, Vodvarka P, Jassem J, Morack G, Advani SH, Khoo KS, et al. First-line gemcitabine versus epirubicin in postmenopausal women aged 60 or older with metastatic breast cancer: a multicenter, randomized, phase Ⅲ study. Ann Oncol. 2005; 16(6): 899-908. [PMID: 15821120]
9) Smorenburg CH, de Groot SM, van Leeuwen-Stok AE, Hamaker ME, Wymenga AN, de Graaf H, et al. A randomized phase Ⅲ study comparing pegylated liposomal doxorubicin with capecitabine as first-line chemotherapy in elderly patients with metastatic breast cancer: results of the OMEGA study of the Dutch Breast Cancer Research Group BOOG. Ann Oncol. 2014; 25(3): 599-605. [PMID: 24504445]
10) Beuselinck B, Wildiers H, Wynendaele W, Dirix L, Kains JP, Paridaens R. Weekly paclitaxel versus weekly docetaxel in elderly or frail patients with metastatic breast carcinoma: a randomized phase-Ⅱ study of the Belgian Society of Medical Oncology. Crit Rev Oncol Hematol. 2010; 75(1): 70-7. [PMID: 19651523]
11) Biganzoli L, Cinieri S, Berardi R, Pedersini R, McCartney A, Minisini AM, et al. EFFECT: a randomized phase Ⅱ study of efficacy and impact on function of two doses of nab-paclitaxel as first-line treatment in older women with advanced breast cancer. Breast Cancer Res. 2020; 22(1): 83. [PMID: 32758299]
12) ten Tije AJ, Smorenburg CH, Seynaeve C, Sparreboom A, Schothorst KL, Kerkhofs LG, et al. Weekly paclitaxel as first-line chemotherapy for elderly patients with metastatic breast cancer. A multicentre phase Ⅱ trial. Eur J Cancer. 2004; 40(3): 352-7. [PMID: 14746852]
13) Hainsworth JD, Burris HA 3rd, Yardley DA, Bradof JE, Grimaldi M, Kalman LA, et al. Weekly docetaxel in the treatment of elderly patients with advanced breast cancer: a Minnie Pearl Cancer Research Network phase Ⅱ trial. J Clin Oncol. 2001; 19(15): 3500-5. [PMID: 11481356]
14) Vogel C, O'Rourke M, Winer E, Hochster H, Chang A, Adamkiewicz B, et al. Vinorelbine as first-line chemotherapy for advanced breast cancer in women 60 years of age or older. Ann Oncol. 1999; 10(4): 397-402. [PMID: 10370781]
15) Hess D, Koberle D, Thurlimann B, Pagani O, Schonenberger A, Mattmann S, et al; Swiss Group for Clinical Cancer Research. Capecitabine and vinorelbine as first-line treatment in elderly patients(>or = 65 years)with metastatic breast cancer. A phase Ⅱ trial(SAKK 25/99). Oncology. 2007; 73(3-4): 228-37. [PMID: 18424887]
16) Aapro M, Tjulandin S, Bhar P, Gradishar W. Weekly nab-paclitaxel is safe and effective in ≥65 years old patients with metastatic breast cancer: a post-hoc analysis. Breast. 2011; 20(5): 468-74. [PMID: 21843943]
17) Kurtz JE, Rousseau F, Meyer N, Delozier T, Serin D, Nabet M, et al. Phase Ⅱ trial of pegylated liposomal doxorubicin-cyclophosphamide combination as first-line chemotherapy in older metastatic breast cancer patients. Oncology. 2007; 73(3-4): 210-4. [PMID: 18424884]
18) Christman K, Muss HB, Case LD, Stanley V. Chemotherapy of metastatic breast cancer in the elderly. The Piedmont Oncology Association experience [see comment]. JAMA. 1992; 268(1): 57-62. [PMID: 1608114]
19) Muss H, Cortes J, Vahdat LT, Cardoso F, Twelves C, Wanders J, et al. Eribulin monotherapy in patients aged 70 years and older with metastatic breast cancer. Oncologist. 2014; 19(4): 318-27. [PMID: 24682463]

20) Kaufman PA, Brufsky AM, Mayer M, Rugo HS, Tripathy D, Yood MU, et al. Treatment patterns and clinical outcomes in elderly patients with HER2-positive metastatic breast cancer from the registHER observational study. Breast Cancer Res Treat. 2012; 135(3): 875-83. [PMID: 22923238]
21) Griffiths RI, Lalla D, Herbert RJ, Doan JF, Brammer MG, Danese MD. Infused therapy and survival in older patients diagnosed with metastatic breast cancer who received trastuzumab. Cancer Invest. 2011; 29(9): 573-84. [PMID: 21929325]
22) Miles D, Baselga J, Amadori D, Sunpaweravong P, Semiglazov V, Knott A, et al. Treatment of older patients with HER2-positive metastatic breast cancer with pertuzumab, trastuzumab, and docetaxel: subgroup analyses from a randomized, double-blind, placebo-controlled phase Ⅲ trial(CLEOPATRA). Breast Cancer Res Treat. 2013; 142(1): 89-99. [PMID: 24129974]
23) Wildiers H, Tryfonidis K, Dal Lago L, Vuylsteke P, Curigliano G, Waters S, et al. Pertuzumab and trastuzumab with or without metronomic chemotherapy for older patients with HER2-positive metastatic breast cancer (EORTC 75111-10114): an open-label, randomised, phase 2 trial from the Elderly Task Force/Breast Cancer Group. Lancet Oncol. 2018; 19(3): 323-36. [PMID: 29433963]
24) Pivot X, Schneeweiss A, Verma S, Thomssen C, Passos-Coelho JL, Benedetti G, et al. Efficacy and safety of bevacizumab in combination with docetaxel for the first-line treatment of elderly patients with locally recurrent or metastatic breast cancer: results from AVADO. Eur J Cancer. 2011; 47(16): 2387-95. [PMID: 21757334]
25) Biganzoli L, Di Vincenzo E, Jiang Z, Lichinitser M, Shen Z, Delva R, et al. First-line bevacizumab-containing therapy for breast cancer: results in patients aged ≥70 years treated in the ATHENA study. Ann Oncol. 2012; 23(1): 111-8. [PMID: 21444356]
26) Schmid P, Adams S, Rugo HS, Schneeweiss A, Barrios CH, Iwata H, et al; IMpassion130 Trial Investigators Atezolizumab and nab-paclitaxel in advanced triple-negative breast cancer. N Engl J Med. 2018; 379(22): 2108-21. [PMID: 30345906]
27) Cortes J, Cescon DW, Rugo HS, Nowecki Z, Im SA, Yusof MM, et al; KEYNOTE-355 Investigators. Pembrolizumab plus chemotherapy versus placebo plus chemotherapy for previously untreated locally recurrent inoperable or metastatic triple-negative breast cancer(KEYNOTE-355): a randomised, placebo-controlled, double-blind, phase 3 clinical trial. Lancet. 2020; 396(10265): 1817-28. [PMID: 33278935]
28) Robson M, Im SA, Senkus E, Xu B, Domchek SM, Masuda N, et al. Olaparib for metastatic breast cancer in patients with a germline BRCA mutation. N Engl J Med. 2017; 377(6): 523-33. [PMID: 28578601]
29) Litton JK, Rugo HS, Ettl J, Hurvitz SA, Gonçalves A, Lee KH, et al. Talazoparib in patients with advanced breast cancer and a germline BRCA mutation. N Engl J Med. 2018; 379(8): 753-63. [PMID: 30110579]
30) Bellera CA, Rainfray M, Mathoulin-Pélissier S, Mertens C, Delva F, Fonck M, et al. Screening older cancer patients: first evaluation of the G-8 geriatric screening tool. Ann Oncol. 2012; 23(8): 2166-72. [PMID: 22250183]
31) Saliba D, Elliott M, Rubenstein LZ, Solomon DH, Young RT, Kamberg CJ, et al. The Vulnerable Elders Survey: a tool for identifying vulnerable older people in the community. J Am Geriatr Soc. 2001; 49(12): 1691-9. [PMID: 11844005]
32) Zattoni D, Montroni I, Saur NM, Garutti A, Bacchi Reggiani ML, Galetti C, et al. A simple screening tool to predict outcomes in older adults undergoing emergency general surgery. J Am Geriatr Soc. 2019; 67(2): 309-16. [PMID: 30298686]
33) Lawton MP, Brody EM. Assessment of older people: self-maintaining and instrumental activities of daily living. Gerontologist. 1969; 9(3): 179-86. [PMID: 5349366]
34) Kalsi T, Babic-Illman G, Ross PJ, Maisey NR, Hughes S, Fields P, et al. The impact of comprehensive geriatric assessment interventions on tolerance to chemotherapy in older people. Br J Cancer. 2015; 112(9): 1435-44. [PMID: 25871332; PMCID: PMC4453673]

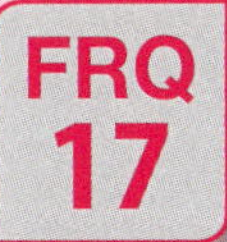

FRQ 17 転移・再発男性乳癌に対する薬物療法は何が推奨されるか？

ステートメント

- 内分泌療法としては，タモキシフェン単剤，アロマターゼ阻害薬＋LH-RH アゴニスト，フルベストラント単剤を考慮する。
- 内分泌療法薬の優劣および投与順序に関するデータは存在しない。
- 内分泌療法に CDK4/6 阻害薬を併用することを考慮する。
- 化学療法および他の内分泌療法・分子標的療法は，女性乳癌に準じて行うことを考慮する。

背景

男性に発生する乳癌は全乳癌の 1％未満と稀な疾患である。診断年齢は女性より高く，ホルモン受容体陽性 HER2 陰性が約 9 割を占める。15～20％に乳癌家族歴が存在し，*BRCA1* 病的バリアントは 0～4％と少なく，*BRCA2* 病的バリアントが 4～16％にみられる[1)2)]。多くの臨床試験で対象から除外されており，転移・再発男性乳癌に対する薬物療法の有効性について検討可能な前向き試験は存在しない。小規模な後ろ向き研究の結果に基づき，実地診療においては，女性乳癌に準じた薬物療法が行われている。男性における女性ホルモンは，アロマターゼを介して産生されるだけでなく，精巣も直接産生していることを考慮する必要がある[3)]。

解説

ホルモン受容体陽性 HER2 陰性転移・再発乳癌に対しては，生命を脅かす病変がない場合，男性においても内分泌療法が考慮される。古くは精巣摘除，副腎摘除，下垂体摘出といった外科療法が行われていたが，手術侵襲と合併症のため，薬物療法の出現により行われなくなった。内分泌療法としてタモキシフェン単剤，アロマターゼ阻害薬 ± LH-RH アゴニスト，フルベストラント単剤が報告されている。タモキシフェン単剤の症例集積研究では，奏効率 25～48％，奏効期間 9～32 カ月であった[4)～7)]。アロマターゼ阻害薬の 105 例のプール解析では，奏効率 29.5％，無増悪生存期間（PFS）10 カ月であった[8)]。男性におけるエストロゲンの約 20％は精巣由来とされており[3)]，アロマターゼ阻害薬単剤はエストラジオールを 35～62％減少させるが，完全に抑制することはできない[9)10)]。LH-RH アナログを併用することでエストラジオールを 72％減少させることが報告されており，併用効果が期待されている[11)]。アロマターゼ阻害薬に LH-RH アナログを併用することにより生存期間に有意差は認めなかったが，臨床的有用率は有意に良好であった〔オッズ比（OR）3.37，95％CI 1.30-8.73〕[8)]。アロマターゼ阻害薬には LH-RH アゴニストを併用することが考慮されるが，LH-RH アゴニストの使用は性機能と QOL を低下させることが報告されている[11)]。フルベストラント単剤の 23 例のプール解析では，奏効率 26.1％，PFS 5 カ月であった[12)]。

内分泌療法にサイクリン依存性キナーゼ（CDK）4/6 阻害薬を併用する臨床試験は女性を対象に

しており，男性乳癌に対するデータは非常に限られている。パルボシクリブで治療されたリアルワールドデータにおいて，男性の有害事象は女性と同様であり，効果が評価可能であった12例において奏効率25%であったことに基づき，2019年に米国食品医薬品局(FDA)でパルボシクリブが男性乳癌に適応拡大となった[13)]。

化学療法および他の内分泌療法・分子標的療法については，男性乳癌に対するエビデンスは存在せず，女性乳癌に準じた薬物療法を行うことが一般的である[2)]。HER2，PD-L1，*BRCA1/2* 遺伝子，*PIK3CA* 遺伝子をバイオマーカーとする分子標的療法の臨床試験に男性も登録可能であったが，実際の登録数はわずかであり，性別によるサブ解析は行われていない。

以上のように，転移・再発男性乳癌を対象に薬物療法の効果を検証した前向き研究は存在せず，治療法は確立していない。現状では，生物学的特性に合わせて女性乳癌に準じた薬物療法を行うことを考慮する。男性乳癌に限定した大規模比較試験の実施は困難であるため，乳癌治療を検証する臨床試験対象から除外しないこと，リアルワールドデータを活用することにより，最適な治療が構築されることが期待される。

検索キーワード・参考にした二次資料

PubMedで，"Breast Neoplasms, Male"，"Antineoplastic Agents, Hormonal"，"Molecular Targeted Therapy" のキーワードで検索した。検索期間は2021年3月までとし，434件がヒットした。また，ハンドサーチにて4件の文献を追加した。

参考文献

1) Giordano SH. Breast Cancer in Men. N Engl J Med. 2018; 378(24): 2311-20. [PMID: 29897847]
2) Hassett MJ, Somerfield MR, Baker ER, Cardoso F, Kansal KJ, Kwait DC, et al. Management of male breast cancer: ASCO guideline. J Clin Oncol. 2020; 38(16): 1849-63. [PMID: 32058842]
3) Hemsell DL, Grodin JM, Brenner PF, Siiteri PK, MacDonald PC. Plasma precursors of estrogen. Ⅱ. Correlation of the extent of conversion of plasma androstenedione to estrone with age. J Clin Endocrinol Metab. 1974; 38(3): 476-9. [PMID: 4815174]
4) Patterson JS, Battersby LA, Bach BK. Use of tamoxifen in advanced male breast cancer. Cancer Treat Rep. 1980; 64(6-7): 801-4. [PMID: 7427964]
5) Ribeiro GG. Tamoxifen in the treatment of male breast carcinoma. Clin Radiol. 1983; 34(6): 625-8. [PMID: 6673881]
6) Kantarjian H, Yap HY, Hortobagyi G, Buzdar A, Blumenschein G. Hormonal therapy for metastatic male breast cancer. Arch Intern Med. 1983; 143(2): 237-40. [PMID: 6824391]
7) Lopez M, Di Lauro L, Lazzaro B, Papaldo P. Hormonal treatment of disseminated male breast cancer. Oncology. 1985; 42(6): 345-9. [PMID: 2933617]
8) Zagouri F, Sergentanis TN, Azim HA Jr, Chrysikos D, Dimopoulos MA, Psaltopoulou T. Aromatase inhibitors in male breast cancer: a pooled analysis. Breast Cancer Res Treat. 2015; 151(1): 141-7. [PMID: 25850534]
9) Leder BZ, Rohrer JL, Rubin SD, Gallo J, Longcope C. Effects of aromatase inhibition in elderly men with low or borderline-low serum testosterone levels. J Clin Endocrinol Metab. 2004; 89(3): 1174-80. [PMID: 15001605]
10) Hayes FJ, Seminara SB, Decruz S, Boepple PA, Crowley WF Jr. Aromatase inhibition in the human male reveals a hypothalamic site of estrogen feedback. J Clin Endocrinol Metab. 2000; 85(9): 3027-35. [PMID: 10999781]
11) Reinisch M, Seiler S, Hauzenberger T, Kamischke A, Schmatloch S, Strittmatter HJ, et al. Efficacy of endocrine therapy for the treatment of breast cancer in men: results from the MALE Phase 2 randomized clinical trial. JAMA Oncol. 2021; 7(4): 565-72. [PMID: 33538790]
12) Zagouri F, Sergentanis TN, Chrysikos D, Dimopoulos MA, Psaltopoulou T. Fulvestrant and male breast cancer: a pooled analysis. Breast Cancer Res Treat. 2015; 149(1): 269-75. [PMID: 25519043]
13) Wedam S, Fashoyin-Aje L, Bloomquist E, Tang S, Sridhara R, Goldberg KB, et al. FDA approval summary: palbociclib for male patients with metastatic breast cancer. Clin Cancer Res. 2020; 26(6): 1208-12. [PMID: 31649043]

局所・領域再発切除術後に薬物療法は勧められるか？

ステートメント

- 局所・領域再発切除術後には，術後の薬物療法のエビデンスを参考に，治療歴等を踏まえて，内分泌療法や化学療法を考慮する。

背景

原発乳癌術後の局所再発症例は遠隔転移のない場合でも予後不良であり，約50%にさらに再発がみられ，30〜60%は再発から5年以内に遠隔転移により死亡する[1]。NSABPが施行した腋窩リンパ節転移陽性患者に対する乳房温存療法の5つの臨床試験(B-15，B-16，B-18，B-22，B-25，計n＝2,669)の統合解析結果では，温存乳房内再発率は9.7%，他の局所再発(同側胸壁および領域リンパ節)率は6.2%であり，5年distant DFSは温存乳房内再発後51.4%，他の局所再発後18.8%，5年全生存率(OS)は温存乳房内再発後59.9%，他の局所再発後24.1%であった[2]。さらに，NSABPが施行した腋窩リンパ節転移陰性患者に対する乳房温存療法の5つの臨床試験(B-13，B-14，B-19，B-20，B-23，n＝3,799)の統合解析では，温存乳房内再発率9.0%，他の局所再発率2.0%であり，5年OSは温存乳房内再発後76.6%，他の局所再発後34.9%であった[3]。

解説

原発乳癌術後の化学療法や内分泌療法については，多くの臨床試験の結果から予後の改善が認められている。しかし，局所・領域再発切除術後の薬物療法についての報告は限られている。

1）内分泌療法

局所・領域再発切除術後のタモキシフェンの有効性に関する第Ⅲ相比較試験(SAKK 23/82試験)では，原発乳癌に対して乳房全切除術後の局所再発のうち，予後良好とされる患者(再発巣のER陽性ないしER不明例ではDFI(disease-free interval)＞12カ月で，再発巣は最大3 cm以下の病変が3個以下)で，術後タモキシフェン未投与の167症例が登録された[4]。局所再発切除術後に放射線療法を実施し，その後にタモキシフェン投与群と経過観察群にランダム化割り付けされた。観察期間の中央値11.6年の時点で局所再発切除術後の無病生存期間(DFS)の中央値はタモキシフェン投与群で6.5年，経過観察群で2.7年とタモキシフェン投与群で改善傾向がみられたが，OS中央値はタモキシフェン投与群で11.5年，経過観察群で11.2年であった。

局所・領域再発切除術後のタモキシフェンの至適投与期間は不明であり，タモキシフェン以外の薬剤を用いた内分泌療法の比較試験は報告されていない。現在，局所・領域再発で局所治療後のホルモン受容体陽性HER2陰性乳癌を対象に，標準的な内分泌療法へのパルボシクリブの上乗せ効果を検討した第Ⅲ相試験(POLAR試験)が進行中である(NCT 03820830)。

2）化学療法

局所・領域再発切除術後の化学療法の有効性に関する第Ⅲ相比較試験(CALOR試験)では，症例の集積が遅かったため，当初予定の977症例から265例へのサンプルサイズ変更および試験早期終了となり，最終的に162例で患者登録が終了された[5]。対象は乳房全切除術または乳房部分切除術後の局所再発(温存乳房，胸壁および領域リンパ節)切除例であり，術後化学療法(主治医選択)施行群と非施行群の2群で予後について比較検討された。化学療法は2剤以上の細胞障害性化学療法薬を用いて3〜6カ月施行することが推奨されていた。再発巣ER陽性例では再発切除術後に内分泌療法が行われた。HER2検査は試験開始時には必須でなかったが，試験途中に計画書が改訂され，最終的に化学療法施行群の7%，非施行群の5%に抗HER2薬が投与された。病理学的断端陽性例では放射線照射が施行された。化学療法施行群と非施行群において，化学療法歴を有する患者は58%と68%，2年以内の再発症例は15%と16%であった。観察期間中央値4.9年時点で，局所再発切除術後の5年DFSは化学療法施行群69%，非施行群57%〔ハザード比(HR) 0.59，95%CI 0.35-0.99〕，5年OSは化学療法施行群88%，非施行群76%(HR 0.41，95%CI 0.19-0.89)であった。また，ER陰性群における5年DFSは化学療法施行群67%，非施行群35%(HR 0.32，95%CI 0.14-0.73)，ER陽性群における5年DFSは化学療法施行群70%，非施行群69%(HR 0.94，95%CI 0.47-1.89)であった[5]。観察期間の中央値9年における最終解析においても，ER陰性群における10年DFSは化学療法施行群70% vs 非施行群34%(HR 0.29，95%CI 0.13-0.67)，ER陽性群における10年DFSは化学療法施行群50% vs 非施行群59%(HR 1.07，95%CI 0.57-2.00)と，ER陰性群でDFSの改善がみられていた[6]。ER陽性群における10年OSは化学療法施行群76%，非施行群66%(HR 0.70，95%CI 0.32-1.55)，ER陰性群における10年OSは化学療法施行群73%，非施行群53%(HR 0.48，95%CI 0.19-1.20)であり，OSが改善する傾向が認められた[6]。

以上のように，局所・領域再発切除術後の内分泌療法や化学療法は生存期間の延長をもたらす可能性があるが，CALOR試験は症例集積遅延による症例設定変更および早期試験終了があり，他の試験による検証が望まれる。現時点では，原発乳癌術後の薬物療法のエビデンスを参考に，初回手術後に用いた薬剤の種類，再発までの期間および患者の希望・合併症を踏まえて，局所・領域再発切除術後の内分泌療法や化学療法を考慮する。

検索キーワード・参考にした二次資料

PubMedで，“Breast Neoplasms”，“Neoplasm Recurrence, Local”，“Chemotherapy, Adjuvant”のキーワードで検索した。検索期間は2021年6月までとし，42件がヒットした。ハンドサーチで1件を追加し，この中から主要な論文6編を選択した。

参考文献

1) Wapnir IL, Aebi S, Geyer CE, Zahrieh D, Gelber RD, Anderson SJ, et al; IBCSG; BIG; NSABP. A randomized clinical trial of adjuvant chemotherapy for radically resected locoregional relapse of breast cancer: IBCSG 27-02, BIG 1-02, and NSABP B-37. Clin Breast Cancer. 2008; 8(3): 287-92. [PMID: 18650162]

2) Wapnir IL, Anderson SJ, Mamounas EP, Geyer CE Jr, Jeong JH, Tan-Chiu E, et al. Prognosis after ipsilateral breast tumor recurrence and locoregional recurrences in five National Surgical Adjuvant Breast and Bowel Project node-positive adjuvant breast cancer trials. J Clin Oncol. 2006; 24(13): 2028-37. [PMID: 16648502]

3) Anderson SJ, Wapnir I, Dignam JJ, Fisher B, Mamounas EP, Jeong JH, et al. Prognosis after ipsilateral breast tumor recurrence and locoregional recurrences in patients treated by breast-conserving therapy in five National Surgical Adjuvant Breast and Bowel Project protocols of node-negative breast cancer. J Clin Oncol. 2009; 27(15): 2466-73. [PMID: 19349544]

4) Waeber M, Castiglione-Gertsch M, Dietrich D, Thürlimann B, Goldhirsch A, Brunner KW, et al; Swiss Group for

Clinical Cancer Research(SAKK). Adjuvant therapy after excision and radiation of isolated postmastectomy locoregional breast cancer recurrence: definitive results of a phase Ⅲ randomized trial(SAKK 23/82)comparing tamoxifen with observation. Ann Oncol. 2003; 14(8): 1215–21. [PMID: 12881382]
5) Aebi S, Gelber S, Anderson SJ, Láng I, Robidoux A, Martín M, et al; CALOR investigators. Chemotherapy for isolated locoregional recurrence of breast cancer(CALOR): a randomised trial. Lancet Oncol. 2014; 15(2): 156–63. [PMID: 24439313]
6) Wapnir IL, Price KN, Anderson SJ, Robidoux A, Martín M, Nortier JWR, et al; International Breast Cancer Study Group; NRG Oncology, GEICAM Spanish Breast Cancer Group, BOOG Dutch Breast Cancer Trialists' Group; Breast International Group. Efficacy of chemotherapy for ER-negative and ER-positive isolated locoregional recurrence of breast cancer: Final Analysis of the CALOR Trial. J Clin Oncol. 2018; 36(11): 1073–9. [PMID: 29443653]

乳癌脳転移および髄膜播種に抗悪性腫瘍薬は勧められるか？

ステートメント

- 有症状の乳癌脳転移に対しては放射線療法や外科療法が治療選択肢となる。
- 局所療法後で制御されているか，無症状の脳転移を有する患者に対しては，全身薬物療法が治療選択肢となる。
- 乳癌髄膜播種に対する治療法は確立されていない。

背景

脳転移は転移乳癌患者全体の15%にみられ，サブタイプ別ではHER2陽性で31%，トリプルネガティブで32%，HR陽性HER2陰性で15%と，HER2陽性やトリプルネガティブで多い[1)]。サブタイプは乳癌脳転移の予後にも影響すると考えられる(☞放射線BQ12参照)。原発巣と脳転移病変ではERの不一致は8%，HER2の不一致は10%であり[2)]，組織を採取している場合には，転移病変における受容体発現状況の確認も考慮される。脳転移に対する局所療法と全身薬物療法との比較試験はない。

髄膜播種は乳癌の5%にみられ，全生存期間(OS)中央値は4カ月と予後不良である[3)]。多くの比較試験において髄膜播種は除外されている。

解説

1）脳転移

一般に水溶性薬剤や分子量の大きい薬剤は血液脳関門を通過しにくいが，脳転移では血液脳関門が破壊されているため，脳転移に対して化学療法薬の濃度が有効域に達すると考えられる[4)]。近年は脳転移を有する患者でも登録可能な臨床試験が増えているが，多くは無症状，局所療法後で安定している脳転移を有した患者を対象としており，未治療の脳転移に対する全身薬物療法の意義は確立されていない。

(1) 抗HER2薬

脳転移を有するHER2陽性乳癌患者においては，抗HER2薬使用により予後が改善するという報告があり[5)~7)]，全身薬物療法の実施可能な患者に対しては抗HER2薬を含む全身薬物療法が選択肢となる。

脳転移を有する乳癌患者へのラパチニブ単剤あるいは併用療法を用いた場合の奏効率は21.4%，無増悪生存期間(PFS)は4.1カ月，OSは11.2カ月であった[8)]。全脳照射治療歴のない脳転移に対してラパチニブとカペシタビンの併用療法の有効性を検討したLANDSCAPE試験において，脳転移病変の50%以上の縮小は65.9%であった[9)]。無症状で安定したHER2陽性乳癌脳転移を有する患者に対しては，neratinib(未承認)+カペシタビンの併用療法とラパチニブ+カペシタビンの併用療法を比較したNALA試験において，neratinib+カペシタビンの併用療法はPFS

はハザード比(HR)0.76(0.63–0.93, $p=0.0059$), OSはHR 0.88(0.72–1.07, $p=0.2098$)と有意にPFSを延長し，脳転移への介入を要する頻度を有意に減らした(22.8% vs 29.2%, $p=0.043$)ことが報告されている[10]。また，トラスツズマブとカペシタビンにtucatinib(未承認)の追加効果を検討したHER2CLIMB試験の脳転移を有する患者のサブグループ解析において，tucatinib追加群は，頭蓋内病変の進行あるいは死亡をイベントとした中枢神経系PFSはHR 0.32(0.22–0.48, $p<0.001$)であり，OSもHR 0.58(0.40–0.85, $p=0.005$)であり，有意に予後を改善した[11]。トラスツズマブ エムタンシン単剤とラパチニブ+カペシタビン併用療法を比較したEMILIA試験の探索的検討で，治療開始前に無症状の脳転移を有していた患者では，トラスツズマブ エムタンシンはラパチニブ+カペシタビン併用療法と同程度に脳病変の増悪を抑え，トラスツズマブ エムタンシン群ではOSが有意に延長した(HR 0.38, $p=0.008$)[12]。トラスツズマブ デルクステカンは，既治療HER2陽性乳癌を対象とした第Ⅱ相試験において，無症状の脳転移を有する患者に対しPFS 18.1カ月，奏効率58%であった[13]。トラスツズマブおよびペルツズマブは，後ろ向き研究から，脳転移を有する患者においてもサバイバルベネフィットが期待されるが，今後の前向き試験による確認が望まれる[14]。

以上により，局所治療後で病勢の安定しているあるいは無症状のHER2陽性乳癌患者に対して，未使用のHER2を標的とした小分子標的薬あるいは抗体薬物複合体が存在し，全脳照射を急がない場合には，局所療法よりも先に全身薬物療法を施行することも選択肢となる。

(2) 内分泌療法薬(分子標的薬の併用を含む)

内分泌療法によるER陽性乳癌脳転移への奏効例の症例報告から，内分泌療法単独による脳転移への効果が期待されるが，前向き試験で確認が望まれる[15]。CDK4/6阻害薬に関しては，脳転移を有する患者に対するアベマシクリブの頭蓋内奏効率を評価した第Ⅱ相試験が報告されている。ホルモン受容体陽性HER2陰性乳癌患者は58人が登録され，頭蓋内奏効率は5.2%，頭蓋内クリニカルベネフィット率は24.1%であった[16]。試験登録時に頭蓋内病変の進行を認めるが頭蓋外病変がコントロールされている患者では内分泌療法継続が許容されたが，新規内分泌療法への変更は許されず，58人中41人(70.7%)が内分泌療法にアベマシクリブを併用，ほかはアベマシクリブ単独を受けていた。また，この第Ⅱ相試験では，手術可能と判断されたホルモン受容体陽性HER2陰性乳癌4人，HER2陽性乳癌2人，非小細胞肺癌3人の計9人の脳組織および脳脊髄液中のアベマシクリブやその活性代謝物が解析され，CDK4とCDK6の阻害に必要な濃度を超えていたことも報告されている。この試験自体は主要評価項目を達成していないが，ER陽性乳癌脳転移がありCDK4/6阻害薬未使用の患者には，CDK4/6阻害薬を併用した内分泌療法が選択肢となる。

(3) 化学療法薬

乳癌脳転移に対してはCMFまたはCAFで奏効率59%[17]，エリブリン(三次治療)で奏効率16%[18]と報告されている。また，カルボプラチンとベバシズマブの併用療法により，63%(全症例38人中24人：HER2陰性9人中5人，HER2陽性29人中19人)に脳転移病変の50%以上の縮小が得られている[19]。したがって，全身状態の良好な患者においては，既存の化学療法薬を用いた全身薬物療法も選択肢となる。Etirinotecan pegolは，症状の安定している脳転移のサブグループ解析において，医師選択薬よりもOSを有意に延長(HR 0.51, $p<0.01$)したことが報告されてお

り[20]，脳転移を有する患者を対象とした第Ⅲ相試験(NCT02915744)の結果が待たれる。

2）髄膜播種

脳脊髄液中の薬剤濃度を有効域まで上げる手段として髄腔内投与への期待は高く，髄膜播種を対象とした36の臨床研究に含まれた851人の乳癌患者において87%が髄腔内投与を受けており，OS中央値は，研究の種類によるが，14.9～18.1週であった[21]。乳癌髄膜播種に対する髄腔内投与では神経系の合併症の有意な増加が報告されており[22]，髄注療法による害が益を上回る可能性がある。全身薬物療法との比較試験はない。

髄膜播種を有する患者20人を対象としたペムブロリズマブ単剤療法の第Ⅱ相試験において17人(85%)の乳癌患者が含まれており，全20人における3カ月生存率60%，OS中央値は3.6カ月であった[23]。免疫チェックポイント阻害薬による効果が得られる患者群の同定など，さらなる検討が期待される。

上述 1)脳転移の(2)内分泌療法薬のように，アベマシクリブは脳脊髄液でも有効な濃度に達することが報告されている[16]。この第Ⅱ相試験の髄膜播種コホートに含まれていたホルモン受容体陽性HER2陰性乳癌患者は7人と少数ではあるが，PFS 5.9カ月，OS 8.4カ月であり，さらなる検討が期待される。

以上のように，乳癌脳転移に対する抗悪性腫瘍薬の多くの試験では無症状や制御されている脳転移を有する患者を対象としており，有症状の患者では局所療法が勧められる(☞放射線BQ12，外科FRQ13参照)。局所療法後に制御されている，または無症状の患者においては，乳癌のサブタイプを考慮した全身薬物療法が選択肢となる。乳癌髄膜播種の治療法は確立されていないが，全身状態の良い患者に対しては薬物療法も選択肢となる。

検索キーワード・参考にした二次資料

PubMedで，“Breast neoplasms”“Brain Neoplasms”“Meningeal Neoplasms”をキーワードとして検索した。検索期間は2021年3月までで，ランダム化比較試験25編，メタアナリシス6編がヒットした。ハンドサーチで16編の論文を追加した。この中から主要な論文23編を選択した。

参考文献

1) Kuksis M, Gao Y, Tran W, Hoey C, Kiss A, Komorowski AS, et al. The incidence of brain metastases among patients with metastatic breast cancer: a systematic review and meta-analysis. Neuro Oncol. 2021; 23(6): 894-904. [PMID: 33367836]
2) Morgan AJ, Giannoudis A, Palmieri C. The genomic landscape of breast cancer brain metastases: a systematic review. Lancet Oncol. 2021; 22(1): e7-17. [PMID: 33387511]
3) Franzoi MA, Hortobagyi GN. Leptomeningeal carcinomatosis in patients with breast cancer. Crit Rev Oncol Hematol. 2019; 135: 85-94. [PMID: 30819451]
4) Lin NU, Bellon JR, Winer EP. CNS metastases in breast cancer. J Clin Oncol. 200; 22(17): 3608-17. [PMID: 15337811]
5) Brufsky AM, Mayer M, Rugo HS, Kaufman PA, Tan-Chiu E, Tripathy D, et al. Central nervous system metastases in patients with HER2-positive metastatic breast cancer: incidence, treatment, and survival in patients from registHER. Clin Cancer Res. 2011; 17(14): 4834-43. [PMID: 21768129]
6) Hayashi N, Niikura N, Masuda N, Takashima S, Nakamura R, Watanabe K, et al. Prognostic factors of HER2-positive breast cancer patients who develop brain metastasis: a multicenter retrospective analysis. Breast Cancer Res Treat. 2015; 149(1): 277-84. [PMID: 25528021]
7) Bergen ES, Binter A, Starzer AM, Heller G, Kiesel B, Tendl-Schulz K, et al. Favourable outcome of patients with breast cancer brain metastases treated with dual HER2 blockade of trastuzumab and pertuzumab. Ther Adv Med Oncol. 2021; 13: 17588359211009002. [PMID: 33995593]

8) Bachelot T, Romieu G, Campone M, Diéras V, Cropet C, Dalenc F, et al. Lapatinib plus capecitabine in patients with previously untreated brain metastases from HER2-positive metastatic breast cancer(LANDSCAPE): a single-group phase 2 study. Lancet Oncol. 2013; 14(1): 64-71. [PMID: 23122784]
9) Petrelli F, Ghidini M, Lonati V, Tomasello G, Borgonovo K, Ghilardi M, et al. The efficacy of lapatinib and capecitabine in HER-2 positive breast cancer with brain metastases: a systematic review and pooled analysis. Eur J Cancer. 2017: 141-8. [PMID: 28810186]
10) Saura C, Oliveira M, Feng YH, Dai MS, Chen SW, Hurvitz SA, et al; NALA investigators. Neratinib plus capecitabine versus lapatinib plus capecitabine in her2-positive metastatic breast cancer previously treated with ≥2 HER2-directed regimens: phase Ⅲ NALA trial. J Clin Oncol. 2020; 38(27): 3138-49. [PMID: 32678716]
11) Lin NU, Borges V, Anders C, Murthy RK, Paplomata E, Hamilton E, et al. Intracranial efficacy and survival with tucatinib plus trastuzumab and capecitabine for previously treated her2-positive breast cancer with brain metastases in the HER2CLIMB trial. J Clin Oncol. 2020; 38(23): 2610-9. [PMID: 32468955]
12) Krop IE, Lin NU, Blackwell K, Guardino E, Huober J, Lu M, et al. Trastuzumab emtansine(T-DM1)versus lapatinib plus capecitabine in patients with HER2-positive metastatic breast cancer and central nervous system metastases: a retrospective, exploratory analysis in EMILIA. Ann Oncol. 2015; 26(1): 113-9. [PMID: 25355722]
13) Modi S, Saura C, Yamashita T, Park YH, Kim SB, Tamura K, et al; DESTINY-Breast01 Investigators. Trastuzumab deruxtecan in previously treated HER2-positive breast cancer. N Engl J Med. 2020; 382(7): 610-21. [PMID: 31825192]
14) Galanti D, Inno A, La Vecchia M, Borsellino N, Incorvaia L, Russo A, et al. Current treatment options for HER2-positive breast cancer patients with brain metastases. Crit Rev Oncol Hematol. 2021; 161: 103329. [PMID: 33862249]
15) Liu MC, Cortés J, O'Shaughnessy J. Challenges in the treatment of hormone receptor-positive, HER2-negative metastatic breast cancer with brain metastases. Cancer Metastasis Rev. 2016; 35(2): 323-32. [PMID: 27023712]
16) Tolaney SM, Sahebjam S, Le Rhun E, Bachelot T, Kabos P, Awada A, et al. A phase Ⅱ study of abemaciclib in patients with brain metastases secondary to hormone receptor-positive breast cancer. Clin Cancer Res. 2020; 26(20): 5310-9. [PMID: 32694159]
17) Boogerd W, Dalesio O, Bais EM, van der Sande JJ. Response of brain metastases from breast cancer to systemic chemotherapy. Cancer. 1992; 69(4): 972-80. [PMID: 1735089]
18) Adamo V, Ricciardi GRR, Giuffrida D, Scandurra G, Russo A, Blasi L, et al. Eribulin mesylate use as third-line therapy in patients with metastatic breast cancer(VESPRY): a prospective, multicentre, observational study. Ther Adv Med Oncol. 2019; 11: 1758835919895755. [PMID: 31903098]
19) Leone JP, Emblem KE, Weitz M, Gelman RS, Schneider BP, Freedman RA, et al. Phase Ⅱ trial of carboplatin and bevacizumab in patients with breast cancer brain metastases. Breast Cancer Res. 2020; 22(1): 131. [PMID: 33256829]
20) Cortés J, Rugo HS, Awada A, Twelves C, Perez EA, Im SA, et al. Prolonged survival in patients with breast cancer and a history of brain metastases: results of a preplanned subgroup analysis from the randomized phase Ⅲ BEACON trial. Breast Cancer Res Treat. 2017; 165(2): 329-41. [PMID: 28612225]
21) Scott BJ, Oberheim-Bush NA, Kesari S. Leptomeningeal metastasis in breast cancer- a systematic review. Oncotarget. 2016; 7(4): 3740-7. [PMID: 26543235]
22) Boogerd W, van den Bent MJ, Koehler PJ, Heimans JJ, van der Sande JJ, Aaronson NK, et al. The relevance of intraventricular chemotherapy for leptomeningeal metastasis in breast cancer: a randomised study. Eur J Cancer. 2004; 40(18): 2726-33. [PMID: 15571954]
23) Brastianos PK, Lee EQ, Cohen JV, Tolaney SM, Lin NU, Wang N, et al. Single-arm, open-label phase 2 trial of pembrolizumab in patients with leptomeningeal carcinomatosis. Nat Med. 2020; 26(8): 1280-4. [PMID: 32483359]

3. その他(特殊病態，副作用対策など)

BQ 9 化学療法施行前もしくは治療中に種々のワクチン接種は推奨されるか？

ステートメント

- 化学療法を受ける患者には，化学療法前にインフルエンザワクチン，肺炎球菌ワクチン，COVID-19 ワクチンの接種を行うことが妥当である。

背景

癌治療，特に化学療法中は一時的な免疫能低下状態となるため，感染の高リスク群である。その状態でインフルエンザ等の感染症に罹患すると，肺炎など重篤な合併症がもたらされ，さらには死亡する危険性が増加する[1)~3)]。化学療法のスケジュールが遅延する可能性もある。癌治療におけるインフルエンザワクチン，肺炎球菌ワクチン，COVID-19 ワクチン接種の有効性・安全性について概説した。

解説

1）インフルエンザワクチン

現在，インフルエンザウイルスは A 型の H3N2(A 香港型)と H1N1(A ソ連型)および B 型の 3 種が世界中で共通した流行株となっているため，インフルエンザワクチンはこの 3 種類の混合ワクチンとなっている。わが国における季節性インフルエンザワクチン製造株は，国立感染症研究所が流行状況を検討して次シーズンの流行予測を行い，さらに WHO により出される北半球次シーズンのワクチン推奨株を考慮して最終的に選定し，これに基づいて厚生労働省が決定している。選定されるウイルス株は毎年異なるため，毎年の接種が望ましい[1)]。ワクチンの感染予防効果は有効率として 70～90%が期待されているが，ワクチン株の免疫抗原予測と流行株との一致の程度により，シーズンごとの有効性の変動は大きい。

有効性については，固形癌を対象として，化学療法中の骨髄抑制時でのインフルエンザ抗体産生能を検討した 6 件の症例対照研究，4 件の症例集積が存在する[2)4)~7)]。症例対照研究では，固形癌患者のインフルエンザ抗体の産生能に関しては対照(健常人)群と比較して変わらないとするものが 4 件，劣るとしたものが 2 件あった[2)3)4)~9)]。これらの結果からは，免疫能が低下した患者へのインフルエンザワクチンは，血清学的な反応は健常人と比較して劣る可能性はあるものの，予防医学的な意義は明らかであることがメタアナリシスにより示されている[10)11)]。

安全性については，化学療法中のインフルエンザワクチン投与に関する情報は少ないが，特に重篤な有害事象が増加するという報告はない。化学療法施行以外の乳癌症例も含めた解析であるが，接種部位の疼痛(12.7%)，頭痛(12%)，鼻汁(10%)，疲労感(9.2%)，8～12 時間程度の微熱など軽度の有害事象を認めた[3)]。

接種時期については，化学療法開始前(少なくとも 2 週間前)の実施が望ましいとされているが[8)12)]，化学療法の途中にインフルエンザの流行期を迎えた場合には，接種のタイミングを工夫する必要がある。乳癌症例の場合，FEC 含有レジメンにおける抗体産生能を比較すると，治療 4 日目と 16 日目に接種した場合，3 週後の抗体産生能は治療 4 日目接種のほうが高いが，健常人には劣ると報告されている[7)]。同じグループからの続報でも，早期(化学療法後 5 日まで)の投与のほうが抗体産生能は高かったと報告されている[9)]。これらの結果からは，治療中の接種時期に関しては，骨髄機能の最下点(nadir)の時期を避けて接種することが望ましい。

2）肺炎球菌ワクチン

日本人の成人市中肺炎において，その起炎菌として最も多いのが肺炎球菌である[13)]。通常は，無症状のまま鼻腔，咽頭等に定着していることが多いが，65 歳以上の高齢者や糖尿病，慢性心不全などの基礎疾患を有する状態では，肺炎，敗血症，髄膜炎など重篤な感染症を引き起こす場合がある。そのため，これらの患者は肺炎球菌ワクチンの定期接種の対象となっている。肺炎球菌ワクチンには，93 種類に及ぶ肺炎球菌の血清型のうち，23 種類の菌血清型に由来する莢膜抗原を利用した多糖体ワクチンである 23 価肺炎球菌莢膜ポリサッカライドワクチンや 13 価肺炎球菌結合型ワクチンなどがある。

免疫能が低下する化学療法中の患者においても，肺炎球菌による肺炎等予防のため，ワクチン接種が重要と考えられる。

有効性については，乳癌を含む固形腫瘍を主に対象とした検討では，肺炎球菌ワクチンによる抗体価の上昇は，化学療法中であっても，健常人と同等であると報告されている[3)]。乳癌以外の検討では，多発性骨髄腫を対象とした研究で，半数以上の症例において抗体価の上昇が認められたとしている[14)]。

安全性については，インフルエンザワクチン同様に情報は少ないが，担癌状態で重篤な有害事象が発症するという報告はない[3)]。肺炎球菌ワクチンの主たる有害事象は，接種部位の疼痛・発赤・腫脹，発熱，筋肉痛，倦怠感，頭痛である。

接種時期については，肺炎球菌感染症はインフルエンザと異なり一年を通じて発生するため，季節にかかわらず接種が可能である。インフルエンザワクチン同様に，癌薬物療法を開始する少なくとも 2 週間以上前に投与することが望ましい[8)]。

3）COVID-19 ワクチン

大規模なコホート研究により，癌患者は COVID-19 に関連する合併症のリスクが高いと報告されており[15)～18)]，COVID-19 感染症の重症化，死亡率の上昇を防ぐためにワクチン接種を行うことが勧められる。

癌患者における COVID-19 ワクチンに関する研究はいくつかあるものの，現時点ではその多くが抗体濃度を測定したものである[19)～21)]。癌患者においては健常人に比べ抗体濃度が低く，その減少の程度は顕著であったと報告されている。また，化学療法薬投与の有無や免疫チェックポイント阻害薬投与の有無によっても抗体濃度は異なると報告されており，治療内容により影響を受ける可能性が高い。しかし，真の有効性である発症予防効果に関して，癌患者と健常人の間で差があるのかどうかは不明である。ただし，これまでに一般人と比較し，癌患者におけるワクチン接種による有害事象の増加も報告されておらず，ベネフィットがリスクを上回ると考えられるため，ワクチン接種を行うことが推奨される。

COVID-19 ワクチンに関しては，日本癌治療学会，日本癌学会，日本臨床腫瘍学会の 3 学会が合同で「新型コロナウィルス感染症(COVID-19)とがん診療について Q & A—患者さんと医療従事者向け ワクチン編 第 1 版—」[22]を出しているので参照されたい。

なお，COVID-19 ワクチン接種により，接種側の腋窩・鎖骨上窩・頸部リンパ節の腫大が報告されており，画像上，転移と紛らわしいことがあるため，検査の際には接種歴と部位の情報を得ておくことが望ましい。

以上より，乳癌治療を受ける患者には，手術，化学療法など治療が始まる前にインフルエンザワクチン，肺炎球菌ワクチン，COVID-19 ワクチンの接種を行うことが推奨される。ただし，肺炎球菌ワクチンの有効性に関してはインフルエンザワクチンに比べてエビデンスに乏しいこと，COVID-19 ワクチンの癌患者における有効性のエビデンスは現時点では乏しいことには留意する必要がある。

検索キーワード・参考にした二次資料

PubMed で，"Influenza Vaccines"，"influenza vaccination"，"Pneumococcal Vaccines"，"Neoplasms"，"cancer" のキーワードを用いて検索した。

参考文献

1) 国立感染症研究所感染症情報センター．http://idsc.nih.go.jp/disease/influenza/index.html（アクセス日：2021/9）
2) Vilar-Compte D, Cornejo P, Valle-Salinas A, Roldán-Marin R, Iguala M, Cervantes Y, et al. Influenza vaccination in patients with breast cancer: a case-series analysis. Med Sci Monit. 2006; 12(8): CR332-6. [PMID: 16865064]
3) Nordøy T, Aaberge IS, Husebekk A, Samdal HH, Steinert S, Melby H, et al. Cancer patients undergoing chemotherapy show adequate serological response to vaccinations against influenza virus and Streptococcus pneumoniae. Med Oncol. 2002; 19(2): 71-8. [PMID: 12180483]
4) Beck CR, McKenzie BC, Hashim AB, Harris RC, Zanuzdana A, Agboado G, et al. Influenza vaccination for immunocompromised patients: systematic review and meta-analysis from a public health policy perspective. PLoS One. 2011; 6(12): e29249. [PMID: 22216224]
5) Beck CR, McKenzie BC, Hashim AB, Harris RC, Zanuzdana A, Agboado G, et al. Influenza vaccination for immunocompromised patients: summary of a systematic review and meta-analysis. Influenza Other Respir Viruses. 2013; 7 Suppl 2(Suppl 2): 72-5. [PMID: 24034488]
6) Arrowood JR, Hayney MS. Immunization recommendations for adults with cancer. Ann Pharmacother. 2002; 36(7-8): 1219-29. [PMID: 12086557]
7) Anderson H, Petrie K, Berrisford C, Charlett A, Thatcher N, Zambon M. Seroconversion after influenza vaccination in patients with lung cancer. Br J Cancer. 1999; 80(1-2): 219-20. [PMID: 10389999]
8) Brydak LB, Guzy J, Starzyk J, Machała M, Góźdź SS. Humoral immune response after vaccination against influenza in patients with breast cancer. Support Care Cancer. 2001; 9(1): 65-8. [PMID: 11147146]
9) Hottinger AF, George AC, Bel M, Favet L, Combescure C, Meier S, et al; H1N1 Study Group. A prospective study of the factors shaping antibody responses to the AS03-adjuvanted influenza A/H1N1 vaccine in cancer outpatients. Oncologist. 2012; 17(3): 436-45. [PMID: 22357731]
10) Meerveld-Eggink A, de Weerdt O, van der Velden AMT, Los M, van der Velden AWG, Stouthard JML, et al. Response to influenza virus vaccination during chemotherapy in patients with breast cancer. Ann Oncol. 2011; 22(9): 2031-5. [PMID: 21303799]
11) Wumkes ML, van der Velden AM, Los M, Leys MB, Beeker A, Nijziel MR, et al. Serum antibody response to influenza virus vaccination during chemotherapy treatment in adult patients with solid tumours. Vaccine. 2013; 31(52): 6177-84. [PMID: 24176495]
12) Kunisaki KM, Janoff EN. Influenza in immunosuppressed populations: a review of infection frequency, morbidity, mortality, and vaccine responses. Lancet Infect Dis. 2009; 9(8): 493-504. [PMID: 19628174]
13) Robertson JD, Nagesh K, Jowitt SN, Dougal M, Anderson H, Mutton K, et al. Immunogenicity of vaccination against influenza, Streptococcus pneumoniae and Haemophilus influenzae type B in patients with multiple myeloma. Br J Cancer. 2000; 82(7): 1261-5. [PMID: 10755398]

14) 日本呼吸器学会．成人市中肺炎診療ガイドライン．2007: 15. https://www.jrs.or.jp/modules/guidelines/index.php?content_id=94（アクセス日：2021/9）
15) Kuderer NM, Choueiri TK, Shah DP, et al. Clinical impact of COVID-19 on patients with cancer(CCC19): a cohort study. Lancet 2020; 395(10241): 1907-18.
16) Robilotti EV, Babady NE, Mead PA, Rolling T, Perez-Johnston R, Bernardes M, et al. Determinants of COVID-19 disease severity in patients with cancer. Nat Med. 2020; 26(8): 1218-23. [PMID: 32581323]
17) Lee LY, Cazier JB, Angelis V, Arnold R, Bisht V, Campton NA, et al; UK Coronavirus Monitoring Project Team. COVID-19 mortality in patients with cancer on chemotherapy or other anticancer treatments: a prospective cohort study. Lancet. 2020; 395(10241): 1919-26. [PMID: 32473682]
18) Sharma A, Bhatt NS, St Martin A, Abid MB, Bloomquist J, Chemaly RF, et al. Clinical characteristics and outcomes of COVID-19 in haematopoietic stem-cell transplantation recipients: an observational cohort study. Lancet Haematol. 2021; 8(3): e185-93. [PMID: 33482113]
19) Yazaki S, Yoshida T, Kojima Y, Yagishita S, Nakahama H, Okinaka K, et al. Difference in SARS-CoV-2 antibody status between patients with cancer and health care workers during the COVID-19 pandemic in japan. JAMA Oncol. 2021; 7(8): 1141-8. [PMID: 34047762]
20) Eliakim-Raz N, Massarweh A, Stemmer A, Stemmer SM. Durability of response to SARS-CoV-2 BNT162b2 vaccination in patients on active anticancer treatment. JAMA Oncol. 2021; 7(11): 1716-8. [PMID: 34379092]
21) Monin L, Laing AG, Muñoz-Ruiz M, McKenzie DR, Del Molino Del Barrio I, et al. Safety and immunogenicity of one versus two doses of the COVID-19 vaccine BNT162b2 for patients with cancer: interim analysis of a prospective observational study. Lancet Oncol. 2021; 22(6): 765-78. [PMID: 33930323]
22) がん関連3学会（日本癌学会，日本癌治療学会，日本臨床腫瘍学会）合同連携委員会．新型コロナウイルス（COVID-19）対策ワーキンググループ（WG）．新型コロナウィルス感染症（COVID-19）とがん診療について Q & A—患者さんと医療従事者向け ワクチン編 第1版—．2021.

BQ 10 内分泌療法によるホットフラッシュ・関節痛の対策として薬物療法は推奨されるか？

ステートメント

- 内分泌療法によるホットフラッシュに対して，ホルモン補充療法は行うべきではない。
- 選択的セロトニン再取込み阻害薬(SSRI)などの薬物療法の有用性については，さらなる研究の蓄積が期待される。
- 関節痛に対しては，非ステロイド系抗炎症薬(NSAIDs)やアセトアミノフェン等の薬物療法を行う。薬物療法で対処困難な場合には，内分泌療法の変更を行う。

背景

乳癌に対する内分泌療法における副作用は，主に女性ホルモンが抑制されるために起こる。ほてり，発汗，動悸などの更年期障害様の症状が主である。薬剤別では，アロマターゼ阻害薬での骨塩量減少，関節痛，タモキシフェンでは稀に深部静脈血栓症と閉経後女性における子宮内膜癌の増加などがある。化学療法に比べ総じて軽度ではあるが，術後治療など投与期間が長期に及ぶ場合もあり，発症頻度，リスク因子，その管理等について理解を深めることは重要である。内分泌療法中の副作用のうち，頻度が高く，治療継続性にも影響するホットフラッシュと関節痛の対策について概説する。

解説

1) ホットフラッシュ

ホットフラッシュ(ほてり，のぼせ)は，血中のエストロゲンが少なくなり，視床下部の体温調節中枢に関与するセロトニンやノルエピネフリンなどの神経伝達物質のレベルが変動することなどにより起こると考えられている[1)]。乳癌患者におけるホットフラッシュの発症機序は，化学療法による卵巣機能低下やLH-RHアゴニスト，タモキシフェン，アロマターゼ阻害薬などの内分泌療法薬の使用が考えられる。内分泌療法を受けている乳癌患者の50%以上がホットフラッシュを経験し，その頻度はアロマターゼ阻害薬に比べてタモキシフェン投与中の患者のほうが高い。通常，タモキシフェンやアロマターゼ阻害薬によるホットフラッシュは，治療開始後数カ月を過ぎると次第に軽減するので，症状が軽度であれば経過観察でよい。症状が強い場合，QOL改善のためさまざまな対応がなされている。

ホルモン補充療法(HRT)は，更年期症状の一つであるホットフラッシュを認める場合に行われることがある。乳癌術後の患者を対象としたランダム化比較試験の結果では，HRTを行った場合に乳癌再発リスクを増加させる[2)]，減少させる[3)~5)]，関係しない[6)]と報告されており，一定の見解は得られていない。HRTにはエストロゲン単独療法とエストロゲン・黄体ホルモン(プロゲステロン)併用療法があり，エストロゲン単独療法が併用療法に比べ乳癌イベントは増加するという報告もあるが[2]，症例数が少なく断定できない。以上より，再発リスクや投与方法について明確な結論が出ていないため，内分泌療法によるホットフラッシュを軽減する目的で HRT を行うべきではない。

薬物療法については，選択的セロトニン再取込み阻害薬(selective serotonin reuptake inhibitor；SSRI)(venlafaxine；未承認，セルトラリン；保険適用外，パロキセチン；保険適用外)[7]，GABA アナログ(ガバペンチン；保険適用外)[7,8]，α2 アドレナリン作動薬(clonidine；未承認)[9]，ドパミン拮抗薬(veralipride；未承認)[10]などがランダム化比較試験によりホットフラッシュの軽減効果があることが認められている。ビタミン E[11]や酸化マグネシウム[12]に関してランダム化比較試験が報告されているものの，いずれの試験においてもプラセボと比較して臨床的に意義のある差は認めていない。酢酸メゲステロールはホットフラッシュを抑える効果が報告されており，酢酸メドロキシプロゲステロンも同様の効果がある可能性はあるが，体重増加・血栓症などのリスクもあり，長期予後への影響も不明であるため，現時点では積極的に推奨されない。

米国の NAMS(North American Menopause Society)のガイドラインでは，乳癌患者のホットフラッシュの治療には SSRI が有効だとしている[13]。タモキシフェンは CYP2D6 により代謝され活性型となるため，CYP2D6 の強力な阻害作用を有する SSRI との併用は，理論的には活性型の代謝産物が減少し，それに伴いタモキシフェンの有効性も低下することが示唆されており，その併用には注意が必要である。また，SSRI はアロマターゼ阻害薬によるホットフラッシュに対して有用である可能性はあるが[14]，エビデンスは十分でない。SSRI は深刻な離脱症状を引き起こすことがあり，精神科にコンサルトのうえ，投与の際には十分に注意する必要がある。また，薬剤使用の中止時には数日から遅くとも数週間以内に退薬症候群が発生する頻度も高く，同様に注意を要する[15]。

その他の対処法として，大豆イソフラボンやハーブなどのサプリメントおよび漢方薬なども試みられることがあるが[16]，これらが実際に有用かどうかはまだわかっていない。一方，鍼療法の効果も検討されており[17,18]，確定的ではないがその効果は期待できる。海外では催眠療法のプログラムや認知行動療法および身体運動の有用性が示唆されているが[19]，国内では検討されていない[20,21]。

2）関節痛

アロマターゼ阻害薬の内服中に問題となる副作用の一つに，関節のこわばりや痛みがある。AI 関連筋骨格症候群(AI-associated musculoskeletal syndrome；AIMSS)と呼ばれ，10～20％の患者で治療中止の原因となる。発症機序については，関節の炎症によるものではなく，エストロゲンが枯渇したために二次的に起こると考えられる。典型的には内服開始後 2～3 カ月以内に起こり，閉経後早期(5 年以内)例で発症しやすいとの報告がある[22]。AIMSS は，治療中に消失することはほとんどないため，さまざまな対処法が検討されている。AIMSS の発症を予防するような介入方法はまだみつかっていない。

AIMSS を有する身体活動のない閉経後女性を対象にしたランダム化比較試験では，運動療法(週 2 回の筋力トレーニングと，週 150 分間の中等度の有酸素運動)を受けた患者は，通常のケアと比較して，AIMSS は有意に減少し，体重の減少や運動能力の向上もみられたと報告している。また，運動療法への参加率が 80％未満の女性と比較して，80％以上参加した女性では，AIMSS

が有意に減少したとも報告されている[23]。

薬物治療については，対症療法として非ステロイド系抗炎症薬(NSAIDs)，アセトアミノフェン，オピオイドなどが有効で，使用した過半数の患者で効果が得られるとする報告もある。このほか，SWOG S1202 試験では，AIMSS に対するデュロキセチンの有効性も示されている[24]。

薬物療法で対処困難な場合には，治療を中止するのではなく，他の内分泌療法薬(他のアロマターゼ阻害薬やタモキシフェン)へ変更するのが望ましい。アナストロゾール内服中に筋肉・骨症状のために内服中止となった患者に，レトロゾールに切り替えて治療を継続したところ，6カ月の時点で71.5%の患者で治療が継続できていたとする前向き研究結果がある[25]。その他の対処法として，アロマターゼ阻害薬による関節痛やこわばりに対して，鍼治療の有用性を検証したランダム化比較試験が報告されている[26]。

検索キーワード・参考にした二次資料

PubMed で，“Hot Flashes”，“Arthralgia”，“Breast Neoplasms/drug therapy”，“endocrine”，“hormone”，“hormonal therapy”，“hot flash”，“breast cancer” のキーワードを用いて検索した。また，UpToDate の “Managing the side effects of tamoxifen and aromatase inhibitors”(更新日：2021/5/12)を参考にした。

参考文献

1) Mom CH, Buijs C, Willemse PH, Mourits MJ, de Vries EG. Hot flushes in breast cancer patients. Crit Rev Oncol Hematol. 2006; 57(1): 63-77. [PMID: 16343926]
2) Holmberg L, Iversen OE, Rudenstam CM, Hammar M, Kumpulainen E, Jaskiewicz J, et al; HABITS Study Group. Increased risk of recurrence after hormone replacement therapy in breast cancer survivors. J Natl Cancer Inst. 2008; 100(7): 475-82. [PMID: 18364505]
3) Col NF, Hirota LK, Orr RK, Erban JK, Wong JB, Lau J. Hormone replacement therapy after breast cancer: a systematic review and quantitative assessment of risk. J Clin Oncol. 2001; 19(8): 2357-63. [PMID: 11304788]
4) O'Meara ES, Rossing MA, Daling JR, Elmore JG, Barlow WE, Weiss NS. Hormone replacement therapy after a diagnosis of breast cancer in relation to recurrence and mortality. J Natl Cancer Inst. 2001; 93(10): 754-62. [PMID: 11353785]
5) Natrajan PK, Gambrell RD Jr. Estrogen replacement therapy in patients with early breast cancer. Am J Obstet Gynecol. 2002; 187(2): 289-95. [PMID: 12193914]
6) Loprinzi CL, Sloan J, Stearns V, Slack R, Iyengar M, Diekmann B, et al. Newer antidepressants and gabapentin for hot flashes: an individual patient pooled analysis. J Clin Oncol. 2009; 27(17): 2831-7. [PMID: 19332723]
7) Toulis KA, Tzellos T, Kouvelas D, Goulis DG. Gabapentin for the treatment of hot flashes in women with natural or tamoxifen-induced menopause: a systematic review and meta-analysis. Clin Ther. 2009; 31(2): 221-35. [PMID: 19302896]
8) Goldberg RM, Loprinzi CL, O'Fallon JR, Veeder MH, Miser AW, Mailliard JA, et al. Transdermal clonidine for ameliorating tamoxifen-induced hot flashes. J Clin Oncol. 1994; 12(1): 155-8. [PMID: 8270972]
9) David A, Don R, Tajchner G, Weissglas L. Veralipride: alternative antidopaminergic treatment for menopausal symptoms. Am J Obstet Gynecol. 1988; 158(5): 1107-15. [PMID: 2967034]
10) Barton DL, Loprinzi CL, Quella SK, Sloan JA, Veeder MH, Egner JR, et al. Prospective evaluation of vitamin E for hot flashes in breast cancer survivors. J Clin Oncol. 1998; 16(2): 495-500. [PMID: 9469333]
11) Park H, Qin R, Smith TJ, Atherton PJ, Barton DL, Sturtz K, et al. North Central Cancer Treatment Group N10C2 (Alliance): a double-blind placebo-controlled study of magnesium supplements to reduce menopausal hot flashes. Menopause. 2015; 22(6): 627-32. [PMID: 25423327]
12) North American Menopause Society. Treatment of menopause-associated vasomotor symptoms: position statement of The North American Menopause Society. Menopause. 2004; 11(1): 11-33. [PMID: 14716179]
13) Goetz MP, Rae JM, Suman VJ, Safgren SL, Ames MM, Visscher DW, et al. Pharmacogenetics of tamoxifen biotransformation is associated with clinical outcomes of efficacy and hot flashes. J Clin Oncol. 2005; 23(36): 9312-8. [PMID: 16361630]
14) Fava GA, Gatti A, Belaise C, Guidi J, Offidani E. Withdrawal symptoms after selective serotonin reuptake inhibitor discontinuation: a systematic review. Psychother Psychosom. 2015; 84(2): 72-81. [PMID: 25721705]
15) Nelson HD, Vesco KK, Haney E, Fu R, Nedrow A, Miller J, et al. Nonhormonal therapies for menopausal hot

flashes: systematic review and meta-analysis. JAMA. 2006; 295(17): 2057-71. [PMID: 16670414]
16) Lee MS, Kim KH, Choi SM, Ernst E. Acupuncture for treating hot flashes in breast cancer patients: a systematic review. Breast Cancer Res Treat. 2009; 115(3): 497-503. [PMID: 18982444]
17) Walker EM, Rodriguez AI, Kohn B, Ball RM, Pegg J, Pocock JR, et al. Acupuncture versus venlafaxine for the management of vasomotor symptoms in patients with hormone receptor-positive breast cancer: a randomized controlled trial. J Clin Oncol. 2010; 28(4): 634-40. [PMID: 20038728]
18) Bao T, Cai L, Snyder C, Betts K, Tarpinian K, Gould J, et al. Patient-reported outcomes in women with breast cancer enrolled in a dual-center, double-blind, randomized controlled trial assessing the effect of acupuncture in reducing aromatase inhibitor-induced musculoskeletal symptoms. Cancer. 2014; 120(3): 381-9. [PMID: 24375332]
19) Elkins G, Marcus J, Stearns V, Perfect M, Rajab MH, Ruud C, et al. Randomized trial of a hypnosis intervention for treatment of hot flashes among breast cancer survivors. J Clin Oncol. 2008; 26(31): 5022-6. [PMID: 18809612]
20) Duijts SF, van Beurden M, Oldenburg HS, Hunter MS, Kieffer JM, Stuiver MM, et al. Efficacy of cognitive behavioral therapy and physical exercise in alleviating treatment-induced menopausal symptoms in patients with breast cancer: results of a randomized, controlled, multicenter trial. J Clin Oncol. 2012; 30(33): 4124-33. [PMID: 23045575]
21) Mao JJ, Stricker C, Bruner D, Xie S, Bowman MA, Farrar JT, et al. Patterns and risk factors associated with aromatase inhibitor-related arthralgia among breast cancer survivors. Cancer. 2009; 115(16): 3631-9. [PMID: 19517460]
22) Irwin ML, Cartmel B, Gross CP, Ercolano E, Li F, Yao X, et al. Randomized exercise trial of aromatase inhibitor-induced arthralgia in breast cancer survivors. J Clin Oncol. 2015; 33(10): 1104-11. [PMID: 25452437]
23) Henry NL, Unger JM, Schott AF, Fehrenbacher L, Flynn PJ, Prow DM, et al. Randomized, Multicenter, Placebo-Controlled Clinical Trial of Duloxetine Versus Placebo for Aromatase Inhibitor-Associated Arthralgias in Early-Stage Breast Cancer: SWOG S1202. J Clin Oncol. 2018; 36(4): 326-32. [PMID: 29136387]
24) Briot K, Tubiana-Hulin M, Bastit L, Kloos I, Roux C. Effect of a switch of aromatase inhibitors on musculoskeletal symptoms in postmenopausal women with hormone-receptor-positive breast cancer: the ATOLL(articular tolerance of letrozole)study. Breast Cancer Res Treat. 2010; 120(1): 127-34. [PMID: 20035381]
25) Crew KD, Capodice JL, Greenlee H, Brafman L, Fuentes D, Awad D, et al. Randomized, blinded, sham-controlled trial of acupuncture for the management of aromatase inhibitor-associated joint symptoms in women with early-stage breast cancer. J Clin Oncol. 2010; 28(7): 1154-60. [PMID: 20100963]
26) Bae K, Yoo HS, Lamoury G, Boyle F, Rosenthal DS, Oh B. Acupuncture for aromatase inhibitor-induced arthralgia: a systematic review. Integr Cancer Ther. 2015; 14(6): 496-502. [PMID: 26220605]

BQ 11 アロマターゼ阻害薬使用患者における骨粗鬆症の予防・治療に骨吸収抑制薬（ビスホスホネート，デノスマブ）は推奨されるか？

ステートメント

- アロマターゼ阻害薬使用時には，定期的な骨密度の評価を行い，骨折のリスクに応じて骨吸収抑制薬を使用する。

背景

アロマターゼ阻害薬は閉経後乳癌患者の内分泌療法薬として広く用いられる。アロマターゼ阻害薬の代表的な副作用として骨密度（bone mineral density；BMD）の低下が挙げられる[1)]。骨塩量減少について薬剤による予防・治療法に関与するエビデンスが報告されているため，これについて概説する。

解説

薬剤による予防・治療としての介入は，骨折リスクが高いことが予測される患者群に推奨される。骨折リスクの具体的基準は，ほとんどの試験で骨塩量の変化を評価項目としており，T スコアが－2.0 以下をハイリスクと定義する報告が散見される[2)3)]。しかし，その投与基準については世界各国のグループがそれぞれにガイドラインを示しており，統一された基準はない[4)]。わが国の「骨粗鬆症の予防と治療ガイドライン」では乳癌患者に限ったものではないが，脆弱性骨折の有無，骨密度測定値が薬物治療開始基準に用いられている[5)]。以上を考慮すると，T スコアや若年平均成人値（young adult mean；YAM）などによる骨塩量評価や臨床的な因子をもとにリスクを評価し，わが国のガイドラインを参考に使用を考慮することが望ましい。

薬剤としては，「骨粗鬆症の予防と治療ガイドライン」に記載される治療薬が勧められる。本 BQ では骨吸収抑制薬のビスホスホネートとデノスマブについて，乳癌を対象とした臨床試験を参考に記載する。カルシウム薬や活性型ビタミン D 薬などの摂取を含めた全体的な骨粗鬆症の予防・治療法については，乳癌に限ったものではないが上述のガイドラインを参考にされたい。

1）ビスホスホネート

アロマターゼ阻害薬による術後内分泌療法を行う閉経後乳癌患者を対象として，ビスホスホネート投与（ゾレドロン酸 6 カ月に 1 回の予防投与やリセドロン酸の内服等）による骨密度増加率を検証するランダム化比較試験が報告されている[6)～13)]。ビスホスホネートの経静脈投与については，術後療法としてレトロゾールを内服する 1,065 人の早期乳癌患者に対し，内服開始と同時にゾレドロン酸を投与する群（immediate 群）と，骨塩量減少（T-score で－2.0 以下）もしくは骨折イベントが起こってから投与する群（delayed 群）を比較する ZO-FAST 試験が行われ，投与後 36 カ月時点での腰椎骨塩量が immediate 群は 4.39％増加したのに対して delayed 群では 4.9％減少し，有意な差を認めた（$p<0.0001$）。ただし，骨折の発生率に有意差はなかった[14)]。また，ABCSG-12 では，閉経前乳癌患者にゴセレリン投与下でアナストロゾールを投与する場合，ゾレドロン酸

が骨塩量減少を予防する効果が認められている[15]。

経口ビスホスホネート薬では，リセドロン酸 35 mg 週 1 回(わが国では保険適用外の用量)の内服とプラセボを比較したランダム化比較試験が複数行われており，いずれの試験においても骨塩量変化率において有意にリセドロン酸群で骨塩量が増加することが示されている[10)～13)16]。SABRE 試験では，24 カ月時点の腰椎骨塩量変化率は 2.2% vs −1.8%〔ハザード比(HR)1.04，$p<0.0001$〕[10]，また別の試験では，109 人の早期乳癌患者において，リセドロン酸群でプラセボ群より 3.9%有意に上昇し($p<0.001$)，かつ，海綿骨微細構造の指標である trabecular bone score (TBD)においても，プラセボ群で−2.09%の減少に対してリセドロン酸群は有意な減少を認めなかったと報告している[11)12]。アレンドロン酸 70 mg 週 1 回(わが国では保険適用外の用量)の有効性を検証した BATMAN 試験では，早期にアレンドロン酸を内服した骨粗鬆症もしくは骨減少症の患者では，有意に骨塩量が増加した。一方で，正常 BMD でアレンドロン酸を内服しなかった患者群では，有意に骨塩量が減少した[17]。

メタアナリシスにまとめられた11の試験や5年の長期フォローアップが行われた試験においても，経静脈および経口ビスホスホネート投与の追加が，カルシウムおよびビタミン D の摂取のみと比較して骨密度増加に有効であることが報告されている[18)～21]。ただし，これらの経静脈，経口ビスホスホネートに関する試験のエンドポイントはいずれも骨塩量や骨関連指標の変化であり，観察期間中の骨折のイベント数は予防投与群も治療的投与群も同等とするものや，報告されていないものもあった。このことから，アロマターゼ阻害薬に対するビスホスホネートの追加投与により骨塩量が回復または維持されても，骨折頻度については減らない可能性がある。また，ビスホスホネート投与による有害事象については骨痛や消化器症状の増加が指摘されているが，いずれも許容できるものがほとんどで，多くの試験では対照群と類似していた。しかしながら，頻度は高くはないものの顎骨壊死や腎機能障害の発症の報告もあり，長期的なアウトカムと安全性のバランスを考慮した評価も必要である。

2）デノスマブ

抗 Receptor Activator of Nuclear Factor κ-B Ligand(RANKL)ヒト化モノクローナル抗体であるデノスマブは，破骨細胞の前駆細胞に結合し，分化を抑制する。デノスマブは転移性骨腫瘍に保険承認されており，その使用法は 120 mg を 4 週間に 1 回の皮下投与であるが，骨粗鬆症に対しては，60 mg を 6 カ月に 1 回の皮下投与であり，使用法の違いに注意する必要がある。

Ellis らにより 252 人のアロマターゼ阻害薬使用患者におけるデノスマブの骨塩量減少の予防効果が報告された[22]。ABCSG-18 試験では初めて骨折のアウトカムについて評価されており，アロマターゼ阻害薬投与中の乳癌患者 3,420 人に対してデノスマブとプラセボをランダムに割り付けて比較したところ，初回の臨床的骨折までの期間がデノスマブ群で有意に延長したと報告している(HR 0.50，95%CI 0.39-0.65，$p<0.0001$)[23]。この試験では，デノスマブによる顎骨壊死の発生は認められていない。

3）その他

選択的エストロゲン受容体モジュレーター(SERM)であるラロキシフェンは閉経後女性における骨粗鬆症の治療薬として挙げられる。しかし，ATAC 試験において，同様の SERM であるタモキシフェンとアナストロゾールの併用で有害事象の増加と乳癌再発抑制効果阻害の可能性が示されており[24)]，アロマターゼ阻害薬使用時のラロキシフェン併用は避けるのが妥当である。

検索キーワード・参考にした二次資料

PubMedで，"Breast Neoplasms"，"Breast cancer"，"Neoplasm Metastasis"，"neoplasm recurrence, local"，"metas*"，"bone neoplasms/secondary"，"advanced"，"recurrent"，"denosumab"，"diphosphonates"，"Bisphosphonate"，"Bone Density Conservation Agents"，"Bone Density Conservation Agents"，"Aromatase Inhibitors"，"aromatase" のキーワードで検索した。また，以下の二次資料を参考にした。

O'Carrigan B, Wong MH, Willson ML, Stockler MR, Pavlakis N, Goodwin A. Bisphosphonates and other bone agents for breast cancer. Cochrane Database Syst Rev. 2017; 2017(10): CD003474.

参考文献

1) Chien AJ, Goss PE. Aromatase inhibitors and bone health in women with breast cancer. J Clin Oncol. 2006; 24(33): 5305-12. [PMID: 17114665]
2) Van Poznak C, Hannon RA, Mackey JR, Campone M, Apffelstaedt JP, Clack G, et al. Prevention of aromatase inhibitor-induced bone loss using risedronate: the SABRE trial. J Clin Oncol. 2010; 28(6): 967-75. [PMID: 20065185]
3) Markopoulos C, Tzoracoleftherakis E, Koukouras D, Venizelos B, Zobolas V, Misitzis J, et al. Age effect on bone mineral density changes in breast cancer patients receiving anastrozole: results from the ARBI prospective clinical trial. J Cancer Res Clin Oncol. 2012; 138(9): 1569-77. [PMID: 22552718]
4) Hadji P, Aapro MS, Body JJ, Bundred NJ, Brufsky A, Coleman RE, et al. Management of aromatase inhibitor-associated bone loss in postmenopausal women with breast cancer: practical guidance for prevention and treatment. Ann Oncol. 2011; 22(12): 2546-55. [PMID: 21415233]
5) 日本骨粗鬆症学会，日本骨代謝学会，骨粗鬆症財団編．骨粗鬆症の予防と治療ガイドライン2015年版．東京，ライフサイエンス出版，2015.
6) Bundred NJ, Campbell ID, Davidson N, DeBoer RH, Eidtmann H, Monnier A, et al. Effective inhibition of aromatase inhibitor-associated bone loss by zoledronic acid in postmenopausal women with early breast cancer receiving adjuvant letrozole: ZO-FAST Study results. Cancer. 2008; 112(5): 1001-10. [PMID: 18205185]
7) Brufsky A, Harker WG, Beck JT, Carroll R, Tan-Chiu E, Seidler C, et al. Zoledronic acid inhibits adjuvant letrozole-induced bone loss in postmenopausal women with early breast cancer. J Clin Oncol. 2007; 25(7): 829-36. [PMID: 17159193]
8) Llombart A, Frassoldati A, Paija O, Sleeboom HP, Jerusalem G, Mebis J, et al. Immediate administration of zoledronic acid reduces aromatase inhibitor-associated bone loss in postmenopausal women with early breast cancer: 12-month analysis of the E-ZO-FAST trial. Clin Breast Cancer. 2012; 12(1): 40-8. [PMID: 22014381]
9) Hines SL, Mincey B, Dentchev T, Sloan JA, Perez EA, Johnson DB, et al. Immediate versus delayed zoledronic acid for prevention of bone loss in postmenopausal women with breast cancer starting letrozole after tamoxifen-N03CC. Breast Cancer Res Treat. 2009; 117(3): 603-9. [PMID: 19214743]
10) Van Poznak C, Hannon RA, Mackey JR, Campone M, Apffelstaedt JP, Clack G, et al. Prevention of aromatase inhibitor-induced bone loss using risedronate: the SABRE trial. J Clin Oncol. 2010; 28(6): 967-75. [PMID: 20065185]
11) Greenspan SL, Vujevich KT, Brufsky A, Lembersky BC, van Londen GJ, Jankowitz RC, et al. Prevention of bone loss with risedronate in breast cancer survivors: a randomized, controlled clinical trial. Osteoporos Int. 2015; 26(6): 1857-64. [PMID: 25792492].
12) Prasad C, Greenspan SL, Vujevich KT, Brufsky A, Lembersky BC, van Londen GJ, et al. Risedronate may preserve bone microarchitecture in breast cancer survivors on aromatase inhibitors: a randomized, controlled clinical trial. Bone. 2016; 90: 123-6. [PMID: 27018037]
13) Sergi G, Pintore G, Falci C, Veronese N, Berton L, Perissinotto E, et al. Preventive effect of risedronate on bone loss and frailty fractures in elderly women treated with anastrozole for early breast cancer. J Bone Miner Metab. 2012; 30(4): 461-7. [PMID: 22160398]
14) Eidtmann H, de Boer R, Bundred N, Llombart-Cussac A, Davidson N, Neven P, et al. Efficacy of zoledronic acid in postmenopausal women with early breast cancer receiving adjuvant letrozole: 36-month results of the ZO-FAST study. Ann Oncol. 2010; 21(11): 2188-94. [PMID: 20444845]
15) Gnant M, Mlineritsch B, Stoeger H, Luschin-Ebengreuth G, Heck D, Menzel C, et al; Austrian Breast and Colorectal Cancer Study Group, Vienna, Austria. Adjuvant endocrine therapy plus zoledronic acid in premenopausal women with early-stage breast cancer: 62-month follow-up from the ABCSG-12 randomised trial. Lancet Oncol. 2011; 12(7): 631-41. [PMID: 21641868]
16) Markopoulos C, Tzoracoleftherakis E, Polychronis A, Venizelos B, Dafni U, Xepapadakis G, et al. Management of

anastrozole-induced bone loss in breast cancer patients with oral risedronate: results from the ARBI prospective clinical trial. Breast Cancer Res. 2010; 12(2): R24. [PMID: 20398352]
17) Lomax AJ, Yee Yap S, White K, Beith J, Abdi E, Broad A, et al. Prevention of aromatase inhibitor-induced bone loss with alendronate in postmenopausal women: the BATMAN trial. J Bone Oncol. 2013; 2(4): 145-53. [PMID: 26909285].
18) Su G, Xiang Y, He G, Jiang C, Li C, Yan Z, et al. Bisphosphonates may protect against bone loss in postmenopausal women with early breast cancer receiving adjuvant aromatase inhibitor therapy: results from a meta-analysis. Arch Med Res. 2014; 45(7): 570-9. [PMID: 25450582]
19) Lester JE, Dodwell D, Purohit OP, Gutcher SA, Ellis SP, Thorpe R, et al. Prevention of anastrozole-induced bone loss with monthly oral ibandronate during adjuvant aromatase inhibitor therapy for breast cancer. Clin Cancer Res. 2008; 14(19): 6336-42. [PMID: 18829518]
20) Rhee Y, Song K, Park S, Park HS, Lim SK, Park BW. Efficacy of a combined alendronate and calcitriol agent (Maxmarvil®) in Korean postmenopausal women with early breast cancer receiving aromatase inhibitor: a double-blind, randomized, placebo-controlled study. Endocr J. 2013; 60(2): 167-72. [PMID: 23064476]
21) Wagner-Johnston ND, Sloan JA, Liu H, Kearns AE, Hines SL, et al. 5-year follow-up of a randomized controlled trial of immediate versus delayed zoledronic acid for the prevention of bone loss in postmenopausal women with breast cancer starting letrozole after tamoxifen: N03CC (Alliance) trial. Cancer. 2015; 121(15): 2537-43. [PMID: 25930719]
22) Ellis GK, Bone HG, Chlebowski R, Paul D, Spadafora S, Smith J, et al. Randomized trial of denosumab in patients receiving adjuvant aromatase inhibitors for nonmetastatic breast cancer. J Clin Oncol. 2008; 26(30): 4875-82. [PMID: 18725648]
23) Gnant M, Pfeiler G, Dubsky PC, Hubalek M, Greil R, Jakesz R, et al; Austrian Breast and Colorectal Cancer Study Group. Adjuvant denosumab in breast cancer (ABCSG-18): a multicentre, randomised, double-blind, placebo-controlled trial. Lancet. 2015; 386(9992): 433-43. [PMID: 26040499]
24) Baum M, Budzar AU, Cuzick J, Forbes J, Houghton JH, Klijn JG, et al; ATAC Trialists' Group. Anastrozole alone or in combination with tamoxifen versus tamoxifen alone for adjuvant treatment of postmenopausal women with early breast cancer: first results of the ATAC randomised trial. Lancet. 2002; 359(9324): 2131-9. [PMID: 12090977]

BQ 12 乳癌治療として補完・代替療法は推奨されるか？

ステートメント

- 乳癌の進行抑制や延命効果の目的で補完・代替療法は行うべきでない。
- 標準的な癌治療に伴う症状の緩和や不安の軽減などを目的とした補完・代替療法には検討の余地がある。

背景

癌患者における補完・代替療法（complementary and alternative medicine；CAM）の利用率は文献検索レベルで海外の乳癌患者では17～75％で平均45％[1]，国内癌患者では44.6％で乳癌や肺癌，肝臓癌では他部位よりも高率と報告され[2]，多くの乳癌患者に利用されているが，それを医師に伝えているのは半数に過ぎないとの報告がある[3]。CAMの内容は人種間で違いがみられ[3]，わが国のCAM利用者の9割以上が漢方やアガリクスなどのキノコ関連，サメの軟骨やビタミンなどの製品を使用している[2]。欧米患者の利用目的は癌の進行に伴う痛みなどの症状緩和や心理的不安の軽減，通常の癌治療に伴う有害事象の症状緩和などである一方で，わが国では2/3が癌の進行抑制を期待してCAMを利用している[2]。国内CAM利用者の半数以上は十分な情報収集や専門医師への相談を行わずに，広告やインターネットなどの情報，友人や家族からの勧めをもとに利用している状況である[2]。わが国の癌治療医の多数はCAMに対して否定的な見解をもっているが[4]，患者は自身の健康や人生に関する価値観や信念に合致するゆえにCAMを受けているとの報告もあり[5]，CAMを頭ごなしに否定するのではなく，このような治療を選択する患者の心理に理解を示すことも重要であるため概説する。

解説

2004年に設立された米国統合腫瘍学会（Society for Integrative Oncology；SIO）が1990～2015年に報告された乳癌とCAMに関する4,900論文から203編のランダム化比較試験をレビューして2014年にガイドラインを発表し，2017年にはその改訂版が発表された[6]。これらの内容は米国臨床腫瘍学会（ASCO）でも検討され承認されている[7]。この中で乳癌治療中，治療後におけるエビデンスレベルの高い補完・代替医療が**表1**のように示された。

ランダム化比較試験の結果から容認されるCAMとしては，肥満乳癌患者に対する脂肪摂取制限[8][9]，内分泌療法によるホットフラッシュに対する鍼治療[10]，ホットフラッシュによる睡眠障害に対する電気鍼治療[11]，痛みや不安に対するマッサージ療法，適度な運動，サポートグループ[12]やリラクセーションなどによる心理療法や心体介入などが挙げられる。

日本人を対象とした報告からは，心理療法やサポートが乳癌患者の症状や感情の改善に役立つことが示唆されている[13][14]。

これまでCAMによる抗腫瘍効果，再発抑制，延命に関する十分な証拠は得られておらず，上

表 1　乳癌治療中，治療後におけるエビデンスレベルの高い補完・代替医療（文献 7 より）

アウトカム	推奨治療	推奨グレード
不安軽減，ストレス軽減	不安に対する瞑想	A
	不安に対する音楽療法	B
	治療中の不安に対するストレスマネジメント（長期間のグループ療法を推奨）	B
	不安に対するヨガ	B
化学療法に伴う悪心・嘔吐	針治療と制吐治療の併用	B
	電気針治療と制吐治療の併用（嘔吐に対して）	B
うつ症状，気分障害	瞑想，とくにマインドフルネスストレス低減法	A
	リラクゼーション	A
	ヨガ	B
	マッサージ療法（気分障害に対して）	B
	音楽療法による気分改善	B
QOL	瞑想による QOL 向上	A
	ヨガによる QOL 向上	B

推奨グレード A：高い利益を強く確信できる
推奨グレード B：中等度の利益を強く確信できる，あるいは中等度～高い利益を中程度確信できる

記ガイドラインでもこの点に関する推奨はなされていない[6]。

アガリクス摂取による劇症肝炎[15]のように，CAM には報告されていない重篤な有害事象が起こる可能性があり，安易に利用を勧めることがあってはならない。また，標準的な治療を行わずに CAM のみを選択することは病状の進行や生命予後の短縮に結び付く可能性があり[16][17]，科学的根拠に基づいてその効果と安全性をしっかりと患者や家族に説明する必要がある。

CAM に関しては SIO[18]，米国国立補完統合衛生センター（National Center for Complementary and Integrative Health；NCCIH）[19]のホームページに詳細な情報が掲載されており，患者への情報提供に有用である。わが国では厚生労働省「統合医療」に係る情報発信等推進事業「統合医療」情報発信サイト[20]に，統合医療に関するさまざまなエビデンスが掲載されている。

検索キーワード・参考にした二次資料

PubMed で，“Breast Neoplasms”，“Aromatherapy”，“Massage”，“Relaxation”，“Psychotherapy”，“Complementary Therapies” のキーワードを用いて検索した。また，UpToDate の “Complementary and alternative therapies for cancer”（更新日：2017/8/31）を参考にした。

参考文献

1) Astin JA, Reilly C, Perkins C, Child WL; Susan G. Komen Breast Cancer Foundation. Breast cancer patients' perspectives on and use of complementary and alternative medicine: a study by the Susan G. Komen Breast Cancer Foundation. J Soc Integr Oncol. 2006; 4(4): 157-69. [PMID: 17022924]
2) Hyodo I, Amano N, Eguchi K, Narabayashi M, Imanishi J, Hirai M, et al. Nationwide survey on complementary and alternative medicine in cancer patients in Japan. J Clin Oncol. 2005; 23(12): 2645-54. [PMID: 15728227]
3) Lee MM, Lin SS, Wrensch MR, Adler SR, Eisenberg D. Alternative therapies used by women with breast cancer in four ethnic populations. J Natl Cancer Inst. 2000; 92(1): 42-7. [PMID: 10620632]
4) Hyodo I, Eguchi K, Nishina T, Endo H, Tanimizu M, Mikami I, et al. Perceptions and attitudes of clinical oncologists on complementary and alternative medicine: a nationwide survey in Japan. Cancer. 2003; 97(11): 2861-8. [PMID: 12767101]

5) Astin JA. Why patients use alternative medicine: results of a national study. JAMA. 1998; 279(19): 1548-53. [PMID: 9605899]
6) Greenlee H, DuPont-Reyes MJ, Balneaves LG, Carlson LE, Cohen MR, Deng G, et al. Clinical practice guidelines on the evidence-based use of integrative therapies during and after breast cancer treatment. CA Cancer J Clin. 2017; 67(3): 194-232. [PMID: 28436999]
7) Lyman GH, Greenlee H, Bohlke K, Bao T, DeMichele AM, Deng GE, et al. Integrative therapies during and after breast cancer treatment: ASCO endorsement of the SIO clinical practice guideline. J Clin Oncol. 2018; 36(25): 2647-55. [PMID: 29889605]
8) Chlebowski RT, Blackburn GL, Thomson CA, Nixon DW, Shapiro A, Hoy MK, et al. Dietary fat reduction and breast cancer outcome: interim efficacy results from the Women's Intervention Nutrition Study. J Natl Cancer Inst. 2006; 98(24): 1767-76. [PMID: 17179478]
9) Kroenke CH, Fung TT, Hu FB, Holmes MD. Dietary patterns and survival after breast cancer diagnosis. J Clin Oncol. 2005; 23(36): 9295-303. [PMID: 16361628]
10) Walker EM, Rodriguez AI, Kohn B, Ball RM, Pegg J, Pocock JR, et al. Acupuncture versus venlafaxine for the management of vasomotor symptoms in patients with hormone receptor-positive breast cancer: a randomized controlled trial. J Clin Oncol. 2010; 28(4): 634-40. [PMID: 20038728]
11) Garland SN, Xie SX, Li Q, Seluzicki C, Basal C, Mao JJ. Comparative effectiveness of electro-acupuncture versus gabapentin for sleep disturbances in breast cancer survivors with hot flashes: a randomized trial. Menopause. 2017; 24(5): 517-23. [PMID: 27875389]
12) Goodwin PJ, Leszcz M, Ennis M, Koopmans J, Vincent L, Guther H, et al. The effect of group psychosocial support on survival in metastatic breast cancer. N Engl J Med. 2001; 345(24): 1719-26. [PMID: 11742045]
13) Matsuda A, Yamaoka K, Tango T, Matsuda T, Nishimoto H. Effectiveness of psychoeducational support on quality of life in early-stage breast cancer patients: a systematic review and meta-analysis of randomized controlled trials. Qual Life Res. 2014; 23(1): 21-30. [PMID: 23881515]
14) Hirai K, Motooka H, Ito N, Wada N, Yoshizaki A, Shiozaki M, et al. Problem-solving therapy for psychological distress in Japanese early-stage breast cancer patients. Jpn J Clin Oncol. 2012; 42(12): 1168-74. [PMID: 23081984]
15) Mukai H, Watanabe T, Ando M, Katsumata N. An alternative medicine, Agaricus blazei, may have induced severe hepatic dysfunction in cancer patients. Jpn J Clin Oncol. 2006; 36(12): 808-10. [PMID: 17105737]
16) Han E, Johnson N, DelaMelena T, Glissmeyer M, Steinbock K. Alternative therapy used as primary treatment for breast cancer negatively impacts outcomes. Ann Surg Oncol. 2011; 18(4): 912-6. [PMID: 21225354]
17) Risberg T, Vickers A, Bremnes RM, Wist EA, Kaasa S, Cassileth BR. Does use of alternative medicine predict survival from cancer? Eur J Cancer. 2003; 39(3): 372-7. [PMID: 12565991]
18) Society for Integrative Oncology. https://integrativeonc.org
19) National Center for Complementary and Integrative Health. https://nccih.nih.gov(アクセス日 : 2021/9)
20) 厚生労働省『「統合医療」に係る情報発信等推進事業』eJIM. http://www.ejim.ncgg.go.jp/public/index.html(アクセス日 : 2021/9)

FRQ 20 乳癌診療において次世代シークエンサー等を用いた遺伝子パネル検査は有用か？

ステートメント

- 転移乳癌に対して，遺伝子パネル検査を行う適切な時期や予後改善効果は，現時点では明らかではないが，薬剤開発や臨床試験に組み込まれており，その有用性が明らかとなることが期待されている。
- 遺伝子パネル検査前の留意事項としての「標準治療」は，一般的には，ガイドラインの各項で「強く推奨」されている治療と位置付ける。ただし，個々の患者の状況に応じて，すべてを行わずとも遺伝子パネル検査の対象となり得る。
- 遺伝子パネル検査を行うタイミングとしては，腫瘍組織または血液提出後，解析結果の返却までの期間が 4〜8 週であることを考慮すると，標準治療中，かつその終了が見込まれた時点で実施することが望ましい。
- 現状（標準治療終了後が保険適用の条件）では，検査後の試験的治療への参加可能性（全身状態，転移臓器など）が検査の適用判断にも影響する。
- 試験的治療を実施する施設へのアクセスなども，遺伝子パネル検査の適用判断に考慮すべき要因であるが，遠方というだけで検査適用を否定すべきでない。現状では試験的治療自体の数が少ないこと，試験的治療実施施設の数が少ないことが問題となっている。
- 今後，リキッドバイオプシーによる複数回の遺伝子パネル検査を前提とした治療開発が進むことが想定される。

背景

これまで乳癌における薬物療法は，主に免疫組織化学法を用いたサブタイプ別に治療選択が行われてきた。しかし，近年の遺伝子解析技術の発展に伴い，次世代シークエンス（next generation sequencing；NGS）を用いて多数の遺伝子を網羅的に解析することが可能となった。遺伝子パネルには薬物療法の有効性，確定診断および予後予測に係る既知の遺伝子が含まれ，遺伝子変異，欠失，挿入，遺伝子融合，コピー数異常等の情報を一度に明らかにできる。現在承認されている包括的ながんゲノムプロファイリング検査は薬物療法の治療の適応の判断や効果予測を行うことを主たる目的としている。

乳癌診療における遺伝子パネル検査の有効性や適切な実施時期についてはいまだ不明な点が多いため，本 FRQ にて解説する。

解説

1）遺伝子パネル検査について

「OncoGuide™ NCC オンコパネル システム（以下，NOP）」と「FoundationOne® CDx がんゲ

ノムプロファイル(以下，F1)」「FoundationOne Liquid® CDx がんゲノムプロファイル(以下，F1L)」の3つの遺伝子パネル検査が包括的ながんゲノムプロファイリング検査として保険収載されている。遺伝子パネル検査には大きく分けて2つの機能がある。1つは，特定のバイオマーカーの有無ではなく，検出された遺伝子異常を総合的に判断して治療選択につなげるがんゲノムプロファイリング機能，もう1つは，コンパニオン診断薬としての分析学的・臨床的妥当性が示されたコンパニオン診断機能(F1とF1Lのみ)である。

各々の検査の特性については，日本臨床腫瘍学会，日本癌治療学会，日本癌学会が合同で「次世代シークエンサー等を用いた遺伝子パネル検査に基づくがん診療ガイダンス　第2.1版」(以下，ガイダンス)を刊行しているので，固形癌におけるがん遺伝子パネル検査の対象患者と検査の時期，実施医療機関の要件，エビデンスレベルの分類，患者への説明内容，検体の準備，エキスパートパネルの実施について等と合わせて参照されたい。

また，遺伝子パネル検査に適する検体，ピットフォールなどについては，乳癌診療ガイドライン②疫学・診断編2022年版，病理診断のFRQ6を参照されたい。

2）乳癌における遺伝子パネル検査

現在までに，乳癌領域においても，遺伝子パネル検査に関連する臨床試験の結果がいくつか報告されている。

SAFIR01試験は転移乳癌患者を対象に，遺伝子パネル検査を行うことで，その結果に基づいた標的治療が行われた患者の割合を明らかにすることを目的とした[1]。登録された423例のうち，治療標的として介入が期待される遺伝子変異(actionable変異)は195例(46%)に同定された。頻度としては*PIK3CA*変異：25%，*CCND1*増幅：18%，*FGFR1*増幅：12%の順に多く，5%以下のものとして，*AKT1*変異，*EGFR*増幅，*MDM2*増幅，*FGFR2*増加または増幅，*AKT2*増幅，*IGF1R*増幅，*MET*増幅が認められた。しかし，遺伝子変異(druggable変異)に基づいて治療されたのはわずか55例(13%)であり，さらに，55例のうち52例は臨床試験内(未承認薬)で行われた。

SHIVA試験は進行再発固形癌患者を対象として，遺伝子パネル検査に基づいたmolecularly targeted agent(MTA)と治療担当医が選択するtreatment of physician's choice(TPC)を比較したランダム化第Ⅱ相比較試験である[2]。個々の疾患に適応のある標準治療(分子標的薬を含む)に対して抵抗性であること，転移・再発巣の生検が可能であることなどが適格基準とされた。741例が登録され，293例(40%)に治療標的となる遺伝子変異が同定され，このうち195例(26%，40例が乳癌)がMTA群とTPC群に割り付けられた。主要評価項目である無増悪生存期間(PFS)はMTA群：2.3カ月(95%CI 1.7-3.8)，TPC群：2.0カ月(95%CI 1.8-2.1)と両群に有意差を認めなかった〔ハザード比(HR)0.88，95%CI 0.65-1.19，$p=0.41$〕。しかし，本試験ではMTAは多くは単剤での投与であったことや，この当時に使用できるMTAが限定的であったため，現在の背景とは大きく異なっていることに留意する必要がある。

わが国でもTOP-GEARプロジェクトとして，国立がん研究センターにおいてNOPを用いたfeasibility studyが行われている[3]。2016年5月～2017年5月の期間にTOP-GEARプロジェクト第2期が行われ，248例の固形癌患者が登録された。このうち，212例にNOPによる解析が行われ，187例の遺伝子情報が得られた。なお，乳癌患者は本試験に8.4%含まれている。1つ以上の遺伝子異常は156例(83.4%)に，actionable変異は109例(58.2%)に検出された。遺伝子異常の頻度は，*TP53*：40.1%，*KRAS*：15.5%，*PIK3CA*：11.8%，*APC*：5.3%であった。遺伝子異常に基づいて治療が行われた症例は25例(13.4%)であり，その内訳は治験薬15例(60%)，保険適用ではない既存薬4例(16%)，既承認薬6例(24%)であったが，乳癌はこのうち1例のみであった。

3）リキッドバイオプシー(ctDNA)による遺伝子パネル検査

リキッドバイオプシーとは血液や体液に含まれる細胞や核酸を解析することであり，より低侵襲に検体を得ることが可能である[4]。その適応，目的は，①癌の早期発見，②病変全体の分子学的不均一性の評価，③腫瘍ダイナミクスのモニタリング，④治療の標的となる遺伝子の同定，⑤治療効果の早期判定，⑥微小残存病変のモニタリング，⑦リアルタイムでの治療抵抗性の評価など，非常に多岐にわたる[5]。

ctDNA(circulating tumor DNA)は，血液中に遊離しているcfDNA(cell free DNA)のうち腫瘍由来のDNAであり，狭義のリキッドバイオプシーはこれを解析するものである。ctDNA解析はすでに薬事承認されたキットなどのように，限られた遺伝子を解析するPCRベースのアッセイと，がんゲノムプロファイリング検査を目的としたNGSベースのアッセイに大別される。

乳癌患者においてさまざまな状況でctDNAの検出を行った研究のメタアナリシスで，ctDNAの検出がDFSの短縮と有意に相関する(HR 4.44)ことが示された[6]。サブ解析で早期癌(HR 8.32)でも進行・転移癌(HR 1.91)でも有意差が示された。ただし，このメタアナリシスにはエンドポイントの取り扱い〔無病生存期間(DFS)，無再発生存期間(RFS)，PFSをまとめて解析している〕などに懸念もあり，さらなる研究が必要である。

進行・転移乳癌においては，リキッドバイオプシーで*ESR1*や*PIK3CA*の変異を同定することが薬剤の効果予測となるいくつかのエビデンスがあり，臨床応用が期待される[7)〜10)]。

がんゲノムプロファイリング検査を目的としたNGSベースのアッセイとしては，進行・転移乳癌に対してGurdant360を用いてctDNAの遺伝子パネル解析を行い，遺伝子変異に基づく治療の有用性を検討したUmbrella試験として，plasmaMATCH試験(NCT 03182634)があり，その結果の一部が発表された[10]。主要評価項目は奏効率で，全身治療を1レジメン以上受けた，または周術期化学療法から1年以内に再発した進行・転移乳癌患者1,051人が登録され，遺伝子変異別に治療が行われた。その結果，特に*HER2*変異陽性例に対するneratinib(未承認)(奏効割合25%)，*AKT1*変異陽性に対するcapivasertib(未承認)(奏効割合22%)が有効であったと結論付けられた。

日本では2021年8月よりF1Lが保険適用となった。ただし，以下の2条件が付されており，現時点では組織を用いた検査の補完的位置付けに留まっている。

(https://www.mhlw.go.jp/content/12404000/000805789.pdf)

ア　医学的な理由により，固形腫瘍の腫瘍細胞を検体としてがんゲノムプロファイリング検査を行うことが困難な場合。この際，固形腫瘍の腫瘍細胞を検体とした検査が実施困難である医学的な理由を診療録及び診療報酬明細書の摘要欄に記載すること。

イ　固形腫瘍の腫瘍細胞を検体として実施したがんゲノムプロファイリング検査において，包括的なゲノムプロファイルの結果を得られなかった場合。この際，その旨を診療録及び診療報酬明細書の摘要欄に記載すること。

ctDNAを用いた検査のほうが試験的治療への到達割合が高いという国内での消化器癌対象の研究[11]や転移乳癌で組織を用いたがんゲノムプロファイリング検査とリキッドバイオプシーを比較して，後者のほうが検査結果にマッチした治療への到達割合が11%対34%と高く，マッチした治療を受けた患者群でOSが改善された(多変量解析後のHR 0.46)という研究[12]もあり，リキッドバイオプシーには利点もある。一方で，先述のガイダンスでも示されているように，ctDNAが血液中に十分に存在していない場合，検出できないことがある点，加齢とともにクローン性造血(clonal hematopoiesis of indeterminate potential；CHIP)が生じctDNAの遺伝子変化との区別が問題になることがある点，などの欠点もいくつかある。

現在，AURORA試験(NCT02102165，2021年7月プロトコール修正のために中断中)，BioItaLEE試験(NCT03439046，2021年5月で患者募集は終了，追跡中)，MOSTAR-SCREEN試験(UMIN000036749，2021年10月時点で患者募集は終了，追跡中)，MOSTAR-SCREEN2試験(UMIN000043899，2021年10月時点で患者募集中)などが行われており，今後の結果に注目したい(**表1**)。

4) 乳癌患者に対する遺伝子パネル検査に関する考え方

(1) 遺伝子パネル検査の目的

遺伝子パネル検査の目的の一つは，腫瘍の生物学的特徴を詳細に検討して，より精密な薬剤選

表1　転移乳癌に対するリキッドバイオプシーの有用性を検証する現在進行中の臨床試験

試験名	登録予定患者数	試験概要
The Aiming to Understand the Molecular Aberrations in Metastatic Breast Cancer “AURORA” trial (NCT02102165)	1,000人	アーカイブサンプルと転移巣の生検標本に対してNGSを行い，actionableな標的遺伝子を検索する。登録患者はベースライン，以後6カ月ごとに増悪まで血漿サンプルも採取される。
The Study of the Molecular Features of Postmenopausal Women With HR+HER2-negative aBC on First-line Treatment With Ribociclib and Letrozole “BioItaLEE” (NCT03439046)	287人	一次治療として，ribociclib+レトロゾール療法が行われている症例において，ctDNAの経時的変化と臨床効果との関連性を評価することを目的としたイタリアでの単アームの試験。また，*PIK3CA*変異陽性例では，それに続くalpelisib+フルベストラント療法中も同様にctDNAを解析し，遺伝子変化のパターン等を評価する。
Multicenter Study to Profile and Monitor Cancer-related Genomic Alterations in Circulating Tumor DNA and the Gut Microbiome in Advanced Solid Malignancies “MONSTAR-SCREEN” (UMIN000036749)	2,300人	治癒切除不能な固形悪性腫瘍患者の血液循環腫瘍DNA(circulating tumor DNA；ctDNA)および便を経時的に解析し，がん関連遺伝子異常および腸内細菌叢をプロファイリング・モニタリングする。
A Multicenter Study on Biomarker Development Utilizing AI Multiomics for Patients with Advanced Solid Malignant Tumors “MONSTAR-SCREEN2” (UMIN000043899)	2,750人	組織ゲノムプロファイリング・血液ゲノムプロファイリングで評価された腫瘍組織・ctNAにおける遺伝子異常・RNA発現・バイオマーカーのプロファイル，血液における生殖細胞系列遺伝子異常のプロファイルおよびIHCにより評価された腫瘍組織におけるタンパク質発現の結果等と臨床病理学的因子・臨床経過等との関連を評価する。

択や効果予測につなげることにある。一例として，アロマターゼ阻害薬投与後のホルモン受容体陽性 HER2 陰性乳癌に対して腫瘍組織を用いて評価した *PIK3CA* 変異陽性例への alpelisib の有用性を示した SOLAR-1 試験[9]や ctDNA を用いて評価した *PIK3CA* 変異陽性例への buparlisib の有用性を示した BELLE-2 試験[13]などが挙げられ，前者は F1 および *therascreen* PIK3CA RGQ PCR Kit をコンパニオン診断薬として FDA が薬剤を承認している。しかし，後述の通り，現時点での日本では保険適用となる患者は「標準治療がない固形がん患者又は局所進行若しくは転移が認められ標準治療が終了となった固形がん患者(終了が見込まれる者を含む)」とされていることから，試験的治療(治験，患者申出療養，自費診療)への足掛かりとして用いることが主な目的となっている。

(2) 遺伝子パネル提出検査前の留意事項としての「標準治療」について

現在保険収載されている遺伝子パネル検査の適応となる患者は「標準治療がない固形がん患者又は局所進行若しくは転移が認められる標準治療が終了となった固形がん患者(終了が見込まれる者を含む。)であって，関連学会の化学療法に関するガイドライン等に基づき，全身状態および臓器機能等から，本検査施行後に化学療法の適応となる可能性が高いと主治医が判断した者」とされている。パネル検査提出前の留意事項としての標準治療をどのように定義するか議論の余地のあるところであるが，少なくとも本ガイドラインで強く推奨されている治療(**表 2**)は該当すると考える。ただし，個々の患者の状況に応じて，前治療の有効性/安全性，全身状態，患者希望などにより，以下のすべてを行わずとも遺伝子パネル検査の対象となり得る。遺伝子パネル検査を

表 2　本ガイドラインで強く推奨されている治療

ER 陽性 HER2 陰性乳癌
・内分泌療法薬，CDK4/6 阻害薬 ・周術期化学療法においてアンスラサイクリン系薬剤，タキサン系薬剤が未使用の場合 　1st line として，アンスラサイクリン系薬剤またはタキサン系薬剤 　2nd line として，上記の未使用薬，エリブリン，または経口フッ化ピリミジン系薬剤のうちいずれか 　ただし，周術期化学療法においてアンスラサイクリン系薬剤，タキサン系薬剤を使用している場合は，内分泌療法薬，CDK4/6 阻害薬の投与の終了が見込まれる時点で遺伝子パネル検査を検討してよい。
HER2 陽性乳癌
・トラスツズマブ＋ペルツズマブ＋タキサン系薬剤 ・トラスツズマブ デルクステカン(T-DXd) ・トラスツズマブ エムタンシン(T-DM1)
トリプルネガティブ乳癌
・周術期化学療法においてアンスラサイクリン系薬剤，タキサン系薬剤が未使用の場合 　1st line として，アンスラサイクリン系薬剤またはタキサン系薬剤 　2nd line として，上記の未使用薬，エリブリン，または経口フッ化ピリミジン系薬剤のうちいずれか 　ただし，周術期化学療法においてアンスラサイクリン系薬剤，タキサン系薬剤を使用している場合は，遺伝子パネル検査を検討してよい。 ・PD-L1 陽性の場合，PD-1/PD-L1 阻害薬
その他
・germline *BRCA* 病的バリアントを有する場合，オラパリブ

行うタイミングとしては，検体提出後，解析結果の返却までのターンアラウンドタイムが組織を用いた検査で6～8週，リキッドバイオプシーで2～4週であることを考慮すると，標準治療中，かつその終了が見込まれた時点で実施することが望ましい。

(3) 遺伝子パネル検査の対象患者

パネル検査の結果得られたdruggable gene alterationsに関する治療の実施可能性（多くは試験的治療への参加可能性だが，MSIやTMB-Hへの抗PD-1抗体，NTRK融合遺伝子へのNTRK阻害薬など，臓器横断的な適応を有する薬剤の実施可能性も含む）が，ある程度想定される患者（具体的には下記解説参照）が良い対象となる。これらについて事前に確認しておくことが望ましい。下記に該当しない患者へのパネル検査提出を直ちに否定するものではないが，少なくとも試験的治療にアクセスできる可能性は非常に低いことが事前に患者や家族と共有されているべきである。特に施設のパネル検査に関する診療リソースに制約がある場合は慎重な判断が求められる。また，試験的治療の限界（参加できない可能性，効果が保証されるものではないこと）も併せて共有されることが望ましい。

・本人が試験的治療を希望している。
・試験的治療については，使用された症例数が限られていることから，予測されないような有害事象が起こる懸念があること，治療効果が保証されるものではないことについて，理解が得られている。
・試験的治療実施施設へのアクセスが現実的に可能。試験的治療を実施する医療機関には，事前に数回の外来受診，実施時に1カ月程度の入院の可能性，継続時に毎週の通院などが想定される。実施施設がたとえ遠方であっても本人および家族が，肉体的，精神的，時間的，経済的負担を受容できる場合は可能と判断してよい。
・一般的な試験的治療の適格基準/除外基準をクリアすると想定される。具体的な検討事項例としては，全身状態，臓器機能，中枢神経転移などの転移臓器，多重がんなどの既往歴，ウイルス性肝炎などの合併症，生理的補充量を超える投与量のステロイドなどの内服薬，免疫療法などの代替療法を含む治療歴，試験的治療への参加に際し支障となる社会経済状態等。

5）問題点と今後の展望

日本臨床腫瘍学会・日本癌治療学会・日本癌学会合同の「次世代シークエンサー等を用いた遺伝子パネル検査に基づくがん診療ガイダンス」第2.1版では，コンセンサスベースではあるが，治療ラインのみでがんゲノムプロファイリング検査を行う時期を限定すべきではないと改訂された。検出されたgene alterationに対応する薬剤の開発段階によっては，対応する治験の適格基準が「再発後未治療の患者のみ」となっているため，「現状の保険診療のがんゲノムプロファイル検査を受けた患者は自動的に全員不適格」となるケースもある（例えば，*PIK3CA*，*AKT1*，*PTEN*変異を対照としたAKT阻害薬の第Ⅲ相試験：NCT03337724）。また現状では，前述の通り，実際に治療にたどり着く可能性は決して高くなく，規制当局との調整やさらなる法整備が望まれる。先述のリキッドバイオプシーの特性を鑑みても，「より早いタイミングでの検査提出」や「組織検査の補完ではなく，リキッドバイオプシーの特性を活かした検査提出」や「複数回の検査提出（特に治療薬投与後の耐性メカニズムに応じた次治療検討を可能にするためにはリキッドバイオプシーの反復提出が必要不可欠になる）」などを可能にするような保険適用条件の改善が求められる。

代表的ながんゲノムプロファイル検査の一つ MSK-IMPACT を 10,000 人のさまざまながん種の患者に行った米国の MSKCC からの報告では，11％の患者が，検出された遺伝子変異にマッチした臨床試験に参加できたが，同時期に MSKCC では特定の遺伝子変異に対応する臨床試験が 197 件進行していた[14]。日本で行われる臨床試験の数自体が増えることも重要である。患者申出療養を用いた受け皿試験が始まったが，試験の実施施設も非常に限られており，現状では患者の居住地により試験的治療へのアクセスには大きな格差があるといわざるを得ない。

検索キーワード・参考にした二次資料

PubMed で，"cancer genome panel"，"cancer genome profiling"，"next generation sequencing" 等で検索した。

参考文献

1) André F, Bachelot T, Commo F, Campone M, Arnedos M, Dieras V, et al. Comparative genomic hybridisation array and DNA sequencing to direct treatment of metastatic breast cancer: a multicentre, prospective trial (SAFIR01/UNICANCER). Lancet Oncol. 2014; 15(3): 267-74. [PMID: 24508104].
2) Le Tourneau C, Delord JP, Gonçalves A, Gavoille C, Dubot C, Isambert N, et al; SHIVA investigators. Molecularly targeted therapy based on tumour molecular profiling versus conventional therapy for advanced cancer (SHIVA): a multicentre, open-label, proof-of-concept, randomised, controlled phase 2 trial. Lancet Oncol. 2015; 16(13): 1324-34. [PMID: 26342236]
3) Sunami K, Ichikawa H, Kubo T, Kato M, Fujiwara Y, Shimomura A, et al. Feasibility and utility of a panel testing for 114 cancer-associated genes in a clinical setting: a hospital-based study. Cancer Sci. 2019; 110(4): 1480-90. [PMID: 30742731]
4) Wan JCM, Massie C, Garcia-Corbacho J, Mouliere F, Brenton JD, Caldas C, et al. Liquid biopsies come of age: towards implementation of circulating tumour DNA. Nat Rev Cancer. 2017; 17(4): 223-38. [PMID: 28233803]
5) Diaz LA Jr, Bardelli A. Liquid biopsies: genotyping circulating tumor DNA. J Clin Oncol. 2014; 32(6): 579-86. [PMID: 24449238]
6) Cullinane C, Fleming C, O'Leary DP, Hassan F, Kelly L, O'Sullivan MJ, et al. Association of circulating tumor DNA with disease-free survival in breast cancer: a systematic review and meta-analysis. JAMA Netw Open. 2020; 3(11): e2026921. [PMID: 33211112]
7) Fribbens C, O'Leary B, Kilburn L, Hrebien S, et al. Plasma ESR1 mutations and the treatment of estrogen receptor-positive advanced breast cancer. J Clin Oncol. 2016; 34(25): 2961-8. [PMID: 27269946]
8) O'Leary B, Hrebien S, Morden JP, Beaney M, Fribbens C, Huang X, et al. Early circulating tumor DNA dynamics and clonal selection with palbociclib and fulvestrant for breast cancer. Nat Commun. 2018; 9(1): 896. [PMID: 29497091]
9) André F, Ciruelos E, Rubovszky G, Campone M, Loibl S, Rugo HS, et al; SOLAR-1 Study Group. Alpelisib for PIK3CA-mutated, hormone receptor-positive advanced breast cancer. N Engl J Med. 2019; 380(20): 1929-40. [PMID: 31091374]
10) Turner NC, Kingston B, Kilburn LS, Kernaghan S, Wardley AM, Macpherson IR, et al. Circulating tumour DNA analysis to direct therapy in advanced breast cancer(plasmaMATCH): a multicentre, multicohort, phase 2a, platform trial. Lancet Oncol. 2020; 21(10): 1296-308. [PMID: 32919527]
11) Nakamura Y, Taniguchi H, Ikeda M, Bando H, Kato K, Morizane C, et al. Clinical utility of circulating tumor DNA sequencing in advanced gastrointestinal cancer: SCRUM-Japan GI-SCREEN and GOZILA studies. Nat Med. 2020; 26(12): 1859-64. [PMID: 33020649]
12) Vidula N, Niemierko A, Malvarosa G, Yuen M, Lennerz J, Iafrate AJ, et al. Tumor tissue-versus plasma-based genotyping for selection of matched therapy and impact on clinical outcomes in patients with metastatic breast cancer. Clin Cancer Res. 2021; 27(12): 3404-13. [PMID: 33504549]
13) Baselga J, Im SA, Iwata H, Cortes J, De Laurentiis M, Jiang Z, et al. Buparlisib plus fulvestrant versus placebo plus fulvestrant in postmenopausal, hormone receptor-positive, HER2-negative, advanced breast cancer (BELLE-2): a randomised, double-blind, placebo-controlled, phase 3 trial. Lancet Oncol. 2017; 18(7): 904-16.
14) Zehir A, Benayed R, Shah RH, Syed A, Middha S, Kim HR, et al. Mutational landscape of metastatic cancer revealed from prospective clinical sequencing of 10,000 patients. Nat Med. 2017; 23(6): 703-13. [PMID: 28481359]

乳腺悪性葉状腫瘍の遠隔転移に対して薬物療法は勧められるか？

ステートメント

- 乳腺悪性葉状腫瘍に対する薬物療法の有用性を検証した前向き試験はなく，軟部肉腫に準じ，一次治療ではドキソルビシン単剤，二次治療以降ではパゾパニブ，エリブリン，トラベクテジンなどの治療を行うことを考慮する。

背景

乳腺悪性葉状腫瘍は極めて稀な疾患であり，治療の基本は外科的切除である。局所再発が比較的多く，ときに遠隔転移をきたすが，術後放射線治療，術後薬物療法のエビデンスは乏しく，確立していない。遠隔転移に対する薬物療法の有効性について前向きの比較試験はなく，実地診療においては，軟部肉腫に準じた治療が行われている。

解説

乳腺葉状腫瘍は乳腺全腫瘍の0.3～0.9％と稀な腫瘍であり[1)]，組織学的特徴により，良性型・境界型・悪性型に分類される[2)]。良性型でも局所再発を起こすことがあり，再発時に悪性転化し得る[3)]。悪性型は13～40％が遠隔転移をきたし，好発部位は肺であるが，胸膜，骨，脳にも転移する。

乳腺悪性葉状腫瘍の遠隔転移に対する薬物療法は，発生頻度が低いため限られた症例数の後ろ向き解析報告に限られ[4)5)]，軟部肉腫に対する薬物療法に準じて行われるのが一般的である[6)～9)]。

軟部肉腫に対する一次治療として，これまでにドキソルビシンを対照群としてさまざまな単剤または併用レジメンを比較する第Ⅲ相試験が行われてきたが，全生存期間（OS）の優越性を示したレジメンはなく，ドキソルビシン単剤が現在も標準治療として用いられている。第Ⅲ相試験のEORTC 32012（n＝228）では軟部肉腫の一次治療として，ドキソルビシン単剤とドキソルビシン＋イホスファミド併用療法が比較された。主要評価項目であるOSに有意差は認められなかった〔単剤12.8カ月vs併用14.3カ月，ハザード比（HR）0.83，p＝0.076〕。しかしながら，無増悪生存期間（PFS）（4.6カ月vs 7.4カ月），奏効率（14％ vs 26％）では併用群が有意差をもって優れていた。好中球減少，発熱性好中球減少症，貧血，血小板減少などのGrade 3～4の毒性は，併用群で多かった。したがって，化学療法併用レジメンは，患者の状態が良好で，かつ腫瘍の縮小が望まれる場合に限り，その使用が考慮される[10)]。

ドキソルビシン不応性軟部肉腫に対する二次治療以降の治療として，ランダム化比較試験によって有効性が検証された保険承認薬剤には，パゾパニブ，エリブリン，トラベクテジンがあるが，それぞれの主な臨床試験に乳腺悪性葉状腫瘍症例は含まれておらず，注意が必要である。

パゾパニブは血管新生をターゲットとするマルチチロシンキナーゼ阻害薬でVEGFR，PDGFR，c-Kitなどを阻害する。第Ⅲ相試験（PALETTE試験）では，アンスラサイクリンやイホスファミド，ゲムシタビンを含む一次治療以降の軟部肉腫に対してパゾパニブを投与し，主要評価項目のPFSはパゾパニブ投与群で4.6カ月とプラセボ群の1.6カ月に対して有意な延長を認めた。OSに差はなかった(12.5カ月 vs 10.7カ月)。主な有害事象は倦怠感，高血圧，下痢，食思不振であった[11)]。

エリブリンは，アンスラサイクリン系化学療法薬を含む少なくとも2レジメンの前治療後に増悪した進行再発悪性軟部腫瘍(脂肪肉腫または平滑筋肉腫)に対して，ダカルバジンを対照とした第Ⅲ相試験(309試験)において，OSを有意に延長した(13.5カ月 vs 11.5カ月)。PFSは有意差がなく(両群とも2.6カ月)，また奏効率も差がなかった(4% vs 5%)。主な有害事象は，好中球減少，疲労，脱毛，悪心，末梢神経障害であった[12)]。

トラベクテジンはアルカロイド化合物であり，DNA修復機構や細胞増殖に関与する遺伝子の転写を制御することで抗腫瘍効果を発揮する。前治療において使用可能な化学療法に無効または不応となった，染色体転座が報告されている進行軟部肉腫を対象に，ベストサポーティブケアを対照とする国内第Ⅱ相比較試験が行われた[13)]。主要評価項目のPFSはトラベクテジン群で有意に延長した(5.6カ月 vs 0.9カ月)。主な有害事象は，骨髄抑制，肝機能異常，消化管毒性，倦怠感，横紋筋融解症などであった。海外で行われた染色体転座を有さない軟部肉腫を含む第Ⅲ相試験(T-SAR試験)でも同様の結果であった(わが国の承認用量は海外とは異なる)[14)]。

その他の薬剤として保険適用外ではあるが，ゲムシタビン，ドセタキセル，ダカルバジンなどの単剤または併用療法が用いられることがある[15)]。

葉状腫瘍の20～40%はホルモン受容体陽性であるが内分泌療法には反応しないため，その使用は推奨されない[16)]。

以上のように，乳腺悪性葉状腫瘍に限って薬物療法の有用性を検証した前向き研究はなく，治療法は確立していない。稀少な疾患であるゆえに大規模な比較試験によるエビデンスの構築は今後も困難と考えられるため，現状では個々の症例に応じて軟部肉腫に準じた薬物療法を行うことを考慮する。

薬物療法

検索キーワード・参考にした二次資料

PubMedで，"Breast Neoplasms(またはBreast Cancer)"，"Phyllodes Tumor"，"drug therapy(または，Antineoplastic Agents, chemotherapy)"のキーワードで検索した。検索期間は2021年3月31日までとし，49件がヒットした。また，ハンドサーチにて5件の文献を追加した。

参考文献

1) Tan EY, Tan PH, Yong WS, Wong HB, Ho GH, Yeo AW, et al. Recurrent phyllodes tumours of the breast: pathological features and clinical implications. ANZ J Surg. 2006; 76(6): 476-80. [PMID: 16768772]
2) Guerrero MA, Ballard BR, Grau AM. Malignant phyllodes tumor of the breast: review of the literature and case report of stromal overgrowth. Surg Oncol. 2003; 12(1): 27-37. [PMID: 12689668]
3) Barrio AV, Clark BD, Goldberg JI, Hoque LW, Bernik SF, Flynn LW, et al. Clinicopathologic features and long-term outcomes of 293 phyllodes tumors of the breast. Ann Surg Oncol. 2007; 14(10): 2961-70. [PMID: 17562113]
4) Confavreux C, Lurkin A, Mitton N, Blondet R, Saba C, Ranchère D, et al. Sarcomas and malignant phyllodes tumours of the breast--a retrospective study. Eur J Cancer. 2006v; 42(16): 2715-21. [PMID: 17023158]
5) Parkes A, Wang WL, Patel S, Leung CH, Lin H, et al. Outcomes of systemic therapy in metastatic phyllodes tumor of the breast. Breast Cancer Res Treat. 2021; 186(3): 871-82. [PMID: 33575859]
6) NCCN Clinical Practice Guidelines in Oncology. Breast Cancer ver 5. 2021. http://www.nccn.org (アクセス日: 2021/8)

7) NCCN Clinical Practice Guidelines in Oncology. Soft Tissue Sarcoma ver 2. 2021. http://www.nccn.org （アクセス日：2021/8）
8) Gronchi A, Miah AB, Dei Tos AP, Abecassis N, Bajpai J, Bauer S, et al; ESMO Guidelines Committee, EURACAN and GENTURIS. Soft tissue and visceral sarcomas: ESMO-EURACAN-GENTURIS Clinical Practice Guidelines for diagnosis, treatment and follow-up ☆. Ann Oncol. 2021; 32(11): 1348-65. [PMID: 34303806]
9) Li GZ, Raut CP, Hunt KK, Feng M, Chugh R. Breast sarcomas, phyllodes tumors, and desmoid tumors: epidemiology, diagnosis, staging, and histology-specific management considerations. Am Soc Clin Oncol Educ Book. 2021; 41: 390-404. [PMID: 34010054]
10) Judson I, Verweij J, Gelderblom H, Hartmann JT, Schöffski P, Blay JY, et al; European Organisation and Treatment of Cancer Soft Tissue and Bone Sarcoma Group. Doxorubicin alone versus intensified doxorubicin plus ifosfamide for first-line treatment of advanced or metastatic soft-tissue sarcoma: a randomised controlled phase 3 trial. Lancet Oncol. 2014; 15(4): 415-23. [PMID: 24618336]
11) van der Graaf WT, Blay JY, Chawla SP, Kim DW, Bui-Nguyen B, Casali PG, et al; EORTC Soft Tissue and Bone Sarcoma Group; PALETTE study group. Pazopanib for metastatic soft-tissue sarcoma(PALETTE): a randomised, double-blind, placebo-controlled phase 3 trial. Lancet. 2012; 379(9829): 1879-86. [PMID: 22595799]
12) Schöffski P, Chawla S, Maki RG, Italiano A, Gelderblom H, Choy E, et al. Eribulin versus dacarbazine in previously treated patients with advanced liposarcoma or leiomyosarcoma: a randomised, open-label, multicentre, phase 3 trial. Lancet. 2016; 387(10028): 1629-37. [PMID: 26874885]
13) Kawai A, Araki N, Sugiura H, Ueda T, Yonemoto T, Takahashi M, et al. Trabectedin monotherapy after standard chemotherapy versus best supportive care in patients with advanced, translocation-related sarcoma: a randomised, open-label, phase 2 study. Lancet Oncol. 2015; 16(4): 406-16. [PMID: 25795406]
14) Le Cesne A, Blay JY, Cupissol D, Italiano A, Delcambre C, Penel N, et al. A randomized phase Ⅲ trial comparing trabectedin to best supportive care in patients with pre-treated soft tissue sarcoma: T-SAR, a French Sarcoma Group trial. Ann Oncol. 2021; 32(8): 1034-44. [PMID: 33932507]
15) Seddon B, Strauss SJ, Whelan J, Leahy M, Woll PJ, Cowie F, et al. Gemcitabine and docetaxel versus doxorubicin as first-line treatment in previously untreated advanced unresectable or metastatic soft-tissue sarcomas(GeDDiS): a randomised controlled phase 3 trial. Lancet Oncol. 2017; 18(10): 1397-410. [PMID: 28882536]
16) Sapino A, Bosco M, Cassoni P, Castellano I, Arisio R, Cserni G, et al. Estrogen receptor-beta is expressed in stromal cells of fibroadenoma and phyllodes tumors of the breast. Mod Pathol. 2006; 19(4): 599-606. [PMID: 16554735]

付 1. 化学療法レジメンの処方例

初期治療・HER2 陰性

dose-dense AC or EC

1 サイクル：14 日
投与日：day 1
サイクル数：4

【点滴静注】

1. 5-HT_3受容体拮抗型制吐薬＋デキサメタゾン 9.9 mg＋生理食塩水 50 mL	15 分
2. ドキソルビシン 60 mg/m^2 or エピルビシン 90 mg/m^2＋生理食塩水 50 mL	15 分
3. シクロホスファミド 600 mg/m^2＋生理食塩水 250 mL	30 分
4. 生理食塩水 50 mL	15 分

【皮下注】day 2–day 4

1. ペグフィルグラスチム 3.6 mg 皮下注

【内服】

アプレピタント 125 mg day 1(化学療法薬投与 60〜90 分前に内服)，80 mg day 2，3(午前中に内服)，デキサメサゾン 8 mg day 2，3，4

AC

1 サイクル：21 日
投与日：day 1
サイクル数：4

【点滴静注】

1. 5-HT_3受容体拮抗型制吐薬＋デキサメタゾン 9.9 mg＋生理食塩水 50 mL	15 分
2. ドキソルビシン 60 mg/m^2＋生理食塩水 50 mL	15 分
3. シクロホスファミド 600 mg/m^2＋生理食塩水 250 mL	30 分
4. 生理食塩水 50 mL	15 分

【内服】

アプレピタント 125 mg day 1(化学療法薬投与 60〜90 分前に内服)，80 mg day 2，3(午前中に内服)，デキサメタゾン 8 mg day 2，3，4

EC

1 サイクル：21 日
投与日：day 1
サイクル数：4

【点滴静注】

1. 5-HT_3受容体拮抗型制吐薬＋デキサメタゾン 9.9 mg＋生理食塩水 50 mL	15 分
2. エピルビシン 90 mg/m^2＋生理食塩水 50 mL	15 分
3. シクロホスファミド 600 mg/m^2＋生理食塩水 250 mL	30 分
4. 生理食塩水 50 mL	15 分

【内服】

アプレピタント 125 mg day 1(化学療法薬投与 60〜90 分前に内服)，80 mg day 2，3(午前中に内服)，デキサメタゾン 8 mg day 2，3，4

TC

1 サイクル：21 日
投与日：day 1
サイクル数：4 or 6

【点滴静注】

1. 5-HT_3受容体拮抗型制吐薬＋デキサメタゾン 6.6 mg＋生理食塩水 50 mg　15 分
2. ドセタキセル 75 mg/m^2＋生理食塩水 250 mL　60 分
3. シクロホスファミド 600 mg/m^2＋生理食塩水 250 mL　30 分
4. 生理食塩水 50 mL　15 分

【内服】

デキサメタゾン錠 8 mg 分 2 day 1 夜〜day 3 朝(2 日間)

クラシカル CMF

1 サイクル：28 日
投与日：day 1
サイクル数：6

【内服】

シクロホスファミド 100 mg/m^2 朝 14 日間(day 1〜14)　体表面積 1.5 m^2未満は 100 mg(2 錠)，1.5 m^2以上は 150 mg(3 錠)

【点滴静注】投与日：day 1，8

1. メトトレキサート 40 mg/m^2＋生理食塩水 50 mL　20 分
2. フルオロウラシル 600 mg/m^2＋生理食塩水 50 mL　20 分
3. 生理食塩水 50 mL　20 分

毎週パクリタキセル

1 サイクル：7 日
投与日：day 1
投与回数：12 回

【点滴静注】

1. デキサメタゾン 6.6 mg＋ファモチジン 20 mg＋生理食塩水 50 mL　15 分
2. マレイン酸クロルフェニラミン 10 mg＋生理食塩水 50 mL　15 分
3. パクリタキセル 80 mg/m^2＋生理食塩水 250 mL　60 分
4. 生理食塩水 50 mL　15 分

3 週毎ドセタキセル

1 サイクル：21 日
投与日：day 1
サイクル数：4

【点滴静注】

1. デキサメタゾン 6.6 mg＋生理食塩水 50 mL　15 分
2. ドセタキセル 75〜100 mg/m^2＋生理食塩水 250 mL　60 分
3. 生理食塩水 50 mL　15 分

【内服】

デキサメタゾン錠 8 mg 分 2 day 1 夜〜day 3 朝(2 日間)

初期治療・HER2 陽性

トラスツズマブ＋ペルツズマブ＋ドセタキセル

1 サイクル：21 日
投与日：day 1
サイクル数：4(ペルツズマブとトラスツズマブは 1 年間)

【点滴静注】

1. ペルツズマブ初回 840 mg，2 回目以降 420 mg＋生理食塩水 250 mL	90 分(初回) 30 分(2 回目以降)
2. 生理食塩水 50 mL	60 分(初回) 30 分(2 回目以降)
3. トラスツズマブ初回 8 mg/kg，2 回目以降 6 mg/kg＋生理食塩水 250 mL	90 分(初回) 30 分(2 回目以降)
4. 生理食塩水 50 mL	60 分(初回) 30 分(2 回目以降)
5. デキサメタゾン 6.6 mg＋生理食塩水 50 mL	15 分
6. ドセタキセル 75 mg/m^2＋生理食塩水 250 mL	60 分
7. 生理食塩水 50 mL	15 分

【内服】

デキサメタゾン錠 8 mg 分 2 day 1 夜〜day 3 朝(2 日間)

トラスツズマブ＋ドセタキセル＋カルボプラチン(TCH)

1 サイクル：21 日
投与日：day 1
サイクル数：6(トラスツズマブは 1 年間)

【点滴静注】

1. トラスツズマブ初回 8 mg/kg，2 回目以降 6 mg/kg＋生理食塩水 250 mL	90 分(初回) 30 分(2 回目以降)
2. 5-HT$_3$受容体拮抗型制吐薬＋デキサメタゾン 6.6 mg＋生理食塩水 50 mL	15 分
3. ドセタキセル 75 mg/m^2＋生理食塩水 250 mL	60 分
4. カルボプラチン AUC 6＋生理食塩水 250 mL	60 分
5. 生理食塩水 50 mL	15 分

【内服】

アプレピタント 125 mg day 1(化学療法薬投与 60〜90 分前に内服)，80 mg day 2，3(午前中に内服)
デキサメタゾン錠 8 mg 分 2 day 1 夜〜day 3 朝(2 日間)

薬物療法

トラスツズマブ+パクリタキセル

1 サイクル：21 日
投与日：トラスツズマブ　day 1
　　　　パクリタキセル　day 1, 8, 15
サイクル数：4(トラスツズマブは 1 年間)

【点滴静注】

1. トラスツズマブ初回 8 mg/kg, 2 回目以降 6 mg/kg＋生理食塩水 250 mL	90 分(初回) 30 分(2 回目以降)
2. デキサメタゾン 6.6 mg＋ファモチジン 20 mg＋生理食塩水 50 mL	15 分
3. マレイン酸クロルフェニラミン 10 mg＋生理食塩水 50 mL	15 分
4. パクリタキセル 80 mg/m^2＋生理食塩水 250 mL	60 分
5. 生理食塩水 50 mL	15 分

【点滴静注】day 8, 15

1. デキサメタゾン 6.6 mg＋ファモチジン 20 mg＋生理食塩水 50 mL	15 分
2. マレイン酸クロルフェニラミン 10 mg＋生理食塩水 50 mL	15 分
3. パクリタキセル 80 mg/m^2＋生理食塩水 250 mL	60 分
4. 生理食塩水 50 mL	15 分

トラスツズマブ エムタンシン

1 サイクル：21 日
1 投与日：day 1
サイクル数：14

【点滴静注】

1. デキサメタゾン 6.6 mg＋生理食塩水 50 mL	15 分
2. トラスツズマブ エムタンシン 3.6 mg/kg＋生理食塩水 250 mL	90 分(初回) 30 分(2 回目以降)
3. 生理食塩水 50 mL	15 分

転移・再発治療・HER2 陰性

AC

1 サイクル：21 日
投与日：day 1

【点滴静注】

1. 5-HT$_3$受容体拮抗型制吐薬＋デキサメタゾン 9.9 mg＋生理食塩水 50 mL	15 分
2. ドキソルビシン　40〜60 mg/m^2＋生理食塩水 50 mL	15 分
3. シクロホスファミド　500〜600 mg/m^2＋生理食塩水 250 mL	30 分
4. 生理食塩水 50 mL	15 分

【内服】

アプレピタント 125 mg day 1(化学療法薬投与 60〜90 分前に内服), 80 mg day 2, 3(午前中に内服), デキサメタゾン 8 mg day 2, 3, 4

EC

1 サイクル：21 日

投与日：day 1

【点滴静注】

1. 5-HT_3受容体拮抗型制吐薬＋デキサメタゾン 9.9 mg＋生理食塩水 50 mL　15 分
2. エピルビシン 60～90 mg/m^2＋生理食塩水 50 mL　15 分
3. シクロホスファミド 500～600 mg/m^2＋生理食塩水 250 mL　30 分
4. 生理食塩水 50 mL　15 分

【内服】

アプレピタント 125 mg day 1（化学療法薬投与 60～90 分前に内服），80 mg day 2，3（午前中に内服），デキサメタゾン 8 mg day 2，3，4

パクリタキセル（3 週投与 1 週休薬）

1 サイクル：28 日

投与日：day 1，8，15

【点滴静注】

1. デキサメタゾン 6.6 mg＋ファモチジン 20 mg＋生理食塩水 50 mL　15 分
2. マレイン酸クロルフェニラミン 10 mg＋生理食塩水 50 mL　15 分
3. パクリタキセル 80 mg/m^2＋生理食塩水 250 mL　60 分
4. 生理食塩水 50 mL　15 分

3 週毎ドセタキセル

1 サイクル：21 日

投与日：day 1

【点滴静注】

1. デキサメタゾン 6.6 mg＋生理食塩水 50 mL　15
2. ドセタキセル 60～70 mg/m^2＋生理食塩水 250 mL　60 分
3. 生理食塩水 50 mL　15 分

【内服】

デキサメタゾン錠 8 mg 分 2 day 1 夜～day 3 朝（2 日間）

アルブミン懸濁型（nab）パクリタキセル（3 週毎）

1 サイクル：21 日

投与日：day 1

【点滴静注】

1. デキサメタゾン 6.6 mg※＋生理食塩水 50 mL　15 分
2. nab パクリタキセル 260 mg/m^2（100 mg あたり 20 mL の生理食塩水で懸濁）30 分
3. 生理食塩水 50 mL　15 分

※省略可

アテゾリズマブ＋アルブミン懸濁型（nab）パクリタキセル（3 週投与 1 週休薬）（PD-L1 陽性の場合）

1 サイクル：28 日
投与日：アテゾリズマブ　day 1，15
　　　：nab パクリタキセル　day 1，8，15

【点滴静注】投与日：day 1，15

1. 生理食塩水 50 mL　15 分
2. アテゾリズマブ 840 mg＋生理食塩水 250 mL　60 分（初回）
　30 分（2 回目以降）
3. デキサメタゾン 6.6 mg※＋生理食塩水 50 mL　15 分
4. nab パクリタキセル 100 mg/m^2（100 mg あたり 20 mL の生理食塩水で懸濁）30 分
5. 生理食塩水 50 mL　15 分

※省略可

【点滴静注】day 8

1. デキサメタゾン 6.6 mg※＋生理食塩水 50 mL　15 分
2. nab パクリタキセル 100 mg/m^2（100 mg あたり 20 mL の生理食塩水で懸濁）30 分
3. 生理食塩水 50 mL　15 分

※省略可

ペムブロリズマブ＋パクリタキセル（3 週投与 1 週休薬）（PD-L1 陽性の場合）

1 サイクル：ペムブロリズマブ　21 または 42 日，パクリタキセル　28 日

ペムブロリズマブ（3 週毎の場合）

1 サイクル：21 日
投与日：day 1

【点滴静注】

1. 生理食塩水 50 mL　15 分
2. ペムブロリズマブ 200 mg＋生理食塩水 50 mL　30 分
3. 生理食塩水 50 mL　15 分

ペムブロリズマブ（6 週毎の場合）

1 サイクル：42 日
投与日：day 1

【点滴静注】

1. 生理食塩水 50 mL　15 分
2. ペムブロリズマブ 400 mg＋生理食塩水 50 mL　30 分
3. 生理食塩水 50 mL　15 分

パクリタキセル（3 週投与 1 週休薬）

1 サイクル：28 日
投与日：day 1，8，15

【点滴静注】

1. デキサメタゾン 6.6 mg＋ファモチジン 20 mg＋生理食塩水 50 mL　15 分
2. マレイン酸クロルフェニラミン 10 mg＋生理食塩水 50 mL　15 分
3. パクリタキセル 90 mg/m^2＋生理食塩水 250 mL　60 分
4. 生理食塩水 50 mL　15 分

ペムブロリズマブ＋アルブミン懸濁型(nab)パクリタキセル(3 週投与 1 週休薬)(PD-L1 陽性の場合)

1 サイクル：ペムブロリズマブ　21 または 42 日，nab パクリタキセル　28 日

ペムブロリズマブ(3 週毎の場合)

1 サイクル：21 日

投与日：day 1

【点滴静注】

1. 生理食塩水 50 mL	15 分
2. ペムブロリズマブ 200 mg＋生理食塩水 50 mL	30 分
3. 生理食塩水 50 mL	15 分

ペムブロリズマブ(6 週毎の場合)

1 サイクル：42 日

投与日：day 1

【点滴静注】

1. 生理食塩水 50 mL	15 分
2. ペムブロリズマブ 400 mg＋生理食塩水 50 mL	30 分
3. 生理食塩水 50 mL	15 分

nab パクリタキセル(3 週投与 1 週休薬)

1 サイクル：28 日

投与日：day 1，8，15

【点滴静注】

1. デキサメタゾン 6.6 mg※＋生理食塩水 50 mL	15 分
2. nab パクリタキセル 100 mg/m^2(100 mg あたり 20 mL の生理食塩水で懸濁)	30 分
3. 生理食塩水 50 mL	15 分

※省略可

ペムブロリズマブ＋ゲムシタビン＋カルボプラチン

1 サイクル：21 日

投与日：ペムブロリズマブ　day 1，

　　　：ゲムシタビン＋カルボプラチン　day 1，8

【点滴静注】投与日：day 1

1. 生理食塩水 50 mL	15 分
2. ペムブロリズマブ 200 mg※＋生理食塩水 50 mL	30 分
3. 生理食塩水 50 mL	15 分
4. 5-HT$_3$受容体拮抗型制吐薬＋デキサメタゾン 6.6 mg＋生理食塩水 50 mL	15 分
5. ゲムシタビン 1,000 mg/m^2＋生理食塩水 100 mL	30 分
6. カルボプラチン AUC 2＋生理食塩水 250 mL	60 分
7. 生理食塩水 50 mL	15 分

※ペムブロリズマブは 400 mg 6 週毎も可

【点滴静注】day 8

1. 5-HT$_3$受容体拮抗型制吐薬＋デキサメタゾン 6.6 mg＋生理食塩水 50 mL	15 分
2. ゲムシタビン 1,000 mg/m^2＋生理食塩水 100 mL	30 分
3. カルボプラチン AUC 2＋生理食塩水 250 mL	60 分
4. 生理食塩水 50 mL	5 分

ベバシズマブ＋パクリタキセル

1 サイクル：28 日

投与日：ベバシズマブ　day 1, 15

　　　：パクリタキセル　day 1, 8, 15

【点滴静注】day 1, 15

1. デキサメタゾン 6.6 mg＋ファモチジン 20 mg＋生理食塩水 50 mL	15 分
2. マレイン酸クロルフェニラミン 10 mg＋生理食塩水 50 mL	15 分
3. パクリタキセル 90 mg/m^2＋生理食塩水 250 mL	60 分
4. 生理食塩水 50 mL	15 分
5. ベバシズマブ 10 mg/kg＋生理食塩水 100 mL	90 分（初回） 60 分（2回目以降。問題がなければ 30 分まで短縮可）
6. 生理食塩水 50 mL	15 分

【点滴静注】day 8

1. デキサメタゾン 6.6 mg＋ファモチジン 20 mg＋生理食塩水 50 mL	15 分
2. マレイン酸クロルフェニラミン 10 mg＋生理食塩水 50 mL	15 分
3. パクリタキセル 90 mg/m^2＋生理食塩水 250 mL	60 分
4. 生理食塩水 50 mL	15 分

エリブリン

1 サイクル：21 日

投与日：day 1, 8

【点滴静注】

1. デキサメタゾン 6.6 mg＋生理食塩水 50 mL	15 分
2. エリブリン 1.4 mg/m^2＋生理食塩水 30 mL	2～5 分
3. 生理食塩水 50 mL	15 分

ビノレルビン

1 サイクル：21 日

投与日：day 1, 8

【点滴静注】

1. 生理食塩水 50 mL	15 分
2. ビノレルビン 25 mg/m^2＋生理食塩水 50 mL	5 分
3. 生理食塩水 100 mL	15 分

ゲムシタビン

1 サイクル：21 日

1 投与日：day 1, 8

【点滴静注】

1. デキサメタゾン 6.6 mg＋生理食塩水 50 mL	15 分
2. ゲムシタビン 1,250 mg/m^2＋生理食塩水 100 mL	30 分
3. 生理食塩水 50 mL	15 分

転移・再発治療・HER2陽性

トラスツズマブ＋ペルツズマブ＋ドセタキセル

1サイクル：21日
投与日：day 1

【点滴静注】

1. ペルツズマブ初回840 mg，2回目以降420 mg＋生理食塩水250 mL　90分(初回)
　30分(2回目以降)
2. 生理食塩水50 mL　60分(初回)
　30分(2回目以降)
3. トラスツズマブ初回8 mg/kg，2回目以降6 mg/kg＋生理食塩水250 mL　90分(初回)
　30分(2回目以降)
4. 生理食塩水50 mL　60分(初回)
　30分(2回目以降)
5. デキサメタゾン6.6 mg＋生理食塩水50 mL　15分
6. ドセタキセル75 mg/m^2＋生理食塩水250 mL　60分
7. 生理食塩水50 mL　15分

【内服】

デキサメタゾン錠8 mg　分2　day 1夜～day 3朝(2日間)

トラスツズマブ デルクステカン

1サイクル：21日
1投与日：day 1

【点滴静注】

1. 5-HT_3受容体拮抗型制吐薬＋デキサメタゾン6.6 mg＋生理食塩水50 mL　15分
2. 5%ブドウ糖液50 mL　15分
3. トラスツズマブ デルクステカン5.4 mg/kg＋5%ブドウ糖液100 mL　90分(初回)
　30分(2回目以降)
4. 5%ブドウ糖液50 mL　15分

トラスツズマブ エムタンシン
1サイクル：21日
1投与日：day 1

【点滴静注】

1. デキサメタゾン6.6 mg＋生理食塩水50 mL　15分
2. トラスツズマブ　エムタンシン3.6 mg/kg＋生理食塩水250 mL　90分(初回)
　30分(2回目以降)
3. 生理食塩水50 mL　15分

(注意事項)

1. 5-HT_3受容体拮抗型制吐薬は，パロノセトロン，アザセトロン，オンダンセトロン，グラニセトロン，ラモセトロンから選択する。
2. ドキソルビシン，エピルビシン，トラスツズマブ，ペルツズマブ，トラスツズマブ エムタンシン，トラスツズマブ デルクステカン投与開始前に心機能に問題がないこと(駆出率EF50%以上)を確認する。

薬物療法

3. ドキソルビシン，エピルビシン，パクリタキセル，ドセタキセル，nabパクリタキセル，ビノレルビンを血管外に漏出させると皮膚潰瘍を起こす可能性があるので，血管確保を確実に行う。
4. 蓄積性心毒性予防のため，ドキソルビシンの総投与量は450～500 mg/m^2，エピルビシンの総投与量は800～900 mg/m^{2}までにとどめる。
5. 糖尿病，胃潰瘍の合併症患者においては，合併症を悪化させる可能性があるので，デキサメタゾンの使用には十分な注意を払う。
6. B型肝炎ウィルス保持者では，肝臓専門医へのコンサルテーションを行い，ステロイドの使用の可否を確認する。HBV-DNAの定期的モニタリングを行う。
7. パクリタキセル，ドセタキセルの場合，デキサメタゾン投与は必須である。デキサメタゾンが投与できない場合には他の治療を優先させる。
8. パクリタキセル，ドセタキセル投与中に呼吸困難感を訴えた場合はアナフィラキシーの可能性があるので直ちに投与を中止し，適切な処置を行う。
9. AC，ECなど高催吐性リスクのレジメンでは，2017年6月からオランザピンが公知申請により使用可能になった。使用に際しては副作用の傾眠，血糖上昇に注意が必要である。
10. トラスツズマブ デルクステカン投与前に間質性肺疾患の合併または既往歴がないことを確認したうえで，投与の可否を慎重に判断すること。

付 2. 薬剤一覧(本文中は一般名表記)

(1)内分泌療法薬

一般名	略語	商品名	投与方法	薬効分類名
アナストロゾール	ANA	アリミデックスなど*	経口	アロマターゼ阻害薬
エキセメスタン	EXE	アロマシンなど*	経口	アロマターゼ阻害薬
ゴセレリン酢酸塩	ZOL	ゾラデックス	皮下注	LH-RH アゴニスト
タモキシフェンクエン酸塩	TAM	ノルバデックスなど*	経口	選択的エストロゲン受容体モジュレーター
トレミフェンクエン酸塩	TOR	フェアストンなど*	経口	選択的エストロゲン受容体モジュレーター
フルベストラント	FUL	フェソロデックス	筋注	選択的エストロゲン受容体分解薬
メドロキシプロゲステロン酢酸エステル	MPA	ヒスロン H200 など*	経口	抗悪性腫瘍経口黄体ホルモン製剤
リュープロレリン酢酸塩	LPR	リュープリンなど*	皮下注	LH-RH アゴニスト
レトロゾール	LET	フェマーラ	経口	アロマターゼ阻害薬

(2)抗体治療薬

一般名	略語	商品名	投与方法	薬効分類名
アテゾリズマブ		テセントリク	静注	抗 PD-L1 ヒト化モノクローナル抗体
デノスマブ	Dmab	ランマーク	皮下注	ヒト型抗 RANKL モノクローナル抗体製剤
トラスツズマブ		ハーセプチンなど*	静注	抗 HER2 ヒト化モノクローナル抗体
トラスツズマブ エムタンシン	T-DM1	カドサイラ	静注	トラスツズマブと DM1 の抗体薬物複合体
トラスツズマブ デルクステカン	T-DXd	エンハーツ	静注	トラスツズマブとカンプトテシン誘導体の抗体薬物複合体
ベバシズマブ	Bmab	アバスチン	静注	抗 VEGF ヒト化モノクローナル抗体
ペムブロリズマブ		キイトルーダ	静注	ヒト化抗ヒト PD-1 モノクローナル抗体
ペルツズマブ		パージェタ	静注	抗 HER2 ヒト化モノクローナル抗体

(3)小分子化合物

一般名	略語	商品名	投与方法	薬効分類名
アベマシクリブ		ベージニオ	経口	CDK4/6 阻害薬
オラパリブ		リムパーザ	経口	PARP 阻害薬
エベロリムス		アフィニトール	経口	mTOR 阻害薬
パルボシクリブ		イブランス	経口	CDK4/6 阻害薬
ラパチニブトシル酸塩水和物		タイケルブ	経口	HER1, 2 チロシンキナーゼ阻害薬

(4)細胞毒性化学療法薬

一般名	略語	商品名	投与方法	薬効分類名
イリノテカン塩酸塩水和物	CPT-11	カンプトなど*	静注	トポイソメラーゼ I 阻害薬
エピルビシン塩酸塩	EPI	ファルモルビシンなど*	静注	抗腫瘍性抗生物質製剤
エリブリンメシル酸塩	HAL	ハラヴェン	静注	微小管阻害薬

カペシタビン	CAP	ゼローダなど*	経口	代謝拮抗薬
カルボプラチン	CBDCA	パラプラチンなど*	静注	白金錯体
ゲムシタビン塩酸塩	GEM	ジェムザールなど*	静注	代謝拮抗薬
シクロホスファミド水和物	CPA	エンドキサン	経口，静注	アルキル化薬
シスプラチン	CDDP	ブリプラチンなど*	静注	抗悪性腫瘍薬
テガフール・ウラシル配合剤	UFT	ユーエフティ	経口	代謝拮抗薬
テガフール・ギメラシル・オテラシルカリウム配合剤	S-1	ティーエスワンなど*	経口	代謝拮抗薬
ドキシフルリジン	5'DFUR	フルツロン	経口	代謝拮抗薬
ドキソルビシン塩酸塩	ADM	アドリアシンなど*	静注	抗腫瘍性抗生物質製剤
ドセタキセル水和物	DTX	タキソテールなど*	静注	タキソイド系
パクリタキセル	PTX	タキソールなど*	静注	タキソイド系
パクリタキセル注射剤（アルブミン懸濁型）	nab-PTX	アブラキサン	静注	タキソイド系
ビノレルビン酒石酸塩	VNB	ナベルビンなど*	静注	ビンカアルカロイド系
フルオロウラシル	5-FU	5-FU など*	静注	代謝拮抗薬
マイトマイシン C	MMC	マイトマイシン S	静注	抗腫瘍性抗生物質製剤
ミトキサントロン塩酸塩	MIT	ノバントロン	静注	抗腫瘍性抗生物質製剤
メトトレキサート	MTX	メソトレキセート	静注	葉酸代謝拮抗薬

(5)好中球増加因子

一般名	略語	商品名	投与方法	薬効分類名
フィルグラスチム		グランなど*	静注，皮下注	G-CSF 製剤
ペグフィルグラスチム		ジーラスタ	皮下注	持続性 G-CSF 製剤
レノグラスチム		ノイトロジン	静注，皮下注	G-CSF 製剤

(6)ビスホスホネート製剤

一般名	略語	商品名	投与方法	薬効分類名
ゾレドロン酸水和物		ゾメタなど*	静注	骨吸収抑制剤
パミドロン酸二ナトリウム水和物		アレディアなど*	静注	骨吸収抑制剤

(7)制吐薬

一般名	略語	商品名	投与方法	薬効分類名
アザセトロン塩酸塩		セロトーンなど*	静注	5-HT$_3$受容体拮抗型制吐薬
アプレピタント		イメンドなど*	経口	選択的 NK$_1$受容体拮抗型制吐薬
オンダンセトロン塩酸塩水和物		ゾフランなど*	経口，静注	5-HT$_3$受容体拮抗型制吐薬
グラニセトロン塩酸塩		カイトリルなど*	経口，静注	5-HT$_3$受容体拮抗型制吐薬
デキサメタゾン	DEX	デカドロンなど*	経口，静注	副腎皮質ホルモン薬
パロノセトロン塩酸塩		アロキシなど*	静注	5-HT$_3$受容体拮抗型制吐薬
ホスアプレピタント		プロイメンド	静注	選択的 NK$_1$受容体拮抗型制吐薬
ラモセトロン塩酸塩		ナゼアなど*	経口，静注	5-HT$_3$受容体拮抗型制吐薬

注）各表に挙げた薬剤は一般名の五十音順。
　*ジェネリック薬が使用可能。

乳癌診療ガイドライン 2022 年版

外科療法

1．乳房手術

総説 1
乳癌初期治療における乳房手術

1）乳癌の進展・転移に関する理論と外科的治療

癌に対する外科療法は侵襲性というデメリットはあるが，局所の病変を完全に取り除くことができる点においては他のモダリティより一日の長がある。かつては，乳癌はまずバリアの役割をもつ領域リンパ節に転移し，それから全身に広がるというHalstedの理論に基づき，領域リンパ節やそのリンパ路を含めて局所を可能な限り取り除くことが望ましいとされており，腋窩リンパ節郭清を伴う胸筋合併乳房全切除術が標準的術式であった[1)]。ミクロレベルの癌遺残はいずれ必ず増大し，再発につながると信じられてきた。しかし，内胸リンパ節郭清を含む拡大手術を施行しても思ったほど予後の改善にはつながらないことがわかり，その後，Fisherらの理論では，乳癌は顕在化した時点から，①既に癌が転移している全身病である，②そもそも転移しない，のどちらかであり，①と②は区別ができないとされ，外科療法を含む局所療法の差異は予後に影響せず，全身薬物治療が重要であると考えられるようになった[2)]。しかし，その後，スペクトラム理論と称される中間的な考え方が示され，現在では，乳癌は初期の段階では全身病ではないが，ある時点から全身病になるという考え方が主流である。したがって，局所に癌がとどまっている症例に対しては，外科療法が根治に有用である可能性が高い。また，再発乳癌であっても，局所再発のみの場合は外科療法を中心とした集学的治療による完治の可能性がある。遠隔転移を伴う場合では，原発巣あるいは転移巣に対する外科療法が予後改善に有用であるかは不明であるが，局所の制御には有用である。

2）乳房に対する外科的治療

1970年代までは，Halsted理論に基づき，ほとんどすべての乳癌患者に腋窩リンパ節郭清に加えて大胸筋，小胸筋を含む乳房全切除術が行われていた。その後，検診の普及による早期乳癌の増加やランダム化比較試験の結果を受けて術式の縮小化が進んできた。まず，胸筋温存乳房全切除術は胸筋合併乳房全切除術と比較して再発率および生存率が同等であることがランダム化比較試験で確認された。1970年代から80年代にかけて，乳房温存療法（乳房部分切除術＋放射線療法）と乳房全切除術を比較した6つのランダム化比較試験が行われた。いずれの試験でも両群間の生存率に差を認めないことが明らかになり，そのメタアナリシスによる長期成績においても生存率の有意差は認められなかった[3)4)]。これらのことから，Stage Ⅰ，Ⅱの浸潤性乳癌では，腫瘍径などの適応条件を満たす場合は乳房温存療法が推奨されるようになった。非浸潤性乳管癌（ductal carcinoma *in situ*；DCIS）に対する局所治療も浸潤癌同様，乳房温存療法と乳房全切除術が基本である。乳房温存療法と乳房全切除術とのランダム化比較試験の報告はないが，乳房温存療法の妥当性については多くのレビューが行われており，浸潤癌と同様の適格基準により，組織学的に断端陰性で整容性が保たれる場合に限り，DCISに対しても乳房温存療法は標準治療となった[5)～8)]。

乳房部分切除術において，切除断端陽性は局所再発のリスク因子であり，極力断端を陰性にすることが重要である。断端陽性の定義は，各施設や論文によって，「切除断端に癌病巣が露出」から「切除断端から 1 mm，2 mm，3 mm，5 mm あるいは 10 mm 以内に癌巣あり」などさまざまであり，統一されていなかった。Society of Surgical Oncology（SSO）と American Society for Radiation Oncology（ASTRO）は 2014 年に Stage Ⅰ－Ⅱ乳癌に対して，2016 年には DCIS に対する照射併用乳房温存療法の断端に関するコンセンサスガイドラインを提示して，浸潤癌では「切除断端に浸潤癌，非浸潤癌の露出があること」，非浸潤癌では「切除断端から 2 mm 未満に非浸潤癌あり」を断端陽性の定義として推奨している[9)10)]（☞外科 FRQ2 参照）。

乳房部分切除術後の放射線療法については，ランダム化比較試験のメタアナリシスにおいて，浸潤癌に対しても非浸潤癌に対しても全乳房照射が推奨されている（☞放射線 BQ1，2 参照）。温存乳房内再発リスクが低い乳癌に対して，放射線療法が省略できる群を探索する検討も行われてきており，個々の患者のリスク，ベネフィットを踏まえて放射線療法の有用性を考えるべきであるが，温存乳房への非照射も再発のリスク因子であり，現時点では乳房部分切除術後の温存乳房への放射線療法は標準と考えるべきである。Early Breast Cancer Trialists' Collaborative Group（EBCTCG）のメタアナリシスでは，放射線療法により 15 年での死亡の絶対リスクが 3.8％減少することが示され，局所再発リスクの減少と乳癌死のリスクの減少には相関がみられることが判明しており，局所再発を軽視すべきではない[11)]。

腫瘍径が大きく，乳房部分切除術の適応とならない場合でも，術前薬物療法により腫瘍の縮小が得られれば，乳房の温存が可能となる。ただし，化学療法後の縮小パターンは一様ではないため，画像評価による慎重な適応の決定を要する（☞外科 BQ1 参照）。

ラジオ波焼灼療法（radiofrequency ablation；RFA），凍結療法，集束超音波療法などの非切除治療（non-surgical ablation）に関しては，乳房部分切除術と同等の局所制御を有するとの十分な根拠はなく，現時点では臨床試験として実施されるべきであり，実地臨床としては勧められない（☞外科 FRQ4 参照）。

3）わが国における乳房手術の変遷

乳癌手術はさまざまな臨床試験の結果を受け，この 30～40 年くらいの間に大きく変遷している。欧米に遅れながらもわが国では，1987 年には非定型乳房切除術（現在の乳房全切除術）が定型的乳房切除術（胸筋合併乳房全切除術）を上回り，1993 年には全手術の 67.2％に達している[12)]。一方，乳房部分切除術は 1986 年頃から一部の施設で開始され始め，その後徐々にその割合は増加し，2003 年には乳房部分切除術が乳房全切除術（非定型乳房切除術）を上回った（48.4％＞45.2％）。しかし，乳房部分切除術は 2007 年には約 60％で頭打ちとなった。一方で，人工物による乳房再建の保険適用とその技術の進歩により，再建を前提にした皮膚温存もしくは乳頭温存乳房全切除術が増加している[13)]。2020 年 4 月より，*BRCA1/2* 遺伝学的検査が保険収載された。今後はこのような遺伝学的情報を勘案した術式選択も検討されていくと考えられる。

このように，現在の乳癌手術の選択は多様化しており，標準化されている乳房部分切除術，乳房全切除術に加えて，皮膚温存乳房全切除術，乳頭温存乳房全切除術，乳房再建手術（自家組織，人工乳房）の付加など，適応により多くの選択肢があり，それぞれの術式に関して，その適応やリスクについて十分な知識が必要である。一方で，乳房手術における治療の選択は医学的適応のみならず，患者の希望，価値観，人生観などにも左右されるため，それぞれの益と害を十分に説明したうえで，患者の意思決定権を尊重することが重要である。

参考文献

1) Halsted WS. I. The results of operations for the cure of cancer of the breast performed at the Johns Hopkins Hospital from June, 1889, to January, 1894. Ann Surg. 1894; 20(5): 497-555. [PMID: 17860107]
2) Fisher B, Redmond C, Fisher ER, Bauer M, Wolmark N, Wickerham DL, et al. Ten-year results of a randomized clinical trial comparing radical mastectomy and total mastectomy with or without radiation. N Engl J Med. 1985; 312(11): 674-81. [PMID: 3883168]
3) Clarke M, Collins R, Darby S, Davies C, Elphinstone P, Evans V, et al; Early Breast Cancer Trialists' Collaborative Group(EBCTCG). Effects of radiotherapy and of differences in the extent of surgery for early breast cancer on local recurrence and 15-year survival: an overview of the randomised trials. Lancet. 2005; 366(9503): 2087-106. [PMID: 16360786]
4) Morris AD, Morris RD, Wilson JF, White J, Steinberg S, et al. Breast-conserving therapy vs mastectomy in early-stage breast cancer: a meta-analysis of 10-year survival. Cancer J Sci Am. 1997; 3(1): 6-12. [PMID: 9072310]
5) Shaitelman SF, Wilkinson JB, Kestin LL, Ye H, Goldstein NS, Martinez AA, et al. Long-term outcome in patients with ductal carcinoma in situ treated with breast-conserving therapy: implications for optimal follow-up strategies. Int J Radiat Oncol Biol Phys. 2012; 83(3): e305-12. [PMID: 22417804]
6) Vidali C, Caffo O, Aristei C, Bertoni F, Bonetta A, Guenzi M, et al. Conservative treatment of breast ductal carcinoma in situ: results of an Italian multi-institutional retrospective study. Radiat Oncol. 2012; 7: 177. [PMID: 23098066]
7) Boughey JC, Gonzalez RJ, Bonner E, Kuerer HM. Current treatment and clinical trial developments for ductal carcinoma in situ of the breast. Oncologist. 2007; 12(11): 1276-87. [PMID: 18055847]
8) Virnig BA, Tuttle TM, Shamliyan T, Kane RL. Ductal carcinoma in situ of the breast: a systematic review of incidence, treatment, and outcomes. J Natl Cancer Inst. 2010; 102(3): 170-8. [PMID: 20071685]
9) Moran MS, Schnitt SJ, Giuliano AE, Harris JR, Khan SA, Horton J, et al; American Society for Radiation Oncology. Society of Surgical Oncology-American Society for Radiation Oncology consensus guideline on margins for breast-conserving surgery with whole-breast irradiation in stages Ⅰ and Ⅱ invasive breast cancer. J Clin Oncol. 2014; 32(14): 1507-15. [PMID: 24516019]
10) Morrow M, Van Zee KJ, Solin LJ, Houssami N, Chavez-MacGregor M, Harris JR, et al. Society of Surgical Oncology-American Society for Radiation Oncology-American Society of Clinical Oncology Consensus Guideline on margins for breast-conserving surgery with whole-breast irradiation in ductal carcinoma in situ. J Clin Oncol. 2016; 34(33): 4040-6. [PMID: 27528719]
11) Clarke M, Collins R, Darby S, Davies C, Elphinstone P, Evans V, et al; Early Breast Cancer Trialists' Collaborative Group(EBCTCG). Effects of radiotherapy and of differences in the extent of surgery for early breast cancer on local recurrence and 15-year survival: an overview of the randomised trials. Lancet. 2005; 366(9503): 2087-106. [PMID: 16360786]
12) Sonoo H, Noguchi S; Academic Committee of the Japanese Breast Cancer Society. Results of questionnaire survey on breast cancer surgery in Japan 2004-2006. Breast Cancer. 2008; 15(1): 3-4. [PMID: 18224385]
13) Kurebayashi J, Miyoshi Y, Ishikawa T, Saji S, Sugie T, Suzuki T, et al. Clinicopathological characteristics of breast cancer and trends in the management of breast cancer patients in Japan: based on the Breast Cancer Registry of the Japanese Breast Cancer Society between 2004 and 2011. Breast Cancer. 2015; 22(3): 235-44. [PMID: 25758809]

非浸潤性乳管癌に対する非切除は勧められるか？

ステートメント

- 安全に非切除を行うことが可能な群を探索する前向き試験が世界で行われているが，どのような非浸潤性乳管癌に非切除を安全に行うことができるかは明らかではない。

背景

マンモグラフィ検診の普及により，わが国では早期癌の発見と非浸潤性乳管癌(DCIS)の発見が増加している。米国では新規発見される乳癌の20～25%がDCISと報告されており，その17～34%がマンモグラフィで発見されている。しかし，早期発見が数年後の進行癌の減少につながっていることが明らかな大腸がんや子宮頸がん検診と異なり，乳癌においてはDCIS発見数の増加が浸潤癌の減少につながっていないことが示され，検診発見のDCISが過剰診断である可能性について議論が続いている[1)]。今回，非浸潤性乳管癌に対する非切除が推奨されるかを検討した。

解説

DCISに対して非切除を検討した報告は，症例集積6編[2)～7)]と，米国のSurveillance, Epidemiology, and End Results(SEER)データベースを用いた2編[8)9)]であった。非切除による重要な「害」は全生存率(OS)，乳癌特異的生存率(BCSS)の低下である。SEERデータベースを利用したSagaraらのDCISにおける手術群と非手術群の検討では，患者背景をプロペンシティスコアで調整し，OS, BCSSを検討している[8)]。Intermediate/high grade DCISでは，非手術群が手術群と比べ，OS，BCSSは有意に不良であったが，low grade DCISでは有意差を認めなかった。

DCISを非切除で経過観察した場合の乳房内浸潤癌への進行のリスクは，症例集積研究(良性と診断された後に病理診断を再検討し，DCISと診断された症例の追跡調査)では14～46%(観察期間59カ月～30年)と報告されている[2)～7)]。SEERデータベースを利用したRyserらの研究では，競合リスクモデルを使用すると10年浸潤癌発生率は12.1%と報告され，Grade Ⅰ/Ⅱ(547例)12.2%，Grade Ⅲ(244例)17.6%，Grade不詳(495例)10.1%とGrade別で差がある傾向があった[9)]。

また，生前に乳癌と診断されていなかった女性の剖検7編をまとめた報告では，1.3%(0～1.8%)の女性が浸潤癌を，8.9%(0～14.7%)の女性が非浸潤性乳管癌を有していた。これらの検討から，死因に影響をしないDCISの女性が一定数いることが示された[10)]。

しかし，浸潤癌を針生検でDCISと過小診断するリスクを考慮しなければならない。針生検でDCISと診断された報告のメタアナリシスでは，7,350例中1,736例が浸潤癌であった。試験ごとの過小評価率の中央値は26.0%であった[11)]。過小評価のリスク因子として，14G針の使用(vs 11G針のVAB)，high grade，画像上で20 mm以上，BI-RADSスコア4/5(vs 3)，MGで腫瘤形成(vs 石灰化)，腫瘤触知が挙げられた。日本の臨床試験グループJCOGからも，生検でDCISであった2,293例中，630例(27.5%)が浸潤癌であったと報告された[12)]。

DCIS患者におけるpatient-reported outcomesのシステマティック・レビューでは，QOLや心理的苦痛は治療初期に大きく影響を受け，ほとんどが6～12カ月後には母集団の基準に戻り，術後2年後にはすべてが回復した。DCISと診断されたことで，乳癌の再発・浸潤癌発生や死への恐怖は誇張され，診断早期から何年も持続した。セクシュアリティやボディイメージへの影響は概して低く，術後1～3カ月以内に解消されたが，少数の女性では，ボディイメージの問題によりうつ病や性的問題にかなりの影響を受けた[13]。QOLや心理的苦痛が非切除によってどのように影響されるかは，今後の検討課題である。

現在，low risk DCISに対して非手術を検討する3つのランダム化比較試験，LORIS試験(介入群：アクティブ・サーベイランス)，LORD試験(介入群：アクティブ・サーベイランス)，COMET試験(介入群：アクティブ・サーベイランス±内分泌療法)と，わが国での単群の観察研究LORETTA試験(介入群：アクティブ・サーベイランス＋内分泌療法)が進行中である[14)～17)]。

患者の中には手術を希望しない方も存在する。しかし現時点では，非浸潤性乳管癌に対して安全に非切除を選択できる群は明らかではないため，基本的に切除が勧められる。

以上，本FRQは当初CQとして取り上げ，定性的システマティック・レビューを行い討議したが，推奨決定会議において，現在3つのランダム化比較試験と1つの観察研究が進行中であり，CQとして取り上げるには時期尚早との意見が出され，今回はFRQとして取り上げることにした。

検索キーワード・参考にした二次資料

PubMedで，“Carcinoma, Intraductal, Noninfiltrating”，“Mastectomy”のキーワードで検索した。医中誌・Cochrane Libraryも同等のキーワードで検索した。検索期間は2021年3月までとし，423件がヒットした。それ以外にハンドサーチで24編の論文が追加された。一次スクリーニングで31編，二次スクリーニングで16編の論文が抽出され，定性的システマティック・レビューを行った。

参考文献

1) Bleyer A, Welch HG. Effect of three decades of screening mammography on breast-cancer incidence. N Engl J Med. 2012; 367(21): 1998-2005. [PMID: 23171096]
2) Rosen PP, Braun DW Jr, Kinne DE. The clinical significance of pre-invasive breast carcinoma. Cancer. 1980; 46(4 Suppl): 919-25. [PMID: 7397668]
3) Eusebi V, Foschini MP, Cook MG, Berrino F, Azzopardi JG. Long-term follow-up of in situ carcinoma of the breast with special emphasis on clinging carcinoma. Semin Diagn Pathol. 1989; 6(2): 165-73. [PMID: 2548274]
4) Page DL, Dupont WD, Rogers LW, Jensen RA, Schuyler PA. Continued local recurrence of carcinoma 15-25 years after a diagnosis of low grade ductal carcinoma in situ of the breast treated only by biopsy. Cancer. 1995; 76(7): 1197-200. [PMID: 8630897]
5) Collins LC, Tamimi RM, Baer HJ, Connolly JL, Colditz GA, Schnitt SJ. Outcome of patients with ductal carcinoma in situ untreated after diagnostic biopsy: results from the Nurses' Health Study. Cancer. 2005; 103(9): 1778-84. [PMID: 15770688]
6) Sanders ME, Schuyler PA, Dupont WD, Page DL. The natural history of low-grade ductal carcinoma in situ of the breast in women treated by biopsy only revealed over 30 years of long-term follow-up. Cancer. 2005; 103(12): 2481-4. [PMID: 15884091]
7) Maxwell AJ, Clements K, Hilton B, Dodwell DJ, Evans A, Kearins O, et al; Sloane Project Steering Group. Risk factors for the development of invasive cancer in unresected ductal carcinoma in situ. Eur J Surg Oncol. 2018; 44(4): 429-35. [PMID: 29398324]
8) Sagara Y, Mallory MA, Wong S, Aydogan F, DeSantis S, Barry WT, et al. Survival benefit of breast surgery for low-grade ductal carcinoma in situ: a population-based cohort study. JAMA Surg. 2015; 150(8): 739-45. [PMID: 26039049]
9) Ryser MD, Weaver DL, Zhao F, Worni M, Grimm LJ, Gulati R, et al. Cancer outcomes in DCIS patients without locoregional treatment. J Natl Cancer Inst. 2019; 111(9): 952-60. [PMID: 30759222]

10) Welch HG, Black WC. Using autopsy series to estimate the disease "reservoir" for ductal carcinoma in situ of the breast: how much more breast cancer can we find? Ann Intern Med. 1997; 127(11): 1023-8. [PMID: 9412284]
11) Brennan ME, Turner RM, Ciatto S, Marinovich ML, French JR, Macaskill P, et al. Ductal carcinoma in situ at core-needle biopsy: meta-analysis of underestimation and predictors of invasive breast cancer. Radiology. 2011; 260(1): 119-28. [PMID: 21493791]
12) Tanaka K, Masuda N, Hayashi N, Sagara Y, Hara F, Kadoya T, et al. Clinicopathological predictors of postoperative upstaging to invasive ductal carcinoma(IDC)in patients preoperatively diagnosed with ductal carcinoma in situ(DCIS): a multi-institutional retrospective cohort study. Breast Cancer. 2021; 28(4): 896-903. [PMID: 33599914]
13) King MT, Winters ZE, Olivotto IA, Spillane AJ, Chua BH, Saunders C, et al. Patient-reported outcomes in ductal carcinoma in situ: a systematic review. Eur J Cancer. 2017; 71: 95-108. [PMID: 27987454]
14) Francis A, Thomas J, Fallowfield L, Wallis M, Bartlett JM, Brookes C, et al. Addressing overtreatment of screen detected DCIS; the LORIS trial. Eur J Cancer. 2015; 51(16): 2296-303. [PMID: 26296293]
15) Elshof LE, Tryfonidis K, Slaets L, van Leeuwen-Stok AE, Skinner VP, Dif N, et al. Feasibility of a prospective, randomised, open-label, international multicentre, phase Ⅲ, non-inferiority trial to assess the safety of active surveillance for low risk ductal carcinoma in situ—The LORD study. Eur J Cancer. 2015; 51(12): 1497-510. [PMID: 26025767]
16) Hwang ES, Hyslop T, Lynch T, Frank E, Pinto D, Basila D, et al. The COMET(Comparison of Operative versus Monitoring and Endocrine Therapy)trial: a phase Ⅲ randomised controlled clinical trial for low-risk ductal carcinoma in situ(DCIS). BMJ Open. 2019; 9(3): e026797. [PMID: 30862637]
17) Tsuda H, Yoshida M, Akiyama F, Ohi Y, Kinowaki K, Kumaki N, et al. Nuclear grade and comedo necrosis of ductal carcinoma in situ as histopathological eligible criteria for the Japan Clinical Oncology Group 1505 trial: an interobserver agreement study. Jpn J Clin Oncol. 2021; 51(3): 434-43. [PMID: 33420502]

浸潤癌/非浸潤癌に対する乳房部分切除術において，断端陽性と診断された場合に外科的切除は勧められるか？

ステートメント

- 乳房部分切除術において切除断端陽性（浸潤癌：切除断端に浸潤癌もしくは非浸潤癌の露出，非浸潤癌：2 mm 未満に非浸潤癌）と診断された場合には，陰性に比べて温存乳房内再発リスクが有意に高いため，外科的切除をすることが勧められている。

背景

病理学的断端診断が乳房部分切除術後の局所再発リスクに強く関連することは，多くの報告で示されている。2014，2016年にSSO（Society of Surgical Oncology）とASTRO（American Society for Radiation Oncology）から浸潤癌/非浸潤癌における乳房温存療法（乳房部分切除＋放射線療法）の断端に対するコンセンサスガイドラインが発布された[1)2)]。この内容をもとに，2018年版乳癌診療ガイドラインで浸潤癌/非浸潤癌に対する外科的切除が必要な断端陽性をそれぞれ，切除断端に浸潤癌もしくは非浸潤癌の露出があること/切除断端から2 mm未満に癌細胞があることとした。乳房部分切除術標本の切除断端に対する治療指針を，現在得られるエビデンスをもとに概説する。

解説

乳房部分切除術や手術標本の取り扱い，病理診断には，国，地域，病院や治療医ごとに違いがあり，乳房部分切除術後の断端診断を完全に統一することは難しく，断端陽性には多様な病態が混在している。そのため乳房部分切除術後に断端陽性と診断されたとき，追加の外科的切除が必要か，放射線療法のみで十分であるのかを明らかにした前向きのランダム化比較試験は存在しない。

2014年の浸潤癌における乳房温存療法時の断端を定めるガイドライン[1)]のきっかけとなったHoussamiら[3)]のメタアナリシスでは，1979〜2001年に治療が行われた浸潤性乳管癌に対する乳房部分切除術後の局所再発と病理組織学的に明確な断端基準が記載されている33の報告が対象となっている。断端陽性〔各試験（施設）による定義〕は断端陰性の2倍の局所再発リスクがみられ〔オッズ比（OR）1.97（95%CI 1.73-2.25），p<0.001〕，全身治療，ブースト照射追加，ホルモン受容体の有無による補正をしてもその傾向は変わらなかった。また，断端陰性のマージン幅（>0 mm，1 mm, 2 mm, 5 mm）により局所再発率を検討したところ，オッズ比はマージン幅が広くなるにつれて小さくなる傾向はあったが（OR 1.47，1.0，0.95，0.65，p=0.12），ばらつきが大きく，有意な差はみられなかった。断端陰性と診断するためのより広いマージン幅は，狭いマージン幅と比べて長期的には利益になっていないようであると結論付けている。さらに，2020年に上記メタアナリシスは38の研究を対象とし，観察期間中央値7.3年のものに改訂されたが，癌細胞の露出が温存乳房内再発のリスクを増加させるという結論は変わらなかった[4)]。断端陽性は陰性に比べて有意に局所再発率が高まるという結論は，対象となっている2つのメタアナリシスで一貫性があり，2014年のSSO/ASTROのガイドラインでは，断端陽性の定義は切除断端に浸潤癌もしくは非浸潤癌の露出があることと定義して，再切除の適応を決めるべきであるとしている[1)]。

2014年のガイドライン発布以前と以後を比較したメタアナリシスのなかで，乳房部分切除術後の再手術率が0.76になったことが報告されているように[5)]，治療成績が保証されるのであれば，より侵襲が少ない治療を患者・外科医が選択していた。

非浸潤性乳管癌(DCIS)に対する乳房部分切除術についても，浸潤癌と同様に，適切なマージン幅とそれに対する治療方針に関して統一されたガイドラインはなかったため，同様のメタアナリシスが施行された[2)]。局所再発と病理組織学的な断端状況が定義された20の報告を解析すると，断端陰性〔各試験(施設)による定義〕は断端陽性＋近接に対して局所再発リスクが半分となっていた〔OR 0.53(p>0.001)〕。さらに，ネットワークアナリシスでの解析では，断端陰性のマージン幅(>0 or 1 mm，2 mm，3 or 5 mm，10 mm)による局所再発率のオッズ比はいずれも有意に低く算出された(OR 0.45，0.32，0.30，0.32)。この結果を受けて，2016年にSSO/ASTROがDCISに対する乳房温存療法のガイドラインとして，2 mm以上のマージン幅をDCISの至適マージンとして(断端の定義を2 mmとすることに関しての明確なエビデンスはない)全乳房照射をすることは，低い局所再発率であり，かつ再手術率を低下させることにつながるとしている[6)]。

病理診断における断端陽性の定義が世界のコンセンサスとして示されたが，この断端陽性においても多様なケースが存在する。画像で描出し得なかった多量の癌が残っている状況から，ごく少量の癌しか遺残していない状況，また癌細胞の性質によっては，癌遺残があっても術後の放射線療法や全身治療で長期間コントロールされるものや，少量の癌遺残であっても直ちに再発をきたすものがある。断端状況に加えて癌の性質等も考慮した臨床医の総合判断をもとに，追加治療の是非を相談することが望ましい。特に非浸潤癌においては，完全に切除がなされれば完治し得る病態であることや，局所再発の半数は浸潤癌として再発することが知られており，患者を含めて慎重に検討することが望ましい。

本FRQは前回CQとして取り上げており，今回も定性的システマティック・レビューを行い，討議した。しかし，乳房部分切除術後に断端陽性と診断された際に，外科的切除が必要なのか，放射線療法(±ブースト照射)で十分であるのかという元のCQに対して，直接回答が得られるデータはまだ存在しない。断端陽性の定義が定まり，今後，長期予後についてのデータが揃ってはじめて十分な解析が可能となると考えられた。それゆえに今回はFRQとして取り上げることにした。

外科療法

検索キーワード・参考にした二次資料

PubMedで，"Mastectomy, Segmental"，"Neoplasm Recurrence, Local"，"positive"，"margin"のキーワードで検索した。医中誌・Cochrane Libraryも同等のキーワードで検索した。検索期間は2021年6月までとし，732件がヒットした。一次・二次スクリーニングで抽出された論文の中で，今回のCQに適切と思われる最新のシステマティック・レビュー論文にハンドサーチの論文を加え，定量的および定性的システマティック・レビューを行った。

参考文献

1) Buchholz TA, Somerfield MR, Griggs JJ, El-Eid S, Hammond ME, Lyman GH, et al. Margins for breast-conserving surgery with whole-breast irradiation in stage Ⅰ and Ⅱ invasive breast cancer: American Society of Clinical Oncology endorsement of the Society of Surgical Oncology/American Society for Radiation Oncology con-

sensus guideline. J Clin Oncol. 2014; 32(14): 1502-6. [PMID: 24711553]

2) Marinovich ML, Azizi L, Macaskill P, Irwig L, Morrow M, Solin LJ, et al. The association of surgical margins and local recurrence in women with ductal carcinoma in situ treated with breast-conserving therapy: a meta-analysis. Ann Surg Oncol. 2016; 23(12): 3811-3821. [PMID: 27527715]

3) Houssami N, Macaskill P, Marinovich ML, Morrow M. The association of surgical margins and local recurrence in women with early-stage invasive breast cancer treated with breast-conserving therapy: a meta-analysis. Ann Surg Oncol. 2014; 21(3): 717-30. [PMID: 24473640]

4) Shah C, Hobbs BP, Vicini F, Al-Hilli Z, Manyam BV, Verma V, et al. The diminishing impact of margin definitions and width on local recurrence rates following breast-conserving therapy for early-stage invasive cancer: a meta-analysis. Ann Surg Oncol. 2020; 27(12): 4628-36. [PMID: 32712894]

5) Marinovich ML, Noguchi N, Morrow M, Houssami N. Changes in reoperation after publication of consensus guidelines on margins for breast-conserving surgery: a systematic review and meta-analysis. JAMA Surg. 2020; 155(10): e203025. [PMID: 32857107]

6) Morrow M, Van Zee KJ, Solin LJ, Houssami N, Chavez-MacGregor M, Harris JR, Horton J, Hwang S, Johnson PL, Marinovich ML, Schnitt SJ, Wapnir I, Moran MS. Society of Surgical Oncology-American Society for Radiation Oncology-American Society of Clinical Oncology consensus guideline on margins for breast-conserving surgery with whole-breast irradiation in ductal carcinoma in situ. J Clin Oncol. 2016; 34(33): 4040-6. [PMID: 27528719]

FRQ 3 術前化学療法で臨床的に完全奏効を得られた浸潤性乳癌に対する非切除は勧められるか？

ステートメント

- 術前化学療法で臨床的に完全奏効を得られた浸潤性乳癌に対する非切除は勧められない。

背景

術前化学療法で臨床的に完全奏効を得られた浸潤性乳癌に対する非切除（経過観察）の妥当性について検討した。

解説

術前化学療法により病理学的完全奏効が得られやすいサブタイプがわかっており，HER2陽性例やトリプルネガティブ例では50％を超える病理学的完全奏効が報告されている[1)2)]。また，薬物療法・画像検査・病理検査の進歩により，術前化学療法で臨床的に完全奏効を得られた浸潤性乳癌に対する局所治療に注目が集まっている[3)4)]。

術前化学療法で臨床的に完全奏効を得られた浸潤性乳癌に対する非切除例の全生存に関する報告は，ビッグデータを用いた後ろ向き研究が1つある[5)]。非切除による一番重要な「害」は全生存の低下である。術前化学療法で臨床的に完全奏効を得られた浸潤性乳癌に対する非切除例（n＝45）の5年生存率は96.8％と良好であり，手術で病理学的完全奏効と確認された患者群（n＝3,938，5年生存率92.5％）に比べても遜色がなかった[5)]。この検討から，死因に影響しない非切除例が相当数いることが示された。

術前化学療法で臨床的に完全奏効を得られた浸潤性乳癌に対する非切除例の局所再発率に関する症例集積は2編あり，34.1％（n＝44，観察期間中央値124カ月）および31.2％（n＝32，観察期間中央値16.8年）と報告されており，いずれも長期の経過観察期間とはいえ極めて高率に局所再発を認めており，許容範囲外である[6)7)]。高い局所再発率の原因として，いずれの検討も患者登録期間が1980年代と古いことから，臨床的効果の評価が不適切であったためと考えられる。

現時点では，術前のPETやMRI画像単独での，術前化学療法における病理学的完全奏効の予測は不十分である（☞乳癌診療ガイドライン②疫学・診断編2022年版 検診・画像診断FRQ7参照）。そこで現在世界各地で，術前化学療法で臨床的に完全奏効を得られた浸潤性乳癌に対する非切除を安全に実現するための前準備として，低侵襲組織生検（minimally invasive biopsy）を用いた病理学的完全奏効との一致率を評価する臨床試験が行われている。一部の試験で良好な一致率（偽陰性率5％）が報告されているものの[8)]，システマティック・レビューでは十分な一致率は得られていないと報告している[4)]。

一方，術前化学療法で臨床的に完全奏効を得られた浸潤性乳癌に対して，標準治療である切除を行った場合の局所再発率はどの程度であろうか？ 国内多施設共同研究からの報告では，HER2陽性やトリプルネガティブ乳癌に対する術前化学療法後に乳房温存療法が行われ，手術によって病理学的奏効と確認された浸潤癌患者(n＝276)について，5年局所再発率は4.5％であり，診断時年齢が40歳以上の場合は5年局所再発率が3.1％と低率であったと報告されている[9]。

現在，国内外において術前化学療法で臨床的に完全奏効を得られた浸潤性乳癌に対する非切除の妥当性を検証する前向き試験が行われている[3)10)]。MDアンダーソンがんセンターにおいて，HER2陽性やトリプルネガティブ乳癌でcT1/2 cN0/1の患者を対象に乳房手術省略に関する単施設第Ⅱ相試験が進行中である[3]。同様にわが国においても，HER2陽性乳癌でcT1/2 cN0の患者を対象に手術省略に関する多施設共同第Ⅱ相試験が進行中である[10]。

以上より，術前化学療法で臨床的に完全奏効を得られた浸潤性乳癌に対する非切除は勧められない(切除が勧められる)。現在行われている前向き試験の結果が待たれる[3)10)]。なお，本FRQは当初CQとして取り上げ，定性的システマティック・レビューを行い討議したが，推奨会議において，現代の薬物療法・画像検査・病理検査を反映した手術省略に関する前向きデータがいまだ十分に存在しないことから，CQとして取り上げるには時期尚早との意見が出され，今回はFRQとして取り上げることにした。

検索キーワード・参考にした二次資料

PubMedで，“Breast Neoplasms”，“Neoadjuvant Therapy”，“Mastectomy”のキーワードで検索した。医中誌・Cochrane Libraryも同等のキーワードで検索した。検索期間は2021年3月までとし，944件がヒットした。それ以外にハンドサーチで5編の論文が追加された。

参考文献

1) Schmid P, Cortes J, Pusztai L, McArthur H, Kümmel S, Bergh J, et al; KEYNOTE-522 Investigators. Pembrolizumab for early triple-negative breast cancer. N Engl J Med. 2020; 382(9): 810-21. [PMID: 32101663]
2) Loibl S, Jackisch C, Schneeweiss A, Schmatloch S, Aktas B, Denkert C, et al; investigators of the German Breast Group(GBG)and the Arbeitsgemeinschaft Gynäkologische Onkologie—Breast(AGO-B)study groups. Dual HER2-blockade with pertuzumab and trastuzumab in HER2-positive early breast cancer: a subanalysis of data from the randomized phase Ⅲ GeparSepto trial. Ann Oncol. 2017; 28(3): 497-504. [PMID: 27831502]
3) Kuerer HM, Vrancken Peeters MTFD, Rea DW, Basik M, De Los Santos J, Heil J. Nonoperative management for invasive breast cancer after neoadjuvant systemic therapy: conceptual basis and fundamental international feasibility clinical trials. Ann Surg Oncol. 2017; 24(10): 2855-62. [PMID: 28766204]
4) Li Y, Zhou Y, Mao F, Lin Y, Zhang X, Shen S, et al. The Diagnostic performance of minimally invasive biopsy in predicting breast pathological complete response after neoadjuvant systemic therapy in breast cancer: a meta-analysis. Front Oncol. 2020; 10: 933. [PMID: 32676452]
5) Özkurt E, Sakai T, Wong SM, Tukenmez M, Golshan M. Survival outcomes for patients with clinical complete response after neoadjuvant chemotherapy: is omitting surgery an option? Ann Surg Oncol. 2019; 26(10): 3260-8. [PMID: 31342356]
6) Mauriac L, MacGrogan G, Avril A, Durand M, Floquet A, Debled M, et al; Institut Bergonié Bordeaux Groupe Sein(IBBGS). Neoadjuvant chemotherapy for operable breast carcinoma larger than 3 cm: a unicentre randomized trial with a 124-month median follow-up. Ann Oncol. 1999; 10(1): 47-52. [PMID: 10076721]
7) Low JA, Berman AW, Steinberg SM, Danforth DN, Lippman ME, Swain SM. Long-term follow-up for locally advanced and inflammatory breast cancer patients treated with multimodality therapy. J Clin Oncol. 2004; 22(20): 4067-74. [PMID: 15483018]
8) Kuerer HM, Rauch GM, Krishnamurthy S, Adrada BE, Caudle AS, DeSnyder SM, et al. A clinical feasibility trial for identification of exceptional responders in whom breast cancer surgery can be eliminated following neoadjuvant systemic therapy. Ann Surg. 2018; 267(5): 946-51. [PMID: 28549010]
9) Ishitobi M, Matsuda N, Tazo M, Nakayama S, Tokui R, Ogawa T, et al. Risk factors for ipsilateral breast tumor recurrence in triple-negative or HER2-positive breast cancer patients who achieve a pathologic complete response after neoadjuvant chemotherapy. Ann Surg Oncol. 2021; 28(5): 2545-52. [PMID: 33021710]
10) Shigematsu H, Fujisawa T, Shien T, Iwata H. Omitting surgery for early breast cancer showing clinical complete response to primary systemic therapy. Jpn J Clin Oncol. 2020; 50(6): 629-34. [PMID: 32378709]

BQ 1 術前化学療法で縮小した浸潤性乳癌に対する乳房温存療法は勧められるか？

ステートメント

- 術前化学療法で縮小した浸潤性乳癌に対する乳房温存療法は可能である。

背景

乳房温存療法はStage Ⅰ，Ⅱ乳癌の標準治療と考えられ，整容性を保つことができる場合は積極的に行われている(☞外科 総説1参照)。一方，従来適応外と考えられていた腫瘍径の大きい乳癌に対しても，術前化学療法を導入し縮小が得られたものには乳房温存療法が行われている。過去に蓄積された臨床試験の結果から概説する。

解説

術前化学療法が術後化学療法と同等の生存率が得られることが示されて以来[1)]，手術不能な局所進行乳癌だけでなく，手術は可能であるが乳房部分切除術が適応とならない腫瘍径の大きい乳癌にも術前化学療法が行われるようになった。2018年1月にEBCTCGから術前化学療法と術後化学療法を比較したランダム化比較試験10試験のメタアナリシスが報告され，術前化学療法により，乳房温存率が向上することが改めて示された[2)]。一方で，15年の局所再発率は，術前化学療法のほうが術後化学療法より高かった〔リスク比(RR)1.37，95%CI 1.17-1.61，$p=0.0001$〕が，遠隔再発率(RR 1.02，95%CI 0.92-1.14，$p=0.66$)，乳癌死亡率(RR 1.06，95%CI 0.95-1.18，$p=0.31$)，全死亡率(RR 1.04，95%CI 0.94-1.15，$p=0.45$)に関しては，差はなかった。

乳房部分切除術では癌を遺残なく切除することが望ましいが，術前化学療法後に行われる乳房部分切除術の大きな問題は，化学療法で癌細胞・周囲の間質に変性，壊死，線維化等の修飾が加わることで，画像診断が難しくなることである。乳癌の広がり診断には，マンモグラフィ，超音波に加えて，MRIやCTが用いられる。44編(2,050症例)の論文のメタアナリシスによると，術前化学療法後のMRIによる遺残腫瘍の正診率は，感度 0.92，特異度 0.60であり，MRIはマンモグラフィより正診率は有意に高かったが，超音波とは有意差はなかった[3)]。化学療法前後にMRI(CT)を用いた治療効果判定に関しては，わが国からいくつかの報告がある[4)5)]。術前化学療法前の癌の広がりと，その縮小パターンの分類が述べられており，孤立性，集簇性の原発巣が求心性に縮小した癌は，切除範囲を縮小できる可能性が高く，乳房部分切除術のよい適応となるが，多中心性の乳癌や，原発巣が樹枝状・モザイク状に縮小する癌では，癌巣が島状に遺残している可能性があり，乳房部分切除術には注意が必要であるとしている。

術前化学療法で縮小した浸潤性乳癌に対して乳房部分切除術を行う際に，治療前に癌の存在した部位を切除すべきなのかは定かでない。これまでに，術前化学療法後の遺残病変に切除マージンをつけて乳房部分切除術を行った場合の局所治療成績に関する検討がいくつか報告されている[6)7)]。Mittendorfらは，同時期に乳房部分切除術を受けた浸潤性乳癌患者で，手術先行例と術前化学療法例での局所領域再発率を治療前の臨床的ステージで層別して比較したところ，いずれのステージでも両群の間に有意差を認めなかったと報告している[6]。術前化学療法例では，治療前に病変部位へクリップを留置するなどの工夫をしている。また，van der Noordaa らは，術前化学療法後の造影 MRI をもとに切除範囲を決定して乳房部分切除術を行った cT3 乳癌 114 例において，7 年局所無再発率が 95.9％と手術先行例と遜色ない成績であったと報告している[7]。以上より，細心の注意を払えば術前化学療法後の遺残病変をもとに切除範囲を決定することを考慮してもよいと思われる。現在，術前化学療法を行った患者に対して化学療法前あるいは後の病変範囲をターゲットに切除するランダム化比較試験が進行中であり，結果が待たれる[8]。

術前化学療法後の乳房温存療法における，温存乳房内再発のリスク因子に関して Chen らは，次の 4 因子(臨床的 N2/N3 症例，病理学的遺残腫瘍径 2 cm 以上，多発性遺残，リンパ管侵襲)を挙げ，そのうちの 3 因子以上を含む高リスク群では 5 年温存乳房内無再発生存率は 82％まで低下，一方で 1 因子以下の低リスク群では 97％であったと報告している[9]。Ishitobi らのわが国での多施設共同の後ろ向き検討では，術前化学療法後の乳房部分切除術では，温存乳房内再発が 4.4％/4 年で，そのリスク因子として，ER 陰性と，遺残癌の多中心性遺残が挙げられている[10]。浸潤性小葉癌と浸潤性乳管癌の術前化学療法症例を比較したメタアナリシスによると，pCR 率〔5.9％ vs 16.7％，オッズ比(OR)3.1，$p<0.00001$〕と乳房温存率(35.4％ vs 54.8％，OR 2.1，$p<0.00001$)は，浸潤性小葉癌のほうが有意に低かった[11]。術前化学療法後のセンチネルリンパ節生検を検討した Z1071 試験のサブ解析において腫瘍のサブタイプ別の乳房温存率と pCR 率を評価したところ，それぞれトリプルネガティブ(46.8％，38.2％)，HER2 タイプ(43％，45.4％)，ER 陽性 HER2 陰性(34.5％，11.4％)であり，トリプルネガティブと HER2 タイプで乳房温存率が高かった[12]。新規薬剤の開発とサブタイプ別の薬剤選択により術前化学療法による pCR 率は向上しているが，高い pCR 率の薬剤による術前化学療法を行うと，必ずしも乳房温存率が高いというわけではない。NSABP B-27 試験において，AC 療法にドセタキセルを追加することにより pCR 率は上昇(13.7％→26.1％)したが，乳房温存率は変わらなかった(62％→64％)[13]。また，NeoALTTO 試験においても，パクリタキセルに抗 HER2 薬を 1 剤併用よりも 2 剤併用したほうが pCR 率は上昇したが(パクリタキセル＋ラパチニブ vs パクリタキセル＋トラスツズマブ vs パクリタキセル＋ラパチニブ＋トラスツズマブ＝24.7％ vs 29.5％ vs 51.3％)，乳房温存率はほぼ同様であった(43％ vs 35％ vs 41％)[14]。

以上より，術前化学療法後の乳房温存療法と乳房全切除術を直接比較した臨床試験はないが，術前化学療法および乳房温存療法後の局所制御率は，術後化学療法群よりもやや劣るものの，長期予後には差はなく，局所再発を最小限にするための症例選択と画像診断による適切な切除範囲設定が行われれば，術前化学療法後の乳房温存療法は勧められる。

検索キーワード・参考にした二次資料

「乳癌診療ガイドライン①治療編 2018 年版」の同クエスチョンの参考文献に加え，PubMed で，“Mastectomy, Segmental”，“Breast Neoplasms”，“Neoadjuvant Therapy” のキーワードで検索した。検索期間は 2016 年 12 月～2021 年 3 月とし，116 件がヒットし，この中から重要性の高いものを選択した。

参考文献

1) Wolmark N, Wang J, Mamounas E, Bryant J, Fisher B. Preoperative chemotherapy in patients with operable

breast cancer: nine-year results from National Surgical Adjuvant Breast and Bowel Project B-18. J Natl Cancer Inst Monogr. 2001; (30): 96-102. [PMID: 11773300]
2) Early Breast Cancer Trialists' Collaborative Group(EBCTCG). Long-term outcomes for neoadjuvant versus adjuvant chemotherapy in early breast cancer: meta-analysis of individual patient data from ten randomised trials. Lancet Oncol. 2018; 19(1): 27-39. [PMID: 29242041]
3) Marinovich ML, Houssami N, Macaskill P, Sardanelli F, Irwig L, Mamounas EP, et al. Meta-analysis of magnetic resonance imaging in detecting residual breast cancer after neoadjuvant therapy. J Natl Cancer Inst. 2013; 105(5): 321-33. [PMID: 23297042]
4) Tozaki M, Kobayashi T, Uno S, Aiba K, Takeyama H, Shioya H, et al. Breast-conserving surgery after chemotherapy: value of MDCT for determining tumor distribution and shrinkage pattern. AJR Am J Roentgenol. 2006; 186(2): 431-9. [PMID: 16423949]
5) Tomida K, Ishida M, Umeda T, Sakai S, Kawai Y, Mori T, et al. Magnetic resonance imaging shrinkage patterns following neoadjuvant chemotherapy for breast carcinomas with an emphasis on the radiopathological correlations. Mol Clin Oncol. 2014; 2(5): 783-8. [PMID: 25054046]
6) Mittendorf EA, Buchholz TA, Tucker SL, Meric-Bernstam F, Kuerer HM, Gonzalez-Angulo AM, et al. Impact of chemotherapy sequencing on local-regional failure risk in breast cancer patients undergoing breast-conserving therapy. Ann Surg. 2013; 257(2): 173-9. [PMID: 23291658]
7) van der Noordaa MEM, Ioan I, Rutgers EJ, van Werkhoven E, Loo CE, Voorthuis R, et al. Breast-conserving therapy in patients with ct3 breast cancer with good response to neoadjuvant systemic therapy results in excellent local control: a Comprehensive Cancer Center experience. Ann Surg Oncol. 2021; 28(12): 7383-94. [PMID: 33978889]
8) https://clinicaltrials.gov/show/NCT03417622(アクセス日：2021/11/20)
9) Chen AM, Meric-Bernstam F, Hunt KK, Thames HD, Outlaw ED, Strom EA, et al. Breast conservation after neoadjuvant chemotherapy. Cancer. 2005; 103(4): 689-95. [PMID: 15641036]
10) Ishitobi M, Ohsumi S, Inaji H, Ohno S, Shigematsu H, Akiyama F, et al. Ipsilateral breast tumor recurrence (IBTR)in patients with operable breast cancer who undergo breast-conserving treatment after receiving neoadjuvant chemotherapy: risk factors of IBTR and validation of the MD Anderson prognostic index. Cancer. 2012; 118(18): 4385-93. [PMID: 22252882]
11) Petrelli F, Barni S. Response to neoadjuvant chemotherapy in ductal compared to lobular carcinoma of the breast: a meta-analysis of published trials including 1,764 lobular breast cancer. Breast Cancer Res Treat. 2013; 142(2): 227-35. [PMID: 24177758]
12) Boughey JC, McCall LM, Ballman KV, Mittendorf EA, Ahrendt GM, Wilke LG, et al. Tumor biology correlates with rates of breast-conserving surgery and pathologic complete response after neoadjuvant chemotherapy for breast cancer: findings from the ACOSOG Z1071(Alliance)prospective multicenter clinical trial. Ann Surg. 2014; 260(4): 608-14. [PMID: 25203877]
13) Bear HD, Anderson S, Brown A, Smith R, Mamounas EP, Fisher B, et al; National Surgical Adjuvant Breast and Bowel Project Protocol B-27. The effect on tumor response of adding sequential preoperative docetaxel to preoperative doxorubicin and cyclophosphamide: preliminary results from National Surgical Adjuvant Breast and Bowel Project Protocol B-27. J Clin Oncol. 2003; 21(22): 4165-74. [PMID: 14559892]
14) Baselga J, Bradbury I, Eidtmann H, Di Cosimo S, de Azambuja E, Aura C, Gómez H, et al; NeoALTTO Study Team. Lapatinib with trastuzumab for HER2-positive early breast cancer(NeoALTTO): a randomised, open-label, multicentre, phase 3 trial. Lancet. 2012; 379(9816): 633-40. [PMID: 22257673]

FRQ 4 Non-surgical ablationは早期乳癌の標準的な局所療法として勧められるか？

ステートメント

- Non-surgical ablationが乳房部分切除術と同等の局所療法効果を有するとの十分な根拠はない。

背景

固形癌に対する熱凝固療法や凍結療法といった非切除治療(non-surgical ablation)は，近年，多くの癌腫に対して臨床応用が開始されている。特に肝臓癌におけるnon-surgical ablationの普及は目覚ましく，熱凝固療法の一つであるラジオ波焼灼療法(radiofrequency ablation；RFA)はすでに保険収載されている。乳癌においてもnon-surgical ablationにより局所制御が得られれば，乳房部分切除術に代わる局所療法の選択肢となり得る可能性があるが，その適応，手技，治療効果の判定法などが非常に重要である。現時点での乳癌におけるnon-surgical ablationの妥当性を文献的に検証する。

解説

乳癌に対するnon-surgical ablationとしては，①ラジオ波焼灼療法(RFA)，②凍結療法，③集束超音波療法等がある。適格基準としては腫瘍径2 cm以下の小さな乳癌を対象にしている報告が多い。

凍結療法に関しては，Lanzaらのレビューによると，凍結療法により，73%に完全な局所制御が可能であり，整容的満足度は99%であったと報告している[1)]。凍結療法の探索的第Ⅱ相試験(ACOSOG Z1072試験)によると，切除標本の病理学的評価による腫瘍の凍結療法成功率は75.9%で，MRIによる陰性的中率は81.2%であった[2)]。

熱凝固療法のシミュレーション研究では，集束超音波療法[3)]，RFA[4)～6)]のいずれに関しても概ね90%以上の症例において腫瘍壊死が得られており，一定の局所治療効果が報告されている。RFAや集束超音波療法では，治療直後は癌細胞が一定の形態を保持するため通常の病理学的検索では治療効果の判定が困難な場合があり，nicotinamide adenine dinucleotide-diaphorase(NADH)染色による細胞死の判定が行われることが多い。

RFAの治療成績に関しては，平均腫瘤径13 mm(5～20 mm)の日本人乳癌52人に対しRFAによる熱凝固を放射線併用で行い，平均観察期間15カ月(6～30カ月)時点では再発をまったく認めなかった[7)]。Chenらによる15論文(404症例)のメタアナリシスによると，RFAによる完全焼灼率は89%であり，整容面では96%の症例において良好であったが，合併症では4%の皮膚熱傷がみられた[8)]。日本人乳癌に対しRFAを行った386例を対象にした多施設の後ろ向き研究によると，平均腫瘤径は1.6 cm，平均観察期間は50カ月，腫瘤径2 cm以下の群は2.1 cm以上に比して，有意に局所再発率が低かった(2.3% vs 10%，$p=0.015$)[9)]。現在，わが国では非切除を前提としたRFAの有効性の検証と標準化に向けた多施設共同研究が行われ，温存乳房内無再発生存割合を主要評価項目としてその有効性を前向きに検証している(UMIN 000008675)[10]。

集束超音波療法に関しては，わが国ではFurusawaらにより，腫瘤径の中央値15 mm(5～50 mm)の乳癌に対し放射線非併用で集束超音波による熱凝固を行い，観察期間中央値14カ月(3～26カ月)で21人中粘液癌の1人に温存乳房内再発を認めたとの報告がみられる[11]。Peekらの9編の論文のシステマティック・レビューによると，治療後の遺残腫瘍消失が46.2%(17～100%)，10%以下の遺残が29.4%(0～53%)とばらつきが大きく，主な合併症は疼痛(40.1%)，浮腫(16.8%)であった。集束超音波療法の問題点としては，コストと治療時間(78～240分)が挙げられている[12]。

Non-surgical ablationの今後の課題としては，直達手術との非劣性の検証，治療後の局所再発の予測や評価法，腋窩のマネージメント，温存療法よりも恩恵を受ける患者の選択などが挙げられている[13]。

以上より，乳癌に対するnon-surgical ablationは適応を限れば局所制御できる可能性はあるものの，現時点では臨床試験として実施されるべきであり，実地臨床としての実施は時期尚早である。

外科療法

検索キーワード・参考にした二次資料

「乳癌診療ガイドライン①治療編2018年版」の同クエスチョンの参考文献に加え，PubMedで“Primary Breast Cancer”，“radiofrequency”のキーワードで検索した。検索期間は2005年11月～2021年9月とし，84件がヒットした。この中から重要性の高いものを選択した。

参考文献

1) Lanza E, Palussiere J, Buy X, Grasso RF, Beomonte Zobel B, Poretti D, et al. Percutaneous image-guided cryoablation of breast cancer: a systematic review. J Vasc Interv Radiol. 2015; 26(11): 1652-7.e1. [PMID: 26342882]
2) Simmons RM, Ballman KV, Cox C, Carp N, Sabol J, Hwang RF, et al; ACOSOG investigators. A phase II trial exploring the success of cryoablation therapy in the treatment of invasive breast carcinoma: results from ACOSOG(Alliance)Z1072. Ann Surg Oncol. 2016; 23(8): 2438-45. [PMID: 27221361]
3) Furusawa H, Namba K, Thomsen S, Akiyama F, Bendet A, Tanaka C, et al. Magnetic resonance-guided focused ultrasound surgery of breast cancer: reliability and effectiveness. J Am Coll Surg. 2006; 203(1): 54-63. [PMID: 16798487]
4) Izzo F, Thomas R, Delrio P, Rinaldo M, Vallone P, DeChiara A, et al. Radiofrequency ablation in patients with primary breast carcinoma: a pilot study in 26 patients. Cancer. 2001; 92(8): 2036-44. [PMID: 11596017]
5) Fornage BD, Sneige N, Ross MI, Mirza AN, Kuerer HM, Edeiken BS, et al. Small(<or=2-cm)breast cancer treated with US-guided radiofrequency ablation: feasibility study. Radiology. 2004; 231(1): 215-24. [PMID: 14990810]
6) Tsuda H, Seki K, Hasebe T, Sasajima Y, Shibata T, Iwamoto E, et al. A histopathological study for evaluation of therapeutic effects of radiofrequency ablation in patients with breast cancer. Breast Cancer. 2011; 18(1): 24-32. [PMID: 20862572]
7) Oura S, Tamaki T, Hirai I, Yoshimasu T, Ohta F, Nakamura R, et al. Radiofrequency ablation therapy in patients with breast cancers two centimeters or less in size. Breast Cancer. 2007; 14(1): 48-54. [PMID: 17244994]
8) Chen J, Zhang C, Li F, Xu L, Zhu H, Wang S, et al. A meta-analysis of clinical trials assessing the effect of radiofrequency ablation for breast cancer. Onco Targets Ther. 2016; 9: 1759-66. [PMID: 27042126]
9) Ito T, Oura S, Nagamine S, Takahashi M, Yamamoto N, Yamamichi N, et al. Radiofrequency ablation of breast cancer: a retrospective study. Clin Breast Cancer. 2018; 18(4): e495-500. [PMID: 29079443]
10) Kinoshita T. RFA experiences, indications and clinical outcomes. Int J Clin Oncol. 2019; 24(6): 603-7. [PMID: 30859355]
11) Furusawa H, Namba K, Nakahara H, Tanaka C, Yasuda Y, Hirabara E, et al. The evolving non-surgical ablation of breast cancer: MR guided focused ultrasound(MRgFUS). Breast Cancer. 2007; 14(1): 55-8. [PMID: 17244995]

12) Peek MC, Ahmed M, Napoli A, ten Haken B, McWilliams S, Usiskin SI, et al. Systematic review of high-intensity focused ultrasound ablation in the treatment of breast cancer. Br J Surg. 2015; 102(8): 873-82; discussion 882. [PMID: 26095255]
13) Fleming MM, Holbrook AI, Newell MS. Update on image-guided percutaneous ablation of breast cancer. AJR Am J Roentgenol. 2017; 208(2): 267-74. [PMID: 27762603]

総説 2
乳癌初期治療における腋窩手術

1）領域リンパ節と郭清

乳癌の領域リンパ節は，腋窩リンパ節，鎖骨上リンパ節，内胸リンパ節に分類される。病理学的リンパ節転移個数は強い予後予測因子であり，リンパ節転移状態を正確に知ることは術後薬物療法や放射線療法の決定に重要な情報である。

初発乳癌において領域リンパ節の中で腋窩リンパ節転移の頻度は高い。臨床的に明らかな腋窩リンパ節転移陽性（cN＋）患者ではレベルⅡまでの腋窩リンパ節郭清（ALND）が勧められる。胸郭入り口へのレベルⅢの郭清は，レベルⅡに肉眼的リンパ節転移が認められる場合や術中に明らかなレベルⅢリンパ節転移が疑われる場合に限るべきである。

一方，早期発見が増え，多くの患者は術前臨床的リンパ節転移陰性（cN0）である。cN0は必ずしも病理学的リンパ節転移陰性（pN0）を意味するとは限らず，病理学的リンパ節転移陽性も含まれる。この事実から，Halstedの時代[1]から正確な情報と局所制御を目指し，領域リンパ節の切除・郭清が施行されてきた。ランダム化比較試験（RCT）であるNSABP B-04試験の結果によると，cN0乳癌患者において予防的ALNDを施行した群は再発時のみALNDを行う郭清省略群と比べて無遠隔転移生存および全生存率（OS）に差を認めなかったが[2]，その後のB-04を含む6つの試験のメタアナリシスでは，予防的ALND群において予後改善効果がみられている[3]。NSABP B-04試験は乳癌全身病説を裏付ける結果であったが，アンダーパワーの可能性や乳房全切除術時に偶然切除されたリンパ節の存在などの問題も指摘された。ALND以外にpN0を確認する方法がなかったため，後述するセンチネルリンパ節生検（sentinel lymph node biopsy；SLNB）が確立するまでALNDは施行されてきた。

内胸リンパ節に関して，腋窩リンパ節転移陽性患者や乳房腫瘤の位置が内側にある患者は44～65％と高率に転移があるにもかかわらず，内胸リンパ節郭清を加える拡大乳房切除術は胸筋温存乳房全切除術に比較し再発・生存を改善しないことが明らかとなり，手技の煩雑さや乳房部分切除術の普及とともに現在では内胸リンパ節郭清はされていない[4]（☞外科FRQ5参照）。一方，内胸リンパ節領域照射を含む胸壁照射の有用性を検証したRCTであるDBCG 82 b and c試験[5]やEBCTCGメタアナリシス[6]などからは，局所制御のみならず，OSも改善することが示され，この領域への対処は内胸リンパ節郭清ではなく照射が主体と考えられる。

2）センチネルリンパ節生検

術前cN0患者の70～80％はpN0である。この場合のALNDは再発・生存に寄与せず，ALNDによる合併症として同側上肢のリンパ浮腫，感覚異常や運動障害などが一定の割合で生じ，治療としての意義はまったくないばかりか害となる。不要なALNDを避け，正確な転移診断の方法が待たれていた。1992年，Mortonらにより悪性黒色腫においてSLNBの有用性が示された[7]。センチネルリンパ節（sentinel lymph node；SLN）とは原発巣からのリンパ流を最初に受けるリンパ節と定義され，そこに転移がなければ理論上ほかのリンパ節にも転移はない。それら一連の手技をSLNBと呼び，ALNDを省略しても病理学的領域リンパ節転移の有無をほぼ正確に決定できる。SLNBの手技は，トレーサーを腫瘍周囲もしくは乳輪下に注射し，トレーサーが集積したリンパ節を同定するが，トレーサーとして色素法，ラジオアイソトープ法および両者の併用法が報告され，最近ではインドシアニングリーンを用いた蛍光法も利用されている。

乳癌においてはcN0患者を対象としたSLNBとALNDのRCTがいくつか行われている[8)9)]。いずれの試験においても，両群間の無再発生存率(DFS)およびOSに有意差は認めず，SLNB群では疼痛が少なく，腕の運動性が良好であり，入院によるコストの削減がみられた。これらの結果から，cN0乳癌に対するSLNBはALNDに代わる低侵襲の腋窩ステージング法であり，SLNBを用いたALNDの省略は標準治療となっている。SLNが内胸リンパ節に描出されることもあり，リンパ節生検を行えばステージングの変更もあり得るが，同部位の再発は非常に少なく，恩恵のある患者割合が低いことから現時点ではリンパ節生検を推奨しない(☞外科FRQ5参照)。また，術前診断が非浸潤癌の場合，切除検体に浸潤癌がみつかることもあるが，実際のSLN転移陽性は非常に少ない。このため原発腫瘍切除後に二期的SLNBを施行するのが困難な症例のみ，原発腫瘍切除と同時にSLNBを行うことが望ましい(☞外科BQ2参照)。

SLN転移陽性の場合はALNDが標準治療であるが，実際にALNDを行っても郭清したリンパ節に転移を認める割合は約半数しかない[10)]。SLN転移陽性症例に対する腋窩非郭清の可能性を示した代表的なRCTであるACOSOG Z0011試験の長期予後が報告された[11)]。乳房部分切除術症例でSLN転移個数が2個までの場合，SLNにマクロ転移を認めてもALNDを省略できる可能性があると考えられるが，その他の条件の場合，実臨床での適用には個々の症例に応じて慎重に検討しなければならない(☞外科CQ1参照)。さらにSLN微小転移の場合，いくつかの臨床試験の結果，適切な条件下であれば乳房術式によらず腋窩温存が可能であることも示されている。また，術前化学療法施行前後でcN0症例に対するSLNBの同定率，偽陰性率は，術前化学療法なしの場合と同等であり，実施可能である。一方，もともとcN＋症例が術前化学療法によりcN0になった場合，SLNBの偽陰性率は10％を超えて高く，予後も不明である。この場合，ALND省略を目的としたSLNBは施行せず，ALNDを行うことが推奨される。SLNBの結果のみでALND省略は推奨されない(☞外科CQ2b-1参照)。

近年では，cN＋症例に対する術前化学療法実施前に超音波検査ガイド下にマーカーを留置したリンパ節をtargeted lymph node(TLN)とし，これを手術時に採取する手法であるtargeted axillary dissection(TAD)が提唱されている。偽陰性を可能な限り少なくすることを目的に，TAD，SLNB，samplingなどを複合的に行い，元来転移のあったリンパ節を含めて切除する腋窩縮小手術を行う場合は，ALND省略は推奨される(☞外科CQ2b-2参照)。cN＋症例に対するSLNBは推奨できないという位置付けであるものの，cN＋症例に対するALND省略を可能にする有望な手法として注目されている[12)～14)]。

参考文献

1) Halsted WS. I. The results of operations for the cure of cancer of the breast performed at the Johns Hopkins Hospital from June, 1889, to January, 1894. Ann Surg. 1894; 20(5): 497-555. [PMID: 17860107]
2) Fisher B, Redmond C, Fisher ER, Bauer M, Wolmark N, Wickerham DL, et al. Ten-year results of a randomized

clinical trial comparing radical mastectomy and total mastectomy with or without radiation. N Engl J Med. 1985; 312(11): 674-81. [PMID: 3883168]

3) Orr RK. The impact of prophylactic axillary node dissection on breast cancer survival--a Bayesian meta-analysis. Ann Surg Oncol. 1999; 6(1): 109-16. [PMID: 10030423]
4) Chen RC, Lin NU, Golshan M, Harris JR, Bellon JR. Internal mammary nodes in breast cancer: diagnosis and implications for patient management-- a systematic review. J Clin Oncol. 2008; 26(30): 4981-9. [PMID: 18711171]
5) Danish Breast Cancer Cooperative Group, Nielsen HM, Overgaard M, Grau C, Jensen AR, Overgaard J. Study of failure pattern among high-risk breast cancer patients with or without postmastectomy radiotherapy in addition to adjuvant systemic therapy: long-term results from the Danish Breast Cancer Cooperative Group DBCG 82 b and c randomized studies. J Clin Oncol. 2006; 24(15): 2268-75. [PMID: 16618947]
6) EBCTCG(Early Breast Cancer Trialists' Collaborative Group), McGale P, Taylor C, Correa C, Cutter D, Duane F, et al. Effect of radiotherapy after mastectomy and axillary surgery on 10-year recurrence and 20-year breast cancer mortality: meta-analysis of individual patient data for 8135 women in 22 randomised trials. Lancet. 2014; 383(9935): 2127-35. [PMID: 24656685]
7) Morton DL, Wen DR, Wong JH, Economou JS, Cagle LA, Storm FK, et al. Technical details of intraoperative lymphatic mapping for early stage melanoma. Arch Surg. 1992; 127(4): 392-9. [PMID: 1558490]
8) Veronesi U, Paganelli G, Viale G, Luini A, Zurrida S, Galimberti V, et al. Sentinel-lymph-node biopsy as a staging procedure in breast cancer: update of a randomised controlled study. Lancet Oncol. 2006; 7(12): 983-90. [PMID: 17138219]
9) Krag DN, Anderson SJ, Julian TB, Brown AM, Harlow SP, Costantino JP, et al. Sentinel-lymph-node resection compared with conventional axillary-lymph-node dissection in clinically node-negative patients with breast cancer: overall survival findings from the NSABP B-32 randomised phase 3 trial. Lancet Oncol. 2010; 11(10): 927-33. [PMID: 20863759]
10) Kim T, Giuliano AE, Lyman GH. Lymphatic mapping and sentinel lymph node biopsy in early-stage breast carcinoma: a metaanalysis. Cancer. 2006; 106(1): 4-16. [PMID: 16329134]
11) Giuliano AE, Ballman KV, McCall L, Beitsch PD, Brennan MB, Kelemen PR, et al. Effect of axillary dissection vs no axillary dissection on 10-year overall survival among women with invasive breast cancer and sentinel node metastasis: the ACOSOG Z0011(Alliance)randomized clinical trial. JAMA. 2017; 318(10): 918-26. [PMID: 28898379]
12) Gentilini O, Veronesi U. Abandoning sentinel lymph node biopsy in early breast cancer? A new trial in progress at the European Institute of Oncology of Milan(SOUND: sentinel node vs observation after axillary ultrasound). Breast. 2012; 21(5): 678-81. [PMID: 22835916]
13) Arjmandi F, Mootz A, Farr D, Reddy S, Dogan B. New horizons in imaging and surgical assessment of breast cancer lymph node metastasis. Breast Cancer Res Treat. 2021; 187(2): 311-22. [PMID: 33982209]
14) Swarnkar PK, Tayeh S, Michell MJ, Mokbel K. The evolving role of marked lymph node biopsy(MLNB)and targeted axillary dissection(TAD)after neoadjuvant chemotherapy(NACT)for node-positive breast cancer: systematic review and pooled analysis. Cancers(Basel). 2021; 13(7): 1539. [PMID: 33810544]

BQ 2 術前診断が非浸潤性乳管癌である場合，センチネルリンパ節生検は勧められるか？

ステートメント

- 術前病理診断が非浸潤性乳管癌であり，総合的な臨床診断でも浸潤癌を疑わず，乳房温存療法を施行予定の症例に対しては，センチネルリンパ節生検は不要である。
- 二期的センチネルリンパ節生検の施行が困難な場合には，原発腫瘍切除と同時にセンチネルリンパ節生検を行うことは許容される。

背景

真の非浸潤性乳管癌(DCIS)であれば，理論上，リンパ節転移はなく，腋窩処置は不要である。一方，現実的には術前の針生検など限られた組織片からの病理診断ではサンプリングエラーで浸潤部分が含まれていない場合，腋窩リンパ節転移の可能性が生じる。このため術前にDCISと診断されてもセンチネルリンパ節生検(SLNB)が施行されることも多い。

わが国の全国621施設のアンケート調査によると，2010年の1年間に手術が施行された原発乳癌のうちDCISは約14%で，そのDCISの78%に対して何らかの腋窩処置が行われ，不要と思える腋窩リンパ節郭清(ALND)も6%に施行されていた[1]。ここでは術前診断がDCISの患者に対するSLNBの是非について概説する。

解説

術前のDCISの診断は針生検，吸引式乳房組織生検，または切除(切開)生検でなされる。このうち，8～38%は最終病理診断で浸潤癌にアップステージされる[2)～8)]。その中で浸潤巣との関連が指摘されている要因は，大きい腫瘍径[2)4)7)]，触知可能な病変[4)]，高グレード[2)]，面疱壊死の存在[6)]，マンモグラフィ上の腫瘤陰影[4)]，MRIで2 cm以上[9)]，55歳以下[2)]，針生検による診断[2)3)6)]，ホルモン受容体(ER or PgR)陰性などが挙げられる。リンパ節転移はこの浸潤巣が原因と考えられる[2)～4)7)]。

術前にDCISと診断され，SLNBを施行した患者において，リンパ節転移を認める割合は1.9～5.5%[8)～10)]と少ないが存在する。この割合は，最終病理診断において浸潤癌を含む症例が有意にセンチネルリンパ節転移と関連しており[10)]，1 mm以下の浸潤癌と定義される微小浸潤性乳管癌(DCISM)のセンチネルリンパ節転移陽性率2.9～6.9%[11)12)]と同程度である。

以上のことから，臨床医が術後病理診断でもDCISであると考える症例に対して乳房温存療法を予定している場合には，SLNBを含む腋窩処置は基本的に勧められない[10)13)]。最終病理診断で原発巣に浸潤癌が確認できた場合は，二期的SLNBが考慮される。しかし，術前に浸潤巣の存在が疑われる場合や他施設での生検後のように切除状況が不明な場合，さらに後日のSLNBを妨げるような解剖学的位置での切除が予定されている場合は初回からSLNBを考慮してよい。乳房全切除術が予定される患者では[14)15)]，原発巣切除後に二期的SLNBを施行することが困難となるため，原発巣切除と同時に SLNB を行うことが望ましい。

検索キーワード・参考にした二次資料

「乳がん診療ガイドライン治療編 2018 年版」の同クエスチョンの参考文献に加え，PubMed で，“Carcinoma, Intraductal, Noninfiltrating”，“Sentinel Lymph Node Biopsy” のキーワードで検索した。検索期間は 2016 年 12 月～2021 年 10 月とし，94 件がヒットした。該当論文の引用文献も検索し，主要なものを選択した。

参考文献

1）NPO 法人日本乳がん情報ネットワーク編著．JCCNB 乳がん白書 2013．東京，日経メディカル開発，2013，pp126-9.
2）Yen TW, Hunt KK, Ross MI, Mirza NQ, Babiera GV, Meric-Bernstam F, et al. Predictors of invasive breast cancer in patients with an initial diagnosis of ductal carcinoma in situ: a guide to selective use of sentinel lymph node biopsy in management of ductal carcinoma in situ. J Am Coll Surg. 2005; 200(4): 516-26. [PMID: 15804465]
3）Mittendorf EA, Arciero CA, Gutchell V, Hooke J, Shriver CD. Core biopsy diagnosis of ductal carcinoma in situ: an indication for sentinel lymph node biopsy. Curr Surg. 2005; 62(2): 253-7. [PMID: 15796952]
4）Goyal A, Douglas-Jones A, Monypenny I, Sweetland H, Stevens G, Mansel RE. Is there a role of sentinel lymph node biopsy in ductal carcinoma in situ?: analysis of 587 cases. Breast Cancer Res Treat. 2006; 98(3): 311-4. [PMID: 16552627]
5）Moran CJ, Kell MR, Flanagan FL, Kennedy M, Gorey TF, Kerin MJ. Role of sentinel lymph node biopsy in high-risk ductal carcinoma in situ patients. Am J Surg. 2007; 194(2): 172-5. [PMID: 17618799]
6）Tan JC, McCready DR, Easson AM, Leong WL. Role of sentinel lymph node biopsy in ductal carcinoma-in-situ treated by mastectomy. Ann Surg Oncol. 2007; 14(2): 638-45. [PMID: 17103256]
7）Cserni G, Bianchi S, Vezzosi V, Arisio R, Bori R, Peterse JL, et al. Sentinel lymph node biopsy in staging small (up to 15 mm) breast carcinomas. Results from a European multi-institutional study. Pathol Oncol Res. 2007; 13(1): 5-14. [PMID: 17387383]
8）Uemoto Y, Kondo N, Wanifuchi-Endo Y, Asano T, Hisada T, Nishikawa S, et al. Sentinel lymph node biopsy may be unnecessary for ductal carcinoma in situ of the breast that is small and diagnosed by preoperative biopsy. Jpn J Clin Oncol. 2020; 50(12): 1364-9. [PMID: 32856072]
9）Miyake T, Shimazu K, Ohashi H, Taguchi T, Ueda S, Nakayama T, et al. Indication for sentinel lymph node biopsy for breast cancer when core biopsy shows ductal carcinoma in situ. Am J Surg. 2011; 202(1): 59-65. [PMID: 21741518]
10）van Roozendaal LM, Goorts B, Klinkert M, Keymeulen KBMI, De Vries B, Strobbe LJA, et al. Sentinel lymph node biopsy can be omitted in DCIS patients treated with breast conserving therapy. Breast Cancer Res Treat. 2016; 156(3): 517-25. [PMID: 27083179]
11）Fan B, Pardo JA, Serres S, Alapati AC, Szewczyk J, Mele A, et al. Role of sentinel lymph node biopsy in microinvasive breast cancer. Ann Surg Oncol. 2020; 27(11): 4468-73. [PMID: 32430750]
12）Magnoni F, Massari G, Santomauro G, Bagnardi V, Pagan E, Peruzzotti G, et al. Sentinel lymph node biopsy in microinvasive ductal carcinoma in situ. Br J Surg. 2019; 106(4): 375-83. [PMID: 30791092]
13）Tada K, Ogiya A, Kimura K, Morizono H, Iijima K, Miyagi Y, et al. Ductal carcinoma in situ and sentinel lymph node metastasis in breast cancer. World J Surg Oncol. 2010; 8: 6. [PMID: 20105298]
14）Ozkan-Gurdal S, Cabioglu N, Ozcinar B, Muslumanoglu M, Ozmen V, Kecer M, et al. Factors predicting microinvasion in ductal carcinoma in situ. Asian Pac J Cancer Prev. 2014; 15(1): 55-60. [PMID: 24528005]
15）Sakr R, Antoine M, Barranger E, Dubernard G, Salem C, Daraï E, et al. Value of sentinel lymph node biopsy in breast ductal carcinoma in situ upstaged to invasive carcinoma. Breast J. 2008; 14(1): 55-60. [PMID: 18186866]

CQ 1 センチネルリンパ節に転移を認める患者に対して腋窩リンパ節郭清省略は勧められるか？

CQ 1a 微小転移の場合

推 奨

- センチネルリンパ節に微小転移を認める患者に対して，腋窩リンパ節郭清省略を強く推奨する。
  推奨の強さ：1，エビデンスの強さ：中，合意率：98％(47/48)

CQ 1b マクロ転移の場合

CQ1b-1　乳房部分切除術の場合
CQ1b-2　乳房全切除術の場合（放射線療法なし）
CQ1b-3　乳房全切除術の場合（放射線療法あり）

推 奨

- CQ1b-1：［乳房部分切除術の場合］センチネルリンパ節にマクロ転移を認める患者に対して腋窩リンパ節郭清省略を行うことを弱く推奨する。
  推奨の強さ：2，エビデンスの強さ：中，合意率：87％(40/46)
- CQ1b-2：［乳房全切除術の場合，放射線療法なし］センチネルリンパ節にマクロ転移を認める患者に対して腋窩リンパ節郭清省略を行わないことを強く推奨する(腋窩リンパ節郭清を行うことを強く勧める)。
  推奨の強さ：4，エビデンスの強さ：とても弱い，合意率：83％(40/48)
- CQ1b-3：［乳房全切除術の場合，放射線療法あり］センチネルリンパ節にマクロ転移を認める患者に対して腋窩リンパ節郭清省略を行うことを弱く推奨する。
  推奨の強さ：2，エビデンスの強さ：弱，合意率：92％(44/48)

背景・目的

腋窩リンパ節郭清(ALND)の臨床的意義は，局所の制御に加え，転移の個数を知ることにより術後薬物療法および照射の適応を決めることである。センチネルリンパ節(SLN)転移陽性ならばALNDが勧められているが，ACOSOG Z0011試験の結果が報告されて以来[1)]，SLNに転移を認めていた場合でもALNDの必要性が議論の対象となり，ASCOガイドライン(2017年[2)]，2021年[3)])では，SLN転移陽性でも照射を伴う乳房部分切除術を予定している場合にはALNDを行うべきでないとしている。そこで本CQでは，SLN転移陽性の場合にALND省略を勧められるかを検討した。

解 説

SLN転移陽性症例を対象にしたALND群とALND省略群のランダム化比較試験(RCT)は，

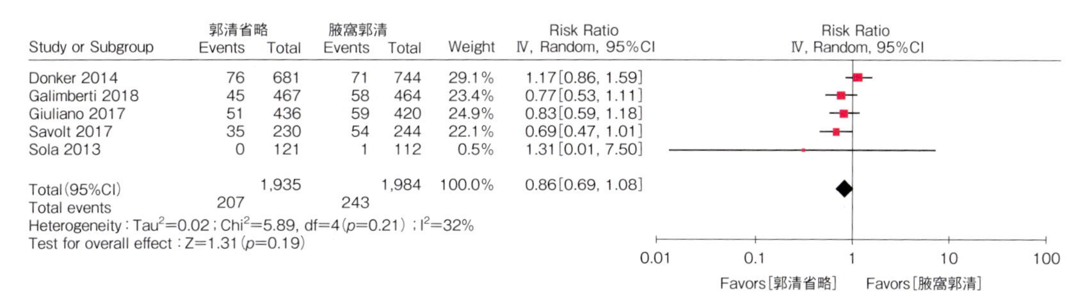

図 1　全生存率のメタアナリシス(微小転移のみの 2 編を含む 5 編)

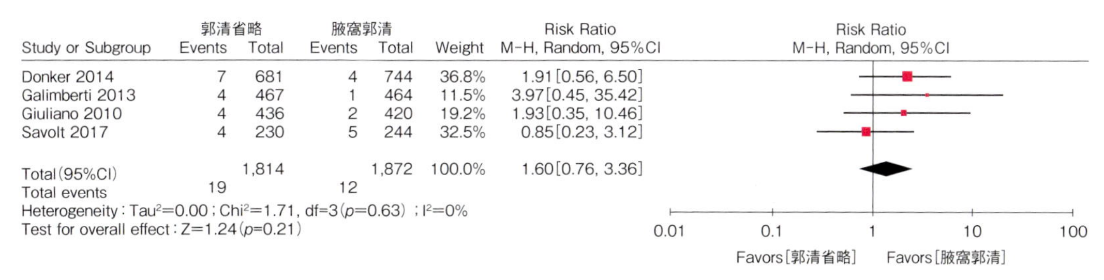

図 2　腋窩再発率のメタアナリシス(微小転移のみの 1 編を含む)

ACOSOG Z0011 試験(n＝891)[1)4)〜6)]，EORTC 10981-22023 AMAROS 試験(n＝1,425)[7)8)]，OTOASOR 試験(n＝474)[9)]である。また，SLN 微小転移のみを対象とした ALND 群と ALND 省略群の RCT は，IBCSG 23-01 試験(n＝465)[10)11)]，AATRM 048/13/2000 試験(n＝247)[12)]がある。本 CQ に対する推奨の作成にあたっては，ALND 省略による全生存率，腋窩再発率の低下がなく，ALND を行った場合のリンパ浮腫の出現，手術合併症の増加を重視した。

推奨を決定するにあたり，まず微小転移(0.2 mm から 2 mm まで)と，マクロ転移(2 mm を超える)に分けた(それぞれ CQ1a，1b)。そして，マクロ転移は，推奨の強さの決定に影響する要因として，術式〔乳房部分切除術と乳房全切除術(乳房再建も含む)〕と照射(なし，あり)によって推奨度が異なる可能性が高いため，それら 3 つ(CQ1b-1，2，3)に分けた。

1）エビデンスの強さ

CQ1a について，5 つのランダム化比較試験[1)4)〜12)]の定量的システマティック・レビューを行った。全生存率(**図 1**)，腋窩再発率(**図 2**)は，いずれも一致して ALND 省略群でも劣らない。また，ALND に伴うリンパ浮腫(**図 3**)，手術合併症は，いずれも一致して ALND 群で劣っていた。RCT は，ALND 群と ALND 省略群の比較であり，本 CQ に関するエビデンスとして直接性は高いものの，それぞれの主要評価項目が，全生存率(1 編[1)5)6)])，腋窩再発率(2 編[7)〜9)])，無病生存率(2 編[10)〜12)])と異なること，微小転移のみを対象としていないこと，病期と術式の非一貫性があること，それぞれが非劣性を証明する統計学的なイベント数を満たさないこと，合併症に関しては一部のみでしか記載がなく，検出バイアスがあることから，全体のエビデンスの強さは「中」とした。

CQ1b について，3 つのランダム化比較試験[1)4)〜8)]の定量的システマティック・レビューを行った。全生存率(**図 4**)，腋窩再発率(**図 5**)の結果，いずれも一致して ALND 省略群でも劣らない。

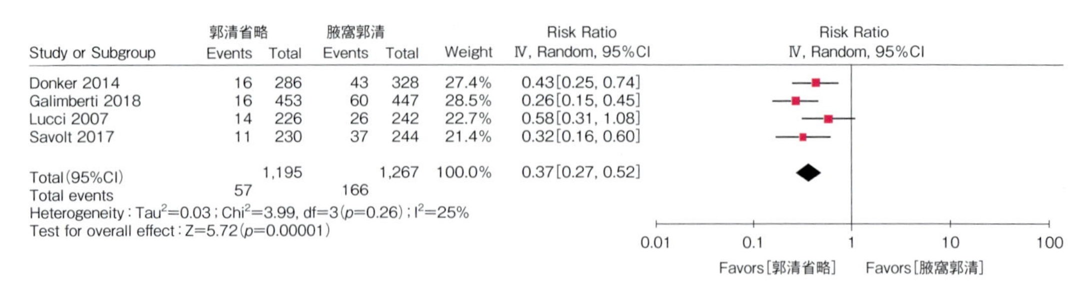

図3 リンパ浮腫発生率のメタアナリシス(微小転移のみの1編を含む)

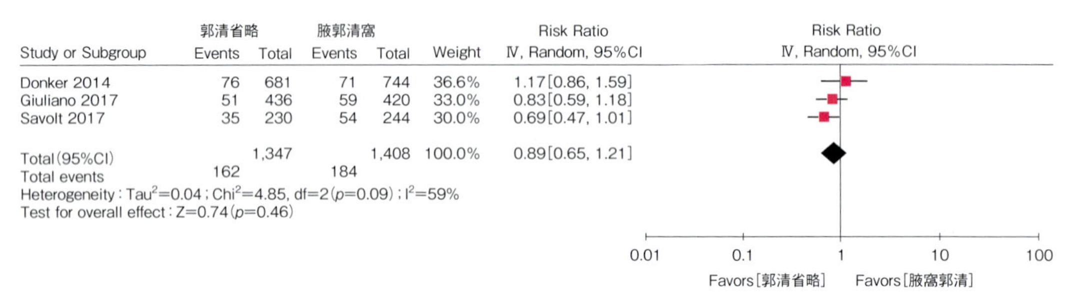

図4 全生存率のメタアナリシス(微小転移のみを除く3編)

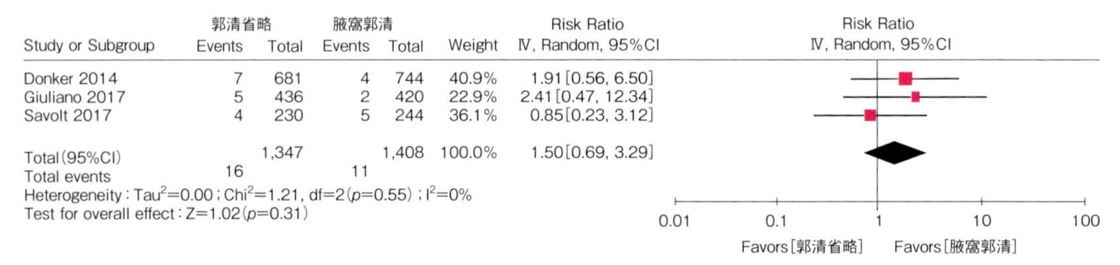

図5 腋窩再発率のメタアナリシス(微小転移のみを除く3編)

また，ALNDに伴うリンパ浮腫(**図3**)の結果はALND群で劣っていた。RCTは，ALND群とALND省略群の比較であり，本CQに関するエビデンスとして直接性は高いものの，それぞれの主要評価項目が，全生存率(1編[1)5)6)])，腋窩再発率(2編[7)〜9)])と異なること，病期と術式の非一貫性があること，それぞれが非劣性を証明する統計学的なイベント数を満たさないこと，合併症に関しては一部のみでしか記載がなく，検出バイアスがあることから，全体のエビデンスの強さは「中」とした。ただし，乳房全切除術症例はACOSOG Z0011試験(n＝891)[1)5)6)]に含まれず，EORTC 10981-22023 AMAROS試験(n＝1,425)[7)8)]の18%，OTOASOR試験(n＝474)[9)]の16%のみであることから，CQ1b-3(乳房全切除術，放射線療法あり)のエビデンスの強さは「弱」，さらに全例に腋窩リンパ節領域照射が行われていることから，CQ1b-2(乳房全切除術，放射線療法なし)のエビデンスの強さは「とても弱い」とした。

2) 推奨の強さ

1a；微小転移の場合，腋窩局所治療に対しては，IBCSG 23-01試験[10)11)]，AATRM 048/13/2000

試験[12]とも約90%は乳房部分切除術が行われ標準的乳房照射が行われているが，high tangent など腋窩を照射野に含む方法はとられていない。結果は両群間で無病生存率，全生存率とも有意差を認めていない。また，ALND の場合，リンパ浮腫の出現頻度，手術合併症の増加は確実である。ただし，両試験にて全例に適切な術後薬物療法が行われていることは留意する必要がある。

以上より，SLN に微小転移を認める患者に対し，全生存率，腋窩再発率，郭清した場合のリンパ浮腫，合併症をそれぞれ考慮すると，ALND 省略を強く推奨する。

1b-1；乳房部分切除術の場合，症例が T1/T2, cN0 であること，SLN 転移数は 2 個まで，腋窩を照射野に含む方法をとること，適切な術後薬物療法を行うことが前提であり，これらを条件とする必要がある。一方，ALND の場合，リンパ浮腫の出現頻度，手術合併症の増加は確実である。なお，この条件にほぼ合致したリアルワールドデータも Z0011 試験の結果を支持するものであった[13]。

以上より，SLN にマクロ転移を認める患者に対し，全生存率，腋窩再発率，郭清した場合のリンパ浮腫，合併症をそれぞれ考慮すると，ALND 省略を行うことを弱く推奨するにとどめる。

1b-2；乳房全切除術，放射線療法なしの場合，これに該当する症例はいずれの RCT にも含まれないため，ALND 省略の根拠に乏しく，エビデンスの強さは「とても弱い」といわざるを得ない。

したがって，SLN にマクロ転移を認める患者に対して ALND 省略を行わないことを強く推奨する（ALND を行うことを強く勧める）。

1b-3；乳房全切除術，放射線療法ありの症例は，EORTC 10981-22023 AMAROS 試験（n＝1,425）[7,8]の 18%，OTOASOR 試験（n＝474）[9]の 16%のみであるため，ALND 省略に関するエビデンスの強さは「弱」である。また，乳房全切除術であっても T1/T2 であること，適切な術後薬物療法を行うことが前提である。一方，ALND の場合，リンパ浮腫の出現頻度，手術合併症の増加は確実である。

したがって，SLN にマクロ転移を認める患者に対して ALND 省略を行うことを弱く推奨する。

［投票結果］

	1. 行うことを強く推奨する	2. 行うことを弱く推奨する	3. 行わないことを弱く推奨する	4. 行わないことを強く推奨する
CQ1a	98%(47/48)	2%(1/48)	0%(0/48)	0%(0/48)
	総投票数 48 名(棄権 0 名，COI 棄権 0 名)			
CQ1b-1	9%(4/46)	87%(40/46)	4%(2/46)	0%(0/46)
	総投票数 46 名(棄権 0 名，COI 棄権 0 名)			
CQ1b-2	6%(3/48)	6%(3/48)	4%(2/48)	83%(40/48)
	総投票数 48 名(棄権 0 名，COI 棄権 0 名)			
CQ1b-3	0%(0/48)	92%(44/48)	8%(4/48)	0%(0/48)
	総投票数 48 名(棄権 0 名，COI 棄権 0 名)			

検索キーワード・参考にした二次資料

“Breast Neoplasms”，“Lymph Node Excision”，“Lymphatic Metastasis”，“Micrometastasis”，“Macrometastasis”，“乳房腫瘍”，“乳がん”，“リンパ節”，“腋窩”，“リンパ節郭清” のキーワードで文献検索を行った。検索期間は 2021 年 6 月までとした。PubMed 531 編，Cochrane 296 編，医中誌 170 編が抽出され，それ以外に 1 編の論文が追加された。一次スクリーニングで 22 編の論文が抽出され，二次スクリーニングで 11 編の論文が抽出された。そのうち

CQ1aの主旨に関するランダム化比較試験として5編，CQ1bに関する試験として3編の定量的および定性的システマティック・レビューを行った。SLNに微小転移を有する患者のみを対象としたランダム化比較試験は2編，微小転移およびマクロ転移を含む患者を対象としたランダム化比較試験は3編であった。

参考文献

1) Giuliano AE, Hunt KK, Ballman KV, Beitsch PD, Whitworth PW, Blumencranz PW, et al. Axillary dissection vs no axillary dissection in women with invasive breast cancer and sentinel node metastasis: a randomized clinical trial. JAMA. 2011; 305(6): 569-75. [PMID: 21304082]
2) Lyman GH, Somerfield MR, Bosserman LD, Perkins CL, Weaver DL, Giuliano AE. Sentinel lymph node biopsy for patients with early-stage breast cancer: American Society of Clinical Oncology clinical practice guideline update. J Clin Oncol. 2017; 35(5): 561-4. [PMID: 27937089]
3) Brackstone M, Baldassarre FG, Perera FE, Cil T, Chavez Mac Gregor M, Dayes IS, et al. Management of the axilla in early-stage breast cancer: Ontario Health(Cancer Care Ontario)and ASCO guideline. J Clin Oncol. 2021; 39(27): 3056-82. [PMID: 34279999]
4) Lucci A, McCall LM, Beitsch PD, Whitworth PW, Reintgen DS, Blumencranz PW, et al; American College of Surgeons Oncology Group. Surgical complications associated with sentinel lymph node dissection(SLND)plus axillary lymph node dissection compared with SLND alone in the American College of Surgeons Oncology Group trial Z0011. J Clin Oncol. 2007; 25(24): 3657-63. [PMID: 17485711]
5) Giuliano AE, McCall L, Beitsch P, Whitworth PW, Blumencranz P, Leitch AM, et al. Locoregional recurrence after sentinel lymph node dissection with or without axillary dissection in patients with sentinel lymph node metastases: the American College of Surgeons Oncology Group Z0011 randomized trial. Ann Surg. 2010; 252(3): 426-32; discussion 432-3. [PMID: 20739842]
6) Giuliano AE, Ballman KV, McCall L, Beitsch PD, Brennan MB, Kelemen PR, et al. Effect of axillary dissection vs no axillary dissection on 10-year overall survival among women with invasive breast cancer and sentinel node metastasis: the ACOSOG Z0011(Alliance)randomized clinical trial. JAMA. 2017; 318(10): 918-26. [PMID: 28898379]
7) Straver ME, Meijnen P, van Tienhoven G, van de Velde CJ, Mansel RE, Bogaerts J, et al. Sentinel node identification rate and nodal involvement in the EORTC 10981-22023 AMAROS trial. Ann Surg Oncol. 2010; 17(7): 1854-61. [PMID: 20300966]
8) Donker M, van Tienhoven G, Straver ME, Meijnen P, van de Velde CJ, Mansel RE, et al. Radiotherapy or surgery of the axilla after a positive sentinel node in breast cancer(EORTC 10981-22023 AMAROS): a randomised, multicentre, open-label, phase 3 non-inferiority trial. Lancet Oncol. 2014; 15(12): 1303-10. [PMID: 25439688]
9) Sávolt Á, Péley G, Polgár C, Udvarhelyi N, Rubovszky G, Kovács E, et al. Eight-year follow up result of the OTOASOR trial: the optimal treatment of the axilla- surgery or radiotherapy after positive sentinel lymph node biopsy in early-stage breast cancer: a randomized, single centre, phase iii, non-inferiority trial. Eur J Surg Oncol. 2017; 43(4): 672-9. [PMID: 28139362]
10) Galimberti V, Cole BF, Zurrida S, Viale G, Luini A, Veronesi P, et al; International Breast Cancer Study Group Trial 23-01 investigators. Axillary dissection versus no axillary dissection in patients with sentinel-node micrometastases(IBCSG 23-01): a phase 3 randomised controlled trial. Lancet Oncol. 2013; 14(4): 297-305. [PMID: 23491275]
11) Galimberti V, Cole BF, Viale G, Veronesi P, Vicini E, Intra M, et al; International Breast Cancer Study Group Trial 23-01. Axillary dissection versus no axillary dissection in patients with breast cancer and sentinel-node micrometastases(IBCSG 23-01): 10-year follow-up of a randomised, controlled phase 3 trial. Lancet Oncol. 2018; 19(10): 1385-93. [PMID: 30196031]
12) Solá M, Alberro JA, Fraile M, Santesteban P, Ramos M, Fabregas R, et al. Complete axillary lymph node dissection versus clinical follow-up in breast cancer patients with sentinel node micrometastasis: final results from the multicenter clinical trial AATRM 048/13/2000. Ann Surg Oncol. 2013; 20(1): 120-7. [PMID: 22956062]
13) Huang TW, Su CM, Tam KW. Axillary management in women with early breast cancer and limited sentinel node metastasis: a systematic review and metaanalysis of real-world evidence in the post-ACOSOG Z0011 era. Ann Surg Oncol. 2021; 28(2): 920-9. [PMID: 32705512]

CQ 2 術前化学療法後に，腋窩リンパ節郭清省略を目的としたセンチネルリンパ節生検は推奨されるか？

CQ 2a 術前化学療法の前後とも臨床的腋窩リンパ節転移陰性の乳癌に対してセンチネルリンパ節生検による腋窩リンパ節郭清省略は推奨されるか？

推奨

- センチネルリンパ節生検による腋窩リンパ節郭清省略を強く推奨する。

推奨の強さ：1，エビデンスの強さ：弱，合意率：98%(42/43)

CQ 2b 臨床的腋窩リンパ節転移陽性乳癌が術前化学療法施行後に臨床的リンパ節転移陰性と判断された場合，センチネルリンパ節生検による腋窩リンパ節郭清省略は推奨されるか？

CQ2b-1 センチネルリンパ節生検の結果のみによる場合

CQ2b-2 Tailored axillary surgery(TAS*)を行う場合

*TAS：偽陰性を可能な限り少なくすることを目的に，TAD(targeted axillary dissection)，SLNB，sampling などを複合的に行い，元来転移のあったリンパ節を含めて切除する腋窩縮小手術

推奨

- CQ2b-1：センチネルリンパ節生検の結果のみによる腋窩リンパ節郭清省略を弱く推奨しない。 推奨の強さ：3，エビデンスの強さ：弱，合意率：100%(42/42)
- CQ2b-2：TAS による腋窩リンパ節郭清省略は行うことを弱く推奨する。

推奨の強さ：2，エビデンスの強さ：弱，合意率：98%(42/43)

背景・目的

センチネルリンパ節生検(SLNB)は術前化学療法(NAC)を行わない臨床的リンパ節転移陰性乳癌では，正確な腋窩ステージングが可能であり，センチネルリンパ節(SLN)転移陰性の場合は腋窩リンパ節郭清(ALND)を省略しても予後に影響しないことが明らかとなった[1)2)]。一方，NAC は局所進行乳癌に対して，ダウンステージングにより手術不能乳癌を手術可能にし，乳房温存率を向上させるなど既に標準的治療となっており，さらに NAC による病理学的完全奏効が予後良好のサロゲートマーカーになり得ることから，その適応は早期乳癌にも及んでいる。また，NAC は腋窩リンパ節に対しても有意な治療効果が確認されており，臨床的腋窩リンパ節転移陽性乳癌が NAC 後，臨床的腋窩リンパ節転移陰性となることも経験する。SLNB が NAC 施行患者に対して安全に適応可能かどうかを明らかにすることを目的として，NAC 前の臨床的リンパ節転移の状態別にエビデンスを整理し，検討を行った。

解説

NAC 後の SLNB において想定される「害」は，生存率の低下，腋窩再発率の上昇，同定率の低下，偽陰性率の上昇である。一方で，SLNB による「益」は，腋窩手術に伴う合併症の低下である。本 CQ に対する推奨の作成にあたっては，ALND 省略における全生存率，無再発生存率に明らかな低下がないこと，腋窩再発率が対照となる症例(CQ2a では手術先行例，CQ2b では ALND 症例)とほぼ同等であること，SLN 同定率や偽陰性率が手術先行例とほぼ同等であること，および，ALND をした場合にリンパ浮腫等の合併症が増えることを重視した。

推奨を決定するにあたり，CQ2a，CQ2b ともに病理学的に SLN 転移陰性であることを ALND 省略の前提とした。また，CQ2b では，SLNB における手技の工夫の有無により推奨度が異なるため，CQ2b-1 と CQ2b-2 に分けて記載した。

1）CQ2a

(1) エビデンスの強さ

文献検索の結果，CQ2a に対する論文として，後ろ向き症例集積 16 論文のメタアナリシスを行った 1 編[3]と前向きコホート研究 2 編[4)5]，症例集積研究 4 編の計 7 編を採用した[6)～9]。さらに合併症の評価のため，2 編[10)11]を追加した。2018 年の改訂時と比べると，多数例の前向きコホート研究[4]や症例集積研究[7]の結果が新たに報告されたが，全体としては症例集積研究が多いこと，またランダム化比較試験は実施されていないことから，エビデンスの強さは「弱」とした。

(2) エビデンスの内容

全生存率は前向きコホート研究 1 編[4]と症例集積 1 編[6]で，無病生存率はこれに症例集積研究 1 編[7]を加えた 3 編，腋窩再発はさらに症例集積研究 1 編[9]を加えた 4 編で評価が行われている。その結果，全生存率は 93.3%[6]～97.8%[4]，腋窩再発率は 0.2%[4]～1.2%[9]と比較的ばらつきは小さかったが，無再発生存率は 81.5%[6]～97.2%[4]とややばらつきが大きかった。腋窩再発に関して手術先行例との比較を行った論文では，NAC 症例と手術先行例の間に有意差を認めなかった(NAC 症例 1.2%，手術先行例 0.9%)[9]。同定率については，メタアナリシス 1 編[3]とコホート研究 2 編[4)5]ならびに症例集積 3 編[7)～9]を用いて検討した。年代の古い 1 編のみ 84.8%と不良であったものの[5]，その他では 95%[8]～99.1%[7]と高い値を示した。また，2 編では非 NAC 症例との比較が行われ，手術先行例の同定率との間に有意差を認めなかった[8)9](手術先行例 98～98.7%，NAC 症例 95～97.4%)。偽陰性率の評価は 3 編で行われており[3)5)9]，やはり年代の古い 1 編では 10.7%とやや高かったものの[5]，残りの 2 編では 5.9～6%と低い水準であった[3)9]。手術合併症としてのリンパ浮腫の発生は，参照した文献いずれにおいても ALND 症例において有意に高頻度に発生し[10)11]，メタアナリシスでのハザード比は 2.5 であった[11]。

(3) 推奨の強さ

以上のように，一部の項目で結果にばらつきがあるものの，概ね一貫した結果が得られている。SLN に転移がなければ ALND 省略を行っても予後の悪化は認められず，SLNB そのものの指標となる同定率，偽陰性率の悪化も認められない。加えて，ALND 省略による合併症の低減効果は明白である。以上より，「術前化学療法前後とも臨床的リンパ節転移陰性乳癌に対して SLNB による ALND 省略を強く推奨する」とした。

2）CQ2b

(1) エビデンスの強さ

CQ2b に対しては，同定率，偽陰性率等を検討した 19 論文を網羅し，定量的システマティック・レビューとメタアナリシスを行った 1 編[12]と前向きコホート研究 4 編[5,13〜15]，症例集積研究 5 編を採用し，さらに合併症の評価のための 2 編，計 12 編を採用した。多施設共同の前向きコホート試験として実施された臨床研究の成果が含まれている。予後に関しては質の高いエビデンスがないことから，全体としてのエビデンスの強さは「弱」とした。

(2) エビデンスの内容

① 予後について

SLNB ガイドで ALND の適応を決めた場合と当初から ALND を行った場合の予後を直接比較した論文は 2 報存在した。うち 1 報では遠隔無再発率と腋窩無再発率を指標に比較が行われ[16]，もう 1 報では全生存率と無再発生存率を指標に比較が行われたが[17]，いずれも両者の間で予後の差は認めなかった。ただし，後者では NAC 前にも cN0 であった症例が含まれているという問題を考慮する必要がある。SLNB ガイドで治療を行った場合の腋窩再発率はほかに 3 つの文献で報告があり，それぞれ 0.2，0.7，7.1％であった。腋窩再発率 7.1％とは対象症例 28 例中 1 例に再発があったためであり[18]，症例数の多い文献では，より低い値が報告されていた[6,7]。

② 同定率，偽陰性率について

SLN の同定率，偽陰性率に関してはコホート研究が行われており，同定率 80.1〜92.7％，偽陰性率 7.0〜14.2％と報告され，比較対象となる非 NAC 症例の SLNB の結果と比較すると劣る結果であった[1,19,20]。コホート研究では，偽陰性率を改善させられるようなサブセットに関する検討が行われた。Boileau らは SLN の同定に dual tracer（ラジオアイソトープ＋色素）を用いれば偽陰性率を 5.2％まで低下できると述べている[13]。Kuehn らは dual tracer で偽陰性率を 8.6％に，3 個以上の SLN を摘出すれば 4.9％まで低下させられることを示した[14]。また，Boughey らも dual tracer で偽陰性率を 10.8％へ，3 個以上の摘出で 9.1％まで低下させることができると述べている[15]。以上より，SLNB に際して dual tracer を用いること，および 3 個以上の SLN を摘出することが偽陰性率を低下させる共通した条件であると考えられる。

転移陽性もしくは転移が疑わしいリンパ節をクリップ，ワイヤー，もしくはタトゥーなどで標識し，手術の際に SLN に加えて，この標識リンパ節および触診で腫大が確認されたリンパ節を摘出する手技を総称して tailored axillary surgery（TAS）と呼ぶ[21]。この TAS を行うことにより，NAC 前に転移があったリンパ節の同定率は 89〜100％[22〜32]，偽陰性率は 0〜4.1％[22,24,26,29,30]になると報告されており，これは SLNB のみを行った場合の同定率，偽陰性率と比較し，良好な結果である。

TAS を行った症例の予後を通常の ALND を行った場合と比較した検討はなく，また，TAS の手技についても標準化はされておらず，さらなる研究成果が待たれる。また，TAS では SLNB に比較して摘出するリンパ節の個数が増えるため，リンパ浮腫の出現リスクは ALND を行った場合に近いものになると予想されるが，データはないため比較することができない。

(3) 推奨の強さ

SLNB を行ってその結果をもとに郭清の適応を決定した場合と，当初より ALND を行った場合

で予後に明らかな差はないことが報告されているが，それは症例集積報告のみの結果である。一方，比較的質の高いコホート研究では，非NAC症例におけるSLNBと比較して，同定率や偽陰性率の悪化が示された。サブセットで検討すると，dual tracerによりSLNを3個以上同定，摘出すれば，同定率，偽陰性率を改善させられるものの，SLNを確実に3個以上同定する方法は確立されていない。

このことから，「臨床的腋窩リンパ節転移陽性乳癌が術前化学療法施行後に臨床的腋窩リンパ節転移陰性と判断された場合，SLNBの結果のみによるALND省略を弱く推奨しない」とした。

一方で，こうした症例に対してTASを行うことにより，SLNBのみを実施した場合の最大の問題点であった同定率ならびに偽陰性率に関しては改善をみることが示された。しかし，ALNDとの予後の比較がないこと，また，リンパ浮腫の発生頻度に関する比較もされていないという問題は残る。

以上を踏まえ，「臨床的腋窩リンパ節転移陽性乳癌が術前化学療法施行後に臨床的リンパ節転移陰性と判断された場合，tailored axillary surgery(TAS)によるALND省略は行うことを弱く推奨する」とした。

[投票結果]

	1. 行うことを強く推奨する	2. 行うことを弱く推奨する	3. 行わないことを弱く推奨する	4. 行わないことを強く推奨する
CQ2a	98%(42/43)	2%(1/43)	0%(0/43)	0%(0/43)
	総投票数43名(棄権0名，COI棄権0名)			
CQ2b-1	0%(0/42)	0%(0/42)	100%(42/42)	0%(0/42)
	総投票数42名(棄権0名，COI棄権0名)			
CQ2b-2	0%(0/43)	98%(42/43)	2%(1/43)	0%(0/43)
	総投票数43名(棄権0名，COI棄権0名)			

検索キーワード・参考にした二次資料

PubMedで，“Breast Neoplasms”，“Neoadjuvant chemotherapy”，“Sentinel Lymph Node Biopsy”，の共通キーワードに加え，CQ2aでは“Clinically node-negative”，CQ2bでは“Clinically node-positive”のキーワードを追加して検索した。医中誌・Cochrane Libraryも同等のキーワードで検索した。検索期間は2021年5月までとし，CQ2aで887編，CQ2bで622編の論文がヒットした。それ以外に腋窩リンパ節郭清の合併症に関する文献をハンドサーチで2編追加した。一次，二次スクリーニングの結果，CQ2aは9編，CQ2bは12編の論文が抽出された。なお，CQ2bのうち，TADに関する部分は別にFRQとして項目立てする予定であったため，上記とは別に11編の論文を抽出しており，CQ2bの参考文献に後で追加した。

参考文献

1) Krag DN, Anderson SJ, Julian TB, Brown AM, Harlow SP, Costantino JP, et al. Sentinel-lymph-node resection compared with conventional axillary-lymph-node dissection in clinically node-negative patients with breast cancer: overall survival findings from the NSABP B-32 randomised phase 3 trial. Lancet Oncol. 2010; 11(10): 927-33. [PMID: 20863759]
2) Veronesi U, Paganelli G, Viale G, Luini A, Zurrida S, Galimberti V, et al. Sentinel-lymph-node biopsy as a staging procedure in breast cancer: update of a randomised controlled study. Lancet Oncol. 2006; 7(12): 983-90. [PMID: 17138219]
3) Geng C, Chen X, Pan X, Li J. The feasibility and accuracy of sentinel lymph node biopsy in initially clinically node-negative breast cancer after neoadjuvant chemotherapy: a systematic review and meta-analysis. PLoS One. 2016; 11(9): e0162605. [PMID: 27606623]
4) Classe JM, Loaec C, Gimbergues P, Alran S, de Lara CT, Dupre PF, et al. Sentinel lymph node biopsy without axillary lymphadenectomy after neoadjuvant chemotherapy is accurate and safe for selected patients: the GANEA 2 study. Breast Cancer Res Treat. 2019; 173(2): 343-52. [PMID: 30343457]

5) Mamounas EP, Brown A, Anderson S, Smith R, Julian T, Miller B, et al. Sentinel node biopsy after neoadjuvant chemotherapy in breast cancer: results from National Surgical Adjuvant Breast and Bowel Project Protocol B-27. J Clin Oncol. 2005; 23(12): 2694-702. [PMID: 15837984]
6) Galimberti V, Ribeiro Fontana SK, Maisonneuve P, Steccanella F, Vento AR, Intra M, et al. Sentinel node biopsy after neoadjuvant treatment in breast cancer: five-year follow-up of patients with clinically node-negative or node-positive disease before treatment. Eur J Surg Oncol. 2016; 42(3): 361-8. [PMID: 26746091]
7) Wong SM, Basik M, Florianova L, Margolese R, Dumitra S, Muanza T, et al. Oncologic safety of sentinel lymph node biopsy alone after neoadjuvant chemotherapy for breast cancer. Ann Surg Oncol. 2021; 28(5): 2621-9. [PMID: 33095362]
8) van der Heiden-van der Loo M, de Munck L, Sonke GS, van Dalen T, van Diest PJ, van den Bongard HJ, et al. Population based study on sentinel node biopsy before or after neoadjuvant chemotherapy in clinically node negative breast cancer patients: identification rate and influence on axillary treatment. Eur J Cancer. 2015; 51(8): 915-21. [PMID: 25857549]
9) Hunt KK, Yi M, Mittendorf EA, Guerrero C, Babiera GV, Bedrosian I, et al. Sentinel lymph node surgery after neoadjuvant chemotherapy is accurate and reduces the need for axillary dissection in breast cancer patients. Ann Surg. 2009; 250(4): 558-66. [PMID: 19730235]
10) Ashikaga T, Krag DN, Land SR, Julian TB, Anderson SJ, Brown AM, et al; National Surgical Adjuvant Breast, Bowel Project. Morbidity results from the NSABP B-32 trial comparing sentinel lymph node dissection versus axillary dissection. J Surg Oncol. 2010; 102(2): 111-8. [PMID: 20648579]
11) DiSipio T, Rye S, Newman B, Hayes S. Incidence of unilateral arm lymphoedema after breast cancer: a systematic review and meta-analysis. Lancet Oncol. 2013; 14(6): 500-15. [PMID: 23540561]
12) El Hage Chehade H, Headon H, El Tokhy O, Heeney J, Kasem A, Mokbel K. Is sentinel lymph node biopsy a viable alternative to complete axillary dissection following neoadjuvant chemotherapy in women with node-positive breast cancer at diagnosis? An updated meta-analysis involving 3,398 patients. Am J Surg. 2016; 212(5): 969-81. [PMID: 27671032]
13) Boileau JF, Poirier B, Basik M, Holloway CM, Gaboury L, Sideris L, et al. Sentinel node biopsy after neoadjuvant chemotherapy in biopsy-proven node-positive breast cancer: the SN FNAC study. J Clin Oncol. 2015; 33(3): 258-64. [PMID: 25452445]
14) Kuehn T, Bauerfeind I, Fehm T, Fleige B, Hausschild M, Helms G, et al. Sentinel-lymph-node biopsy in patients with breast cancer before and after neoadjuvant chemotherapy(SENTINA): a prospective, multicentre cohort study. Lancet Oncol. 2013; 14(7): 609-18. [PMID: 23683750]
15) Boughey JC, Suman VJ, Mittendorf EA, Ahrendt GM, Wilke LG, Taback B, et al; Alliance for Clinical Trials in Oncology. Sentinel lymph node surgery after neoadjuvant chemotherapy in patients with node-positive breast cancer: the ACOSOG Z1071(Alliance)clinical trial. JAMA. 2013; 310(14): 1455-61. [PMID: 24101169]
16) Kang YJ, Han W, Park S, You JY, Yi HW, Park S, et al. Outcome following sentinel lymph node biopsy-guided decisions in breast cancer patients with conversion from positive to negative axillary lymph nodes after neoadjuvant chemotherapy. Breast Cancer Res Treat. 2017; 166(2): 473-80. [PMID: 28766131]
17) Ogawa Y, Ikeda K, Watanabe C, Kamei Y, Tokunaga S, Tsuboguchi Y, et al. Sentinel node biopsy for axillary management after neoadjuvant therapy for breast cancer: a single-center retrospective analysis with long follow-up. Surg Today. 2018; 48(1): 87-94. [PMID: 28647776]
18) Park S, Lee JE, Paik HJ, Ryu JM, Bae SY, Lee SK, et al. Feasibility and prognostic effect of sentinel lymph node biopsy after neoadjuvant chemotherapy in cytology-proven, node-positive breast cancer. Clin Breast Cancer. 2017; 17(1): e19-29. [PMID: 27495997]
19) Veronesi U, Paganelli G, Galimberti V, Viale G, Zurrida S, Bedoni M, et al. Sentinel-node biopsy to avoid axillary dissection in breast cancer with clinically negative lymph-nodes. Lancet. 1997; 349(9069): 1864-7. [PMID: 9217757]
20) Veronesi U, Paganelli G, Viale G, Luini A, Zurrida S, Galimberti V, et al. A randomized comparison of sentinel-node biopsy with routine axillary dissection in breast cancer. N Engl J Med. 2003; 349(6): 546-53. [PMID: 12904519]
21) Henke G, Knauer M, Ribi K, Hayoz S, Gérard MA, Ruhstaller T, et al. Tailored axillary surgery with or without axillary lymph node dissection followed by radiotherapy in patients with clinically node-positive breast cancer (TAXIS): study protocol for a multicenter, randomized phase-Ⅲ trial. Trials. 2018; 19(1): 667. [PMID: 30514362]
22) Caudle AS, Yang WT, Krishnamurthy S, Mittendorf EA, Black DM, Gilcrease MZ, et al. Improved axillary evaluation following neoadjuvant therapy for patients with node-positive breast cancer using selective evaluation of clipped nodes: implementation of targeted axillary dissection. J Clin Oncol. 2016; 34(10): 1072-8. [PMID: 26811528]

23) Donker M, Straver ME, Wesseling J, Loo CE, Schot M, Drukker CA, et al. Marking axillary lymph nodes with radioactive iodine seeds for axillary staging after neoadjuvant systemic treatment in breast cancer patients: the MARI procedure. Ann Surg. 2015; 261(2): 378-82. [PMID: 24743607]
24) Diego EJ, McAuliffe PF, Soran A, McGuire KP, Johnson RR, Bonaventura M, et al. Axillary staging after neoadjuvant chemotherapy for breast cancer: a pilot study combining sentinel lymph node biopsy with radioactive seed localization of pre-treatment positive axillary lymph nodes. Ann Surg Oncol. 2016; 23(5): 1549-53. [PMID: 26727919]
25) Natsiopoulos I, Intzes S, Liappis T, Zarampoukas K, Zarampoukas T, Zacharopoulou V, et al. Axillary lymph node tattooing and targeted axillary dissection in breast cancer patients who presented as cN+before neoadjuvant chemotherapy and became cN0 after treatment. Clin Breast Cancer. 2019; 19(3): 208-15. [PMID: 30922804]
26) Siso C, de Torres J, Esgueva-Colmenarejo A, Espinosa-Bravo M, Rus N, Cordoba O, et al. Intraoperative ultrasound-guided excision of axillary clip in patients with node-positive breast cancer treated with neoadjuvant therapy (ILINA trial): a new tool to guide the excision of the clipped node after neoadjuvant treatment. Ann Surg Oncol. 2018; 25(3): 784-91. [PMID: 29197044]
27) Kim WH, Kim HJ, Jung JH, Park HY, Lee J, Kim WW, et al. Ultrasound-guided restaging and localization of axillary lymph nodes after neoadjuvant chemotherapy for guidance of axillary surgery in breast cancer patients: experience with activated charcoal. Ann Surg Oncol. 2018; 25(2): 494-500. [PMID: 29134374]
28) Allweis TM, Menes T, Rotbart N, Rapson Y, Cernik H, Bokov I, et al. Ultrasound guided tattooing of axillary lymph nodes in breast cancer patients prior to neoadjuvant therapy, and identification of tattooed nodes at the time of surgery. Eur J Surg Oncol. 2020; 46(6): 1041-5. [PMID: 31801656]
29) García-Novoa A, Acea-Nebril B, Díaz Carballada C, Bouzón Alejandro A, Conde C, et al. Combining wire localization of clipped nodes with sentinel lymph node biopsy after neoadjuvant chemotherapy in node-positive breast cancer: preliminary results from a prospective study. Ann Surg Oncol. 2021; 28(2): 958-67. [PMID: 32725521]
30) Spautz CC, Schunemann Junior E, Budel LR, Cavalcanti TCS, Louveira MH, Junior PG, et al. Marking axillary nodes with 4% carbon microparticle suspension before neoadjuvant chemotherapy improves sentinel node identification rate and axillary staging. J Surg Oncol. 2020; 122(2): 164-9. [PMID: 32291774]
31) Kim EY, Byon WS, Lee KH, Yun JS, Park YL, Park CH, et al. Feasibility of preoperative axillary lymph node marking with a clip in breast cancer patients before neoadjuvant chemotherapy: a preliminary study. World J Surg. 2018; 42(2): 582-9. [PMID: 28808843]
32) Plecha D, Bai S, Patterson H, Thompson C, Shenk R. Improving the accuracy of axillary lymph node surgery in breast cancer with ultrasound-guided wire localization of biopsy proven metastatic lymph nodes. Ann Surg Oncol. 2015; 22(13): 4241-6. [PMID: 25814365]

FRQ 5 内胸リンパ節領域にセンチネルリンパ節を認めた場合，生検は勧められるか？

ステートメント

- 内胸リンパ節領域のセンチネルリンパ節生検を勧める根拠は不十分である。

背景

拡大乳房切除術を施行した場合，内胸リンパ節転移が18〜33％にみられるが，1970年代後半から1980年代にかけて行われた拡大乳房切除術と乳房全切除術を比較するランダム化比較試験の結果，拡大乳房切除術は生存率の向上のみならず局所再発率の改善にも寄与しないことが確認され，現在では内胸リンパ節郭清を日常臨床において行うことはない。しかし，内胸リンパ節転移陽性かつ腋窩リンパ節転移陰性の場合，その予後は腋窩リンパ節転移陽性乳癌の場合と同等であるが，内胸および腋窩リンパ節ともに転移を認めた場合の予後は著しく不良である。センチネルリンパ節生検の時代になり，内胸リンパ節の転移状態を知ることは以前より容易になり，臨床上有用な情報をもたらす可能性がある。内胸センチネルリンパ節生検の意義について検証した。

解説

ほとんどの報告ではラジオアイソトープ(RI)と色素の併用法を用いており，投与部位は乳輪，傍腫瘍または腫瘍内注入である。術前のリンフォシンチグラフィによる内胸センチネルリンパ節の描出率は5.4〜28.7％[1)〜13)]であるが，実際は摘出率も8.9〜25.8％[1)〜11)13)]と幅がある。内側腫瘤のほうが有意に内胸領域へのリンパ流が確認されたとの報告が多い[4)10)]。Kooらは，術前リンフォシンチグラフィを施行し，腋窩リンパ節のみ描出された393例と内胸リンパ節が描出された77例の予後を比較し，観察期間中央値119カ月で，両群間に無再発生存率，全生存率に有意差を認めなかったと報告している[12)]。

内胸センチネルリンパ節生検を行った場合，転移を認める割合は10.0〜22.2％[1)〜11)13)]と報告されており，内胸センチネルリンパ節転移によりステージングが変更された場合，放射線療法を含む術後治療の追加により，予後が改善される可能性がある。Madsenらは内胸センチネルリンパ節生検が成功した611例中，転移のあった130例(21.0％，全患者の3.5％)の予後を内胸リンパ節転移陰性患者3,555人と比較し，検討している[11)]。内胸リンパ節転移の存在は，腋窩リンパ節転移陽性と有意に関連しており，多変量解析では内胸リンパ節転移は全生存率に影響していなかったが，内胸リンパ節転移単独陽性は腋窩リンパ節転移陰性に比較して予後不良因子〔ハザード比(HR)2.68〕であった。しかし，その割合は全体の1.0％であり，他の報告でも内胸センチネルリンパ節単独転移は生検を行った症例の3.0〜9.0％[1)〜3)5)〜11)13)14)]に過ぎない。合併症としては気胸と出血が報告されているが，その頻度は0〜3.0％であった。

以上から，内胸センチネルリンパ節の情報により，ステージングおよび術後療法が変更され，予後が改善される可能性はあるが，いまだデータが不十分である。さらに最もその恩恵を受ける

外科療法

はずである腋窩リンパ節転移を伴わない内胸センチネルリンパ節転移陽性乳癌の割合が少ないことからも，現時点で推奨する段階ではないと思われ，さらなる研究の蓄積が期待される。

検索キーワード・参考にした二次資料

「乳癌診療ガイドライン①治療編 2018 年版」の同クエスチョンの参考文献に加え，PubMed で，"Breast Neoplasms"，"Sentinel Lymph Node Biopsy"，"internal-mammary" のキーワードで検索した。検索期間は 2016 年 1 月〜2021 年 3 月とし，34 件がヒットした。このうち，内胸センチネルリンパ節摘出症例数の多いものを原則として選択した。

参考文献

1) Tanis PJ, Nieweg OE, Valdés Olmos RA, Peterse JL, Rutgers EJ, Hoefnagel CA, et al. Impact of non-axillary sentinel node biopsy on staging and treatment of breast cancer patients. Br J Cancer. 2002; 87(7): 705-10. [PMID: 12232750]
2) Leidenius MH, Krogerus LA, Toivonen TS, Leppänen EA, von Smitten KA. The clinical value of parasternal sentinel node biopsy in breast cancer. Ann Surg Oncol. 2006; 13(3): 321-6. [PMID: 16485152]
3) Madsen E, Gobardhan P, Bongers V, Albregts M, Burgmans J, De Hooge P, et al. The impact on post-surgical treatment of sentinel lymph node biopsy of internal mammary lymph nodes in patients with breast cancer. Ann Surg Oncol. 2007; 14(4): 1486-92. [PMID: 17253106]
4) Coombs NJ, Boyages J, French JR, Ung OA. Internal mammary sentinel nodes: ignore, irradiate or operate? Eur J Cancer. 2009; 45(5): 789-94. [PMID: 19121579]
5) Bourre JC, Payan R, Collomb D, Gallazzini-Crepin C, Calizzano A, Desruet MD, et al. Can the sentinel lymph node technique affect decisions to offer internal mammary chain irradiation? Eur J Nucl Med Mol Imaging. 2009; 36(5): 758-64. [PMID: 19142635]
6) Heuts EM, van der Ent FW, von Meyenfeldt MF, Voogd AC. Internal mammary lymph drainage and sentinel node biopsy in breast cancer—a study on 1008 patients. Eur J Surg Oncol. 2009; 35(3): 252-7. [PMID: 18684584]
7) Postma EL, van Wieringen S, Hobbelink MG, Verkooijen HM, van den Bongard HJ, Borel Rinkes IH, et al. Sentinel lymph node biopsy of the internal mammary chain in breast cancer. Breast Cancer Res Treat. 2012; 134(2): 735-41. [PMID: 22678155]
8) Maráz R, Boross G, Pap-Szekeres J, Rajtár M, Ambrózay E, Cserni G. Internal mammary sentinel node biopsy in breast cancer. Is it indicated? Pathol Oncol Res. 2014; 20(1): 169-77. [PMID: 23934505]
9) Caudle AS, Yi M, Hoffman KE, Mittendorf EA, Babiera GV, Hwang RF, et al. Impact of identification of internal mammary sentinel lymph node metastasis in breast cancer patients. Ann Surg Oncol. 2014; 21(1): 60-5. [PMID: 24046126]
10) Hindié E, Groheux D, Hennequin C, Zanotti-Fregonara P, Vercellino L, Berenger N, et al. Lymphoscintigraphy can select breast cancer patients for internal mammary chain radiotherapy. Int J Radiat Oncol Biol Phys. 2012; 83(4): 1081-8. [PMID: 22172908]
11) Madsen EV, Aalders KC, van der Heiden-van der Loo M, Gobardhan PD, van Oort PM, van der Ent FW, et al. Prognostic significance of tumor-positive internal mammary sentinel lymph nodes in breast cancer: a multicenter cohort study. Ann Surg Oncol. 2015; 22(13): 4254-62. [PMID: 25808100]
12) Koo MY, Lee SK, Bae SY, Choi MY, Cho DH, Kim S, et al. Long-term outcome of internal mammary lymph node detected by lymphoscintigraphy in early breast cancer. J Breast Cancer. 2012; 15(1): 98-104. [PMID: 22493635]
13) van Loevezijn AA, Bartels SAL, van Duijnhoven FH, Heemsbergen WD, Bosma SCJ, Elkhuizen PHM, et al. Internal mammary chain sentinel nodes in early-stage breast cancer patients: toward selective removal. Ann Surg Oncol. 2019; 26(4): 945-53. [PMID: 30465222]
14) Gnerlich JL, Barreto-Andrade JC, Czechura T, John JR, Turk MA, Kennedy TJ, et al. Accurate staging with internal mammary chain sentinel node biopsy for breast cancer. Ann Surg Oncol. 2014; 21(2): 368-74. [PMID: 24046119]

3. 乳房再建

総説 3
乳癌初期治療における乳房再建

乳癌治療において根治性の追求は当然であるが，近年，乳房の整容性維持にも高い関心が寄せられている。乳癌の根治性と乳癌術後の整容性を追求する目的で生まれた手術手技を表す乳房オンコプラスティックサージャリー(OPBS)の概念が登場して以降，乳癌術式に応じた乳房再建の必要性が問われている。OPBS という用語・概念は 1990 年代に Audretsh らによって提唱され，ヨーロッパを中心に急速に広まってきた。乳房全切除術時の乳房再建や乳房部分切除術時の乳房形成手術のほか，胸壁合併切除時の胸壁再建なども OPBS に該当する[1)]。

それぞれの再建術式の利点・欠点について説明を十分に行い，患者の同意を得たうえで再建術を実施する必要がある。

1）再建時期と回数

乳房全切除術と同時に行う一次(primary)再建と，乳房全切除術後に一定期間を経て行う二次(secondary)再建がある[2)]。また，一期(one-stage)再建とは1回の手術で再建を行う方法であり，二期(two-stage)再建はまず組織拡張器(tissue expander；TE)を用いて皮膚を伸展させてから後日再建する(TE をインプラントまたは自家組織に置き換える)方法である。

2）乳房全切除術後の再建術

乳房皮膚を含めて乳腺組織を全切除する乳房全切除術のほかに，乳頭乳輪組織と乳腺組織のみを全切除する皮膚温存乳房全切除術と乳頭乳輪組織を含む乳房皮膚をすべて温存し乳腺組織のみを全切除する乳頭温存乳房全切除術が再建術の対象となる術式である。乳房再建術はインプラントを含むほとんどすべての再建が保険適用となったので，適応となる全ての患者に情報提供をしなければならない。さらには，2020 年 4 月より遺伝性乳癌卵巣癌症候群(HBOC)に対するリスク低減手術として片側乳癌発症患者への対側乳房のリスク低減乳房切除術・再建術，および卵巣癌発症患者への両側乳房のリスク低減乳房切除・再建術が保険適用となった。

(1) 組織拡張器(TE)＋インプラント[2)〜5)]

2013 年からインプラントを用いた乳房再建が保険適用となり，希望する患者が増加した(**表 1**)。本法は，乳腺が全切除され，大胸筋が温存されている症例に対して適応となる。乳房が大きい患者や下垂した患者は再建が難しいが，健側乳房固定術や縮小術により対称性を得ることは可能である。本法は初回に TE を挿入し，皮膚や大胸筋を伸展させた後，インプラントを挿入するため二度の手術を要するが，インプラントの正確なサイズの決定や，入れ替え時に位置や乳房下溝の修正が可能という利点を有する。挿入する TE やインプラントの安全性を担保するため，日本乳房オンコプラスティックサージャリー学会により，TE，インプラントの施設認定や実施医師認定，年次報告の義務化を行って管理している。ただし，保険適用の TE やインプラントに関する使用要件基準は，日本乳房オンコプラスティックサージャリー学会により，術前診断において原則として Stage II 以下で皮膚浸潤，大胸筋浸潤や高度のリンパ節転移を認めない症例と規定さ

表 1 再建症例数

（日本乳房オンコプラスティックサージャリー学会の乳房再建用エキスパンダー/インプラント年次報告から引用）

		2013	2014	2015	2016	2017	2018	2019	2020
エキスパンダー	一次再建	1,016	3,733	4,725	5,396	5,360	5,435	3,287	3,516
	二次再建	265	1,017	926	1,083	1,145	1,138	580	619
	計	**1,281**	**4,750**	**5,651**	**6,479**	**6,505**	**6,573**	**3,867**	**4,135**
インプラント	一次一期再建	34	489	463	517	517	507	391	326
	一次二期再建	167	2,730	4,030	4,515	4,860	4,990	3,092	2,556
	二次再建	40	1,035	1,200	1,195	1,114	1,085	713	624
	計	**241**	**4,254**	**5,693**	**6,227**	**6,491**	**6,582**	**4,196**	**3,506**

表 2 合併症頻度

（日本乳房オンコプラスティックサージャリー学会の乳房再建用エキスパンダー/インプラント年次報告から引用）

		2013	2014	2015	2016	2017	2018	2019	2020
エキスパンダー	一次再建	7%	7.4%	9.6%	10.6%	11.0%	11.7%	12.3%	12.7%
	二次再建	4%	3.5%	6.2%	5.4%	5.1%	4.0%	5.0%	6.6%
	計	**6%**	**6.6%**	**9.0%**	**9.7%**	**10.0%**	**10.3%**	**11.2%**	**11.8%**
インプラント	一次一期再建	6%	4.7%	7.1%	14.3%	9.7%	12.0%	9.7%	9.2%
	一次二期再建	4%	1.7%	4.2%	3.3%	3.0%	4.2%	3.5%	3.6%
	二次再建	0%	1.9%	3.5%	4.4%	3.3%	3.7%	2.9%	5.0%
	計	**3%**	**2.1%**	**4.3%**	**4.4%**	**3.6%**	**4.8%**	**4.0%**	**4.3%**

れているため，注意が必要である（☞外科 CQ3 参照）。合併症としては，血腫，漿液腫，感染といった一般的な合併症のほかに，皮膚壊死によるインプラント露出や被膜拘縮をきたすことがある（**表 2**）。特に放射線照射後の再建において生じやすいため，適応を見極める必要がある（☞外科 BQ3 参照）。

また，特殊な合併症としてブレスト・インプラント関連未分化大細胞型リンパ腫（BIA-ALCL）が欧米で報告され，世界中で 993 例の報告があり，わが国では 2 件である（2021 年 11 月 30 日現在）。発生頻度はテクスチャードブレスト・インプラント全体では約 2,200〜86,000 人に 1 人の割合とされている[6)]。今後患者数が増加する可能性もあり，注意が必要である。TE 挿入・インプラント再建を希望する患者には再建を行う「益」とともに，「害」（合併症，インプラントの耐久年数など）についても十分な情報提供を行い，患者への意思決定支援を行うことが重要である。

2019 年 7 月 24 日，FDA は BIA-ALCL の発症例および死亡例の世界的症例を報告した global safety information に基づき，BIA-ALCL のリスクから患者を保護するため，アラガン社に対してマクロテクスチャードブレスト・インプラントおよび TE を市場から自主回収するように要請し，アラガン社はこれに従った。それ以降，わが国では保険適用のテクスチャードブレスト・インプラントおよび TE は皆無となり，インプラントを用いた再建が一時停止した。その代替品として同年 10 月 8 日にアラガン社のスムースタイプのインプラントと TE が認可され，10 月 16 日に保険適用となった。その処置により，インプラントを用いた再建が全国で再開された。またその後，シエントラ社のブレスト・インプラントが2020年8月20日に保険適用になった(マイクロテクスチャード，スムースタイプとも)。新たに保険適用になったアラガン社のスムースタイプのインプラントを含めた10年間の715例の検討では，合併症に関してインプラント破損率は全体で13％(自主回収となった以前のアナトミカル型マクロテクスチャードタイプでは9.7％)，Ⅲ度またはⅣ度の被膜拘縮率は豊胸で18.9％，再建で24.6％，被膜拘縮率はスムースタイプとマクロテクスチャードタイプで大きな差を認めなかった(19.9％ vs 17.2％)[7]。次に，シエントラ社のブレスト・インプラントの10年間の99例の検討では，合併症に関してインプラント破損率は全体で8.6％，Ⅲ度またはⅣ度の被膜拘縮率は13.5％，被膜拘縮はマイクロテクスチャードタイプのほうがスムースタイプより有意に少ない結果であった(9％ vs 17.5％)[8]。ただし，これらの臨床試験は，メーカー間で直接比較するようには設計されておらず，個々の製品の合併症率が表示されていることに留意する必要がある。

FDAへの報告(2020年1月5日)によると，全BIA-ALCL症例903例中アラガン社のインプラントは620例，シエントラ社のインプラントは10例であった。いずれにおいてもインプラント施行総数は不明なため，本結果では，その発生割合については不明である。スムースタイプのインプラントが挿入されていたBIA-ALCL症例は28例確認されているが，そのうち8例は過去にマクロテクスチャードタイプのインプラントの挿入歴があった。スムースタイプのインプラントのみを挿入する場合，マクロテクスチャードタイプに比べ，BIA-ALCLに関するリスクは低いと報告されている[9]。

現時点でのこの問題に関する情報や方針については，日本乳癌学会ホームページ(http://jbcs.gr.jp/member/)において，日本乳癌学会を含む国内関連4学会が連名で発表しているので，ご覧いただきたい。まだ，根拠のある情報が少なく，今後のさらなるデータの集積が待たれる。

(2) 広背筋皮弁[2)〜4)]

広背筋皮弁は乳房再建において最も利用しやすい自家組織の一つであり，背部の広背筋とその直上の脂肪組織を移植材料として用いる筋皮弁である。ただし，広背筋皮弁の採取量には限度があり，大きな組織量を必要とする再建には向いていない。したがって，通常，乳房の比較的小さい患者に適応される。一方で，最近，広背筋皮弁へ一期的に後述の脂肪注入を行うことで皮弁のボリュームを増大させる報告もあり，今後，本法の適応が拡大する可能性がある[10,11]。合併症としては，筋皮弁採取部の浸出液貯留，皮弁の部分壊死，血腫などを生じることがある。

(3) 腹直筋皮弁[2,3]

腹直筋皮弁は片側の腹直筋を血流の担体とし，下腹部の皮膚皮下脂肪を移植材料として用いるスタンダードな筋皮弁である。広背筋皮弁に比べて大きな組織の移植が可能であることがその特徴である。しかし，腹直筋を採取することによる腹壁の脆弱化が合併症として存在し，腹直筋を犠牲にしない同様の手術が出現したため，施行例は減少傾向である。その他の合併症として血流不全により皮弁の部分壊死をきたすことがある。

(4) 遊離深下腹壁動脈穿通枝皮弁[2)〜4)]

深下腹壁動脈穿通枝皮弁は腹直筋を犠牲にせずに臍周囲の太い穿通枝とそれに連続する深下腹壁動静脈のみを茎とする皮弁であり，腹直筋皮弁に比べると機能的な損失がほとんどなく，有益な皮弁である。ただ，皮弁血管を内胸動静脈や胸背動静脈に顕微鏡下で吻合する必要があり，難易度は高く，手術時間も比較的長い。本法を用いると，大きく下垂した乳房も再建可能であるが，下腹部に乳房と同等の脂肪組織および太い穿通枝を有することが前提となる。ただし，吻合した血管が閉塞すると合併症として皮弁壊死を生じる可能性(2～5%)があるので注意を要する。

また，浅下腹壁動脈が発達している患者では，浅下腹壁動静脈を茎とする腹部皮弁が利用できることがある[12)]。本法では腹直筋の筋膜切開が不要であるため，深下腹壁動脈穿通枝皮弁よりも，さらに機能的損失を少なくすることができる。

(5) その他の皮弁[13)]

腹部皮弁のほかにも，さまざまな部位からの穿通枝皮弁が開発され，乳房再建に用いられている。代表的な皮弁として，深大腿動脈穿通枝皮弁，上・下殿動脈穿通枝皮弁，腰動脈穿通枝皮弁などがある。それぞれの特徴を以下に示す。

深大腿動脈穿通枝皮弁：瘢痕は大腿内側後面に隠れ，両側から採取し，両側乳房再建に用いることもできる。一方，採取量は限られており，大きな乳房の再建には向いていない。

上・下殿動脈穿通枝皮弁：瘢痕は下着に隠れ，両側から採取し，両側乳房再建に用いることができる。一方，皮弁血管の長さが短い，採取に体位変換が必要，片側採取の場合には採取部の左右非対称が目立つことがあるなどの欠点を有する。

腰動脈穿通枝皮弁：比較的大きな組織の移植が可能で，両側から採取することもできる。一方，上・下殿動脈穿通枝皮弁と同様に，皮弁血管の長さが短く血管移植がしばしば必要，採取に体位変換を要するなどの欠点を有する。

(6) 脂肪注入(保険適用外)[5)] (☞外科 FRQ6 参照)

下腹部や大腿内側から余剰脂肪を吸引し，精製(遠心分離，洗浄，または静置)することで脂肪細胞のみを抽出して患部に注入する方法である。再建乳房の小陥凹変形の修正やボリューム増大が良い適応である。脂肪細胞の生着率は通常，40～50%であり，移植床の条件に大きく影響を受ける。複数回の注入を必要とするものの，脂肪注入単独による全乳房再建の報告もある[14)]。また，注入脂肪の生着率を向上させる手段として，体外式組織拡張器の併用や[14)]，少量の吸引脂肪から体外で培養増幅した脂肪組織由来幹細胞移植の併用が報告されている[15)]。一方で，不適切な手技による注入を行うと，術後，注入脂肪の石灰化や硬結をきたして乳癌との判別が困難になる問題点も有している。本法は，現時点では保険適用ではなく自費診療として行われている。

〔追記〕自家脂肪注入は手軽で効果的な治療手段として普及したが，1987年にアメリカ形成外科学会は，脂肪壊死や微小石灰化が乳癌発見の妨げになるとして問題視した。その後，2009年には新しく発足した特別委員会が脂肪注入術の安全性(少ない合併症率)と効果(外科医の高い満足度)について調査し，新しい推奨文を報告した[16)]。それによると脂肪注入に関しては，脂肪採取・脂肪細胞の分離・注入方法がいまだ標準化されていないため，臨床的な使用において特別に推奨することはできないとした。術後結果は術者の技量や経験によるところが大きく，今後長期的な安全性と効率性に関する信頼性の高い臨床的研究が必要とされている。脂肪注入により乳癌の診察に支障をきたす危険性はあるが，放射線学的診断には支障をきたさないとしている。委員会の報告後，自家脂肪注入の安全性，効果および効率に焦点を当てた論文が多く報告されたが，概ね良好な結果が得られている[17)～19)]。しかし，依然として脂肪採取手技，採取した脂肪の加工工程や脂肪注入手技は統一・標準化されておらず，術者の経験に基づいた方法で行われている。

近年，脂肪注入はわが国においても関心が高まっており，保険適用を目指す動きがある。その際に，比較的容易な手技であるために安易に行って良くない結果や合併症を生む可能性がある。したがって，今後は本手技の講習会等を行い，許可を得た医師のみが施行できる手技とするなどの精度管理や標準化に向けた取り組みが必要と思われる。

(7) 乳頭乳輪再建[2)3)5)]

乳頭乳輪再建は乳房再建の仕上げの手術であり，再建乳房の整容性の鍵となる手術である。その方法はさまざま報告されているが，乳頭再建は健側乳頭半切移植や局所皮弁法があり，乳輪再建はタトゥー(保険適用外)や大腿内側基部の皮膚移植が主に行われている。

3) 乳房部分切除術時の再建術[20)〜23)]

乳房部分切除術と術後放射線療法による乳房温存療法は腫瘍径の小さな乳癌に，あるいは非浸潤性乳管癌(DCIS)に対して，さらに全身療法と組み合わせた場合にはより大きな浸潤癌に対しても安全に施行し得ることが明らかとなってきた。しかし，切除量が乳房の20%を超える部分切除術を行った場合，整容性を維持することは難しい。腫瘍が乳房内側1/4領域あるいは乳房下部1/4領域に占居する場合や，乳房部分切除術に用いた皮膚切開創から腋窩リンパ節郭清を行った場合，欠損部周囲の乳腺脂肪組織が適切に授動されなかった場合も整容性を損ねる結果を招くことが知られている。

術後の変形を防ぐ目的で乳房全切除術後の再建と同様に，乳房部分切除術時に一次的に乳房形成を行うと手技的・経済的に，また患者精神面で良好な結果が得られることが報告された。乳癌治療時に一次的に行うと，①切除検体の大きさ，厚さ，重量などが正確にわかる，②切除側の皮下脂肪，乳腺切離断端の状態が正確にわかる，③移動(充填)に用いる周囲組織の血行の信頼性が高い，などの長所が挙げられる。一方，二次的に形成手術を実施すると，①欠損の範囲，大きさ，形，容量などの予測が難しい，②乳房の皮膚皮下脂肪，残存乳腺組織が硬く，伸展不良のことが多い，③乳房およびその周辺組織の血行が手術や放射線照射により障害されている可能性がある，などの問題がある。総じて手技的に難易度が高く，良好な整容性を得ることは難しいといえる。乳房部分切除術時と同時のほうが手技的にも良好な，また結果的にも整容性に配慮した形成が行える。乳房部分切除術後の欠損に対しては，乳腺弁，遊離真皮脂肪，脂肪幹細胞(保険適用外)，有茎および遊離皮弁，各種人工材料などが用いられている[24)]。

乳房部分切除術と同時に，より整容性を整える手技を加えた乳房温存オンコプラスティックサージャリーは，ヨーロッパを中心に確立されている[25)]。乳房のサイズが大きく，特に乳房下垂の程度が著しい症例では，乳房縮小手術・乳房固定手術の要素を取り入れた手技により，より整容性に優れた結果を得ることができる。わが国においても，前述の乳房部分切除術＋欠損部補填と並んで，乳房部分切除術時の乳房再建手技として有用な手法となり得る可能性がある[26)27)]。

参考文献

1) Audretsch WP, Rezai M, Kolotas C, Zamboglou N, Schnabel T, Bojar H, et al. Oncoplastic surgery: "target" volume reduction (BCT mastopexy), lumpectomy reconstruction (BCT reconstruction) and flap-supported operability in breast cancer. Proceedings 2nd European Congress on Senology, Vienna, Austria, Bologna, Italy, Monduzzi, pp139-57. 1994.
2) 矢野健二．乳がん術後一期的乳房再建術　乳がん術式に応じた乳房再建のテクニック．東京，克誠堂出版，2007.

3) 波利井清監修. 矢野健二編著. 乳房・乳頭の再建と整容 最近の進歩 改訂第2版. 東京, 克誠堂出版, 2010.
4) 矢野健二, 小川朋子編. 乳房オンコプラスティック・サージャリー —根治性と整容性を向上させる乳がん手術—. 東京, 克誠堂出版, 2014.
5) 矢野健二, 小川朋子, 佐武利彦編著. 乳房オンコプラスティックサージャリー2 症例から学ぶ手術手技. 東京, 克誠堂出版, 2017.
6) American Society of Plastic Surgeons. BIA-ALCL Physician Resources. https://www.plasticsurgery.org/for-medical-professionals/health-policy/bia-alcl-physician-resources(Page last updated on January 13, 2021)
7) Spear SL, Murphy DK; Allergan Silicone Breast Implant U. S. Core Clinical Study Group. Natrelle round silicone breast implants: Core Study results at 10 years. Plast Reconstr Surg. 2014; 133(6): 1354-61. [PMID: 24867717]
8) Stevens WG, Calobrace MB, Alizadeh K, Zeidler KR, Harrington JL, d'Incelli RC. Ten-year core study data for Sientra's Food and Drug Administration-approved round and shaped breast implants with cohesive silicone gel. Plast Reconstr Surg. 2018; 141(4S Sientra Shaped and Round Cohesive Gel Implants): 7S-19S. [PMID: 29595714]
9) https://www.fda.gov/medical-devices/breast-implants/medical-device-reports-breast-implant-associated-anaplastic-large-cell-lymphoma#table2-c
10) Santanelli di Pompeo F, Laporta R, Sorotos M, Pagnoni M, Falesiedi F, et al. Latissimus dorsi flap for total autologous immediate breast reconstruction without implants. Plast Reconstr Surg. 2014; 134(6): 871e-9e. [PMID: 25415109]
11) Taminato M, Tomita K, Nomori M, Maeda D, Seike S, Tashima H, et al. Fat-augmented latissimus dorsi myocutaneous flap for total breast reconstruction: a report of 54 consecutive Asian cases. J Plast Reconstr Aesthet Surg. 2021; 74(6): 1213-22. [PMID: 33257301]
12) Wu LC, Bajaj A, Chang DW, Chevray PM. Comparison of donor-site morbidity of SIEA, DIEP, and muscle-sparing TRAM flaps for breast reconstruction. Plast Reconstr Surg. 2008; 122(3): 702-9. [PMID: 18766032]
13) Myers PL, Nelson JA, Allen RJ Jr. Alternative flaps in autologous breast reconstruction. Gland Surg. 2021; 10(1): 444-59. [PMID: 33634002]
14) Khouri RK, Rigotti G, Khouri RK Jr, Cardoso E, Marchi A, Rotemberg SC, et al. Tissue-engineered breast reconstruction with Brava-assisted fat grafting: a 7-year, 488-patient, multicenter experience. Plast Reconstr Surg. 2015; 135(3): 643-58. [PMID: 25719686]
15) Kølle ST, Duscher D, Taudorf M, Fischer-Nielsen A, Svalgaard JD, Munthe-Fog L, et al. Ex vivo-expanded autologous adipose tissue-derived stromal cells ensure enhanced fat graft retention in breast augmentation: a randomized controlled clinical trial. Stem Cells Transl Med. 2020; 9(11): 1277-86. [PMID: 32639099]
16) Gutowski KA; ASPS Fat Graft Task Force. Current applications and safety of autologous fat grafts: a report of the ASPS fat graft task force. Plast Reconstr Surg. 2009; 124(1): 272-80. [PMID: 19346997]
17) Spear SL, Coles CN, Leung BK, Gitlin M, Parekh M, Macarios D. The safety, effectiveness, and efficiency of autologous fat grafting in breast surgery. Plast Reconstr Surg Glob Open. 2016; 4(8): e827. [PMID: 27622095]
18) Gabriel A, Champaneria MC, Maxwell GP. Fat grafting and breast reconstruction: tips for ensuring predictability. Gland Surg. 2015; 4(3): 232-43. [PMID: 26161308]
19) Strong AL, Cederna PS, Rubin JP, Coleman SR, Levi B. The current state of fat grafting: a review of harvesting, processing, and injection techniques. Plast Reconstr Surg. 2015; 136(4): 897-912. [PMID: 26086386]
20) Baildam AD. Oncoplastic surgery of the breast. Br J Surg. 2002; 89(5): 532-3. [PMID: 11972541]
21) Clough KB, Lewis JS, Couturaud B, Fitoussi A, Nos C, Falcou MC. Oncoplastic techniques allow extensive resections for breast-conserving therapy of breast carcinomas. Ann Surg. 2003; 237(1): 26-34. [PMID: 12496527]
22) O'Brien W, Hasselgren PO, Hummel RP, Coith R, Hyams D, Kurtzman L, et al. Comparison of postoperative wound complications and early cancer recurrence between patients undergoing mastectomy with or without immediate breast reconstruction. Am J Surg. 1993; 166(1): 1-5. [PMID: 8392300]
23) Eberlein TJ, Crespo LD, Smith BL, Hergrueter CA, Douville L, Eriksson E. Prospective evaluation of immediate reconstruction after mastectomy. Ann Surg. 1993; 218(1): 29-36. [PMID: 8328826]
24) 日本乳癌学会編. 乳腺腫瘍学 第3版. 東京, 金原出版, 2020年.
25) Clough KB, Nos C, Salmon RJ, Soussaline M, Durand JC. Conservative treatment of breast cancers by mammaplasty and irradiation: a new approach to lower quadrant tumors. Plast Reconstr Surg. 1995; 96(2): 363-70. [PMID: 7624409]
26) Kijima Y, Yoshinaka H, Funasako Y, Natsugoe S, Aikou T. Oncoplastic surgery after mammary reduction and mastopexy for bilateral breast cancer lesions: report of a case. Surg Today. 2008; 38(4): 335-9. [PMID: 18368323]
27) Kijima Y, Yoshinaka H, Ishigami S, Hirata M, Kaneko K, Mizoguchi T, et al. Oncoplastic surgery for Japanese patients with ptotic breasts. Breast Cancer. 2011; 18(4): 273-81. [PMID: 20084556]

BQ 3 胸壁照射歴のある患者に対する乳房再建は勧められるか？

ステートメント

- 胸壁照射歴のある患者に対するインプラントを用いた乳房再建は，合併症発生率が増加することから慎重に行うべきである。
- 胸壁照射歴のある患者に対する自家組織を用いた乳房再建は行ってもよい。

背景

乳房再建は乳癌術後患者の整容性向上を目指した手技として広く行われている。再建術の有用性は整容的満足度に依存するため，術後合併症は極力避けて皮膚・皮下組織等の組織障害のリスクは最低限に抑える必要がある。しかし昨今，乳房温存療法（乳房部分切除術＋放射線療法）後の乳房内再発や，乳房全切除術後放射線療法などの照射歴を有する患者の再建希望が増加している。今回，これらの胸壁照射歴を有する患者に対する乳房再建の妥当性について概説する（☞放射線 BQ8 参照）。

解説

照射後の乳房再建に関しては，インプラントあるいは自家組織を用いた再建における合併症の頻度について検討している論文が多い。Momoh らは 26 編の文献についてレビューを行い，照射後のインプラントを用いた再建における合併症に言及している[1)]。その結果，軽度被膜拘縮は30%，重度被膜拘縮は 25%に認め，漿液腫，軽度感染・創傷治癒遅延・乳房皮膚部分壊死などの軽度合併症は 18%，インプラント露出，創離開，重度感染などの重度合併症は 49%に認められたと報告した。Berbers らは 37 編の文献についてレビューを行い，照射後と照射前に再建を行った症例を比較検討した[2)]。その結果，インプラントを用いた再建では照射後再建群のほうが合併症は多く，修正手術が 42.4%に必要であったが，再建後照射群は 8.5%であった。しかし，逆に自家組織を用いた再建では再建後照射群のほうが合併症は多く，修正手術も照射後再建群の 11.5%に対して，再建後照射群は 23.6%であったと報告した。また，自家組織再建に関しては，最近の Hershenhouse らによる 44 編の文献についてのメタアナリシス（n＝3,473）では，再建後照射群と照射後再建群の間で合併症率に大きな差はなかったと報告している[3)]。

Lee らは 20 編の文献についてメタアナリシス（n＝8,251）およびレビューを行い，照射後再建群と非照射再建群を比較検討した[4)]。その結果，インプラントを用いた照射後再建群は，感染，乳房皮膚壊死，漿液腫などの合併症やそれに伴う修正手術が非照射再建群に比較して約 2 倍多く認められ，被膜拘縮に関しては 3 倍以上認められた。また，被覆材であるヒト無細胞化真皮基質（acellular dermal matrix；ADM）を使用した症例や一次再建のほうが合併症は多かった。一方，自家組織を用いた照射後再建群の合併症は非常に少なかったと報告している。腹直筋皮弁による再建を検討した論文では，照射群と非照射群では皮弁の血行に差異はなかったが，乳房全切除術時の乳房皮弁の創傷治癒に関しては照射群が高率に問題を生じていた[5]。また，Fischer らは，胸壁照射後に自家組織(広背筋皮弁)＋インプラントで再建した 31 編の報告についてメタアナリシス(n＝1,275)を行い，平均 42.8 カ月の時点で，合併症によるインプラント喪失率は，インプラント単独群に比べ広背筋皮弁併用群で有意に低かったと報告している(5.0% vs 15.0%，p<0.001)[6]。以上の報告により，照射を受けた胸壁組織がインプラントを被覆する再建材料として使用される再建は合併症が多く，血行の良好な組織を移植して行う自家組織による再建は胸壁照射後の再建であっても合併症が少ないことがわかった。

インプラントによる再建は非照射の場合であっても，多くの症例でエキスパンダーによる皮膚伸展の負担が存在する。胸壁照射後の場合は，照射野の皮膚が障害され変性しているため，伸展に対する弊害はさらに大きくなる可能性が高い。また，照射の範囲や程度が，再建術の成否に重要な因子となるため[6]，肉眼的に皮膚に問題がない場合でも，照射の範囲などによりインプラント再建の適応を決めるべきであるとの報告もある[7][8]。照射後のインプラントによる再建は，合併症発生率が増加することから慎重に行うべきであるとの報告が散見される[1][9]。したがって，照射後にインプラントによる再建を強く希望する患者に対しては，術後合併症について十分説明したうえで慎重に行わなければならない。一方，自家組織による再建は照射後の再建であっても皮弁血行には問題なく，照射皮膚をエキスパンダーにより伸展しないのであれば再建にはあまり影響を与えない。しかし，非照射患者に比べれば照射皮膚に関連する合併症の頻度が増加することは避けられないため，胸壁照射後の自家組織を用いた乳房再建においても適応には注意が必要である。

検索キーワード・参考にした二次資料

「乳癌診療ガイドライン①治療編 2018 年版」の同クエスチョンの参考文献に加え，2021 年 6 月 7 日の時点で，PubMed で，#breast reconstruction，#radiotherapy，#mammaplasty，#breast implant，#autologous reconstruction のキーワードを用いて検索した。

参考文献

1) Momoh AO, Ahmed R, Kelley BP, Aliu O, Kidwell KM, Kozlow JH, et al. A systematic review of complications of implant-based breast reconstruction with prereconstruction and postreconstruction radiotherapy. Ann Surg Oncol. 2014; 21(1): 118-24. [PMID: 24081801]
2) Berbers J, van Baardwijk A, Houben R, Heuts E, Smidt M, Keymeulen K, et al. 'Reconstruction: before or after postmastectomy radiotherapy?' A systematic review of the literature. Eur J Cancer. 2014; 50(16): 2752-62. [PMID: 25168640]
3) Hershenhouse KS, Bick K, Shauly O, Kondra K, Ye J, Gould DJ, et al. "Systematic review and meta-analysis of immediate versus delayed autologous breast reconstruction in the setting of post-mastectomy adjuvant radiation therapy". J Plast Reconstr Aesthet Surg. 2021; 74(5): 931-44. [PMID: 33423976]
4) Lee KT, Mun GH. Prosthetic breast reconstruction in previously irradiated breasts: a meta-analysis. J Surg Oncol. 2015; 112(5): 468-75. [PMID: 26374273]
5) Bristol SG, Lennox PA, Clugston PA. A comparison of ipsilateral pedicled TRAM flap with and without previous irradiation. Ann Plast Surg. 2006; 56(6): 589-92. [PMID: 16721067]
6) Fischer JP, Basta MN, Shubinets V, Serletti JM, Fosnot J. A systematic meta-analysis of prosthetic-based breast reconstruction in irradiated fields with or without autologous muscle flap coverage. Ann Plast Surg. 2016; 77(1): 129-34. [PMID: 25536206]
7) Grolleau JL, Lanfrey E, Zeybeck C, Chavoin JP, Costagliola M. Effect of irradiation fields on the results of breast reconstruction with skin expansion after radiotherapy. Ann Chir Plast Esthet. 1997; 42(6): 609-14. [PMID: 9768103]
8) Evans GR, David CL, Loyer EM, Strom E, Waldron C, Ortega R, et al. The long-term effects of internal mammary chain irradiation and its role in the vascular supply of the pedicled transverse rectus abdominis musculocutane-

ous flap breast reconstruction. Ann Plast Surg. 1995; 35(4): 342-8. [PMID: 8585674]

9) Eriksson M, Anveden L, Celebioglu F, Dahlberg K, Meldahl I, Lagergren J, et al. Radiotherapy in implant-based immediate breast reconstruction: risk factors, surgical outcomes, and patient-reported outcome measures in a large Swedish multicenter cohort. Breast Cancer Res Treat. 2013; 142(3): 591-601. [PMID: 24258257]

CQ 3 乳房再建を希望するリンパ節転移陽性乳癌患者に対して，乳房全切除術後の一次乳房再建は勧められるか？

推奨

- 乳房全切除術後の一次乳房再建は弱く勧められる。

推奨の強さ：2，エビデンスの強さ：弱，合意率：86%(42/49)

背景・目的

乳癌の外科的治療として乳房全切除術が選択された場合に乳房再建を希望する患者は年々増加している。特に一次乳房再建が増加しているが，その際には適応基準が重要となる。今回はリンパ節転移陽性患者に対する一次再建の安全性，有用性について検証した。

解説

システマティック・レビューにあたり，アウトカムを全生存期間，無病生存期間，局所・領域無再発生存期間，手術合併症発生割合，整容性，患者満足度，費用対効果に設定し，評価を行った。全生存期間，無病生存期間，局所・領域無再発生存期間に関しては症例対照研究において，乳房全切除術のみと一次再建の比較検討を行っている文献を採用した。残りのアウトカムに関しては乳房全切除術のみと一次再建の比較検討，腋窩郭清を伴う一次再建と伴わない一次再建の比較検討，一次再建と二次再建の比較検討およびPMRTを施行した一次再建の成績について検討を行った。比較検討の報告においてはリンパ節転移陽性乳癌のみの研究は存在しないので，リンパ節転移陽性例を含む症例対照研究を検討した。

1）各アウトカムのシステマティック・レビュー結果

全生存期間，無病生存期間，局所・領域無再発生存期間に関しては8編の文献を採用した[1)～8)]。8編はいずれも乳房全切除術のみと一次再建を比較した症例対照研究であり，一次再建群の腋窩リンパ節転移陽性割合は31～91.7%であった。

全生存率データのある7編においては，5編で2群間の生存率に有意差はなく，2編においては一次再建群で生存率は良好と報告されている。無病生存期間に関しては無病生存率など類似のデータも含めて検証したが8編すべてにおいて2群間の統計学的有意差は示されず，局所・領域無再発生存期間に関しても8編すべてにおいて2群間の統計学的有意差は示されなかった。

手術合併症発生割合に関しては3編の文献を採用した。手術合併症は，手術創感染，出血，皮弁・脂肪壊死，静脈血栓，血腫，漿液腫，上腕浮腫などについて解析が行われていた。腋窩リンパ節転移陽性例を含む乳房切除のみと一次再建，二次再建と一次再建を比較したメタアナリシスでは，それぞれ採用文献数6編，16編，オッズ比(95%CI)は0.78(0.43–1.44)，0.75(0.62–0.90)，異質性の評価(I^2)は97.6%，43.5%と，一次再建は他二者と比べて合併症が多い傾向があるものの，異質性の高い結果であった[9)]。

腋窩郭清を施行した一次再建と腋窩郭清を施行しなかった一次再建の比較では，腋窩郭清群における合併症発症率は31％と郭清非施行群の10.1％より高率であり，再建方法，喫煙歴，肥満度，年齢，浸潤癌の有無，化学療法，放射線治療の因子で調整を行った後にも腋窩郭清群でのオッズ比は3.49と統計学的に有意に高いと報告されている[10]。一次インプラント再建を施行した腋窩郭清併施例，センチネルリンパ節生検のみ併施例，腋窩操作を行わなかった症例の比較では，合併症発症率はそれぞれ36.4％，24.9％，18.8％と腋窩郭清群では有意に合併症発症率が高いと報告されている[11]。

整容性に関しては3編の文献を採用した。いずれも再建後の放射線療法に伴う整容性の低下についての報告であった。PMRTを行った28例の一次自家組織再建において皮弁壊死により4例(14.3％)に許容できない整容性の低下が認められたが，PMRT後の二次自家組織再建では許容できない整容性の低下は認められなかったと報告されている[12]。インプラント再建後に放射線照射を受けた171症例においては111症例(65％)でexcellent，46症例(27％)でfair，14症例(8％)でbadと35％の症例で十分な整容性が保たれなかったと報告されている[13]。さらに自家組織再建および人工物再建後にPMRTを行った症例の報告では，インプラント再建症例の16.9％，自家組織再建の13.8％に皮膜拘縮や線維化に伴うsevereな整容性の低下を認めたと報告されている[14]。

患者満足度に関しては4編の文献を採用した[14)~17]。4編の一次乳房再建群における腋窩リンパ節転移陽性率または腋窩リンパ節郭清率は21.5～48.3％であった。一次再建群と乳房切除のみ群の比較研究は認めなかったが，一次再建におけるインプラント再建，自家組織再建を比較した報告では，自家組織再建群での患者満足度が高い傾向が示され，一次再建群と二次再建群の比較では1編で有意差なし，1編では一次再建群で高いと報告されている。

費用対効果に関しては参考文献を認めなかった。

2）関連する診療ガイドラインの記載について

NCCNガイドライン2021 v.5においては，術後に放射線療法が推奨される場合，インプラント再建の場合にはダイレクトインプラント法または組織拡張器挿入後の照射あるいは組織拡張器を挿入しインプラントに入れ替えた後の照射が推奨されている。また，自家組織再建の場合には，①一次一期再建，②照射終了後に二次再建，③一次では組織拡張器挿入を行い，照射終了後に自家組織再建を行うなどの方法が推奨されているが，再建乳房の照射による整容性の低下や壊死の危険性を勘案し，適宜二次再建を考慮することが望ましいとされている。

ESMO Clinical Practice Guidelinesでは，照射が必要な際の乳房再建に関しては再建外科や放射線治療医との緊密な連携のもと，個々の症例で治療順序を検討する必要があるとされているが，合併症，整容性の観点から，概して自家組織再建で良い結果が得られているとしている。

日本乳房オンコプラスティックサージャリー学会が定める「乳癌および乳腺腫瘍術後の乳房再建を目的としたゲル充填人工乳房および皮膚拡張器に関する使用要件基準」において，一次再建における乳房再建用皮膚拡張器の適応基準は，術前診断においてStageⅡ以下で皮膚浸潤，大胸筋浸潤や高度のリンパ節転移を認めない症例とされている。

3）まとめ

以上のように，腋窩リンパ節転移陽性患者に対する一次乳房再建において，全生存期間，無病生存期間，局所・領域無再発生存期間に対し害となるエビデンスは存在しなかった。一次再建では再建なしや二次再建と比べて合併症発症率が高く，腋窩リンパ節郭清を併施することによりさらに合併症発症率は高くなる。患者満足度としては二次再建より一次再建が，インプラント再建より自家組織再建が高い傾向を認めた。ただし，いずれのアウトカム評価においても，乳房全切除術のみの群と一次乳房再建群，二次乳房再建群の間には相応の臨床背景の差が認められ，選択バイアスの影響を考慮する必要がある。また，多くの報告では，リンパ節転移陽性群のサブグループ解析は施行されておらず，CQ に対する非直接性も大きい。再建方法に関しても，一次一期と一次二期およびインプラント再建と自家組織再建など異なる手技や方法が混在した結果であり，エビデンスの不均一性が大きい結果であった。

また，リンパ節転移陽性患者の中で術後に PMRT が必要となったインプラント再建症例においては，晩期の合併症やそれに伴う許容しがたい整容性の低下が起きることが示されている。自家組織再建を希望する場合においても再建乳房の PMRT による整容性の低下や壊死が懸念され，二次再建を含めた治療方針の検討が必要である（☞放射線 BQ8 参照）。

各アウトカム評価の結果をもとに益と害のバランスを勘案し，「乳房再建を希望するリンパ節転移陽性乳癌患者に対して，乳房全切除術後の一次乳房再建は弱く勧められる」とした。

［投票結果］

1. 行うことを強く推奨する	2. 行うことを弱く推奨する	3. 行わないことを弱く推奨する	4. 行わないことを強く推奨する
0%(0/49)	86%(42/49)	14%(7/49)	0%(0/49)
総投票数 49 名(棄権 0 名，COI 棄権 0 名)			

検索キーワード・参考にした二次資料

PubMed で，"breast neoplasms"，"lymphatic metastasis"，"lymph node dissection"，"breast reconstruction"，"cost"，"patient preference"，"patient satisfaction"，"complication" で検索した。医中誌・Cochrane Library も同等のキーワードで検索した。検索期間は 2021 年 6 月までとし，598 件がヒットした。それ以外にハンドサーチで 2 編の論文が追加された。一次スクリーニングで 50 編の論文が抽出され，二次スクリーニングで 16 編の論文が抽出された。これらの抽出した論文に対して定性的システマティック・レビューを行った。二次資料として NCCN guidelines breast cancer 2021 v5，ESMO Clinical Practice Guidelines: Early Breast Cancer，日本乳房オンコプラスティックサージャリー学会「乳房再建に用いる皮膚拡張器(ティッシュエキスパンダー)使用基準」を参考にした。

参考文献

1) Vieira RADC, Ribeiro LM, Carrara GFA, Abrahão-Machado LF, Kerr LM, Nazário ACP. Effectiveness and safety of implant-based breast reconstruction in locally advanced breast carcinoma: a matched case-control study. Breast Care(Basel). 2019; 14(4): 200-10. [PMID: 31558894]
2) Baek SH, Bae SJ, Yoon CI, Park SE, Cha CH, Ahn SG, et al. Immediate breast reconstruction does not have a clinically significant impact on adjuvant treatment delay and subsequent survival outcomes. J Breast Cancer. 2019; 22(1): 109-19. [PMID: 30941238]
3) Eriksen C, Frisell J, Wickman M, Lidbrink E, Krawiec K, Sandelin K. Immediate reconstruction with implants in women with invasive breast cancer does not affect oncological safety in a matched cohort study. Breast Cancer Res Treat. 2011; 127(2): 439-46. [PMID: 21409394]
4) Wu ZY, Kim HJ, Lee JW, Chung IY, Kim JS, Lee SB, et al. Long-term oncologic outcomes of immediate breast reconstruction vs conventional mastectomy alone for breast cancer in the setting of neoadjuvant chemotherapy. JAMA Surg. 2020; 155(12): 1142-50. [PMID: 33052412]
5) Ryu JM, Paik HJ, Park S, Yi HW, Nam SJ, Kim SW, et al. Oncologic outcomes after immediate breast reconstruction following total mastectomy in patients with breast cancer: a matched case-control study. J Breast Cancer. 2017; 20(1): 74-81. [PMID: 28382097]
6) Park SH, Han W, Yoo TK, Lee HB, Jin US, Chang H, et al. Oncologic safety of immediate breast reconstruction for invasive breast cancer patients: a matched case control study. j breast cancer. 2016; 19(1): 68-75. [PMID: 27064557]
7) Ryu JM, Park S, Paik HJ, Nam SJ, Kim SW, Lee SK, et al. Oncologic safety of immediate breast reconstruction in

breast cancer patients who underwent neoadjuvant chemotherapy: short-term outcomes of a matched case-control study. Clin Breast Cancer. 2017; 17(3): 204-10. [PMID: 28065399]
8) Bjöhle J, Onjukka E, Rintelä N, Eloranta S, Wickman M, Sandelin K, et al. Post-mastectomy radiation therapy with or without implant-based reconstruction is safe in terms of clinical target volume coverage and survival—a matched cohort study. Radiother Oncol. 2019; 131: 229-36. [PMID: 30055939]
9) Shen Z, Sun J, Yu Y, Chiu C, Zhang Z, Zhang Y, et al. Oncological safety and complication risks of mastectomy with or without breast reconstruction: a Bayesian analysis. J Plast Reconstr Aesthet Surg. 2021; 74(2): 290-9. [PMID: 33093010]
10) Madsen RJ, Esmonde NO, Ramsey KL, Hansen JE. Axillary lymph node dissection is a risk factor for major complications after immediate breast reconstruction. Ann Plast Surg. 2016; 77(5): 513-6. [PMID: 26545220]
11) Verma R, Klein G, Dagum A, Khan S, Bui DT. The effect of axillary lymph node sampling during mastectomy on immediate alloplastic breast reconstruction complications. Plast Reconstr Surg Glob Open. 2019; 7(5): e2224. [PMID: 31333953]
12) Terao Y, Taniguchi K, Fujii M, Moriyama S. Postmastectomy radiation therapy and breast reconstruction with autologous tissue. Breast Cancer. 2017; 24(4): 505-10. [PMID: 28229358]
13) Yuce Sari S, Guler OC, Gultekin M, Akkus Yildirim B, Onal C, Ozyigit G, et al. Radiotherapy after skin-sparing mastectomy and implant-based breast reconstruction. clin breast cancer. 2019; 19(5): e611-6. [PMID: 31255547]
14) Reinders FCJ, Young-Afat DA, Batenburg MCT, Bruekers SE, van Amerongen EA, Macaré van Maurik JFM, et al. Higher reconstruction failure and less patient-reported satisfaction after post mastectomy radiotherapy with immediate implant-based breast reconstruction compared to immediate autologous breast reconstruction. Breast Cancer. 2020; 27(3): 435-44. [PMID: 31858435]
15) Pallara T, Cagli B, Fortunato L, Altomare V, Loreti A, Grasso A, et al. Direct-to-implant and 2-stage breast reconstruction after nipple sparing mastectomy: results of a retrospective comparison. Ann Plast Surg. 2019; 83(4): 392-5. [PMID: 31524730]
16) Yoon AP, Qi J, Brown DL, Kim HM, Hamill JB, Erdmann-Sager J, et al. Outcomes of immediate versus delayed breast reconstruction: results of a multicenter prospective study. Breast. 2018; 37: 72-9. [PMID: 29102781]
17) Pusic AL, Matros E, Fine N, Buchel E, Gordillo GM, Hamill JB, et al. Patient-reported outcomes 1 year after immediate breast reconstruction: results of the mastectomy reconstruction outcomes consortium study. J Clin Oncol. 2017; 35(22): 2499-506. [PMID: 28346808]

FRQ 6 乳房再建法としての脂肪注入は勧められるか？

ステートメント

- 乳房再建法としての脂肪注入は細心の注意のもと行ってもよい。ただし，適切な手技の習得と，長期間の術後フォローアップが必要である。

背 景

Coleman法[1]の普及によって脂肪注入の生着率は向上し，合併症率は減少した。それに伴って，近年，乳癌術後の再建や修正に脂肪注入を用いる報告が増加している。しかし，本手法の腫瘍学的安全性や合併症に関しては，慎重に検討する必要がある。今回，乳癌術後の患者に対する脂肪注入を用いた再建の妥当性を検討した。

解 説

近年，乳房再建に脂肪注入を用いた報告は増加している。皮弁やシリコン乳房インプラントによる再建において脂肪注入を併用することで，乳房形態に加えて，患者満足度も改善したとの報告がある[2]。また，乳房部分切除術後の修正に脂肪注入を用いた報告や[3]，複数回の注入が必要であるものの，脂肪注入のみで全乳房を再建した報告もある[4]。さらには，脂肪注入を行うことで，放射線照射後の組織損傷や，乳房の疼痛が緩和されたとの報告もある[5][6]。このように，脂肪注入が乳房再建において有益であるとする論文は多い。

一方，脂肪注入の腫瘍学的安全性に関しても，近年，多くの報告がなされている。その手技の特異性から，大規模な前向き研究やランダム化比較研究はほとんどないものの，現在のところ，脂肪注入が乳癌再発率を増加させるという明らかな臨床的証拠はない。Groenらは43編の文献に関してレビューを行い，乳癌術後に脂肪注入を施行した6,260例において，局所再発率と遠隔再発率はそれぞれ2.5%と2.0%であったとしている[7]。Krastevらのコホート研究では，脂肪注入後5年間における局所再発率は，注入群で2.8%(8/287例)であり，対照群の3.7%(11/300例)と比べて同等であったとしている[8]。また，乳癌手術の種類，腫瘍の浸潤性，および病理学的ステージを含むサブグループ別比較においても，脂肪注入は局所再発率の上昇に影響せず，遠隔転移と乳癌死亡率も上昇しなかったとしている。Stumpfらのコホート研究では，乳房部分切除術において一期的に脂肪注入を行った65例と乳房部分切除術のみを行った255例では，術後5年間において局所再発率と遠隔転移率にそれぞれ差を認めなかったとしている(それぞれ4.6% vs 3.9%；$p=1.000$，7.7% vs 4.7%；$p=0.517$)[9]。

脂肪注入の合併症に関して，De Deckerらは23編の文献レビューを行い，2,419例のうち5.31%に脂肪壊死，8.78%に嚢胞・石灰化形成，および0.96%に感染を認めたとしている[10]。これらは，特に乳房部分切除術後において術後画像診断の妨げとなり得る。一方，Hansonらのコホート研究では，乳房部分切除術後に脂肪注入を施行した群(72例)と施行しなかった群(72例)において，触知可能な腫瘤形成(9.7% vs 19.4%；p=0.1)，脂肪壊死(34.7% vs 33.3%；p=0.86)，石灰化(37.5% vs 34.7%；p=0.73)，および乳房の生検率(15.3% vs 22.2%；p=0.23)にそれぞれ差を認めなかったとしている[3)]。ただし，脂肪注入後の脂肪壊死などの合併症は，注入量が多いなどの手技的要因や，時間の経過によって発生率が高くなるという報告もあり[11)]，患者への十分な説明と，長期にわたる術後フォローアップが必要である。ほかに重篤な合併症として考えられるのは，殿部への脂肪注入において報告のある脂肪塞栓症であるが，これまで乳房への脂肪注入における発生例は見当たらない[12)]。

以上より，脂肪注入は局所における合併症リスクはあるものの，いずれも重篤なものではなく，適切な手技と術後長期のフォローアップを前提とするのであれば，細心の注意のもと行ってもよい。

検索キーワード・参考にした二次資料

2021年6月6日の時点で，PubMed で，#breast reconstruction，#mammaplasty，#fat graft/fat injection，#lipofilling/lipoinjection，#safety のキーワードで検索し，重要なものを選択した。また，ハンドサーチで検索したものも適時追加した。

参考文献

1) Coleman SR, Saboeiro AP. Fat grafting to the breast revisited: safety and efficacy. Plast Reconstr Surg. 2007; 119(3): 775-85; discussion 786-7. [PMID: 17312477]
2) Bennett KG, Qi J, Kim HM, Hamill JB, Wilkins EG, Mehrara BJ, et al. Association of fat grafting with patient-reported outcomes in postmastectomy breast reconstruction. JAMA Surg. 2017; 152(10): 944-50. [PMID: 28658472]
3) Hanson SE, Kapur SK, Garvey PB, Hernandez M, Clemens MW, Hwang RF, et al. Oncologic safety and surveillance of autologous fat grafting following breast conservation therapy. Plast Reconstr Surg. 2020; 146(2): 215-25. [PMID: 32740564]
4) Khouri RK, Rigotti G, Khouri RK Jr, Cardoso E, Marchi A, Rotemberg SC, et al. Tissue-engineered breast reconstruction with Brava-assisted fat grafting: a 7-year, 488-patient, multicenter experience. Plast Reconstr Surg. 2015; 135(3): 643-58. [PMID: 25719686]
5) Sarfati I, Ihrai T, Kaufman G, Nos C, Clough KB. Adipose-tissue grafting to the post-mastectomy irradiated chest wall: preparing the ground for implant reconstruction. J Plast Reconstr Aesthet Surg. 2011; 64(9): 1161-6. [PMID: 21514910]
6) Juhl AA, Karlsson P, Damsgaard TE. Fat grafting for alleviating persistent pain after breast cancer treatment: a randomized controlled trial. J Plast Reconstr Aesthet Surg. 2016; 69(9): 1192-202. [PMID: 27470295]
7) Groen JW, Negenborn VL, Twisk DJWR, Rizopoulos D, Ket JCF, Smit JM, et al. Autologous fat grafting in onco-plastic breast reconstruction: a systematic review on oncological and radiological safety, complications, volume retention and patient/surgeon satisfaction. J Plast Reconstr Aesthet Surg. 2016; 69(6): 742-64. [PMID: 27085611]
8) Krastev T, van Turnhout A, Vriens E, Smits L, van der Hulst R. Long-term follow-up of autologous fat transfer vs conventional breast reconstruction and association with cancer relapse in patients with breast cancer. JAMA Surg. 2019; 154(1): 56-63. [PMID: 30304330]
9) Stumpf CC, Zucatto ÂE, Cavalheiro JAC, de Melo MP, Cericato R, Damin APS, et al. Oncologic safety of immediate autologous fat grafting for reconstruction in breast-conserving surgery. Breast Cancer Res Treat. 2020; 180(2): 301-9. [PMID: 32026213]
10) De Decker M, De Schrijver L, Thiessen F, Tondu T, Van Goethem M, Tjalma WA. Breast cancer and fat grafting: efficacy, safety and complications-a systematic review. Eur J Obstet Gynecol Reprod Biol. 2016; 207: 100-8. [PMID: 27835828]
11) Upadhyaya SN, Bernard SL, Grobmyer SR, Yanda C, Tu C, Valente SA. Outcomes of autologous fat grafting in mastectomy patients following breast reconstruction. Ann Surg Oncol. 2018; 25(10): 3052-6. [PMID: 29968032]
12) Chopan M, White JA, Sayadi LR, Buchanan PJ, Katz AJ. Autogenous fat grafting to the breast and gluteal regions: safety profile including risks and complications. Plast Reconstr Surg. 2019; 143(6): 1625-32. [PMID: 31136476]

FRQ 7 術前化学療法後の乳房再建は勧められるか？

ステートメント

- 術前化学療法後の乳房再建は細心の注意のもと行ってもよい。

背景

近年，サブタイプに基づいた術前化学療法(NAC)は標準治療となっている。局所進行例や薬物療法後に乳房部分切除術の適応とならなかった例では，乳房全切除術と乳房再建が治療のオプションとなる。一次乳房再建について後ろ向き研究および少数の前向き研究からその安全性，妥当性を検証した。

解説

NACは創傷治癒の遅延や感染の原因になり得ると考えられ，乳房再建における有害事象の増加が懸念される。また，乳房再建による腫瘍学的な影響についても未解明な点が残されている。

1）合併症

(1) 自家組織による乳房再建

自家組織による乳房再建とNACについて，いくつかの後ろ向き研究の報告がある。Mehraraらは952例の自家組織再建例中70例のNAC後の乳房再建例を検討し，NACは軽微な術後合併症のリスクになることを報告した[1)]。一方，500例のfree TRAM(transverse rectus abdominis myocutaneous)の後ろ向き研究では，NACは術後合併症のリスク因子とはなっておらず，自家組織での再建群の合併症の頻度は非再建群と変わらないと結論付けた[2)]。

(2) 自家組織，あるいはインプラントによる乳房再建

Azzawiらは一次乳房再建(インプラントか自家組織かは問わない)を行った乳癌症例171例を対象として，NACを受けた53例と，受けていない118例との比較検討を行った。術後合併症はNAC有/無の両群で，再建成功率や合併症の発症頻度に差はなく，NACは一次乳房再建術における有害事象増加の原因にはならないと結論した[3)]。後ろ向き研究をもとにNAC後のインプラントと自家移植を含む一次再建による合併症をみたメタアナリシスでは，血腫〔オッズ比(OR)1.35，95%CI 0.57-3.21〕，漿液腫(OR 0.77，95%CI 0.23-2.55)，感染症(OR 0.74，95%CI 0.44-1.22)，再手術(OR 0.82，95%CI 0.46-1.45)，組織拡張器(ティッシュエキスパンダー)/インプラント欠損あるいは皮弁欠損(OR 1.59，95%CI 0.91-2.79)の増加はみられず，NACにより乳房再建の合併症の頻度は増えていないとしている[4)]。

(3) 組織拡張器(ティッシュエキスパンダー)とインプラントによる乳房再建

Mitchemらは NACを受けたStage Ⅱ-Ⅲ乳癌120例中，組織拡張器やインプラントによる一次再建を受けた34例を後ろ向きに検討した[5)]。NAC後一次乳房再建術後に，38%の症例で組織拡張器やインプラントが抜去されていた。NAC後の組織拡張器やインプラントを用いた一次乳

房再建では計2〜5回の手術を受ける場合があり，感染や組織の壊死などによってインプラントを抜去する危険性が高いことを事前に患者に十分に説明するべきであると警告している。NAC後乳癌術後の合併症を，一次乳房再建ありの乳房全切除術群(2,876例)と再建なしの乳房全切除術群(66,593例)で後ろ向きに比較した検討では，NACは乳房再建後の術後30日以内の早期合併症に関与しないことが明らかとなった。局所，創部治癒遅延のみならず全身的な合併症まで勘案した大規模な研究で，組織拡張器，インプラント，自家組織別にみてもNAC後乳房再建群と乳房再建なし群の合併症に差は認められなかった[6]。同様にNACは組織拡張器やインプラントによる一次乳房再建の合併症を増加させることはなく，術後合併症のリスク因子とはならないとの報告がなされている[7]。

術前，あるいは，術後化学療法施行例と非施行例を比較した組織拡張器とインプラントによる乳房再建899例の後ろ向き研究において，組織拡張器抜去を要した症例は全体で16.9%，NAC51/295例(17.3%)，術後化学療法施行69/348例(19.9%)，非施行32/256例(12.5%；$p=0.056$)であり，化学療法施行によりやや件数は増えるものの有意な差はなかった[8]。NAC後の乳房再建の安全性について臨床的にはコンセンサスが得られつつあるといえる[9)〜13]。

2）腫瘍学的な影響

乳房再建による腫瘍学的な影響について，プロペンシティスコアマッチングを用いNAC後の乳頭温存乳房全切除術(NSM)/皮膚温存乳房全切除術(SSM)＋一次再建(自家組織による乳房再建，およびインプラントによる乳房再建)と従来の乳房全切除術を比較した1,266例の検討では，局所再発率3.7%，3.4%($p=0.83$)，遠隔再発率7.1%，5.3%($p=0.33$)，生存率92.0%，89.3%(95% CI 0.530-1.353；$p=0.49$)と有意差はなかった[14]。Aurilioらの報告も同様で，NAC後に根治術を施行した進行乳癌症例133例についての後ろ向きコホートでは，再建群では術後照射療法の実施が不完全であり，エストロゲン受容体が陰性の場合，有意に局所再発率が高かったものの，再建の有無において無病生存率，遠隔転移率に有意差はなかった[15]。これらの報告によると，乳房再建による腫瘍学的な悪影響は認めず，根治性について不利益は認めていない。

NAC症例は局所進行乳癌も含まれるため，乳房全切除術＋乳房再建術後に放射線療法が必要な症例も含まれてくる。今後は，これら放射線療法や化学療法といった集学的治療が乳房再建(自家組織，インプラント)に及ぼす影響を個別に前向きに評価していく必要がある。以上より，術前化学療法後の乳房再建については，安全性，根治性ともに問題ない可能性が高く，実地臨床において適用にあたっては細心の注意のもと行ってもよい。さらなる研究の蓄積が期待される。

検索キーワード・参考にした二次資料

「乳癌診療ガイドライン①治療編2018年版」の同クエスチョンの参考文献に加え，PubMedで，“Neoadjuvant Therapy” or “Neoadjuvant”，“Mammaplasty”，“Breast Reconstruction” or “Breast Reconstructions” のキーワードで検索した。検索期間は2016年1月〜2021年3月とし，30件がヒットした。この中から重要なものを選択した。国内文献で参考となるものはなかった。

参考文献

1) Mehrara BJ, Santoro TD, Arcilla E, Watson JP, Shaw WW, Da Lio AL. Complications after microvascular breast reconstruction: experience with 1195 flaps. Plast Reconstr Surg. 2006; 118(5): 1100-9. [PMID: 17016173]
2) Selber JC, Kurichi JE, Vega SJ, Sonnad SS, Serletti JM. Risk factors and complications in free TRAM flap breast

外科療法

reconstruction. Ann Plast Surg. 2006; 56(5): 492-7. [PMID: 16641623]
3) Azzawi K, Ismail A, Earl H, Forouhi P, Malata CM. Influence of neoadjuvant chemotherapy on outcomes of immediate breast reconstruction. Plast Reconstr Surg. 2010; 126(1): 1-11. [PMID: 20595827]
4) Song J, Zhang X, Liu Q, Peng J, Liang X, Shen Y, et al. Impact of neoadjuvant chemotherapy on immediate breast reconstruction: a meta-analysis. PLoS One. 2014; 9(5): e98225. [PMID: 24878776]
5) Mitchem J, Herrmann D, Margenthaler JA, Aft RL. Impact of neoadjuvant chemotherapy on rate of tissue expander/implant loss and progression to successful breast reconstruction following mastectomy. Am J Surg. 2008; 196(4): 519-22. [PMID: 18809054]
6) Abt NB, Flores JM, Baltodano PA, Sarhane KA, Abreu FM, Cooney CM, et al. Neoadjuvant chemotherapy and short-term morbidity in patients undergoing mastectomy with and without breast reconstruction. JAMA Surg. 2014; 149(10): 1068-76. [PMID: 25133469]
7) Liu Y, Mori H, Hata Y. Does neoadjuvant chemotherapy for breast cancer increase complications during immediate breast reconstruction? J Med Dent Sci. 2009; 56(1): 55-60. [PMID: 19697519]
8) Dolen UC, Schmidt AC, Um GT, Sharma K, Naughton M, Zoberi I, et al. Impact of neoadjuvant and adjuvant chemotherapy on immediate tissue expander breast reconstruction. Ann Surg Oncol. 2016; 23(7): 2357-66. [PMID: 26942453]
9) Zweifel-Schlatter M, Darhouse N, Roblin P, Ross D, Zweifel M, Farhadi J. Immediate microvascular breast reconstruction after neoadjuvant chemotherapy: complication rates and effect on start of adjuvant treatment. Ann Surg Oncol. 2010; 17(11): 2945-50. [PMID: 20585868]
10) Giacalone PL, Rathat G, Daures JP, Benos P, Azria D, Rouleau C. New concept for immediate breast reconstruction for invasive cancers: feasibility, oncological safety and esthetic outcome of post-neoadjuvant therapy immediate breast reconstruction versus delayed breast reconstruction: a prospective pilot study. Breast Cancer Res Treat. 2010; 122(2): 439-51. [PMID: 20502959]
11) Donker M, Hage JJ, Woerdeman LA, Rutgers EJ, Sonke GS, Vrancken Peeters MJ. Surgical complications of skin sparing mastectomy and immediate prosthetic reconstruction after neoadjuvant chemotherapy for invasive breast cancer. Eur J Surg Oncol. 2012; 38(1): 25-30. [PMID: 21963981]
12) Monrigal E, Dauplat J, Gimbergues P, Le Bouedec G, Peyronie M, Achard JL, et al. Mastectomy with immediate breast reconstruction after neoadjuvant chemotherapy and radiation therapy. A new option for patients with operable invasive breast cancer. Results of a 20 years single institution study. Eur J Surg Oncol. 2011; 37(10): 864-70. [PMID: 21843920]
13) Ryu JM, Park S, Paik HJ, Nam SJ, Kim SW, Lee SK, et al. Oncologic safety of immediate breast reconstruction in breast cancer patients who underwent neoadjuvant chemotherapy: short-term outcomes of a matched case-control study. Clin Breast Cancer. 2017; 17(3): 204-10. [PMID: 28065399]
14) Wu ZY, Kim HJ, Lee JW, Chung IY, Kim JS, Lee SB, et al. Long-term oncologic outcomes of immediate breast reconstruction vs conventional mastectomy alone for breast cancer in the setting of neoadjuvant chemotherapy. JAMA Surg. 2020; 155(12): 1142-50. [PMID: 33052412]
15) Aurilio G, Bagnardi V, Graffeo R, Nolè F, Petit JY, Locatelli M, et al. Does immediate breast reconstruction after mastectomy and neoadjuvant chemotherapy influence the outcome of patients with non-endocrine responsive breast cancer? Anticancer Res. 2014; 34(11): 6677-83. [PMID: 25368274]

総説 4
転移・再発乳癌に対する外科手術

1）転移・再発乳癌に対する治療目的

転移・再発乳癌の治療の基本は薬物療法による全身療法であり，その目的は生存期間の延長と症状緩和および生活の質(QOL)の改善である。そのため，転移再発巣に対する外科手術はその目的に応じて考慮される。①遠隔臓器転移を伴わない局所・領域リンパ節再発(温存乳房内再発，局所再発，領域リンパ節再発)に対しては可能な限り，治癒を念頭に置いて外科的治療を含む集学的治療を施行する。②遠隔臓器転移に対して生存期間の延長を目的とした外科的切除は勧められないが，オリゴ転移に対しての積極的局所療法の意義は検討中である。③Stage Ⅳ乳癌において生存期間の延長を目的とした原発巣切除は勧められないが，局所制御を目的とした切除は勧められる。

2）転移・再発乳癌に対する治療

(1) 局所・領域リンパ節再発に対する治療(☞外科 BQ4，FRQ8〜11 参照)

乳房温存療法後の局所再発(温存乳房内再発)は術後 10 年で 2〜10%にみられる[1]。術前薬物療法施行後症例ではその割合は高くなる[2]。温存乳房内再発には真の再発と新たな乳癌の発生の 2 種類が理論的には存在するが両者の鑑別は困難であり，いずれの場合でも遠隔転移を伴わない場合は治癒を目指した外科的切除の適応である。対して炎症性乳癌型再発や胸壁浸潤を伴う場合は全身薬物療法が第一選択となる。

初回術後放射線治療も行っている症例での温存乳房内再発に対する外科的治療は残存乳房切除術が標準である。温存乳房内再発に対する再乳房部分切除術は，局所再再発率が高く整容性の保持も困難な場合が多いとされるが[3]，初回術後に放射線を行っていない患者・高齢者・小さな再発腫瘍径などの条件を満たせば選択肢の一つとなり得る。また，この際の腋窩手術に関しては，腋窩に転移を認めず初回手術時に腋窩郭清が行われていない場合に限りセンチネルリンパ節生検を考慮する。

乳房全切除術後の局所再発は 10%未満の症例で認められ[4]，そのうち約 1/3 は診断時遠隔転移を伴っている[5]。切除可能な局所再発は手術の適応であるが，切除のみの場合の局所再再発率は 60〜70%と高いため，術後に胸壁照射や全身薬物療法が必要である[6]。

領域再発は同側腋窩・鎖骨上および内胸リンパ節を含む再発を指す。領域再発は腋窩リンパ節郭清後で 3%未満[7]，センチネルリンパ節生検後では 1%未満[8]と報告されている。遠隔転移を伴わない腋窩リンパ節再発は手術の適応であり，手術不能例では予後不良とされている[9]。対して，鎖骨上リンパ節再発は腋窩リンパ節再発よりもさらに進展した部位での再発であり，照射および全身薬物療法が基本である。外科手術の有用性は確立されておらず，術後合併症および後遺症の発生リスクが大きい。孤立性の領域再発で遠隔転移を伴わず，薬物療法後病変が残存している場合や放射線照射後の再発などで外科手術が考慮される。

(2) 遠隔臓器転移に対する外科的切除(☞外科 FRQ12, 13 参照)

乳癌の遠隔転移は多臓器にわたり，さらに微小転移が全身に散在している可能性が高く，薬物療法による全身療法が基本となる。外科的切除の適応となるのは，乳癌転移の病理学的な確定診断や効果的な全身療法選択のためにバイオマーカーの確認が必要な場合，あるいは転移による症状の緩和のために外科的切除が必要な場合に限られる。近年，数や大きさの限られた遠隔転移のみを認めるオリゴ転移に対する積極的な局所療法による予後改善の可能性が検討されはじめている。ただ，現時点で報告されている前向き試験の多くは放射線治療の効果を検討したものである。外科手術も含めた転移に対する局所療法の意義に関しては現在前向き臨床試験で検討されている(NRG-BR 002 試験，NCT 02364557 試験)。

(3) Stage Ⅳ乳癌に対する原発巣切除(☞外科 CQ4 参照)

初診時から遠隔転移を有する Stage Ⅳ乳癌において，原発巣の外科的切除により生存期間の延長が得られる可能性を検討するランダム化比較試験が 5 試験行われた。現在までに 4 つの結果が報告され，それらのメタアナリシスでは原発巣切除により生存期間は延長しないが，良好な局所制御が得られることが明らかとなった。今後，残り 1 つの JCOG 1017 PRIM-BC 試験[10]の結果(2022 年追跡期間終了)を含めた検討により，最終的な結論が得られる。また，前述のオリゴ転移に対する局所療法(手術・放射線)の有用性を評価する試験においては，オリゴ転移を有する Stage Ⅳ乳癌に対しては原発巣切除を行うこととされており，その意義が再度評価されている。

参考にした二次資料

UpToDate 2021，乳癌取扱い規約(第 18 版)，乳腺腫瘍学(第 3 版)を参考にした。

参考文献

1) van Laar C, van der Sangen MJ, Poortmans PM, Nieuwenhuijzen GA, Roukema JA, Roumen RM, et al. Local recurrence following breast-conserving treatment in women aged 40 years or younger: trends in risk and the impact on prognosis in a population-based cohort of 1143 patients. Eur J Cancer. 2013; 49(15): 3093-101. [PMID: 23800672]

2) Early Breast Cancer Trialists' Collaborative Group(EBCTCG). Long-term outcomes for neoadjuvant versus adjuvant chemotherapy in early breast cancer: meta-analysis of individual patient data from ten randomised trials. Lancet Oncol. 2018; 19(1): 27-39. [PMID: 29242041]

3) Gentilini O, Botteri E, Rotmensz N, Santillo B, Peradze N, Saihum RC, et al. When can a second conservative approach be considered for ipsilateral breast tumour recurrence? Ann Oncol. 2007; 18(3): 468-72. [PMID: 17158776]

4) Jacobson JA, Danforth DN, Cowan KH, d'Angelo T, Steinberg SM, et al. Ten-year results of a comparison of conservation with mastectomy in the treatment of stage Ⅰ and Ⅱ breast cancer. N Engl J Med. 1995; 332(14): 907-11. [PMID: 7877647]

5) Buchanan CL, Dorn PL, Fey J, Giron G, Naik A, Mendez J, et al. Locoregional recurrence after mastectomy: incidence and outcomes. J Am Coll Surg. 2006; 203(4): 469-74. [PMID: 17000389]

6) Willner J, Kiricuta IC, Kölbl O. Locoregional recurrence of breast cancer following mastectomy: always a fatal event? Results of univariate and multivariate analysis. Int J Radiat Oncol Biol Phys. 1997; 37(4): 853-63. [PMID: 9128962]

7) Krag DN, Anderson SJ, Julian TB, Brown AM, Harlow SP, Costantino JP, et al. Sentinel-lymph-node resection compared with conventional axillary-lymph-node dissection in clinically node-negative patients with breast cancer: overall survival findings from the NSABP B-32 randomised phase 3 trial. Lancet Oncol. 2010; 11(10): 927-33. [PMID: 20863759]

8) Giuliano AE, McCall L, Beitsch P, Whitworth PW, Blumencranz P, Leitch AM, et al. Locoregional recurrence after sentinel lymph node dissection with or without axillary dissection in patients with sentinel lymph node metastases: the American College of Surgeons Oncology Group Z0011 randomized trial. Ann Surg. 2010; 252(3): 426-32; discussion 432-3. [PMID: 20739842]

9) Shen SC, Liao CH, Lo YF, Tsai HP, Kuo WL, Yu CC, et al. Favorable outcome of secondary axillary dissection in breast cancer patients with axillary nodal relapse. Ann Surg Oncol. 2012; 19(4): 1122-8. [PMID: 21969085]
10) Shien T, Nakamura K, Shibata T, Kinoshita T, Aogi K, Fujisawa T, et al. A randomized controlled trial comparing primary tumour resection plus systemic therapy with systemic therapy alone in metastatic breast cancer (PRIM-BC): Japan Clinical Oncology Group Study JCOG1017. Jpn J Clin Oncol. 2012; 42(10): 970-3. [PMID: 22833684]

CQ 4 Stage Ⅳ乳癌に対する原発巣切除は勧められるか？

CQ 4a Stage Ⅳ乳癌に対して予後の改善を目的とした原発巣切除は勧められるか？

推 奨

- Stage Ⅳ乳癌に対して予後の改善を目的とした原発巣切除は行わないことを強く推奨する。
  推奨の強さ：4，エビデンスの強さ：強，合意率：89％(41/46)

CQ 4b Stage Ⅳ乳癌に対して局所制御を目的とした原発巣切除は勧められるか？

推 奨

- Stage Ⅳ乳癌に対して局所制御を目的とした原発巣切除は行うことを弱く推奨する。
  推奨の強さ：2，エビデンスの強さ：中，合意率：100％(47/47)

背景・目的

遠隔転移を有する乳癌は治癒が極めて困難であり，治療の目標は症状のコントロール，QOL の改善，生存の延長になる。治療は全身療法(薬物療法)を主に，局所療法(放射線療法・手術療法)を必要に応じて行う。初診時から遠隔転移を有する Stage Ⅳ乳癌においては，原発巣の外科的切除により生存期間の延長が得られる可能性を示唆する報告がある。そこで本 CQ では，Stage Ⅳ乳癌に対する原発巣切除が予後の改善に寄与するかどうかエビデンスをもとに検討した。

解 説

Stage Ⅳ乳癌に対して原発巣切除を行うか否かの前向きランダム化比較試験は 5 試験行われ，うち 3 試験〔NTC 00193778 試験[1]，NCT 00557986(MF07-01)試験[2]，NCT 01015625(ABCSG-28)試験[3]〕が論文報告され，1 つが学会報告のみ〔NCT 01242800(ECOG 2108)試験[4]〕，残り 1 つが登録終了後追跡調査中〔UMIN 000005586(JCOG 1017)試験[5]〕である。すでに結果が報告されている 4 つの試験についてのメタアナリシスが 2 つ(1 編は前向きコホート試験 2 つを含む検討)論文化されている[6)7)]。残る 1 つの日本からのデータが報告されれば，すべてのデータが揃うことになる。

1）生存期間

5 つの前向きランダム化比較試験のうち，すでに報告されている 4 つの試験はいずれも，de-novo Stage Ⅳ乳癌において原発巣切除を行うことが予後を改善するかどうかを検討する試験である。主要評価項目はいずれも全生存期間であり，いずれの試験においても原発巣切除は全生存期間を有意に延長せず，メタアナリシスにおいても同様の結果であった(**図 1**)。また，原発巣切

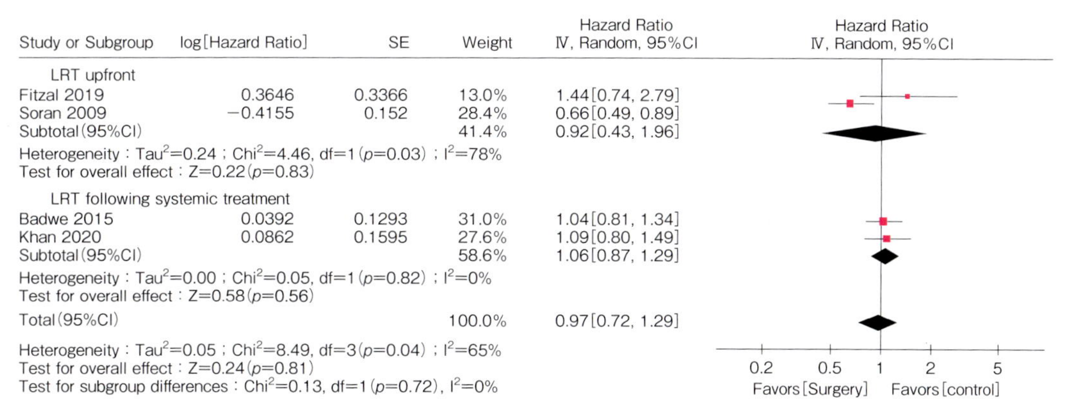

図 1 全生存期間(OS)のメタアナリシス

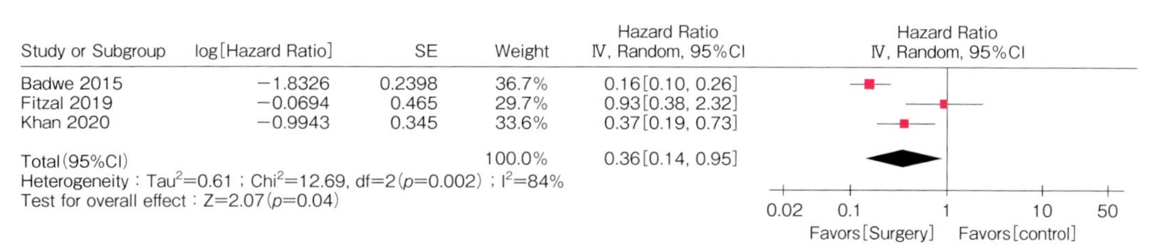

図 2 局所制御(time to locoregional progression)のメタアナリシス

除のタイミングに関しては，4つのうち2つは診断時すぐに手術を行うのに対して，2つは全身薬物療法を行って効果のあった患者に対して手術を行っていた。そしてメタアナリシスの結果，どちらのタイミングで行っても生存期間の延長は認めなかった(**図 1**)。そのほか，乳癌サブタイプ・転移状況などのサブグループ解析においても同様に，手術群と非手術群の間で全生存期間の差は認められなかった。ただし，前向きコホート試験を含めたメタアナリシスでは，骨転移単独の場合などに限っては手術が予後を延長する可能性が示唆されており，現在，別途進行中であるオリゴ転移に対する局所療法(手術・放射線療法)の有用性を評価する試験においてはオリゴ転移を有するStage Ⅳ乳癌に対しては原発巣切除を行うこととされており，その意義が再度評価されている(NRG-BR 002試験，NCT 02364557試験)。

2）局所制御

局所制御(乳房の病変の悪化)に関しては，いずれも副次評価項目ではあるものの3つの試験で検討され，いずれも原発巣切除群で有意に良好であった〔ハザード比(HR)0.36(0.14-0.95)〕(**図 2**)。このことから，非切除と比較して原発巣切除により良好な局所制御が得られることは明確である。ただし，すべての患者に対して局所の増悪を認めるわけではない。ECOG 2101試験では局所の増悪を認めた症例は原発巣切除群で10.2%であったのに対して非切除群で25.6%であり，約4分の3の患者では局所の増悪は認めていない。今後，どのような患者で，局所制御のための手術が必要か検討を要する。

3）無増悪期間

インドで行われたNTC 00193778試験では，原発巣に対する手術により遠隔転移が有意に増悪することが報告されたが，ECOG試験では無増悪期間に差はなかった。結果に差が出た原因として，インドでは標準的な薬物療法が行われていないことが推察される。このことから，必ずしも原発巣切除が無増悪期間を短縮するとはいえないが，手術を行った後も効果的な薬物療法を継続することは重要であると考えられる。

4）QOL

QOLに関しては，ABCSG-28試験およびMF07-01試験では両群にQOLの評価で差は認めなかったが[8)9)]，ECOG 2108試験で行われたFACT-B TOIでの評価では手術後18カ月時点で手術群のほうが有意に劣っていた。それぞれの試験で，評価方法や評価時期は異なっており，エビデンスの強さは弱いが，手術によるQOLの低下が起こる可能性は念頭に置く必要がある。

5）まとめ

4つの試験はいずれも本CQを検討する前向きランダム化試験であるが，各試験の間に大きな不均一性が認められることは考慮しなければならない。インドで行われた試験（NTC 00193778試験）は単施設での検討で，先進国で使用されている最新の薬剤はほとんど使用されておらず全体の生存期間中央値はECOG 2108試験の半分以下であった。MF07-01試験ではER，HER2，転移部位などが層別因子に採用されておらず，両群にサブタイプの偏りが認められた（非手術群でトリプルネガティブが多いなど）[10)]。ABCSG-28試験は516例の登録予定で最終的には90例しか登録されていなかった。ECOG 2108試験では非手術群の20％が，またその他の試験でも10％弱の患者が手術を受けていた。

以上より，今あるエビデンスでは，Stage Ⅳ乳癌では原発巣切除により生存期間を延長するのは困難である。ただし，局所制御が必要な症例に対しては原発巣切除が効果的である。今後，残り1つの日本からの試験の結果を合わせた最終的な評価を待つとともに，オリゴ転移に対する治療戦略に関しては別途原発巣切除の意義の検討が必要であると考える。

［投票結果］

	1. 行うことを強く推奨する	2. 行うことを弱く推奨する	3. 行わないことを弱く推奨する	4. 行わないことを強く推奨する
CQ4a	0％（0/46）	0％（0/46）	11％（5/46）	89％（41/46）
	総投票数46名（棄権0名，COI棄権2名）			
CQ4b	0％（0/47）	100％（47/47）	0％（0/47）	0％（0/47）
	総投票数47名（棄権0名，COI棄権2名）			

検索キーワード・参考にした二次資料

PubMedで，Primary tumor resection; Prognosis; Prospective; Stage Ⅳ breast Cancer，Surgery，local therapyのキーワードで検索した。医中誌・Cochrane Libraryも同等のキーワードで検索した。検索期間は2021年3月31日までとし，328件がヒットした。スクリーニングで前向きランダム化比較試験の結果が7編あり，うち2編がメタアナリシス論文であった。これらの定性的システマティック・レビューを行った。

参考文献

1）Badwe R, Hawaldar R, Nair N, Kaushik R, Parmar V, Siddique S, et al. Locoregional treatment versus no treatment of the primary tumour in metastatic breast cancer: an open-label randomised controlled trial. Lancet Oncol. 2015; 16(13): 1380-8.［PMID: 26363985］
2）Soran A, Ozbas S, Kelsey SF, Gulluoglu BM. Randomized trial comparing locoregional resection of primary tumor with no surgery in stage Ⅳ breast cancer at the presentation（Protocol MF07-01）: a study of Turkish Federation of the National Societies for Breast Diseases. Breast J. 2009; 15(4): 399-403.［PMID: 19496782］

3) Fitzal F, Bjelic-Radisic V, Knauer M, Steger G, Hubalek M, Balic M, et al; ABCSG. Impact of breast surgery in primary metastasized breast cancer: outcomes of the prospective randomized phase Ⅲ ABCSG-28 POSYTIVE trial. Ann Surg. 2019; 269(6): 1163-9. [PMID: 31082916]
4) Khan SA, Zhao F, Solin LJ, Goldstein LJ, Cella D, Basik M, et al. A randomized phase Ⅲ trial of systemic therapy plus early local therapy versus systemic therapy alone in women with de novo stage Ⅳ breast cancer: A trial of the ECOG-ACRIN Research Group(E2108). J Clin Oncol. 2020; 38(18_suppl): LBA2.
5) Shien T, Nakamura K, Shibata T, Kinoshita T, Aogi K, Fujisawa T, et al. A randomized controlled trial comparing primary tumour resection plus systemic therapy with systemic therapy alone in metastatic breast cancer (PRIM-BC): Japan Clinical Oncology Group Study JCOG1017. Jpn J Clin Oncol. 2012; 42(10): 970-3. [PMID: 22833684]
6) Reinhorn D, Mutai R, Yerushalmi R, Moore A, Amir E, Goldvaser H. Locoregional therapy in de novo metastatic breast cancer: systemic review and meta-analysis. Breast. 2021; 58: 173-181. [PMID: 34158167]
7) Yu Y, Hong H, Wang Y, Fu T, Chen Y, Zhao J, et al. Clinical evidence for locoregional surgery of the primary tumor in patients with de novo stage Ⅳ breast cancer. Ann Surg Oncol. 2021; 28(9): 5059-70. [PMID: 33534046]
8) Bjelic-Radisic V, Fitzal F, Knauer M, Steger G, Egle D, Greil R, et al; ABCSG. Primary surgery versus no surgery in synchronous metastatic breast cancer: patient-reported quality-of-life outcomes of the prospective randomized multicenter ABCSG-28 Posytive Trial. BMC Cancer. 2020; 20(1): 392. [PMID: 32375735]
9) Soran A, Soyder A, Ozbas S, Ozmen V, Karanlik H, Igci A, et al; Breast Health Working Group International (supported by the Turkish Federation of Breast Disease Societies). The role of loco-regional treatment in long-term quality of life in de novo stage Ⅳ breast cancer patients: protocol MF07-01Q. Support Care Cancer. 2021; 29(7): 3823-30. [PMID: 33242163]
10) Soran A, Ozmen V, Ozbas S, Karanlik H, Muslumanoglu M, Igci A, et al; MF07-01 Study Group. Primary surgery with systemic therapy in patients with de novo stage Ⅳ breast cancer: 10-year Follow-up; protocol MF07-01 randomized clinical trial. J Am Coll Surg. 2021; 233(6): 742-51.e5. [PMID: 34530124]

初回腋窩リンパ節郭清後の腋窩リンパ節再発に対する外科的切除は勧められるか？

ステートメント

- 初回腋窩リンパ節郭清後の腋窩リンパ節再発では外科的切除を行う。

背景

腋窩リンパ節郭清後の患者における腋窩リンパ節単独再発の報告は増えている。乳癌の初期治療においては，腋窩リンパ節転移個数が4個以上の患者に対して胸壁や領域リンパ節への放射線療法で予後の改善が期待できるなど，局所制御による治療効果はあると考えられる（☞放射線 BQ5，FRQ4参照）。遠隔転移を伴わない腋窩リンパ節単独再発に対する外科的切除の意義についてエビデンスをもとに概説する。

解説

腋窩リンパ節再発に関して，そこに外科的切除を加える群と切除しない群でのランダム化比較試験は存在せず，腋窩リンパ節再発に対する外科的切除の意義に関しては少数の後ろ向きの症例集積研究しかない[1)～4)]。2012年の腋窩リンパ節郭清後の同側腋窩リンパ節再発の報告によると，観察期間70.2カ月で4,473例中35例0.8％に再発を認めた[1)]。腋窩リンパ節再発後の乳癌特異的5年生存率は57.9％であった。外科的切除で得られる「益」としての生存率の向上に関しては，再腋窩リンパ節郭清できた12例の5年生存率が82.5％であったのに対して，再郭清なしの23例は44.9％であり，再郭清できたほうが有意($p=0.039$)に予後良好であった。ただし，選択バイアスを含んでいる可能性には注意が必要である。センチネルリンパ節生検後では1％未満と報告されている[5)]。特にセンチネルリンパ節生検後の腋窩リンパ節再発症例に対しては腋窩郭清が基本であり，さらに術後放射線療法の適応について考慮すべきである。一方で，外科的切除の「害」である術後合併症，入院手術コストに関しての報告はないが，手術を行うことで，非手術に比べて術後合併症やコストが増えることは明らかである。患者の希望は，手術可能で根治が期待できれば手術を希望することが予測され，概ね一致すると思われる。

腋窩リンパ節再発に関しては，初回の腋窩リンパ節郭清が不十分であった可能性があり，根治を目指せる症例が一部に存在し，再郭清による生存率向上の恩恵を受ける可能性を重要視して，外科的切除を行うことを勧める。

以上，本BQは「乳癌診療ガイドライン2018年版」に引き続き当初CQとして取り上げ，定性的システマティック・レビューを行ったが，推奨決定会議において，後ろ向きの症例集積研究のみでランダム化比較試験は存在せず，今後も新たなエビデンスの創出の可能性に乏しいことが予想されたため，BQとして取り上げることとした。領域リンパ節の単独再発に対する放射線療法については放射線FRQ4を参照。

検索キーワード・参考にした二次資料

「乳癌診療ガイドライン 2018 年版」の同クエスチョンの参考文献に加え，PubMed で "Breast Neoplasms"，"Breast cancer"，"Lymphatic Metastasis"，"Neoplasm Recurrence, Local" のキーワードと，"axilla" の同義語で検索した。検索期間は 2021 年 6 月までとし，398 件がヒットした。医中誌・Cochrane Library も同等のキーワードで検索し，ハンドサーチも加え，数編の論文を加えた。この中から重要と思われる論文を抽出した。

参考文献

1) Shen SC, Liao CH, Lo YF, Tsai HP, Kuo WL, Yu CC, et al. Favorable outcome of secondary axillary dissection in breast cancer patients with axillary nodal relapse. Ann Surg Oncol. 2012; 19(4): 1122-8. [PMID: 21969085]
2) Wright FC, Walker J, Law CH, McCready DR. Outcomes after localized axillary node recurrence in breast cancer. Ann Surg Oncol. 2003; 10(9): 1054-8. [PMID: 14597444]
3) Konkin DE, Tyldesley S, Kennecke H, Speers CH, Olivotto IA, Davis N. Management and outcomes of isolated axillary node recurrence in breast cancer. Arch Surg. 2006; 141(9): 867-72; discussion 872-4. [PMID: 16983030]
4) Newman LA, Hunt KK, Buchholz T, Kuerer HM, Vlastos G, Mirza N, et al. Presentation, management and outcome of axillary recurrence from breast cancer. Am J Surg. 2000; 180(4): 252-6. [PMID: 11113430]
5) Giuliano AE, McCall L, Beitsch P, Whitworth PW, Blumencranz P, Leitch AM, et al. Locoregional recurrence after sentinel lymph node dissection with or without axillary dissection in patients with sentinel lymph node metastases: the American College of Surgeons Oncology Group Z0011 randomized trial. Ann Surg. 2010; 252(3): 426-32. [PMID: 20739842]

鎖骨上リンパ節再発の外科的切除は勧められるか？

ステートメント

● 鎖骨上リンパ節再発の外科的切除は基本的には勧められない。

背景

乳癌根治術後の同側鎖骨上リンパ節単独再発はときどき経験する。遠隔転移を伴わない鎖骨上リンパ節単独再発に対する外科的切除の意義についてエビデンスをもとに検討した。

解説

鎖骨上リンパ節再発に関して，そこに外科的切除を加える群と切除しない群でのランダム化比較試験は存在しない。よって，後ろ向きの報告から検討した。

同側鎖骨上リンパ節単独再発は，腋窩再発に比べるとより進展した部位での再発である。少数の後ろ向きの症例集積研究しかないが，頻度は文献的に0.8～2.6％であり，多くの報告で，予後は遠隔転移を認めた患者と比較すると良好であった[1)～5)]。「益」である生存率の向上に関して，外科的切除を非手術と比較した論文はなかったが，鎖骨上リンパ節単独再発に対して，全身薬物療法に加え，放射線療法や何らかの外科的切除（切除生検や頸部リンパ節郭清）を加えることにより，局所制御を良好に保つことができた群や完全奏効（CR）が得られた群で予後良好であるとの報告が散見された。しかし，バイアスを含んでいる可能性には注意が必要である。「害」である術後合併症，入院手術コストに関しての論文はないが，手術を行うことで，非手術に比べて腋窩リンパ節郭清以上に術後合併症は多くなる可能性があり，入院手術コストが増えることも明らかである。

以上より，鎖骨上リンパ節再発は腋窩リンパ節再発以上に進展した部位での再発であり，局所制御＋全身薬物療法が基本である。外科的切除を加えることによる明らかな予後改善は確認できず，一方で，術後合併症や後遺症などの「害」は腋窩リンパ節郭清以上に軽視できない。現時点では局所制御は手術より侵襲の少ない放射線療法を基本とし，外科的切除は基本的には勧められない。

一方で近年，大きさや数の限られたリンパ節転移，遠隔転移のみを認めるオリゴ転移に対する積極的な局所療法による予後改善の可能性が検討されはじめており，外科手術も含めた局所療法の意義に関する前向き臨床試験も行われている（NRG-BR002試験，NCT02364557試験）。鎖骨上リンパ節再発に対する外科的治療の考え方も以前より変化していく可能性があり，さらなる研究の蓄積が期待される。

以上，本FRQは「乳癌診療ガイドライン2018年版」に引き続き当初CQとして取り上げ，定性的システマティック・レビューを行ったが，推奨決定会議において，少数の後ろ向きの症例集積研究しかなく，同側鎖骨上リンパ節の単独再発に関する直接性の高い前向きランダム化試験のエビデンスは存在せず，予後への影響が明らかでないためCQとして取り上げるには時期尚早との意見が出された。今後，オリゴ転移に対する外科手術も含めた積極的な局所療法の意義に関する前向き臨床研究の結果が待たれ，今回はFRQとして取り上げることとした。領域リンパ節の単独再発に対する放射線療法については放射線FRQ4を参照。

検索キーワード・参考にした二次資料

「乳癌診療ガイドライン2018年版外科療法」の同クエスチョンの参考文献に加え，PubMedで，"Breast Neoplasms"，"Breast cancer"，"Lymphatic Metastasis"，"Neoplasm Recurrence, Local"，"supraclavicular"，"ipsilateral"のキーワードで検索した。検索期間は2021年6月までとし，268件がヒットした。医中誌・Cochrane Libraryも同等のキーワードで検索し，ハンドサーチで数編の論文を加えた。この中から主要な論文を抽出した。

参考文献

1) Chen SC, Chang HK, Lin YC, Leung WM, Tsai CS, Cheung YC, et al. Prognosis of breast cancer after supraclavicular lymph node metastasis: not a distant metastasis. Ann Surg Oncol. 2006; 13(11): 1457-65. [PMID: 16960682]

2) Reddy JP, Levy L, Oh JL, Strom EA, Perkins GH, Buchholz TA, et al. Long-term outcomes in patients with isolated supraclavicular nodal recurrence after mastectomy and doxorubicin-based chemotherapy for breast cancer. Int J Radiat Oncol Biol Phys. 2011; 80(5): 1453-7. [PMID: 21168284]

3) van der Sangen MJ, Coebergh JW, Roumen RM, Rutten HJ, Vreugdenhil G, Voogd AC. Detection, treatment, and outcome of isolated supraclavicular recurrence in 42 patients with invasive breast carcinoma. Cancer. 2003; 98(1): 11-7. [PMID: 12833449]

4) Deo SV, Purkayastha J, Shukla NK, Raina V, Asthana S, Das DK, et al. Intent of therapy in metastatic breast cancer with isolated ipsilateral supraclavicular lymph node spread--a therapeutic dilemma. J Assoc Physicians India. 2003; 51: 272-5. [PMID: 12839350]

5) Pergolizzi S, Settineri N, Santacaterina A, Spadaro P, Maisano R, Caristi N, et al. Ipsilateral supraclavicular lymph nodes metastases from breast cancer as only site of disseminated disease. Chemotherapy alone vs. induction chemotherapy to radical radiation therapy. Ann Oncol. 2001; 12(8): 1091-5. [PMID: 11583190]

FRQ 9 乳房温存療法後の温存乳房内再発に対して再度の乳房部分切除術は勧められるか？

ステートメント

- 照射後温存乳房内再発に対して再度の乳房部分切除術を勧めるだけの明らかな根拠はなく，原則として乳房全切除術が勧められるが，症例を限定すれば再度の乳房部分切除術を実施できる可能性がある。

背景

温存乳房内再発（IBTR）に対しては，一般的には乳房全切除術が多く行われているが，症例によっては再度の乳房部分切除も可能と考えられる。IBTR に対する再部分切除の可能性について文献的根拠をもとに検討した。

解説

IBTR の治療に関しては，IBTR の絶対数が少なく，ランダム化比較試験が難しい。そのため抽出された論文は 34 の症例集積研究をまとめたメタアナリシス 1 編[1]のほかはすべて症例集積研究となり，エビデンスの強さは「弱」と判断した。

IBTR 後の全生存率ならびに乳癌特異的生存率について，再部分切除症例とサルベージ乳房全切除症例をプロペンシティスコアマッチングで患者背景を揃えて比較検討した文献は 4 編あった。Baek らは，1990～2013 年の 335 例を後ろ向きに解析し，乳房全切除例に対する再部分切除例のハザード比（HR）は全生存率（OS）が 1.20（0.55–2.63），乳癌特異的生存率（BCSS）は 1.56（0.69–3.57）であり，有意差はなかったと報告した[2]。また，Wu らも，SEER のデータベースを用いて 1998～2013 年に IBTR に対して再部分切除を行った 475 例とサルベージ乳房全切除を行った 1,600 例を抽出し，OS と BCSS を検討した結果，乳房全切除に対する再部分切除の HR は OS が 1.05（0.69–1.60），BCSS が 0.77（0.44–1.37）で有意差はなかったとした[3]。Yoshida らは，わが国の 8 つの施設の 271 例を後ろ向き検討したところ，再部分切除できた症例は再発巣の腫瘍径が小さい，再発巣の数が少ない，HER2 陰性が多いといった特徴がみられたが，背景因子を揃えた 102 例（各群 51 例）で比較すると，局所再発後の予後には差がなかったとした[4]。一方，Su ら[5]は Wu ら[3]と同じく SEER のデータベースを用いて同様の検討を行ったが，OS の HR が 1.505（1.233–1.838），BCSS の HR は 1.787（1.25–2.555）と，サルベージ乳房全切除に比較し，再部分切除症例で有意に予後不良であったと報告しており，文献によって乖離がみられる。この理由として，Su らが用いたデータは 1973～2013 年の症例であり，Wu らに比較して古いことから，年代が新しくなるほど両者の予後に差がみられなくなるものと推定される。

IBTR に対する外科手術後の局所再再発について，再部分切除とサルベージ乳房全切除を比較した論文では，再部分切除後の局所再再発は 17%，サルベージ乳房全切除後では 13.5% と報告され[6]，多変量解析では，再部分切除術を実施したこと自体が局所再再発の有意なリスク因子であった。

IBTRに対して再部分切除術を施行した後に局所再再発を起こしやすい患者群を同定する試みもいくつか行われている。Alpertらは局所再再発を低下させる条件として，ER陽性，マンモグラフィのみで発見されたIBTR，再発時の腫瘍径が小さいこと，を挙げている[7]。Gentiliniらは再発腫瘍が2 cm以下，初再発までのdisease free interval(DFI)が48カ月を超えること，を挙げており[8]，Ishitobiらは2回の検討を行って，再発腫瘍が2 cm以下，ER陽性かつHER2陰性，初回手術時の切除マージンが陰性，IBTR時の年齢が55歳以上，DFIが24カ月以上，を条件として提示した[9,10]。以上から，複数の論文で提示されている，①再発時の腫瘍径が小さいこと，②ER陽性HER2陰性であること，③DFIが長いこと，の3条件を満たす症例は再部分切除術の候補となる可能性がある。

再部分切除術後に再度の放射線照射を行うことの有用性も検討されている[1]。再照射により温存乳房内の再再発のみならず，OSも改善できる一方で，再照射に伴う放射線障害も最大21%の症例で発生し，再照射の方法も通常の外照射のほか，小線源治療，術中照射などさまざま報告されていることから，再照射に関する有用性ならびに方法に関してもコンセンサスが得られているとは言い難い。

IBTRに対する再部分切除術は，患者の希望によって行われることが多い[6]。IBTRに対する治療後のQOLをEORTC QLQ-C30およびEORTC-BR23を用いて検討した報告では，サルベージ乳房全切除術を受けた症例に比較して，再部分切除術を受けた症例のほうが有意に良好なスコアを示しており[11]，安全に再部分切除ができれば，患者のQOL向上につながるものと考えられる。

以上より，IBTRをきたした症例において，サルベージ乳房全切除術に代わる術式として再度の部分切除術を勧めるだけの十分な根拠はまだないが，十分なインフォームド・コンセントを行い，症例を限定すれば，再度部分切除術を実施できる可能性はある。

検索キーワード・参考にした二次資料

PubMedにて“Breast Neoplasms”，“Ipsilateral breast”，“Recurrence”，“Repeat lumpectomy”，“Breast conserving”のキーワードを用いて検索した。

参考文献

1) Walstra CJEF, Schipper RJ, Poodt IGM, van Riet YE, Voogd AC, van der Sangen MJC, et al. Repeat breast-conserving therapy for ipsilateral breast cancer recurrence: a systematic review. Eur J Surg Oncol. 2019; 45(8): 1317-27. [PMID: 30795956]

2) Baek SY, Kim J, Chung IY, Ko BS, Kim HJ, Lee JW, et al. Long-term survival outcomes of repeat lumpectomy for ipsilateral breast tumor recurrence: a propensity score-matched analysis. Breast Cancer Res Treat. 2021; 185(1): 155-64. [PMID: 32935236]

3) Wu Y, Shi X, Li J, Wu G. Prognosis of surgical treatment after ipsilateral breast tumor recurrence. J Surg Res. 2021; 258: 23-37. [PMID: 32980773]

4) Yoshida A, Takahashi O, Okumura Y, Arima N, Nakatsukasa K, Tanabe M, et al; Collaborative study group of scientific research of Japanese Breast Cancer Society. Prognosis after mastectomy versus repeat lumpectomy in patients with ipsilateral breast cancer recurrence: a propensity score analysis. Eur J Surg Oncol. 2016; 42(4): 474-80. [PMID: 26853760]

5) Su Y, Guo R, Xue J, Chi Y, Chi W, Wang J, et al. Increased mortality with repeat lumpectomy alone after ipsilateral breast tumor recurrence. oncologist. 2019; 24(9): e818-27. [PMID: 30842240]

6) Sellam Y, Shahadi ID, Gelernter I, Zippel D, Sklair-Levy M, Symon Z, et al. Local recurrence of breast cancer: salvage lumpectomy as an option for local treatment. Breast J. 2019; 25(4): 619-24. [PMID: 31087430]

7) Alpert TE, Kuerer HM, Arthur DW, Lannin DR, Haffty BG. Ipsilateral breast tumor recurrence after breast conservation therapy: outcomes of salvage mastectomy vs. salvage breast-conserving surgery and prognostic factors for salvage breast preservation. Int J Radiat Oncol Biol Phys. 2005; 63(3): 845-51. [PMID: 16199315]

8) Gentilini O, Botteri E, Veronesi P, Sangalli C, Del Castillo A, Ballardini B, et al. Repeating conservative surgery after ipsilateral breast tumor reappearance: criteria for selecting the best candidates. Ann Surg Oncol. 2012; 19(12): 3771-6. [PMID: 22618719]
9) Ishitobi M, Fukui R, Hashimoto Y, Kittaka N, Nakayama T, Tamaki Y. Safety for repeat lumpectomy without radiotherapy for ipsilateral breast tumor recurrence. Anticancer Res. 2017; 37(9): 5293-9. [PMID: 28870967]
10) Ishitobi M, Komoike Y, Nakahara S, Motomura K, Koyama H, Inaji H. Repeat lumpectomy for ipsilateral breast tumor recurrence after breast-conserving treatment. Oncology. 2011; 81(5-6): 381-6. [PMID: 22269927]
11) Jendrian S, Steffens K, Schmalfeldt B, Laakmann E, Bergelt C, Witzel I. Quality of life in patients with recurrent breast cancer after second breast-conserving therapy in comparison with mastectomy: the German experience. Breast Cancer Res Treat. 2017; 163(3): 517-26. [PMID: 28324266]

FRQ 10 乳房温存療法後の温存乳房内再発に対するセンチネルリンパ節生検は勧められるか？

FRQ 10a 初回手術時腋窩リンパ節郭清なしの場合

ステートメント

- 初回手術時腋窩リンパ節郭清なしの場合，領域リンパ節転移の診断・治療ならびに予後予測を目的としたセンチネルリンパ節生検を行うことを考慮してもよい。

FRQ 10b 初回手術時腋窩リンパ節郭清ありの場合

ステートメント

- 初回手術時腋窩リンパ節郭清ありの場合，領域リンパ節転移の診断・治療ならびに予後予測を目的としたセンチネルリンパ節生検を行う意義は乏しく，行わないことを推奨する。

背景

温存乳房内再発（IBTR）には真の再発（既往の癌の再発）と異時性同側乳癌の2つが含まれるが，両者を正確に区別するのは難しい。しかし，いずれの場合にも，リンパ行性に領域リンパ節への転移をきたす可能性がある。原発乳癌の初回手術におけるセンチネルリンパ節生検はすでに確立されている。そこで，IBTRの症例において領域リンパ節転移の診断・治療ならびに予後予測にセンチネルリンパ節生検を行う意義があるかどうかを，初回手術でセンチネルリンパ節生検が行われた場合と腋窩リンパ節郭清が行われた場合に分けて検討した。なお，本FRQでは以下，初回手術におけるセンチネルリンパ節生検をSLNB，IBTRに対するセンチネルリンパ節生検をrSLNBと記載する。

解説

抽出された論文は，メタアナリシス3編[1)～3)]と，前向き登録を含むコホート研究に関連した3編[4)～6)]のほかはすべて症例集積研究であった。いずれの文献でも後述する対照群との予後比較はなされていない。また，初回治療SLNB症例と腋窩リンパ節郭清症例が一括して解析された文献や，初回手術が乳房全切除術であった症例を含む文献があることなどから，全体として直接性に問題があり，エビデンスの強さは「弱」と判断した。

1）初回手術時腋窩リンパ節郭清なしの場合

この場合，rSLNBと比較する標準治療を腋窩郭清とするのか，腋窩非手術とするのかが問題となる。腋窩郭清の代わりにrSLNBを行うことの「益」としては，リンパ浮腫をはじめとした合併症の軽減が挙げられる。一方，非手術に対するrSLNBの「益」としては，局所制御率の向上と，転移の有無を知ることによるIBTR後の治療の最適化が挙げられる。

予後，すなわち全生存率（OS），無再発生存率（DFS），領域リンパ節再発率については，郭清を行った症例と比較したデータはなかったが，腋窩非手術とrSLNBを比較した報告はあり，rSLNB群の5年乳癌特異的生存率が95.7％であったのに対し，腋窩非手術群は96.2％と有意差を認めなかった[7)]。IBTRに対してサルベージ乳房全切除術とrSLNBを行った212例を対象とした研究では，rSLNB施行後の5年OSは93.9％，5年DFSは79.9％であった[8)]。rSLNB後の領域リンパ節再発率は文献によりばらつきはあるものの，いずれも0～5％の間に収まる結果が報告されている[4)8)9)]。

一方，rSLNBそのものの実行可能性の指標である同定率および偽陰性率は，初回SLNBとの比較で許容されるかどうかが問題となる。同定率については70.1～95％[1)～3)9)]と文献によりばらつきがあり，非一貫性が目立った。偽陰性率はバックアップ郭清を行っていることが前提となるため，データが示されている論文はメタアナリシスの1編のみで，症例数は少ないものの，4.1％との結果であった[2)]。この点から，同定率は初回SLNBより劣り，偽陰性率は初回SLNBとほぼ同等と考えられた[10)]。

rSLNBによるIBTR後の治療の最適化が可能になるかどうかについては，rSLNBの結果により一部の症例で薬物療法の方針が変更になったとの報告[2)3)]がある一方，rSLNBが成功した場合と失敗した場合で，予後には差がなかったとする報告[5)]もあり，結論は出せなかった。

腋窩郭清の代わりにrSLNBを行えば合併症の軽減につながることは確実で，腋窩再発も5％以下にとどまる。逆に非手術とせずにrSLNBを行うことで，薬物療法の最適化を図れるという利点が示唆されているが，予後の改善には結び付かないとの報告もある。以上からはrSLNBの有用性について明確な答えは得ることができず，現状では「初回手術時腋窩リンパ節郭清なしの場合，領域リンパ節転移の診断・治療ならびに予後予測を目的としたセンチネルリンパ節生検を行うことを考慮してもよい」との判断にとどめた。

2）初回手術時腋窩リンパ節郭清ありの場合

この場合，rSLNBと比較する標準治療は腋窩非手術となる。したがって，rSLNBの「益」としては，領域リンパ節再発の減少と，rSLNBの結果に基づく治療の最適化で予後の改善が図れるかどうかが焦点となる。

まず，初回手術で腋窩郭清が行われた患者に対してrSLNBを行った場合の全生存率および無再発生存率に関して言及した論文は見出せなかった。領域リンパ節再発について検討すると，初回手術時に腋窩郭清を行っていた症例に対してrSLNBを行い，転移陰性の場合，対側腋窩リンパ節や鎖骨上リンパ節の再発は認めるものの，同側腋窩再発をきたした症例は皆無であった[4)11)]。しかし，rSLNBでSLNを同定できなかった場合でも同側腋窩再発は認めなかったとする報告があり[6)]，rSLNBの実施が局所制御に寄与するかどうかは明らかでない。

同定率については複数の報告があり，38.0～55.0％であった[1)～3)11)～14)]。同側腋窩以外へのリンパ流は30.0～91.3％に認められた[1)3)9)11)13)14)]。同定されたSLNに転移がみつかる確率について，この対象に限定して頻度が報告されていた論文は1つしかなく，22.3％と報告されている[15)]。偽陰性率についても報告がある文献は1つにとどまり，11.3％であった[16)]。

以上より，初回手術時にすでに腋窩郭清が行われた症例では，rSLNBを実施してもその同定率は低く，しかも同側腋窩以外にリンパ流がみつかることが多い。rSLNBを行えば一定の転移陽性リンパ節を見出すことはできるが，その同定されたSLNを摘出することで予後改善効果が期待できるとする報告はない。以上より，rSLNBが腋窩非手術に勝る益を見出すことはできなかった。よって，「初回手術時腋窩リンパ節郭清ありの場合，領域リンパ節転移の診断・治療ならびに予後予測を目的としたセンチネルリンパ節生検を行う意義は乏しく，行わないことを推奨する」とした。

検索キーワード・参考にした二次資料

PubMedにて，“Breast Neoplasms”，“Ipsilateral breast”，“Recurrence”，“Repeat sentinel lymph node biopsy”のキーワードを用いて検索した。

参考文献

1) Ahmed M, Baker R, Rubio IT. Meta-analysis of aberrant lymphatic drainage in recurrent breast cancer. Br J Surg. 2016; 103(12): 1579-88. [PMID: 27598038]
2) Poodt IGM, Vugts G, Schipper RJ, Nieuwenhuijzen GAP. Repeat sentinel lymph node biopsy for ipsilateral breast tumor recurrence: a systematic review of the results and impact on prognosis. Ann Surg Oncol. 2018; 25(5): 1329-39. [PMID: 29468606]
3) Maaskant-Braat AJ, Voogd AC, Roumen RM, Nieuwenhuijzen GA. Repeat sentinel node biopsy in patients with locally recurrent breast cancer: a systematic review and meta-analysis of the literature. Breast Cancer Res Treat. 2013; 138(1): 13-20. [PMID: 23340861]
4) Poodt IGM, Vugts G, Maaskant-Braat AJG, Schipper RJ, Voogd AC, Nieuwenhuijzen GAP; Sentinel Node and Recurrent Breast Cancer(SNARB)study group. Risk of regional recurrence after negative repeat sentinel lymph node biopsy in patients with ipsilateral breast tumor recurrence. Ann Surg Oncol. 2018; 25(5): 1312-21. [PMID: 29497910]
5) Poodt IGM, Vugts G, Schipper RJ, Roumen RMH, Rutten HJT, Maaskant-Braat AJG, et al; Sentinel Node and Recurrent Breast Cancer(SNARB)study group. Prognostic impact of repeat sentinel lymph node biopsy in patients with ipsilateral breast tumour recurrence. Br J Surg. 2019; 106(5): 574-85. [PMID: 30908615]
6) Poodt IGM, Walstra CJEF, Vugts G, Maaskant-Braat AJG, Voogd AC, Schipper RJ, et al; Sentinel Node And Recurrent Breast Cancer(SNARB)study group. Low risk of development of a regional recurrence after an unsuccessful repeat sentinel lymph node biopsy in patients with ipsilateral breast tumor recurrence. Ann Surg Oncol. 2019; 26(8): 2417-27. [PMID: 30850903]
7) Ugras S, Matsen C, Eaton A, Stempel M, Morrow M, Cody HS 3rd. Reoperative sentinel lymph node biopsy is feasible for locally recurrent breast cancer, but is it worthwhile? Ann Surg Oncol. 2016; 23(3): 744-8. [PMID: 26644258]
8) Intra M, Viale G, Vila J, Grana CM, Toesca A, Gentilini O, et al. Second axillary sentinel lymph node biopsy for breast tumor recurrence: experience of the European Institute of Oncology. Ann Surg Oncol. 2015; 22(7): 2372-7. [PMID: 25515197]
9) Sato A, Sakai T, Iwase T, Kano F, Kimura K, Ogiya A, et al. Altered lymphatic drainage patterns in re-operative sentinel lymph node biopsy for ipsilateral breast tumor recurrence. Radiat Oncol. 2019; 14(1): 159. [PMID: 31477153]
10) Krag DN, Anderson SJ, Julian TB, Brown AM, Harlow SP, Ashikaga T, et al; National Surgical Adjuvant Breast and Bowel Project. Technical outcomes of sentinel-lymph-node resection and conventional axillary-lymph-node dissection in patients with clinically node-negative breast cancer: results from the NSABP B-32 randomised phase Ⅲ trial. Lancet Oncol. 2007; 8(10): 881-8. [PMID: 17851130]
11) Karanlik H, Ozgur I, Kilic B, Fathalizadeh A, Sanli Y, Onder S, et al. Sentinel lymph node biopsy and aberrant lymphatic drainage in recurrent breast cancer: Findings likely to change treatment decisions. J Surg Oncol. 2016; 114(7): 796-802. [PMID: 27778360]
12) Biglia N, Bounous VE, Gallo M, Fuso L, Sgro LG, Maggiorotto F, et al. Feasibility and oncological safety of sentinel node biopsy in breast cancer patients with a local recurrence. Breast. 2018; 41: 8-13. [PMID: 29933180]
13) Sávolt Á, Cserni G, Lázár G, Maráz R, Kelemen P, Kovács E, etal. Sentinel lymph node biopsy following previous axillary surgery in recurrent breast cancer. Eur J Surg Oncol. 2019; 45(10): 1835-8. [PMID: 31126680]
14) Port ER, Garcia-Etienne CA, Park J, Fey J, Borgen PI, Cody HS 3rd. Reoperative sentinel lymph node biopsy: a new frontier in the management of ipsilateral breast tumor recurrence. Ann Surg Oncol. 2007; 14(8): 2209-14. [PMID: 17268882]
15) Vugts G, Maaskant-Braat AJ, Voogd AC, van Riet YE, Luiten EJ, Rutgers EJ, et al. Repeat sentinel node biopsy

should be considered in patients with locally recurrent breast cancer. Breast Cancer Res Treat. 2015; 153(3): 549-56. [PMID: 26358709]

16) Cordoba O, Perez-Ceresuela F, Espinosa-Bravo M, Cortadellas T, Esgueva A, Rodriguez-Revuelto R, et al. Detection of sentinel lymph node in breast cancer recurrence may change adjuvant treatment decision in patients with breast cancer recurrence and previous axillary surgery. Breast. 2014; 23(4): 460-5. [PMID: 24726837]

乳房全切除術後の胸壁再発巣に対する外科的切除は勧められるか？

ステートメント

● 限局した胸壁再発に対して，癌の生物学的特性の確認と局所制御の意義から，細心の注意のもと切除することを考慮してもよい。

背景

乳房全切除術後にその同側の皮膚および胸壁に再発を認めることがある。胸壁再発に対する治療方法には手術，放射線療法（☞放射線 FRQ4 参照），薬物療法があるが，ランダム化比較試験は行われていない。今回，胸壁再発巣の外科的切除の妥当性についてエビデンスをもとに検討した。

解説

乳房全切除術後の局所再発は，孤立性に胸壁に限局していることが多いが（40〜70％），領域リンパ節再発を伴う場合（30〜40％），再発診断時または数カ月以内に遠隔転移が明らかになる場合がある[1)〜3)]。全身への転移の一部としての胸壁再発に対して，再発巣の切除を行っても，全身転移の制御が可能となるわけではない。再発巣に対する局所切除のみを行った後の，再再発の割合は60〜70％である[4)]。胸壁再発巣に対して胸壁合併切除などの過大な侵襲を加える手術はQOLの観点からも勧められない。しかし，局所制御を目的とした胸壁再発巣切除については，肯定的な論文もみられる。胸壁再発巣に対して胸壁全層切除術（full-thickness chest wall resection）を行ったメタアナリシスが報告されている[5)]。研究の質にはばらつきがあり，含まれる研究の選択バイアスのリスクは高かったが，過去15年間の研究における5年全生存率（OS）推定値は43.1％（95％CI 35.8-50.7），5年無再発生存率（DFS）推定値は27.1％（95％CI 16.6-26.3）であった。術後30日間の合併症は20.2％，死亡率は1％未満であった。また，サブタイプ別に検討した報告では，トリプルネガティブ症例の1年，3年，5年生存率はそれぞれ38％，23％，0％，非トリプルネガティブ症例ではそれぞれ100％，70％，39％であり，生物学的特性の違いによる差を認めた[6)]。再発巣を摘出することの利点としては，癌の生物学的特性の確認が可能となることが挙げられる[6)]。さらに，切除により病巣を減少させることで術後の放射線照射量を減らすことができ，さらに長期間の局所制御が可能になるとする報告もみられる[6)]。初回乳癌手術後に胸壁照射を実施されていない症例では，胸壁再発巣が断端陰性で切除された場合でも胸壁照射を加えることが推奨される。一方で，胸壁全層切除術を行うと，術後に胸壁照射を併用しなくても予後良好であった[7)]。胸壁再発巣が完全に切除された例では術後の化学療法により予後が延長することが報告された[8)]。

以上より，限局した胸壁再発に対しては，再発巣を完全切除できれば長期の局所制御が可能であり，また生物学的特性も確認可能であるため，外科的切除を考慮してもよい。胸壁再発に対する広範囲切除は症例を選択して行うべきである[5)9)〜12)]。さらに，薬物療法により他の転移部位の制御が良好であるが，胸壁の局所制御のみが不十分な症例などでは，外科的切除も許容される。

外科療法

検索キーワード・参考にした二次資料

「乳癌診療ガイドライン①治療編 2018 年版」の同クエスチョンの参考文献に加え，PubMed で“Breast Neoplasms”，“Mastectomy”，“Thoracic Wall” のキーワードで検索した。検索期間は 2021 年 6 月までとし，40 件がヒットした。この中から主要な論文を選択した。

参考文献

1) Katz A, Strom EA, Buchholz TA, Thames HD, Smith CD, Jhingran A, et al. Locoregional recurrence patterns after mastectomy and doxorubicin-based chemotherapy: implications for postoperative irradiation. J Clin Oncol. 2000; 18(15): 2817-27. [PMID: 10920129]
2) Danish Breast Cancer Cooperative Group, Nielsen HM, Overgaard M, Grau C, Jensen AR, Overgaard J. Study of failure pattern among high-risk breast cancer patients with or without postmastectomy radiotherapy in addition to adjuvant systemic therapy: long-term results from the Danish Breast Cancer Cooperative Group DBCG 82 b and c randomized studies. J Clin Oncol. 2006; 24(15): 2268-75. [PMID: 16618947]
3) Gilliland MD, Barton RM, Copeland EM 3rd. The implications of local recurrence of breast cancer as the first site of therapeutic failure. Ann Surg. 1983; 197(3): 284-7. [PMID: 6830336]
4) Willner J, Kiricuta IC, Kölbl O. Locoregional recurrence of breast cancer following mastectomy: always a fatal event? Results of univariate and multivariate analysis. Int J Radiat Oncol Biol Phys. 1997; 37(4): 853-63. [PMID: 9128962]
5) Wakeam E, Acuna SA, Keshavjee S. Chest wall resection for recurrent breast cancer in the modern era: a systematic review and meta-analysis. Ann Surg. 2018; 267(4): 646-55. [PMID: 28654540]
6) Santillan AA, Kiluk JV, Cox JM, Meade TL, Allred N, Ramos D, et al. Outcomes of locoregional recurrence after surgical chest wall resection and reconstruction for breast cancer. Ann Surg Oncol. 2008; 15(5): 1322-9. [PMID: 18239972]
7) Toi M, Tanaka S, Bando M, Hayashi K, Tominaga T. Outcome of surgical resection for chest wall recurrence in breast cancer patients. J Surg Oncol. 1997; 64(1): 23-6. [PMID: 9040796]
8) Aebi S, Gelber S, Anderson SJ, Láng I, Robidoux A, Martín M, et al; CALOR investigators. Chemotherapy for isolated locoregional recurrence of breast cancer(CALOR): a randomised trial. Lancet Oncol. 2014; 15(2): 156-63. [PMID: 24439313]
9) Schwaibold F, Fowble BL, Solin LJ, Schultz DJ, Goodman RL. The results of radiation therapy for isolated local regional recurrence after mastectomy. Int J Radiat Oncol Biol Phys. 1991; 21(2): 299-310. [PMID: 2061107]
10) Pfannschmidt J, Geisbüsch P, Muley T, Hoffmann H, Dienemann H. Surgical resection of secondary chest wall tumors. Thorac Cardiovasc Surg. 2005; 53(4): 234-9. [PMID: 16037870]
11) Andry G, Suciu S, Vico P, Faverly D, Andry-t'Hooft M, Verhest A, et al. Locoregional recurrences after 649 modified radical mastectomies: incidence and significance. Eur J Surg Oncol. 1989; 15(6): 476-85. [PMID: 2557247]
12) Veronesi G, Scanagatta P, Goldhirsch A, Rietjens M, Colleoni M, Pelosi G, et al. Results of chest wall resection for recurrent or locally advanced breast malignancies. Breast. 2007; 16(3): 297-302. [PMID: 17296298]

肺，骨，肝転移巣に対する外科的切除は勧められるか？

ステートメント

- 生命予後延長を目的とした肺，骨，肝転移に対する外科的切除は勧められない。
- オリゴ転移に関しては今後の研究成果が期待されるが，現時点で外科的切除は勧められない。

背景

乳癌は原発巣から領域リンパ節を越えて広がると治癒は困難である。転移後の治療の目的は治癒から緩和へと移行し，症状のコントロール，QOL の改善，生存の延長を目標に行われる。また，少数臓器のオリゴ転移(oligometastatic disease；OMD)に対しては転移巣を切除することで臨床成績の改善が得られる可能性が論じられるようになってきた。乳癌の転移巣を切除することが生存の延長に寄与するか否かエビデンスをもとに検討した。OMD に対する放射線療法に関しては放射線 FRQ6 を参照されたい。

外科療法

解説

乳癌の遠隔転移臓器は主に肺，骨，肝などであるが，いずれも転移を認めたときには多発性で多臓器に病変が及ぶことが多く，局所治療(手術，放射線療法)のみで治癒させることは極めて困難である。一方，近年では，PET-CT などの有用な転移検索検査の普及や革新的な乳癌治療薬の臨床導入に伴い，遠隔転移を認めた際でも，少数臓器の少数転移(OMD)に対しては転移巣を切除することで無増悪生存期間(PFS)，全生存率(OS)の改善が得られる可能性が論じられるようになってきた[1]。OMD は新たに診断される転移・再発乳癌の1～10％を占めると報告されているが[2)3]，OMD に確立した定義はない。ABC3(The Advanced Breast Cancer Third International Consensus Conference)においては5個以下で必ずしも同一臓器でなくてもよいとのコンセンサスが示され，German experts においては同一臓器内の限られた個数とのコンセンサスが示されるなど，組織団体ごとに異なる解釈がされているが，5個以内2臓器以内となっているものが多い[4]。

転移乳癌症例のおよそ15～25％が肺に限局し，肺転移単独症例に対する肺切除は長期生存をもたらす可能性が示唆されているが，手術の適応に関しては転移の大きさや disease-free interval (DFI)を考慮すべきと報告されている[5]。従前の肺転移切除に関する報告では手術群における臨床成績の改善が報告されているが，これらのデータには選択バイアスがあり，非手術症例では悪い予後因子〔多発，急速増大，短い DFI，低い PS(performance status)〕が多いなど選択バイアスが認められる[6)7]。また，乳癌既往のある単発性肺腫瘍では，良性，原発性肺癌，乳癌肺転移などが鑑別に挙げられ，孤発性の肺結節を有する乳癌患者 1,286 人のうち手術を行った 167 人の報告では，良性 20 例，原発肺癌 70 例，乳癌肺転移が 52 例であったとされており，転移か原発か判断に迷う単発性肺腫瘍の場合，診断を目的とした切除は考慮される。また，この 52 例と手術を行わず乳癌の肺転移と診断された25人を比較した結果では，多変量解析により手術による有意なPFSの改善が示された($p=0.003$)が，全生存期間においては統計学的な有意差は認められなかった($p=0.192$)[8]。

骨転移は乳癌の転移部位としては最多であり，有痛性の骨転移に対しては疼痛の軽減と骨折予防効果を期待して放射線療法が考慮される(☞放射線BQ11参照)。骨転移に対して外科的切除が検討されるのは，脊髄圧迫による神経症状の軽減を図る際など限られた状況のみである。脊椎骨転移により有症状を呈する乳癌87例の検討では，積極的な整形外科手術により痛みを軽減し，神経学的機能を保持，改善可能となったと報告されている[9]。骨転移に対する治癒を目的とした外科的切除が可能であるのは限られた部位であり，胸骨転移および原発巣からの胸骨浸潤のようなごく稀な場合である[10]。乳癌からの胸骨転移症例20例に対する外科的切除の報告では，低い合併症率(minor complications 30%, major complications 5%)で良好な治療成績が得られると報告されているものの，全例で筋皮弁が必要になるなど相応の手術侵襲であり，害と益との比較が必要である[11]。また，近年広く臨床導入されているビスホスホネート製剤や抗RANKL抗体は骨関連事象の発現減少効果が明らかであり，骨転移の手術の重要性はさらに低下していると考えられる。

乳癌術後の遠隔転移臓器として肝臓は骨に次いで二番目に多く，40～50%の転移乳癌で認められると報告されている[12]。肝転移は病勢の進行に伴って出現し，びまん性や多発の状態や多臓器の転移も随伴した状況で診断されることが多いが，乳癌からの肝転移症例の5%程度は診断時に肝臓に限局していると報告されている[13]。タキサン系薬剤を含んだ治療を行ったときの生存期間中央値は，肝転移のみの症例，肝を含むほかの臓器転移症例ではそれぞれ22～27カ月，9～14カ月であった[14]。乳癌肝転移の外科的切除に関する43文献，1,686症例を集積したシステマティック・レビュー(SR)では，83%(683/825)でR0切除が可能であり，合併症および30日以内の死亡はそれぞれ20%(174/852)，0.7%(6/918)であったと報告されている。また，生存期間の中央値は36カ月，1年，3年，5年の生存率はそれぞれ90%，56%，37%と報告されており，術前のリスクを考慮し，選択された集団を対象とした場合は良い臨床効果が得られる可能性を示唆しているが，非ランダム化の後ろ向き研究のSRであること，個々の研究の症例数が少ないこと，それゆえ患者背景の不均質性が大きいことなど，多くのバイアスを含んだ結果となっている[15]。異時性に診断された肝転移のみの症例で外科的切除を施行した139症例とケースマッチを行った523症例との比較においても，手術症例におけるOSの改善が示されたが(5年生存率：手術群69%，非手術群10%)，2群間には年齢，肝転移の腫瘍径，ERの陽性率など重要な因子で有意な偏りを認めており，バイアスの大きい結果であった[16]。

以上より，遠隔転移巣に対する外科的切除の意義は，転移巣切除による症状緩和および転移巣の病理組織学的診断である。転移巣であることを病理組織学的に確定することや治療選択に直結する重要なバイオマーカーに関する情報が得られることは，転移・再発乳癌の治療を進めていくうえで極めて重要な要素であるが，これは針生検材料で十分なことも多く，病理組織学的診断を目的とした外科的切除は針生検が困難な場合に選択されることが多いと考えられる。また，OMDに対しOSの改善を期待した外科的切除に関しては，近年の鏡視下手術の普及など手術侵襲の「害」を低減する背景も重ね考えるとその有用性が期待されるが，現状のデータにおいては手術群，非手術群間のバイアスが大きく，その功罪を決定する十分な根拠は不足している。

検索キーワード・参考にした二次資料

PubMed で，“breast neoplasms” “metastasis” “oligometastasis” “lung neoplasms” “bone neoplasms” “liver neoplasms” “surgery” をキーワードとして検索した。医中誌・Cochrane Library も同等のキーワードで検索した。検索期間は 2021 年 6 月までとし，159 件がヒットした。それ以外にハンドサーチで 10 編の論文が追加された。この中から主要な論文 16 編を選択した。

参考文献

1) Tait CR, Waterworth A, Loncaster J, Horgan K, Dodwell D. The oligometastatic state in breast cancer: hypothesis or reality. Breast. 2005; 14(2): 87–93. [PMID: 15767177]
2) Hanrahan EO, Broglio KR, Buzdar AU, Theriault RL, Valero V, Cristofanilli M, et al. Combined-modality treatment for isolated recurrences of breast carcinoma: update on 30 years of experience at the University of Texas M. D. Anderson Cancer Center and assessment of prognostic factors. Cancer. 2005; 104(6): 1158–71. [PMID: 16047352]
3) Pagani O, Senkus E, Wood W, Colleoni M, Cufer T, Kyriakides S, et al; ESO-MBC Task Force. International guidelines for management of metastatic breast cancer: can metastatic breast cancer be cured? J Natl Cancer Inst. 2010; 102(7): 456–63. [PMID: 20220104]
4) Thomssen C, Augustin D, Ettl J, Haidinger R, Lück HJ, Lüftner D, et al. ABC3 consensus: assessment by a German Group of Experts. Breast Care(Basel). 2016; 11(1): 61–70. [PMID: 27051399]
5) Planchard D, Soria JC, Michiels S, Grunenwald D, Validire P, Caliandro R, et al. Uncertain benefit from surgery in patients with lung metastases from breast carcinoma. Cancer. 2004; 100(1): 28–35. [PMID: 14692021]
6) Friedel G, Pastorino U, Ginsberg RJ, Goldstraw P, Johnston M, et al; International Registry of Lung Metastases, London, England. Results of lung metastasectomy from breast cancer: prognostic criteria on the basis of 467 cases of the International Registry of Lung Metastases. Eur J Cardiothorac Surg. 2002; 22(3): 335–44. [PMID: 12204720]
7) Meimarakis G, Rüttinger D, Stemmler J, Crispin A, Weidenhagen R, Angele M, et al. Prolonged overall survival after pulmonary metastasectomy in patients with breast cancer. Ann Thorac Surg. 2013; 95(4): 1170–80. [PMID: 23391172]
8) Song Z, Ye T, Ma L, Xiang J, Chen H. Surgical outcomes of isolated malignant pulmonary nodules in patients with a history of breast cancer. Ann Surg Oncol. 2017; 24(12): 3748–53. [PMID: 28849376]
9) Shehadi JA, Sciubba DM, Suk I, Suki D, Maldaun MV, McCutcheon IE, et al. Surgical treatment strategies and outcome in patients with breast cancer metastatic to the spine: a review of 87 patients. Eur Spine J. 2007; 16(8): 1179–92. [PMID: 17406908]
10) Dürr HR, Müller PE, Lenz T, Baur A, Jansson V, Refior HJ. Surgical treatment of bone metastases in patients with breast cancer. Clin Orthop Relat Res. 2002; (396): 191–6. [PMID: 11859243]
11) Sponholz S, Baldes N, Schirren M, Oguzhan S, Menke H, Schirren J. Sternal resection for breast cancer metastases. Thorac Cardiovasc Surg. 2018; 66(2): 164–9. [PMID: 27855472]
12) Ruiterkamp J, Ernst MF. The role of surgery in metastatic breast cancer. Eur J Cancer. 2011; 47(Suppl 3): S6–22. [PMID: 21944030]
13) Kuei A, Saab S, Cho SK, Kee ST, Lee EW. Effects of Yttrium-90 selective internal radiation therapy on non-conventional liver tumors. World J Gastroenterol. 2015; 21(27): 8271–83. [PMID: 26217079]
14) Atalay G, Biganzoli L, Renard F, Paridaens R, Cufer T, Coleman R, et al; EORTC Breast Cancer and Early Clinical Studies Groups. Clinical outcome of breast cancer patients with liver metastases alone in the anthracycline-taxane era: a retrospective analysis of two prospective, randomised metastatic breast cancer trials. Eur J Cancer. 2003; 39(17): 2439–49. [PMID: 14602130]
15) Yoo TG, Cranshaw I, Broom R, Pandanaboyana S, Bartlett A. Systematic review of early and long-term outcome of liver resection for metastatic breast cancer: is there a survival benefit? Breast. 2017; 32: 162–72. [PMID: 28193572]
16) Ruiz A, van Hillegersberg R, Siesling S, Castro-Benitez C, Sebagh M, Wicherts DA, et al. Surgical resection versus systemic therapy for breast cancer liver metastases: results of a European case matched comparison. Eur J Cancer. 2018; 95: 1–10. [PMID: 29579478]

FRQ 13 脳転移巣に対する外科的切除は勧められるか？

FRQ 13a 単発～少数個の脳転移の場合

ステートメント

- 単発～少数個の脳転移が切除可能な部位にある場合，手術と放射線療法により局所制御，生存期間およびQOLの改善に寄与する可能性があり，行うことを考慮してもよい。

FRQ 13b 多発性脳転移の場合

ステートメント

- 多発性脳転移では放射線療法が基本であり，外科的切除は基本的には勧められない。

背景

乳癌における脳転移に対する治療目的は，中枢神経症状の緩和や予防，QOLの維持や改善，生存の延長である。脳転移に対する薬物療法の効果は限定的であり，主たる治療は手術および放射線療法となる。手術の適応に関しては，脳転移の因子として個数のほか，大きさ，部位，神経症状の有無，全身性の因子としては他臓器転移状況，治療経過，期待予後，Performance Status (PS)，Karnofsky Performance Status（KPS）など諸般の因子を考え合わせる必要がある（☞放射線 BQ12 参照）。

解説

脳転移の中で乳癌は2番目に多い癌腫である[1)]。2008～2014年に診断された転移乳癌16,701症例を有するESMEのコホートにおいて，脳転移は4,118症例（24.6％）に認められ，そのうち70.7％は脳転移による症状が診断の契機となっていた[2)]。脳転移の予後は乳癌のサブタイプごとに異なることが知られており，脳転移後の生存期間の中央値はER陽性/HER2陽性で18.9カ月，ER陰性/HER2陽性で13.1カ月，ER陽性/HER2陰性で7.1カ月，トリプルネガティブ乳癌で4.4カ月と報告されている。また，多変量解析の結果，サブタイプのほかに診断時の年齢，中枢神経症状の有無，転移個数，乳癌の診断から脳転移までの期間などが有意な因子として報告されており，手術の是非を考える際に考慮すべき因子と考えられる[3)]。

1）単発～少数個の脳転移

単発～少数個の脳転移における外科手術の「益」は，放射線治療に比べ早く症状を改善させ，予後を延長させることである[4)]。乳癌の全身治療が限られていた1974～1993年に乳癌の脳転移に対して腫瘍切除が行われた70人では，脳転移診断後の生存期間の中央値は16.2カ月と報告されている。70人中54人が単発転移であり，61人に全脳照射（WBRT）が併用されていた[5)]。乳癌に限らない単発性脳転移に対するWBRTに腫瘍切除を加えることの意義を探索する第Ⅲ相試験は3報認め，手術の有用性が報告されているが，いずれも1990年代の報告であるうえ，症例数が少なく検出力が不足している，乳癌の症例が少数しか含まれていないなどの問題点があり，結果の解釈には注意を要する[6)〜8)]。

手術療法と定位手術的照射(SRS)の比較では，治療成績には差は認められていないが，いずれの報告も非ランダム化試験であることに留意が必要である[9)〜11)]。手術可能な部位にあり，腫瘍径が3 cmを超え，腫瘤による症状が認められる，KPS≧70%，全身性病変がコントロールされている，有効な全身治療オプションがある場合などでは，外科的切除を検討する余地が大きい[12)13)]。

ASCOのガイドラインによると，HER2陽性乳癌の単発の脳転移に対しては外科的切除＋放射線療法，SRS±WBRTなどを転移病変の大きさ，切除の可否，症状の有無に応じて選択することが推奨されている。また，脳転移巣が限定されている(2〜4個)患者に対しては，症候性病変の切除＋術後放射線照射や小病変に対するSRS，WBRT±SRSが推奨され，3〜4 cm以上の場合は分割定位照射(FSRT)が推奨される。3〜4 cm以下であれば，外科的切除＋術後照射も選択肢に含まれる[14)]。初期治療としてSRSを行った場合のWBRT追加の是非に関しては放射線CQ8を参照されたい。外科的切除および放射線療法の治療方針は乳腺専門医，放射線治療医，脳外科医を含めたチームで決定すべきであり，特に脳幹部への圧迫や水頭症などにより生命の危険が切迫する場合などには，救命目的の緊急手術も考慮される。

外科療法

2）多発性脳転移

脳転移に対して外科的切除を行う臨床試験や多くの横断研究では，対象は単発性脳転移あるいは最大でも3〜4個の転移までとなっており，多発性脳転移に対する外科的切除の有用性は検証されていない。多発性脳転移と診断された場合は全身状態が不良で期待予後が限られていることも多く，基本的には放射線療法が標準治療であり，外科的切除は勧められない。

このように，脳転移に対する局所治療として，外科的切除は一定の状況下(単発〜少数個，全身状態良好，他臓器に活動性の転移病変がない，手術可能な部位，腫瘍径が3 cmを超え転移巣による症状を有する等)では有効な可能性があるが，その場合でも基本的には放射線療法(全脳照射，定位手術的照射)との併用を考慮すべきである。また，現在までの脳転移の治療戦略は脳転移に対する薬物療法の効果が限定的であることを前提に考案されたものであるが，HER2陽性乳癌の脳転移に対しトラスツズマブ デルクステカンが治療効果を示すなど[15)]，脳転移に奏効が期待できるサブタイプや薬物療法が臨床応用されるようになると，手術，放射線，薬物療法を含めた治療戦略の個別化が必要になることが予想される。

検索キーワード・参考にした二次資料

PubMedで，“breast neoplasms”“metastasis”“brain neoplasms”“surgery”をキーワードとして検索した。医中誌・Cochrane Libraryも同等のキーワードで検索した。検索期間は2021年6月までとし，144件がヒットした。それ以外にハンドサーチで17編の論文が追加された。この中から主要な論文15編を選択した。

参考文献

1）Boogerd W, Vos VW, Hart AA, Baris G. Brain metastases in breast cancer; natural history, prognostic factors and outcome. J Neurooncol. 1993; 15(2): 165-74. [PMID: 8509821]
2）Bailleux C, Eberst L, Bachelot T. Treatment strategies for breast cancer brain metastases. Br J Cancer. 2021; 124

(1): 142-55. [PMID: 33250512]
3) Darlix A, Louvel G, Fraisse J, Jacot W, Brain E, Debled M, et al. Impact of breast cancer molecular subtypes on the incidence, kinetics and prognosis of central nervous system metastases in a large multicentre real-life cohort. Br J Cancer. 2019; 121(12): 991-1000. [PMID: 31719684]
4) Aoyama H. Radiation therapy for brain metastases in breast cancer patients. Breast Cancer. 2011; 18(4): 244-51. [PMID: 20458564]
5) Wroński M, Arbit E, McCormick B. Surgical treatment of 70 patients with brain metastases from breast carcinoma. Cancer. 1997; 80(9): 1746-54. [PMID: 9351543]
6) Mintz AH, Kestle J, Rathbone MP, Gaspar L, Hugenholtz H, Fisher B, et al. A randomized trial to assess the efficacy of surgery in addition to radiotherapy in patients with a single cerebral metastasis. Cancer. 1996; 78(7): 1470-6. [PMID: 8839553]
7) Patchell RA, Tibbs PA, Walsh JW, Dempsey RJ, Maruyama Y, Kryscio RJ, et al. A randomized trial of surgery in the treatment of single metastases to the brain. N Engl J Med. 1990; 322(8): 494-500. [PMID: 2405271]
8) Vecht CJ, Haaxma-Reiche H, Noordijk EM, Padberg GW, Voormolen JH, Hoekstra FH, et al. Treatment of single brain metastasis: radiotherapy alone or combined with neurosurgery? Ann Neurol. 1993; 33(6): 583-90. [PMID: 8498838]
9) Auchter RM, Lamond JP, Alexander E, Buatti JM, Chappell R, Friedman WA, et al. A multiinstitutional outcome and prognostic factor analysis of radiosurgery for resectable single brain metastasis. Int J Radiat Oncol Biol Phys. 1996; 35(1): 27-35. [PMID: 8641923]
10) Muacevic A, Kreth FW, Horstmann GA, Schmid-Elsaesser R, Wowra B, Steiger HJ, et al. Surgery and radiotherapy compared with gamma knife radiosurgery in the treatment of solitary cerebral metastases of small diameter. J Neurosurg. 1999; 91(1): 35-43. [PMID: 10389878]
11) Muacevic A, Wowra B, Siefert A, Tonn JC, Steiger HJ, Kreth FW. Microsurgery plus whole brain irradiation versus Gamma Knife surgery alone for treatment of single metastases to the brain: a randomized controlled multicentre phase Ⅲ trial. J Neurooncol. 2008; 87(3): 299-307. [PMID: 18157648]
12) Soffietti R, Abacioglu U, Baumert B, Combs SE, Kinhult S, Kros JM, et al. Diagnosis and treatment of brain metastases from solid tumors: guidelines from the European Association of Neuro-Oncology (EANO). Neuro Oncol. 2017; 19(2): 162-74. [PMID: 28391295]
13) Noordijk EM, Vecht CJ, Haaxma-Reiche H, Padberg GW, Voormolen JH, Hoekstra FH, et al. The choice of treatment of single brain metastasis should be based on extracranial tumor activity and age. Int J Radiat Oncol Biol Phys. 1994; 29(4): 711-7. [PMID: 8040016]
14) Ramakrishna N, Temin S, Chandarlapaty S, Crews JR, Davidson NE, Esteva FJ, et al. Recommendations on disease management for patients with advanced human epidermal growth factor receptor 2-positive breast cancer and brain metastases: ASCO clinical practice guideline update. J Clin Oncol. 2018; 36(27): 2804-7. [PMID: 29939840]
15) Modi S, Saura C, Yamashita T, Park YH, Kim SB, Tamura K, et al; DESTINY-Breast01 Investigators. Trastuzumab deruxtecan in previously treated HER2-positive breast cancer. N Engl J Med. 2020; 382(7): 610-21. [PMID: 31825192]

5. 特殊病態

BQ 5 妊娠期乳癌に手術を行うことは勧められるか？

ステートメント

- 妊娠期乳癌であっても，手術は勧められる。

背景

妊娠期の乳癌は，そのホルモン環境や豊富な血流により，予後不良とされてきた。妊娠中という特殊環境下での適切な乳癌手術の時期，手術術式の選択および安全性について概説する。

解説

妊娠・授乳期乳癌は45歳以下女性乳癌患者の2.6％であり[1)]，リンパ節転移陽性乳癌が多く，進行例が多いとされる[1)〜5)]一方，リンパ節転移，腫瘍径，年齢を考慮した多変量解析では予後に差がないとする報告もあり[1)2)6)]，病期やサブタイプに応じた治療法を選択すべきである。

妊娠中の全身麻酔手術の安全性に関して44論文を解析したシステマティック・レビューでは[7)]，近年の麻酔，外科手術のもとでは妊娠中に手術を受けても，母体死，先天奇形率は増加しないことが示されている[7)〜9)]。しかし，流産率は妊娠前期(〜4カ月)に手術をした場合はやや高くなっていた(10.5％ vs 全期間での流産率5.8％)[7)]。麻酔科医，産科医との連携が必須であり，サブタイプや進行状況を考慮して，可能であれば胎児の器官形成および流産の危険性が下がる妊娠中期以降に外科手術を行うことを勧める。

妊娠・授乳期の手術術式は，非妊娠・非授乳期と同様に考えるべきであるが，乳房部分切除術を施行する場合には，放射線の影響を考えなければならない。妊娠後期乳癌の場合には乳房部分切除術を行い，産後に術後放射線療法を行えばよいが，放射線療法を出産後まで待てない場合には乳房全切除術も考慮する。センチネルリンパ節生検(SLNB)を妊娠期乳癌に行う場合，RI法，色素法のいずれもその安全性および有効性が問題となる。妊娠期乳癌にRI法でSLNBを行った12例[10)]と，RI法(16例)と色素法・メチレンブルー使用(7例)と不明(2例)でSLNBを行った25例[11)]の報告があり，全例でセンチネルリンパ節が同定可能であった。出生した児の1例に心室中隔欠損，1例に口蓋裂を認めたが，SLNBとの明らかな因果関係は証明されておらず，RI法を用いたSLNBは有益性が危険性を上回ると考えられるときに考慮してもよい。色素法では，わが国で用いられるインジゴカルミンについて妊娠期乳癌でのセンチネルリンパ節同定率は不明であり，添付文書に妊娠中の投与に関する安全性は確立していないと表記されているため，使用は勧められない。妊娠・授乳期乳癌に関しては，術前にカベルゴリン，ブロモクリプチンなどの内服によりあらかじめ乳汁分泌を止めることが勧められる。妊娠中期，妊娠後期(8〜10カ月)での化学療法は，長期の安全性が確立されていないものの，必要と判断される場合には検討してもよい。

なお，妊娠前期でも，進行度から早期の治療開始が望ましいと考えられる場合には，胎児と母体のそれぞれの危険性と利益を考慮して，使用薬剤も含め慎重に治療方針を決定すべきである。

検索キーワード・参考にした二次資料

「乳癌診療ガイドライン①治療編 2018 年版」の同クエスチョンの参考文献に加え，PubMed で，"Breast Neoplasms"，"Pregnancy Complications, Neoplastic" のキーワードで検索した。検索期間は 2016 年 1 月 1 日～2021 年 3 月 31 日とし，106 件がヒットした。また，UpToDate を二次資料として参考にし，これらの文献の中から必要なものを抽出した。

参考文献

1) Lethaby AE, O'Neill MA, Mason BH, Holdaway IM, Harvey VJ; Auckland Breast Cancer Study Group. Overall survival from breast cancer in women pregnant or lactating at or after diagnosis. Int J Cancer. 1996; 67(6): 751-5. [PMID: 8824544]
2) Ishida T, Yokoe T, Kasumi F, Sakamoto G, Makita M, Tominaga T, et al. Clinicopathologic characteristics and prognosis of breast cancer patients associated with pregnancy and lactation: analysis of case-control study in Japan. Jpn J Cancer Res. 1992; 83(11): 1143-9. [PMID: 1483929]
3) Petrek JA, Dukoff R, Rogatko A. Prognosis of pregnancy-associated breast cancer. Cancer. 1991; 67(4): 869-72. [PMID: 1991259]
4) Tretli S, Kvalheim G, Thoresen S, Høst H. Survival of breast cancer patients diagnosed during pregnancy or lactation. Br J Cancer. 1988; 58(3): 382-4. [PMID: 3179191]
5) Bonnier P, Romain S, Dilhuydy JM, Bonichon F, Julien JP, Charpin C, et al; Societe Francaise de Senologie et de Pathologie Mammaire Study Group. Influence of pregnancy on the outcome of breast cancer: a case-control study. Int J Cancer. 1997; 72(5): 720-7. [PMID: 9311584]
6) von Schoultz E, Johansson H, Wilking N, Rutqvist LE. Influence of prior and subsequent pregnancy on breast cancer prognosis. J Clin Oncol. 1995; 13(2): 430-4. [PMID: 7844605]
7) Cohen-Kerem R, Railton C, Oren D, Lishner M, Koren G. Pregnancy outcome following non-obstetric surgical intervention. Am J Surg. 2005; 190(3): 467-73. [PMID: 16105538]
8) Mazze RI, Källén B. Reproductive outcome after anesthesia and operation during pregnancy: a registry study of 5405 cases. Am J Obstet Gynecol. 1989; 161(5): 1178-85. [PMID: 2589435]
9) Gianopoulos JG. Establishing the criteria for anesthesia and other precautions for surgery during pregnancy. Surg Clin North Am. 1995; 75(1): 33-45. [PMID: 7855716]
10) Gentilini O, Cremonesi M, Toesca A, Colombo N, Peccatori F, Sironi R, et al. Sentinel lymph node biopsy in pregnant patients with breast cancer. Eur J Nucl Med Mol Imaging. 2010; 37(1): 78-83. [PMID: 19662412]
11) Gropper AB, Calvillo KZ, Dominici L, Troyan S, Rhei E, Economy KE, et al. Sentinel lymph node biopsy in pregnant women with breast cancer. Ann Surg Oncol. 2014; 21(8): 2506-11. [PMID: 24756813]

BQ 6 高齢者の乳癌に対しても手術療法は勧められるか？

ステートメント

- 手術に耐え得る健康状態であれば，高齢者の乳癌に対しても手術療法を行うことが標準治療である。

背 景

合併症の多くなる高齢者でも，乳癌の手術治療が標準治療であることを概説する。

解 説

高齢者の定義を，過去の研究では70歳以上としているものが多かったが，近年，80歳以上としている報告が増えてきた。

70歳以上の乳癌に対して，タモキシフェン単独と手術または手術＋タモキシフェンとを比較した7つのランダム化比較試験によるメタアナリシスでは，生存率は差がないものの〔ハザード比(HR)0.98，95%CI 0.81-1.20，p＝0.85；手術のみ vs タモキシフェン：3試験495患者〕(HR 0.86，95%CI 0.73-1.00，p＝0.06；手術＋タモキシフェン vs タモキシフェン：3試験1,076患者)，無増悪生存期間および局所制御率は有意に手術＋タモキシフェンが勝っていた(HR 0.55，95%CI 0.39-0.77，p＝0.0006；手術のみ vs タモキシフェン)(HR 0.65，95%CI 0.53-0.81，p＝0.0001；手術＋タモキシフェン vs タモキシフェン)[1)]。よって，高齢者であっても手術により無増悪生存率や局所制御率の向上といった「益」を見込める。

一方，「害」としての手術合併症については，高齢者においても乳癌手術の合併症は軽微である。Chatzidaki らは80歳以上の乳癌患者を対象とした検討で，合併症率は37.1%であったが，ほとんどは創部に関連した軽微なもの(血腫・漿液腫・感染)であり，周術期死亡はなかった[2)]。

高齢者乳癌の術式については，適応があれば乳房部分切除術とセンチネルリンパ節生検が望ましい。Figueiredo らは，67歳以上の高齢者のコホート研究を実施し，若年女性と同様に31%の高齢者においては，術式選択理由として整容性(ボディイメージ)が最も重要であるとしていた。術後2年の時点でのボディイメージに対する満足度評価では，乳房部分切除術を受けた群が良好である一方，乳房部分切除術を希望したものの乳房全切除術を実施された症例が不良であった[3)]。腋窩手術に関しては，臨床的腋窩リンパ節転移陰性乳癌にはセンチネルリンパ節生検が標準術式であり，高齢者に対しても行われるべきである[4)]。一方で，高齢者に対する腋窩リンパ節郭清に関しては，高齢者乳癌に対して腋窩郭清を省略する2つのランダム化比較試験が報告されている。Martelli らは，65〜80歳の2 cm以下・臨床的腋窩リンパ節転移陰性乳癌238例に対して乳腺扇状部分切除に腋窩リンパ節郭清を行う群と省略する群とを比較した[5)]。観察期間15年における遠隔再発，乳癌死亡，全生存率は有意差がなく，郭清省略群における腋窩再発は6%であった。試験は予定症例数を集めることなく終了した。同じく60歳以上の臨床的リンパ節転移陰性乳癌473

例に対して腋窩リンパ節郭清の有無によるQOLを評価したIBCSG 10-93試験でも，6年無病再発率は両群間で有意差を認めなかった(67% vs 66%)[6]。高齢者に対する腋窩リンパ節郭清を行うかどうかに関しては，個々の症例ごとに益と害のバランスを考える必要がある。

以上より，乳癌の手術侵襲は比較的小さく，高齢者でも手術に耐えられる状態であれば非高齢者と同様の手術療法を行うことが標準治療である。薬物療法のみの治療は，重篤な併存症を有する患者や手術を拒否された場合に行われるべきものと考えられる。

検索キーワード・参考にした二次資料

「乳癌診療ガイドライン①治療編2018年版」の同クエスチョンの参考文献に加え，PubMedで，"Breast Neoplasms/therapy"，"Aged"，"Treatment Outcome" のキーワードで検索した。検索期間は2016年1月1日～2021年3月31日とし，179件がヒットした。また，UpToDateを参考にし，これらの文献の中から必要なものを抽出した。

参考文献

1) Hind D, Wyld L, Beverley CB, Reed MW. Surgery versus primary endocrine therapy for operable primary breast cancer in elderly women(70 years plus). Cochrane Database Syst Rev. 2006; (1): CD004272. [PMID: 16437480]
2) Chatzidaki P, Mellos C, Briese V, Mylonas I. Perioperative complications of breast cancer surgery in elderly women(≥80 years). Ann Surg Oncol. 2011; 18(4): 923-31. [PMID: 21107743]
3) Figueiredo MI, Cullen J, Hwang YT, Rowland JH, Mandelblatt JS. Breast cancer treatment in older women: does getting what you want improve your long-term body image and mental health? J Clin Oncol. 2004; 22(19): 4002-9. [PMID: 15459224]
4) Biganzoli L, Wildiers H, Oakman C, Marotti L, Loibl S, Kunkler I, et al. Management of elderly patients with breast cancer: updated recommendations of the International Society of Geriatric Oncology(SIOG)and European Society of Breast Cancer Specialists(EUSOMA). Lancet Oncol. 2012; 13(4): e148-60. [PMID: 22469125]
5) Martelli G, Boracchi P, Ardoino I, Lozza L, Bohm S, Vetrella G, et al. Axillary dissection versus no axillary dissection in older patients with T1N0 breast cancer: 15-year results of a randomized controlled trial. Ann Surg. 2012; 256(6): 920-4. [PMID: 23154393]
6) International Breast Cancer Study Group, Rudenstam CM, Zahrieh D, Forbes JF, Crivellari D, Holmberg SB, et al. Randomized trial comparing axillary clearance versus no axillary clearance in older patients with breast cancer: first results of International Breast Cancer Study Group Trial 10-93. J Clin Oncol. 2006; 24(3): 337-44. [PMID: 16344321]

BQ 7 葉状腫瘍と診断された場合に外科的切除が勧められるか？

ステートメント

- 針生検で葉状腫瘍と診断された場合の標準治療は，外科的な完全切除である。腫瘍の大きさ，悪性度を考慮に入れたうえで，腫瘍周囲の正常組織まで含めた至適な切除マージンが必要である。

背景

葉状腫瘍は，比較的稀な結合織性および上皮性混合腫瘍の一つであり，組織学的には良性，境界病変，悪性に亜分類され，多様な生物学的特徴を呈する。形態は境界明瞭，多結節性，無痛性の腫瘤で，線維腺腫との鑑別が問題となるが，急速に増大する場合は葉状腫瘍を疑う。葉状腫瘍の外科的治療について概説する。

解説

葉状腫瘍は乳腺腫瘍の1%未満と頻度の少ない腫瘍であるため，エビデンスは主に症例集積や症例報告に基づいている。病理学的形態としては良性の線維腺腫に類似したものから高異型度の肉腫に近いものまで幅広いため，針生検であっても線維腺腫や肉腫との鑑別が難しいこともある。

75例以上の報告をまとめた2013年の葉状腫瘍5,530例のレビューでは，良性，境界病変，悪性の比率は52%，13%，35%で，平均観察期間5年における局所再発率はそれぞれ15%，17%，28%(平均19.1%)であった[1]。2015年以降に報告された285例(良性191例，境界病変61例，悪性33例，5年局所再発率はそれぞれ5.0%，13.1%，18.0%)[2]と480例(良性354例，境界病変89例，不明もしくは葉状腫瘍疑い37例，平均観察期間98カ月で全体の再発率6.3%)[3]の後ろ向き検討では局所再発率は約10%低下している。

葉状腫瘍の治療は外科手術での完全切除である。比較的大規模な近年の報告において，断端陽性[1)4)]，腫瘤径[1)2)]，亜分類[1)~3)]，年齢[1)]，壊死の存在[1)]が再発のリスク因子であると報告している。172例の後ろ向きの検討では，多変量解析にて切除断端陽性は約4倍の再発リスク因子であった[1)]。針生検で葉状腫瘍と線維腺腫とを鑑別するのは困難で，切除マージンをとらない腫瘍摘出術が行われると局所再発率は高くなることが報告されており[5)]，多施設による前向きコホート研究の報告では，腫瘍辺縁から少なくとも1 cmの正常組織まで含めた乳房部分切除を勧めている[6)]。Luらによる54の観察研究のメタアナリシスでは，9,234例の葉状腫瘍について検討が行われ，良性と比較して境界病変のほうが局所再発率が高く〔オッズ比(OR)2.00，95%CI 1.68-2.38〕，境界病変と比較して悪性のほうが局所再発率が高い(OR 1.28，95%CI 1.05-1.55)ものの，核分裂像，腫瘍の境界(浸潤性か圧排性か)，間質の細胞密度や核異型度，壊死などが再発のリスク因子であった[7)]。この研究では，悪性葉状腫瘍では断端陽性が局所再発リスクを上昇させる一方，良性，境界病変では関連がないと解析されている。また，48人の高異型度の悪性葉状腫瘍における後ろ向きの検討によると，10 人は切除マージン 1 cm 以下の局所切除，14 人は切除マージンが 1 cm 以上の部分切除，24 人の乳房全切除が行われていた[5]。全体の局所再発率は 44%，そのうち切除マージンが 1 cm 以下の局所切除後の再発率は 60%であったが，1 cm 以上の部分切除後の再発率は 28%であった。局所再発と全生存率には腫瘍径と切除マージンが関連していた。初回手術後に切除マージンが近い場合は悪性度等も考慮したうえで追加切除も検討すべきである[8)9]。Surveillance, Epidemiology, and End Results（SEER）に登録された悪性葉状腫瘍 821 例を解析したところ，乳房全切除術と乳房部分切除術は 52%と 48%に行われていた[10]。腫瘍径にかかわらず，乳房部分切除術が行われた症例は，乳房全切除術が行われた症例と比べて全生存率は同等かそれより良好であった。よって適応を選び，切除マージンが確保されている限り，乳房部分切除術は適正な術式である。

葉状腫瘍の腋窩リンパ節転移は非常に稀であるため，悪性葉状腫瘍であっても通常，腋窩リンパ節郭清は行われない。SEER によると葉状腫瘍の腋窩リンパ節転移はわずか 1.6%（8/498 例）であった[10]。

悪性葉状腫瘍に対する術後の放射線療法について，明確なエビデンスが得られる前向きのランダム化比較試験は存在しない。8 つの後ろ向き検討をまとめたシステマティック・レビューでは，術後放射線療法を行うことで局所再発のリスクを減らすことが示されている（ハザード比 0.43，95%CI 0.23–0.64）[11]。しかしながら，これらは選択バイアスのある後ろ向き研究のメタアナリシスであること，生存率の改善は本研究でも示されていないことから，十分なエビデンスがあるとはいえず，葉状腫瘍に対する放射線治療に関しては評価が定まっていないと考えられる。病理組織学的検査で腫瘤の遺残が疑われる場合には，基本的には再度の切除を行うことが望ましい。しかし，腫瘍の位置や大きさなどにより再度の切除が不可能な場合には，乳房全切除後であっても術後の放射線療法を追加することが推奨されている。

葉状腫瘍は，その画像所見や多様な病理学的形態のため術前の診断が難しい。細胞診の偽陰性率は高いため[12]，主に針生検が診断に用いられる。しかし，針生検でも 25〜30%の偽陰性率があるといわれている[13]。よって，針生検で線維腺腫と診断されても，臨床的に急速に増大するような症例では，葉状腫瘍の可能性を考え，外科的完全切除を行うべきである。また，針生検で葉状腫瘍と線維腺腫との鑑別困難と診断された場合も，診断確定のために外科的完全切除を検討することが望ましい。

検索キーワード・参考にした二次資料

「乳癌診療ガイドライン①治療編 2018 年版」の同クエスチョンの参考文献に加え，PubMed で，“Breast Neoplasms/surgery”，“Phyllodes Tumor” のキーワードで検索した。検索期間は 2016 年 1 月 1 日〜2021 年 3 月 31 日とし，128 件がヒットした。また，UpToDate を参考にし，これらの文献の中から必要なものを抽出した。

参考文献

1）Spitaleri G, Toesca A, Botteri E, Bottiglieri L, Rotmensz N, Boselli S, et al. Breast phyllodes tumor: a review of literature and a single center retrospective series analysis. Crit Rev Oncol Hematol. 2013; 88(2): 427–36. [PMID: 23871531]

2）Yom CK, Han W, Kim SW, Park SY, Park IA, Noh DY. Reappraisal of conventional risk stratification for local recurrence based on clinical outcomes in 285 resected phyllodes tumors of the breast. Ann Surg Oncol. 2015; 22(9): 2912–8. [PMID: 25652050]

3）Borhani-Khomani K, Talman ML, Kroman N, Tvedskov TF. Risk of local recurrence of benign and borderline

phyllodes tumors: a danish population-based retrospective study. Ann Surg Oncol. 2016; 23(5): 1543-8. [PMID: 26714948]
4) Jang JH, Choi MY, Lee SK, Kim S, Kim J, Lee J, et al. Clinicopathologic risk factors for the local recurrence of phyllodes tumors of the breast. Ann Surg Oncol. 2012; 19(8): 2612-7. [PMID: 22476816]
5) Kapiris I, Nasiri N, A'Hern R, Healy V, Gui GP. Outcome and predictive factors of local recurrence and distant metastases following primary surgical treatment of high-grade malignant phyllodes tumours of the breast. Eur J Surg Oncol. 2001; 27(8): 723-30. [PMID: 11735168]
6) Barth RJ Jr, Wells WA, Mitchell SE, Cole BF. A prospective, multi-institutional study of adjuvant radiotherapy after resection of malignant phyllodes tumors. Ann Surg Oncol. 2009; 16(8): 2288-94. [PMID: 19424757]
7) Lu Y, Chen Y, Zhu L, Cartwright P, Song E, Jacobs L, et al. Local recurrence of benign, borderline, and malignant phyllodes tumors of the breast: a systematic review and meta-analysis. Ann Surg Oncol. 2019; 26(5): 1263-75. [PMID: 30617873]
8) Chen WH, Cheng SP, Tzen CY, Yang TL, Jeng KS, Liu CL, et al. Surgical treatment of phyllodes tumors of the breast: retrospective review of 172 cases. J Surg Oncol. 2005; 91(3): 185-94. [PMID: 16118768]
9) Confavreux C, Lurkin A, Mitton N, Blondet R, Saba C, Ranchère D, et al. Sarcomas and malignant phyllodes tumours of the breast--a retrospective study. Eur J Cancer. 2006; 42(16): 2715-21. [PMID: 17023158]
10) Macdonald OK, Lee CM, Tward JD, Chappel CD, Gaffney DK. Malignant phyllodes tumor of the female breast: association of primary therapy with cause-specific survival from the Surveillance, Epidemiology, and End Results(SEER)program. Cancer. 2006; 107(9): 2127-33. [PMID: 16998937]
11) Zeng S, Zhang X, Yang D, Wang X, Ren G. Effects of adjuvant radiotherapy on borderline and malignant phyllodes tumors: a systematic review and meta-analysis. Mol Clin Oncol. 2015; 3(3): 663-71. [PMID: 26137284]
12) Jacklin RK, Ridgway PF, Ziprin P, Healy V, Hadjiminas D, Darzi A. Optimising preoperative diagnosis in phyllodes tumour of the breast. J Clin Pathol. 2006; 59(5): 454-9. [PMID: 16461806]
13) Dillon MF, Quinn CM, McDermott EW, O'Doherty A, O'Higgins N, Hill AD. Needle core biopsy in the diagnosis of phyllodes neoplasm. Surgery. 2006; 140(5): 779-84. [PMID: 17084721]

FRQ 14 潜在性乳癌に対して，乳房非切除は勧められるか？

ステートメント

- MRIでも病変が指摘できない潜在性乳癌は，乳房非切除であっても全乳房照射をすることで局所の制御は得られる可能性が高い。

背景

腋窩リンパ節に乳癌の転移を認めるが，乳房内には原発巣が同定できないものを潜在性乳癌と呼ぶ。局所療法として腋窩リンパ節郭清が必要であるが，この際に同側乳房には，乳房全切除，乳房非切除で全乳房照射，乳房非切除かつ非照射(経過観察)の3つの治療方針が挙げられる。乳房非切除の妥当性について前向きの比較試験は存在しないため，過去の文献をもとに検討した。

解説

潜在性乳癌の基本的な治療方針は，腋窩リンパ節転移を伴う乳癌に準じる。すなわち全身療法に加えて，乳房全切除術と腋窩リンパ節郭清を行うことである。乳房全切除検体の詳細な病理検索により，大半の症例で原発巣が認められることがその根拠とされてきた[1)]。しかしこれらは2000年以前の症例からの報告で，乳房の診断方法が視触診とマンモグラフィに限られている時代の検討である。乳房造影MRI検査が施行されている潜在性乳癌症例の8報告をまとめた2010年のレビューでは，マンモグラフィで病変が検出されない220症例の約80%にMRIで乳房内の微小病変が発見され，超音波を用いて局在を同定し得ている[2)]。その中で手術を行った22人のうち21人(95%)において病理学的に癌病巣が発見された。腋窩リンパ節に乳癌細胞(腺癌細胞)が認められる症例に対する乳房造影MRI検査は，乳房内の微小癌巣検出に有用であり，治療開始前に行うことが望ましい。

マンモグラフィ，超音波，さらにMRIを駆使して患側乳房の検査を行ったにもかかわらず，乳房内に病変が認められない症例が狭義の潜在性乳癌であり，近年の高精細MRIの普及に伴い潜在性乳癌症例は減少している。これらの狭義の潜在性乳癌に対して，乳房を温存できる可能性についてはまだ多くのデータがない。潜在性乳癌に対して乳房非切除＋全乳房照射を行った比較的新しい報告では，その局所制御率は75～100%であった[3)～5)]。特に，MRIにより微小な原発巣の存在が除外された潜在性乳癌においては[4)]，症例数は少ないが乳房非切除＋放射線療法のみで100%の局所制御率が得られていた。

Hesslerらのアメリカの70%の悪性腫瘍を網羅するがん登録データベース，NCDを用いた研究では，2004～2013年の1,853例の潜在性乳癌(cT0 N1/2 M0)に対して腋窩リンパ節郭清のみ(n＝106)，腋窩リンパ節郭清＋放射線療法(n＝342)，腋窩リンパ節郭清＋乳房全切除±放射線療法(n＝592)の予後を検討している[6)]。8年生存率はそれぞれ65%，85%，73%であり，多変量解析では腋窩リンパ節郭清＋放射線療法で治療することが，予後改善における独立した因子であるとしている(ハザード比 0.509, 95%CI 0.321-0.808, $p=0.004$)。診断に MRI がどの程度使用されているのかは明らかではないデータであるが，少なくとも乳房非切除が，乳房全切除に比べて予後を悪くすることはないと考えられる。

局所療法を何も加えずに経過観察をした報告も少数認められる。10 例以上の潜在性乳癌症例を検討している 4 論文では，62 人中 24 人〔38.7% (21～53%)〕に原発巣の顕在化が生じている[7)～10)]。乳房造影 MRI が使用される以前の報告や，MRI で病変が検出されている症例も含めて検討されているため，今後の症例蓄積が必要であるが，高い局所再発率からは現時点では推奨できない。

潜在性乳癌に対する乳房局所療法の目的は，乳房内に隠れている癌病巣を取り除くことである。**MRI でも病変が指摘できない潜在性乳癌は，乳房非切除であっても全乳房照射をすることで局所の制御は得られる可能性が高い。**

検索キーワード・参考にした二次資料

「乳癌診療ガイドライン①治療編 2018 年版」の同クエスチョンの参考文献に加え，PubMed で，“Breast Neoplasms”，“Mastectomy”，“occult” のキーワードで検索した。検索期間は 2016 年 12 月～2021 年 11 月とし，90 件がヒットした。この中から主要な論文を選択した。また，UpToDate 2021 の “Axillary node metastases with occult primary breast cancer” の項目を活用した。

参考文献

1) Kaklamani V, Gradishar WJ. Axillary node metastases with occult primary breast cancer. UpToDate 2017. https://www.uptodate.com/contents/axillary-node-metastases-with-occult-primary-breast-cancer
2) de Bresser J, de Vos B, van der Ent F, Hulsewé K. Breast MRI in clinically and mammographically occult breast cancer presenting with an axillary metastasis: a systematic review. Eur J Surg Oncol. 2010; 36(2): 114-9. [PMID: 19822403]
3) Foroudi F, Tiver KW. Occult breast carcinoma presenting as axillary metastases. Int J Radiat Oncol Biol Phys. 2000; 47(1): 143-7. [PMID: 10758316]
4) Varadarajan R, Edge SB, Yu J, Watroba N, Janarthanan BR. Prognosis of occult breast carcinoma presenting as isolated axillary nodal metastasis. Oncology. 2006; 71(5-6): 456-9. [PMID: 17690561]
5) Medina-Franco H, Urist MM. Occult breast carcinoma presenting with axillary lymph node metastases. Rev Invest Clin. 2002; 54(3): 204-8. [PMID: 12183889]
6) Hessler LK, Molitoris JK, Rosenblatt PY, Bellavance EC, Nichols EM, Tkaczuk KHR, et al. Factors influencing management and outcome in patients with occult breast cancer with axillary lymph node involvement: analysis of the National Cancer Database. Ann Surg Oncol. 2017; 24(10): 2907-14. [PMID: 28766198]
7) Ellerbroek N, Holmes F, Singletary E, Evans H, Oswald M, McNeese M. Treatment of patients with isolated axillary nodal metastases from an occult primary carcinoma consistent with breast origin. Cancer. 1990; 66(7): 1461-7. [PMID: 2207996]
8) Merson M, Andreola S, Galimberti V, Bufalino R, Marchini S, Veronesi U. Breast carcinoma presenting as axillary metastases without evidence of a primary tumor. Cancer. 1992; 70(2): 504-8. [PMID: 1617600]
9) van Ooijen B, Bontenbal M, Henzen-Logmans SC, Koper PC. Axillary nodal metastases from an occult primary consistent with breast carcinoma. Br J Surg. 1993; 80(10): 1299-300. [PMID: 8242304]
10) He M, Tang LC, Yu KD, Cao AY, Shen ZZ, Shao ZM, et al. Treatment outcomes and unfavorable prognostic factors in patients with occult breast cancer. Eur J Surg Oncol. 2012; 38(11): 1022-8. [PMID: 22959166]

乳癌診療ガイドライン 2022 年版

放射線療法

総説 1

乳癌放射線療法の基本

1）乳癌の疾患概念

近代の乳癌治療における放射線療法は，1890年代に原発巣，領域リンパ節転移，全身へと順序立てて広がるとするHalsted理論が提唱されてから約一世紀の間，手術より広い範囲を補完する局所治療として活用されてきた。

しかし，郭清範囲を拡大しても生存率は改善せず，そのうち有効な全身療法が導入されるようになると，乳癌が臨床的に発見されたときにはすでに全身に転移しているとするFisherらによる全身病モデルが提唱されるようになった。そして化学療法や内分泌療法の併用により生存率が向上することが示されると，それまでほぼルーチンに施行されていた乳房全切除術後放射線療法（postmastectomy radiation therapy；PMRT）は激減した。

その後，1997年にデンマークとカナダから2つのランダム化比較試験の結果が報告され，高リスク群に対する全身化学療法を併用したPMRTは局所再発率を減らすだけでなく，生存率も向上させることが示された[1)2)]。それまでは，局所再発率は減らせても生存率向上には結びつかず，低リスク群や高齢者では，むしろ心臓障害等の晩期有害事象により生存率は低下していたが[3)]，これは，低リスクの患者も含めて，古い治療技術を用いた術後照射が行われていたためと考えられる。

2005年のEBCTCG（Early Breast Cancer Trialists' Collaborative Group）によるシステマティック・レビューでもリンパ節転移陽性の高リスク群ではPMRTにより局所制御率の改善だけでなく，生存率の向上も確認された[4)]。また，乳房部分切除術後では腋窩リンパ節転移の有無に関係なく，術後照射による局所制御率や生存率の向上が報告された。

このような報告を受けて，乳癌の疾患概念についてスペクトラム理論が支持されるようになっている[5)]。この理論は，先述の，段階的に病変が広がるとするハルステッド理論と初発時には全身転移しているとする全身病モデルが混在しているというものである。

2）初期治療における放射線療法の目的と対象

初期治療における放射線療法の目的は局所・領域リンパ節再発の抑制であり，対象は乳房部分切除術後または，再発リスクの高い乳房全切除術後症例である。このような放射線療法の局所制御の効果は，年齢や腫瘍因子，全身療法の併用に関係なく，一定の割合でみられ，再発リスクが高いほど効果的であった[4)]。乳癌手術後の局所制御は長期生存率に影響するので，局所・領域リンパ節再発のリスクが高い患者には初期治療としての集学的治療の中で放射線療法が積極的に行われるべきである。また，その後薬物療法の奏効度と放射線療法の生存への貢献の関係性を表す考え方が提唱されている[5)6)]。それは，「薬物療法不応で遠隔転移が制御できないような非常に再発リスクの高い症例においては，放射線療法による局所治療はあまり生存には寄与しないが，薬物療法が効果を示すような症例では放射線療法による局所治療は生存に貢献する可能性が高くなる。一方で，薬物療法に非常に高い効果を示すような低リスク症例では，術後放射線療法の生存への影響は再び低下する」という考え方である。よって薬物療法の発展に伴い，放射線療法の適応も変化していくと考えられる。

3）再発治療における放射線療法の目的と対象

(1) 局所・領域リンパ節再発

局所再発とは乳房温存療法後では乳房内の，乳房全切除術後では胸壁の再発のことであり，領域リンパ節再発とは腋窩，鎖骨上あるいは内胸リンパ節の再発のことである。一般的に初期治療として放射線療法が用いられた場合は，すでに耐容線量近くまで照射されているので，同じ部位への照射は困難であることも多い。よって放射線療法が適応となる局所・領域リンパ節再発は乳房温存療法後では鎖骨上リンパ節再発，乳房全切除術後では初期治療で非照射の場合の胸壁再発が多い。このような再発に対しては，放射線療法を含む集学的治療により無病生存期間の延長を目標とする。

(2) 遠隔再発

乳癌で放射線療法の適応となるのは骨転移や脳転移に対する緩和的治療が多い。これらに対する放射線療法は，基本的に治癒は望めないが，疼痛や神経症状など，患者のQOLを低下させるさまざまな症状を予防・緩和するために用いられる。近年の集学的治療法の進歩により再発乳癌であっても長期生存するケースも増えており，転移巣に対する治療強度を高めようという試みも始まっている(☞放射線 FRQ6 参照)。

4）放射線療法の種類と対象疾患

(1) X 線

乳癌術後照射ではリニアック(直線加速器)による4～6 MVのエネルギーを用いることが多い。皮膚表面から1～1.5 cmの深さに線量のピークがあり，体の深部に行くほど線量は減少する。

(2) 電子線

飛程が短く，深層に達しないため，比較的表在性の病変の治療に用いられる。乳癌の術後照射では，全乳房照射後の腫瘍床への追加照射(ブースト)や，PMRTにおける胸壁あるいは内胸リンパ節領域照射に用いられることがある。

(3) 小線源療法

ワイヤー状の放射性物質を用いて，組織内照射や腔内照射として体の中から放射線を照射する。線源としては主にイリジウム-192(192Ir)が用いられ，中程度エネルギーのガンマ線を放出する。加速乳房部分照射(accelerated partial breast irradiation；APBI)において用いられることがあるが，実施施設は限られている。

(4) 陽子線，重粒子線

発生装置は円形加速器(シンクロトロンやサイクロトロン)で大規模，高額であり，実施施設は限られる。体内のある深さにおいて急激に線量が増加し，狭い範囲にピーク状の高い線量を与える。臨床試験レベルで乳房手術後の照射や原発巣に対する根治的照射に用いられているが，エビデンスについてはまだ乏しい。

(5) 脳転移に対する定位放射線照射

定位放射線照射(stereotactic irradiation；STI)は高い位置精度を確保した状態で，脳腫瘍に対して三次元的に多方向から脳転移に放射線を集中的に照射する方法である。1回の照射で治療を行う定位手術的照射(stereotactic radiosurgery；SRS)と数回に分割して照射する定位放射線治療

表 1　各種照射法の代表的処方線量

治　療	線質・エネルギー	総線量/回数/期間
乳房部分切除術後		
全乳房照射(通常分割法)	4 MV~6 MV X 線	50 Gy/25 回/5 週
全乳房照射(寡分割法)		42.56 Gy/16 回/22 日
ブーストを加える場合	電子線，X 線(接線照射)	10 Gy/5 回/1 週～16 Gy/8 回/1.6 週
		10.64 Gy/4 回/4 日
乳房全切除術後照射	4 MV～6 MV X 線±電子線	50 Gy/25 回/5 週
ブーストを加える場合	電子線	10 Gy/5 回/1 週
骨転移	4 MV～15 MV X 線，電子線*	30 Gy/10 回/2 週
		20 Gy/5 回/1 週
		8 Gy/1 回
脳転移		
全脳照射	4 MV～10 MV X 線	30 Gy/10 回/2 週
		37.5 Gy/15 回/3 週
		40 Gy/20 回/4 週
定位手術的照射(SRS)	4 MV～6 MV X 線，^{60}Co-γ 線(ガンマナイフ)	腫瘍辺縁線量 18～27 Gy/1 回
定位放射線治療(SRT)	4 MV～6 MV X 線	28～35 Gy/3～5 回

*治療部位により，線質・エネルギーを決定

(stereotactic radiotherapy；SRT)がある。

① ガンマナイフ

頭部を覆うヘルメットに多数のコバルト線源を配置し，コバルト線源からのガンマ線を用いる。従来，頭蓋骨に直接金属ネジを刺入して金属フレームを固定した状態で，画像検査・治療計画・治療の一連の操作を行う必要があった。その場合，高い位置精度が得られる一方で，数回に分けて照射する SRT には不適であった。最新のガンマナイフ装置では，着脱式の固定具も使用可能となり，SRT も施行可能となっている。

② リニアックを用いた定位放射線照射

汎用のリニアックの照射口に筒状の絞り装置(コーン)または特殊な多分割コリメータ(MLC)[注1)]を使用し，ガンマナイフと同様にナロービームで多方向から照射する。

③ サイバーナイフ

ロボットアームの先に取り付けられた小型のリニアックを操作して，多方向から病巣に放射線を集中させる。着脱可能な固定具を使用する。

5）主な照射方法(表 1)

(1) 全乳房照射

乳房部分切除された後の乳房全体をターゲットとして術後照射を行う。斜入で 2 方向から照射を行うのが標準的であるが，肺線量低減のために 180 度対向ではなく，背側の線束を合わせた“接線照射”とする。ターゲット内の線量分布を均等にするためにウェッジフィルターや Field-in-Field 法[注2)]が用いられることが多い。左乳癌の場合は心臓などのリスク臓器の被曝低減のために呼吸同期法や深吸気息どめ照射(deep inspiration breath hold；DIBH)が用いられることもある。従来の標準治療では，1 回線量を 2 Gy として 5 週間の治療期間を要していたが，近年は 1 回線量

を増量し，総治療期間の短縮を図る寡分割照射法が多くの施設で用いられている（☞放射線 CQ1 参照）。

(2) ブースト照射

全乳房照射後に，若年者や切除断端近接・陽性などの再発のリスクが高い切除腔およびその周囲組織（腫瘍床）に追加照射することである。多くは電子線を用いるがX線を用いる場合もあり，4〜8 回の分割照射法で行う（☞放射線 CQ2 参照）。

(3) 乳房部分照射

全乳房照射後の温存乳房内再発の大部分は腫瘍床近傍から発生することから，全乳房照射ではなく，腫瘍床のみを対象とした照射法である。方法としては術中照射，小線源治療，X 線による外照射があり，総照射期間を 1 日ないし 2 週間程度に短縮した場合は加速乳房部分照射（APBI）（☞放射線 CQ3 参照）と呼ばれる。

(4) 乳房温存療法における領域リンパ節照射

乳房部分切除術後の全乳房照射では，領域リンパ節を意図的にはターゲットに含めないが，下部腋窩は照射野に含まれる。郭清された腋窩へ意図的に照射を行った場合，上肢の浮腫などの有害反応が有意に増加するが，腋窩の制御率が有意に向上したとの報告はない。よって郭清後の腋窩リンパ節への照射は勧められない。リンパ節転移陽性の再発高リスク患者では鎖骨上リンパ節や内胸リンパ節を含めることがある（☞放射線 CQ4，6，BQ4 参照）。鎖骨上リンパ節を照射野に含める場合には，全乳房照射と別の照射野を接合して行うが，その際にはレベルⅢリンパ節も照射される。

(5) 乳房全切除術後放射線療法（PMRT）

乳房全切除術後の胸壁および領域リンパ節を含む照射法であり，ターゲット内の均一な線量分布，各照射野との接合部分の合致，リスク臓器の被曝低減が要求される複雑な照射法の一つである。X 線単独あるいは電子線との併用で照射する。皮膚線量を高めるために組織等価のボーラスを胸壁に装着して照射することがある。症例によっては創部にブースト照射することもある。1 回線量は 2 Gy とする通常分割法を用いることが多い。乳房部分切除術後の領域リンパ節照射と同様に，郭清された腋窩への照射は勧められない。鎖骨上リンパ節を照射することが標準であるが，その際はレベルⅢリンパ節へも照射される。内胸リンパ節へも照射することがある（☞放射線 CQ5，6，BQ5 参照）。

(6) 骨転移に対する照射

疼痛緩和と運動機能維持を目的として行われる。これまでは分割照射法で治療されてきたが，最近は 8 Gy の 1 回照射も用いられるようになってきた（☞放射線 CQ7 参照）。また，一部の施設では，直径 5 cm 以下の転移性脊椎腫瘍に対して，体幹部定位放射線治療（SBRT）も行っている。

(7) 脳転移に対する照射

症状改善やときに頭蓋内制御を目的として照射される。脳全体に分割照射する全脳照射と，病巣部位のみに限局して 1 回の照射をする SRS，あるいは複数回の照射をする SRT がある（☞放射線 BQ12，CQ8，FRQ5 参照）。

6）放射線療法による有害事象

(1) 全身

照射期間中に全身倦怠感を訴えることもあるが，終了後しばらくすると回復する。

(2) 皮膚，乳房

乳房手術後の放射線療法では，ほとんどの患者において急性期に放射線皮膚炎がみられ，しばらくは色素沈着が残る。乳房の硬さの増加，発汗や皮脂分泌の低下，乳房痛も，照射後数年間はみられることがあるが，軽微である。

(3) 肺

乳房温存療法における放射線肺臓炎は，703 例を対象とした日本の多施設前向きコホート研究によると，Grade 2(CTCAE v3，症状があるが日常生活に支障がない)以上の放射線肺臓炎は1.28％に認められた[7]。同時に化学療法を併用する場合や領域リンパ節を含む広い照射野で治療するときに放射線肺臓炎のリスクが増加する[8]。照射後 1 年以内に乾性咳嗽などの呼吸器症状を主とする COP(cryptogenic organizing pneumonia)様肺炎がみられることがある。その原因や機序について詳細は不明であるが，日本の全国調査では 1.8％(37/2,056 人)にみられている[9]。放射線肺臓炎の頻度は照射野に含まれる肺容積や線量，さらには化学療法の併用により左右される。

PMRT においては照射範囲が広くなること，PMRT 前に化学療法を行っていることが多いことなどから，肺への障害は強くなる。デューク大学医療センターの報告では，ステロイドを要する放射線肺臓炎は全体で 2.4％にみられた[10]。胸壁へ接線照射のみで治療した場合には放射線肺臓炎は 0.9％に生じたが，領域リンパ節照射を加えると 4.1％に増加した。

(4) 上肢，神経，骨

晩期有害事象である上肢リンパ浮腫は乳房手術，放射線療法の有無，腋窩リンパ節郭清の程度と照射範囲に左右される[11)〜14)]。近年では，センチネルリンパ節生検の普及とそれによる腋窩郭清省略が行われるようになり，リンパ浮腫は低減している。Tsai らのメタアナリシスでは，乳房手術後放射線療法を行うことで放射線療法を行わない場合に比べ，リンパ浮腫が増加した〔リスク比(RR)1.92，95％CI 1.61-2.28〕[11]。また，領域リンパ節への照射でもリンパ浮腫のリスクは上昇する。Shaitelman らのメタアナリシスによると，乳房または胸壁のみの照射に領域リンパ節照射を加えることでリンパ浮腫はオッズ比(OR)2.85 に上昇した[14]。そのうち，腋窩郭清が行われた場合に領域リンパ節照射を加えるとリンパ浮腫は 9.4％から 18.2％(OR 2.74)に増加したが，郭清省略された場合には，4.1％から 5.7％(OR 1.58)への増加であった。また，肥満がリンパ浮腫のリスク因子であることも報告されている[12)13)15)]。

上腕神経叢障害に関しては，Joint Center for Radiation Therapy(JCRT)からの報告で，鎖骨上窩にも照射した患者で 1.8％にみられたが，50 Gy 以上の腋窩線量や化学療法との併用により頻度は増加した[16]。さらに，領域リンパ節照射も含む術後照射〔三次元原体照射または強度変調放射線治療(IMRT)[注3]〕では上腕神経障害が 1.0％でみられたとする報告もある[17]。また，腋窩郭清に領域リンパ節照射を加えることで，上肢の知覚異常が13％から20％に増加するという報告もある(RR 1.47)[18]。また，肋骨骨折は先述の JCRT からの報告によると，1.8％にみられた[16]。

(5) 心臓

古い時代の照射手技，特に PMRT では左乳癌治療後の心臓の晩期有害事象は少なくなかった。

1975年以前に開始されたランダム化比較試験を用いたメタアナリシスでは，照射群で心臓死が増加していた[19)]。米国SEER(Surveillance, Epidemiology, and End Results)の30万人以上の長期データベースを用いた報告でも，1970～80年初頭にかけて照射された乳癌患者は10～20年後の心臓死のリスクが高くなったが，1980年初頭以後は放射線療法技術の進歩とともにこれらのリスクも減少した[20)]。照射群(194,957例)と非照射群(180,250例)で比較したTaylorらのシステマティック・レビューでは，古い時代の照射法も含まれているが，心臓死は，照射によりレート比1.30(95%CI 1.15-1.46, $p<0.001$)であった[21)]。以上のように，左乳癌治療後は心臓の有害事象が問題となり，Darbyらの報告によると数年後から少なくとも20年は増加する[22)]。また，照射線量によって発症は直線的に増加し，心臓の平均線量が1 Gy増すごとに冠動脈イベントは相対的に7.4%増加することが示されている。1,187例を対象とした3D計画による乳房部分切除術後全乳房照射の有無を比較したランダム化比較試験において，平均心臓線量は低く，観察期間中央値21.3年で長期心臓死を増加させないという報告もある[23)]。したがって左乳癌においては，MLC[注1)]を用いた心臓遮蔽や深吸気息どめ照射(DIBH)など心臓への照射線量低減の配慮が必要である。

(6) 二次がん

放射線療法により，わずかながら対側乳癌やその他の二次がんの発症リスクが増加する。

① 対側乳癌

症例対照研究や大規模コホート研究では，乳癌の術後照射により対側乳癌の発症率は増加するという報告が多い。前述のTaylorらのレビューでは，照射により対側乳癌の発症はレート比 1.20 (95%CI 1.08-1.33, $p<0.001$)であった[21)]。また，低エネルギーX線を用いた古い報告で発症率が高かった。低エネルギーX線を用いた症例を除いた15年対側乳癌発症率の増加は1.0%(95%CI 0.2-1.8, 7% vs 6%)であった。EBCTCGのメタアナリシスでもレート比 1.18($2p=0.002$)と報告されている[4)]。

② 乳癌以外の二次がん

Taylorらのレビューでは，照射により乳癌以外の二次がんはレート比 1.23(95%CI 1.12-1.36, $p<0.001$)と増加した(特に対側乳癌と肺癌)[21)]。また，Grantzauらのレビューでも健常人と比べた二次がんのリスクは，非照射群ではレート比 1.08(95%CI 1.03-1.13)に対し，照射群ではレート比 1.23(95%CI 1.12-1.36)であり，二次性の肺癌，食道癌，甲状腺癌，肉腫などのリスクが高まるとしている[24)]。

肺癌の発症については照射野や喫煙も影響を与える。NSABP B-04試験およびB-06試験のランダム化比較試験で照射された患者を20年近く追跡した報告では，領域リンパ節まで照射するB-04試験の場合，非照射群では0.9%であったが，照射群では2.2%と有意に高率で肺癌を合併した。しかし，接線照射のみを行ったB-06試験では両群間に発症率の有意差はみられなかった[25)]。M.D.アンダーソンがんセンターからの報告によると，乳房手術後の放射線療法単独では肺癌のリスクを高めないが，放射線療法と喫煙の両者に曝露すると相乗的に肺癌発症リスクを高めるとされている[26)]。

食道癌についても照射から10年以降に限定すると，有意な増加が認められる(レート比 2.17, 95%CI 1.67-4.02)[27)]。

放射線療法

このように全体として皮膚炎以外の有害事象の頻度は低い。PMRTの場合は乳房部分切除術後の照射よりも有害事象は強くなるが，許容範囲である。また，低い頻度ではあるが，放射線療法による二次がんが発生している。しかし，近年の放射線療法では，三次元治療計画装置やMLC[注1)]を用い，高エネルギーX線による治療を行っているので，これまでの発生率を超えることはないであろう。放射線療法の有用性はこれらの有害事象の発生リスクを大きく上回ると考えられる。

7）放射線療法計画時の留意事項

毎回の照射時の再現性の向上を図るために固定具を使用してCT画像を撮像する。次いでCT画像を取り込んだ三次元治療計画装置上で標的体積(ターゲット)を決定する。切除可能乳癌では外科切除により取り除かれていることが多いが，画像上で肉眼的腫瘍体積(gross tumor volume；GTV)が同定できる場合は，GTVに周辺の顕微鏡的な進展範囲や必要に応じて領域リンパ節を含めた臨床標的体積(clinical target volume；CTV)を設定する。さらに毎回のセットアップ時の再現性の誤差や呼吸性移動を考慮して，最終的に照射すべき計画標的体積(planning target volume；PTV)を決定する。

PTV内はできるだけ均等な線量分布が得られるようにウェッジフィルターあるいはField-in-Field法[注2)]などを用いて治療計画を立てるが，物理ウェッジフィルターを使用する場合には散乱線による対側乳房への被曝も考慮しなければならない。照射野の設定にはMLC[注1)]などを用いて，リスク臓器である肺および心臓への照射線量や容積を減らすように工夫する。

(1) 肺へのリスク

乳房部分切除術後の全乳房照射では，照射野に含まれる肺の深さがCT画像水平断上で3 cmを超えなければ放射線肺臓炎は稀である[28)]。PMRTの場合は照射方法により照射野に含まれる肺容積が異なり[29)]，特に内胸リンパ節領域を含める場合は放射線肺臓炎のリスクは高まる。

(2) 心臓へのリスク

最近の治療技術を用いれば大きく問題になることはないが，長期予後が期待できる若年者では心臓への線量を少なくするための注意が必要である。近年は深吸気息どめ照射を行い，心臓への線量を低減する試みを行う施設も増加傾向である。

(3) 対側乳房

対側乳房の散乱線による被曝に注意が必要である。物理ウェッジフィルターを用いずに散乱線の少ないField-in-Field法[注2)]などで均等な線量分布を得る工夫も重要となる[30)]。

このように三次元治療計画装置とMLC[注1)]などの治療装置により，リスク臓器への障害はかなり軽減できるものと思われる。

注1)多分割コリメータ(multileaf collimator；MLC)：照射装置には照射野を限定するための絞り装置(コリメータ)がある。矩形の照射野を形成する主コリメータに付随する小さい幅の多数のコリメータのことであり，不整形の複雑な照射野をつくることができる。

注2)Field-in-Field法：通常の照射法では高線量域が生じる場合，その領域を遮蔽した照射野で少量の線量を追加することを反復し，目的とする均等な線量分布を得る方法。

注3)強度変調放射線治療(intensity modulated radiation therapy；IMRT)：最新のテクノロジーを用

いて照射野内の放射線の強度を変化(変調)させて照射を行う。病巣の形に凹凸があってもその形に合わせた線量分布をつくることができるが，位置のずれや放射線の線量の誤差に対する精度管理が厳しく要求される。

参考文献

1) Overgaard M, Hansen PS, Overgaard J, Rose C, Andersson M, Bach F, et al. Postoperative radiotherapy in high-risk premenopausal women with breast cancer who receive adjuvant chemotherapy. Danish Breast Cancer Cooperative Group 82b Trial. N Engl J Med. 1997; 337(14): 949-55. [PMID: 9395428]
2) Ragaz J, Jackson SM, Le N, Plenderleith IH, Spinelli JJ, Basco VE, et al. Adjuvant radiotherapy and chemotherapy in node-positive premenopausal women with breast cancer. N Engl J Med. 1997; 337(14): 956-62. [PMID: 9309100]
3) Favourable and unfavourable effects on long-term survival of radiotherapy for early breast cancer: an overview of the randomised trials. Early Breast Cancer Trialists' Collaborative Group. Lancet. 2000; 355(9217): 1757-70. [PMID: 10832826]
4) Clarke M, Collins R, Darby S, Davies C, Elphinstone P, Evans V, et al; Early Breast Cancer Trialists' Collaborative Group(EBCTCG). Effects of radiotherapy and of differences in the extent of surgery for early breast cancer on local recurrence and 15-year survival: an overview of the randomised trials. Lancet. 2005; 366(9503): 2087-106. [PMID: 16360786]
5) Punglia RS, Morrow M, Winer EP, Harris JR. Local therapy and survival in breast cancer. N Engl J Med. 2007; 356(23): 2399-405. [PMID: 17554121]
6) Poortmans P. Postmastectomy radiation in breast cancer with one to three involved lymph nodes: ending the debate. Lancet. 2014; 383(9935): 2104-6. [PMID: 24656686]
7) Nozaki M, Kagami Y, Mitsumori M, Hiraoka M. A multicenter investigation of late adverse events in Japanese women treated with breast-conserving surgery plus conventional fractionated whole-breast radiation therapy. Jpn J Clin Oncol. 2012; 42(6): 522-7. [PMID: 22504781]
8) Omarini C, Thanopoulou E, Johnston SR. Pneumonitis and pulmonary fibrosis associated with breast cancer treatments. Breast Cancer Res Treat. 2014; 146(2): 245-58. [PMID: 24929676]
9) Ogo E, Komaki R, Fujimoto K, Uchida M, Abe T, Nakamura K, et al. A survey of radiation-induced bronchiolitis obliterans organizing pneumonia syndrome after breast-conserving therapy in Japan. Int J Radiat Oncol Biol Phys. 2008; 71(1): 123-31. [PMID: 18060702]
10) Lind PA, Marks LB, Hardenbergh PH, Clough R, Fan M, Hollis D, et al. Technical factors associated with radiation pneumonitis after local +/− regional radiation therapy for breast cancer. Int J Radiat Oncol Biol Phys. 2002; 52(1): 137-43. [PMID: 11777631]
11) Tsai RJ, Dennis LK, Lynch CF, Snetselaar LG, Zamba GK, Scott-Conner C. The risk of developing arm lymphedema among breast cancer survivors: a meta-analysis of treatment factors. Ann Surg Oncol. 2009; 16(7): 1959-72. [PMID: 19365624]
12) DiSipio T, Rye S, Newman B, Hayes S. Incidence of unilateral arm lymphoedema after breast cancer: a systematic review and meta-analysis. Lancet Oncol. 2013; 14(6): 500-15. [PMID: 23540561]
13) Warren LE, Miller CL, Horick N, Skolny MN, Jammallo LS, Sadek BT, et al. The impact of radiation therapy on the risk of lymphedema after treatment for breast cancer: a prospective cohort study. Int J Radiat Oncol Biol Phys. 2014; 88(3): 565-71. [PMID: 24411624]
14) Shaitelman SF, Chiang YJ, Griffin KD, DeSnyder SM, Smith BD, Schaverien MV, et al. Radiation therapy targets and the risk of breast cancer-related lymphedema: a systematic review and network meta-analysis. Breast Cancer Res Treat. 2017; 162(2): 201-15. [PMID: 28012086]
15) Chandra RA, Miller CL, Skolny MN, Warren LE, Horick N, Jammallo LS, et al. Radiation therapy risk factors for development of lymphedema in patients treated with regional lymph node irradiation for breast cancer. Int J Radiat Oncol Biol Phys. 2015; 91(4): 760-4. [PMID: 25752389]
16) Pierce SM, Recht A, Lingos TI, Abner A, Vicini F, Silver B, et al. Long-term radiation complications following conservative surgery(CS)and radiation therapy(RT)in patients with early stage breast cancer. Int J Radiat Oncol Biol Phys. 1992; 23(5): 915-23. [PMID: 1639653]
17) Rudra S, Roy A, Brenneman R, Gabani P, Roach MC, Ochoa L, et al. Radiation-induced brachial plexopathy in patients with breast cancer treated with comprehensive adjuvant radiation therapy. Adv Radiat Oncol. 2020; 6(1): 100602. [PMID: 33665488]
18) Lundstedt D, Gustafsson M, Steineck G, Sundberg A, Wilderäng U, Holmberg E, et al. Radiation therapy to the plexus brachialis in breast cancer patients: analysis of paresthesia in relation to dose and volume. Int J Radiat Oncol Biol Phys. 2015; 92(2): 277-83. [PMID: 25765147]

19) Højris I, Overgaard M, Christensen JJ, Overgaard J. Morbidity and mortality of ischaemic heart disease in high-risk breast-cancer patients after adjuvant postmastectomy systemic treatment with or without radiotherapy: analysis of DBCG 82b and 82c randomised trials. Radiotherapy Committee of the Danish Breast Cancer Cooperative Group. Lancet. 1999; 354(9188): 1425-30. [PMID: 10543669]
20) Darby SC, McGale P, Taylor CW, Peto R. Long-term mortality from heart disease and lung cancer after radiotherapy for early breast cancer: prospective cohort study of about 300,000 women in US SEER cancer registries. Lancet Oncol. 2005; 6(8): 557-65. [PMID: 16054566]
21) Taylor C, Correa C, Duane FK, Aznar MC, Anderson SJ, Bergh J, et al; Early Breast Cancer Trialists' Collaborative Group. Estimating the risks of breast cancer radiotherapy: evidence from modern radiation doses to the lungs and heart and from previous randomized trials. J Clin Oncol. 2017; 35(15): 1641-9. [PMID: 28319436]
22) Darby SC, Ewertz M, McGale P, Bennet AM, Blom-Goldman U, Brønnum D, et al. Risk of ischemic heart disease in women after radiotherapy for breast cancer. N Engl J Med. 2013; 368(11): 987-98. [PMID: 23484825]
23) Killander F, Wieslander E, Karlsson P, Holmberg E, Lundstedt D, Holmberg L, et al. No increased cardiac mortality or morbidity of radiation therapy in breast cancer patients after breast-conserving surgery: 20-year follow-up of the randomized SweBCGRT trial. Int J Radiat Oncol Biol Phys. 2020; 107(4): 701-9. [PMID: 32302682]
24) Grantzau T, Overgaard J. Risk of second non-breast cancer among patients treated with and without postoperative radiotherapy for primary breast cancer: a systematic review and meta-analysis of population-based studies including 522,739 patients. Radiother Oncol. 2016; 121(3): 402-13. [PMID: 27639892]
25) Deutsch M, Land SR, Begovic M, Wieand HS, Wolmark N, Fisher B. The incidence of lung carcinoma after surgery for breast carcinoma with and without postoperative radiotherapy. Results of National Surgical Adjuvant Breast and Bowel Project(NSABP)clinical trials B-04 and B-06. Cancer. 2003; 98(7): 1362-8. [PMID: 14508821]
26) Ford MB, Sigurdson AJ, Petrulis ES, Ng CS, Kemp B, Cooksley C, et al. Effects of smoking and radiotherapy on lung carcinoma in breast carcinoma survivors. Cancer. 2003; 98(7): 1457-64. [PMID: 14508833]
27) Zablotska LB, Chak A, Das A, Neugut AI. Increased risk of squamous cell esophageal cancer after adjuvant radiation therapy for primary breast cancer. Am J Epidemiol. 2005; 161(4): 330-7. [PMID: 15692076]
28) Lingos TI, Recht A, Vicini F, Abner A, Silver B, Harris JR. Radiation pneumonitis in breast cancer patients treated with conservative surgery and radiation therapy. Int J Radiat Oncol Biol Phys. 1991; 21(2): 355-60. [PMID: 2061112]
29) Pierce LJ, Butler JB, Martel MK, Normolle DP, Koelling T, Marsh RB, et al. Postmastectomy radiotherapy of the chest wall: dosimetric comparison of common techniques. Int J Radiat Oncol Biol Phys. 2002; 52(5): 1220-30. [PMID: 11955732]
30) Lee JW, Hong S, Choi KS, Kim YL, Park BM, Chung JB, et al. Performance evaluation of field-in-field technique for tangential breast irradiation. Jpn J Clin Oncol. 2008; 38(2): 158-63. [PMID: 18216025]

総説 2
乳房手術後に放射線療法が勧められない場合

乳房温存療法がその治療成績において乳房全切除術と同等であることは知られているが，これは乳房部分切除術後に放射線療法を加えることにより達成される。また，再発高リスク患者の乳房全切除術後では術後照射が予後を改善することが知られている。しかし，ときには放射線療法による害がそのような益を上回る場合がある。そこで適切な共同意思決定(shared decision making)を行うためには放射線療法が勧められない条件を明らかにしなければならない。

1）絶対的禁忌

(1) 妊娠中

胚/胎児は放射線感受性が高いことが知られているが，その感受性は妊娠の時期によって大きく異なる。奇形については，3〜8 週の臓器形成期では 0.1〜0.2 Gy でも発生し得る[1]。また，精神発達障害については，感受性の高い妊娠 8〜25 週の時期に 0.1 Gy を超えて胎児被曝すれば IQ 低下がみられることがあり，1 Gy では重篤な精神発達障害のリスクは 40%にもなる[2]。発癌については，妊娠後期の胎児被曝が出生後のがんを誘発する可能性があり，その閾値は動物実験では 0.1 Gy 前後の可能性も指摘されている[3]。

このように胎児への被曝はできるだけ避けねばならない。妊娠中の放射線療法が禁忌であるのは，妊娠中はいかに腹部を遮蔽しても胎児の被曝量は無視できないためである。例えば 6 MV X 線による乳房接線照射(50 Gy)のファントム(人体模型)実験では胚/胎児被曝は，妊娠初期(0.021〜0.076 Gy)，中期(0.022〜0.246 Gy)，後期(0.022〜0.586 Gy)となった[4]。非妊娠時なら施行される放射線療法が妊娠中のために遅れることへの不安もあるが，これに応えるエビデンスはない。したがって，妊娠後期であっても，乳房や胸壁への照射は出産後まで延期すべきである。

放射線療法前に妊娠の可能性の有無について確認することは必須であるが，万が一，妊娠初期に気づかずに照射しても，判明した時点でそれ以降を中止すれば，胎児被曝が 0.1 Gy を超える可能性は低い。医学物理士などの放射線物理の専門家を交えて詳細な胎児の被曝線量評価を行い，胎児が受けた線量と生じる可能性のある影響について患者に十分な情報を与えたうえで妊娠継続の可否を判断すべきであり，安易に妊娠中絶を勧めるべきではない。

(2) 放射線療法による二次性悪性腫瘍のリスクが極めて高い遺伝性疾患

ホモ接合性 *ATM* 病的バリアントのある患者は放射線感受性が極めて高く，NCCN ガイドラインでは絶対的禁忌に挙げられているが[5]，非常に稀である。一方で，米国臨床腫瘍学会(ASCO)，米国放射線腫瘍学会(ASTRO)，外科腫瘍学会(SSO)の 3 学会が共同で作成した遺伝子変異情報に基づいた遺伝性乳癌の治療方針に関するガイドラインでは，ヘテロ接合性 *ATM* 病的バリアント保持者である乳癌患者に対しては，放射線治療を控えるべきではないとしている[6]。

2）相対的禁忌

(1) 背臥位にて患側上肢挙上不能

照射時には患側上肢を外転，挙上した背臥位で照射することが多く，その姿勢を保持できない患者は精度の高い再現性と十分な照射野を確保できず，乳房ならびに胸壁への放射線照射は困難である。

(2) 膠原病のうち活動性の強皮症や全身性エリテマトーデス(SLE)を合併

膠原病患者ではときに強い反応を起こすことが報告されている。膠原病患者における放射線療法のリスクについては，報告によって結果はさまざまで，高いレベルのエビデンスはない。イェール大学の症例対照研究は乳房温存療法のみを対象としており，急性期反応に差はなかったが，強皮症で晩期反応が強くみられた[7)]。乳癌以外の癌種も含まれている症例対照研究やケース・シリーズ研究の報告もある[8)〜11)]。ミシガン大学からの報告では，全体として急性期反応に差はないものの，乳房の急性期反応が強くみられた[8)]。その他の研究では急性期反応に差がなかった。晩期についてはミシガン大学からの報告によると，強皮症および全身性エリテマトーデス(SLE)で反応が増加した[8)]。マサチューセッツ総合病院のケース・シリーズによると関節リウマチでは有害事象は増えなかったが，強皮症とSLEでは晩期有害事象が有意に増加した[9)]。有害事象と線量との関係も明確ではないが，少なくとも40 Gy未満の姑息的照射では問題となる反応がみられなかった[10)]。先述のマサチューセッツ総合病院からの報告では，晩期反応と線量には相関がなかった[9)]。どの報告も患者数が少なく，高いレベルのエビデンスはない。急性期および晩期有害事象が強く出る可能性はあるので[9)]，活動性の強皮症やSLEを合併した患者では乳房照射および胸壁照射は避けたほうがよい。一方，関節リウマチでは有害事象の増加はないと考えられるが，肺疾患を合併することがあり，肺の有害事象には十分に注意して治療すべきである[7)]。

(3) 患側乳房，胸壁への放射線療法の既往(同一部位への再照射)

過去に患側乳房や胸壁に対する放射線療法の既往がある場合は，同一部位への再照射は注意が必要である。正常組織には耐容線量があり，それを超えると不可逆的変化をきたす可能性が高まるので，基本的に再照射は禁忌である。しかしながら，過去の放射線療法の線量や分布を十分に検討したうえで，耐容線量の範囲で再照射が可能と判断されれば照射を行うことも許容される。

(4) Li Fraumeni症候群などの放射線療法による二次性悪性腫瘍のリスクが高い遺伝性疾患

Li Fraumeni症候群は*TP53*の病的バリアントを原因とする遺伝性疾患であり，肉腫や副腎皮質癌のほか，閉経前乳癌を発症するリスクが高いことが知られている。Li Fraumeni症候群では，発症率は報告により異なるものの，乳癌手術後の放射線療法による二次発がんのリスクが高いことが報告されているので[12)〜14)]，放射線療法はできるだけ避けるべきである。遺伝子変異が診断済みで乳房全切除術によって照射を避けることが可能なら乳房全切除術を選択するべきである。先述のASCO/ASTRO/SSOガイドラインにおいても，*TP53*の生殖細胞系列病的バリアント保持者である乳癌患者に対する温存乳房照射は禁忌としている[6)]。乳房温存を希望した場合や，乳房全切除術後に再発リスクが高い場合では，リスクベネフィットバランスについて患者と十分に話し合うことが必要である。一方，緩和照射の場合には一般的にベネフィットがリスクを上回ると考えられる。*BRCA*病的バリアントを有する患者の放射線療法については放射線BQ10を参照されたい。

参考文献

1) Loibl S, von Minckwitz G, Gwyn K, Ellis P, Blohmer JU, Schlegelberger B, et al. Breast carcinoma during pregnancy. International recommendations from an expert meeting. Cancer. 2006; 106(2): 237-46. [PMID: 16342247]

2) International Commission on Radiological Protection. Pregnancy and medical radiation. Ann ICRP. 2000; 30(1): iii-viii, 1-43. [PMID: 11108925]
3) Streffer C, Shore R, Konermann G, Meadows A, Uma Devi P, Preston Withers J, et al. Biological effects after prenatal irradiation(embryo and fetus). A report of the International Commission on Radiological Protection. Ann ICRP. 2003; 33(1-2): 5-206. [PMID: 12963090]
4) Mazonakis M, Varveris H, Damilakis J, Theoharopoulos N, Gourtsoyiannis N. Radiation dose to conceptus resulting from tangential breast irradiation. Int J Radiat Oncol Biol Phys. 2003; 55(2): 386-91. [PMID: 12527052]
5) NCCN Clinical Practice Guidelines in Oncology: Breast Cancer. Version 8.2021 https://www.nccn.org/professionals/physician_gls/pdf/breast.pdf
6) Tung NM, Boughey JC, Pierce LJ, Robson ME, Bedrosian I, Dietz JR, et al. Management of hereditary breast cancer: American Society of Clinical Oncology, American Society for Radiation Oncology, and Society of Surgical Oncology Guideline. J Clin Oncol. 2020; 38(18): 2080-106. [PMID: 32243226]
7) Chen AM, Obedian E, Haffty BG. Breast-conserving therapy in the setting of collagen vascular disease. Cancer J. 2001; 7(6): 480-91. [PMID: 11769860]
8) Lin A, Abu-Isa E, Griffith KA, Ben-Josef E. Toxicity of radiotherapy in patients with collagen vascular disease. Cancer. 2008; 113(3): 648-53. [PMID: 18506734]
9) Morris MM, Powell SN. Irradiation in the setting of collagen vascular disease: acute and late complications. J Clin Oncol. 1997; 15(7): 2728-35. [PMID: 9215847]
10) Ross JG, Hussey DH, Mayr NA, Davis CS. Acute and late reactions to radiation therapy in patients with collagen vascular diseases. Cancer. 1993; 71(11): 3744-52. [PMID: 8490925]
11) Phan C, Mindrum M, Silverman C, Paris K, Spanos W. Matched-control retrospective study of the acute and late complications in patients with collagen vascular diseases treated with radiation therapy. Cancer J. 2003; 9(6): 461-6. [PMID: 14740974]
12) Heymann S, Delaloge S, Rahal A, Caron O, Frebourg T, Barreau L, et al. Radio-induced malignancies after breast cancer postoperative radiotherapy in patients with Li-Fraumeni syndrome. Radiat Oncol. 2010; 5: 104. [PMID: 21059199]
13) Le AN, Harton J, Desai H, Powers J, Zelley K, Bradbury AR, et al. Frequency of radiation-induced malignancies post-adjuvant radiotherapy for breast cancer in patients with Li-Fraumeni syndrome. Breast Cancer Res Treat. 2020; 181(1): 181-8. [PMID: 32246378]
14) Petry V, Bonadio RC, Cagnacci AQC, Senna LAL, Campos RDNG, Cotti GC, et al. Radiotherapy-induced malignancies in breast cancer patients with TP53 pathogenic germline variants(Li-Fraumeni syndrome). Fam Cancer. 2020; 19(1): 47-53. [PMID: 31748977]

1. 乳房手術後放射線療法

BQ 1 Stage Ⅰ-Ⅱ乳癌に対する乳房部分切除術後の放射線療法として全乳房照射は勧められるか？

ステートメント

- 全乳房照射を行うことが標準治療である。

背 景

海外のランダム化比較試験では，すべての放射線療法併用群で温存乳房内再発の有意な減少を認めており，乳房部分切除術後の乳房照射は必要であると結論付けている。また，これらのランダム化比較試験のメタアナリシスにより，乳房部分切除術後の放射線療法が生存率向上にも寄与していることが明らかとなった。

乳房部分切除術後の全乳房照射の有用性（再発低減，生存率向上）について概説した。また，乳房部分切除術後の乳房照射が省略できる症例についても概説した。

解 説

乳房部分切除術後の乳房照射の有用性は，17 のランダム化比較試験（計 10,801 例）についてEBCTCG が行ったメタアナリシスによって証明されている[1]。メタアナリシスに含まれる各ランダム化比較試験は対象症例，治療法などが多少異なるが，多くは 4 cm 以下の腫瘍に対して腫瘍摘出術を行い，放射線療法（50 Gy 前後の全乳房照射と一部は 10 Gy 程度の追加照射）の有無でランダム化割り付けを行っている。このメタアナリシスでは，乳房部分切除術後に放射線療法を加えることにより，乳癌死の絶対リスクが有意に低下することが示された。10 年での乳癌再発の絶対リスクは 15.7％減少（35.0％→19.3％，$2p<0.00001$），15 年での乳癌死の絶対リスクは 3.8％減少（25.2％→21.4％，$2p<0.00005$）した。ただし，乳癌再発や乳癌死の低下率の絶対値は，各患者の再発リスクの大小により異なる点には注意が必要である。EBCTCG のメタアナリシスの結果から，乳房部分切除術後の放射線療法は，10 年までの乳癌の再発をほぼ半減させ（約 35％→19％へ約 16％減），15 年までの乳癌死を約 1/6 減少（約 25％→21％へ約 4％減）させると見積もられる。言い換えれば，10 年までの乳癌再発を 4 例減らすことにより，15 年までの乳癌死を 1 例減らすことができるということになる[1]。

一方，早期乳癌患者のうち，温存乳房内再発リスクが低いホルモン受容体陽性の高齢患者については，放射線療法が省略できるのではないかとの検討も行われてきた[2]。70 歳以上，かつエストロゲン受容体陽性の患者への術後薬物療法として，タモキシフェンのみの群とタモキシフェン＋放射線療法の群を比較したランダム化比較試験では，10 年局所・領域無再発率はそれぞれ 90％，98％で有意差が認められたが（$p<0.001$），10 年全生存率には有意差がなかった（66％ vs. 67％）[3]。65 歳以上の低リスク（ホルモン受容体陽性，腋窩リンパ節転移なし，腫瘍径 3 cm 以下，

断端陰性，「G3 かつ脈管侵襲あり」ではない，などの条件で判定）乳癌患者を対象としたランダム化比較試験（経過観察期間中央値 5 年）でも，放射線療法によって温存乳房内再発は有意に減少したものの（1.3% vs. 4.1%，$p=0.0002$），生存率には有意差がみられなかった[3]。さらに，65～70 歳以上の低リスク乳癌患者に関するシステマティック・レビューでも，内分泌療法に放射線療法を加えることによって温存乳房内再発の有意な減少が認められたものの〔5 年：リスク比（RR）0.18，95%CI 0.10–0.34，10 年：RR 0.27，95%CI 0.13–0.54〕，生存率の改善は認められなかった[4]。50～70 歳以上を対象とした別のシステマティック・レビューでも，内分泌療法のみの群では内分泌療法＋放射線療法の群と比べて，局所再発が有意に多かったが（HR 6.8，95%CI 4.23–10.93，$p<0.0001$），生存率には有意差は認めなかった[5]。現時点では，高齢の低リスク患者についても，原則として放射線療法は有用と考えられるが，個々の患者の身体的，社会的状況も考慮する必要があるかもしれない。早期乳癌患者のうち，ホルモン受容体陽性の高齢患者に対しては，放射線療法を省略して内分泌療法のみを行うことも容認し得るという意見もあり，NCCN ガイドラインでは，70 歳以上のエストロゲン受容体陽性，cN0，T1 症例の乳房部分切除術後には，内分泌療法のみを行い，乳房照射を省略するという選択肢も考慮するとされている。ただし，ここで日本と米国では平均寿命に差がある点には注意しておかなければならない。平均寿命が米国人よりも長い日本人では，70 歳代であっても放射線療法による温存乳房内再発率の改善が生存率に影響する可能性を否定できず，日本人において全乳房照射の省略を考慮できる年齢は不明といえる。

乳房部分切除術後の全乳房照射により，乳癌再発，乳癌死のリスクを低減でき，さらに現時点では全乳房照射を安全に省略できる患者も明らかではないことから，乳房部分切除術後には全乳房照射を行うのが標準治療である。ただし，乳癌再発リスクが低い高齢者では，身体的，社会的状況によっては全乳房照射の省略を考慮してよいかもしれない。

検索キーワード・参考にした二次資料

PubMed で，"Breast Neoplasms"，"Radiotherapy"，"Early Breast Cancer"，"Stage Ⅰ，Ⅱ Breast Cancer"，"Mastectomy，Segmental" のキーワードで検索した。医中誌・Cochrane Library も同等のキーワードで検索した。検索期間は 2016 年 1 月 1 日～2021 年 3 月 31 日とし，324 件がヒットした。一次スクリーニングで 16 編の論文が抽出され，二次スクリーニングで内容を検討した結果，最終的に 2 編の論文（メタアナリシス）を採用した。これに加えて，「乳癌診療ガイドライン①治療編 2018 年版および 2021 年 web 改訂版」の参考文献や他のガイドライン，二次資料などから重要と思われる文献を採用した。

参考文献

1） Early Breast Cancer Trialists' Collaborative Group（EBCTCG），Darby S，McGale P，Correa C，Taylor C，Arriagada R，et al. Effect of radiotherapy after breast-conserving surgery on 10-year recurrence and 15-year breast cancer death: meta-analysis of individual patient data for 10,801 women in 17 randomised trials. Lancet. 2011; 378（9804）: 1707-16. [PMID: 22019144]

2） Hughes KS，Schnaper LA，Bellon JR，Cirrincione CT，Berry DA，McCormick B，et al. Lumpectomy plus tamoxifen with or without irradiation in women age 70 years or older with early breast cancer: long-term follow-up of CALGB 9343. J Clin Oncol. 2013; 31（19）: 2382-7. [PMID: 23690420]

3） Kunkler IH，Williams LJ，Jack WJ，Cameron DA，Dixon JM; PRIME Ⅱ investigators. Breast-conserving surgery with or without irradiation in women aged 65 years or older with early breast cancer（PRIME Ⅱ）: a randomised controlled trial. Lancet Oncol. 2015; 16（3）: 266-73. [PMID: 25637340]

4） Chesney TR，Yin JX，Rajaee N，Tricco AC，Fyles AW，Acuna SA，et al. Tamoxifen with radiotherapy compared with Tamoxifen alone in elderly women with early-stage breast cancer treated with breast conserving surgery: A systematic review and meta-analysis. Radiother Oncol. 2017; 123（1）: 1-9. [PMID: 28391871]

5） Matuschek C，Bölke E，Haussmann J，Mohrmann S，Nestle-Krämling C，Gerber PA，et al. The benefit of adjuvant radiotherapy after breast conserving surgery in older patients with low risk breast cancer- a meta-analysis of randomized trials. Radiat Oncol. 2017; 12（1）: 60. [PMID: 28335784]

BQ 2　非浸潤性乳管癌に対して乳房部分切除術後に放射線療法は勧められるか。

ステートメント

- 放射線療法を行うことが標準治療である。

背景

非浸潤性乳管癌（ductal carcinoma *in situ*；DCIS）に対して，乳房部分切除術後放射線療法が広く行われている。DCIS症例における乳房部分切除術後放射線療法の有用性について，信頼性の高いエビデンスをもとに概説した。

解説

乳房部分切除術を行ったDCIS症例について，術後放射線療法の有用性を比較した4つのランダム化比較試験（NSABP B-17試験，EORTC 10853試験，UK/ANZ DCIS試験，SweDCIS試験）が行われた。いずれの試験でも術後放射線療法により温存乳房内再発は減少した。これらについてEBCTCGが行ったメタアナリシスによると，術後放射線療法により10年での温存乳房内再発（DCISあるいは浸潤癌としての再発）は28.1％から12.9％（$2p<0.00001$）に減少していた[1)]。

また，コクランデータベースのシステマティック・レビューでも，術後放射線療法による温存乳房内再発の有意な減少が示された〔ハザード比（HR）0.49，95％CI 0.41–0.58，$p<0.00001$〕[2)]。その後，上記の4つのランダム化比較試験は長期成績の解析が行われており，いずれも術後放射線療法による温存乳房内再発の減少が確認されている[3)〜6)]。

さらに先述のEBCTCGによるシステマティック・レビューでは[1)]，年齢，乳房部分切除術の切除範囲，タモキシフェン投与，発見の契機（症状の有無），切除断端の状態，単中心性vs多中心性，組織学的グレード，面疱壊死の有無，腫瘍構造，腫瘍径などにかかわらず，術後照射により温存乳房内再発が減少することが示された。ただし，術後照射による温存乳房内再発の抑制効果は50歳未満よりも，50歳以上でより大きかった。一方，10年での乳癌死，非乳癌死，全死亡は，術後放射線療法の有無により有意差はなかった。

他方，術後放射線療法が省略可能な予後良好群を同定する試みもなされている[7)8)]。米国の多施設共同で行われた研究（ECOG-ACRIN E5194試験）では，断端距離3 mm以上のDCIS症例のうち，径2.5 cm以下の低/中グレード症例では，術後放射線療法なしで12年温存乳房内再発は14.4％であり，径1 cm以下の高グレード症例では24.6％であった[7)]。また，The Radiation Therapy Oncology Group（RTOG）によるランダム化比較試験（RTOG 9804試験）では，径2.5 cm以下の低/中グレードで断端距離3 mm以上の636人のDCISにおいて放射線療法群と放射線療法省略群を比較し，15年患側乳房内再発率は前者では7.1％に対し，後者では15.1％であった（HR 0.36，95％CI 0.20–0.66，$p=0.0007$）[8)]。

また，臨床的・病理学的特徴などを取り入れたノモグラムや多遺伝子アッセイなどを用いて再発リスクを予測し，放射線療法の適応を模索する動きもある[9)~13)]。SEER（Surveillance, Epidemiology, and End Results）データベースから1988年から2007年のDCIS患者32,144人を抽出して，放射線療法施行群（20,329人）と放射線療法省略群（11,815人）の乳癌死について解析した報告では，病理学的悪性度，年齢，腫瘍径による予後スコアが低い群では乳癌死亡率は変わらなかったが，予後スコアが高い群では，放射線療法施行群は省略群に比して乳癌死が約70％減少することが示された[12)]。また，多遺伝子アッセイを用いて，温存乳房内再発や放射線療法の有用性を予測できる可能性も報告された[11)14)]。

ESMOのガイドラインでは，10 mm以下の低/中グレードで十分な切除断端が確保されていれば，術後放射線療法省略も選択肢の一つとなり得るとしており[15)]，2021年のザンクトガレン国際乳癌会議でも，専門家の意見では70歳以上の低リスク症例では，術後放射線療法省略を支持するという意見であった[16)]。また，NCCNのガイドラインでは，触知可能か，組織学的グレード，切除断端，年齢などを考慮して，患者，医師が再発低リスクと判断すれば，特にエストロゲン受容体陽性で内分泌療法を受ける場合は，放射線療法を省略してもよいかもしれない，としているが，専門家の意見では再発低リスクであっても放射線療法を省略すると温存乳房内再発率は高くなるとしている[17)]。

しかしながら現在の知見では，DCISに対して術後放射線療法を安全に省略し得る患者群についての確たるエビデンスは乏しく，放射線療法の有害事象（☞放射線 総説1参照）を考慮しても，得られるメリットのほうが大きいと考えられ，術後放射線療法を行うことが標準治療である。

検索キーワード・参考にした二次資料

PubMedで，"breast neoplasm"，"ductal carcinoma in situ"，"DCIS"，"intraductal, noninfiltrating"，"conserving"，"conserved"，"radiotherapy" のキーワードと，"pathology" の同義語で検索した。検索期間は2016年1月～2021年3月までとし，117件がヒットした。ハンドサーチや二次資料などから重要と思われる文献を加え17編を採用した。

参考文献

1) Early Breast Cancer Trialists' Collaborative Group (EBCTCG), Correa C, McGale P, Taylor C, Wang Y, Clarke M, et al. Overview of the randomized trials of radiotherapy in ductal carcinoma in situ of the breast. J Natl Cancer Inst Monogr. 2010; 2010(41): 162-77. [PMID: 20956824]
2) Goodwin A, Parker S, Ghersi D, Wilcken N. Post-operative radiotherapy for ductal carcinoma in situ of the breast. Cochrane Database Syst Rev. 2013; (11): CD000563. [PMID: 24259251]
3) Wapnir IL, Dignam JJ, Fisher B, Mamounas EP, Anderson SJ, Julian TB, et al. Long-term outcomes of invasive ipsilateral breast tumor recurrences after lumpectomy in NSABP B-17 and B-24 randomized clinical trials for DCIS. J Natl Cancer Inst. 2011; 103(6): 478-88. [PMID: 21398619]
4) Donker M, Litière S, Werutsky G, Julien JP, Fentiman IS, Agresti R, et al. Breast-conserving treatment with or without radiotherapy in ductal carcinoma In Situ: 15-year recurrence rates and outcome after a recurrence, from the EORTC 10853 randomized phase Ⅲ trial. J Clin Oncol. 2013; 31(32): 4054-9. [PMID: 24043739]
5) Cuzick J, Sestak I, Pinder SE, Ellis IO, Forsyth S, Bundred NJ, et al. Effect of tamoxifen and radiotherapy in women with locally excised ductal carcinoma in situ: long-term results from the UK/ANZ DCIS trial. Lancet Oncol. 2011; 12(1): 21-9. [PMID: 21145284]
6) Wärnberg F, Garmo H, Emdin S, Hedberg V, Adwall L, Sandelin K, et al. Effect of radiotherapy after breast-conserving surgery for ductal carcinoma in situ: 20 years follow-up in the randomized SweDCIS Trial. J Clin Oncol. 2014; 32(32): 3613-8. [PMID: 25311220]
7) Solin LJ, Gray R, Hughes LL, Wood WC, Lowen MA, Badve SS, et al. Surgical excision without radiation for ductal carcinoma in situ of the breast: 12-year results from the ECOG-ACRIN E5194 study. J Clin Oncol. 2015; 33(33): 3938-44. [PMID: 26371148]
8) McCormick B, Winter KA, Woodward W, Kuerer HM, Sneige N, Rakovitch E, et al. Randomized phase Ⅲ trial

evaluating radiation following surgical excision for good-risk ductal carcinoma in situ: long-term report from NRG oncology/RTOG 9804. J Clin Oncol. 2021; 39(32): 3574-82. [PMID: 34406870]
9) Rudloff U, Jacks LM, Goldberg JI, Wynveen CA, Brogi E, Patil S, et al. Nomogram for predicting the risk of local recurrence after breast-conserving surgery for ductal carcinoma in situ. J Clin Oncol. 2010; 28(23): 3762-9. [PMID: 20625132]
10) Yi M, Meric-Bernstam F, Kuerer HM, Mittendorf EA, Bedrosian I, Lucci A, et al. Evaluation of a breast cancer nomogram for predicting risk of ipsilateral breast tumor recurrences in patients with ductal carcinoma in situ after local excision. J Clin Oncol. 2012; 30(6): 600-7. [PMID: 22253459]
11) Solin LJ, Gray R, Baehner FL, Butler SM, Hughes LL, Yoshizawa C, et al. A multigene expression assay to predict local recurrence risk for ductal carcinoma in situ of the breast. J Natl Cancer Inst. 2013; 105(10): 701-10. [PMID: 23641039]
12) Sagara Y, Freedman RA, Vaz-Luis I, Mallory MA, Wong SM, Aydogan F, et al. Patient prognostic score and associations with survival improvement offered by radiotherapy after breast-conserving surgery for ductal carcinoma in situ: a population-based longitudinal cohort study. J Clin Oncol. 2016; 34(11): 1190-6. [PMID: 26834064]
13) Shah C, Bremer T, Cox C, Whitworth P, Patel R, Patel A, et al. The clinical utility of DCISionRT® on radiation therapy decision making in patients with ductal carcinoma in situ following breast-conserving surgery. Ann Surg Oncol. 2021; 28(11): 5974-84. [PMID: 33821346]
14) Rakovitch E, Nofech-Mozes S, Hanna W, Baehner FL, Saskin R, Butler SM, et al. A population-based validation study of the DCIS Score predicting recurrence risk in individuals treated by breast-conserving surgery alone. Breast Cancer Res Treat. 2015; 152(2): 389-98. [PMID: 26119102]
15) Cardoso F, Kyriakides S, Ohno S, Penault-Llorca F, Poortmans P, Rubio IT, et al. Electronic address: clinicalguidelines@esmo.org. Early breast cancer: ESMO Clinical Practice Guidelines for diagnosis, treatment and follow-up†. Ann Oncol. 2019; 30(8): 1194-220. [PMID: 31161190]
16) Burstein HJ, Curigliano G, Thürlimann B, Weber WP, Poortmans P, Regan MM, et al; Panelists of the St Gallen Consensus Conference. Customizing local and systemic therapies for women with early breast cancer: the St. Gallen International Consensus Guidelines for treatment of early breast cancer 2021. Ann Oncol. 2021; 32(10): 1216-35. [PMID: 34242744]
17) NCCN Clinical practice guidelines in oncology: BREAST CANCER, version 8. 2021.
https://www.nccn.org/professionals/physician_gls/pdf/breast.pdf （アクセス日：2021/9/29）

BQ 3 術前化学療法後に病理学的完全奏効(pCR)が得られた乳房部分切除術後患者でも，温存乳房への放射線療法は勧められるか？

ステートメント

- 放射線療法を行うことが標準治療である。

背景

近年，整容性良好な乳房温存を目指し，化学療法を施行して腫瘍を縮小させたうえで乳房部分切除術を行う治療法が行われる。また，治療前に乳房部分切除術非適応であった症例の一部で，乳房部分切除術が可能となる(☞外科 BQ3 参照)。これらの症例では，術前化学療法により病理学的完全奏効(pCR)となることがある。術前化学療法後に pCR が得られた乳房部分切除術後患者に対する術後放射線療法の必要性について概説した。

解説

乳房温存療法では，乳房部分切除術後に乳房への放射線療法を行うことで，乳房全切除術と同等の生存率が得られ(☞外科 BQ3 参照)，乳房部分切除術後の乳房照射は標準治療である(☞放射線 BQ1 参照)。近年，術前化学療法の普及と発展に伴い，pCR が得られる症例が増えているが，pCR となった症例に対する術後乳房照射の有用性に関する前向きの研究はない。米国 National Cancer Database(NCD)からの後ろ向きコホート研究では，術前化学療法後に pCR となった乳房部分切除術後の 5,383 例(うち 7%が照射省略)について検討され，照射省略による全生存率の低下は認められなかったが，局所・領域リンパ節制御や遠隔再発については解析されていない[1)]。検索した限り，術前化学療法後，pCR が得られた患者に対する乳房照射省略の安全性に関する文献はこの 1 編のみであり，照射省略の安全性についてのエビデンスは不十分である。

局所進行乳癌への術前化学療法に関する主なレビューでは，術前化学療法後に乳房部分切除術を行う場合には，全例に術後放射線療法が必要であるとの認識が示されている[2)3)]。また，術前化学療法の経験が豊富な M.D. アンダーソンがんセンターでは，術前化学療法により pCR が得られた症例に乳房部分切除術を行った場合でも，ほぼ全例に術後放射線療法を行い，良好な局所制御を得ている[4)5)]。これまで行われた局所進行乳癌に対する術前化学療法と術後化学療法の成績を比較したランダム化比較試験では，術前化学療法後に乳房部分切除術を行う場合，奏効度に関係なく術後放射線療法を行うように設定され，術後化学療法群と同等の成績が示されている[6)~8)]。

線量に関しても十分なエビデンスはないが，M.D. アンダーソンがんセンターや前述の臨床試験では，術前化学療法後に乳房部分切除術を施行した症例に対して，全乳房照射約 50 Gy/約 25 回 ± 腫瘍床 10 Gy/5 回のブースト照射のように，通常の乳房温存療法で使用する線量で行われた[5)6)]。

以上のように，エビデンスレベルが高い文献はないが，専門家の間では，術前化学療法後の乳房部分切除術にて pCR が得られた症例に対しても，温存乳房への術後照射が必須であるという認識で一致しており[7)8)]，現状では温存乳房への術後照射が標準治療である。

検索キーワード・参考にした二次資料

PubMed で，“Breast Neoplasms”，“Mastectomy, Segmental”，“Neoadjuvant Therapy”，“Pathology” のキーワードと，“pathologic complete response” の同義語で検索した。検索期間は 2021 年 3 月～2021 年 3 月とし，37 件がヒットしたが，新たに採用すべきものはなかった。ハンドサーチにより重要と思われる 1 編を採用した。

参考文献

1) Mandish SF, Gaskins JT, Yusuf MB, Amer YM, Eldredge-Hindy H. The effect of omission of adjuvant radiotherapy after neoadjuvant chemotherapy and breast conserving surgery with a pathologic complete response. Acta Oncol. 2020; 59(10): 1210-7. [PMID: 32716227]
2) Buchholz TA, Lehman CD, Harris JR, Pockaj BA, Khouri N, Hylton NF, et al. Statement of the science concerning locoregional treatments after preoperative chemotherapy for breast cancer: a National Cancer Institute conference. J Clin Oncol. 2008; 26(5): 791-7. [PMID: 18258988]
3) Kaufmann M, von Minckwitz G, Smith R, Valero V, Gianni L, Eiermann W, et al. International expert panel on the use of primary(preoperative)systemic treatment of operable breast cancer: review and recommendations. J Clin Oncol. 2003; 21(13): 2600-8. [PMID: 12829681]
4) Peintinger F, Symmans WF, Gonzalez-Angulo AM, Boughey JC, Buzdar AU, Yu TK, et al. The safety of breast-conserving surgery in patients who achieve a complete pathologic response after neoadjuvant chemotherapy. Cancer. 2006; 107(6): 1248-54. [PMID: 16862596]
5) Chen AM, Meric-Bernstam F, Hunt KK, Thames HD, Oswald MJ, Outlaw ED, et al. Breast conservation after neoadjuvant chemotherapy: the MD Anderson cancer center experience. J Clin Oncol. 2004; 22(12): 2303-12. [PMID: 15197191]
6) van der Hage JA, van de Velde CJ, Julien JP, Tubiana-Hulin M, Vandervelden C, Duchateau L. Preoperative chemotherapy in primary operable breast cancer: results from the European Organization for Research and Treatment of Cancer trial 10902. J Clin Oncol. 2001; 19(22): 4224-37. [PMID: 11709566]
7) Mamounas EP, Anderson SJ, Dignam JJ, Bear HD, Julian TB, Geyer CE Jr, et al. Predictors of locoregional recurrence after neoadjuvant chemotherapy: results from combined analysis of National Surgical Adjuvant Breast and Bowel Project B-18 and B-27. J Clin Oncol. 2012; 30(32): 3960-6. [PMID: 23032615]
8) Mak KS, Harris JR. Radiotherapy issues after neoadjuvant chemotherapy. J Natl Cancer Inst Monogr. 2015; 2015(51): 87-9. [PMID: 26063895]

CQ 1 全乳房照射において通常分割照射と同等の治療として寡分割照射は勧められるか？

推 奨

- 50歳以上，乳房部分切除術後のpT1–2N0，全身化学療法を行っていない，乳癌の患者では強く勧められる。 推奨の強さ：1，エビデンスの強さ：強，合意率：96%(45/47)
- 上記3条件以外の患者でも同様に，行うことを強く推奨する。
推奨の強さ：1，エビデンスの強さ：中，合意率：85%(41/48)
- 非浸潤性乳管癌でも同様に，行うことを強く推奨する。
推奨の強さ：1，エビデンスの強さ：弱，合意率：77%(36/47)

推奨におけるポイント

- 寡分割照射は，通常分割照射と比較して，治療成績や晩期有害事象は同等で，急性期放射線皮膚炎は軽度である。
- ただし，長期観察のデータは不十分であり，線量の均一性や心臓などの正常組織への線量に注意する必要がある。

背景・目的

乳房部分切除術後の全乳房照射は経験的に4.5～5.5週かけて行われてきたが，世界的には3週程度で完遂する寡分割照射が行われている。その安全性および効果について検討した。

解 説

わが国では全乳房照射の線量・分割については，総線量45～50.4 Gy/1回線量1.8～2.0 Gy/4.5～5.5週が経験的かつ標準的に行われてきた(☞放射線 総説1参照)。一方，欧米では1回線量を増やし，より短期間で照射を終了する寡分割照射が標準的に行われている。

カナダで実施されたランダム化比較試験(RCT)では42.5 Gy/16回/22日と50 Gy/25回/35日が比較され，両者の10年局所再発率，全生存率，整容性に差を認めなかった。また，年齢，腫瘍径，エストロゲン受容体発現の有無，化学療法の有無，組織学的グレード，サブタイプ別でも有意差を認めなかった[1)2)]。この試験の対象は，50歳以上，乳房部分切除術後のpT1–2N0，化学療法を行っていない症例が70～80%を占めている。

イギリスでも，至適な線量・分割方法を検証すべく，RCTが行われた。START-A試験では照射期間を5週として50 Gy/25回，41.6 Gy/13回，39 Gy/13回の3群を比較し，START-B試験では50 Gy/25回/5週とイギリスでよく用いられている40 Gy/15回/3週の2群を比較した。これらの試験の対象には，乳房全切除術例やpN1例を含み，化学療法施行例もカナダの試験より多く含む。START-A，B試験ともに9年以上の観察期間で通常分割と寡分割照射では局所再発や局所・領域リンパ節再発に差がみられず，START-B試験では遠隔再発，乳癌関連死，全死亡率が寡分割照射群で有意に少なかった。晩期有害事象をみると，START-A試験では50 Gyと41.6

Gy の間に有意差はなかったが，50 Gy と 39 Gy では寡分割照射群で腫瘍床の乳房硬結，毛細血管拡張および乳房浮腫の頻度は少なかった。START-B 試験でも同様に 40 Gy 群で乳房萎縮，毛細血管拡張および乳房浮腫が少なかった[3)]。これらの結果から寡分割照射は現在，全世界で広く用いられるようになっている。

今回行ったシステマティック・レビューでは，寡分割照射を通常分割照射と比較したRCT12編を採用して温存乳房内再発，無再発生存，全生存率，Gr.2 以上の急性期放射線皮膚炎，乳房萎縮，乳房硬結，晩期毛細管拡張，放射線肺臓炎，乳房浮腫，乳房痛，肋骨骨折，整容性，虚血性心疾患について検討した。温存乳房内再発〔リスク比(RR)0.94，95%CI 0.79-1.11，$p=0.46$〕，無再発生存(HR 0.99，95%CI 0.80-1.21，$p=0.90$)，全生存率(HR 0.92，95%CI 0.82-1.04，$p=0.19$)でいずれも有意差を認めなかった。評価した有害事象のうち，Gr.2 以上の急性期放射線皮膚炎(RR 0.55，95%CI 0.45-0.66，$p=0.00001$)，乳房萎縮(RR 0.90，95%CI 0.83-0.98，$p=0.02$)については寡分割照射群で有意に少なかった。他の晩期有害事象である乳房硬結，晩期毛細管拡張，放射線肺臓炎，乳房浮腫，乳房痛，肋骨骨折，整容性や虚血性心疾患には差がみられなかった。

システマティック・レビューやこれまでの RCT の結果から，治療効果は同等であり，有害事象も同等もしくは軽い傾向にある。しかし，虚血性心疾患の評価に 10 年以上の観察期間が必要と思われる。1980 年以前の術後照射例について 10～15 年以上の長期間追跡した研究ではすべてにおいて心臓障害の増加が認められたとの報告もある[4)]。一方，寡分割照射による虚血性心疾患発症は低頻度であり，通常分割照射と比して 10 年みても増加していないとの報告がある[3)]。この結果は古い放射線治療計画の時代から現在までの報告で一貫した傾向である[5)]。晩期心臓障害予防のためには可及的に多分割コリメータの使用や深吸気息どめ照射などで心臓の被曝線量低減に努めることは，乳房照射の治療計画において重要である(☞放射線　総説 1 参照)。

2011 年，米国放射線腫瘍学会(American Society for Radiation Oncology；ASTRO)によるガイドラインでは，50 歳以上，乳房部分切除術後の pT1-N0，全身化学療法を行っていない，中心軸平面での線量均一性が±7%以内の患者については，寡分割照射も従来の照射と同等であり，それ以外の症例にも寡分割照射は禁忌ではないとした[6)]。その後，最近のエビデンスを加えた 2018 年の新しいガイドラインでは，年齢制限や全身化学療法の施行などの制限が外され，接線照射野外の領域リンパ節照射が必要ないすべての症例に，寡分割照射が推奨された[7)]。ただし，線量均一性は，三次元で 105%以上領域の最小化が求められ，そのほか，Field-in-Field 法や，セットアップ誤差が大きい例での画像誘導を用いた位置照合の実施などが求められた。10年以上の長期観察を行った良質なデータは新たな報告がなく，今回の適応拡大に対しては慎重な対応を求める報告もある[8)](接線照射野外の領域リンパ節照射が必要な症例について☞放射線 FRQ2 参照)。腫瘍床への寡分割ブースト照射の 1 回線量については ASTRO ガイドラインによれば 3 Gy 以下が推奨されている[6)]。

一方，人種間の体格の差により寡分割照射が及ぼす有害事象の程度が日本人では異なる可能性もあり，300 人を超える単一アームで JCOG0906 試験が実施された。観察期間中央値 70.5 カ月で，急性期有害事象と 3 年以内の晩期有害事象について解析がなされ，日本人でも寡分割照射が安全に行えることが報告された[9)]。同じ東洋人を対象とした，中国からの寡分割照射と通常分割照射の比較試験においても，観察期間中央値 73.5 カ月で寡分割照射は急性期有害事象が軽度で晩期有害事象は同等であると報告された[10]。

2020年に報告された中国多施設共同試験[10]やDBCG HYPO試験[11]では，50歳以下の症例や化学療法・分子標的薬施行例が含まれているが，これまでの報告と同様，一貫して局所制御率や晩期有害事象は同等であると報告された。また，カナダからのコホート研究で，分子サブタイプ別の10年局所再発率も有意差を認めず，すべてのサブタイプにおいて，寡分割照射の使用を支持している[12]。しかし，10年以上経過観察したデータは新たに出ていないので，エビデンスレベルは「中」とした。

本ガイドライン委員会では，全乳房の寡分割照射の適応条件について検討した。2018年のASTROガイドライン[7]，NCCNガイドライン[13]では，すべての症例で寡分割照射を標準としており，本ガイドライン委員会として，推奨度，適応条件を乳癌診療ガイドライン2018年版から拡大し，全乳房照射において寡分割照射は通常分割照射と同等の治療として推奨することとした。

また，今回，非浸潤性乳管癌への寡分割照射の適応条件についても検討した。観察研究では通常分割照射と遜色ない局所制御率が示されている[14]。デンマークからのDBCG HYPO試験では，寡分割照射群，通常分割照射群各々に非浸潤性乳管癌が13%(123例)含まれており，局所再発率に差はないと報告された[11]。非浸潤性乳管癌のみで寡分割照射と通常分割照射を比較したBIG 3-07/TROG 07.01試験の結果が待たれる。晩期有害事象については，RCTの長期成績からみて寡分割照射と通常分割照射は同等であり，非浸潤性乳管癌についても2018年ASTROガイドライン[7]，NCCNガイドライン[13]に示されるように寡分割照射は通常分割照射と同等の治療として推奨することとした。

益として，寡分割照射は通常分割照射と効果は同等であり，有害事象も同等かもしくは軽度である。さらに寡分割照射では通院に要する時間および医療費が節約される。害として，晩期有害事象，特に虚血性心疾患について10年以上の成績が不足し，安全性の懸念が残ることが挙げられる。しかし，現在の放射線治療計画では心臓平均線量は低く，虚血性心疾患への懸念は少ないと考える。益と害を考慮して線量の均一性，心臓などの正常組織への線量に注意したうえで，寡分割照射は推奨される方法である。効果が同等で安全性に差がなければ，より短期間で治療を完遂できる利便性は高いので，好みや価値観のばらつきは少ない。

また，さらなる照射回数の低減が検討され，FAST試験で28.5 Gy/5回/5週は50 Gy/25回/5週と比較して局所制御率では非劣性であり，10年後までの正常組織への影響についても同様であると報告された[15]。FAST-Forward試験で，26 Gy/5回/1週は40 Gy/15回/3週と比較して局所制御率では非劣性であり，5年後までの正常組織への影響についても同様であると報告された[16]。FASTで回数が少なくなり，FAST-Forwardでさらに治療期間も短くなったが，まだ観察期間は十分ではなく，長期経過観察と再検証試験の結果を待ちたい。

[投票結果]

	1. 行うことを強く推奨する	2. 行うことを弱く推奨する	3. 行わないことを弱く推奨する	4. 行わないことを強く推奨する
推奨1つ目	96%(45/47)	4%(2/47)	0%(0/47)	0%(0/47)
	総投票数47名(棄権0名，COI棄権0名)			
推奨2つ目	85%(41/48)	15%(7/48)	0%(0/48)	0%(0/48)
	総投票数48名(棄権0名，COI棄権0名)			
推奨3つ目	77%(36/47)	23%(11/47)	0%(0/47)	0%(0/47)
	総投票数47名(棄権0名，COI棄権0名)			

検索キーワード・参考にした二次資料

PubMedで，"Breast Neoplasms"，"Radiotherapy"，"Dose Fractionation"，"Radiation"のキーワードで検索した。医中誌・Cochrane Libraryも同等のキーワードで検索した。検索期間は2016年1月～2021年3月とし，424件がヒットした。それ以外にハンドサーチで4編の論文が追加された。一次スクリーニングで37編，二次スクリーニングで28編の論文が抽出され，定性的および定量的システマティック・レビューを行った。

参考文献

1) Whelan TJ, Pignol JP, Levine MN, Julian JA, MacKenzie R, Parpia S, et al. Long-term results of hypofractionated radiation therapy for breast cancer. N Engl J Med. 2010; 362(6): 513-20. [PMID: 20147717]
2) Bane AL, Whelan TJ, Pond GR, Parpia S, Gohla G, Fyles AW, et al. Tumor factors predictive of response to hypofractionated radiotherapy in a randomized trial following breast conserving therapy. Ann Oncol. 2014; 25(5): 992-8. [PMID: 24562444]
3) Haviland JS, Owen JR, Dewar JA, Agrawal RK, Barrett J, Barrett-Lee PJ, et al; START Trialists' Group. The UK Standardisation of Breast Radiotherapy(START)trials of radiotherapy hypofractionation for treatment of early breast cancer: 10-year follow-up results of two randomised controlled trials. Lancet Oncol. 2013; 14(11): 1086-94. [PMID: 24055415]
4) Demirci S, Nam J, Hubbs JL, Nguyen T, Marks LB. Radiation-induced cardiac toxicity after therapy for breast cancer: interaction between treatment era and follow-up duration. Int J Radiat Oncol Biol Phys. 2009; 73(4): 980-7. [PMID: 19251085]
5) Moran MS, Truong PT. Hypofractionated radiation treatment for breast cancer: The time is now. Breast J. 2020; 26(1): 47-54. [PMID: 31944484]
6) Smith BD, Bentzen SM, Correa CR, Hahn CA, Hardenbergh PH, Ibbott GS, et al. Fractionation for whole breast irradiation: an American Society for Radiation Oncology(ASTRO)evidence-based guideline. Int J Radiat Oncol Biol Phys. 2011; 81(1): 59-68. [PMID: 20638191]
7) Smith BD, Bellon JR, Blitzblau R, Freedman G, Haffty B, Hahn C, et al. Radiation therapy for the whole breast: Executive summary of an American Society for Radiation Oncology(ASTRO)evidence-based guideline. Pract Radiat Oncol. 2018; 8(3): 145-52. [PMID: 29545124]
8) Recht A, McArthur H, Solin LJ, Tendulkar R, Whitley A, Giuliano A. Contemporary guidelines in whole-breast irradiation: an alternative perspective. Int J Radiat Oncol Biol Phys. 2019; 104(3): 567-73. [PMID: 30366007]
9) Nozaki M, Kagami Y, Machida R, Nakamura K, Ito Y, Nishimura Y, et al; Japan Clinical Oncology Group, Radiation Therapy Study Group. Final analysis of a multicenter single-arm confirmatory trial of hypofractionated whole breast irradiation after breast-conserving surgery in Japan: JCOG0906. Jpn J Clin Oncol. 2021; 51(6): 865-72. [PMID: 33728450]
10) Wang SL, Fang H, Hu C, Song YW, Wang WH, Jin J, et al. Hypofractionated versus conventional fractionated radiotherapy after breast-conserving surgery in the modern treatment era: a multicenter, randomized controlled trial from China. J Clin Oncol. 2020; 38(31): 3604-14. [PMID: 32780661]
11) Offersen BV, Alsner J, Nielsen HM, Jakobsen EH, Nielsen MH, Krause M, et al; Danish Breast Cancer Group Radiation Therapy Committee. Hypofractionated versus standard fractionated radiotherapy in patients with early breast cancer or ductal carcinoma in situ in a randomized phase Ⅲ trial: the DBCG HYPO trial. J Clin Oncol. 2020; 38(31): 3615-25. [PMID: 32910709]
12) Lalani N, Voduc KD, Jimenez RB, Levasseur N, Gondara L, Speers C, et al. Breast cancer molecular subtype as a predictor of radiation therapy fractionation sensitivity. Int J Radiat Oncol Biol Phys. 2021; 109(1): 281-7. [PMID: 32853707]
13) NCCN Clinical practice guidelines in oncology: BREAST CANCER, version 8. 2021. https://www.nccn.org/professionals/physician_gls/pdf/breast.pdf (アクセス日：2021/9/29)

14) Lalani N, Paszat L, Sutradhar R, Thiruchelvam D, Nofech-Mozes S, Hanna W, et al. Long-term outcomes of hypofractionation versus conventional radiation therapy after breast-conserving surgery for ductal carcinoma in situ of the breast. Int J Radiat Oncol Biol Phys. 2014; 90(5): 1017-24. [PMID: 25220719]
15) Brunt AM, Haviland JS, Sydenham M, Agrawal RK, Algurafi H, Alhasso A, et al. Ten-year results of FAST: a randomized controlled trial of 5-fraction whole-breast radiotherapy for early breast cancer. J Clin Oncol. 2020; 38(28): 3261-72. [PMID: 32663119]
16) Murray Brunt A, Haviland JS, Wheatley DA, Sydenham MA, Alhasso A, et al; FAST-Forward Trial Management Group. Hypofractionated breast radiotherapy for 1 week versus 3 weeks(FAST-Forward): 5-year efficacy and late normal tissue effects results from a multicentre, non-inferiority, randomised, phase 3 trial. Lancet. 2020; 395(10237): 1613-26. [PMID: 32580883]

CQ 2 乳房部分切除術後に断端が陰性の場合，全乳房照射後の腫瘍床に対するブースト照射は勧められるか？

推奨

● 病理学的な断端陰性の浸潤性乳癌について，腫瘍床に対するブースト照射が弱く勧められる。
推奨の強さ：2，エビデンスの強さ：中，合意率：94%(45/48)

推奨におけるポイント

- ブースト照射は，温存乳房内再発率を低下させ，特に若年者では効果が大きい。
- しかし，全生存率の改善は認めず，リスクを評価して適応を決定する必要がある。

背景・目的

病理学的な断端陽性乳癌では断端陰性乳癌に比べ局所再発率が高いことが知られており，ランダム化比較試験(RCT)による検証は少ないものの，多くの施設では全乳房照射後に腫瘍床に対する10～16 Gy程度のブースト照射が行われている。しかしながら，病理学的な断端陰性の浸潤性乳癌については，腫瘍床に対するブースト照射によって温存乳房内再発率を有意に低下させることがRCTで報告されているが，施設によってはブースト照射が行われていない。そこで腫瘍床に対するブースト照射の有用性，安全性について検討した。

解説

病理学的な断端陰性の浸潤性乳癌については，EORTCのRCTで，腫瘍床に対する16 Gyのブースト照射によって20年の温存乳房内再発率を16.4%から12.0%に低下させることが報告されているが，全生存率の改善は認めていない[1)]。

本CQでは，乳房部分切除術後の断端陰性患者に対する全乳房照射後の腫瘍床ブースト照射について，益としては温存乳房内再発割合の改善，全生存割合の改善について，EORTC試験とLyon試験[2)]の2編を採用し，害としては整容性についてEORTC試験に近年の文献を1編[3)]加えた計2編を採用した。

益に関しては，温存乳房内再発と全生存率についてメタアナリシスを行い，ブースト照射により温存乳房内再発は有意に低下し〔リスク比(RR)0.66，95%CI 0.57-0.77，p<0.0001〕，全生存率はブースト照射の有無で有意差を認めなかった(ハザード比 0.96，95%CI 0.71-1.31，p=0.81)。

EORTCの報告によれば，40歳以下，41～50歳，51～60歳，61歳以上のいずれの年齢層でもブースト照射による局所再発率の有意な低下を認めたが，特に40歳以下で局所再発率の低下が大きかった[1)]。ただし，この試験では断端陰性の定義が日本と異なり，非浸潤部が露出していても陰性とみなされており，ブースト照射による影響がより強いと考えられることに注意が必要である。切除断端までの距離が5 mmより大きい場合を陰性と定義した場合のブースト照射を行わない日本人のデータでは，観察期間中央値9.3年で10年温存乳房内再発率が40歳以下で15.7%と有意に高いことが報告された[4)]。また，断端が近接している場合は，ブースト照射の適応について外科側と協議することが望ましい(☞外科 FRQ2 参照)。

害に関しては，長期整容性についてメタアナリシスを行い，ブースト照射により有意に悪化した(RR 1.99，95%CI 1.59-2.49，$p<0.0001$)。また乳房線維化については，EORTC の報告でブースト照射により有意に乳房線維化の頻度が高くなった。しかし，重度の線維化の頻度は 20 年で 5.2%と低く，40 歳以下の年齢層ではブースト照射群，非ブースト照射群で重度の線維化の頻度に有意差を認めなかった[1]。

また，ブースト線量に注目すると，別の EORTC の報告では重度の線維化の頻度がブースト線量 26 Gy 群では 10 年で 14.4%であったのに対し，10 Gy 群では 3.3%と有意に少なかった[5]。日本人でのブースト線量 10 Gy の報告では，ブースト照射で毛細血管拡張は増加した(0%から 7%，$p<0.0001$)が硬結・線維化は増加しなかった(3.4%から 3.0%，$p=0.27$)[6]。わが国では，ブースト線量は 10 Gy を用いることが多く[7]，先述のブースト線量 16 Gy の EORTC 試験の有害事象が許容内であったことを考えると，わが国でのブースト照射は安全に施行可能と考えられた。

ブースト照射は，温存乳房内再発率を低下させると考えられ，特に若年者では再発リスクが高いため効果も大きい。しかし，全生存率の改善は認めておらず推奨度としては弱くなると考えた。また，ブースト照射は，整容性の低下や乳房線維化の増加につながる。

以上をまとめると，益としてブースト照射が局所再発を有意に減少させることが挙げられる。また，害としては晩期有害事象および整容性低下のリスクが高まることや，約 1 週間程度の通院期間の延長や治療費の増加が挙げられる。

ブースト照射が局所再発を有意に減少させること，それにより再発に伴う治療費や精神面での負担のリスクも低減することを患者によく説明する必要がある。ブースト照射に伴い治療期間が延長すること，治療費が増加することに関しては患者の好みは分かれると考えられる。

ブースト照射は局所再発を有意に減少させ，特に 40 歳以下で顕著である。一方，乳房線維化のリスクが高まるが，40 歳以下では軽い。40 歳以下では晩期有害事象を考慮しても益が害を上回り，若年者では推奨されると思われる。

以上より，断端陰性の浸潤性乳癌では，特に若年者では腫瘍床に対するブースト照射が推奨される。

RCT の長期経過を報告した論文は 1 編のみであり，エビデンスの強さは「中」とした。

実際には，多くの施設で断端陰性の浸潤性乳癌に対しブースト照射が行われていない現状もあり，推奨決定会議では，ブースト照射を行うことを弱く推奨するという意見が 45/48(94%)であったが，一方で行わないことを弱く推奨するという意見が 2/48(4%)認められた。

以上より，推奨としては，「乳房部分切除術後の病理学的な断端陰性の浸潤性乳癌について，腫瘍床に対するブースト照射が弱く勧められる」とした。

また，非浸潤性乳管癌(DCIS)においては，いくつかの非ランダム化試験で局所制御におけるブースト照射の有用性について検討されている[8)9)]。北米・欧州の 10 施設・4,131 例の DCIS 乳房部分切除術例を対象とした経過観察期間中央値 9 年の後ろ向きの解析では，NSABP と ASCO/ASTRO/SSO による異なる 2 つの断端の定義を用いて解析を行っている。断端陽性を，前者の定義である，"Ink on tumor" とした場合と，後者の定義である，2 mm 未満とした場合の両者とも，断端陰性例ではブースト照射群で温存乳房内再発率が有意に低かった[8]。一方で 1,895 例の

DCISの乳房部分切除術例を対象とした観察期間中央値10年の後ろ向きの検討では，断端陰性例において，ブースト照射の有無で局所再発率に有意差は認めなかった[7]。DCISにおいてはブースト照射の有用性を検討するRCT（BIG 3-07/TROG 07.01）の結果が待たれる。

以上より，DCISにおけるブースト照射の有用性に関するこれまでの報告のエビデンスレベルは高くない。晩期有害事象および整容性については浸潤癌における結果を外挿可能と思われる。断端が近接している場合は，ブースト照射の適応について外科側と協議することが望ましい（☞外科FRQ2参照）。

［投票結果］

1. 行うことを強く推奨する	2. 行うことを弱く推奨する	3. 行わないことを弱く推奨する	4. 行わないことを強く推奨する
2%（1/48）	94%（45/48）	4%（2/48）	0%（0/48）
総投票数48名（棄権0名，COI棄権0名）			

検索キーワード・参考にした二次資料

PubMedで，“Breast Neoplasms”，“Radiotherapy”，“Mastectomy, Segmental”，“boost”のキーワードで検索した。医中誌・Cochrane Libraryも同等のキーワードで検索した。検索期間は2021年3月までとし，275件がヒットした。一次スクリーニングで32編，二次スクリーニングで5編の論文が抽出され，ハンドサーチで4編の論文を追加した。

参考文献

1）Bartelink H, Maingon P, Poortmans P, Weltens C, Fourquet A, Jager J, et al; European Organisation for Research and Treatment of Cancer Radiation Oncology and Breast Cancer Groups. Whole-breast irradiation with or without a boost for patients treated with breast-conserving surgery for early breast cancer: 20-year follow-up of a randomised phase 3 trial. Lancet Oncol. 2015; 16(1): 47-56. [PMID: 25500422]

2）Romestaing P, Lehingue Y, Carrie C, Coquard R, Montbarbon X, Ardiet JM, et al. Role of a 10-Gy boost in the conservative treatment of early breast cancer: results of a randomized clinical trial in Lyon, France. J Clin Oncol. 1997; 15(3): 963-8. [PMID: 9060534]

3）King MT, Link EK, Whelan TJ, Olivotto IA, Kunkler I, Westenberg AH, et al; BIG 3-07/TROG 07.01 trial investigators. Quality of life after breast-conserving therapy and adjuvant radiotherapy for non-low-risk ductal carcinoma in situ (BIG 3-07/TROG 07.01): 2-year results of a randomised, controlled, phase 3 trial. Lancet Oncol. 2020; 21(5): 685-98. [PMID: 32203696]

4）Ono Y, Yoshimura M, Hirata K, Yamauchi C, Toi M, Suzuki E, et al. The impact of age on the risk of ipsilateral breast tumor recurrence after breast-conserving therapy in breast cancer patients with a >5 mm margin treated without boost irradiation. Radiat Oncol. 2019; 14(1): 121. [PMID: 31291997]

5）Poortmans PM, Collette L, Horiot JC, Van den Bogaert WF, Fourquet A, Kuten A, et al; EORTC Radiation Oncology and Breast Cancer Groups. Impact of the boost dose of 10 Gy versus 26 Gy in patients with early stage breast cancer after a microscopically incomplete lumpectomy: 10-year results of the randomised EORTC boost trial. Radiother Oncol. 2009; 90(1): 80-5. [PMID: 18707785]

6）Okumura S, Mitsumori M, Kokubo M, Yamauchi C, Kawamura S, Oya N, et al. Late skin and subcutaneous soft tissue changes after 10-gy boost for breast conserving therapy. Breast Cancer. 2003; 10(2): 129-33. [PMID: 12736565]

7）Aibe N, Karasawa K, Aoki M, Akahane K, Ogawa Y, Ogo E, et al. Results of a nationwide survey on Japanese clinical practice in breast-conserving radiotherapy for breast cancer. J Radiat Res. 2019; 60(1): 142-9. [PMID: 30476198]

8）Rakovitch E, Narod SA, Nofech-Moses S, Hanna W, Thiruchelvam D, Saskin R, et al. Impact of boost radiation in the treatment of ductal carcinoma in situ: a population-based analysis. Int J Radiat Oncol Biol Phys. 2013; 86(3): 491-7. [PMID: 23708085]

9）Moran MS, Zhao Y, Ma S, Kirova Y, Fourquet A, Chen P, et al. Association of radiotherapy boost for ductal carcinoma in situ with local control after whole-breast radiotherapy. JAMA Oncol. 2017; 3(8): 1060-8. [PMID: 28358936]

CQ 3 乳房部分切除術後の照射法として加速乳房部分照射(APBI)は勧められるか？

推 奨

- **下記の条件にて，APBI を行うことを弱く推奨する。**

推奨の強さ：2，エビデンスの強さ：中，合意率：92％(35/38)

条件：

- 若年ではない低リスク症例に対して，十分な精度管理のもと，臨床試験として行うか，照射技術に習熟した施設で行うこと。
- さらに術中照射に関しては，全乳房照射より局所再発率が高いが全生存率には差がないことを説明したうえで希望する患者に行うこと。

推奨におけるポイント

- 中高年の低リスク症例では，APBI は，全乳房照射と比して全生存率に有意差はないが，術中照射では局所再発率が高くなるので適応に注意が必要である。
- APBI は照射野が腫瘍床に限定されるため，精度管理に注意が必要である。

背景・目的

乳房部分切除術後の放射線療法として，経験的に全乳房に対して総線量 45〜50.4 Gy/1 回線量 1.8〜2.0 Gy/4.5〜5.5 週が用いられてきたが，欧米を中心に一部の症例に対し，放射線療法の回数を少なくし，全乳房照射の替わりに腫瘍床のみに部分乳房照射を行う加速乳房部分照射(APBI)の試みもなされている。APBI の適応，有用性について検討した。

解 説

乳房温存療法における放射線療法の有用性を示した臨床試験の結果から，乳房温存療法後の温存乳房内再発の約 70％はもとの腫瘍床の周辺から生じること，およびそれ以外の部位からの再発は対側乳癌の発生と時期および頻度が類似することが明らかになり[1)2)]，全乳房ではなく腫瘍床のみを対象とした放射線療法の可能性が検討された。照射野を縮小することにより，大線量少分割で短期間に照射を終えることも可能になり，APBI として欧米で臨床試験が開始された。具体的な方法としては小線源治療，術中照射，外照射(三次元外照射，強度変調放射線治療)などが用いられている(☞放射線 総説 1 参照)。

ランダム化比較試験(RCT)を含む初期の報告では，対象に大きい腫瘍(4 cm より大)や切除断端陽性例，非浸潤性乳管癌(DCIS)や広範な乳管内進展(EIC)陽性乳癌を含んでいたため，一般的な全乳房照射の成績に比べて明らかに不良であったが[3)4)]，適格条件を厳しくした研究では，用いる方法にかかわらず概ね良好な温存乳房内制御と整容性が得られている。

その後いくつかの RCT が施行され，約 10 年の APBI の治療成績と有害事象が報告されるようになってきた[5)〜8)]。全乳房照射(WBI)と小線源治療もしくは三次元外照射を使用した 1 日 2 回照射を行う APBI の RCT(NSABP B-39/RTOG 0413 試験)では，10 年温存乳房内再発率は WBI 群で 3.9%，APBI 群で 4.6%であり，同等であるとはされなかったが，その絶対差は 0.7%と小さかった[5]。また，WBI と三次元外照射を使用した 1 日 2 回照射を行う APBI の RCT(RAPID 試験)では，8 年温存乳房内再発率は WBI 群で 2.8%，APBI 群で 3.0%と，APBI の非劣性が示されたが，整容性に関しては APBI 群で不良となる比率が高かった[6]。さらに WBI と強度変調放射線治療(IMRT)を使用した APBI の RCT(Florence 試験)では，10 年温存乳房内再発率は WBI 群 2.5%，APBI 群 3.7%で有意差を認めず，10 年全生存率，乳癌特異的生存率にも有意差はなく，APBI 群で急性期ならびに晩期有害事象発生割合は有意に低下し，整容性も有意に改善した[7]。また，WBI と術中照射を使用した APBI の RCT(ELIOT 試験)では，10 年/15 年温存乳房内再発率は WBI 群で 1.1%/2.4%，APBI 群で 8.1%/12.6%と有意に APBI 群で不良であったが，全生存率には有意差を認めなかった[8]。

前述の RAPID 試験のように三次元外照射の APBI の整容性が不良である理由として，1 日 2 回照射のスケジュールが問題なのではないかという意見もあり，最近では 1 日 1 回照射のスケジュールも試みられている[9][10]。

2021 年に発表された乳房部分照射(PBI)のコクランのシステマティック・レビューでは，局所無再発生存率は WBI 群に比してやや PBI 群が不良であったが，局所再発率は低く，さらにその差は小さく，局所再発の多い傾向があった術中照射の報告が症例数の 3 割を占めており，局所無再発生存率の解釈には注意が必要である。また，全生存，疾患特異的生存，遠隔無再発生存の割合に関しては，有意差を認めなかった，としている[11]。

本 CQ では，益については局所再発率の低下，全生存率の改善，遠隔再発率の低下，害については整容性の低下，晩期有害事象(皮膚障害，脂肪壊死)をアウトカムとして設定し，系統的文献検索を行い，益のアウトカムについて 9 編の RCT，害のアウトカムについては 7 編の RCT を用いて評価した。

局所再発率に関して，9 編の RCT で全 APBI 治療法(術中照射・外部照射法・小線源治療)を含めてメタアナリシスを行い，APBI 群で WBI 群より有意に再発率が高かった〔リスク比(RR)1.81，95%CI 1.16-2.84，$p=0.009$〕。サブ解析として，術中照射では 3 編の RCT でメタアナリシスを行い APBI 群で WBI 群より有意に再発率が高かったが，術中照射以外(外部照射法または小線源治療)では 6 編の RCT でメタアナリシスを行い APBI 群と WBI 群で有意差を認めなかった(術中照射：RR 3.38，95%CI 2.14-5.35，$p<0.00001$，術中照射以外：RR 1.23，95%CI 0.97-1.57，$p=0.09$)。また，全生存率では 7 編，遠隔再発率では 4 編の RCT でメタアナリシスを行い，APBI 群と WBI 群で有意差を認めなかった〔全生存率：ハザード比(HR)1.00，95%CI 0.87-1.14，$p=0.98$，遠隔再発率：HR 0.94，95%CI 0.74-1.20，$p=0.63$〕。さらに，有害事象に関しては，整容性について 6 編でメタアナリシスを行い，モダリティや照射方法によって結果はさまざまで，一貫性に乏しいが，三次元外照射では APBI 群が整容性不良であったが，一方で IMRT を用いた臨床試験で良好な整容性が得られており，全体としては APBI 群と WBI 群で有意差を認めなかった(RR 1.21，95%CI 0.73-1.99，$p=0.46$)。

晩期皮膚障害においては 5 編の RCT でメタアナリシスを行い，APBI 群と WBI 群で有意差を認めなかったが(RR 1.58，95%CI 0.33-7.52，$p=0.56$)，脂肪壊死発生率に関しては，3 編の RCT

でメタアナリシスを行った結果，APBI 群のほうが有意に高かった（RR 2.80，95%CI 1.16-6.78，$p=0.02$）。

以上のように，本メタアナリシスでは，局所再発は術中照射 APBI では WBI より多かったが，外部照射法または小線源治療による APBI では有意差は認めなかった。さらに生存に関しても，APBI と WBI で有意差は認めなかった。また，有害事象としては，APBI は WBI より脂肪壊死発生率が高いが，その他の有害事象は有意差を認めないという結果であった。

また，今回行ったメタアナリシスのすべての解析で RCT を使用しているが，いずれも観察期間が十分とはいえず，各試験によって DCIS の有無，年齢制限等，いくつかの条件が異なっていたため，エビデンスの強さは「中」とした。

米国放射線腫瘍学会（ASTRO）のコンセンサスで，2009 年版では，APBI に適している規準は，60 歳以上，pT1N0 の単発病変で切除断端 2 mm 以上などであったが，2016 年版では 50 歳以上，pTis-1N0 の ER 陽性で脈管侵襲のない単発病変で切除断端 2 mm 以上（DCIS に関しては RTOG 9804 試験と同様，検診発見の径 2.5 cm 以下の低/中グレードで断端距離 3 mm 以上）へ変更された[12)13)]。NCCN ガイドラインでも，低リスク早期乳癌において，APBI は WBI と同等の治療法となる可能性はあるが，経過観察は限定的であり，臨床試験での治療が勧められるとしており，適応は前述の ASTRO コンセンサス 2016 年版を受け入れるとしている[14)]。本メタアナリシスでは，局所再発率は術中照射で WBI より高い結果であったが，解析に使用した臨床試験は他の治療法の臨床試験に比べて古い症例が多く，APBI に適切な症例選択がなされていない可能性もある。術中照射は手術時に放射線療法を終了することができ，術後に乳房照射を行う必要がなくなるため，WBI が負担となり乳房全切除術を選択したり，乳房部分切除術後の WBI を拒否したりする患者には，WBI よりは局所再発率が高くなる可能性があることを説明したうえで，適応となる可能性がある。ASTRO コンセンサス 2016 年版では，術中照射 APBI は，患者に局所再発率が WBI に比べて高いことを説明する必要があり，再発リスクの低い「suitable 群」に属する症例に行うべきとしている。

以上より，APBI の長期成績の報告はまだ十分とはいえず，現段階では標準治療としては全乳房照射が勧められ，APBI を行う際には，適応症例選択の検討，治療精度の検証などを十分に行い，施設の照射技術の習熟度や地域の放射線治療施設へのアクセスの状況を考慮し，臨床試験として行うか，照射技術の習熟度が高い施設で行うかが必要であると考えられる。さらに術中照射に関しては，全乳房照射より局所再発率が高いが全生存率には差がないことを説明したうえで希望する患者に行うべきと考えられる。

また，日本からの APBI の報告はいまだ少数であり[15)]，わが国に APBI を導入するにあたっては，欧米の患者との体格や乳房サイズの差による技術的な問題についてのさらなる検討も必要である。

なお，粒子線による APBI に関してはいまだ治験レベルの域を出ず，その実臨床への応用は時期尚早と思われる。

小線源治療，術中照射，外照射による APBI の費用は，すべて保険診療の範囲内で治療可能である。通常分割の全乳房照射と比して，小線源治療による APBI はやや高額であるが，術中照射，外照射による APBI は低額である。また，APBI は通常分割の全乳房照射より，通院期間も短いため，治療にかかる時間ならびに費用が方法によっては低減できるというメリットがある。患者の好みとしては，短期間での治療希望がある場合に，選択されることが多い。

以上より，APBI の益としては，治療期間短縮による患者の負担軽減，また術中照射・外照射であれば治療費用の低減であるが，害としては長期の局所制御割合(特に術中照射)，有害事象に関する長期の成績が不明である点である。

本ガイドラインの推奨決定会議では，投票を行い，特定の条件下においてではあるが，「行うことを弱く推奨する」が 92％(35/38)という結果であった。

以上より，益と害のバランス，エビデンスの程度，患者の希望などを考慮したうえで，推奨としては，乳房部分切除術後の照射法として，「下記の条件にて，APBI を行うことを弱く推奨する」とした。

条件：

・若年ではない低リスク症例に対して，十分な精度管理のもと，臨床試験として行うか，照射技術に習熟した施設で行うこと。

・さらに術中照射に関しては，全乳房照射より局所再発率が高いが全生存率には差がないことを説明したうえで希望する患者に行うこと。

[投票結果]

1. 行うことを強く推奨する	2. 行うことを弱く推奨する	3. 行わないことを弱く推奨する	4. 行わないことを強く推奨する
0％(0/38)	92％(35/38)	8％(3/38)	0％(0/38)
総投票数 38 名(棄権 2 名，COI 棄権 0 名)			

検索キーワード・参考にした二次資料

PubMed で，"Breast Neoplasms"，"accelerated partial breast irradiation" "APBI"，"conserving"，"conserved" のキーワードで検索した。医中誌・Cochrane Library も同等のキーワードで検索した。検索期間は 2016 年 1 月～2021 年 3 月までとし，202 件がヒットした。一次スクリーニングで 68 編，二次スクリーニングで 6 編の論文が抽出され，ハンドサーチで 2 編の論文，2015 年以前の 2 編の論文を追加した。

参考文献

1) Fisher ER, Anderson S, Tan-Chiu E, Fisher B, Eaton L, Wolmark N. Fifteen-year prognostic discriminants for invasive breast carcinoma: National Surgical Adjuvant Breast and Bowel Project Protocol-06. Cancer. 2001; 91 (8 Suppl): 1679-87. [PMID: 11309768]

2) Veronesi U, Marubini E, Mariani L, Galimberti V, Luini A, Veronesi P, et al. Radiotherapy after breast-conserving surgery in small breast carcinoma: long-term results of a randomized trial. Ann Oncol. 2001; 12(7): 997-1003. [PMID: 11521809]

3) Magee B, Swindell R, Harris M, Banerjee SS. Prognostic factors for breast recurrence after conservative breast surgery and radiotherapy: results from a randomised trial. Radiother Oncol. 1996; 39(3): 223-7. [PMID: 8783398]

4) Sanders ME, Scroggins T, Ampil FL, Li BD. Accelerated partial breast irradiation in early-stage breast cancer. J Clin Oncol. 2007; 25(8): 996-1002. [PMID: 17350949]

5) Vicini FA, Cecchini RS, White JR, Arthur DW, Julian TB, Rabinovitch RA, et al. Long-term primary results of accelerated partial breast irradiation after breast-conserving surgery for early-stage breast cancer: a randomised, phase 3, equivalence trial. Lancet. 2019; 394(10215): 2155-64. [PMID: 31813636]

6) Whelan TJ, Julian JA, Berrang TS, Kim DH, Germain I, Nichol AM, et al; RAPID Trial Investigators. External beam accelerated partial breast irradiation versus whole breast irradiation after breast conserving surgery in women with ductal carcinoma in situ and node-negative breast cancer(RAPID): a randomised controlled trial. Lancet. 2019; 394(10215): 2165-72. [PMID: 31813635]

7) Meattini I, Marrazzo L, Saieva C, Desideri I, Scotti V, Simontacchi G, et al. Accelerated partial-breast irradiation

compared with whole-breast irradiation for early breast cancer: long-term results of the randomized phase Ⅲ APBI-IMRT-florence trial. J Clin Oncol. 2020; 38(35): 4175-83. [PMID: 32840419]

8) Orecchia R, Veronesi U, Maisonneuve P, Galimberti VE, Lazzari R, Veronesi P, et al. Intraoperative irradiation for early breast cancer(ELIOT): long-term recurrence and survival outcomes from a single-centre, randomised, phase 3 equivalence trial. Lancet Oncol. 2021; 22(5): 597-608. [PMID: 33845035]
9) Boutrus RR, El Sherif S, Abdelazim Y, Bayomy M, Gaber AS, Farahat A, et al. Once daily versus twice daily external beam accelerated partial breast irradiation: a randomized prospective study. Int J Radiat Oncol Biol Phys. 2021; 109(5): 1296-300. [PMID: 33714527]
10) de Paula U, D'Angelillo RM, Andrulli AD, Apicella G, Caruso C, Ghini C, et al. Long-term outcomes of once-daily accelerated partial-breast irradiation with tomotherapy: results of a phase 2 trial. Int J Radiat Oncol Biol Phys. 2021; 109(3): 678-87. [PMID: 33098960]
11) Hickey BE, Lehman M. Partial breast irradiation versus whole breast radiotherapy for early breast cancer. Cochrane Database Syst Rev. 2021; 8(8): CD007077. [PMID: 34459500]
12) Smith BD, Arthur DW, Buchholz TA, Haffty BG, Hahn CA, Hardenbergh PH, et al. Accelerated partial breast irradiation consensus statement from the American Society for Radiation Oncology(ASTRO). Int J Radiat Oncol Biol Phys. 2009; 74(4): 987-1001. [PMID: 19545784]
13) Correa C, Harris EE, Leonardi MC, Smith BD, Taghian AG, Thompson AM, et al. Accelerated partial breast irradiation: executive summary for the update of an ASTRO evidence-based consensus statement. Pract Radiat Oncol. 2017; 7(2): 73-9. [PMID: 27866865]
14) NCCN Clinical practice guidelines in oncology: BREAST CANCER, version 8. 2021. https://www.nccn.org/professionals/physician_gls/pdf/breast.pdf （アクセス日：2021/9/29）
15) Yoshida K, Nose T, Otani Y, Asahi S, Tsukiyama I, Dokiya T, et al. A Japanese prospective multi-institutional feasibility study on accelerated partial breast irradiation using multicatheter interstitial brachytherapy: clinical results with a median follow-up of 60 months. Breast Cancer. 2022 Mar 18. Epub ahead of print. [PMID: 35303282]

BQ 4　乳房部分切除術後に腋窩リンパ節転移4個以上の患者では領域リンパ節(鎖骨上)への放射線療法は勧められるか?

ステートメント

● 同側領域リンパ節(鎖骨上)に対する放射線療法を行うことが標準治療である。

背景

乳房全切除術後では，領域リンパ節(鎖骨上)を含む乳房全切除術後放射線療法(PMRT)が，腋窩リンパ節転移陽性例，特に4個以上などの高リスク群で，再発や乳癌による死亡を減少させるとのメタアナリシスがある(☞放射線BQ5参照)。一方，乳房部分切除術後に4個以上の腋窩リンパ節転移を有する場合でも，温存乳房への照射を行うことに加えて領域リンパ節(鎖骨上)照射を行うことが標準治療であることについて概説する。

解説

乳房部分切除術後でも，全乳房照射のみ行い，領域リンパ節照射をしなかった場合，鎖骨上リンパ節再発は，腋窩リンパ節転移個数が0個，1～3個，4個以上でそれぞれ0.8～0.9%，0.5～2.1%，5.5～11%と，転移数が増えると増加する傾向がみられる[1)2)]。

乳房部分切除術後の領域リンパ節照射に関するランダム化比較試験にはMA.20試験[3)]およびEORTC 22922/10925試験[4)]がある。これらの試験における4個以上の腋窩リンパ節転移陽性例が占める割合はMA.20試験では5%，EORTC試験では13%で，大部分は腋窩リンパ節転移3個以下であったにもかかわらず，前者で遠隔無再発率や無病生存率の改善，後者で乳癌死亡率の減少が示されている。よって，よりリスクの高い4個以上の腋窩リンパ節転移乳癌で領域リンパ節照射が生存率に寄与する可能性がある。また，質の高いエビデンスは乏しいものの，領域リンパ節(鎖骨上)照射による治療成績の向上はいくつかの後ろ向き研究[1)5)]で報告されている。海外のガイドラインでも，腋窩リンパ節転移4個以上の場合は領域リンパ節照射を推奨している[6)7)]。

以上より，同側領域リンパ節(鎖骨上)に対する放射線療法を行うことが標準治療と考えられる。

なお，上記の2研究では，いずれも領域リンパ節照射として内胸リンパ節を含んでいるが，この領域を含めることの意義は別に検討する(☞放射線CQ6参照)。

検索キーワード・参考にした二次資料

PubMedで，“Breast Neoplasms”，“Radiotherapy”，“Mastectomy, Segmental”のキーワードと，“Axilla”，“Lymph node”，“Lymphatic metastasis”のキーワードおよび同義語で検索した。医中誌・Cochrane Libraryも同等のキーワードで検索した。検索期間は2016年3月～2021年3月とし，合計217件がヒットした。前回採用の7編のうち1編を削除，アップデートされた2編を差し替え，今回採用の1編を追加して，合計7編を採用した。

参考文献

1) Grills IS, Kestin LL, Goldstein N, Mitchell C, Martinez A, Ingold J, et al. Risk factors for regional nodal failure after breast-conserving therapy: regional nodal irradiation reduces rate of axillary failure in patients with four or more positive lymph nodes. Int J Radiat Oncol Biol Phys. 2003; 56(3): 658-70. [PMID: 12788171]

2) Livi L, Scotti V, Saieva C, Meattini I, Detti B, Simontacchi G, et al. Outcome after conservative surgery and breast irradiation in 5,717 patients with breast cancer: implications for supraclavicular nodal irradiation. Int J Radiat Oncol Biol Phys. 2010; 76(4): 978-83. [PMID: 19540052]
3) Whelan TJ, Olivotto IA, Parulekar WR, Ackerman I, Chua BH, Nabid A, et al; MA.20 Study Investigators. Regional nodal irradiation in early-stage breast cancer. N Engl J Med. 2015; 373(4): 307-16. [PMID: 26200977]
4) Poortmans PM, Weltens C, Fortpied C, Kirkove C, Peignaux-Casasnovas K, Budach V, et al; European Organisation for Research and Treatment of Cancer Radiation Oncology and Breast Cancer Groups. Internal mammary and medial supraclavicular lymph node chain irradiation in stage Ⅰ-Ⅲ breast cancer(EORTC 22922/10925): 15-year results of a randomised, phase 3 trial. Lancet Oncol. 2020; 21(12): 1602-10. [PMID: 33152277]
5) Vicini FA, Horwitz EM, Lacerna MD, Brown DM, White J, Dmuchowski CF, et al. The role of regional nodal irradiation in the management of patients with early-stage breast cancer treated with breast-conserving therapy. Int J Radiat Oncol Biol Phys. 1997; 39(5): 1069-76. [PMID: 9392546]
6) Brackstone M, Baldassarre FG, Perera FE, Cil T, Chavez Mac Gregor M, Dayes IS, et al. Management of the axilla in early-stage breast cancer: Ontario Health(Cancer Care Ontario)and ASCO Guideline. J Clin Oncol. 2021; 39(27): 3056-82. [PMID: 34279999]
7) NCCN Clinical practice guidelines in oncology: Breast Cancer, version 8. 2021. https://www.nccn.org/professionals/physician_gls/pdf/breast.pdf （アクセス日：2021/9/29）

CQ 4 乳房部分切除術および腋窩郭清後の腋窩リンパ節転移1～3個の患者では，領域リンパ節（鎖骨上）を照射野に含めることが勧められるか？

推奨

● 領域リンパ節（鎖骨上）に対する放射線療法を弱く推奨する。

推奨の強さ：2，エビデンスの強さ：弱，合意率：98%（47/48）

推奨におけるポイント

▌領域リンパ節照射の適応は転移リンパ節の個数のみでは決まらないため，一様には推奨しないが，その他のリスクを総合的に考慮して実施することを推奨する。

背景・目的

乳房全切除術後では，転移陽性リンパ節が1～3個の症例においても，領域リンパ節（鎖骨上）を含む乳房全切除術後放射線療法（PMRT）が再発や乳癌による死亡を減少させるとのメタアナリシスがある（☞放射線CQ5参照）。一方，乳房部分切除術後では，術後全乳房照射に領域リンパ節（鎖骨上）照射を加えることの意義を検討したランダム化比較試験は少ない。本CQでは，乳房部分切除術に加えて腋窩郭清がなされた患者において，腋窩リンパ節転移1～3個であった場合に領域リンパ節（鎖骨上）照射が推奨されるかを検討した。なお，本CQは鎖骨上を含む領域リンパ節照射の意義を検討するものであり，内胸リンパ節を照射野に含めるかについては別CQで検討する（☞放射線CQ6参照）。

解 説

本CQでは，益については領域リンパ節再発率の低下，遠隔再発率の低下，無病生存率の改善，乳癌死亡率の低下および全生存率の改善，害については晩期有害事象（リンパ浮腫および二次がん）をアウトカムとして設定し，系統的文献検索を行った。益と害のアウトカムについて2編の介入研究を評価した。

益については，領域リンパ節（鎖骨上）照射を含む乳癌術後照射の有用性を検討したランダム化比較試験のうち，対象に乳房部分切除術後の症例を含む2編を採用した。

1つはMA. 20試験で，乳房部分切除術後のリンパ節転移陽性あるいはリンパ節転移陰性高リスク*（後述）症例が，領域リンパ節（鎖骨上および内胸）照射群と非照射群とにランダムに分けられた[1)]。対象となった1,832例のうち，転移陽性リンパ節数が1～3個の割合は85%であった。観察期間中央値9.5年において，領域リンパ節照射群では非照射群と比較して10年遠隔無再発率が86.3%および82.4%〔ハザード比（HR）0.76，95%CI 0.60-0.97，$p=0.03$〕，無病生存率が82.0%および77.0%（HR 0.76，95%CI 0.61-0.94，$p=0.01$）と，それぞれ有意に改善したが，10年乳癌死亡率および10年全生存率には有意な差は認められなかった。

もう1つのEORTC 22922/10925試験では，リンパ節転移陽性，あるいは原発巣が内側・中心区域に位置するⅠ-Ⅲ期症例が，領域リンパ節（鎖骨上および内胸）照射群と非照射群とにランダムに分けられた[2]。対象となった4,004人のうち76%に乳房部分切除術が行われ，転移陽性リンパ節数が1〜3個の割合は43%であった。観察期間中央値15.7年において，領域リンパ節照射群では非照射群と比較して15年乳癌死亡率が有意に低下した(16.0% vs. 19.8%，HR 0.81，95%CI 0.71-0.94，$p=0.0055$)。一方，15年無病生存率，15年遠隔無再発率および15年全生存率には有意な差は認めなかった。なお，本試験の観察期間中央値10.9年の成績(2015年に公表)では，領域リンパ節照射群は非照射群に比して10年遠隔無再発率が有意に改善していたが(HR 0.86，95% CI 0.76-0.98，$p=0.02$)[3]，15年成績(2020年に公表)では，観察期間の延長により有意差が消失していた[2]。

上記2研究を統合して，益のアウトカムとして，領域リンパ節再発率の低下，遠隔再発率の低下，無病生存率の改善，乳癌死亡率の低下および全生存率の改善についてメタアナリシスを行った[1)〜3)]。その結果，領域リンパ節照射により乳癌死亡率は有意に低下させるが(HR 0.81，95%CI 0.71-0.92，$p=0.001$)，領域リンパ節再発率の低下，遠隔再発率の低下，無病生存率および全生存率の改善は示されなかった。また，転移陽性リンパ節数1〜3個のサブグループ解析結果が得られているアウトカムを統合したところ，無病生存率は有意に改善したが(HR 0.86，95%CI 0.74-0.98，$p=0.03$)，全生存率の改善は有意ではなかった。

害については，リンパ浮腫および二次がんについて，介入研究2編を評価した。リンパ浮腫の粗発生割合については，領域リンパ節(鎖骨上および内胸)照射群と非照射群とで比較すると，MA. 20試験では8.4%および4.5%と領域リンパ節照射群で有意に増加し($p=0.001$)，EORTC 22922/10925試験では12.0%と10.5%と報告されている[3]。これらを統合解析したところ，リンパ浮腫の増加傾向はあるものの，統計学的な有意差は認められなかった〔リスク比(RR)1.42，95% CI 0.89-2.26，$p=0.14$〕。しかし，これらの試験ではリンパ浮腫について再現性のある客観的評価が行われていない。また，EORTC 22922/10925試験において，リンパ浮腫の頻度そのものが一般に考えられているより低い理由として，郭清した腋窩を意図的には照射範囲に含めない方針であったためではないかと考察されている[3]。

二次がんについては，上記2研究を統合的に解析した結果，有意な二次がんの増加は示されなかった(RR 0.98，95%CI 0.86-1.12，$p=0.82$)。しかし，二次がんについては，観察期間10〜15年では真の影響が検出されていない可能性がある。

なお，評価した研究が開始された時期は，抗HER2療法，タキサンやアロマターゼ阻害薬などの薬剤が普及する前であり，現在の薬物療法の各再発率への寄与が高まっていることが想定される中で，放射線療法の相対的な意義が低下している可能性にも留意する必要がある。

ランダム化比較を行った2研究は，転移陽性リンパ節数が1〜3個でない患者を含み，薬物療法の種類などに偏りがあり，EORTC 22922/10925試験では乳房全切除術例も含まれることから，エビデンスの強さを「弱」とした。

以上をまとめると，乳房部分切除術に加えて腋窩郭清がなされた患者において，腋窩リンパ節転移1〜3個の場合は，領域リンパ節照射をすることにより乳癌死亡率が有意に低下し，無病生存率も改善する可能性があるが，全生存率の改善は有意ではない。リンパ浮腫の発生リスクについてはエビデンスに限界があり一貫性はないが，領域リンパ節照射がリンパ浮腫に影響しているというメタアナリシスもあり(☞放射線 総説1参照)，領域リンパ節照射によるリンパ浮腫増加の可能性は留意すべきである。その他の有害事象も含めてより長期の観察データが必要である。より新しい薬物療法の効果が高まり，放射線療法の相対的な意義が低下する可能性があること，EORTC 22922/10925 試験の長期観察では遠隔無再発率の差が消失していること，10～15 年の観察による結果であることから，一様に実施することは過剰である可能性がある。乳房全切除術後の場合と異なり，乳房部分切除術例においてはもともと術後全乳房照射の適応があるため，領域リンパ節への照射を加えるかどうかで治療にかかるコストや通院回数は若干増えるのみである。このため，益と害のバランスに基づいて，患者と医療者が十分に議論して方針決定することが望ましい。領域リンパ節への照射適応はリンパ節転移個数だけで決まるわけではないため，その他の再発リスク*を総合的に考慮したうえで実施すべきと考えられる。

*高リスク・その他の再発リスク

今回検討した MA. 20 試験では，腋窩リンパ節陰性の場合でも，腫瘍径 5 cm 以上，腫瘍径 2 cm 以上でリンパ節郭清個数が 10 個より少ない，または以下のうち少なくとも 1 つが該当する症例（組織学的グレード 3，エストロゲン受容体陰性，または脈管侵襲陽性）が含まれていた。また，EORTC 22922/10925 試験では，リンパ節転移の有無にかかわらず，原発巣が内側・中心区域に位置する症例が含まれていた。

推奨決定会議では，同じく転移陽性リンパ節数が 1～3 個で乳房全切除術後を対象とした PMRT の適否についての CQ と合わせて議論がなされ（☞放射線 CQ5 参照），両者の病状は類似するが術式およびもととなるエビデンスが異なること，術式の違いで放射線療法の介入に差が生じること（対照群は放射線治療がまったくない群か，全乳房照射群）が議論された。対象の大部分に推奨されるわけではないこと，対象条件を推奨文で明確に定義することが難しいことから，投票の結果，98%（47/48）の合意率で 2018 年版と同様に「弱く推奨」となった。

また，今回評価を行った研究は腋窩郭清例を対象としており，今後増加すると思われる腋窩郭清が省略された（または限定的である）場合の領域リンパ節照射の意義は異なる可能性がある（☞放射線 FRQ3 参照）。

［投票結果］

1. 行うことを強く推奨する	2. 行うことを弱く推奨する	3. 行わないことを弱く推奨する	4. 行わないことを強く推奨する
0%（0/48）	98%（47/48）	0%（0/48）	2%（1/48）
総投票数 48 名（棄権 1 名，COI 棄権 0 名）			

検索キーワード・参考にした二次資料

PubMed で，"Breast Neoplasms"，"Radiotherapy"，"Mastectomy, Segmental"，"Axilla"，"Lymph nodes"，"Lymphatic metastasis" のキーワードおよび同義語で検索した。医中誌・Cochrane Library も同等のキーワードで検索した。検索期間は 2016 年 3 月～2021 年 3 月とし，それぞれ 442，28，37 件がヒットした。一次スクリーニングで 32 編，二次スクリーニングで 16 編の論文が抽出され，2018 年版採用の 2 編と合わせ，最終的に 3 編（2 つの RCT のうち 1 編のアップデート論文を含む）を採用した。

参考文献

1）Whelan TJ, Olivotto IA, Parulekar WR, Ackerman I, Chua BH, Nabid A, et al; MA. 20 Study Investigators. Regional nodal irradiation in early-stage breast cancer. N Engl J Med. 2015; 373(4): 307-16. [PMID: 26200977]
2）Poortmans PM, Weltens C, Fortpied C, Kirkove C, Peignaux-Casasnovas K, Budach V, et al; European Organisation for Research and Treatment of Cancer Radiation Oncology and Breast Cancer Groups. Internal mammary

and medial supraclavicular lymph node chain irradiation in stage Ⅰ-Ⅲ breast cancer(EORTC 22922/10925): 15-year results of a randomised, phase 3 trial. Lancet Oncol. 2020; 21(12): 1602-10. [PMID: 33152277]

3) Poortmans PM, Collette S, Kirkove C, Van Limbergen E, Budach V, Struikmans H, et al; EORTC Radiation Oncology and Breast Cancer Groups. Internal mammary and medial supraclavicular irradiation in breast cancer. N Engl J Med. 2015; 373(4): 317-27. [PMID: 26200978]

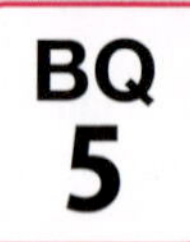

乳房全切除術後に腋窩リンパ節転移 4 個以上の患者では，乳房全切除術後放射線療法（PMRT）が勧められるか？

ステートメント

- 乳房全切除術後放射線療法（PMRT）を行うことが標準治療である。

背景

腋窩リンパ節転移陽性例において，乳房全切除術後放射線療法（PMRT）は局所・領域リンパ節再発を約 1/4～1/3 に低下させ，生存率を改善させることが示されている。乳房全切除術後に腋窩リンパ節転移 4 個以上の患者において，PMRT を行うことの意義について概説する。

解説

リンパ節転移陽性乳癌の乳房全切除術後に放射線療法を行うことにより，局所・領域リンパ節再発の減少と生存率を改善させることが，複数のランダム化比較試験（RCT）とメタアナリシスで示されている。

高リスク（腋窩リンパ節転移，原発腫瘍径 5 cm 超，皮膚または胸筋筋膜への浸潤のうち 1 つ以上の因子を有する症例）の閉経前乳癌 1,708 例を対象に，化学療法〔シクロホスファミド，メトトレキサート，フルオロウラシル（CMF 療法）〕に PMRT を加えることの有用性を調べた RCT〔Danish Breast Cancer Cooperative Group（DBCG）82b 試験〕で，PMRT は観察期間中央値 114 カ月で局所・領域リンパ節再発を 32% から 9%（$p<0.001$）に減少させ，10 年全生存率を 36% から 45%（$p=0.03$）に改善した[1]。高リスク閉経後乳癌 1,480 例を対象に，タモキシフェンによる内分泌療法に PMRT を加えることの有用性を調べた RCT（DBCG 82c 試験）では，PMRT によって観察期間中央値 114 カ月で局所・領域リンパ節再発は 35% から 8% に減少し，10 年全生存率は 45% から 54%（$p<0.001$）に改善した[2]。さらに，この 2 つの RCT を統合した解析では，8 個以上の腋窩リンパ節が郭清され，4 個以上のリンパ節転移が認められた 600 例において，PMRT は 15 年局所・領域リンパ節再発率を 51% から 10%〔リスク比（RR）0.17，95%CI 0.10–0.28，$p<0.001$〕に減少させ，15 年全生存率を 12% から 21%（RR 0.49，95%CI 0.31–0.76，$p=0.03$）に改善させることが示された[3]。閉経前乳癌 318 例を対象に CMF 療法に PMRT を追加することの有用性をみた RCT（British Columbia 試験）では，PMRT により 20 年全生存率の改善が示された（37% vs 47%，RR 0.73，95%CI 0.55–0.98，$p=0.03$）[4]。さらに，上記 3 つの試験を含む 22 の RCT について EBCTCG が行ったメタアナリシスでも，腋窩リンパ節転移 4 個以上の 1,772 例において，PMRT は 10 年局所・領域リンパ節再発率を 32.1% から 13.0%（$2p<0.00001$）に減少させ，20 年乳癌死を 80.0% から 70.7%（RR 0.87，95%CI 0.77–0.99，$2p=0.04$）に減少させることが示された[5]。

海外の主要なガイドラインでも腋窩リンパ節転移 4 個以上の場合に PMRT を行うことが標準治療として勧められている[6)～9)]。以上から，腋窩リンパ節転移 4 個以上の患者において，PMRT は局所・領域リンパ節再発の低下と生存率の改善をもたらすと考えられ，乳癌の集学的治療の一つとしてPMRTを行うことが標準治療である。腋窩リンパ節転移1〜3個の場合は放射線CQ5を参照。

検索キーワード・参考にした二次資料

「乳癌診療ガイドライン①治療編2018年版」の参考文献に加え，PubMedで，“Breast Neoplasms”，“Radiotherapy”，“Combined Modality Therapy”，“Mastectomy”，“Lymphatic Metastasis”，“PMRT”のキーワードで検索した。Cochrane Library・医中誌でも同等のキーワードで検索した。検索期間は2016年1月〜2021年3月とし，288件がヒットした。さらにハンドサーチや二次資料から重要と思われる文献を加え，9編を採用した。

参考文献

1) Overgaard M, Hansen PS, Overgaard J, Rose C, Andersson M, Bach F, et al. Postoperative radiotherapy in high-risk premenopausal women with breast cancer who receive adjuvant chemotherapy. Danish Breast Cancer Cooperative Group 82b Trial. N Engl J Med. 1997; 337(14): 949-55. [PMID: 9395428]
2) Overgaard M, Jensen MB, Overgaard J, Hansen PS, Rose C, Andersson M, et al. Postoperative radiotherapy in high-risk postmenopausal breast-cancer patients given adjuvant tamoxifen: Danish Breast Cancer Cooperative Group DBCG 82c randomised trial. Lancet. 1999; 353(9165): 1641-8. [PMID: 10335782]
3) Overgaard M, Nielsen HM, Overgaard J. Is the benefit of postmastectomy irradiation limited to patients with four or more positive nodes, as recommended in international consensus reports? A subgroup analysis of the DBCG 82 b & c randomized trials. Radiother Oncol. 2007; 82(3): 247-53. [PMID: 17306393]
4) Ragaz J, Olivotto IA, Spinelli JJ, Phillips N, Jackson SM, Wilson KS, et al. Locoregional radiation therapy in patients with high-risk breast cancer receiving adjuvant chemotherapy: 20-year results of the British Columbia randomized trial. J Natl Cancer Inst. 2005; 97(2): 116-26. [PMID: 15657341]
5) EBCTCG(Early Breast Cancer Trialists' Collaborative Group), McGale P, Taylor C, Correa C, Cutter D, Duane F, et al. Effect of radiotherapy after mastectomy and axillary surgery on 10-year recurrence and 20-year breast cancer mortality: meta-analysis of individual patient data for 8135 women in 22 randomised trials. Lancet. 2014; 383(9935): 2127-35. [PMID: 24656685]
6) Recht A, Comen EA, Fine RE, Fleming GF, Hardenbergh PH, Ho AY, et al. Postmastectomy radiotherapy: an American Society of Clinical Oncology, American Society for Radiation Oncology, and Society of Surgical Oncology focused guideline update. Pract Radiat Oncol. 2016; 6(6): e219-e34. [PMID: 27659727]
7) Wenz F, Sperk E, Budach W, Dunst J, Feyer P, Fietkau R, et al; Breast Cancer Expert Panel of the German Society of Radiation Oncology(DEGRO). DEGRO practical guidelines for radiotherapy of breast cancer IV: radiotherapy following mastectomy for invasive breast cancer. Strahlenther Onkol. 2014; 190(8): 705-14. [PMID: 24888511]
8) Cardoso F, Kyriakides S, Ohno S, Penault-Llorca F, Poortmans P, Rubio IT, et al; ESMO Guidelines Committee. Electronic address: clinicalguidelines@esmo.org. Early breast cancer: ESMO Clinical Practice Guidelines for diagnosis, treatment and follow-up†. Ann Oncol. 2019; 30(8): 1194-220. [PMID: 31161190]
9) NCCN Clinical practice guidelines in oncology: BREAST CANCER, version 8. 2021. https://www.nccn.org/professionals/physician_gls/pdf/breast.pdf （アクセス日：2021/9/29）

CQ 5 乳房全切除術後および腋窩郭清後の腋窩リンパ節転移1～3個の患者では，乳房全切除術後放射線療法（PMRT）が勧められるか？

推奨

● 乳房全切除術後放射線療法（PMRT）を弱く推奨する。

推奨の強さ：2，エビデンスレベル：中，合意率：71％（34/48）

推奨におけるポイント

- 基本的にPMRTを行うことを検討するが，一部の症例ではリスクを総合的に評価したうえで，行わないことを選択できる場合もある。
- PMRTを省略できる条件について現状では一定の見解はない。

背景・目的

腋窩リンパ節転移4個以上陽性患者における乳房全切除術後放射線療法（PMRT）については，局所・領域リンパ節再発の抑止のみならず，生存率への寄与も示されており，行うことが標準治療である（☞放射線BQ5参照）。一方，腋窩リンパ節転移1～3個陽性患者におけるPMRTについては，全例に行うべきかどうかいまだ議論の余地がある。このような患者に対するPMRTの有効性と安全性について検討した。

解説

本CQでは，益については局所・領域リンパ節再発率，遠隔再発率，乳癌死亡率，全生存率，害については晩期有害事象をアウトカムとして設定し，系統的文献検索を行った。益のアウトカムについて1編のメタアナリシス，20編の観察研究を評価し，害についてはシステマティック・レビュー2編，ランダム化比較試験1編，前向きコホート研究を含む観察研究2編を評価した。

腋窩リンパ節転移1～3個陽性患者に対するPMRTの益について，EBCTCGのメタアナリシスを用いて評価した[1]。このメタアナリシスは，乳房全切除術後にPMRT施行の有無をランダム化した22の試験が対象で，少なくともレベルⅡまでの腋窩郭清が行われている。PMRTが施行された症例では，原則胸壁と鎖骨上リンパ節・内胸リンパ節領域が照射野に含まれている。このうち，腋窩リンパ節転移1～3個陽性の1,314例での解析で，10年局所・領域リンパ節再発率は，非施行群で20.3％に対し，施行群では3.8％に低下させた（レート比0.24，95％CI 0.17-0.34，$2p<0.00001$）。10年全再発率はPMRTにより45.7％から34.2％に低下し（レート比0.68，95％CI 0.57-0.82，$2p=0.00006$），20年乳癌死亡率に関しても50.2％から42.3％と有意な低下（レート比0.80，95％CI 0.67-0.95，$2p=0.01$）を認めた。20年全死亡率に関しては非施行群56.5％に対して施行群53.5％と低下したものの，統計学的な有意差は認められなかった（レート比0.89，95％CI 0.77-1.04，$2p>0.1$）。1,314例中1,133例では薬物療法としてCMF（シクロホスファミド＋メトトレキサート＋フルオロウラシル），タモキシフェンのいずれか，または両方が投与されていたが，その症例でも局所・領域リンパ節再発率（レート比0.25，95％CI 0.17-0.36，$2p<0.00001$），全再発率

(レート比 0.67, 95%CI 0.55-0.82, $2p=0.00009$), 乳癌死亡率(レート比 0.78, 95%CI 0.64-0.94, $2p=0.01$)は低下した。また, 全死亡率には差を認めなかった(レート比 0.86, 95%CI 0.72-1.02, $2p=0.08$)。

このメタアナリシスの対象となっている試験が開始された時期はアロマターゼ阻害薬, 抗HER2療法やタキサンが普及する前であることから, 現在の周術期薬物療法の各再発率低減への寄与が高まっていることが想定され, 放射線療法の相対的な意義が低下している可能性にも留意する必要がある。そこで, 現代の周術期薬物療法が行われた1～3個の腋窩リンパ節転移陽性症例を対象とした観察研究をメタアナリシスした。スクリーニングの基準として薬物療法はアンスラサイクリンもしくはタキサンのいずれかまたは両方が投与された研究とした。局所・領域リンパ節再発については19編の観察研究[2)～20)]のメタアナリシスで, PMRT施行群で〔ハザード比(HR) 0.37, 95%CI 0.27-0.51, $p<0.00001$〕と有意に低下した。遠隔再発は11編[3)5)～7)9)～12)15)17)18)]をメタアナリシスした結果, PMRTの有無で遠隔再発率に差を認めなかった(HR 0.89, 95%CI 0.71-1.11, $p=0.30$)。乳癌死亡率に関する3編[5)15)21)]のメタアナリシスでは, PMRT施行の有無で乳癌死亡率に差を認めなかった(HR 0.98, 95%CI 0.90-1.06, $p=0.60$)。全生存率については13編[3)～5)7)9)～12)14)16)～19)]をメタアナリシスし, PMRT施行群で全生存率が高かった(HR 0.83, 95% CI 0.70-0.98, $p=0.03$)。

害については晩期有害事象についてレビューした。心疾患については1編のシステマティック・レビューにより評価した[22)]。このレビューでは放射線療法の有無でランダム化された75の試験, 40,781例を対象に(症例登録年の中央値は1983年), 長期間の経過観察が行われ, 乳癌の再発なしに何らかの心疾患で死亡する確率が, 放射線療法非施行群で0.30%に対して放射線療法施行群で0.36%と放射線療法施行群で増加した(レート比1.30, 95%CI 1.15-1.46, $p<0.001$)。ただし, 乳房部分切除術後症例も含まれていることや, 古い照射技術が用いられていることにも留意する必要がある。

二次がんに関しては, 2編のシステマティック・レビューと1編のコホート研究により評価した。2編のシステマティック・レビューでは, 乳房部分切除術後症例を含むことや, 照射範囲が統一されていない点に留意が必要であるが, いずれにおいても照射群は非照射群に比べ乳癌を除く二次がん発症率が増加した(レート比1.23, 95%CI 1.12-1.36, $p<0.001$, 相対リスク1.22, 95% CI 1.06-1.41, $p=0.005$)[22)23)]。Taylorらの報告では, 乳癌を除く二次がんの発生率は照射群で0.50%, 非照射群で0.42%とされている。

患側上肢のリンパ浮腫については, 腋窩郭清後にPMRT施行群と非施行群を比較した非直接性の低いメタアナリシスや介入研究はなく, 1編の前向きコホート研究のみが抽出され, これを評価した。術後2年目までのリンパ浮腫累積発症リスクはPMRT施行群で23.9%, 非施行群で18.3%(レート比1.29, 95%CI 0.71-2.35, $p=0.40$)と増加したが, 統計学的に有意ではなかった[24)]。一方, 放射線照射が非照射に比べてリンパ浮腫を増加させるというメタアナリシスや, 領域リンパ節照射によりリンパ浮腫が増加するというメタアナリシスもあり(☞放射線 総説1参照), PMRTによるリンパ浮腫増加の可能性には留意すべきである。

皮膚障害と肺障害についてはEORTC 22922/10925試験における報告をレビューした[25)26)]。すべての皮膚毒性(皮膚炎・皮膚線維化・色素沈着・毛細血管拡張・その他)は13.6%であった。胸壁または乳房と内胸リンパ節を含む領域リンパ節照射を行った場合の3年までの放射線肺臓炎は0.7%，15年時点での肺線維症の累積発症リスクは5.7%であった。

EBCTCGのメタアナリシスでは薬物療法が現在と異なることによる非直接性が懸念され，本CQではこの非直接性のためにエビデンスの強さが下がると考えられる。また，害については十分なエビデンスがないことからエビデンスの強さは「中」とした。

以上より，益について評価した1編のメタアナリシスでは，PMRTは全生存率への有意な寄与はなかったが，局所・領域リンパ節再発の低下と乳癌死亡率の低下が認められた。非直接性の低い観察研究のメタアナリシスでもPMRT群で局所・領域リンパ節再発の低下が認められた。観察研究のメタアナリシスでは，乳癌死亡率には有意な差はなく，全生存率についてはPMRT群で改善し，EBCTCGメタアナリシスとは異なる結果であったが，バイアスリスクの高い観察研究の統合解析であることに留意する必要がある。害についてはPMRTを行うことによって心疾患による死亡や二次がんの発症率が増加するものの，その絶対値は小さい。PMRTを施行することにより，リンパ浮腫は増加し，肺障害や皮膚障害も生じる可能性がある。ただし，レビューした研究が行われた時代と比べ，放射線治療技術は進歩しており，有害事象の低減が推測される。このように，益と害のバランスは益が大きいと考えられる。

これらを踏まえ，PMRTを受けるかどうかについて，患者の意向はばらつくと考えられる。PMRTを受ける患者にとっては，通院や治療に時間と経費がかかる。有害事象に関しては，年齢や併存症の有無，局在の左右や肥満などに依存する(☞放射線 総説1参照)。また，有害事象に対する患者自身の評価も，個々の価値観によって異なる。PMRTを行うことによってコストはかかるが，一方で，再発した際の治療にかかるコストは非常に高額であり，患者の心身の負担は大きい。

国外のNCCNガイドライン[27]やASCO/ASTRO/SSOのガイドライン[28]では，リンパ節転移1〜3個の場合にPMRTを行うことを強く推奨している。一方，ASCO/ASTRO/SSOのガイドラインでは，局所・領域再発リスクが低い因子や有害事象を増強する因子として，原発巣T1，脈管侵襲なし，リンパ節転移1個，リンパ節転移サイズが小さい，術前薬物療法の効果が高い，低グレード，ホルモン強感受性，高齢，限られた期待余命，有害事象の増強が懸念される併存症などを挙げ，PMRTを省略できる患者群も存在することに言及している。そのほか，郭清リンパ節個数に対する陽性リンパ節個数割合や薬物療法施行予定なども評価し，PMRTを省略できる群が検討されている。現状では一定の見解は定まっていないものの，リスクを総合的に評価したうえで，PMRTを行わないことを選択できる場合もあると考えられる。

推奨決定会議では，同じく転移陽性リンパ節数が1〜3個で乳房部分切除術後を対象とした領域リンパ節照射の適否についてのCQと合わせて議論がなされ(☞放射線CQ4参照)，両者の病状は類似するが術式およびもととなるエビデンスが異なること，術式の違いで放射線療法の介入に差が生じること(対照群は放射線治療がまったくない群か，全乳房照射群)が議論された。対象の一部ではPMRTを行わないことを選択できる可能性があること，対象条件を推奨文で明確に定義することが難しいことから，1回目の投票の結果，行うことを強く推奨31%，弱く推奨65%，行わないことを弱く推奨4%と意見が分かれたが，2回目の投票では，行うことを強く推奨29%，行うことを弱く推奨71%と，70%以上の合意率で行うことを弱く推奨するとなった。

以上より，エビデンスの強さ，益と害のバランス，患者の希望などを勘案し，推奨は「乳房全切除術後放射線療法(PMRT)を弱く推奨する」とした。

[投票結果]

	1. 行うことを強く推奨する	2. 行うことを弱く推奨する	3. 行わないことを弱く推奨する	4. 行わないことを強く推奨する
CQ5 1回目	31%(15/49)	65%(32/49)	4%(2/49)	0%(0/49)
	総投票数49名(棄権0名，COI棄権0名)			
CQ5 2回目	29%(14/48)	71%(34/48)	0%(0/48)	0%(0/48)
	総投票数48名(棄権0名，COI棄権0名)			

検索キーワード・参考にした二次資料

「乳癌診療ガイドライン①治療編2018年版」の参考文献に加え，PubMedで，“Breast Neoplasms”，“Radiotherapy”，“Lymphatic Metastasis”，“Axilla”，“node”，“Mastectomy”，“Adjuvant”，“Lymph Node Excision”，“Lymphedema”，“radiation effects”，“adverse effects”のキーワードで検索した。医中誌・Cochrane Libraryも同等のキーワードで検索した。検索期間は2021年3月までとし998件がヒットした。一次スクリーニングで106編が抽出され，1編がハンドサーチで追加された。二次スクリーニングで32編が抽出され，定性的・定量的システマティック・レビューを行った。

参考文献

1) EBCTCG(Early Breast Cancer Trialists' Collaborative Group), McGale P, Taylor C, Correa C, Cutter D, Duane F, et al. Effect of radiotherapy after mastectomy and axillary surgery on 10-year recurrence and 20-year breast cancer mortality: meta-analysis of individual patient data for 8135 women in 22 randomised trials. Lancet. 2014; 383(9935): 2127-35. [PMID: 24656685]
2) Tam MM, Wu SP, Perez C, Gerber NK. The effect of post-mastectomy radiation in women with one to three positive nodes enrolled on the control arm of BCIRG-005 at ten year follow-up. Radiother Oncol. 2017; 123(1): 10-4. [PMID: 28341062]
3) Abi Jaoude J, de Azambuja E, Makki M, Tamim H, Tfayli A, Geara F, et al. Post-mastectomy radiation therapy in human epidermal growth factor receptor 2 positive breast cancer patients: analysis of the HERA trial. Int J Radiat Oncol Biol Phys. 2020; 106(3): 503-10. [PMID: 31654782]
4) Abdel-Rahman O. Impact of postmastectomy radiotherapy on the outcomes of breast cancer patients with T1-2 N1 disease: an individual patient data analysis of three clinical trials. Strahlenther Onkol. 2019; 195(4): 297-305. [PMID: 30069737]
5) Zeidan YH, Habib JG, Ameye L, Paesmans M, de Azambuja E, Gelber RD, et al. Postmastectomy radiation therapy in women with T1-T2 tumors and 1 to 3 positive lymph nodes: analysis of the breast international group 02-98 trial. Int J Radiat Oncol Biol Phys. 2018; 101(2): 316-24. [PMID: 29534902]
6) Duraker N, Demir D, Bati B, Yilmaz BD, Bati Y, Çaynak ZC, et al. Survival benefit of post-mastectomy radiotherapy in breast carcinoma patients with T1-2 tumor and 1-3 axillary lymph node(s) metastasis. Jpn J Clin Oncol. 2012; 42(7): 601-8. [PMID: 22511807]
7) Huang CJ, Hou MF, Chuang HY, Lian SL, Huang MY, Chen FM, et al. Comparison of clinical outcome of breast cancer patients with T1-2 tumor and one to three positive nodes with or without postmastectomy radiation therapy. Jpn J Clin Oncol. 2012; 42(8): 711-20. [PMID: 22645150]
8) McBride A, Allen P, Woodward W, Kim M, Kuerer HM, Drinka EK, et al. Locoregional recurrence risk for patients with T1,2 breast cancer with 1-3 positive lymph nodes treated with mastectomy and systemic treatment. Int J Radiat Oncol Biol Phys. 2014; 89(2): 392-8. [PMID: 24721590]
9) He ZY, Wu SG, Zhou J, Li FY, Lin Q, Lin HX, et al. Postmastectomy radiotherapy improves disease-free survival of high risk of locoregional recurrence breast cancer patients with T1-2 and 1 to 3 positive nodes. PLoS One. 2015; 10(3): e0119105. [PMID: 25781605]
10) Chang JS, Lee J, Kim KH, Sohn JH, Kim SI, Park BW, et al. Do recent advances in diagnostic and therapeutic procedures negate the benefit of postmastectomy radiotherapy in N1 patients with a low risk of locoregional recurrence? Medicine(Baltimore). 2015; 94(33): e1259. [PMID: 26287410]
11) Shen H, Zhao L, Wang L, Liu X, Liu X, Liu J, et al. Postmastectomy radiotherapy benefit in Chinese breast cancer patients with T1-T2 tumor and 1-3 positive axillary lymph nodes by molecular subtypes: an analysis of 1369 cases. Tumour Biol. 2016; 37(5): 6465-75. [PMID: 26631044]

12) Kim YJ, Park W, Ha B, Park B, Joo J, Kim TH, et al. Postmastectomy radiotherapy in patients with pT1-2N1 breast cancer treated with taxane-based chemotherapy: a retrospective multicenter analysis (KROG 1418). Cancer Res Treat. 2017; 49(4): 927-36. [PMID: 28052654]
13) Miyashita M, Tada H, Suzuki A, Watanabe G, Hirakawa H, Amari M, et al. Minimal impact of postmastectomy radiation therapy on locoregional recurrence for breast cancer patients with 1 to 3 positive lymph nodes in the modern treatment era. Surg Oncol. 2017; 26(2): 163-70. [PMID: 28577722]
14) Yin H, Qu Y, Wang X, Ma T, Zhang H, Zhang Y, et al. Impact of postmastectomy radiation therapy in T1-2 breast cancer patients with 1-3 positive axillary lymph nodes. Oncotarget. 2017; 8(30): 49564-73. [PMID: 28484094]
15) Luo C, Zhong X, Deng L, Xie Y, Hu K, Zheng H. Nomogram predicting locoregional recurrence to assist decision-making of postmastectomy radiation therapy in patients with T1-2N1 breast cancer. Int J Radiat Oncol Biol Phys. 2019; 103(4): 905-12. [PMID: 30419307]
16) Muhsen S, Moo TA, Patil S, Stempel M, Powell S, Morrow M, et al. Most breast cancer patients with T1-2 tumors and one to three positive lymph nodes do not need postmastectomy radiotherapy. Ann Surg Oncol. 2018; 25(7): 1912-20. [PMID: 29564588]
17) Gilmore RC, Sebai ME, Psoter KJ, Prasath V, Siotos C, Broderick KP, et al. Analysis of breast cancer patients with T1-2 tumors and 1-3 positive lymph nodes treated with or without postmastectomy radiation therapy. Sci Rep. 2020; 10(1): 9887. [PMID: 32555240]
18) Tang Y, Zhang YJ, Zhang N, Shi M, Wen G, Cheng J, et al. Nomogram predicting survival as a selection criterion for postmastectomy radiotherapy in patients with T1 to T2 breast cancer with 1 to 3 positive lymph nodes. Cancer. 2020; 126 Suppl 16: 3857-66. [PMID: 32710662]
19) Kustić D, Klarica Gembić T, Grebić D, Petretić Majnarić S, Nekić J. The role of different lymph node staging systems in predicting prognosis and determining indications for postmastectomy radiotherapy in patients with T1-T2pN1 breast carcinoma. Strahlenther Onkol. 2020; 196(11): 1044-54. [PMID: 32710122]
20) Li M, Yue J, Wan X, Hua B, Yang Q, Yang P, et al. Risk-adapted postmastectomy radiotherapy decision based on prognostic nomogram for pT1-2N1M0 breast cancer: a multicenter study. Front Oncol. 2020; 10: 588859. [PMID: 33363018]
21) Chen M, Huang Y, Leng Z, Yang G, Li F, Yang H, et al. Post-mastectomy radiotherapy in T1-2 breast cancer patients with one to three lymph node metastases: a propensity score matching analysis. Front Oncol. 2020; 9: 1551. [PMID: 32117784]
22) Taylor C, Correa C, Duane FK, Aznar MC, Anderson SJ, Bergh J, et al; Early Breast Cancer Trialists' Collaborative Group. Estimating the risks of breast cancer radiotherapy: evidence from modern radiation doses to the lungs and heart and from previous randomized trials. J Clin Oncol. 2017; 35(15): 1641-9. [PMID: 28319436]
23) Grantzau T, Overgaard J. Risk of second non-breast cancer after radiotherapy for breast cancer: a systematic review and meta-analysis of 762,468 patients. Radiother Oncol. 2015; 114(1): 56-65. [PMID: 25454172]
24) Warren LE, Miller CL, Horick N, Skolny MN, Jammallo LS, Sadek BT, et al. The impact of radiation therapy on the risk of lymphedema after treatment for breast cancer: a prospective cohort study. Int J Radiat Oncol Biol Phys. 2014; 88(3): 565-71. [PMID: 24411624]
25) Matzinger O, Heimsoth I, Poortmans P, Collette L, Struikmans H, Van Den Bogaert W, et al; EORTC Radiation Oncology & Breast Cancer Groups. Toxicity at three years with and without irradiation of the internal mammary and medial supraclavicular lymph node chain in stage Ⅰ to Ⅲ breast cancer (EORTC trial 22922/10925). Acta Oncol. 2010; 49(1): 24-34. [PMID: 20100142]
26) Poortmans PM, Struikmans H, De Brouwer P, Weltens C, Fortpied C, Kirkove C, et al; EORTC Radiation Oncology and Breast Cancer Groups. Side effects 15 years after lymph node irradiation in breast cancer: randomized EORTC trial 22922/10925. J Natl Cancer Inst. 2021; 113(10): 1360-8. [PMID: 34320651]
27) NCCN Clinical practice guidelines in oncology: Breast Cancer, version 8. 2021. https://www.nccn.org/professionals/physician_gls/pdf/breast.pdf （アクセス日：2021/9/29）
28) Recht A, Comen EA, Fine RE, Fleming GF, Hardenbergh PH, Ho AY, et al. Postmastectomy radiotherapy: an American Society of Clinical Oncology, American Society for Radiation Oncology, and Society of Surgical Oncology focused guideline update. Pract Radiat Oncol. 2016; 6(6): e219-34. [PMID: 27659727]

BQ 6 乳房全切除術後放射線療法(PMRT)では胸壁ならびに鎖骨上リンパ節領域を照射野に含めるべきか？

ステートメント

- 胸壁ならびに鎖骨上リンパ節領域を照射野に含めることが標準治療である。

背景

乳房全切除術後放射線療法(PMRT)は局所・領域リンパ節再発率の低下と生存率の向上をもたらす。PMRT における適切な照射部位について概説する。

解説

乳房全切除術後に放射線療法を行わない場合の 10 年局所・領域リンパ節再発率は 19.0〜20.7%であり，部位別では，胸壁再発は 11.3〜12.1%，鎖骨上リンパ節再発は 4.5〜7.8%，腋窩リンパ節再発は 2.4〜4.1%と報告されている。局所・領域リンパ節再発の部位別内訳は，胸壁が 53〜68%で最も多く，次いで鎖骨上リンパ節が 22.6〜40.0%，腋窩リンパ節が 11.7〜20.0%であった[1)〜4)]。腋窩リンパ節転移陽性の乳癌において，乳房全切除術後に放射線療法を行うことにより局所・領域リンパ節再発の減少と生存率の改善が示されている。高リスク乳癌(腋窩リンパ節転移陽性，原発腫瘍径 5 cm 超，皮膚または胸筋筋膜への浸潤のうち 1 つ以上の因子を有する症例)3,083 例を対象に，胸壁と領域リンパ節への PMRT の有効性をみた DBCG 82b, 82c ランダム化比較試験の統合解析では，非照射群の 18 年局所・領域リンパ節再発率は 49.0%で，部位別再発率は胸壁 21.5%，鎖骨上下リンパ節 6.8%，腋窩リンパ節 16.5%であった。これに対し，照射群の 18 年局所・領域リンパ節再発率は 14%で，部位別再発率は胸壁 7.1%，鎖骨上下リンパ節 2.2%，腋窩リンパ節 2.4%で，PMRT によって局所・領域リンパ節再発が有意に減少した[5)]。EBCTCG によるメタアナリシスでは，腋窩リンパ節転移陽性の乳癌において，胸壁と領域リンパ節への PMRT は 10 年局所・領域リンパ節再発を 26.0%から 8.1%($2p<0.00001$)に，20 年乳癌死を 66.4%から 58.3%($2p=0.001$)に有意に減少させた[6)]。

胸壁，鎖骨上リンパ節領域が乳房全切除術後の局所・領域リンパ節再発の好発部位であること，PMRT の有効性が示された EBCTCG メタアナリシスに含まれたすべてのランダム化比較試験で胸壁と鎖骨上リンパ節領域照射が行われていたことなどから，PMRT において胸壁ならびに鎖骨上リンパ節領域の両方を含めることが標準治療である。海外の主要なガイドラインでも胸壁と鎖骨上リンパ節を含めることが PMRT の標準治療として勧められている[7)〜10)]。なお，適切な切除がなされた腋窩に再発することは少ないことと[1)〜4)]，郭清後の腋窩リンパ節への照射は上肢浮腫などの有害事象が増加することから，郭清後の腋窩リンパ節を意図的に標的とした照射は勧められない。

PMRT 時に内胸リンパ節領域を含めるべきかどうかに関しては放射線 CQ6 を参照。リンパ節転移陰性で腫瘍径が大きい場合もしくは手術後断端陽性の場合の照射野に関しては放射線 BQ7

を参照。

検索キーワード・参考にした二次資料

PubMed で，“Breast Neoplasms”，“Radiotherapy”，“Combined Modality Therapy”，“Mastectomy”，“Thoracic Wall”，“Sternoclavicular Joint”，“PMRT” のキーワードで検索した。医中誌・Cochrane Library でも同等のキーワードで検索した。検索期間は 2021 年 3 月までとし，513 件がヒットした。さらにハンドサーチや二次資料から重要と思われる文献を加え，10 編を採用した。

参考文献

1) Recht A, Gray R, Davidson NE, Fowble BL, Solin LJ, Cummings FJ, et al. Locoregional failure 10 years after mastectomy and adjuvant chemotherapy with or without tamoxifen without irradiation: experience of the Eastern Cooperative Oncology Group. J Clin Oncol. 1999; 17(6): 1689-700.［PMID: 10561205］
2) Wallgren A, Bonetti M, Gelber RD, Goldhirsch A, Castiglione-Gertsch M, Holmberg SB, et al; International Breast Cancer Study Group Trials I through Ⅶ. Risk factors for locoregional recurrence among breast cancer patients: results from International Breast Cancer Study Group Trials I through Ⅶ. J Clin Oncol. 2003; 21(7): 1205-13.［PMID: 12663706］
3) Taghian AG, Assaad SI, Niemierko A, Kuter I, Younger J, Schoenthaler R, et al. Risk of pneumonitis in breast cancer patients treated with radiation therapy and combination chemotherapy with paclitaxel. J Natl Cancer Inst. 2001; 93(23): 1806-11.［PMID: 11734597］
4) Katz A, Strom EA, Buchholz TA, Thames HD, Smith CD, Jhingran A, et al. Locoregional recurrence patterns after mastectomy and doxorubicin-based chemotherapy: implications for postoperative irradiation. J Clin Oncol. 2000; 18(15): 2817-27.［PMID: 10920129］
5) Danish Breast Cancer Cooperative Group, Nielsen HM, Overgaard M, Grau C, Jensen AR, Overgaard J. Study of failure pattern among high-risk breast cancer patients with or without postmastectomy radiotherapy in addition to adjuvant systemic therapy: long-term results from the Danish Breast Cancer Cooperative Group DBCG 82 b and c randomized studies. J Clin Oncol. 2006; 24(15): 2268-75.［PMID: 16618947］
6) EBCTCG(Early Breast Cancer Trialists' Collaborative Group), McGale P, Taylor C, Correa C, Cutter D, Duane F, et al. Effect of radiotherapy after mastectomy and axillary surgery on 10-year recurrence and 20-year breast cancer mortality: meta-analysis of individual patient data for 8135 women in 22 randomised trials. Lancet. 2014; 383(9935): 2127-35.［PMID: 24656685］
7) Recht A, Comen EA, Fine RE, Fleming GF, Hardenbergh PH, Ho AY, et al. Postmastectomy radiotherapy: an American Society of Clinical Oncology, American Society for Radiation Oncology, and Society of Surgical Oncology focused guideline update. Pract Radiat Oncol. 2016; 6(6): e219-e34.［PMID: 27659727］
8) Wenz F, Sperk E, Budach W, Dunst J, Feyer P, Fietkau R, et al; Breast Cancer Expert Panel of the German Society of Radiation Oncology(DEGRO). DEGRO practical guidelines for radiotherapy of breast cancer Ⅳ: radiotherapy following mastectomy for invasive breast cancer. Strahlenther Onkol. 2014; 190(8): 705-14.［PMID: 24888511］
9) Cardoso F, Kyriakides S, Ohno S, Penault-Llorca F, Poortmans P, Rubio IT, et al; ESMO Guidelines Committee. Electronic address: clinicalguidelines@esmo.org. Early breast cancer: ESMO Clinical Practice Guidelines for diagnosis, treatment and follow-up†. Ann Oncol. 2019; 30(8): 1194-220.［PMID: 31161190］
10) NCCN Clinical practice guidelines in oncology: Breast Cancer, version 8. 2021.　https://www.nccn.org/professionals/physician_gls/pdf/breast.pdf　(アクセス日：2021/9/29)

BQ 7 リンパ節転移陰性で腫瘍径が大きい場合もしくは手術後断端陽性の場合は乳房全切除術後放射線療法（PMRT）が勧められるか？

ステートメント

- リンパ節転移陰性で腫瘍径が大きい場合（T3 以上），PMRT を行うことが望ましい。腋窩リンパ節が適切に評価されていて腫瘍径以外の再発リスク因子がない場合は，胸壁のみへの照射も選択肢となる。
- リンパ節転移陰性で手術後断端陽性の場合，PMRT を行うことが望ましい。断端陽性以外の再発リスク因子がない場合は，胸壁のみへの照射も選択肢となる。

背景

リンパ節転移陽性の場合，乳房全切除術後放射線療法（PMRT）は局所・領域リンパ節再発の低下と生存率の向上をもたらすことから，PMRT を行うことが勧められるため（☞放射線 CQ5，BQ5 参照），腫瘍径や手術後断端が PMRT の適応に影響を与えることは少ない。本 BQ では，リンパ節転移陰性で，①腫瘍径が大きい症例（T3-4N0 症例）と②手術後断端陽性症例における PMRT の適応について概説する。

解説

(1) 腫瘍径が大きい症例（T3-4N0 症例）

そもそも 5 cm を超える乳癌はリンパ節転移を伴うことが多いため，リンパ節転移陰性で腫瘍径が大きい場合の PMRT のエビデンスは限られている。放射線療法を施行しない T3N0 症例の治療成績は，National Surgical Adjuvant Breast and Bowel Project（NSABP）の 5 つのランダム化比較試験の統合サブグループ解析で報告されており，乳房全切除術と全身療法（内分泌療法・術後化学療法）のみを施行した 313 例の pT3N0 の 10 年局所・領域リンパ節再発率が 10.0％で，局所・領域リンパ節再発部位の 85.7％は胸壁であった[1)]。2 つの後ろ向き研究の報告では，pT3N0 に対し乳房全切除術後に PMRT を行わなかった際の 5 年，10 年局所・領域リンパ節再発率はそれぞれ 5.6〜10.0％，12.0％で，局所・領域リンパ節再発の 45.5〜80.0％は胸壁再発であった。また，局所・領域再発のリスク因子として，閉経前，脈管侵襲陽性が挙げられている[2)3)]。2000 年代以降の症例を中心とした後ろ向き研究の局所・領域リンパ節再発はさらに低く，10 年の局所・領域リンパ節無再発生存率が 93.6％であった[4)]。

1980 年代に高リスク乳癌への PMRT の有効性をみたランダム化比較試験 DBCG 82b 試験 82c 試験は，リンパ節転移陽性症例に加え，腫瘍の大きさが 5 cm を超えるまたは皮膚や胸筋に浸潤しているリンパ節転移陰性症例（T3 以上 N0）が対象に含まれていた（82b 試験：全 1,708 例中 135 例，82c 試験：全 1,375 例中 132 例）。T3 以上 N0 以外も含む全症例を対象とした結果で，DBCG 82b 試験 82c 試験のいずれも胸壁とリンパ節領域への PMRT を行うことにより，局所・領域リンパ節再発率の低下と生存率の改善が認められている。T3 以上 N0 を対象としたサブグループ解析

放射線療法

では，局所・領域リンパ節再発割合がPMRTなし群が17%（82b試験：観察期間中央値114カ月）と23%（82c試験：観察期間中央値114カ月）であったのに対し，PMRTあり群は3%（82b試験）と6%（82c試験）であった[5)6)]。また，DBCG 82b試験において，T3以上N0症例でもPMRTにより無病生存率と全生存率の改善が示されている（10年無病生存率62%→74%，10年全生存率70%→82%）[5)]。DBCG 82b試験82c試験のPMRTなし群の局所・領域リンパ節再発（17%，23%）は，同時代に行われた乳房全切除術後T3N0にPMRTを行っていない他の試験結果[1)〜3)]と比べて高いことが知られている。その理由として，リンパ節郭清個数（中央値7個）が他の試験（中央値14〜16個）と比べて少ないことやT4症例が含まれていたことなどが考えられる。標準的なPMRTの照射範囲は胸壁と領域リンパ節であり（☞放射線BQ6参照），DBCG 82b試験82c試験の照射野も同様であったが，リンパ節郭清個数が少ないために領域リンパ節照射のメリットが高かった可能性がある。

2000年代のSurveillance, Epidemiology, and End Results（SEER）やNational Cancer Database（NCD）などのデータベースを用いた複数の研究では，T3N0に対しPMRTあり群はPMRTなし群よりも全生存率が良好であった[7)〜13)]。一方，2000年代以降の114例のpT3N0に対しPMRTの有無をみた後ろ向き研究では，5年局所・領域リンパ節無再発生存率がPMRTあり群で100%，PMRTなし群で98.1%（$p=0.17$），5年乳癌特異的生存率がPMRTあり群で97.9%，PMRTなし群で96.3%（$p=0.92$）といずれも有意差はなく，観察期間が短いが両群ともに良好な結果であった[14)]。

T3N0の局所・領域リンパ節再発の多くは胸壁に起こり，過去のT3N0のPMRTの報告では半数以上が胸壁のみの照射であるものもある[13)]。腋窩リンパ節が適切に評価されていて再発リスク因子*をもたない症例に対しては，胸壁のみへの照射も選択肢となる。

腫瘍径が大きい場合はPMRTを行うことで局所・領域リンパ節再発の低下と生存率の改善が期待され，各種ガイドラインでもPMRTを行うことが勧められている[15)〜17)]。しかしながら，近年の薬物療法の進歩により乳癌の局所・領域リンパ節再発率は改善しており，2000年以前の研究結果で示されているのと同程度の放射線療法による効果が現状でもあるかは明らかではない。基本的にはPMRTが望ましいが，再発リスク因子*を考慮し，症例ごとに適応を検討する必要がある。

*再発リスク因子：閉経前，脈管侵襲陽性など

(2) 手術後断端陽性症例

乳房全切除術後にPMRTを行わなかったT1-2N0症例の局所・領域リンパ節再発のリスク因子を検討したメタアナリシスでは，若年，脈管侵襲陽性，組織学的グレード3，HER2陽性，手術後断端陽性が局所・領域リンパ節再発を有意に増加させる因子であった[18)]。34編34,833例の乳房全切除術後断端が陽性もしくは近接（<5 mm）の症例を対象としたメタアナリシスでは，その断端までの距離やリンパ節転移の有無にかかわらず局所再発率が断端陰性の場合に比べて約2〜3倍高いことが示された。サブグループ解析では，放射線療法を受けていない場合，断端陽性・近接例の局所再発率は断端陰性例の3.5倍という結果であった[19)]。断端陽性もしくは近接は局所再発のリスク因子であると考えられる。

断端陽性時の局所再発のリスク因子については，乳房全切除術を施行したT1-2N0-1症例のうち断端陽性もしくは近接でPMRTを行っていない34例を対象とした少数の後ろ向き研究で，胸壁再発率は15％で，全身療法の有無にかかわらず50歳以下は胸壁再発率が有意に高いという結果であった（8年胸壁再発率28％ vs 0％，$p=0.04$）[20]。

乳房全切除術後に断端陽性になる頻度は2.5％程度と低く[21]，断端陽性時における放射線療法の有効性についての十分なエビデンスはない。乳房全切除術を施行したT1-2N0症例のうち断端陽性であった94例を対象として放射線療法の有無による治療成績の違いをみた後ろ向き研究では，放射線療法の有無で局所・領域リンパ節再発率は低下させる傾向にあるが有意差はなく〔局所再発割合：放射線療法あり（93％が胸壁のみへの照射）2.4％ vs 放射線療法なし9.4％，$p=0.23$〕，放射線療法なしの群では50歳以下，T2，組織学的グレード3，脈管侵襲陽性が統計学的に有意ではないが，局所・領域リンパ節再発が高い傾向にあった[22]。

断端陽性の場合は局所・領域リンパ節再発のリスク因子であるため，PMRTを行うことが望ましいが，再発リスク因子**も考慮しながら症例ごとに適応を検討する必要がある。各種ガイドラインでも手術断端が陽性の場合は，基本的にはPMRTを行うことが勧められている[15)～17)]。手術後断端陽性の局所領域再発は胸壁再発が多く，これまでの報告でも照射範囲は胸壁のみのものも含まれており[22]，断端陽性以外の再発リスク因子**がない場合は，胸壁のみへの照射も選択肢となる。

**再発リスク因子：50歳以下，脈管侵襲陽性，高グレード，T2以上など

検索キーワード・参考にした二次資料

PubMedで，"Breast Neoplasms"，"Radiotherapy"，"Combined Modality Therapy"，"Mastectomy"，"T3N0"，"T4N0"，"PMRT" のキーワードで検索した。医中誌・Cochrane Libraryでも同等のキーワードで検索した。検索期間は2021年3月までとし，51件がヒットした。さらにハンドサーチや二次資料から重要と思われる文献を加え，21編を採用した。

放射線療法

参考文献

1) Taghian AG, Jeong JH, Mamounas EP, Parda DS, Deutsch M, et al. Low locoregional recurrence rate among node-negative breast cancer patients with tumors 5 cm or larger treated by mastectomy, with or without adjuvant systemic therapy and without radiotherapy: results from five national surgical adjuvant breast and bowel project randomized clinical trials. J Clin Oncol. 2006; 24(24): 3927-32. [PMID: 16921044]
2) Floyd SR, Buchholz TA, Haffty BG, Goldberg S, Niemierko A, Raad RA, et al. Low local recurrence rate without postmastectomy radiation in node-negative breast cancer patients with tumors 5 cm and larger. Int J Radiat Oncol Biol Phys. 2006; 66(2): 358-64. [PMID: 16887288]
3) Mignano JE, Gage I, Piantadosi S, Ye X, Henderson G, Dooley WC. Local recurrence after mastectomy in patients with T3pN0 breast carcinoma treated without postoperative radiation therapy. Am J Clin Oncol. 2007; 30(5): 466-72. [PMID: 17921705]
4) Sun JY, Wu SG, Li S, Li FY, Chen WF, Lin Q, et al. Locoregional recurrence of pT3N0M0 breast cancer after mastectomy is not higher than that of pT1-2N0M0: an analysis for radiotherapy. Cancer Sci. 2013; 104(5): 599-603. [PMID: 23421381]
5) Overgaard M, Hansen PS, Overgaard J, Rose C, Andersson M, Bach F, et al. Postoperative radiotherapy in high-risk premenopausal women with breast cancer who receive adjuvant chemotherapy. Danish Breast Cancer Cooperative Group 82b Trial. N Engl J Med. 1997; 337(14): 949-55. [PMID: 9395428]
6) Overgaard M, Jensen MB, Overgaard J, Hansen PS, Rose C, Andersson M, et al. Postoperative radiotherapy in high-risk postmenopausal breast-cancer patients given adjuvant tamoxifen: Danish Breast Cancer Cooperative Group DBCG 82c randomised trial. Lancet. 1999; 353(9165): 1641-8. [PMID: 10335782]
7) McCammon R, Finlayson C, Schwer A, Rabinovitch R. Impact of postmastectomy radiotherapy in T3N0 invasive

carcinoma of the breast: a Surveillance, Epidemiology, and End Results database analysis. Cancer. 2008; 113(4): 683–9. [PMID: 18543316]

8) Yu JB, Wilson LD, Dasgupta T, Castrucci WA, Weidhaas JB. Postmastectomy radiation therapy for lymph node-negative, locally advanced breast cancer after modified radical mastectomy: analysis of the NCI Surveillance, Epidemiology, and End Results database. Cancer. 2008; 113(1): 38–47. [PMID: 18442108]
9) Francis SR, Frandsen J, Kokeny KE, Gaffney DK, Poppe MM. Outcomes and utilization of postmastectomy radiotherapy for T3N0 breast cancers. Breast. 2017; 32: 156–61. [PMID: 28193571]
10) Almahariq MF, Quinn TJ, Siddiqui ZA, Thompson AB, Jawad MS, Chen PY, et al. Post-mastectomy radiotherapy is associated with improved overall survival in T3N0 patients who do not receive chemotherapy. Radiother Oncol. 2020; 145: 229–37. [PMID: 32065903]
11) Johnson ME, Handorf EA, Martin JM, Hayes SB. Postmastectomy radiation therapy for T3N0: a SEER analysis. Cancer. 2014; 120(22): 3569–74. [PMID: 24985911]
12) Chen J, Wu X, Christos P, Yan W, Ravi A. Adjuvant radiation therapy for T3N0 breast cancer patients older than 75 years after mastectomy: a SEER analysis. Clin Breast Cancer. 2018; 18(5): e967–73. [PMID: 29914691]
13) Cassidy RJ, Liu Y, Kahn ST, Jegadeesh NK, Liu X, Subhedar PD, et al. The role of postmastectomy radiotherapy in women with pathologic T3N0M0 breast cancer. Cancer. 2017; 123(15): 2829–39. [PMID: 28387923]
14) Li C, Wang J, Mo M, Yuan J, Luo J, Jin K, et al. Outcomes in patients with pT3N0M0 breast cancer with and without postmastectomy radiotherapy. Cancer Manag Res. 2021; 13: 3889–99. [PMID: 34017195]
15) NCCN Clinical practice guidelines in oncology: BREAST CANCER, version 8. 2021. https://www.nccn.org/professionals/physician_gls/pdf/breast.pdf （アクセス日：2021/9/29）
16) Cardoso F, Kyriakides S, Ohno S, Penault-Llorca F, Poortmans P, Rubio IT, et al; ESMO Guidelines Committee. Electronic address: clinicalguidelines@esmo.org. Early breast cancer: ESMO Clinical Practice Guidelines for diagnosis, treatment and follow-up†. Ann Oncol. 2019; 30(8): 1194–220. [PMID: 31161190]
17) Wenz F, Sperk E, Budach W, Dunst J, Feyer P, Fietkau R, et al; Breast Cancer Expert Panel of the German Society of Radiation Oncology(DEGRO). DEGRO practical guidelines for radiotherapy of breast cancer IV: radiotherapy following mastectomy for invasive breast cancer. Strahlenther Onkol. 2014; 190(8): 705–14. [PMID: 24888511]
18) Peng G, Zhou Z, Jiang M, Yang F. Can a subgroup at high risk for LRR be identified from T1–2 breast cancer with negative lymph nodes after mastectomy? A meta-analysis. Biosci Rep. 2019; 39(9): BSR20181853. [PMID: 31484798]
19) Bundred J, Michael S, Bowers S, Barnes N, Jauhari Y, Plant D, et al. Do surgical margins matter after mastectomy? A systematic review. Eur J Surg Oncol. 2020; 46(12): 2185–94. [PMID: 32907774]
20) Freedman GM, Fowble BL, Hanlon AL, Myint MA, Hoffman JP, Sigurdson ER, et al. A close or positive margin after mastectomy is not an indication for chest wall irradiation except in women aged fifty or younger. Int J Radiat Oncol Biol Phys. 1998; 41(3): 599–605. [PMID: 9635708]
21) Rowell NP. Are mastectomy resection margins of clinical relevance? A systematic review. Breast. 2010; 19(1): 14–22. [PMID: 19932025]
22) Truong PT, Olivotto IA, Speers CH, Wai ES, Berthelet E, et al. A positive margin is not always an indication for radiotherapy after mastectomy in early breast cancer. Int J Radiat Oncol Biol Phys. 2004; 58(3): 797–804. [PMID: 14967436]

FRQ 1 術前化学療法が奏効した場合でも乳房全切除術後放射線療法(PMRT)は勧められるか?

ステートメント

- 術前化学療法が奏効した場合の術後放射線療法の適応に関する十分なエビデンスはなく，原則として術前化学療法前の病期に従って行うことを検討する。

背景

局所進行乳癌における術前化学療法は，ダウンステージによる手術の適応拡大や，遠隔転移の抑制を目標に施行される。術前化学療法を行わない乳房全切除術後放射線療法(PMRT)の適応は，主に術後の病理学的所見により決定されてきたが，術前化学療法施行後の放射線療法については，その適応に関する十分なエビデンスはない。術前化学療法が奏効した場合のPMRTの必要性について検討した。

解説

術前化学療法が奏効した状態として，病理学的完全奏効pCR(原発巣と領域リンパ節の両方における浸潤癌の消失)のほか，領域リンパ節転移のみが消失したypN0などがあり，本項ではpCRおよびypN0について扱った。また，文献レビューにおいて乳管内成分の残存の有無については問わなかった。

術前化学療法施行後のPMRTについては前向きランダム化比較試験の報告はないため十分なエビデンスはないが，いくつかの後ろ向き研究の結果が報告されている。M.D. アンダーソンがんセンターで施行した6つの前向き臨床試験のデータを後ろ向きに解析した研究では，542例の術後放射線療法群と134例の非照射群において10年局所・領域リンパ節再発率が，それぞれ11%と22%であり，非照射群の局所・領域リンパ節再発は有意に高率であった($p=0.0001$)が，全生存率は両者で有意な差は認めなかった[1)]。また，同施設の後ろ向き研究で，術前化学療法で浸潤癌が消失しpCRを得た106例の乳房全切除術施行患者(72例でPMRT施行)のうち，臨床病期Ⅰ–Ⅱ期の患者ではPMRTの有無にかかわらず，両群で10年までの局所・領域リンパ節再発は皆無であったが，Ⅲ期の患者においては非照射群で局所・領域リンパ節再発率が有意に高かった(7.3 ± 3.5% vs 33.3% ± 15.7%，$p=0.040$)[2)]。

一方，臨床病期Ⅱ–Ⅲ期で術前化学療法がリンパ節転移に奏効したypN0症例を対象とした複数の後ろ向き研究では，いずれもPMRTの有無で局所・領域リンパ節無再発率に有意な差を認めず，このうち2編では全生存率も解析され有意な差は認めなかった[3)~5)]。また，cT0-4N1-2乳癌に対して術前化学療法後のセンチネルリンパ節生検の偽陰性率を検証したACOSOG 1071試験の放射線療法に関する後解析では，乳房全切除術を行ったypN0症例157例のうち121例にPMRTが施行された。PMRTの有無で局所・領域リンパ節再発率や全生存率に有意な差は認めなかった[6)]。米国がん登録データを用いた観察研究では，cT1-3N1乳癌で術前化学療法後に乳房全切除

放射線療法

術を施行しypN0となった4,577例を解析し，PMRTの有無で全生存率に有意差は認めなかった[7]。米国がん登録データを用いた別の観察研究で，術前化学療法後に乳房全切除術を施行しypN0となった14,690例の解析では，cT1-3N1症例では同様にPMRT施行の有無で全生存率に有意な差を認めなかった。一方で，cT4もしくはcN2-3症例ではPMRT施行群で有意に全生存率が改善した[8]。

このように，これまでに報告されている観察研究では，臨床病期Ⅲ期やN2-3では術前化学療法が奏効してもPMRTが有用であることを支持するデータが多い一方で，臨床病期Ⅰ，Ⅱ期やT1-3N1の中リスク群では術前化学療法が奏効した場合にPMRTがアウトカムを改善するというデータは少ない。

これらの報告に有害事象の詳細な記載はなかったが，術前化学療法を施行しない場合のPMRT例に準じた有害事象とコストを想定して治療を行う必要があると考えられる(☞放射線CQ5参照)。

患者の好みとしては，術前化学療法が奏効した場合に，有害事象，治療期間の延長や治療費の増加を懸念し，術後放射線療法を省略することを希望する場合があると考えられる。

NCCNガイドラインでは，診断時と術前全身療法後の病理結果の最大の病期に基づいて放射線療法の適応を決めると記載され，リンパ節転移陽性で術前全身療法後にyN0となった症例でも，PMRTを強く検討するとされている。同様に2021年のザンクトガレンコンセンサスパネルでは，診断時にリンパ節転移陽性の症例では，術前化学療法によってpCRになったとしても領域リンパ節照射を行うことを強く支持している[9]。一方，ASCO/ASTRO/SSOのPMRTに関するガイドラインでは，病期Ⅰ-Ⅱ期で術前化学療法後pCRの場合にPMRTの有用性に関するエビデンスは不十分で行うことも行わないことも推奨できないとしている[10]。

観察研究でPMRTの有用性が示されていない中リスク群については，現在，cT1-3，N1乳癌に対する術前化学療法後のypN0症例を対象として，PMRTもしくは領域リンパ節照射の意義を検討する第Ⅲ相ランダム化比較試験(NRG Oncology/NSABP B-51/RTOG 1304)が進行中であり，この結果が待たれる。

現時点では，術前化学療法後にpCRもしくはypN0となった場合にPMRTを省略することが妥当という十分なエビデンスがなく，原則，術前化学療法前の病期に従ってPMRTを行うことを検討すべきである。

検索キーワード・参考にした二次資料

「乳癌診療ガイドライン①治療編2018年版」の参考文献に加え，PubMedで，“Breast Neoplasms”，“Radiotherapy”，“Mastectomy”，“Neoadjuvant Therapy”のキーワードと，“pathologic complete response”の同義語で検索した。医中誌・Cochrane Libraryも同等のキーワードで検索した。検索期間は2021年3月までとし，116件がヒットした。一部をハンドサーチで追加した。また，他のガイドラインや二次資料などから重要と思われる文献を採用した。

参考文献

1) Huang EH, Tucker SL, Strom EA, McNeese MD, Kuerer HM, Buzdar AU, et al. Postmastectomy radiation improves local-regional control and survival for selected patients with locally advanced breast cancer treated with neoadjuvant chemotherapy and mastectomy. J Clin Oncol. 2004; 22(23): 4691-9. [PMID: 15570071]
2) McGuire SE, Gonzalez-Angulo AM, Huang EH, Tucker SL, Kau SW, Yu TK, et al. Postmastectomy radiation improves the outcome of patients with locally advanced breast cancer who achieve a pathologic complete response to neoadjuvant chemotherapy. Int J Radiat Oncol Biol Phys. 2007; 68(4): 1004-9. [PMID: 17418973]

3) Shim SJ, Park W, Huh SJ, Choi DH, Shin KH, Lee NK, et al. The role of postmastectomy radiation therapy after neoadjuvant chemotherapy in clinical stage Ⅱ-Ⅲ breast cancer patients with pN0: a multicenter, retrospective study (KROG 12-05). Int J Radiat Oncol Biol Phys. 2014; 88(1): 65-72. [PMID: 24161425]
4) Cho WK, Park W, Choi DH, Kim YB, Kim JH, Kim SS, et al. The benefit of post-mastectomy radiotherapy in ypN0 patients after neoadjuvant chemotherapy according to molecular subtypes. J Breast Cancer. 2019; 22(2): 285-96. [PMID: 31281730]
5) Zhang Y, Zhang Y, Liu Z, Qin Z, Li Y, Zhao J, et al. Impact of postmastectomy radiotherapy on locoregional control and disease-free survival in patients with breast cancer treated with neoadjuvant chemotherapy. J Oncol. 2021; 2021: 6632635. [PMID: 33564308]
6) Haffty BG, McCall LM, Ballman KV, Buchholz TA, Hunt KK, Boughey JC. Impact of radiation on locoregional control in women with node-positive breast cancer treated with neoadjuvant chemotherapy and axillary lymph node dissection: results from ACOSOG Z1071 clinical trial. Int J Radiat Oncol Biol Phys. 2019; 105(1): 174-82. [PMID: 31085287]
7) Fayanju OM, Ren Y, Suneja G, Thomas SM, Greenup RA, Plichta JK, et al. Nodal response to neoadjuvant chemotherapy predicts receipt of radiation therapy after breast cancer diagnosis. Int J Radiat Oncol Biol Phys. 2020; 106(2): 377-89. [PMID: 31678225]
8) Haque W, Singh A, Verma V, Schwartz MR, Chevli N, Hatch S, et al. Postmastectomy radiation therapy following pathologic complete nodal response to neoadjuvant chemotherapy: a prelude to NSABP B-51? Radiother Oncol. 2021; 162: 52-9. [PMID: 34214615]
9) Burstein HJ, Curigliano G, Thürlimann B, Weber WP, Poortmans P, Regan MM, et al; Panelists of the St Gallen Consensus Conference. Customizing local and systemic therapies for women with early breast cancer: the St. Gallen International Consensus Guidelines for treatment of early breast cancer 2021. Ann Oncol. 2021; 32(10): 1216-35. [PMID: 34242744]
10) Recht A, Comen EA, Fine RE, Fleming GF, Hardenbergh PH, Ho AY, et al. Postmastectomy radiotherapy: an American Society of Clinical Oncology, American Society for Radiation Oncology, and Society of Surgical Oncology focused guideline update. Pract Radiat Oncol. 2016; 6(6): e219-34. [PMID: 27659727]

BQ 8 乳房全切除術後の再建乳房に対する放射線療法は勧められるか？

背景

乳房再建は乳房全切除術後の整容性を維持するために行われ，一連の乳癌治療の中で選択肢の一つとなっている。乳房全切除術後放射線療法(PMRT)は，腋窩リンパ節転移陽性乳癌においては，複数のランダム化比較試験やメタアナリシスにより局所・領域再発低下と生存率改善が示されていて，PMRT が推奨される症例(☞放射線 CQ5，BQ5，7 参照)では再建の有無にかかわらず行うことが勧められる。しかしながら，再建乳房への放射線療法は合併症増加の可能性が懸念され，放射線療法による抗腫瘍効果を損なうことなく，乳房再建時の合併症を最小限に抑えることが望まれる。自家組織と人工物による乳房再建時の放射線療法の安全性と整容性への影響について概説した。

BQ 8a 自家組織による再建の場合，再建乳房に対する放射線療法は勧められるか？

ステートメント

- **PMRT が推奨される症例においては行うことが標準治療だが，放射線療法により自家組織再建乳房の合併症が増加する可能性がある。**

解説

自家組織再建は患者の体組織(皮膚・脂肪・筋肉・血管など)を用いた再建法である。自家組織を用いた乳房再建時の放射線療法の影響についての報告は，多くが後ろ向きのコホート研究である。Schaverien らのメタアナリシスでは，照射群は非照射群より脂肪壊死が有意に増加するが〔オッズ比(OR)2.82%，95%CI 1.35–5.92，$p=0.006$〕，全有害事象(OR 1.10%，95%CI 0.78–1.54，$p=0.59$)や再手術(OR 0.65，95%CI 0.25–1.68，$p=0.38$)は有意差がなかった[1]。今回，自家組織を用いた一次乳房再建時の放射線療法の害(major complication，脂肪壊死)について，メタアナリシスを行った。Major complication(手術や入院を必要とするような合併症)に関して，9 編(照射群 410 例，非照射群 1,229 例)での解析の結果，照射群は OR 1.58(13.2% vs. 12.2%，95%CI 0.93-2.68，$p=0.09$)と非照射群に比べて major complication が多い傾向にあるものの，有意差は認められなかった[2)~10)]。脂肪壊死に関しては，9 編(照射群 344 例，非照射群 2,341 例)での解析の結果，照射群は OR 2.71(17.2% vs. 8.1%，95%CI 1.58–4.65，$p=0.0003$)と非照射群に比べて脂肪壊死が有意に増加した[3)~11)]。

整容性低下に関しては，今回メタアナリシスを行うのに十分な報告が存在しなかった。Shah らの定性的システマティック・レビューでは，照射群で再建乳房の拘縮が増加し，整容性は低下する傾向にあると指摘されている[12)]。

自家組織を用いた再建乳房に対する放射線療法は，脂肪壊死の増加や整容性低下を引き起こす可能性はあるものの，major complicationの明らかな増加は認められておらず，安全性への影響は少ないと考えられる。

現時点では，自家組織を用いた再建乳房に対する放射線療法の安全性・整容性についてのエビデンスは十分とはいえないが，自家組織を用いた乳房再建を行った患者において，乳房再建後に放射線療法が必要な場合は行うことが勧められるが，放射線療法による合併症増加と整容性低下の可能性について患者と話し合うことが望ましい。

BQ 8b 人工物による再建の場合，再建乳房に対する放射線療法は勧められるか？

ステートメント

- PMRTが推奨される症例においては行うことが標準治療だが，放射線療法による人工物再建乳房の合併症増加と整容性低下のリスクについて，術前に患者と十分に話し合う必要がある。

解説

人工物再建はインプラントを用いた再建法で，インプラントの保険適用以降，その数は増加しており，最も多く行われている手法である。人工物再建では，インプラントを挿入する前に組織拡張器(tissue expander；TE)で拡張し，その後にインプラントに交換する二期再建が行われることが多い。

人工物を用いた乳房再建時の放射線療法の影響についての報告は，多くが後ろ向きのコホート研究である。今回，人工物に照射を行う一次乳房再建時の放射線療法の害(有害事象，整容性低下)についてメタアナリシスを行った。照射される人工物はインプラント，TEのいずれかとした。Major complication(手術や入院を必要とするような合併症)に関しては，11編(照射群996例，非照射群3,654例)で解析した結果，照射群は非照射群に比べてmajor complicationが有意に多かった(21.2% vs 9.6%，OR 2.62，95%CI 1.82-3.77，$p<0.00001$)[2)13)~22)]。再建失敗(reconstruction failure)に関しては，13編(照射群1,366例，非照射群4,713例)で解析した結果，照射群は非照射群に比べて再建失敗が有意に多かった(17.3% vs 5.6%，OR 3.32，95%CI 2.02-5.45，$p<0.00001$)[13)14)17)18)20)21)23)~29)]。被膜拘縮(Baker分類Ⅲ以上もしくは手術を必要とする程度のもの)に関しては，10編(照射群742例，非照射群2,436例)で解析した結果，照射群は非照射群に比べて被膜拘縮が有意に多かった(37.7% vs 6.4%，OR 9.63，95%CI 5.77-16.06，$p<0.00001$)[15)17)18)28)~34)]。整容性低下(Good未満)に関しては，6編(照射群611例，非照射群2,446例)で解析した結果，照射群は非照射群に比べて有意に整容性が低下した(30.9% vs 7.7%，OR 3.55，95%CI 1.80-6.98，$p=0.0003$)[17)18)21)28)33)35)]。

上記の結果により，人工物による再建乳房への放射線療法は，major complicationや再建失敗，被膜拘縮などの有害事象を増加させ，整容性の低下を引き起こすことが示された。

2013年のインプラントの保険適用以降，術創が乳房に限られる人工物を用いた再建への期待は大きく，PMRT を必要とする高リスク症例においても治療の選択肢となり得る。しかしながら，これまでの検討から有害事象は増加し，整容性も損なわれると考えられる。高リスク症例においては，まずは放射線療法による益を重視すべきであり，再建乳房照射に伴う合併症増加と整容性低下のリスクについて手術前に患者と十分に話し合い，理解を得たうえで，乳房再建を希望するか患者の意向を確認する必要がある。

BQ 8c 人工物による二期再建の場合，放射線療法はどのタイミングで行うべきか？

ステートメント

- 組織拡張器(TE)からインプラントへ交換後に行うことが望ましいが，必要と判断されれば，TE 挿入中の照射も許容される。

解 説

人工物を用いた再建では，TE で拡張後にインプラントに交換する二期再建が行われることが多い。二期再建の場合，TE 挿入時の照射とインプラント入れ替え後の照射の 2 つの放射線療法のタイミングが考えられる。

人工物による二期再建時の放射線療法のタイミングに関する報告の多くが後ろ向きのコホート研究である。二期再建時の放射線療法のタイミングによる放射線療法の影響(有害事象と整容性低下)についてメタアナリシスを行った。Major complication(手術や入院を必要とするような合併症)に関しては，5 編(TE 群 406 例，インプラント群 174 例)で解析した結果，両群間で major complication の頻度に有意差はなかった(29.1% vs. 25.3%，OR 1.11，95%CI 0.72–1.73，p=0.64)[36)～40)]。再建失敗(reconstruction failure)に関しては，9 編(TE 群 623 例，インプラント群 670 例)で解析した結果，TE 群はインプラント群に比べて再建失敗が有意に多かった(19.9% vs. 11.8%，OR 2.33，95%CI 1.43–3.82，p=0.0007)[36)38)～45)]。被膜拘縮(Baker 分類Ⅲ以上もしくは手術を必要とする程度のもの)に関しては，3 編(TE 群 141 例，インプラント群 313 例)で解析した結果，TE 群はインプラント群に比べて被膜拘縮が有意に少なかった(23.4% vs 52.7%，OR 0.33，95%CI 0.12–0.92，p=0.03)[40)42)45)]。整容性低下(Good 未満)に関しては，4 編(TE 群 148 例，インプラント群 392 例)で解析した結果，TE 群はインプラント群に比べて有意差はないが整容性低下が少ない傾向にあった(17.6% vs 30.9%，OR 0.69，95%CI 0.37–1.30，p=0.25)[28)37)41)42)]。

国際専門家パネルコンセンサスでは，エビデンスの強さは低いもののインプラント交換後に放射線療法を行うほうが，再建失敗率が低い傾向にあるとしている。しかし，最適なタイミングについて結論は出ていないとし，TE への照射を禁じてはいない[46)]。

また TE へ照射する場合，TE の生理食塩水注入用の金属ポート周囲の線量が不均一となるとの報告がある[47)]。その影響が臨床的に意味のあるものかは明らかではないが，放射線療法の精度低下をきたす要因にはなり得る。

PMRT を必要とする高リスク症例の場合，周術期化学療法が併用されることが多く，放射線療法のタイミングは周術期化学療法の影響を受ける。術後化学療法が施行される場合，術後化学療法中にTEで拡張し，インプラントに入れ替えた後に照射することが多いため，放射線療法のタイミングが問題となることは少ない。一方，術後化学療法が行われずインプラント入れ替えまで放射線療法の待機が望ましくない場合は，TE挿入中に放射線療法を行う場合がある。放射線療法の遅れは腫瘍制御に悪影響を及ぼすおそれがあり（☞放射線BQ9参照），乳房再建のためにそのタイミングを逸するのは避けなければならない。

人工物乳房再建時に放射線療法を行う場合，TE挿入中の照射はインプラント入れ替え後の照射と比べて，再建失敗は増加する。しかしながら，major complicationの頻度と整容性の低下には差はなく，被膜拘縮はTE挿入中の照射のほうが少ない。これまでインプラント入れ替え後の照射が望ましいとされていたが，インプラント入れ替え後の照射のほうがTE挿入中の照射よりも，明らかに安全性が高いというわけではないと考えられる。

人工物による二期再建時に放射線療法が必要な場合，益と害のバランスをとりながら，治療効果を損なわないタイミングで術後放射線療法を行うことが重要である。インプラント入れ替え後の照射が望ましいが，必要と判断されれば，TE挿入中の照射も許容されると考えられる。

本BQは本ガイドライン2018年版ではCQであり，CQとして作成を開始したが，推奨決定会議で「後ろ向き研究の結果がほとんどで今後もランダム化比較試験の実施は困難であること」，「PMRTが必要な症例においては乳房再建をしていても基本的にPMRTを行うことが標準治療であること」から，BQに変更することとなった。

検索キーワード・参考にした二次資料

「乳癌診療ガイドライン①治療編2018年版」の参考文献に加え，PubMedで，BQ8abは，“Breast Neoplasms”，“Radiotherapy”，“Mammaplasty”，“Autografts”，“Transplantation, Autologous”，“Breast Implants”，“Breast Reconstruction”のキーワードで，BQ8cは，“Breast Neoplasms”，“Radiotherapy”，“Mammaplasty”，“Breast Implants”，“Tissue Expansion Devices”，“Reconstruction”のキーワードで検索した。医中誌・Cochrane Libraryでも同等のキーワードで検索した。検索期間は2016年1月～2021年3月とし，BQ8abで233件が，BQ8cで288件がヒットした。さらにハンドサーチでも関連論文を検索した。その結果，一次スクリーニングとしてBQ8abで76件が，BQ8cで22件が抽出され，二次スクリーニングで内容が適切でないと判断した論文を除外した。最終的にBQ8aはコホート研究8編，症例対照研究2編の計10編，BQ8bはコホート研究23編，症例対照研究1編の計24編，BQ8cはコホート研究10編，症例対照研究1編の計11編により定量的システマティック・レビューを行った。

参考文献

1) Schaverien MV, Macmillan RD, McCulley SJ. Is immediate autologous breast reconstruction with postoperative radiotherapy good practice?: a systematic review of the literature. J Plast Reconstr Aesthet Surg. 2013; 66(12): 1637-51. [PMID: 23886555]
2) Zhang L, Jin K, Wang X, Yang Z, Wang J, Ma J, et al. The impact of radiotherapy on reoperation rates in patients undergoing mastectomy and breast reconstruction. Ann Surg Oncol. 2019; 26(4): 961-8. [PMID: 30675702]
3) Myung Y, Son Y, Nam TH, Kang E, Kim EK, Kim IA, et al. Objective assessment of flap volume changes and aesthetic results after adjuvant radiation therapy in patients undergoing immediate autologous breast reconstruction. PLoS One. 2018; 13(5): e0197615. [PMID: 29782518]
4) Carlson GW, Page AL, Peters K, Ashinoff R, Schaefer T, Losken A. Effects of radiation therapy on pedicled transverse rectus abdominis myocutaneous flap breast reconstruction. Ann Plast Surg. 2008; 60(5): 568-72. [PMID: 18434833]
5) Lee BT, A Adesiyun T, Colakoglu S, Curtis MS, Yueh JH, E Anderson K, et al. Postmastectomy radiation therapy and breast reconstruction: an analysis of complications and patient satisfaction. Ann Plast Surg. 2010; 64(5): 679-83. [PMID: 20395800]
6) Spear SL, Ducic I, Low M, Cuoco F. The effect of radiation on pedicled TRAM flap breast reconstruction: outcomes and implications. Plast Reconstr Surg. 2005; 115(1): 84-95. [PMID: 15622237]
7) Taghizadeh R, Moustaki M, Harris S, Roblin P, Farhadi J. Does post-mastectomy radiotherapy affect the outcome

and prevalence of complications in immediate DIEP breast reconstruction? A prospective cohort study. J Plast Reconstr Aesthet Surg. 2015; 68(10): 1379-85. [PMID: 26210234]
8) Cooke AL, Diaz-Abele J, Hayakawa T, Buchel E, Dalke K, Lambert P. Radiation therapy versus no radiation therapy to the neo-breast following skin-sparing mastectomy and immediate autologous free flap reconstruction for breast cancer: patient-reported and surgical outcomes at 1 year-a mastectomy reconstruction outcomes consortium(MROC)substudy. Int J Radiat Oncol Biol Phys. 2017; 99(1): 165-72. [PMID: 28816143]
9) O'Connell RL, Di Micco R, Khabra K, Kirby AM, Harris PA, James SE, et al. Comparison of immediate versus delayed DIEP flap reconstruction in women who require postmastectomy radiotherapy. Plast Reconstr Surg. 2018; 142(3): 594-605. [PMID: 29927832]
10) Rogers NE, Allen RJ. Radiation effects on breast reconstruction with the deep inferior epigastric perforator flap. Plast Reconstr Surg. 2002; 109(6): 1919-24; discussion 1925-6. [PMID: 11994594]
11) Tran NV, Evans GR, Kroll SS, Baldwin BJ, Miller MJ, Reece GP, et al. Postoperative adjuvant irradiation: effects on tranverse rectus abdominis muscle flap breast reconstruction. Plast Reconstr Surg. 2000; 106(2): 313-7; discussion 318-20. [PMID: 10946929]
12) Shah C, Kundu N, Arthur D, Vicini F. Radiation therapy following postmastectomy reconstruction: a systematic review. Ann Surg Oncol. 2013; 20(4): 1313-22. [PMID: 23054122]
13) Lin KY, Blechman AB, Brenin DR. Implant-based, two-stage breast reconstruction in the setting of radiation injury: an outcome study. Plast Reconstr Surg. 2012; 129(4): 817-23. [PMID: 22456353]
14) Sewart E, Turner NL, Conroy EJ, Cutress RI, Skillman J, Whisker L, et al; iBRA Steering Group and the Breast Reconstruction Research Collaborative. The impact of radiotherapy on patient-reported outcomes of immediate implant-based breast reconstruction with and without mesh. Ann Surg. 2020. Epub ahead of print. [PMID: 32657919]
15) Elswick SM, Harless CA, Bishop SN, Schleck CD, Mandrekar J, Reusche RD, et al. Prepectoral implant-based breast reconstruction with postmastectomy radiation therapy. Plast Reconstr Surg. 2018; 142(1): 1-12. [PMID: 29878988]
16) Chuba PJ, Stefani WA, Dul C, Szpunar S, Falk J, Wagner R, et al. Radiation and depression associated with complications of tissue expander reconstruction. Breast Cancer Res Treat. 2017; 164(3): 641-7. [PMID: 28503719]
17) Cordeiro PG, Albornoz CR, McCormick B, Hu Q, Van Zee K. The impact of postmastectomy radiotherapy on two-stage implant breast reconstruction: an analysis of long-term surgical outcomes, aesthetic results, and satisfaction over 13 years. Plast Reconstr Surg. 2014; 134(4): 588-95. [PMID: 25357021]
18) Drucker-Zertuche M, Bargallo-Rocha E, Zamora-Del RR. Radiotherapy and immediate expander/implant breast reconstruction: should reconstruction be delayed? Breast J. 2011; 17(4): 365-70. [PMID: 21682794]
19) Chen TA, Momeni A, Lee GK. Clinical outcomes in breast cancer expander-implant reconstructive patients with radiation therapy. J Plast Reconstr Aesthet Surg. 2016; 69(1): 14-22. [PMID: 26453182]
20) Kearney AM, Brown MS, Soltanian HT. Timing of radiation and outcomes in implant-based breast reconstruction. J Plast Reconstr Aesthet Surg. 2015; 68(12): 1719-26. [PMID: 26526860]
21) Anker CJ, Hymas RV, Ahluwalia R, Kokeny KE, Avizonis V, Boucher KM, et al. The effect of radiation on complication rates and patient satisfaction in breast reconstruction using temporary tissue expanders and permanent implants. Breast J. 2015; 21(3): 233-40. [PMID: 25772601]
22) Riggio E, Toffoli E, Tartaglione C, Marano G, Biganzoli E. Local safety of immediate reconstruction during primary treatment of breast cancer. Direct-to-implant versus expander-based surgery. J Plast Reconstr Aesthet Surg. 2019; 72(2): 232-42. [PMID: 30497914]
23) Chen JJ, von Eyben R, Gutkin PM, Hawley E, Dirbas FM, Lee GK, et al. Development of a classification tree to predict implant-based reconstruction failure with or without postmastectomy radiation therapy for breast cancer. Ann Surg Oncol. 2021; 28(3): 1669-79. [PMID: 32875465]
24) Naoum GE, Salama L, Niemierko A, Vieira BL, Belkacemi Y, Colwell AS, et al. Single stage direct-to-implant breast reconstruction has lower complication rates than tissue expander and implant and comparable rates to autologous reconstruction in patients receiving postmastectomy radiation. Int J Radiat Oncol Biol Phys. 2020; 106(3): 514-24. [PMID: 31756414]
25) Lam TC, Borotkanics R, Hsieh F, Salinas J, Boyages J. Immediate two-stage prosthetic breast reconstruction failure: radiation is not the only culprit. Plast Reconstr Surg. 2018; 141(6): 1315-24. [PMID: 29750759]
26) Jiménez-Puente A, Prieto-Lara E, Rueda-Domínguez A, Maañón-Di Leo C, Benítez-Parejo N, Rivas-Ruiz F, et al. Complications in immediate breast reconstruction after mastectomy. Int J Technol Assess Health Care. 2011; 27(4): 298-304. [PMID: 22004769]
27) Sinnott CJ, Persing SM, Pronovost M, Hodyl C, McConnell D, Ott Young A. Impact of postmastectomy radiation therapy in prepectoral versus subpectoral implant-based breast reconstruction. Ann Surg Oncol. 2018; 25(10): 2899-908. [PMID: 29978367]

28) Nava MB, Pennati AE, Lozza L, Spano A, Zambetti M, Catanuto G. Outcome of different timings of radiotherapy in implant-based breast reconstructions. Plast Reconstr Surg. 2011; 128(2): 353-9. [PMID: 21788827]
29) 松方絢美，矢永博子，土持進作，相良安昭，四元大輔，馬場信一，他．エキスパンダー挿入後に放射線療法を行った乳房再建症例の検討．Oncoplast Breast Surg. 2016; 1(1): 13-9.
30) Patani N, Devalia H, Anderson A, Mokbel K. Oncological safety and patient satisfaction with skin-sparing mastectomy and immediate breast reconstruction. Surg Oncol. 2008; 17(2): 97-105. [PMID: 18093828]
31) Behranwala KA, Dua RS, Ross GM, Ward A, A'hern R, Gui GP. The influence of radiotherapy on capsule formation and aesthetic outcome after immediate breast reconstruction using biodimensional anatomical expander implants. J Plast Reconstr Aesthet Surg. 2006; 59(10): 1043-51. [PMID: 16996426]
32) Whitfield GA, Horan G, Irwin MS, Malata CM, Wishart GC, Wilson CB. Incidence of severe capsular contracture following implant-based immediate breast reconstruction with or without postoperative chest wall radiotherapy using 40 Gray in 15 fractions. Radiother Oncol. 2009; 90(1): 141-7. [PMID: 18977547]
33) Hamann M, Brunnbauer M, Scheithauer H, Hamann U, Braun M, Pölcher M. Quality of life in breast cancer patients and surgical results of immediate tissue expander/implant-based breast reconstruction after mastectomy. Arch Gynecol Obstet. 2019; 300(2): 409-20. [PMID: 31144025]
34) Pompei S, Arelli F, Labardi L, Marcasciano F, Evangelidou D, Ferrante G. Polyurethane implants in 2-stage breast reconstruction: 9-year clinical experience. Aesthet Surg J. 2017; 37(2): 171-6. [PMID: 27940908]
35) Lam TC, Hsieh F, Salinas J, Boyages J. Immediate and long-term complications of direct-to-implant breast reconstruction after nipple- or skin-sparing mastectomy. Plast Reconstr Surg Glob Open. 2018; 6(11): e1977. [PMID: 30881791]
36) Yoon AP, Qi J, Kim HM, Hamill JB, Jagsi R, Pusic AL, et al. Patient-reported outcomes after irradiation of tissue expander versus permanent implant in breast reconstruction: a multicenter prospective study. Plast Reconstr Surg. 2020; 145(5): 917e-26e. [PMID: 32332528]
37) Anderson PR, Freedman G, Nicolaou N, Sharma N, Li T, Topham N, et al. Postmastectomy chest wall radiation to a temporary tissue expander or permanent breast implant--is there a difference in complication rates? Int J Radiat Oncol Biol Phys. 2009; 74(1): 81-5. [PMID: 18823714]
38) Yan C, Fischer JP, Freedman GM, Basta MN, Kovach SJ, Serletti JM, et al. The timing of breast irradiation in two-stage expander/implant breast reconstruction. Breast J. 2016; 22(3): 322-9. [PMID: 26864463]
39) Ogita M, Nagura N, Kawamori J, In R, Yoshida A, Yamauchi H, et al. Risk factors for complications among breast cancer patients treated with post-mastectomy radiotherapy and immediate tissue-expander/permanent implant reconstruction: a retrospective cohort study. Breast Cancer. 2018; 25(2): 167-75. [PMID: 29052108]
40) Lentz R, Ng R, Higgins SA, Fusi S, Matthew M, Kwei SL. Radiation therapy and expander-implant breast reconstruction: an analysis of timing and comparison of complications. Ann Plast Surg. 2013; 71(3): 269-73. [PMID: 23788143]
41) Yuce Sari S, Guler OC, Gultekin M, Akkus Yildirim B, Onal C, Ozyigit G, et al. Radiotherapy after skin-sparing mastectomy and implant-based breast reconstruction. Clin Breast Cancer. 2019; 19(5): e611-6. [PMID: 31255547]
42) Cordeiro PG, Albornoz CR, McCormick B, Hudis CA, Hu Q, Heerdt A, et al. What is the optimum timing of postmastectomy radiotherapy in two-stage prosthetic reconstruction: radiation to the tissue expander or permanent implant? Plast Reconstr Surg. 2015; 135(6): 1509-17. [PMID: 25742523]
43) Fowble B, Park C, Wang F, Peled A, Alvarado M, Ewing C, et al. Rates of reconstruction failure in patients undergoing immediate reconstruction with tissue expanders and/or implants and postmastectomy radiation therapy. Int J Radiat Oncol Biol Phys. 2015; 92(3): 634-41. [PMID: 25936815]
44) Collier P, Williams J, Edhayan G, Kanneganti K, Edhayan E. The effect of timing of postmastectomy radiation on implant-based breast reconstruction: a retrospective comparison of complication outcomes. Am J Surg. 2014; 207(3): 408-11; discussion 410-1. [PMID: 24581765]
45) Nava MB, Pennati AE, Lozza L, Spano A, Zambetti M, Catanuto G. Outcome of different timings of radiotherapy in implant-based breast reconstructions. Plast Reconstr Surg. 2011; 128(2): 353-9. [PMID: 21788827]
46) Nava MB, Benson JR, Audretsch W, Blondeel P, Catanuto G, Clemens MW, et al. International multidisciplinary expert panel consensus on breast reconstruction and radiotherapy. Br J Surg. 2019; 106(10): 1327-40. [PMID: 31318456]
47) Chen SA, Ogunleye T, Dhabbaan A, Huang EH, Losken A, Gabram S, et al. Impact of internal metallic ports in temporary tissue expanders on postmastectomy radiation dose distribution. Int J Radiat Oncol Biol Phys. 2013; 85(3): 630-5. [PMID: 22878127]

FRQ 2 乳房部分切除術後の領域リンパ節照射あるいは乳房全切除術後放射線療法（PMRT）を行う患者に対して，通常分割照射と同等の治療として寡分割照射は勧められるか？

ステートメント

- 乳房部分切除術後照射の領域リンパ節照射，乳房全切除術後放射線療法（PMRT）への寡分割照射は，エビデンスは十分でないが総合的に検討して，行うことを考慮してもよい。

背景

乳房部分切除術後照射（radiation therapy after breast conserving surgery；RT-BCS）の領域リンパ節照射（regional node irradiation；RNI）と，乳房全切除術後放射線療法（PMRT）では，通常分割照射（conventional fractionation；CF）が標準である。寡分割照射（hypofractionation；HF）の有効性・安全性について検討した。

解説

RNIには一般的に腋窩，鎖骨上，内胸の各リンパ節領域への照射が含まれ，上腕神経叢，心臓，肺などの組織の放射線関連の毒性のリスクがあり，肩の機能障害，上肢浮腫，肺線維症，上腕神経障害，麻痺などのリスクに注意を要する。

HFは，乳房部分切除術後の全乳房照射（WBI）では広く行われているが，RNIとWBIの照射部位の違いから，RNIへの寡分割照射適応の懸念として，線量の不均一性，心臓・肺・上腕神経叢に対する1回線量が高いことによる長期的影響，乳房全切除術後の乳房再建への影響などが挙げられる。

至適な線量・分割方法を検証すべく，イギリスで行われたランダム化比較試験（RCT），START-A試験（照射期間を5週で50 Gy/25回，41.6 Gy/13回，39 Gy/13回の3群比較），START-B試験（50 Gy/25回/5週と40 Gy/15回/3週の2群比較）では，乳房全切除術後例がそれぞれ登録症例の15％（336/2,236）と8％（177/2,215）に組み入れられたが，全症例の10年間の長期追跡調査においてHFとCFで局所再発に有意な差は認められず，晩期毒性については，HFはCFと同等あるいは一部で軽い傾向がみられた[1)〜4)]。また，インドからの二次元治療計画でのHF-PMRT報告おいても晩期毒性は軽微であった[5)]。以上のように，初期の臨床試験の結果はコバルト装置使用や二次元治療計画であってもHFの有効性・安全性を支持していた。

乳房全切除術を受けた乳癌患者において，HFとCFを比較したRCTは1件のみであった。Wangらが局所進行乳癌（腋窩リンパ節転移陽性が4個以上）患者820人を対象に，乳房全切除後の胸壁および鎖骨上およびレベルⅢ腋窩リンパ節領域へのHFとCFを比較したRCT（HFの非劣性を検証したRCT）である[6)]。観察期間中央値58.5カ月の時点で，5年間の局所・領域リンパ節再発率は，HF-PMRTが8.3％，CF-PMRTが8.1％と，HF-PMRTはCF-PMRTに対して劣らないことが報告された。急性毒性についてはHF-PMRTはCF-PMRTに対して有意に軽度であった(Grade 3の皮膚毒性：3% vs 8%, p<0.0001)。晩期毒性についても両群間に有意差はなかった。この結果から，高リスク乳癌の患者に対して，HFによるPMRTは短期的には安全かつ有効であることが示唆された。この試験結果を日常臨床に外挿するにあたって，胸壁への電子線の使用や内胸リンパ節が照射されていないことに注意する必要がある。

Liuらにより，212件の論文が検索され，2003～2019年に出版された25件の論文でPMRT症例におけるHFとCFを比較したシステマティック・レビュー，メタアナリシスが行われた[7]。RCTは1件のみで残りは後ろ向きの研究であった。合計3,871例の乳癌患者を対象としており，そのうちHF-RT群が2,080例，CF-RT群が1,791例であった。全生存率は13編で2,646例を対象とし，両群間に有意差は認められなかった〔オッズ比(OR)1.08, 95%CI 0.87-1.33, p=0.49〕。無病生存率は10編で2,100例を対象とし，両群間に有意差は認められなかった(OR 1.13, 95%CI 0.91-1.40, p=0.28)。局所・領域リンパ節再発は14編で2,881例を対象とし，両群間に有意差は認められなかった(OR 1.01, 95%CI 0.76-1.33, p=0.96)。遠隔転移率は10編で1,408例を対象とし，両群間に有意差を認めなかった(OR 1.16, 95%CI 0.85-1.58, p=0.34)。急性皮膚毒性は23編で3,456例を対象とし，両群間に有意差は認められなかった(OR 0.94, 95%CI 0.67-1.32, p=0.72)。急性肺毒性は10編で1,853例を対象とし，両群間に有意差は認められなかった(OR 0.94, 95%CI 0.74-1.20, p=0.62)。7編で1,363例を対象に遅発性皮膚毒性が報告され，両群間に有意差は認められなかった(OR 0.98, 95%CI 0.75-1.27, p=0.88)。上肢のリンパ浮腫は9編で1,801例を対象とし，両群間に有意差は認められなかった(OR 0.99, 95%CI 0.77-1.28, p=0.94)。肩可動制限は4編で1,078例を対象とし，両群間に有意差は認められなかった(OR 0.75, 95%CI 0.43-1.31, p=0.31)。6編で1,677例を対象に遅発性心臓関連毒性が報告され，両群間に有意差は認められなかった(OR 1.17, 95%CI 0.82-1.65, p=0.39)。以上のように，同報告ではHFはCFと比較して有効性，毒性ともに有意差はないと結論付け，より大規模なRCTの必要性を強調した。

乳房全切除術後の乳房再建は一般的になってきており，乳房再建後にPMRTを行うと，再建合併症の発生率が高まる(☞放射線BQ8参照)。乳房再建例を含むHF-PMRTの第Ⅱ相前向き試験では，96例中43例(45%)の乳房再建例を含み胸壁・再建乳房および領域リンパ領域に対して，36.63 Gy/11回で照射された[8]。観察期間中央値54カ月で，急性または晩期のGrade 3以上の再建以外の毒性はなかった。5年の局所再発率は4.6%，無遠隔転移・局所再発率77%，全生存率は90%であった。PMRTに起因する再建物の除去または完全な失敗，予定外の外科的介入が必要となった再建合併症が35%発生した。再建乳房例に対するHF-PMRTとCF-PMRTのRCTは，Alliance A221505試験(phase Ⅲ randomized trial of hypofractionated post mastectomy radiation with breast reconstruction；RT CHARM)とFABREC(study of radiation fractionation on patient outcomes after breast reconstruction for invasive breast carcinoma)が行われており，結果の報告が待たれる。

5～7週間の通常分割照射(CF)-PMRTは優れた腫瘍制御を示し，局所進行乳癌に対する乳房全切除術後の標準治療として確立された。しかし，通常分割照射(CF)は寡分割照射(HF)に比べ，治療期間が長く，患者にとって負担が大きく，医療費も高額になる。PMRTやRT-BCS・RNIで寡分割照射(HF)を行うことが検討され，これまでの結果では寡分割照射(HF)の安全性と有効性が支持されている。寡分割照射(HF)の局所-領域制御という点での有効性は確かなようであるが，乳房全切除術後に再建を受ける患者が増え，再建に対する影響については未解決の問題が残っている。また，研究はまだ主に後ろ向きであり，安全性と有効性を確認するためには大規模なRCTと，追跡調査が必要である。長期的なデータと進行中の試験の結果に基づいて，PMRTならびにRT-BCS・RNIにおける寡分割照射(HF)は新しい標準的な治療法に発展する可能性がある。ザンクトガレン2021パネルやESTROのコンセンサス・リコメンデーションでは，PMRTやRNIに対し寡分割照射(HF)を日常臨床で行うことを強く推奨している[9)10)]。有効性や短期の安全性は一貫しており，PMRTならびにRT-BCS・RNIにおける寡分割照射(HF)は総合的に検討して，行うことを考慮してもよい。

検索キーワード・参考にした二次資料

PubMedで，"Breast Neoplasms"，"Radiotherapy"，"Dose Fractionation"，"Radiation"，"Lymphatic Metastasis"，"Lymphatic Irradiation"，"Neoplasm Recurrence, Local" のキーワードで検索した。医中誌・Cochrane Library も同等のキーワードで検索した。検索期間は2021年3月までとし，381件がヒットした。10編の論文が抽出され，ハンドサーチで7編の論文を追加した。

参考文献

1) START Trialists' Group, Bentzen SM, Agrawal RK, Aird EG, Barrett JM, Barrett-Lee PJ, et al. The UK Standardisation of Breast Radiotherapy (START) Trial A of radiotherapy hypofractionation for treatment of early breast cancer: a randomised trial. Lancet Oncol. 2008; 9(4): 331-41. [PMID: 18356109]
2) START Trialists' Group, Bentzen SM, Agrawal RK, Aird EG, Barrett JM, Barrett-Lee PJ, et al. The UK Standardisation of Breast Radiotherapy (START) Trial B of radiotherapy hypofractionation for treatment of early breast cancer: a randomised trial. Lancet. 2008; 371(9618): 1098-107. [PMID: 18355913]
3) Haviland JS, Owen JR, Dewar JA, Agrawal RK, Barrett J, Barrett-Lee PJ, et al; START Trialists' Group. The UK Standardisation of Breast Radiotherapy (START) trials of radiotherapy hypofractionation for treatment of early breast cancer: 10-year follow-up results of two randomised controlled trials. Lancet Oncol. 2013; 14(11): 1086-94. [PMID: 24055415]
4) Haviland JS, Mannino M, Griffin C, Porta N, Sydenham M, Bliss JM, et al; START Trialists' Group. Late normal tissue effects in the arm and shoulder following lymphatic radiotherapy: Results from the UK START (Standardisation of Breast Radiotherapy) trials. Radiother Oncol. 2018; 126(1): 155-62. [PMID: 29153463]
5) Yadav BS, Bansal A, Kuttikat PG, Das D, Gupta A, Dahiya D. Late-term effects of hypofractionated chest wall and regional nodal radiotherapy with two-dimensional technique in patients with breast cancer. Radiat Oncol J. 2020; 38(2): 109-18. [PMID: 33012154]
6) Wang SL, Fang H, Song YW, Wang WH, Hu C, Liu YP, et al. Hypofractionated versus conventional fractionated postmastectomy radiotherapy for patients with high-risk breast cancer: a randomised, non-inferiority, open-label, phase 3 trial. Lancet Oncol. 2019; 20(3): 352-60. [PMID: 30711522]
7) Liu L, Yang Y, Guo Q, Ren B, Peng Q, Zou L, et al. Comparing hypofractionated to conventional fractionated radiotherapy in postmastectomy breast cancer: a meta-analysis and systematic review. Radiat Oncol. 2020; 15(1): 17. [PMID: 31952507]
8) Poppe MM, Yehia ZA, Baker C, Goyal S, Toppmeyer D, Kirstein L, et al. 5-year update of a multi-institution, prospective phase 2 hypofractionated postmastectomy radiation therapy trial. Int J Radiat Oncol Biol Phys. 2020; 107(4): 694-700. [PMID: 32289474]
9) Burstein HJ, Curigliano G, Thürlimann B, Weber WP, Poortmans P, Regan MM, et al; Panelists of the St Gallen Consensus Conference. Customizing local and systemic therapies for women with early breast cancer: the St. Gallen International Consensus Guidelines for treatment of early breast cancer 2021. Ann Oncol. 2021; 32(10): 1216-35. [PMID: 34242744]
10) Meattini I, Becherini C, Boersma L, Kaidar-Person O, Marta GN, Montero A, et al. European Society for Radiotherapy and Oncology Advisory Committee in Radiation Oncology Practice consensus recommendations on patient selection and dose and fractionation for external beam radiotherapy in early breast cancer. Lancet Oncol. 2022; 23(1): e21-31. [PMID: 34973228]

乳房手術後に腋窩リンパ節転移陽性で，領域リンパ節照射あるいは乳房全切除術後放射線療法(PMRT)を行う患者に対して，内胸リンパ節領域を含めることが勧められるか？

推 奨

- 内胸リンパ節領域を含めることを弱く推奨する。

推奨の強さ：2，エビデンスの強さ：弱，合意率：100%(48/48)

推奨におけるポイント

- 再発リスクを総合的に考慮したうえで内胸リンパ節領域を含めることを検討する。
- 心臓および肺障害について，内胸リンパ節領域を含めることで重大な上乗せはない。

背景・目的

乳房手術後に腋窩リンパ節転移陽性患者に対して，乳房部分切除術後であれば乳房への照射に加えてリンパ節領域への照射を行い，乳房全切除術後であれば胸壁と領域リンパ節への照射(PMRT)を行うことが勧められる(☞放射線 BQ4，5，CQ4，5 参照)。領域リンパ節照射を行う場合，鎖骨上リンパ節領域を含めることに関してはコンセンサスが得られているが(☞放射線 BQ6 参照)，内胸リンパ節領域を含めるべきかどうかは一定の見解が得られていなかった。領域リンパ節照射を行わなかった場合でも内胸リンパ節再発の頻度は低いが，PMRT による生存率の向上を示したランダム化比較試験(RCT)[1)~4)]では内胸リンパ節が照射野に含まれていた。

内胸リンパ節領域への照射の有効性と安全性について，RCT と前向きコホート研究を中心に検討した。

解 説

本 CQ では，局所・領域リンパ節再発率，遠隔再発率，乳癌死亡率，全生存率および晩期有害事象をアウトカムとして設定し，系統的文献検索を行った。4 編の RCT および 1 編の前向きコホート研究を含む 8 編の観察研究を評価した。

内胸リンパ節領域への照射の意義を調べた RCT は，French 試験と KROG 08-06 試験の 2 つがある[5)6)]。French 試験は，腋窩リンパ節転移陽性または原発巣が内側領域に存在した 1,334 例を対象とし，胸壁と鎖骨上窩リンパ節領域への照射に加え，内胸リンパ節領域を含めるか否かでランダム化された。経過観察の中央期間 11.3 年で，10 年全生存率は内胸リンパ節領域照射群で 62.6%，内胸リンパ節領域非照射群で 59.3% と有意差は認められなかった($p=0.8$)。しかし，この試験では約 85% が T1-2 であり，また約 25% がリンパ節転移陰性であったことに留意する必要がある。KROG 08-06 試験では，リンパ節転移陽性の 747 例を内胸リンパ節領域照射の有無でランダム化した。益に関するアウトカムは文献検索期間以降に結果が報告され，観察期間中央値 8.4 年で，主要評価項目の 7 年無病生存率には有意な差を認めず〔内胸リンパ節領域照射群 85.3% vs 内胸リンパ節領域非照射群 81.9%，ハザード比(HR)0.80，95%CI 0.57-1.14，$p=0.22$〕，7 年乳癌死亡率

放射線療法

(8.4% vs 10.8%，HR 0.74，95%CI 0.47-1.16，p=0.19)，全生存率(89.4% vs 88.2%，HR 0.87，95%CI 0.57-1.31，p=0.50)にも有意な差を認めなかった。事後解析では内側・中心区域腫瘍の場合は内胸リンパ節領域照射により7年無病生存率(91.8% vs 81.6%，HR 0.42，95%CI 0.22-0.82，p=0.008)は改善し，乳癌死亡率(4.9% vs 10.2%，HR 0.41，95%CI 0.17-0.99，p=0.04)が低下した。

乳房または胸壁への照射に領域リンパ節照射を加えるかどうかを比較したRCT(EORTC 22922/10925試験[7)]，MA. 20試験[8)])では，領域リンパ節照射群では内胸リンパ節領域が照射野に含まれていた。

デンマークの前向きコホート研究(DBCG-IMN)では，3,089例を対象として右乳癌患者には内胸リンパ節領域を照射野に含め，左乳癌患者には内胸リンパ節領域を含めない領域リンパ節照射を行い，両群が比較された[9)]。約35%が乳房部分切除術症例，約65%が乳房全切除術症例であった。経過観察中央値8.9年で，全生存率は照射群75.9%に対して非照射群72.2%(HR 0.82，95% CI 0.72-0.94，p=0.005)と内胸リンパ節領域照射により有意に改善した。乳癌死亡率も有意に低下し(20.9% vs 23.4%，HR 0.85，95%CI 0.73-0.98，p=0.03)，遠隔転移率も低下する傾向であった(27.4% vs 29.7%，HR 0.89，95%CI 0.78-1.01，p=0.07)。特に腋窩リンパ節転移4個以上の症例において内胸リンパ節領域照射により全生存率の改善が認められた。

この前向きコホート研究を含め観察研究のメタアナリシスを行った。局所・領域リンパ節再発と遠隔再発については6編[9)~14)]をメタアナリシスし，内胸リンパ節領域への照射の有無で，局所・領域リンパ節再発〔リスク比(RR)0.74，95%CI 0.48-1.14，p=0.17〕と遠隔再発(RR 0.91，95%CI 0.81-1.02，p=0.09)は統計学的に有意な低下を認めなかった。乳癌死亡については3編[9)10)15)]をメタアナリシスし，内胸リンパ節領域照射群で乳癌死亡率が低かった(HR 0.87，95% CI 0.77-0.98，p=0.02)。全生存率については8編[9)~16)]をメタアナリシスし，内胸リンパ節領域照射により全生存率の改善(HR 0.83，95%CI 0.76-0.91，p<0.0001)を認めた。これらの観察研究はバイアスリスクは高いものの，内胸リンパ節領域照射の有無を直接比較していることから，同じデザインで直接比較したRCTの益のアウトカムが2編しか報告されていない本CQでは参考となるエビデンスと考えられる。

害については，心疾患と肺障害を評価した。心疾患については，French試験[5)]および，領域リンパ節照射群で内胸リンパ節領域が含まれるEORTC 22922/19025試験[7)]とMA. 20試験[8)]の3つのRCTをメタアナリシスした。内胸リンパ節領域を照射した群で心疾患が多い傾向であったが，有意な差は認められなかった(RR 1.23，p=0.05)。一方，肺障害については，KROG 08-06試験でGrade 1/2の放射線肺臓炎が内胸リンパ節領域非照射群3.2%から照射群6.1%に増加する傾向にあるが有意差は認めなかった(p=0.06)[6)]。また，EORTC 22922/10925試験の領域リンパ節照射群では肺線維化(any grade)は5.7%に生じている[17)]。害に関してまとめると，心臓の有害事象に関しては，観察期間が十分でなく，さらなる長期観察のデータが必要になるが，今回のレビューでは大きな差を認めない。肺の有害事象に関しては，放射線肺臓炎・線維化が増加する傾向にあるものの頻度は高くない。

以上より，内胸リンパ節領域への照射の意義を直接的に検証したRCTは2編しかなく，害に関しても十分なエビデンスがないため，エビデンスの強さは「弱」とした。

領域リンパ節照射を行う場合に内胸リンパ節を含めることは，生存率への寄与に関してエビデンスが十分ではないものの，有害事象に関しては重大な上乗せがない。また，領域リンパ節へ照射を行う場合，内胸リンパ節を含めるかどうかで患者の通院や治療にかかるコストに大きな上乗せはない。特に有害事象に関しては，CT を用いた 3D 治療計画が標準となっているわが国の現状に鑑みても推奨度を減ずるほどではないと判断する。一方，領域リンパ節照射あるいは PMRT を行うすべての患者に必要ではないと考えられるが，リスクの高い患者*に対しては行うべきと考えられるので，弱い推奨とした。

推奨決定会議では，実臨床で対象の大部分に推奨されるわけではないこと，対象条件を推奨文で明確に定義することが難しいことが議論され，投票の結果，100％の合意率で「弱く推奨」となった。

*リスクの高い患者：臨床的・病理学的に内胸リンパ節転移が認められる，腋窩リンパ節転移 4 個以上陽性，内側・中心区域腫瘍で腋窩リンパ節転移陽性など[6)9)18)]。

[投票結果]

1. 行うことを強く推奨する	2. 行うことを弱く推奨する	3. 行わないことを弱く推奨する	4. 行わないことを強く推奨する
0%(0/48)	100%(48/48)	0%(0/48)	0%(0/48)
総投票数 48 名(棄権 0 名，COI 棄権 0 名)			

検索キーワード・参考にした二次資料

「乳癌診療ガイドライン①治療編 2018 年版」の参考文献に加え，PubMed で，“Breast Neoplasms”，“Radiotherapy”，“Mastectomy”，“Lymphatic Metastasis”，のキーワードと，“internal mammary node” の同義語で検索した。医中誌・Cochrane Library も同等のキーワードで検索した。検索期間は 2021 年 3 月までとし，98 件がヒットした。一次スクリーニングで 24 編，二次スクリーニングで 4 編の論文が抽出され，ハンドサーチで 7 編の論文を追加し，定性的・定量的システマティック・レビューを行った。

参考文献

1) Overgaard M, Hansen PS, Overgaard J, Rose C, Andersson M, Bach F, et al. Postoperative radiotherapy in high-risk premenopausal women with breast cancer who receive adjuvant chemotherapy. Danish Breast Cancer Cooperative Group 82b Trial. N Engl J Med. 1997; 337(14): 949-55. [PMID: 9395428]
2) Overgaard M, Jensen MB, Overgaard J, Hansen PS, Rose C, Andersson M, et al. Postoperative radiotherapy in high-risk postmenopausal breast-cancer patients given adjuvant tamoxifen: Danish Breast Cancer Cooperative Group DBCG 82c randomised trial. Lancet. 1999; 353(9165): 1641-8. [PMID: 10335782]
3) Ragaz J, Jackson SM, Le N, Plenderleith IH, Spinelli JJ, Basco VE, et al. Adjuvant radiotherapy and chemotherapy in node-positive premenopausal women with breast cancer. N Engl J Med. 1997; 337(14): 956-62. [PMID: 9309100]
4) Ragaz J, Olivotto IA, Spinelli JJ, Phillips N, Jackson SM, Wilson KS, et al. Locoregional radiation therapy in patients with high-risk breast cancer receiving adjuvant chemotherapy: 20-year results of the British Columbia randomized trial. J Natl Cancer Inst. 2005; 97(2): 116-26. [PMID: 15657341]
5) Hennequin C, Bossard N, Servagi-Vernat S, Maingon P, Dubois JB, Datchary J, et al. Ten-year survival results of a randomized trial of irradiation of internal mammary nodes after mastectomy. Int J Radiat Oncol Biol Phys. 2013; 86(5): 860-6. [PMID: 2366432]
6) Kim YB, Byun HK, Kim DY, Ahn SJ, Lee HS, Park W, et al. Effect of elective internal mammary node irradiation on disease-free survival in women with node-positive breast cancer: a randomized phase 3 clinical trial. JAMA Oncol. 2022; 8(1): 96-105. [PMID: 34695841]
7) Poortmans PM, Weltens C, Fortpied C, Kirkove C, Peignaux-Casasnovas K, Budach V, et al; European Organisation for Research and Treatment of Cancer Radiation Oncology and Breast Cancer Groups. Internal mammary and medial supraclavicular lymph node chain irradiation in stage Ⅰ-Ⅲ breast cancer(EORTC 22922/10925): 15-year results of a randomised, phase 3 trial. Lancet Oncol. 2020; 21(12): 1602-10. [PMID: 33152277]

8) Whelan TJ, Olivotto IA, Parulekar WR, Ackerman I, Chua BH, Nabid A, et al; MA. 20 Study Investigators. Regional nodal irradiation in early-stage breast cancer. N Engl J Med. 2015; 373(4): 307-16. [PMID: 26200977]
9) Thorsen LB, Offersen BV, Danø H, Berg M, Jensen I, Pedersen AN, et al. DBCG-IMN: a population-based cohort study on the effect of internal mammary node irradiation in early node-positive breast cancer. J Clin Oncol. 2016; 34(4): 314-20. [PMID: 26598752]
10) Aleknavičius E, Atkočius V, Kuzmickienė I, Steponavičienė R. Postmastectomy internal mammary nodal irradiation: a long-term outcome. Medicina(Kaunas). 2014; 50(4): 230-6. [PMID: 25458960]
11) Chang JS, Park W, Kim YB, Lee IJ, Keum KC, Lee CG, et al. Long-term survival outcomes following internal mammary node irradiation in stage Ⅱ-Ⅲ breast cancer: results of a large retrospective study with 12-year follow-up. Int J Radiat Oncol Biol Phys. 2013; 86(5): 867-72. [PMID: 23747215]
12) Luo J, Jin K, Chen X, Wang X, Yang Z, Zhang L, et al. Internal mammary node irradiation(IMNI)improves survival outcome for patients with clinical stage Ⅱ-Ⅲ breast cancer after preoperative systemic therapy. Int J Radiat Oncol Biol Phys. 2019; 103(4): 895-904. [PMID: 30439485]
13) Wang X, Luo J, Jin K, Chen X, Zhang L, Meng J, et al. Internal mammary node irradiation improves 8-year survival in breast cancer patients: results from a retrospective cohort study in real-world setting. Breast Cancer. 2020; 27(2): 252-60. [PMID: 31696449]
14) Yadav BS, Sharma SC, Ghoshal S, Kapoor RK, Kumar N. Postmastectomy internal mammary node radiation in women with breast cancer: a long-term follow-up study. Journal of Radiotherapy in Practice. 2015; 14(4): 385-93. [PMID: WOS: 000212298500007]
15) Olson RA, Woods R, Speers C, Lau J, Lo A, Truong PT, et al. Does the intent to irradiate the internal mammary nodes impact survival in women with breast cancer? A population-based analysis in British Columbia. Int J Radiat Oncol Biol Phys. 2012; 83(1): e35-41. [PMID: 22342092]
16) Stemmer SM, Rizel S, Hardan I, Adamo A, Neumann A, Goffman J, et al. The role of irradiation of the internal mammary lymph nodes in high-risk stage Ⅱ to ⅢA breast cancer patients after high-dose chemotherapy: a prospective sequential nonrandomized study. J Clin Oncol. 2003; 21(14): 2713-8. [PMID: 12860949]
17) Poortmans PM, Struikmans H, De Brouwer P, Weltens C, Fortpied C, Kirkove C, et al; EORTC Radiation Oncology and Breast Cancer Groups. Side effects 15 years after lymph node irradiation in breast cancer: randomized EORTC trial 22922/10925. J Natl Cancer Inst. 2021; 113(10): 1360-8. [PMID: 34320651]
18) Chen RC, Lin NU, Golshan M, Harris JR, Bellon JR. Internal mammary nodes in breast cancer: diagnosis and implications for patient management--a systematic review. J Clin Oncol. 2008; 26(30): 4981-9. [PMID: 18711171]

センチネルリンパ節に転移を認めたが腋窩リンパ節郭清が省略された患者に，領域リンパ節への放射線療法が勧められるか？

ステートメント

- 微小転移の場合，郭清が省略された腋窩あるいは領域リンパ節への放射線療法は基本的に勧められない。
- マクロ転移の場合，腋窩を含む領域リンパ節への放射線療法を考慮すべきであるが，至適な照射野については不明である。

背景

ACOSOG Z0011 試験の結果が報告されて以来，センチネルリンパ節に転移を認めていた場合でも腋窩郭清を省略可能かが議論されている(☞外科 CQ1 参照)。郭清が省略された患者において腋窩を含む領域リンパ節照射の有用性を直接検討したランダム化比較試験(RCT)はないが，本 FRQ では，郭清が省略されている場合を想定して，放射線療法の適応を検討した。

解説

乳癌手術後の放射線療法では，その適応や照射範囲の決定はリンパ節転移の個数に大きく依存してきた。リンパ節転移 4 個以上だけでなく，1〜3 個の場合にも領域リンパ節照射が推奨または考慮される患者群が存在する(☞放射線 CQ4，5，BQ4，5 参照)。センチネルリンパ節生検では郭清よりも限られた数のリンパ節しか摘出されないが，センチネルリンパ節転移陽性患者の 53% で非センチネルリンパ節転移が認められるという報告もあり[1]，センチネルリンパ節生検で得られたリンパ節転移個数のみに依存して放射線療法の方針を決定することは困難である。

センチネルリンパ節に微小転移を有する症例のみを対象として腋窩郭清の是非を検討した RCT は，IBCSG 23-01 試験[2]，AATRM 048/13/2000 試験[3]がある。これらの試験では約 90% に乳房部分切除術および術後全乳房照射が行われている。腋窩は意図的には照射野に含めていないが，両試験ともに両群間で無病生存率，全生存率とも有意差を認めていない。このため，微小転移の場合，適切な術後薬物療法が行われる状況下では，少なくとも温存乳房への照射時に領域リンパ節(特に腋窩)を意図的に照射範囲に含める必要はないと考えられる。

一方，センチネルリンパ節にマクロ転移を有する場合の郭清省略は術後照射を前提としているが(☞外科 CQ1 参照)，腋窩を含む領域リンパ照射を省略できるかについては明確でない。

マクロ転移を有する場合に腋窩郭清の是非を検討した RCT は 3 つある(ACOSOG Z0011 試験[4)〜6)]，EORTC 10981-22023 AMAROS 試験[7]，OTOASOR 試験[8])。このうち AMAROS 試験では，T1-2N0 乳癌を対象にセンチネルリンパ節生検を行い，陽性ならば腋窩郭清または領域リンパ節照射(レベルⅠ-Ⅲの腋窩および鎖骨上領域)にランダム化し，領域リンパ節照射による腋窩制御率の非劣性を検討した。5 年腋窩再発率は郭清群で 0.43%，領域リンパ節照射群で 1.19% であり，イベントが少なく検出力不足であったが，両群で大きな差がないと考えられた。OTOA-

放射線療法

SOR 試験も，AMAROS 試験と同様にセンチネルリンパ節転移陽性症例を対象に郭清群と領域リンパ節照射群(レベルⅠ-Ⅲの腋窩および鎖骨上領域)を比較し，腋窩再発率，全生存率および無病生存率に有意差を認めなかった。これらの結果より，マクロ転移では郭清の代わりに領域リンパ節照射を行えば予後は変わりないようである。しかし，両試験の約 4 割の症例で，センチネルリンパ節転移は遊離腫瘍細胞(isolated tumor cell)または微小転移であり，このような対象には領域リンパ節照射は過剰であった可能性があるため，注意が必要である。

ACOSOG Z0011 試験は，cT1-2N0 で乳房部分切除術とセンチネルリンパ節生検施行後，センチネルリンパ節が陽性だった患者を腋窩郭清または郭清省略群にランダム化した RCT である。この試験では全例に全乳房照射を行い，領域リンパ節照射を行うことは計画されていなかった。その結果，10 年全生存率および 10 年領域リンパ節再発率に有意差を認めなかった[4)]。しかし，予定症例数 1,900 例に対して症例集積不良のため 891 例で閉じられたこと，19%が経過観察されていないことなどから，検出率が低いなどの問題も指摘されている。また，本試験の対象の予後が良いために，全乳房照射のみで良好な成績が得られた可能性もある(T1 が 70%，エストロゲン受容体陽性 82%，センチネルリンパ節転移 1 個陽性 71%のうち微小転移 44%)。さらに，本試験に登録された 891 例中 605 例の放射線療法報告書を後ろ向きに検討した結果，11%が術後放射線療法を受けていなかった[9)]。照射記録が得られた 228 例のうち，19%でプロトコールに規定されていない領域リンパ節照射(多くは鎖骨上，一部で腋窩を含む)も行われていた。詳細な記録が得られた 142 例のうち約半数に，腋窩がある程度照射される high tangents(照射野頭側縁が上腕骨頭尾側端から 2 cm 以内に位置する)が行われていた。これらの照射範囲の多様性が結果に及ぼす影響は不明であるが，少なくとも郭清群と郭清省略群で照射方法の割合に有意差は認めず，領域リンパ節照射の有無は領域リンパ節再発とは関連していなかった[5)]。また，郭清群の 27%で非センチネルリンパ節転移が認められたにもかかわらず，郭清省略群の領域リンパ節再発がわずか 1%未満であったことは[10)]，薬物療法の効果や，温存乳房への照射(特に high tangents)が低位腋窩に及ぼす効果などが示唆されている。これらの問題が指摘されているため，ACOSOG Z0011 試験の結果から，適切な照射範囲を結論付けることはできない。

現在，複数の Z0011 の確認試験のほかに，陽性リンパ節の選択的切除および全領域リンパ節照射(レベルⅠ-Ⅲの腋窩，鎖骨上，および内胸リンパ節)を行う方法と，腋窩郭清および限局的領域リンパ節照射(鎖骨上と内胸リンパ節)とを比較する TAXIS 試験などが実施されており[11)]，今後適切な照射方法についての情報が追加される可能性がある。

リンパ浮腫は，郭清が省略された場合の領域リンパ節照射では，郭清後よりは頻度が少ない。AMAROS 試験では，郭清群で有意にリンパ浮腫(5 年後の患側上肢周囲長 10%以上増加)が増加した(郭清群および領域リンパ節照射群でそれぞれ 13%と 6%，$p=0.0009$)。OTOASOR 試験においても，リンパ浮腫や神経障害を含む上肢有害事象が郭清群に多かった(郭清群および領域リンパ節照射群でそれぞれ 15%と 5%)。

また，乳房全切除術の場合，放射線療法を行わない場合は腋窩リンパ節郭清を省略しないことが強く推奨されているが(☞外科 CQ 参照)，センチネルリンパ節の術中迅速病理で偽陰性であったが再切除を行わない場合など，結果的に郭清が省略されることがある。このような場合の乳房全切除術後放射線療法(PMRT)については，前述の試験に含まれる該当症例が少ないため

(AMAROS および OTOASOR 試験でいずれも 2 割未満), PMRT を行うかどうかはリンパ節転移以外の条件をもとに総合的に判断することが適切と考えられる。2016 年に米国臨床腫瘍学会・米国放射線腫瘍学会・外科腫瘍学会合同で公表されたガイドラインのアップデートでは, 乳房全切除術例かつセンチネルリンパ節転移が1～3個で郭清が省略された場合に, 追加の腋窩郭清による情報がなくても PMRT の適応がはっきりしている場合には郭清省略のうえ PMRT を行い, それ以外では郭清すべきとしている[12]。また, 2021 年の米国臨床腫瘍学会とオンタリオ癌診療合同ガイドラインのアルゴリズムでは, センチネルリンパ節転移 1～2 個で郭清が省略された場合, 全乳房/胸壁照射, または選択された症例での領域リンパ節照射の追加と記載されており, 必ずしもすべての患者で定型的 PMRT の推奨がされているわけではない[13]。

手術療法の進歩により, 乳房の温存が可能な症例にも乳房全切除術と乳房再建が行われることが増えている。患者が再建を希望する場合には, 術前に十分に方針を議論し, 腋窩郭清による有害事象と, 再建乳房への PMRT の潜在的なリスク(☞放射線 BQ8 参照)について説明のうえ, 適切な術式選択に導くことが望ましい。現在オランダにて, 乳房全切除術およびセンチネルリンパ節生検でリンパ節転移 1～3 個陽性かつ郭清省略例において, 腋窩治療(郭清または照射)か, 腋窩無治療かを比較する BOOG 2013-07 試験が実施されており[14], 乳房全切除術例における腋窩治療の最適化についての新たな知見が期待される。

以上より, マクロ転移の場合, 郭清していない腋窩を含む領域リンパ節への放射線療法を考慮すべきであるが, 至適な照射野については不明である。いずれの場合でも, センチネルリンパ節生検のみにて得られた転移リンパ節の個数は, 郭清によって得られた個数とは異なる可能性があることを念頭におく必要がある。照射野設定については, high tangents, または領域リンパ節照射(レベル I-Ⅲの腋窩および鎖骨上領域)の追加が考えられるが, 臨床所見をもとに個別に検討することが望ましい。非センチネルリンパ節転移を有する可能性が高い場合や[15)～17)], 前述の臨床試験の条件(T1-2N0, 適切な術後薬物療法を行うこと)に該当しない場合に, 領域リンパ節(腋窩および鎖骨上)への照射を考慮する。

検索キーワード・参考にした二次資料

PubMed で, "Breast Neoplasms", "Radiotherapy", "Mastectomy", "Axilla", "Lymphatic metastasis", "Lymph Node Excision", "Sentinel Lymph Node Biopsy", "Lymphtic metastasis", "Micrometastasis", "Macrometastasis" のキーワードおよび同義語を検索した。医中誌・Cochrane Library も同等のキーワードで検索した。検索期間は 2016 年 3 月～2021 年 3 月とし, それぞれ 122, 43, 7 件がヒットした。これらから一次選択として合計 12 編, 二次検索で 4 編を採用し, 2018 年版と合わせて合計 17 編の論文を採用した。

参考文献

1) Kim T, Giuliano AE, Lyman GH. Lymphatic mapping and sentinel lymph node biopsy in early-stage breast carcinoma: a metaanalysis. Cancer. 2006; 106(1): 4-16. [PMID: 16329134]

2) Galimberti V, Cole BF, Viale G, Veronesi P, Vicini E, Intra M, et al; International Breast Cancer Study Group Trial 23-01. Axillary dissection versus no axillary dissection in patients with breast cancer and sentinel-node micrometastases(IBCSG 23-01): 10-year follow-up of a randomised, controlled phase 3 trial. Lancet Oncol. 2018; 19(10): 1385-93. [PMID: 30196031]

3) Solá M, Alberro JA, Fraile M, Santesteban P, Ramos M, Fabregas R, et al. Complete axillary lymph node dissection versus clinical follow-up in breast cancer patients with sentinel node micrometastasis: final results from the multicenter clinical trial AATRM 048/13/2000. Ann Surg Oncol. 2013; 20(1): 120-7. [PMID: 22956062]

4) Giuliano AE, Ballman KV, McCall L, Beitsch PD, Brennan MB, Kelemen PR, et al. Effect of axillary dissection vs no axillary dissection on 10-year overall survival among women with invasive breast cancer and sentinel node

metastasis: the ACOSOG Z0011(Alliance)randomized clinical trial. JAMA. 2017; 318(10): 918-26. [PMID: 28898379]

5) Giuliano AE, Ballman K, McCall L, Beitsch P, Whitworth PW, Blumencranz P, et al. Locoregional recurrence after sentinel lymph node dissection with or without axillary dissection in patients with sentinel lymph node metastases: long-term follow-up from the American College of Surgeons Oncology Group(Alliance) ACOSOG Z0011 randomized trial. Ann Surg. 2016; 264(3): 413-20. [PMID: 27513155]

6) Giuliano AE, Hunt KK, Ballman KV, Beitsch PD, Whitworth PW, Blumencranz PW, et al. Axillary dissection vs no axillary dissection in women with invasive breast cancer and sentinel node metastasis: a randomized clinical trial. JAMA. 2011; 305(6): 569-75. [PMID: 21304082]

7) Donker M, van Tienhoven G, Straver ME, Meijnen P, van de Velde CJ, Mansel RE, et al. Radiotherapy or surgery of the axilla after a positive sentinel node in breast cancer(EORTC 10981-22023 AMAROS): a randomised, multicentre, open-label, phase 3 non-inferiority trial. Lancet Oncol. 2014; 15(12): 1303-10. [PMID: 25439688]

8) Sávolt Á, Péley G, Polgár C, Udvarhelyi N, Rubovszky G, Kovács E, et al. Eight-year follow up result of the OTOASOR trial: the optimal treatment of the axilla-surgery or radiotherapy after positive sentinel lymph node biopsy in early-stage breast cancer: a randomized, single centre, phase Ⅲ, non-inferiority trial. Eur J Surg Oncol. 2017; 43(4): 672-9. [PMID: 28139362]

9) Jagsi R, Chadha M, Moni J, Ballman K, Laurie F, Buchholz TA, et al. Radiation field design in the ACOSOG Z0011 (Alliance) Trial. J Clin Oncol. 2014; 32(32): 3600-6. [PMID: 25135994]

10) Giuliano AE, McCall L, Beitsch P, Whitworth PW, Blumencranz P, Leitch AM, et al. Locoregional recurrence after sentinel lymph node dissection with or without axillary dissection in patients with sentinel lymph node metastases: the American College of Surgeons Oncology Group Z0011 randomized trial. Ann Surg. 2010; 252(3): 426-32; discussion 432-3. [PMID: 20739842]

11) Henke G, Knauer M, Ribi K, Hayoz S, Gérard MA, Ruhstaller T, et al. Tailored axillary surgery with or without axillary lymph node dissection followed by radiotherapy in patients with clinically node-positive breast cancer (TAXIS): study protocol for a multicenter, randomized phase-Ⅲ trial. Trials. 2018; 19(1): 667. [PMID: 30514362]

12) Recht A, Comen EA, Fine RE, Fleming GF, Hardenbergh PH, Ho AY, et al. Postmastectomy radiotherapy: an American Society of Clinical Oncology, American Society for Radiation Oncology, and Society of Surgical Oncology focused guideline update. Pract Radiat Oncol. 2016; 6(6): e219-34. [PMID: 27659727]

13) Brackstone M, Baldassarre FG, Perera FE, Cil T, Chavez Mac Gregor M, Dayes IS, et al. Management of the axilla in early-stage breast cancer: Ontario Health(Cancer Care Ontario)and ASCO Guideline. J Clin Oncol. 2021; 39 (27): 3056-82. [PMID: 34279999]

14) van Roozendaal LM, de Wilt JH, van Dalen T, van der Hage JA, Strobbe LJ, Boersma LJ, et al. The value of completion axillary treatment in sentinel node positive breast cancer patients undergoing a mastectomy: a Dutch randomized controlled multicentre trial(BOOG 2013-07). BMC Cancer. 2015; 15: 610. [PMID: 26335105]

15) Van Zee KJ, Manasseh DM, Bevilacqua JL, Boolbol SK, Fey JV, Tan LK, et al. A nomogram for predicting the likelihood of additional nodal metastases in breast cancer patients with a positive sentinel node biopsy. Ann Surg Oncol. 2003; 10(10): 1140-51. [PMID: 14654469]

16) Mittendorf EA, Hunt KK, Boughey JC, Bassett R, Degnim AC, Harrell R, et al. Incorporation of sentinel lymph node metastasis size into a nomogram predicting nonsentinel lymph node involvement in breast cancer patients with a positive sentinel lymph node. Ann Surg. 2012; 255(1): 109-15. [PMID: 22167004]

17) Gur AS, Unal B, Ozbek U, Ozmen V, Aydogan F, Gokgoz S, et al; Turkish Federation of Breast Disease Associations Protocol MF08-01 investigators. Validation of breast cancer nomograms for predicting the non-sentinel lymph node metastases after a positive sentinel lymph node biopsy in a multi-center study. Eur J Surg Oncol. 2010; 36(1): 30-5. [PMID: 19535217]

BQ 9 乳房手術後放射線療法の適切なタイミングはどのようなものか？

ステートメント

- 術後化学療法を施行しない患者では，術後 20 週を超えないように開始する。
- 術後化学療法を実施する場合は，放射線療法開始前に化学療法を終了させるのが標準治療である。
- 術後化学療法と術後放射線療法の同時併用は，基本的に行わない。
- 内分泌療法は放射線療法と同時併用してもよい。
- 抗 HER2 療法は放射線療法と同時併用してもよいが，照射野に心臓が含まれる場合は，心臓への有害事象を考慮し，十分注意して行う。

背景

放射線療法は術後早期の開始が望ましいが，実際には術後合併症や治療施設の待機期間，患者の希望などにより治療開始が遅れる場合がある。乳房手術後において，薬物療法の開始の遅延は遠隔転移のリスクが，また放射線療法の開始の遅延は局所再発のリスクの増加が懸念される。乳房手術(乳房部分切除術・乳房全切除術)後の放射線療法につき，推奨される開始時期や薬物療法との至適順序を概説する。

解説

1）乳房手術後における放射線療法の開始時期

放射線療法の開始時期と局所再発率に相関がないとする報告がある[1)2)]一方，放射線療法の開始の遅れが連続性に局所再発のリスクと相関する報告もある[3)]。放射線療法開始の遅延の上限については，術後 8 週以上で局所再発が増加するというメタアナリシスがある[4)]一方で，化学療法を行わない症例は，術後 20 週を超えると局所制御率も生存率も低下するとの報告もある[5)]。また，DCIS については，手術から 12 週を超えると同側乳房内再発リスクが上がるとの報告もある[6)]。術前化学療法が必要な局所進行乳癌では，照射開始時期が手術から 8 週を超えると，生存率・無病生存率が低下するとの報告がある[7)]。個々の報告の結論には一貫性はないが，根治的集学的治療を行う場合に各治療間の延長が予後不良因子であるとの報告もあり[8)]，乳癌治療を開始後は治療を完遂するまで，無治療期間は可能な限り短縮すべきである。

2）化学療法と放射線療法の順序

術後化学療法の必要な患者は遠隔再発の高リスク群であり，放射線療法よりも全身化学療法を優先することが一般的である。コクランデータベースのシステマティック・レビューでは，放射線療法が術後 7 カ月以内に開始されるのであれば，化学療法と放射線療法のどちらを先行させても，局所制御率や生存率は同等であると結論付けられている[9)]。また，乳房部分切除術後の 244 人を対象とした放射線療法先行群と化学療法先行群のランダム化比較試験では，約5年の時点では，前者で遠隔再発，後者で局所再発が増加したものの，観察期間約 11 年で，両群間での再発様式や生存率の差は消失したと報告される[10]。腋窩リンパ節転移陽性であっても，乳房部分切除術後に適切な化学療法を 3～6 カ月施行した場合の放射線療法開始の遅れは，15 年以上の経過観察において局所再発率および無病生存率に差はなく，照射の遅れは許容されるという報告もある[11]。

以上より，乳房手術後症例に対して，遠隔転移の高リスク患者に対しては，有効性の期待される化学療法を先行させることが妥当であり，適切な化学療法施行に伴う放射線療法開始の遅れは，局所再発率および無病生存率を有意に低下させることはなく許容される。NCCN ガイドラインでも，放射線療法の原則として，化学療法が適応となる場合は化学療法の後に放射線療法を行うことが一般的であるとしている。しかし，術前化学療法を施行し，術後にカペシタビンを投与する場合においては放射線療法後にカペシタビンを開始することを推奨している[12]。

3）化学療法と放射線療法の同時併用

放射線療法と化学療法を同時併用した場合，放射線肺臓炎，重篤な皮膚反応や心毒性[13][14]，腕神経叢障害や肋骨骨折の頻度が増加するとの報告がある[15]。放射線治療技術の高精度化に伴い，心臓や肺の照射線量は低減可能となった。よって，現代の治療技術を用いた場合は同時併用しても前述される報告よりは肺臓炎などの発症リスクは下がることが予想される。しかし，同時併用の上乗せ効果は明確ではない。早期乳癌において化学療法と放射線療法の同時併用と順次併用を比較した SECRAB 試験(多施設第Ⅲ相試験，2,297 症例)の 10 年報告では，局所再発率が同時併用群で 4.6%，順次併用群で 7.1% と同時併用群で低かったと報告している〔ハザード比(HR)0.62，95%CI 0.43-0.90，$p=0.012$〕。同報告では，近年，標準治療として用いられるアンスラサイクリン系薬剤併用でこの差はさらに開く(3.5% vs 6.7%，$p=0.018$)が全生存率や無再発生存率には差を認めなかった。有害事象については，放射線皮膚炎(中等度～重篤)は同時併用群で有意に増える(24.0% vs 14.8%，$p<0.0001$)一方で，その他のリンパ浮腫や肺臓炎などに差はなかったと報告している[16]。以上より，同時併用でわずかに局所再発が減るとする報告はあるものの，生存への上乗せ効果は報告されておらず，また，有害事象は増加することから，日常臨床において術後療法としての放射線療法と化学療法の同時併用は積極的には勧められない。

4）内分泌療法と放射線療法の同時併用

ホルモン受容体陽性乳癌においては，しばしば術後放射線療法と内分泌療法が併用される場合がある。しかしながら，放射線療法と内分泌療法の併用時期における安全性や有効性についての明確な結論は出ていない。内分泌療法との同時併用で問題となる有害事象は，皮膚と肺の障害である。放射線療法中のタモキシフェン併用群と非併用群のランダム化比較試験では，併用群の放射線性肺線維症のリスクが約 3 倍に増加した〔オッズ比(OR)2.9，95%CI 1.3-6.3，$p=0.007$〕[17]。アロマターゼ阻害薬については，同時に併用しても順次投与しても，急性期の皮膚炎(Grade 2：24.6% vs 20.6%，Grade 3：8.8% vs 7.1%)や乳房の線維化(両者ともに 24%)に関して，有意差はなかった(n＝249)[18]。レトロゾールを用いたランダム化比較試験(CO-HO-RT phase Ⅱ)では，観察期間中央値 74 カ月(48～85 カ月)において照射により Grade 2 以上の皮膚線維化が発症したが，同時併用と順次併用の差はなく($p=0.17$)，併用に関して問題はないと結論された[19]。

1946～2017 年の報告をまとめたシステマティック・レビュー(2,137 報告中 13 編採用)では，研究間の異質性が高く統合は困難としながらも，アロマターゼ阻害薬については安全に同時併用可能とする一方で，タモキシフェンについては同時併用による乳房や肺の線維化が増加する可能性に一部不確実性が残ると結論付けている[20]。また，頻度は少ないものの，わが国から，放射線肺臓炎を契機とする閉塞性器質化肺炎(COP)を促進させる因子に内分泌療法の同時併用(OR 3.05, 95%CI 1.09-8.54, $p=0.03$)が報告されている[21]。

以上より，内分泌療法の同時併用(特にタモキシフェン)については，有害事象として皮下組織の線維化ならびに肺障害のリスクが高くなる傾向があるが，いずれも重篤なものは生じておらず，必要と判断される場合には併用してもよい。NCCN ガイドラインにおいても，内分泌療法については放射線療法との併用を許容している[12]。

5）抗 HER2 療法と放射線療法の同時併用

放射線療法と抗 HER2 療法の併用時期に関するランダム化比較試験はないが，抗 HER2 薬の効果を検討した臨床試験では多くの場合，放射線療法と併用するプロトコルとなっている。NSABP B-43 は，乳房部分切除術後の放射線療法中に 2 回だけトラスツズマブを投与することで局所再発が抑制できるかどうかをみる第Ⅲ相試験(2,014 症例，平均観察期間 79.2 カ月)だが，Grade 4〜5 の治療関連有害事象は発生せず，Grade 3 に関しては，照射単独群(3.9%)と併用群(4.9%)に差はなかったと報告されている。さらに，同報告では心毒性は非常に少なく，両群で 2 例ずつと報告されている[22]。乳房部分切除術と乳房全切除術が各々約 50%，左右ほぼ同数の症例において，放射線療法とトラスツズマブの同時併用を行い，心毒性を最長 25 カ月で検討したところ，照射終了から心毒性出現までの平均期間は 5 カ月，Grade 1 が 22%，Grade 2 が 2.2%(左胸壁照射後)であったとの報告もある[23]。以上より，トラスツズマブの同時併用について，短期の有害事象に関しては，同時併用を回避しなければならないものはなく，NCCN ガイドラインにおいても同時併用を許容している[12]。

ペルツズマブやトラスツズマブ エムタンシン(T-DM1)と放射線療法の併用に関しては報告が限られている。化学療法＋トラスツズマブを標準治療として，ペルツズマブ 1 年併用の有効性を評価した APHINITY 試験(4,805 症例，観察期間中央値 45 カ月)[24]において，抗 HER2 薬と放射線療法が同時併用され，両群で心毒性の差は認めていない。トラスツズマブを標準治療として，T-DM1 の有効性を評価した KATHERINE 試験(1,486 症例，観察期間中央値 41.4 カ月)[25]においても，放射線療法の同時併用が推奨され，放射線肺臓炎発症率は T-DM1 群で 1.5%，トラスツズマブ群で 0.7%，心毒性は全体で 5 人，0.3%のみの発症だった。しかしながら，抗 HER2 薬には心毒性があることに加え，放射線療法による心毒性は治療後数年から 20 年以上にわたって増加することが報告されていることから，心毒性評価については，追跡期間が十分ではないことに留意すべきである。また，T-DM1 は殺細胞性薬剤(微小管阻害薬)であるエムタンシンが含まれるため，放射線治療計画において心臓，肺への照射線量を十分考慮する必要があり，放射線療法との同時併用については慎重に検討すべきである。

検索キーワード・参考にした二次資料

PubMed で，“Breast neoplasm”，“chemotherapy”，“trastuzumab”，“radiotherapy”，“timing, delay”，“adjuvant”，“endocrie treatment” のキーワードを用いて検索した。検索期間は 2016 年 1 月〜2021 年 3 月とし，366 件がヒットした。また，ハンドサーチにより，他のガイドラインや二次資料などから重要と思われる文献を採用した。

参考文献

1) Cèfaro GA, Genovesi D, Marchese R, Di Tommaso M, Di Febo F, Ballone E, et al. The effect of delaying adjuvant radiation treatment after conservative surgery for early breast cancer. Breast J. 2007; 13(6): 575-80. [PMID: 17983399]
2) Livi L, Borghesi S, Saieva C, Meattini I, Rampini A, Petrucci A, et al. Radiotherapy timing in 4,820 patients with breast cancer: university of florence experience. Int J Radiat Oncol Biol Phys. 2009; 73(2): 365-9. [PMID: 18715726]
3) Punglia RS, Saito AM, Neville BA, Earle CC, Weeks JC. Impact of interval from breast conserving surgery to radiotherapy on local recurrence in older women with breast cancer: retrospective cohort analysis. BMJ. 2010; 340: c845. [PMID: 20197326]
4) Huang J, Barbera L, Brouwers M, Browman G, Mackillop WJ. Does delay in starting treatment affect the outcomes of radiotherapy? A systematic review. J Clin Oncol. 2003; 21(3): 555-63. [PMID: 12560449]
5) Olivotto IA, Lesperance ML, Truong PT, Nichol A, Berrang T, Tyldesley S, et al. Intervals longer than 20 weeks from breast-conserving surgery to radiation therapy are associated with inferior outcome for women with early-stage breast cancer who are not receiving chemotherapy. J Clin Oncol. 2009; 27(1): 16-23. [PMID: 19018080]
6) Shurell E, Olcese C, Patil S, McCormick B, Van Zee KJ, Pilewskie ML. Delay in radiotherapy is associated with an increased risk of disease recurrence in women with ductal carcinoma in situ. Cancer. 2018; 124(1): 46-54. [PMID: 28960259]
7) Silva SB, Pereira AAL, Marta GN, de Barros Lima KML, de Freitas TB, Matutino ARB, et al. Clinical impact of adjuvant radiation therapy delay after neoadjuvant chemotherapy in locally advanced breast cancer. Breast. 2018; 38: 39-44. [PMID: 29223797]
8) Yung R, Ray RM, Roth J, Johnson L, Warnick G, Anderson GL, et al. The association of delay in curative intent treatment with survival among breast cancer patients: findings from the Women's Health Initiative. Breast Cancer Res Treat. 2020; 180(3): 747-57. [PMID: 32062784]
9) Hickey BE, Francis D, Lehman MH. Sequencing of chemotherapy and radiation therapy for early breast cancer. Cochrane Database Syst Rev. 2006; (4): CD005212. [PMID: 17054248]
10) Bellon JR, Come SE, Gelman RS, Henderson IC, Shulman LN, Silver BJ, et al. Sequencing of chemotherapy and radiation therapy in early-stage breast cancer: updated results of a prospective randomized trial. J Clin Oncol. 2005; 23(9): 1934-40. [PMID: 15774786]
11) Karlsson P, Cole BF, Price KN, Gelber RD, Coates AS, Goldhirsch A, et al; International Breast Cancer Study Group. Timing of radiation therapy and chemotherapy after breast-conserving surgery for node-positive breast cancer: long-term results from international breast cancer study group trials Ⅵ and Ⅶ. Int J Radiat Oncol Biol Phys. 2016; 96(2): 273-9. [PMID: 27598802]
12) NCCN Clinical practice guidelines in oncology: BREAST CANCER, version 8. 2021. https://www.nccn.org/professionals/physician_gls/pdf/breast.pdf （アクセス日：2021/9/29）
13) Formenti SC, Symmans WF, Volm M, Skinner K, Cohen D, Spicer D, et al. Concurrent paclitaxel and radiation therapy for breast cancer. Semin Radiat Oncol. 1999; 9(2 Suppl 1): 34-42. [PMID: 10210538]
14) Valagussa P, Zambetti M, Biasi S, Moliterni A, Zucali R, Bonadonna G. Cardiac effects following adjuvant chemotherapy and breast irradiation in operable breast cancer. Ann Oncol. 1994; 5(3): 209-16. [PMID: 8186169]
15) Pierce SM, Recht A, Lingos TI, Abner A, Vicini F, Silver B, et al. Long-term radiation complications following conservative surgery(CS)and radiation therapy(RT)in patients with early stage breast cancer. Int J Radiat Oncol Biol Phys. 1992; 23(5): 915-23. [PMID: 1639653]
16) Fernando IN, Bowden SJ, Herring K, Brookes CL, Ahmed I, Marshall A, et al; SECRAB Investigators. Synchronous versus sequential chemo-radiotherapy in patients with early stage breast cancer(SECRAB): A randomised, phase Ⅲ, trial. Radiother Oncol. 2020; 142: 52-61. [PMID: 31785830]
17) Bentzen SM, Skoczylas JZ, Overgaard M, Overgaard J. Radiotherapy-related lung fibrosis enhanced by tamoxifen. J Natl Cancer Inst. 1996; 88(13): 918-22. [PMID: 8656444]
18) Valakh V, Trombetta MG, Werts ED, Labban G, Khalid MK, Kaminsky A, et al. Influence of concurrent anastrozole on acute and late side effects of whole breast radiotherapy. Am J Clin Oncol. 2011; 34(3): 245-8. [PMID: 20622644]
19) Bourgier C, Kerns S, Gourgou S, Lemanski C, Gutowski M, Fenoglietto P, et al. Concurrent or sequential letrozole with adjuvant breast radiotherapy: final results of the CO-HO-RT phase Ⅱ randomized trial. Ann Oncol. 2016; 27(3): 474-80. [PMID: 26681684]
20) McGee SF, Mazzarello S, Caudrelier JM, Lima MAG, Hutton B, Sienkiewicz M, et al. Optimal sequence of adjuvant endocrine and radiation therapy in early-stage breast cancer—A systematic review. Cancer Treat Rev. 2018; 69: 132-42. [PMID: 30014951]

21) Katayama N, Sato S, Katsui K, Takemoto M, Tsuda T, Yoshida A, et al. Analysis of factors associated with radiation-induced bronchiolitis obliterans organizing pneumonia syndrome after breast-conserving therapy. Int J Radiat Oncol Biol Phys. 2009; 73(4): 1049-54. [PMID: 18755559]
22) Cobleigh MA, Anderson SJ, Siziopikou KP, Arthur DW, Rabinovitch R, Julian TB, et al. Comparison of radiation with or without concurrent trastuzumab for HER2-positive ductal carcinoma in situ resected by lumpectomy: a phase Ⅲ clinical trial. J Clin Oncol. 2021; 39(21): 2367-74. [PMID: 33739848]
23) Cao L, Hu WG, Kirova YM, Yang ZZ, Cai G, Yu XL, et al. Potential impact of cardiac dose-volume on acute cardiac toxicity following concurrent trastuzumab and radiotherapy. Cancer Radiother. 2014; 18(2): 119-24. [PMID: 24642505]
24) von Minckwitz G, Procter M, de Azambuja E, Zardavas D, Benyunes M, Viale G, et al; APHINITY Steering Committee and Investigators. Adjuvant pertuzumab and trastuzumab in early HER2-positive breast cancer. N Engl J Med. 2017; 377(2): 122-31. [PMID: 28581356]
25) von Minckwitz G, Huang CS, Mano MS, Loibl S, Mamounas EP, Untch M, et al; KATHERINE Investigators. Trastuzumab emtansine for residual invasive HER2-positive breast cancer. N Engl J Med. 2019; 380(7): 617-28. [PMID: 30516102]

BQ 10　*BRCA* 病的バリアントを有する乳癌患者に対し，乳房手術後の放射線療法は勧められるか？

ステートメント

- 乳房部分切除術後の放射線療法は行うことが標準治療である。
- 乳房全切除術後放射線療法は，臨床的適応に従って行うことが標準治療である。

背景

BRCA はがん抑制遺伝子の一つで，DNA の二本鎖切断の修復に重要な働きをしている。したがって，*BRCA* 病的バリアントを有する患者では放射線感受性が高い可能性があり，有害事象の重篤化や放射線誘発性二次がんが懸念される。そこで，*BRCA* 病的バリアントを有する患者に対する乳房手術後放射線療法の安全性について，システマティック・レビューを行い，放射線療法の害について概説した(乳房手術後放射線療法の益について☞放射線 BQ1～5，CQ5 参照)。

解説

BRCA 病的バリアント保持者に対して乳房部分切除術が選択された場合に標準治療である術後放射線療法が安全に行えるかどうかが問題となる。また，乳房全切除術後であっても腋窩リンパ節転移陽性などの再発高リスク患者への乳房全切除術後放射線療法(PMRT)が安全に行えるかどうかは重要である。*BRCA* 病的バリアント保持者において，放射線療法の益が散発性乳癌患者と異なるかどうかを直接検討した報告はない。検討にあたり，放射線療法の有害事象について，*BRCA* 病的バリアント保持患者と散発性乳癌患者との比較を行った。対側乳癌については，*BRCA* 病的バリアント保持患者に対して照射を行った患者と行わなかった患者の比較を行った。

BRCA 病的バリアントを有する患者に対する放射線療法に関する報告は限られ，放射線療法の有効性と安全性に関するランダム化比較試験はなく，後ろ向きコホート研究と症例対照のみである。

急性有害事象については，Grade 2 以上の皮膚炎，乳房痛，疲労，肺臓炎を評価した。Grade 2 以上の皮膚炎については 2 編の後ろ向きコホート研究[1)2)]と 2 編の症例対照研究[3)4)]でメタアナリシスを行い，散発性乳癌との有意差は認めなかった〔オッズ比(OR)0.92，95%CI 0.61-1.37，p=0.67〕。乳房痛については 1 編の後ろ向きコホート[2)]と 2 編の症例対照研究[3)4)]でメタアナリスを行い，散発性乳癌との有意差は認めなかった(OR 1.18，95%CI 0.73-1.92，p=0.51)。疲労については 1 編の症例対照研究[3)]で報告があり，Moderate から Severe の頻度は病的バリアント保持者で散発性乳癌患者に比し，8.2%多く認められたが有意差はなかった(95%CI −10.5-26.9)。放射線肺臓炎については 1 編の症例対照研究[4)]で報告され，RTOG/EORTC Grade 1 以上の肺臓炎が散発群で 0.94%(2/213)に対して病的バリアント保持群で 2.82%(2/71)であったが，一般的な放射線肺臓炎の頻度を上回るものではない。

晩期有害事象については皮膚障害・皮下組織障害・肺障害・肋骨骨折・心障害について評価し

た。皮膚障害は1編の症例対照研究で報告があり，RTOG/EORTC スコア Grade 2 以上の頻度が病的バリアント保持群で 1.82%，散発群で 3.76%であった。皮下組織・肺障害・肋骨骨折は2編の症例対照研究[3)4)]でメタアナリシスを行った。皮下組織障害については，1編は皮弁壊死，1編は RTOG/EORTC Grade 2 以上についての評価で評価法は異なるが，両群に有意差は認めなかった(OR 0.90, 95%CI 0.39–2.12, $p=0.82$)。肺障害は，1編は肺線維化，1編は RTOG/EORTC スコアで Grade 2 以上についての評価である。2編ともに散発性乳癌群での発症がなく，病的バリアント保持群での発症率は 1.82%(1/55)と 1.40%(1/70)で，メタアナリシスにて有意差は認めなかった(OR 5.37, 95%CI 0.55–52.24, $p=0.15$)。肋骨骨折もメタアナリシスにて有意差を認めていない(OR 1.92, 95%CI 0.27–13.88, $p=0.52$)。心障害については1編の症例対照研究[3)]で評価され，両群ともに発症は報告されていない。以上のように，放射線療法による有害事象は，急性期・晩期ともに病的バリアント保持者であっても，散発性乳癌患者を上回ることはない。

放射線療法による対側乳癌発症については病的バリアント保持者において照射群と非照射群で差があるかを検討した。Kathleen Cuningham Foundation Consortium for Research into Familial Breast Cancer(kConFab)の後ろ向きコホート研究[5)]では，643 例中 148 例(23.0%)で対側乳癌を認めたが，放射線療法による対側乳癌増加は認めていない($p=0.44$)。オランダからの 418 例の解析[6)]でも放射線療法による対側乳癌の増加は認めず，発症時 40 歳未満の症例に限定しても有意な増加は認めなかった。一方，国際的なコホート研究である WECARE study の報告[7)]においては放射線療法による対側乳癌増加を認めたが，有意差はなかった〔リスク比(RR)1.4, 95%CI 0.6–3.3, $p=0.7$〕。

対側乳癌以外の二次がんについてはイスラエルからの報告がある[8)]。放射線療法を受けた病的バリアント保持者で5年以上経過観察された 266 例が対象で，経過観察期間の中央値は 10 年(5～27 年)であるが，1例(0.38%)に甲状腺乳頭癌を認めたのみであった。

このように，*BRCA* 病的バリアント保持者であっても放射線療法による有害事象は散発性乳癌患者と同等である。*BRCA* 病的バリアント保持者においては対側乳癌の発症率が高いものの，対側乳癌も含めた二次がんは，照射を行っていない *BRCA* 病的バリアント保持者と比較して増加しない。米国臨床腫瘍学会，米国放射線腫瘍学会，米国腫瘍外科学会の遺伝性乳癌に関するガイドラインにおいても，乳房部分切除術後または PMRT が考慮される *BRCA* 病的バリアント保持者に対して，放射線療法は差し控えるべきではないと述べられている[9)]。

以上より，乳房部分切除術後であれば放射線療法を行い，乳房全切除術後でも，散発性乳癌と同様の臨床的適応に従って行うことが標準治療である。

本 BQ は 2018 年版で乳房部分切除術後の放射線療法に限定した CQ であった。2022 年版では PMRT にも言及したうえで当初 CQ として作成を開始したが，ランダム化比較試験などの実施は困難であり，国際的にコンセンサスも得られているため，BQ に変更した。

検索キーワード・参考にした二次資料

PubMed で，"Breast Neoplasms/radiotherapy", "Breast Neoplasms/surgery" "Postoperative Care", "Postoperative Complications", "Genes, BRCA1", "Genes, BRCA2", "BRCA1 Protein", "BRCA2 Protein" のキーワードで検索した。医中誌・Cochrane Library も同等のキーワードで検索した。検索期間は 1995 年1月～2021 年3月とし，9編を採用した。

参考文献

1) Park H, Choi DH, Noh JM, Huh SJ, Park W, Nam SJ, et al. Acute skin toxicity in Korean breast cancer patients carrying BRCA mutations. Int J Radiat Biol. 2014; 90(1): 90-4. [PMID: 23957571]
2) Huszno J, Budryk M, Kołosza Z, Nowara E. The influence of BRCA1/BRCA2 mutations on toxicity related to chemotherapy and radiotherapy in early breast cancer patients. Oncology. 2013; 85(5): 278-82. [PMID: 24217135]
3) Shanley S, McReynolds K, Ardern-Jones A, Ahern R, Fernando I, Yarnold J, et al. Late toxicity is not increased in BRCA1/BRCA2 mutation carriers undergoing breast radiotherapy in the United Kingdom. Clin Cancer Res. 2006; 12(23): 7025-32. [PMID: 17145824]
4) Pierce LJ, Strawderman M, Narod SA, Oliviotto I, Eisen A, Dawson L, et al. Effect of radiotherapy after breast-conserving treatment in women with breast cancer and germline BRCA1/2 mutations. J Clin Oncol. 2000; 18(19): 3360-9. [PMID: 11013276]
5) Pierce LJ, Phillips KA, Griffith KA, Buys S, Gaffney DK, Moran MS, et al. Local therapy in BRCA1 and BRCA2 mutation carriers with operable breast cancer: comparison of breast conservation and mastectomy. Breast Cancer Res Treat. 2010; 121(2): 389-98. [PMID: 20411323]
6) Drooger J, Akdeniz D, Pignol JP, Koppert LB, McCool D, Seynaeve CM, et al. Adjuvant radiotherapy for primary breast cancer in BRCA1 and BRCA2 mutation carriers and risk of contralateral breast cancer with special attention to patients irradiated at younger age. Breast Cancer Res Treat. 2015; 154(1): 171-80. [PMID: 26467044]
7) Bernstein JL, Thomas DC, Shore RE, Robson M, Boice JD Jr, Stovall M, et al; WECARE Study Collaborative Group. Contralateral breast cancer after radiotherapy among BRCA1 and BRCA2 mutation carriers: a WECARE study report. Eur J Cancer. 2013; 49(14): 2979-85. [PMID: 23706288]
8) Schlosser S, Rabinovitch R, Shatz Z, Galper S, Shahadi-Dromi I, Finkel S, et al. Radiation-associated secondary malignancies in BRCA mutation carriers treated for breast cancer. Int J Radiat Oncol Biol Phys. 2020; 107(2): 353-9. [PMID: 32084523]
9) Tung NM, Boughey JC, Pierce LJ, Robson ME, Bedrosian I, Dietz JR, et al. Management of hereditary breast cancer: American Society of Clinical Oncology, American Society for Radiation Oncology, and Society of Surgical Oncology guideline. J Clin Oncol. 2020; 38(18): 2080-106. [PMID: 32243226]

2. 転移・再発乳癌

FRQ 4 乳癌の局所・領域リンパ節再発では，根治を目指した放射線療法が勧められるか？

ステートメント

- 集学的治療の一環として放射線療法の有用性が検討されている。

背景

局所・領域リンパ節再発は，乳房部分切除術後と乳房全切除術後の場合に分けられ，温存乳房内再発と乳房全切除術後の胸壁再発，両者における領域リンパ節再発が含まれる。初回治療から10年経過の間に，局所・領域リンパ節に再発する頻度は5～15％である[1)2)]。局所・領域リンパ節再発が限局していて根治を目指した治療が可能な場合は，一次治療に準じた治療方針が選択され，実施可能な治療法を組み合わせた集学的治療が行われる。

この病態に対する適切な治療方法を検討したランダム化比較試験は少ないので，後ろ向き研究を中心に論文検索を行い，二次資料を参考に研究精度が高いと思われる報告を検討した。

解説

乳癌の初回治療から再発までの期間が短いほど予後不良で転移をきたしやすい[3)4)]。これらは分子生物学的サブタイプによる影響が考えられ，局所および領域再発の管理には，転移リスクに応じて全身治療を行うか否かを含め，全体的な管理を個別化することが重要である[5)]。再発部に対する放射線照射の既往がなければ，放射線療法が可能であり，その有害事象は少なく有効である[6)7)]。

温存乳房内再発については，乳房照射されている場合が多く，乳房全切除術が勧められる[6)～8)](☞外科 総説4参照)。限られた症例で再度の乳房部分切除の適応が検討される(☞外科 FRQ9参照)。再度の乳房部分切除術後の高線量率組織内照射を用いた乳房部分照射(PBI)による再照射の報告では，適応を注意深く限定すれば，5年局所制御率93％，5年無病生存率77％であり，Grade 3以上の晩期有害事象は17％と報告している[9)]。外部照射での乳房部分照射よる再照射の有効性を検証した第Ⅱ相試験NRG Oncology/RTOG 1014の急性有害事象は許容範囲と報告され[10)]，5年乳房非切除率90％，5年局所制御率94.8％，5年無病生存率94.8％，Grade 3以上の晩期有害事象は7％と報告されている[11)]。一次治療で乳房照射されていても，乳房温存療法(再度の部分切除＋術後乳房照射)が乳房全切除術の代替療法になる可能性が示唆されている。一次治療で乳房照射されていない場合は，乳房温存療法(再度の部分切除＋術後乳房照射)が可能である[6)～8)]。適切な薬物療法を追加することで，再発後の生存期間が延長する[12)](☞薬物 FRQ18参照)。

乳房全切除術後の胸壁再発は，多様な病態を呈し，遠隔転移を伴うことが稀でない。乳房全切除術により長期間に無病であった後の限局性胸壁再発は，短期間に胸壁に多発する場合や広範囲な炎症性再発に比較して生命予後が長いので，積極的に救済療法を行うことが勧められる[6)7)12)〜15)]。American College of Radiology Appropriateness Criteria と Breast Cancer Expert Panel of the German Society of Radiation Oncology では，論文検索とエキスパートオピニオンに基づいて，救済目的の放射線療法を推奨している[6)7)]。限局性胸壁再発に対しては，全摘出が可能であれば切除を検討し（☞外科 FRQ11 参照），同部に対して照射歴がなければ，45〜50 Gy の放射線療法を行う。腫瘍床を中心に適切な範囲のブースト照射を 10〜20 Gy 行うこともある。また，照射部位に領域リンパ節を含め，適切な薬物療法の併用が推奨される[7)]。救済療法は切除術，放射線療法，薬物療法の順に行われていることが多いが，現在は各治療法の順序について明確な指針が示されていない。病態が多様であることから，救済放射線療法による局所制御率は 42〜86%，および 5 年生存率は 35〜82%と報告されている[12)〜15)]。乳房全切除術後に短期間に起こった切除不能な複数の胸壁再発や炎症性再発は，同時に遠隔転移を伴うことが稀でなく，最初に適切な薬物療法を行うが，照射歴がなければ放射線療法も選択肢の一つとなる[6)7)]。照射歴がある場合，ドイツのガイドラインでは，重度の放射線障害がなく，適切な期間（1 年以上）が経過している場合は，必要に応じて再照射を検討可能であるとしている[7)]。累積線量については，100〜110 Gy（分割線量 2 Gy 換算）以下であれば重度の晩期障害が 12%以下で許容内としている[7)14)16)]。また，表在性病変であれば温熱療法併用を考慮可能である[6)7)17)]。

領域リンパ節の単独再発に関しては，十分な科学的根拠に基づいた治療法は確立されていない。腋窩リンパ節単独再発は，摘出が可能であればリンパ節切除術を行い（☞外科 BQ4 参照），放射線照射の既往がなければ術後照射も考慮する[6)〜8)]。鎖骨上リンパ節・内胸リンパ節再発では，放射線療法と薬物療法が推奨される[6)〜8)18)]（☞外科 FRQ8 参照）。再発形式や時期などによって定まった照射方法はなく，症例に応じて総合的に検討する。

検索キーワード・参考にした二次資料

PubMed で，"Breast Neoplasms"，"Radiotherapy"，"Neoplasm Recurrence, Local"，"Thoracic Wall"，"Lymphatic Metastasis" のキーワードで検索した。医中誌・Cochrane Library も同等のキーワードで検索した。検索期間は 2016 年 1 月〜2021 年 3 月とし，213 件がヒットした。また，ハンドサーチにより，「乳癌診療ガイドライン①治療編 2018 年版」参考文献に加え，他のガイドラインや二次資料などから重要と思われる文献を採用した。

参考文献

1）Early Breast Cancer Trialists' Collaborative Group (EBCTCG), Darby S, McGale P, Correa C, Taylor C, Arriagada R, et al. Effect of radiotherapy after breast-conserving surgery on 10-year recurrence and 15-year breast cancer death: meta-analysis of individual patient data for 10,801 women in 17 randomised trials. Lancet. 2011; 378(9804): 1707-16.［PMID: 22019144］
2）EBCTCG (Early Breast Cancer Trialists' Collaborative Group), McGale P, Taylor C, Correa C, Cutter D, Duane F, et al. Effect of radiotherapy after mastectomy and axillary surgery on 10-year recurrence and 20-year breast cancer mortality: meta-analysis of individual patient data for 8135 women in 22 randomised trials. Lancet. 2014; 383(9935): 2127-35.［PMID: 24656685］
3）van Tienhoven G, Voogd AC, Peterse JL, Nielsen M, Andersen KW, Mignolet F, et al. Prognosis after treatment for loco-regional recurrence after mastectomy or breast conserving therapy in two randomised trials (EORTC 10801 and DBCG-82TM). EORTC Breast Cancer Cooperative Group and the Danish Breast Cancer Cooperative Group. Eur J Cancer. 1999; 35(1): 32-8.［PMID: 10211085］
4）Vrieling C, Assele SY, Moser L, Sauvé N, Litière S, Fourquet A, et al; European Organisation for Research and Treatment of Cancer, Radiation Oncology and Breast Cancer Groups. The impact of isolated local recurrence on long-term outcome in early-breast cancer patients after breast-conserving therapy. Eur J Cancer. 2021; 155: 28-37.［PMID: 34333446］
5）Belkacemi Y, Hanna NE, Besnard C, Majdoul S, Gligorov J. Local and regional breast cancer recurrences: salvage

therapy options in the new era of molecular subtypes. Front Oncol. 2018; 8: 112. [PMID: 29719816]

6) Halyard MY, Wasif N, Harris EE, Arthur DW, Bailey L, Bellon JR, et al; Expert Panel on Radiation Oncology-Breast. ACR Appropriateness Criteria® local-regional recurrence (LR) and salvage surgery: breast cancer. Am J Clin Oncol. 2012; 35(2): 178-82. [PMID: 22433995]

7) Harms W, Budach W, Dunst J, Feyer P, Fietkau R, Haase W, et al; Breast Cancer Expert Panel of the German Society of Radiation Oncology (DEGRO). DEGRO practical guidelines for radiotherapy of breast cancer Ⅵ: therapy of locoregional breast cancer recurrences. Strahlenther Onkol. 2016; 192(4): 199-208. [PMID: 26931319]

8) NCCN Clinical Practice Guidelines in Oncology: Breast Cancer. Version 8.2021 https://www.nccn.org/professionals/physician_gls/pdf/breast.pdf

9) Kauer-Dorner D, Pötter R, Resch A, Handl-Zeller L, Kirchheiner K, Meyer-Schell K, et al. Partial breast irradiation for locally recurrent breast cancer within a second breast conserving treatment: alternative to mastectomy? Results from a prospective trial. Radiother Oncol. 2012; 102(1): 96-101. [PMID: 21907439]

10) Arthur DW, Winter KA, Kuerer HM, Haffty BG, Cuttino LW, Todor DA, et al. NRG oncology-radiation therapy oncology group study 1014: 1-year toxicity report from a phase 2 study of repeat breast-preserving surgery and 3-dimensional conformal partial-breast reirradiation for in-breast recurrence. Int J Radiat Oncol Biol Phys. 2017; 98(5): 1028-35. [PMID: 28721885]

11) Arthur DW, Winter KA, Kuerer HM, Haffty B, Cuttino L, Todor DA, et al. Effectiveness of breast-conserving surgery and 3-dimensional conformal partial breast reirradiation for recurrence of breast cancer in the ipsilateral breast: the NRG Oncology/RTOG 1014 phase 2 clinical trial. JAMA Oncol. 2020; 6(1): 75-82. [PMID: 31750868]

12) Wapnir IL, Price KN, Anderson SJ, Robidoux A, Martín M, Nortier JWR, et al; International Breast Cancer Study Group; NRG Oncology, GEICAM Spanish Breast Cancer Group, BOOG Dutch Breast Cancer Trialists' Group; Breast International Group. Efficacy of chemotherapy for ER-negative and ER-positive isolated locoregional recurrence of breast cancer: final analysis of the CALOR trial. J Clin Oncol. 2018; 36(11): 1073-9. [PMID: 29443653]

13) Kuo SH, Huang CS, Kuo WH, Cheng AL, Chang KJ, Chia-Hsien Cheng J. Comprehensive locoregional treatment and systemic therapy for postmastectomy isolated locoregional recurrence. Int J Radiat Oncol Biol Phys. 2008; 72(5): 1456-64. [PMID: 18692329]

14) Wahl AO, Rademaker A, Kiel KD, Jones EL, Marks LB, Croog V, et al. Multi-institutional review of repeat irradiation of chest wall and breast for recurrent breast cancer. Int J Radiat Oncol Biol Phys. 2008; 70(2): 477-84. [PMID: 17869019]

15) Li G, Mitsumori M, Ogura M, Horii N, Kawamura S, Masunaga S, et al. Local hyperthermia combined with external irradiation for regional recurrent breast carcinoma. Int J Clin Oncol. 2004; 9(3): 179-83. [PMID: 15221602]

16) Fattahi S, Ahmed SK, Park SS, Petersen IA, Shumway DA, Stish BJ, et al. Reirradiation for locoregional recurrent breast cancer. Adv Radiat Oncol. 2020; 6(1): 100640. [PMID: 33506143]

17) Datta NR, Puric E, Klingbiel D, Gomez S, Bodis S. Hyperthermia and radiation therapy in locoregional recurrent breast cancers: a systematic review and meta-analysis. Int J Radiat Oncol Biol Phys. 2016; 94(5): 1073-87. [PMID: 26899950]

18) Pergolizzi S, Adamo V, Russi E, Santacaterina A, Maisano R, Numico G, et al. Prospective multicenter study of combined treatment with chemotherapy and radiotherapy in breast cancer women with the rare clinical scenario of ipsilateral supraclavicular node recurrence without distant metastases. Int J Radiat Oncol Biol Phys. 2006; 65(1): 25-32. [PMID: 16446058]

BQ 11 有痛性乳癌骨転移に対して放射線療法は勧められるか？

ステートメント

- 放射線療法は有痛性乳癌骨転移の症状緩和に有効である。

背景

有痛性骨転移に対する放射線療法の有用性は，複数のメタアナリシスで確認されている[1)～4)]。転移性骨腫瘍の疼痛緩和は，比較的低線量の放射線療法でも達成できる。乳癌の骨転移例のみを対象とした研究は少ないため，有痛性転移性骨腫瘍全般に関して放射線療法の有用性について概説した。

解説

骨転移に対する推奨治療は，癌性疼痛および骨折などの骨関連事象を軽減するビスホスホネート薬などの骨代謝修飾薬・抗炎症薬やオピオイド鎮痛薬などによる薬物療法，放射線療法，画像下治療など，病態に応じた組合せである[1)2)5)6)]。

転移性骨腫瘍に対する緩和的放射線療法の目的は，疼痛緩和，運動機能維持などによるQOL維持である。従来の報告では，放射線療法により70～80％の割合で疼痛緩和効果が得られるとされる[1)]。放射線療法では，分割照射（30 Gy/10回，20 Gy/5回など）と単回照射（8 Gy/1回など）が行われている（単回照射について☞放射線CQ7参照）。総線量20～30 Gyの分割照射に関しては，システマティック・レビューで，総線量，分割線量により疼痛緩和効果，有害事象に大きな違いはないとされている[7)]。システマティック・レビューでは単回照射の至適線量を結論付けるには至っていないが[8)]，8 Gyと4 Gyを比較したランダム化比較試験では8 Gyの優位性が示されている[9)]。WHOのガイドラインでは疼痛緩和割合や患者の負担を考慮して，骨転移の疼痛緩和には単回照射を積極的に用いるように強く推奨している[10)]。

脊椎転移で脊髄圧迫による神経症状を伴う場合は，放射線療法に加えて外科的治療を行うことも検討される。骨破壊が高度で，疼痛のほかに対麻痺や不全麻痺などの脊髄圧迫症状を伴う症例も放射線療法の対象となるが，全身状態が良好で比較的長い予後が期待できる症例については，可能であれば除圧固定術を行ったうえで術後照射を加えるほうが放射線療法単独よりも有効である[11)12)]。大腿骨で，骨破壊の長径が3 cmを超える場合，骨皮質の50％が破壊されている場合などでは，病的骨折の頻度が高いので外科的治療を検討する[13)]。

放射線療法によっていったん軽減していた骨転移の疼痛が再増悪した場合，初回放射線療法の効果が不十分であった場合などには，再照射を考慮する価値がある。再照射の適否は，初回照射からの経過時間や部位，リスク臓器などを考慮して，慎重に判断する。一般に放射線療法は周囲臓器の耐容線量を超えない範囲で行われるが，予後が短いと考えられる骨転移患者に関しては，晩期有害事象をある程度無視できる場合もある。骨転移2,694例中の再照射527例（20％）に関するシステマティック・レビューでは，初回放射線療法の効果が不十分であった症例もしくは疼痛再燃の症例の58%に再照射による効果が認められたとしている[14]。最適な再照射スケジュールについては，まだデータが少ないが，8 Gy/1 回の単回照射と 20 Gy/5〜8 回の分割照射で，疼痛緩和割合は 28% vs 32%と同程度であり（p=0.21），14 日後時点での食欲不振，下痢などの副作用は 8 Gy 単回照射のほうが有意に少なかった（それぞれ 56% vs 66%，p=0.011；23% vs 31%，p=0.018）[15]。また，初回照射，再照射を単回照射，分割照射のいずれで受けた場合にも，初回照射と再照射を受けた後の疼痛緩和割合は85%以上であった[16]。骨転移による疼痛が再増悪した場合や初回照射で疼痛緩和が不十分であった場合には，再照射も有効な選択肢として検討すべきである。

外照射では対応しきれないほど多数の有痛性乳癌骨転移がある患者に対しては，骨指向性放射線医薬品療法〔ストロンチウム（Sr）-89，メタストロン®〕が用いられてきた。しかしながら，2019 年にストロンチウム-89 の供給が停止され，現在，乳癌の有痛性骨転移に対しては，骨指向性放射線医薬品療法は行えなくなっている。

外照射中〜終了後 10 日以内に 40%（単回照射例 39%，分割照射例 41%）の頻度で，疼痛の一過性増悪（疼痛のフレア現象）を認めたとの報告があり[17]，注意を要する。通常は一過性であるため，鎮痛剤の増量などで対処される。

その他，デノスマブ，ゾレドロン酸，パミドロン酸は有意に骨関連事象を抑制することが知られており（☞薬物 BQ8 参照），適宜，これらの併用を検討すべきと考えられる[18]。さらに，疼痛や椎体不安定性からの神経障害を有する脊椎転移に対し，骨セメント注入による経皮的椎体形成術が考慮されることもある。

放射線療法は有痛性乳癌骨転移に対して有効と考えられる。必要に応じて手術や骨修飾薬などの併用も検討すべきである。

検索キーワード・参考にした二次資料

PubMed で，“Bone Neoplasms”，“Radiotherapy”，“Bone Neoplasms/secondary” のキーワードで検索した。医中誌・Cochrane Library も同等のキーワードで検索した。検索期間は 2016 年 1 月 1 日〜2021 年 3 月 31 日とし，520 件がヒットした。一次スクリーニングで 14 編の論文が抽出され，二次スクリーニングにて内容を検討した結果，最終的に 1 編の論文（ガイドライン）を採用した。これに加えて，乳癌診療ガイドライン 2018 年版（Web 版 Ver5/2021 年 3 月 31 日改訂）の参考文献や他のガイドライン，二次資料などから重要と思われる文献を採用した。

参考文献

1) Lutz S, Balboni T, Jones J, Lo S, Petit J, Rich SE, et al. Palliative radiation therapy for bone metastases: update of an ASTRO evidence-based guideline. Pract Radiat Oncol. 2017; 7(1): 4-12. [PMID: 27663933]
2) Wu JS, Wong RK, Lloyd NS, Johnston M, Bezjak A, Whelan T; Supportive Care Guidelines Group of Cancer Care Ontario. Radiotherapy fractionation for the palliation of uncomplicated painful bone metastases- an evidence-based practice guideline. BMC Cancer. 2004; 4: 71. [PMID: 15461823]
3) Blitzer PH. Reanalysis of the RTOG study of the palliation of symptomatic osseous metastasis. Cancer. 1985; 55(7): 1468-72. [PMID: 2579716]
4) 8 Gy single fraction radiotherapy for the treatment of metastatic skeletal pain: randomised comparison with a multifraction schedule over 12 months of patient follow-up. Bone Pain Trial Working Party. Radiother Oncol. 1999; 52(2): 111-21. [PMID: 10577696]
5) Van Poznak CH, Temin S, Yee GC, Janjan NA, Barlow WE, Biermann JS, et al; American Society of Clinical Oncology. American Society of Clinical Oncology executive summary of the clinical practice guideline update on the role of bone-modifying agents in metastatic breast cancer. J Clin Oncol. 2011; 29(9): 1221-7. [PMID: 21343561]

6) van der Linden YM, Lok JJ, Steenland E, Martijn H, van Houwelingen H, Marijnen CA, et al; Dutch Bone Metastasis Study Group. Single fraction radiotherapy is efficacious: a further analysis of the Dutch Bone Metastasis Study controlling for the influence of retreatment. Int J Radiat Oncol Biol Phys. 2004; 59(2): 528-37. [PMID: 15145173]
7) Chow R, Hoskin P, Chan S, Mesci A, Hollenberg D, Lam H, et al. Efficacy of multiple fraction conventional radiation therapy for painful uncomplicated bone metastases: a systematic review. Radiother Oncol. 2017; 122(3): 323-31. [PMID: 28089482]
8) Chow R, Hoskin P, Hollenberg D, Lam M, Dennis K, Lutz S, et al. Efficacy of single fraction conventional radiation therapy for painful uncomplicated bone metastases: a systematic review and meta-analysis. Ann Palliat Med. 2017; 6(2): 125-42. [PMID: 28249544]
9) Hoskin P, Rojas A, Fidarova E, Jalali R, Mena Merino A, Poitevin A, et al. IAEA randomised trial of optimal single dose radiotherapy in the treatment of painful bone metastases. Radiother Oncol. 2015; 116(1): 10-4. [PMID: 26026485]
10) WHO Guidelines for the Pharmacological and Radiotherapeutic Management of Cancer Pain in Adults and Adolescents. Geneva: World Health Organization; 2018. [PMID: 30776210]
https://apps.who.int/iris/bitstream/handle/10665/279700/9789241550390-eng.pdf
11) Patchell RA, Tibbs PA, Regine WF, Payne R, Saris S, Kryscio RJ, et al. Direct decompressive surgical resection in the treatment of spinal cord compression caused by metastatic cancer: a randomised trial. Lancet. 2005; 366(9486): 643-8. [PMID: 16112300]
12) Kim JM, Losina E, Bono CM, Schoenfeld AJ, Collins JE, Katz JN, et al. Clinical outcome of metastatic spinal cord compression treated with surgical excision±radiation versus radiation therapy alone: a systematic review of literature. Spine(Phila Pa 1976). 2012; 37(1): 78-84. [PMID: 21629164]
13) Dennis K, Makhani L, Zeng L, Lam H, Chow E. Single fraction conventional external beam radiation therapy for bone metastases: a systematic review of randomised controlled trials. Radiother Oncol. 2013; 106(1): 5-14. [PMID: 23321492]
14) Huisman M, van den Bosch MA, Wijlemans JW, van Vulpen M, van der Linden YM, Verkooijen HM. Effectiveness of reirradiation for painful bone metastases: a systematic review and meta-analysis. Int J Radiat Oncol Biol Phys. 2012; 84(1): 8-14. [PMID: 22300568]
15) Chow E, van der Linden YM, Roos D, Hartsell WF, Hoskin P, Wu JS, et al. Single versus multiple fractions of repeat radiation for painful bone metastases: a randomised, controlled, non-inferiority trial. Lancet Oncol. 2014; 15(2): 164-71. [PMID: 24369114]
16) Bedard G, Hoskin P, Chow E. Overall response rates to radiation therapy for patients with painful uncomplicated bone metastases undergoing initial treatment and retreatment. Radiother Oncol. 2014; 112(1): 125-7. [PMID: 25023043]
17) Hird A, Chow E, Zhang L, Wong R, Wu J, Sinclair E, et al. Determining the incidence of pain flare following palliative radiotherapy for symptomatic bone metastases: results from three canadian cancer centers. Int J Radiat Oncol Biol Phys. 2009; 75(1): 193-7. [PMID: 19167840]
18) Van Poznak C, Somerfield MR, Barlow WE, Biermann JS, Bosserman LD, Clemons MJ, et al. Role of bone-modifying agents in metastatic breast cancer: an American Society of Clinical Oncology-Cancer Care Ontario focused guideline update. J Clin Oncol. 2017; 35(35): 3978-86. [PMID: 29035643]

8 Gy/1 回照射は有痛性乳癌骨転移の疼痛緩和を目的とした場合，分割照射と同等の治療として勧められるか？

推 奨

● 8 Gy/1 回照射を行うことは強く推奨される。

推奨の強さ：1，エビデンスの強さ：中，合意率：90%(43/48)

推奨におけるポイント

- 8 Gy/1 回照射では，重篤な有害事象を増すことなく，分割照射と同等の疼痛緩和効果が得られ，患者負担が小さい治療として推奨される。
- 長期予後が期待できる症例への適応は，個別に慎重に検討する必要がある。

背景・目的

米国の多施設共同研究 Radiation Therapy Oncology Group (RTOG) の結果などから，長らく有痛性骨転移への緩和照射は 30 Gy/10 回の分割照射が標準とされてきた[1]。一方，ヨーロッパを中心に 1980 年代半ばから有痛性骨転移に対する 8 Gy/1 回の単回照射の有効性，安全性を調べる複数のランダム化比較試験が行われ，その有用性が示された。システマティック・レビューでも，有痛性骨転移に対する単回照射の有効性，安全性が示され[2)~5)]，WHO のガイドラインでも有痛性骨転移に対して，単回照射を用いるように強く推奨されている[6]。また，米国放射線腫瘍学会 (ASTRO) のガイドラインでは，8 Gy/1 回の単回照射は，有痛性骨転移への疼痛緩和効果に関しては分割照射と同等であり（ただし再照射割合は高い），特に予後が限られているような場合には，脊椎や他の重要な骨構造の有痛性骨転移にも 8 Gy/1 回の単回照射を行うのが賢明であろうとしている[7]。8 Gy/1 回照射には，患者の利便性，経済性に優れるという利点があるが，わが国の実地臨床では分割照射が多用され，その実施率は低い。

これまでの主な臨床試験について，システマティック・レビューを行うことにより，有痛性骨転移に対する 8 Gy/1 回の単回照射の有効性，安全性について検討した。なお，乳癌の骨転移に絞ったランダム化比較試験は存在しないため，本 CQ では多種の固形癌からの骨転移を対象とした臨床研究について検討した。

解 説

わが国の実地臨床における 8 Gy/1 回照射の実施率はまだ高いとはいえない。これは，1 回線量が大きい，総線量が小さいといった点への臨床医の漠然とした不安によるところも大きいと考えられる。本 CQ ではシステマティック・レビューを行い，単回照射と分割照射の有効性，安全性について客観的に比較した。評価項目は，有痛性骨転移に対する緩和照射の重要なアウトカムと考えられる①疼痛緩和割合，②運動機能維持割合（脊髄圧迫発生割合で代替），③骨折発生割合，④再照射割合，⑤Grade 2 以上の急性期有害事象の発生割合の 5 つとした。なお，メタアナリシスでは，単回照射の有用性評価を行ったランダム化比較試験のうち，単回照射群，分割照射群とも 100 例以上の比較的大規模な臨床試験について報告した 10 編を採用した[8)〜17)]。単回照射群の線量は，Gaze 1997[9)]のみ 10 Gy/1 回で，ほかは 8 Gy/1 回であった。分割照射群の線量は，30 Gy/10 回[8)11)15)〜17)]，20〜25 Gy/4〜6 回[9)10)12)〜14)]などであった。

疼痛緩和割合に関しては，10 編中 7 編[8)〜11)13)〜15)]で評価がなされていた。メタアナリシスを行うと，疼痛緩和割合は単回照射群では 56.8%（1,118/1,967 例），分割照射群では 57.2%（1,113/1,945 例）で，有意差は認められなかった〔リスク比（RR）1.00，95%CI 0.95-1.05，$p=0.97$〕。

運動機能維持割合の代替指標として採用した脊髄圧迫発生割合に関しては，10 編中 6 編[8)11)12)14)16)17)]で評価がなされていた。メタアナリシスを行うと，脊髄圧迫発生割合は単回照射群では 2.8%（40/1,425 例），分割照射群では 2.0%（28/1,429 例）で，有意差は認められなかった（RR 1.42，95%CI 0.88-2.29，$p=0.15$）。

病的骨折発生割合に関しては，10 編中 6 編[8)10)11)12)16)17)]で評価がなされていた。メタアナリシスを行うと，病的骨折発生割合は単回照射群では 3.7%（74/2,002 例），分割照射群では 3.2%（63/1,991 例）で，有意差は認められなかった（RR 1.16，95%CI 0.65-2.07，$p=0.62$）。

再照射割合に関しては，10 編中 8 編[8)10)11)13)〜17)]で評価がなされていた。メタアナリシスを行うと，再照射割合は単回照射群では 20.0%（400/2,002 例），分割照射群では 8.0%（160/1,991 例）で，単回照射で有意に再照射割合が高かった（RR 2.36，95%CI 1.65-3.38，$p<0.00001$）。

Grade 2 以上の急性期有害事象に関しては，10 編中 3 編[9)11)15)]で評価がなされていた。メタアナリシスを行うと，Grade 2 以上の急性期有害事象の発生割合は単回照射群では 13.9%（84/604 例），分割照射群では 20.0%（115/575 例）で，単回照射の発生割合のほうが低い傾向がみられたが，有意差には至らなかった（RR 0.73，95%CI 0.54-1.00，$p=0.05$）。

8 Gy/1 回照射は再照射割合が多いものの，疼痛緩和割合，運動機能維持割合，病的骨折発生割合に関しては分割照射に劣らないと考えられ，Grade 2 以上の有害事象も増加しないと考えられた。乳癌の骨転移のみに絞ったランダム化比較試験はなかったため非直接性が高く，エビデンスの強さは「中」とした。

単回照射では，単純な照射法による 10 回の分割照射と比べて，患者の自己負担費用がやや少なく，治療期間が短いため通院や入院期間も短くなる。そのため患者の負担は軽くなる。

8 Gy の単回照射には，急性期有害事象や経済的負担などの害を増すことなく，分割照射と同等の疼痛緩和が得られるという益があり，WHO でも有痛性骨転移の疼痛緩和に使用することを強く推奨している。そのため，基本的には有痛性骨転移に対し推奨される治療と考えられる。ただし，単回照射では再照射割合が高いという点には注意が必要である。オランダからの報告では 52 週間以上の生存例においても，疼痛緩和の持続期間は単回照射と分割照射で大差がなかった（中央値 35 週 vs 42 週）とされており[18)]，単回照射で再照射割合が高いのは再照射を行いやすいためでもあると思われる。しかし，乳癌では長期予後が期待できる患者も多く，中長期の視点から脊髄圧迫などのリスクがあると予測される場合，単回照射の適応は慎重に検討すべきである。これらの益と害のバランスを考慮し，「8 Gy/1 回照射は有痛性乳癌骨転移の疼痛緩和を目的とした場合，分割照射と同等の治療として強く推奨される」とした。

本ガイドラインの推奨決定会議では，「近年，薬物療法の進歩によって長期生存する乳癌遠隔転移例が増えたため，8 Gy/1 回照射で再照射割合が高いという点には注意が必要」という意見が出た。そのため，CQに「疼痛緩和を目的とした場合」という条件を付けたうえで「行うことを強く推奨する」となった。ガイドライン委員による投票では「行うことを弱く推奨する」という意見も5/48(10%)あった。

［投票結果］

1. 行うことを強く推奨する	2. 行うことを弱く推奨する	3. 行わないことを弱く推奨する	4. 行わないことを強く推奨する
90%(43/48)	10%(5/48)	0%(0/48)	0%(0/48)
総投票数48名(棄権0名，COI棄権0名)			

検索キーワード・参考にした二次資料

PubMedで，"Bone Neoplasms/radiotherapy"，"Bone Neoplasms/secondary"，"Neoplasm Metastasis"，"Breast Neoplasms"のキーワードで検索した。医中誌・Cochrane Libraryも同等のキーワードで検索した。検索期間は2016年1月～2021年3月とし，344件がヒットした。一次スクリーニングで6編の論文が抽出され，二次スクリーニングにて内容を検討した結果，最終的に6編の論文(システマティック・レビュー5編，ガイドライン1編)を採用した。これに加えて，「乳癌診療ガイドライン①治療編2018年版」の参考文献や他のガイドライン，二次資料などから重要と思われる文献を採用した。なお，「乳癌診療ガイドライン①治療編2018年版」(検索期間1964～2016年)での文献検索後に新たな大規模なランダム化比較試験の報告はなかったため，CQ7における定量的・定性的システマティック・レビューは2018年版で用いたのと同じ10編の論文にて行った。

参考文献

1) Blitzer PH. Reanalysis of the RTOG study of the palliation of symptomatic osseous metastasis. Cancer. 1985; 55(7): 1468-72. [PMID: 2579716]
2) Chow R, Hoskin P, Schild SE, Raman S, Im J, Zhang D, et al. Single vs multiple fraction palliative radiation therapy for bone metastases: cumulative meta-analysis. Radiother Oncol. 2019; 141: 56-61. [PMID: 31445837]
3) Rich SE, Chow R, Raman S, Liang Zeng K, Lutz S, Lam H, et al. Update of the systematic review of palliative radiation therapy fractionation for bone metastases. Radiother Oncol. 2018; 126(3): 547-57. [PMID: 29397209]
4) Pin Y, Paix A, Le Fèvre C, Antoni D, Blondet C, Noël G. A systematic review of palliative bone radiotherapy based on pain relief and retreatment rates. Crit Rev Oncol Hematol. 2018; 123: 132-7. [PMID: 29482774]
5) Sze WM, Shelley MD, Held I, Wilt TJ, Mason MD. Palliation of metastatic bone pain: single fraction versus multifraction radiotherapy--a systematic review of randomised trials. Clin Oncol(R Coll Radiol). 2003; 15(6): 345-52. [PMID: 14524489]
6) WHO Guidelines for the Pharmacological and Radiotherapeutic Management of Cancer Pain in Adults and Adolescents. Geneva: World Health Organization; 2018. [PMID: 30776210]
https://apps.who.int/iris/bitstream/handle/10665/279700/9789241550390-eng.pdf
7) Lutz S, Balboni T, Jones J, Lo S, Petit J, Rich SE, et al. Palliative radiation therapy for bone metastases: update of an ASTRO evidence-based guideline. Pract Radiat Oncol. 2017; 7(1): 4-12. [PMID: 27663933]
8) Price P, Hoskin PJ, Easton D, Austin D, Palmer SG, Yarnold JR. Prospective randomised trial of single and multifraction radiotherapy schedules in the treatment of painful bony metastases. Radiother Oncol. 1986; 6(4): 247-55. [PMID: 3775071]
9) Gaze MN, Kelly CG, Kerr GR, Cull A, Cowie VJ, Gregor A, et al. Pain relief and quality of life following radiotherapy for bone metastases: a randomised trial of two fractionation schedules. Radiother Oncol. 1997; 45(2): 109-16. [PMID: 9423999]
10) Nielsen OS, Bentzen SM, Sandberg E, Gadeberg CC, Timothy AR. Randomized trial of single dose versus fractionated palliative radiotherapy of bone metastases. Radiother Oncol. 1998; 47(3): 233-40. [PMID: 9681885]
11) 8 Gy single fraction radiotherapy for the treatment of metastatic skeletal pain: randomised comparison with a multifraction schedule over 12 months of patient follow-up. Bone Pain Trial Working Party. Radiother Oncol. 1999; 52(2): 111-21. [PMID: 10577696]
12) Steenland E, Leer JW, van Houwelingen H, Post WJ, van den Hout WB, Kievit J, et al. The effect of a single fraction compared to multiple fractions on painful bone metastases: a global analysis of the Dutch Bone Metastasis Study. Radiother Oncol. 1999; 52(2): 101-9. [PMID: 10577695]
13) van der Linden YM, Lok JJ, Steenland E, Martijn H, van Houwelingen H, Marijnen CA, et al; Dutch Bone Metastasis Study Group. Single fraction radiotherapy is efficacious: a further analysis of the Dutch Bone Metastasis Study controlling for the influence of retreatment. Int J Radiat Oncol Biol Phys. 2004; 59(2): 528-37. [PMID:

15145173]
14) Roos DE, Turner SL, O'Brien PC, Smith JG, Spry NA, Burmeister BH, et al; Trans-Tasman Radiation Oncology Group, TROG 96.05. Randomized trial of 8 Gy in 1 versus 20 Gy in 5 fractions of radiotherapy for neuropathic pain due to bone metastases (Trans-Tasman Radiation Oncology Group, TROG 96.05). Radiother Oncol. 2005; 75(1): 54-63. [PMID: 15878101]
15) Hartsell WF, Scott CB, Bruner DW, Scarantino CW, Ivker RA, Roach M 3rd, et al. Randomized trial of short- versus long-course radiotherapy for palliation of painful bone metastases. J Natl Cancer Inst. 2005; 97(11): 798-804. [PMID: 15928300]
16) Kaasa S, Brenne E, Lund JA, Fayers P, Falkmer U, Holmberg M, et al. Prospective randomised multicenter trial on single fraction radiotherapy (8 Gy × 1) versus multiple fractions (3 Gy × 10) in the treatment of painful bone metastases. Radiother Oncol. 2006; 79(3): 278-84. [PMID: 16793154]
17) Sande TA, Ruenes R, Lund JA, Bruland OS, Hornslien K, Bremnes R, et al. Long-term follow-up of cancer patients receiving radiotherapy for bone metastases: results from a randomised multicentre trial. Radiother Oncol. 2009; 91(2): 261-6. [PMID: 19307034]
18) van der Linden YM, Steenland E, van Houwelingen HC, Post WJ, Oei B, Marijnen CA, et al; Dutch Bone Metastasis Study Group. Patients with a favourable prognosis are equally palliated with single and multiple fraction radiotherapy: results on survival in the Dutch Bone Metastasis Study. Radiother Oncol. 2006; 78(3): 245-53. [PMID: 16545474]

BQ 12 乳癌脳転移に対して放射線療法は勧められるか？

ステートメント

● 放射線療法を行うことが標準治療である。

背景

全身状態の良い脳転移例では，手術や定位放射線照射などの積極的な局所治療により生命予後の改善が期待される。全身状態の悪い脳転移例において，まず重要なことは症状の緩和であり，全脳照射やステロイド投与により症状の改善が期待される。乳癌の脳転移例のみを対象とした研究は少ないため，転移性脳腫瘍全般を対象とした研究から，脳転移に対する治療方法について概説する。

解説

乳癌の脳転移は，病期が進むにつれて頻度が高まる。脳転移を伴う乳癌の予後は非常に不良であったが，薬物療法の進歩に伴い，脳転移後の予後も改善されつつある[1)2)]。脳転移の頻度や転移後の予後はサブタイプや全身状態によっても異なるため[3)]，乳癌脳転移に対する治療方針は，予後予測指標である乳癌特異的 GPA（**表 1**）にて層別化することが推奨される。乳癌特異的 GPA では，年齢・全身状態・サブタイプ・頭蓋外転移の有無・脳転移の個数の 5 因子を点数化して分類し，生存期間の中央値を予測する[4)]。脳転移部位や大きさ，症状の有無などに応じて，手術あるいは定位放射線照射などの局所治療や全脳照射あるいはサポーティブケアの適否，実施時期を総合的に検討した治療提供の判断が必要である（**図 1**）。脳転移に対する放射線治療に関する報告は多数あるものの，直接比較可能な報告は限られており，特に高次機能や患者の QOL への影響など，今後さらなる検討が必要である。脳転移に対する放射線治療は定位放射線照射（STI）と全脳照射に大別される。STI の中でも 1 回照射の場合を定位手術的照射（SRS）と呼び，分割照射を行うと定位放射線治療（SRT）と呼ぶ。腫瘍サイズが大きい場合は脳壊死や照射後の浮腫の悪化が懸念されることから 1 回線量を下げた SRT を行うことが多く，腫瘍サイズが小さい場合は SRS が選択されることが多い。

脳転移病巣周囲の浮腫が原因で症候性の場合には，ステロイドや浸透圧利尿薬を使用する。ステロイドの投与量については明確なコンセンサスはないが，一般的にはデキサメタゾンを 4～8 mg/日で開始し，神経症状や全身状態をみながら適宜増減する。デキサメタゾンと抗てんかん薬の併用は双方の効果が減弱することがあり，注意が必要である。また，浸透圧利尿薬の使用に際しては電解質異常や利尿による脱水と腎機能障害などに注意が必要である[5)]。

① 全身状態の良い少数個脳転移例には，手術や定位放射線照射などの局所治療が検討される。

予後良好な単発脳転移患者に対する全脳照射のみと全脳照射＋STI では，全脳照射＋STI のほうが有意に全生存期間を延長することが知られており[6)]，全身状態の良い少数個の脳転移に対し

表 1　乳癌特異的 Graded Prognostic Assessment（GPA）と生存期間の中央値（文献 4 より）

	0 点	0.5 点	1.0 点	1.5 点	2.0 点
年齢	60 歳以上	60 歳未満			
KPS	60％以下	70～80％	90～100％		
サブタイプ	Basal	Luminal A		HER2 or Luminal B	
脳転移個数	2 個以上	1 個			
脳以外の転移	あり	なし			

乳癌特異的 GPA 点数	0～1 点	1.5～2.0 点	2.5～3.0 点	3.5～4.0 点
生存期間中央値（月数）	6	13	24	36

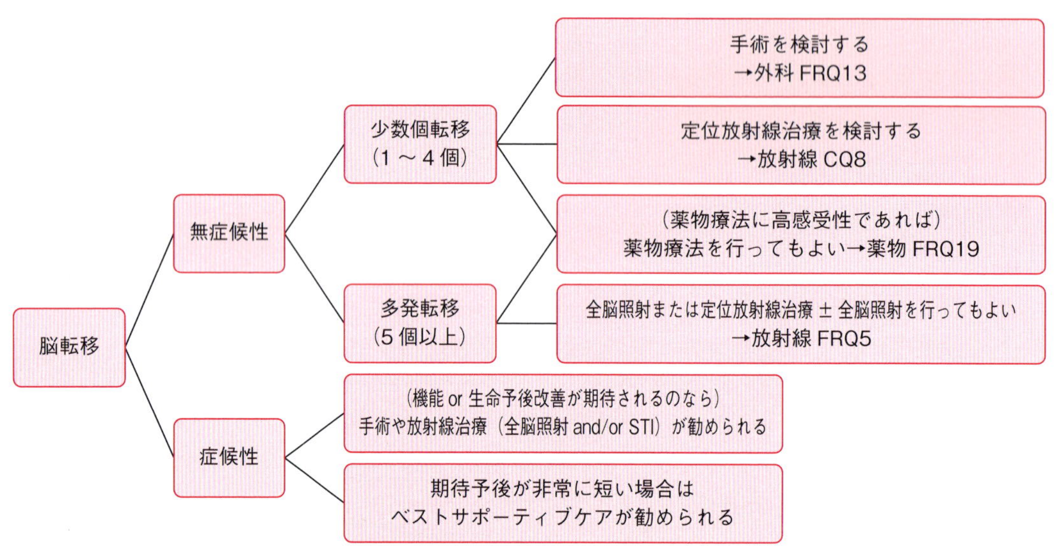

図 1　脳転移の治療選択

て全脳照射のみを行うことは勧められない。予後良好群（例えば，KPS が 70％以上，年齢が 60 歳未満，HER2 陽性，脳以外の転移病巣が制御されている等）であり少数個（4 個以下）の脳転移患者には，手術または定位放射線照射が行われ，mass effect が強い場合は手術を検討する[7)8)]。MRI で注意深く経過観察し，適応がある限り救済定位放射線照射を繰り返すことにより，定位放射線照射の適応を超える増悪を認めるまで全脳照射を追加しないことが弱く推奨される（☞放射線 CQ8 参照）。

脳転移切除術後の放射線療法として，定位放射線照射または全脳照射の追加を比べた N107C/CEC. 3 cooperative group study や JCOG 0504 では，生存率に差を認めず，N107C/CEC.3 cooperative group study では認知機能において中・長期的には術後定位放射線照射が優れていた[9)]（☞外科 FRQ13 参照）。

② **全身状態のよい 5 個から 10 個以下の脳転移症例において，腫瘍径 3 cm 未満，脳転移の全腫瘍体積が 15 mL 以下，髄液播種所見がないなどの条件を満たす場合には，定位放射線照射を**

行い経過観察することで全脳照射を待機できる可能性がある(☞放射線 FRQ5 参照)。

③ 予後不良と判断される上記以外の多発性脳転移(頭蓋外転移病巣が制御されていない，脳転移病巣数が 10 個を超える，腫瘍径が大きいなど)には，全脳照射が標準治療である。

多数個の脳転移例では長期予後が期待できない場合が多い。多発性脳転移例や全身状態不良などの予後不良例では，定位放射線照射や手術療法の適応は限られ，全脳照射が緩和治療として行われる[10]。70%以上の患者で神経症状の改善が認められるが[11]，全脳照射のみで長期間頭蓋内病変を制御することは難しく，脳転移に対する全脳照射は一時的な症状緩和を目指した治療となる[12]。全脳照射のスケジュールにはさまざまなものがあり，30 Gy/10 回，37.5 Gy/15 回，40 Gy/20 回，20 Gy/5 回などが患者ごとに選択されている。全身状態や他臓器の転移病巣の状況などを考慮して，期待生存期間が長いほど分割回数が多い治療が選択される。また，全脳照射に際して神経毒性，特に認知機能温存を意図する海馬を回避した放射線治療を推奨する報告もみられる[13]。

しかし，その一方で，乳癌を対象とした試験ではないが，手術や SRS の適応ではない肺癌脳転移患者を対象とした QUARTZ 試験において，全脳照射追加群とステロイド等を用いたサポーティブケア群とを比較したランダム化比較試験では，質調整平均生存期間がそれぞれ 46.4 日と 41.7 日であり，期待予後が非常に限られている場合は，サポーティブケアのみも選択肢となり得る[14]。

検索キーワード・参考にした二次資料

「乳癌診療ガイドライン①治療編 2018 年版」の参考文献に加え，PubMed・医中誌・Cochrane Library で，“Brain Neoplasms”，“Radiotherapy”，“Neoplasm Metastasis”のキーワードで検索した。検索期間は 2016 年～2021 年 3 月とし，317 件がヒットした。また，ハンドサーチにより他のガイドラインや二次資料などから重要と思われる文献を採用した。

参考文献

1) Ramakrishna N, Temin S, Chandarlapaty S, Crews JR, Davidson NE, Esteva FJ, et al. Recommendations on disease management for patients with advanced human epidermal growth factor receptor 2-positive breast cancer and brain metastases: American Society of Clinical Oncology clinical practice guideline. J Clin Oncol. 2014; 32(19): 2100-8. [PMID: 24799487]

2) Ramakrishna N, Temin S, Chandarlapaty S, Crews JR, Davidson NE, Esteva FJ, et al. Recommendations on disease management for patients with advanced human epidermal growth factor receptor 2-positive breast cancer and brain metastases: ASCO clinical practice guideline update. J Clin Oncol. 2018; 36(27): 2804-7. [PMID: 29939840]

3) Aoyagi K, Higuchi Y, Matsunaga S, Serizawa T, Yomo S, Aiyama H, et al. Impact of breast cancer subtype on clinical outcomes after Gamma Knife radiosurgery for brain metastases from breast cancer: a multi-institutional retrospective study(JLGK1702). Breast Cancer Res Treat. 2020; 184(1): 149-59. [PMID: 32737714]

4) Sperduto PW, Mesko S, Li J, Cagney D, Aizer A, Lin NU, Nesbit E, et al. Survival in patients with brain metastases: summary report on the updated diagnosis-specific graded prognostic assessment and definition of the eligibility quotient. J Clin Oncol. 2020; 38(32): 3773-84. [PMID: 32931399]

5) 日本脳腫瘍学会編．脳腫瘍診療ガイドライン．成人脳腫瘍編 2019 年度版(改訂版)．2019. https://www.jsn-o.com/guideline3/index1.html (アクセス日：2021/11/28)

6) Patil CG, Pricola K, Garg SK, Bryant A, Black KL. Whole brain radiation therapy(WBRT)alone versus WBRT and radiosurgery for the treatment of brain metastases. Cochrane Database Syst Rev. 2010; (6): CD006121. [PMID: 20556764]

7) Tsao MN, Rades D, Wirth A, Lo SS, Danielson BL, Gaspar LE, et al. Radiotherapeutic and surgical management for newly diagnosed brain metastasis(es): an American Society for Radiation Oncology evidence-based guideline. Pract Radiat Oncol. 2012; 2(3): 210-25. [PMID: 25925626]

8) Garsa A, Jang JK, Baxi S, Chen C, Akinniranye O, Hall O, et al. Radiation therapy for brain metastases: a systematic review. Pract Radiat Oncol. 2021; 11(5): 354-65. [PMID: 34119447]

9) Brown PD, Ballman KV, Cerhan JH, Anderson SK, Carrero XW, Whitton AC, et al. Postoperative stereotactic radiosurgery compared with whole brain radiotherapy for resected metastatic brain disease (NCCTG N107C/CEC・3): a multicentre, randomised, controlled, phase 3 trial. Lancet Oncol. 2017; 18(8): 1049-60. [PMID: 28687377]
10) Gaspar LE, Mehta MP, Patchell RA, Burri SH, Robinson PD, Morris RE, et al. The role of whole brain radiation therapy in the management of newly diagnosed brain metastases: a systematic review and evidence-based clinical practice guideline. J Neurooncol. 2010; 96(1): 17-32. [PMID: 19960231]
11) Borgelt B, Gelber R, Kramer S, Brady LW, Chang CH, Davis LW, et al. The palliation of brain metastases: final results of the first two studies by the Radiation Therapy Oncology Group. Int J Radiat Oncol Biol Phys. 1980; 6(1): 1-9. [PMID: 6154024]
12) Khuntia D, Brown P, Li J, Mehta MP. Whole-brain radiotherapy in the management of brain metastasis. J Clin Oncol. 2006; 24(8): 1295-304. [PMID: 16525185]
13) Brown PD, Gondi V, Pugh S, Tome WA, Wefel JS, Armstrong TS, et al; for NRG Oncology. Hippocampal avoidance during whole-brain radiotherapy plus memantine for patients with brain metastases: phase Ⅲ trial NRG oncology CC001. J Clin Oncol. 2020; 38(10): 1019-29. [PMID: 32058845]
14) Mulvenna P, Nankivell M, Barton R, Faivre-Finn C, Wilson P, McColl E, et al. Dexamethasone and supportive care with or without whole brain radiotherapy in treating patients with non-small cell lung cancer with brain metastases unsuitable for resection or stereotactic radiotherapy (QUARTZ): results from a phase 3, non-inferiority, randomised trial. Lancet. 2016; 388(10055): 2004-14. [PMID: 27604504]

CQ 8 3 cm未満で1～4個までの乳癌脳転移に対して定位手術的照射(SRS)を行った場合，全脳照射の追加は勧められるか？

推 奨

● 全脳照射の追加を行わないことを弱く推奨する。

推奨の強さ：3，エビデンスの強さ：中，合意率：98％(40/41)

推奨におけるポイント

- 少数個の脳転移に対してSRSを行った後に全脳照射を追加することで頭蓋内再発率は下がるが全生存率，神経因性死亡は変わらない。
- 3カ月後の高次機能障害発生割合は全脳照射追加で増加する可能性がある。

背景・目的

予後良好な単発脳転移患者に対する全脳照射のみと全脳照射＋SRSでは，全脳照射＋SRSのほうが，有意に全生存期間が延長されることが知られており[1]，予後良好な少数個の転移に対して全脳照射のみを行うことは勧められない。そこで今回は，少数個の転移に対するSRS±全脳照射を検討した3つのランダム化比較試験をもとに，1～4個の脳転移に対してSRSを行った場合に全脳照射の追加を行うべきか検討した。

脳転移に対する放射線治療に関しては，レビューが多く存在するものの，乳癌患者に絞ったランダム化比較試験は存在せず，さまざまな固形癌からの脳転移例を対象にした臨床試験の結果を評価した。また，局所治療として分割照射を含めたSTIを行うことも多いが，今回の検討で採用したランダム化比較試験はすべてSRSを行っていたため，CQとしてはSRSとした。

解 説

今回のシステマティック・レビューでは，全脳照射を追加しないことの害として，全生存率の低下，頭蓋内増悪(再発)率の増加を検討した。また，全脳照射を追加しないことの益としては高次機能障害(認知機能で代替)発生割合の低下を検討した。全生存率と頭蓋内増悪率についてはSRSに全脳照射を加える群と加えない群を比較したランダム化比較試験の3編を採用し，メタアナリシスを行った[2)～4)]。前述の3編ではそれぞれ，高次機能への影響も評価しているものの評価方法が異なることから，高次機能障害の評価については評価方法が同じであった2つのランダム化比較試験を用いてメタアナリシスを行った[3)4)]。乳癌の脳転移に対する放射線治療が生存に与える影響について検討する観察研究も複数存在するが，治療を行った時代や患者背景の違いが大きく，統合困難であると判断した。また，高次機能障害についても複数の観察研究が存在するものの，評価方法や評価時期の違いが大きく，メタアナリシスを行うことは困難であると判断した。

1）全生存率

1～4個の脳転移に対するSRS±全脳照射のランダム化比較試験3編のメタアナリシスを行うと，全生存率はSRS単独群で86％(178/208例)，SRS＋全脳照射群で85％(165/195例)，〔ハザード比(HR)0.85, 95%CI 0.48-1.52, p=0.59〕の結果となり，本解析ではSRSのみ行い，全脳照射を追加しないことによる全生存率の低下は認めなかった。SRS±全脳照射の3つのランダム化比較試験を再検討した結果，50歳以下ではSRS単独のほうが，全生存率が有意に改善する報告もある[5]。しかし，対象患者数が68/364例と少なく，うち乳癌患者は20人であった。

2）頭蓋内制御率

前述の3編のSRS±全脳照射の比較試験では，SRS単独群で1年頭蓋内制御率が低かった。メタアナリシスを行うと，頭蓋内増悪率はSRS単独群で57%(113/200例)，SRS＋全脳照射群で24%(44/184例)，〔リスク比(RR)2.41, 95%CI 1.52-3.81, p=0.0002〕の結果となり，SRS後に全脳照射を追加しないことにより，頭蓋内増悪率は有意に増加する。ただし，神経因性死を報告した2編[2)3)]においてSRSに全脳照射を加えるか否かでの1年神経因性死亡割合に差はなかったと報告している。

3）高次神経機能障害発生割合

今回は比較的予後良好とされる少数個の脳転移患者を対象としたため，全脳照射省略の高次機能への影響についても検討を行った。今回の検討対象となった3つのランダム化比較試験ではそれぞれ，高次機能への影響を評価しているものの，Changら[3)]とBrownら[4)]はHopkins Verbal Learning Test-Revised(HVLT-R)を用い，Aoyamaら[2)]はMini Mental State Examination(MMSE)を用いて評価している。HVLT-Rを用いて評価した2編でメタアナリシスを行うと，3〜4カ月後の高次機能障害割合はSRS単独群で53%(44/83例)，SRS＋全脳照射群で86%(51/59例)，(RR 0.53, 95%CI 0.25-1.15, p=0.11)の結果となり，SRS＋全脳照射と比較してSRS単独群は高次機能障害発生割合が少ない傾向であった。さらに，Changらは高次機能障害発生割合が全脳照射追加群で高かったことを理由に本試験を予定症例数に到達する前に終了していることは留意すべきである。しかし，その一方で，MMSEを用いて評価を行ったAoyamaらは，両者の1年後のMMSEスコア中央値には差がなかったと報告している。

脳転移切除後に全脳照射を加える群と腫瘍床へのSRSを加える群を比較する2つのランダム化比較試験においても，採用する評価方法や時期によって高次機能障害発生割合の結果が相反した[6)7)]。

以上より，適切な認知機能の評価方法が定まっているとは言い難い状況ではあるが，SRS単独治療は生存への不利益を伴わずに高次脳機能障害を回避する益がある可能性が示唆されるため，SRSの適応を超える増悪を認めるまでは全脳照射の追加を行わないことが弱く推奨される。その一方で，SRSを繰り返すことや頻回にMRIなどの画像診断で経過観察を要することなどによる経済的不利益があるため，これらの益と害に関して，患者の意向は分かれると思われる。さらに，わが国において，定位放射線照射は全脳照射のおよそ3倍の経済的負担となることも留意すべきである。乳癌脳転移のみを対象としたランダム化比較試験ではなかったため非直接性が高く，エビデンスの強さは「中」とした。わが国では，定位放射線照射装置やMRIが普及しており，標準治療としてSRSを実施可能であることも踏まえ，予後良好な患者の1〜4個の脳転移についてはSRSのみ行い，増悪を認めるまでは全脳照射の追加を行わないことが弱く勧められる。

[投票結果]

1. 行うことを強く推奨する	2. 行うことを弱く推奨する	3. 行わないことを弱く推奨する	4. 行わないことを強く推奨する
0%(0/41)	2%(1/41)	98%(40/41)	0%(0/41)
総投票数 41 名(棄権 0 名, COI 棄権 0 名)			

検索キーワード・参考にした二次資料

PubMed・医中誌・Cochrane Library で, “Brain Neoplasms/therapy”, “Radiosurgery”, “Brain Neoplasms/secondary”, “Breast Neoplasm” のキーワードで検索した。検索期間は 2016 年 3 月〜2021 年 3 月とし, それぞれ 547 件がヒットした。これらから一次選択として合計 16 編を一次選択し, 二次検索で 3 編を採用した。2018 年版と合わせて, 合計 6 編の論文を採用した。

参考文献

1) Patil CG, Pricola K, Garg SK, Bryant A, Black KL. Whole brain radiation therapy(WBRT)alone versus WBRT and radiosurgery for the treatment of brain metastases. Cochrane Database Syst Rev. 2010; (6): CD006121. [PMID: 20556764]
2) Aoyama H, Shirato H, Tago M, Nakagawa K, Toyoda T, Hatano K, et al. Stereotactic radiosurgery plus whole-brain radiation therapy vs stereotactic radiosurgery alone for treatment of brain metastases: a randomized controlled trial. JAMA. 2006; 295(21): 2483-91. [PMID: 16757720]
3) Chang EL, Wefel JS, Hess KR, Allen PK, Lang FF, Kornguth DG, et al. Neurocognition in patients with brain metastases treated with radiosurgery or radiosurgery plus whole-brain irradiation: a randomised controlled trial. Lancet Oncol. 2009; 10(11): 1037-44. [PMID: 19801201]
4) Brown PD, Jaeckle K, Ballman KV, Farace E, Cerhan JH, Anderson SK, et al. Effect of radiosurgery alone vs radiosurgery with whole brain radiation therapy on cognitive function in patients with 1 to 3 brain metastases: a randomized clinical trial. JAMA. 2016; 316(4): 401-9. [PMID: 27458945]
5) Sahgal A, Aoyama H, Kocher M, Neupane B, Collette S, Tago M, et al. Phase 3 trials of stereotactic radiosurgery with or without whole-brain radiation therapy for 1 to 4 brain metastases: individual patient data meta-analysis. Int J Radiat Oncol Biol Phys. 2015; 91(4): 710-7. [PMID: 25752382]
6) Kayama T, Sato S, Sakurada K, Mizusawa J, Nishikawa R, Narita Y, et al; Japan Clinical Oncology Group. Effects of surgery with salvage stereotactic radiosurgery versus surgery with whole-brain radiation therapy in patients with one to four brain metastases(JCOG0504): a phase Ⅲ, noninferiority, randomized controlled trial. J Clin Oncol. 2018: JCO2018786186. [PMID: 29924704]
7) Brown PD, Ballman KV, Cerhan JH, Anderson SK, Carrero XW, Whitton AC, et al. Postoperative stereotactic radiosurgery compared with whole brain radiotherapy for resected metastatic brain disease(NCCTG N107C/CEC・3): a multicentre, randomised, controlled, phase 3 trial. Lancet Oncol. 2017; 18(8): 1049-60. [PMID: 28687377]

FRQ 5 全身状態のよい10個以下の脳転移症例において，一次治療として定位放射線照射(STI)を行い経過観察することで，全脳照射を待機することが勧められるか？

ステートメント

- 全身状態のよい10個以下の脳転移症例において，腫瘍径3 cm未満，脳転移の全腫瘍体積が15 mL以下，髄液播種所見がないなどの条件を満たす場合には，定位放射線照射(STI)を行い経過観察することで全脳照射を待機できる可能性がある。

背景

脳転移個数が10個までの乳癌脳転移に対して，初期治療としてSTIによる局所治療を行うのか，全脳照射を行うのか，意見が分かれている。本FRQについては，乳癌患者に絞ったランダム化比較試験は存在せず，さまざまな固形癌からの脳転移例を対象にした観察研究を評価した。

解説

乳癌脳転移患者の生存期間は，他の固形癌の脳転移と比較して長い[1)]。個々の患者の予後を的確に予測し，治療に伴う害と益を考慮して治療の方法を選択する必要がある。わが国からの前向き観察研究で，全身状態が良く，全腫瘍体積が15 mL以下の5〜10個の脳転移症例を対象に定位放射線手術(SRS)を行い，2〜4個の症例と比較して全生存率に有意差はないという結果が報告された[2)3)]。同報告では1,194例中の10%弱が乳癌症例であり，全生存期間中央値は，1個，2〜4個，5個以上の脳転移別にそれぞれ27.2カ月，13.7カ月，10.5カ月で，局所再発率や壊死の発生率にも2〜4個と5個以上で差はないと報告された。さらに，転移個数にかかわらず認知機能が低下しないことも示された[4)]。そのほかにも，1個，2〜4個，5〜15個の脳転移に対してSRSを行った多施設後ろ向き研究においても生存期間中央値はそれぞれ14.6カ月，9.5カ月，7.5カ月と，同様の結果であった[5)]。SRS単独治療後は全脳照射追加後に比べて頭蓋内再発が多いため，MRIにて適切に経過観察する必要があるが，MRIで注意深く経過観察し，適応がある限り救済STIを繰り返すことにより，STIの適応を超える増悪を認めるまで全脳照射を待機できる可能性がある[6)]。現在，乳癌脳転移に限定した臨床試験として，5〜20個の脳転移に対する全脳照射 vs SRSの第Ⅲ相ランダム化比較試験(NCT 03075072試験)やPD-1/PD-L1阻害薬とSRSを組み合わせた第Ⅰ/Ⅱ相試験(NCT 03807765試験，NCT 03483012試験，NCT 03449238試験)が行われており，5個以上の脳転移に対する最適な治療方法についてはそれらの結果が待たれる。

検索キーワード・参考にした二次資料

「乳癌診療ガイドライン①治療編2018年版」の参考文献に加え，PubMed・医中誌・Cochrane Libraryで，“Brain Neoplasms”，“Radiotherapy”，“Neoplasm Metastasis”，“WBI/irradiation/radiotherapy”のキーワードで検索した。検索期間は2016年〜2021年3月とし，517件がヒットした。また，ハンドサーチにより他のガイドラインや二次資料などから重要と思われる文献を採用した。

参考文献

1) Sperduto PW, Kased N, Roberge D, Xu Z, Shanley R, Luo X, et al. Summary report on the graded prognostic assessment: an accurate and facile diagnosis-specific tool to estimate survival for patients with brain metastases. J Clin Oncol. 2012; 30(4): 419-25. [PMID: 22203767]
2) Serizawa T, Yamamoto M, Higuchi Y, Sato Y, Shuto T, Akabane A, et al. Local tumor progression treated with Gamma Knife radiosurgery: differences between patients with 2-4 versus 5-10 brain metastases based on an update of a multi-institutional prospective observational study (JLGK0901). J Neurosurg. 2019; 132(5): 1480-9. [PMID: 31026833]
3) Yamamoto M, Serizawa T, Shuto T, Akabane A, Higuchi Y, Kawagishi J, et al. Stereotactic radiosurgery for patients with multiple brain metastases (JLGK0901): a multi-institutional prospective observational study. Lancet Oncol. 2014; 15(4): 387-95. [PMID: 24621620]
4) Yamamoto M, Serizawa T, Higuchi Y, Sato Y, Kawagishi J, Yamanaka K, et al. A multi-institutional prospective observational study of stereotactic radiosurgery for patients with multiple brain metastases (JLGK0901 study update): irradiation-related complications and long-term maintenance of mini-mental state examination scores. Int J Radiat Oncol Biol Phys. 2017; 99(1): 31-40. [PMID: 28816158]
5) Hughes RT, McTyre ER, LeCompte M, Cramer CK, Munley MT, Laxton AW, et al. Clinical outcomes of upfront stereotactic radiosurgery alone for patients with 5 to 15 brain metastases. Neurosurgery. 2019; 85(2): 257-63. [PMID: 29982831]
6) Shultz DB, Modlin LA, Jayachandran P, Von Eyben R, Gibbs IC, Choi CYH, et al. Repeat courses of stereotactic radiosurgery (SRS), deferring whole-brain irradiation, for new brain metastases after initial SRS. Int J Radiat Oncol Biol Phys. 2015; 92(5): 993-9. [PMID: 26194677]

FRQ 6 少数個転移・再発では，体幹部定位放射線治療が勧められるか？

ステートメント

- 乳癌オリゴ転移に対する体幹部定位放射線治療は予後を改善する可能性があり，症例を選択したうえで考慮してもよい。

背景

近年まで遠隔転移を伴う悪性腫瘍患者を治癒に導くのは困難と考えられてきた。しかし，遠隔転移病巣が少数個（通常3～5個以下）の症例の中に，手術，放射線療法，ラジオ波焼灼術などによる遠隔転移病巣への局所治療（metastasis-directed therapy）を行うことにより長期生存，場合によっては根治に導くことができる症例があることが知られるようになった。遠隔転移病巣が少数個のみの状態はオリゴ転移と呼ばれ，悪性腫瘍が局所・領域に限局している状態と広範な遠隔転移を起こしている状態の中間の状態と考えられている。現時点では，オリゴ転移の定義は厳密には定まっていないが，一般には単一もしくは複数（多くの場合，2臓器以下）の臓器に合計3～5個以下の転移がある場合を指すことが多い（☞外科FRQ12参照）。個々の症例において転移病巣への局所治療が安全に行える範囲内の転移とする考え方もある[1]。また，オリゴ転移は，初発時vs薬物療法後，原発巣の診断と同時期の発生vs半年以上遅れての発生，薬物療法休止期の発生vs薬物療法施行中の発生，などにより複数のグループに分類され[2]，ひとくくりにして治療法を論じるのが難しい面がある。近年，乳癌を含むさまざまな悪性腫瘍のオリゴ転移に対する体幹部定位放射線治療について報告されるようになったが，オリゴ転移を標的とした局所治療の有用性や適応基準についてはまだ十分には確立されていない。ここでは乳癌の脳以外のオリゴ転移を中心に，体幹部定位放射線治療による転移巣への局所治療の有効性，安全性について検討した（脳のオリゴ転移について☞放射線CQ8参照）。

解説

骨，肺，肝臓，副腎などへのオリゴ転移の症例（うち乳癌症例は18%）への定位放射線治療の有用性を調べるランダム化第Ⅱ相試験（SABR-COMET試験）が行われている。標準的な緩和治療のみの群と緩和治療に加えてすべてのオリゴ転移に定位放射線治療を加えた群の5年全生存率はそれぞれ17.7%，42.3%（$p=0.006$），5年無増悪生存率はそれぞれ0%，17.3%（$p=0.001$）で，定位放射線治療を加えた群で有意に良好な成績であった（経過観察期間中央値51カ月）。また，Grade 2以上の有害事象はそれぞれ9%（Grade 5はなし），29%（Grade 5は4.5%）で，定位放射線治療を加えた群で有意に高頻度であった（$p=0.03$）。両群間でQOLには明らかな差はなく，新たな転移が出現する頻度についても有意差は認められなかった（$p=0.57$）[3]。

乳癌のオリゴ転移のみに対象を絞ったエビデンスレベルの高い報告はまだ少ないが，乳癌のオリゴ転移に対する定位放射線治療（一部強度変調放射線治療を含む）の前向き観察研究がいくつかある。さまざまな臓器へのオリゴ転移を含む研究では2年無増悪生存率は40〜50%あまり，2年全生存率は75〜95%程度[4)5)]，骨のオリゴ転移に限定した報告では2年無増悪生存率65%，2年全生存率100%であった[6)]。さらに，前向き観察研究の対象を骨のみへのオリゴ転移例とそれ以外のオリゴ転移例に分けた場合，骨のみのオリゴ転移例の予後は有意に良好であった(5年での広範な遠隔転移への移行率は33% vs 70%，全生存率は83% vs 31%)[7)]。

乳癌のオリゴ転移に対して定位放射線治療を行った10文献(後ろ向き研究7編，前向き研究3編)についてVianiらがメタアナリシスを行っている[8)]。定位放射線治療を行った乳癌オリゴ転移467例653病変において，局所制御率は1年97%，2年90%，全生存率は1年93%，2年81%であった。メタ回帰分析による予後因子の検討では，生存については前向き研究の症例，骨転移のみの症例が，局所制御についてはホルモン受容体陽性例が有意に良好との結果であった。重篤な有害事象は低頻度(Grade 2：4.1%，Grade 3：0.7%)であった。また，サブグループ解析にて，HER2陽性例，ホルモン受容体陽性/HER2陰性例，トリプルネガティブ例の2年全生存率はそれぞれ100%，86%，32%で，有意差がみられた($p=0.001$)。Vianiらのメタアナリシスによれば，乳癌オリゴ転移例のうち，骨のみへのオリゴ転移例が転移部への局所治療の最もよい適応対象と考えられ，HER2陽性例，ホルモン受容体陽性/HER2陰性例なども適応候補となるのではないかと考えられる。しかし，まだ十分なエビデンスがあるとはいえず，適応基準の確立が今後の課題である。さらに，オリゴ転移への局所治療を施行するタイミング，全身療法との併用方法，異なる病態のオリゴ転移への治療の個別化なども確立する必要がある。乳癌のオリゴ転移に限定した体幹部定位放射線治療の臨床試験であるNRG-BR002，STEREO-SEINが進行中であり，その結果が待たれる。

専門家の意見として，St. Gallen International Consensus Conference in 2021のパネリストたちは，オリゴ転移が1〜2個で，転移病巣に対して根治的放射線療法や切除が可能な場合，全身療法に加えて転移病巣への根治的局所治療を加えるのがよいと考えている[9)]。他方，本ガイドライン外科療法グループは，「遠隔転移巣に対する外科的切除は，症状緩和，病理組織学的診断に関しては意義があるが，生命予後延長を目的とした肺，骨，肝転移の外科的切除は勧められない」としている(☞外科FRQ12参照)。このように専門家の間でもオリゴ転移への根治的局所治療に関する評価は定まっていないが，体幹部定位放射線治療は，外科的切除よりも侵襲が小さいため，オリゴ転移に対して施行しやすいという利点がある。

体幹部定位放射線治療によるオリゴ転移への強力な局所治療は少なくとも一部の患者には有用である可能性があるため，症例を選択すれば考慮してもよい治療と思われる。

放射線療法

検索キーワード・参考にした二次資料

PubMedで，“breast neoplasms”，“oligometastasis”，“oligorecurrence”，“oligoprogression”，“radiotherapy”，“radiosurgery”のキーワードで検索した。医中誌・Cochrane Libraryも同等のキーワードで検索した。検索期間は2016年1月1日〜2021年3月31日とし，156件がヒットした。一次スクリーニングで5編，二次スクリーニングで4編(コホート研究)が抽出された。さらに2021年10月までに出版された論文も含めてハンドサーチで重要と思われる論文7編を追加した。

参考文献

1) Lievens Y, Guckenberger M, Gomez D, Hoyer M, Iyengar P, Kindts I, et al. Defining oligometastatic disease from a radiation oncology perspective: An ESTRO-ASTRO consensus document. Radiother Oncol. 2020; 148: 157-66.

[PMID: 32388150]
2) Guckenberger M, Lievens Y, Bouma AB, Collette L, Dekker A, deSouza NM, et al. Characterisation and classification of oligometastatic disease: a European Society for Radiotherapy and Oncology and European Organisation for Research and Treatment of Cancer consensus recommendation. Lancet Oncol. 2020; 21(1): e18-28. [PMID: 31908301]
3) Palma DA, Olson R, Harrow S, Gaede S, Louie AV, Haasbeek C, et al. Stereotactic ablative radiotherapy for the comprehensive treatment of oligometastatic cancers: long-term results of the SABR-COMET phase II randomized trial. J Clin Oncol. 2020; 38(25): 2830-8. [PMID: 32484754]
4) Milano MT, Zhang H, Metcalfe SK, Muhs AG, Okunieff P. Oligometastatic breast cancer treated with curative-intent stereotactic body radiation therapy. Breast Cancer Res Treat. 2009; 115(3): 601-8. [PMID: 18719992]
5) Trovo M, Furlan C, Polesel J, Fiorica F, Arcangeli S, Giaj-Levra N, et al. Radical radiation therapy for oligometastatic breast cancer: results of a prospective phase II trial. Radiother Oncol. 2018; 126(1): 177-80. [PMID: 28943046]
6) David S, Tan J, Savas P, Bressel M, Kelly D, Foroudi F, et al. Stereotactic ablative body radiotherapy (SABR) for bone only oligometastatic breast cancer: a prospective clinical trial. Breast. 2020; 49: 55-62. [PMID: 31734589]
7) Milano MT, Katz AW, Zhang H, Huggins CF, Aujla KS, Okunieff P. Oligometastatic breast cancer treated with hypofractionated stereotactic radiotherapy: some patients survive longer than a decade. Radiother Oncol. 2019; 131: 45-51. [PMID: 30773186]
8) Viani GA, Gouveia AG, Louie AV, Korzeniowski M, Pavoni JF, Hamamura AC, et al. Stereotactic body radiotherapy to treat breast cancer oligometastases: a systematic review with meta-analysis. Radiother Oncol. 2021; 164: 245-50. [PMID: 34624408]
9) Burstein HJ, Curigliano G, Thürlimann B, Weber WP, Poortmans P, Regan MM, et al; Panelists of the St Gallen Consensus Conference. Customizing local and systemic therapies for women with early breast cancer: the St. Gallen international consensus guidelines for treatment of early breast cancer 2021. Ann Oncol. 2021; 32(10): 1216-35. [PMID: 34242744]

略語一覧

略語一覧

ACOSOG	American College of Surgeons Oncology Group	
ABC	advanced breast cancer	
ABC5	5th ESO-ESMO international consensus guidelines for advanced breast cancer	第 5 回 ESO-ESMO 進行乳癌に対する国際コンセンサスガイドライン
AI	aromatase inhibitor	アロマターゼ阻害薬
ALND	axillary lymph node dissection	腋窩リンパ節郭清
AOR	annual odds of recurrence	年間再発率
APBI	accelerated partial breast irradiation	加速乳房部分照射
ART	assisted reproductive technology	生殖補助医療
ASCO	American Society of Clinical Oncology	米国臨床腫瘍学会
ASTRO	American Society for Radiation Oncology	米国放射線腫瘍学会
BIA-ALCL	breast implant-associated anaplastic large cell lymphoma	ブレスト・インプラント関連未分化大細胞型リンパ腫
BMA	bone modifying agents	骨修飾薬
BMD	bone mineral density	骨密度
BOOP	bronchiolitis obliterans organizing pneumonia	
CALGB	Cancer and Leukemia Group B	
CAM	complementary and alternative medicine	補完・代替療法
CBR	clinical benefit rate	リニカルベネフィット率
CF	conventional fractionation	通常分割
CGA	comprehensive geriatric assesment	高齢者機能的総合評価
CI	confidence interval	信頼区間
CR	complete response	完全奏効
CTV	clinical target volume	臨床標的体積
DBCG	Danish Breast Cancer Cooperative Group	
DCIS	ductal carcinoma in situ	非浸潤性乳管癌
DDFS	distant disease-free survival	
DFI	disease-free interval	
DFS	disease-free survival	無病生存期間，無病生存率
DIEP flap	deep inferior epigastric perforator flap	深下腹壁動脈穿通枝皮弁
DRFS	distant relapse-free survival	
EBC	early breast cancer	早期乳癌
EBCTCG	Early Breast Cancer Trialists' Collaborative Group	
ECOG	Eastern Cooperative Oncology Group	
EFS	event-free survival	無イベント生存率
EIC	extensive intraductal component	広範な乳管内進展
EORTC	European Organisation for Research and Treatment of Cancer	
EORTC QLQ	European Organisation for Research and Treatment of Cancer Quality of Life Questionnaire	
ER	estrogen receptor	エストロゲン受容体

ERE	estrogen responsive element	エストロゲン応答配列
ESMO	European Society for Medical Oncology	欧州臨床腫瘍学会
FACT	Functional Assessment of Cancer Therapy	
FDA	Food and Drug Administration	米国食品医薬品局
FN	febrile neutropenia	発熱性好中球減少症
FSH	follicle stimulating hormone	卵胞(濾胞)刺激ホルモン
gBRCA	germline *BRCA*	生殖細胞系列 *BRCA*
G-CSF	granulocyte-colony stimulating factor	顆粒球コロニー刺激因子
GPA	graded prognostic assessment	
GTV	gross tumor volume	肉眼的腫瘍体積
HBV	hepatitis B virus	B 型肝炎ウイルス
HER2	human epidermal growth factor receptor type 2	ヒト上皮増殖因子受容体 2 型
HF	hypofractionation	寡分割
HR	hazard ratio	ハザード比
HR	hormone receptor	ホルモン受容体
HRD	homologous recombination deficiency	相同組み換え修復不全
HRT	hormone replacement therapy	ホルモン補充療法
IBCSG	International Breast Cancer Study Group	
IBTR	ipsilateral breast tumor recurrence	温存乳房内再発
IDFS	invasive disease-free survival	浸潤癌の無病生存期間
IHC	immunohistochemical staining	免疫組織化学的方法
IMRT	intensity modulated radiation therapy	強度変調放射線治療
ITT	intention to treat	
JCOG	Japan Clinical Oncology Group	日本臨床腫瘍研究グループ
LABC	locally advanced breast cancer	局所進行乳癌
LCIS	lobular carcinoma in situ	非浸潤性小葉癌
LH	luteinizing hormone	黄体形成ホルモン
LH-RH	luteinizing hormone-releasing hormone	黄体形成ホルモン放出ホルモン
LVEF	left ventricular ejection fraction	左室駆出率
MBC	metastatic breast cancer	転移・再発乳癌
MMR	mismatch repair	ミスマッチ修復機能
MSI	microsatellite instability	マイクロサテライト不安定性
NAC	neoadjuvant chemotherapy	術前化学療法
NCCN	National Comprehensive Cancer Network	全米総合がん情報ネットワーク
NCI	National Cancer Institute	米国国立癌研究所
NGS	next generation sequencing	次世代シークエンス
NSABP	National Surgical Adjuvant Breast and Bowel Project	
NSAI	non-steroidal aromatase inhibitor	非ステロイド性アロマターゼ阻害薬
NSAIDs	non-steroidal anti-inflammatory drugs	非ステロイド消炎鎮痛薬
NSM	nipple-sparing mastectomy	乳頭温存乳房全切除術
ONJ	osteonecrosis of the jaw	顎骨壊死

OPBCS	oncoplastic breast-conserving surgery	乳房温存オンコプラスティックサージャリー
OPBS	oncoplastic breast surgery	乳房オンコプラスティックサージャリー
OR	odds ratio	オッズ比
ORR	overall response rate	全奏効割合，全奏効率
OS	overall survival	全生存期間，全生存率
PARP	poly(ADP-ribose)polymerase	ポリ ADP リボースポリメラーゼ
pCR	pathological complete response	病理学的完全奏効
PD	progressive disease	進行
PD-1	programmed cell death-1	
PD-L1	programmed cell death 1 ligand 1	
PFS	progression free survival	無増悪生存期間，無増悪生存率
PgR	progesterone receptor	プロゲステロン受容体
PMRT	postmastectomy radiation therapy	乳房全切除術後放射線療法
PS	performance status	パフォーマンスステータス
PTV	planning target volume	計画標的体積
QALYs	quality-adjusted life-years	
QOL	quality of life	生活の質
RANKL	receptor activator of nuclear factor κ-B ligand	
RCT	randomized controlled trial	ランダム化比較試験
RDI	relative dose intensity	
RFA	radiofrequency ablation	ラジオ波熱凝固療法
RFS	relapse-free survival, recurrence-free survival	無再発生存期間，無再発生存率
RI	radioisotope	ラジオアイソトープ
RR	risk ratio	リスク比
RS	recurrence score	
RTOG	Radiation Therapy Oncology Group	米国腫瘍放射線治療グループ
RT-PCR	reverse transcription polymerase chain reaction	
SABCS	San Antonio Breast Cancer Symposium	
SE	standard error	標準誤差
SEER	Surveillance, Epidemiology, and End Results	
SERD	selective estrogen receptor degrader	選択的エストロゲン受容体分解薬
SERM	selective estrogen receptor modulator	選択的エストロゲン受容体モジュレーター
SLE	systemic lupus erythematosus	全身性エリテマトーデス
SLN	sentinel lymph node	センチネルリンパ節
SLNB	sentinel lymph node biopsy	センチネルリンパ節生検
SRE	skeletal-related event	骨関連事象
SRS	stereotactic radiosurgery	定位手術的照射
SRT	stereotactic radiotherapy	定位[的]放射線治療
SSM	skin-sparing mastectomy	皮膚温存乳房全切除術
SSO	Society of Surgical Oncology	

SSRI	selective serotonin reuptake inhibitor	選択的セロトニン再取込み阻害薬
STI	stereotactic irradiation	定位放射線照射
SWOG	Southwest Oncology Group	
TE	tissue expander	組織拡張器
TMB-H	tumor mutational burden-high	腫瘍遺伝子変異量高スコア
TNBC	triple negative breast cancer	トリプルネガティブ乳癌
TPC	treatment of physician's choice	
TRK	tropomyosin receptor kinase	受容体チロシンキナーゼ
TTNT	time to next treatment	次治療までの期間
TTP	time to progression	無増悪期間，病勢進行までの期間
VEGF	vascular endothelial growth factor	血管内皮増殖因子
WHO	World Health Organization	世界保健機関
YAM	young adult mean	若年成人平均値

索　引

和文索引

あ

う

え

お

か

き

く

け

こ

欧文索引

乳癌診療ガイドライン①治療編 2022 年版

2011 年 9 月 2 日　第 1 版（2011 年版）発行
2013 年 6 月27日　第 2 版（2013 年版）発行
2015 年 7 月 2 日　第 3 版（2015 年版）発行
2018 年 5 月16日　第 4 版（2018 年版）発行
2022 年 6 月30日　第 5 版（2022 年版）第 1 刷発行

編　集　一般社団法人 日本乳癌学会

発行者　福村　直樹

発行所　金原出版株式会社
〒113-0034 東京都文京区湯島 2-31-14
電話　編集 (03)3811-7162
　　　営業 (03)3811-7184
FAX　(03)3813-0288
振替口座　00120-4-151494
http://www.kanehara-shuppan.co.jp/

ISBN 978-4-307-20441-5
印刷・製本／三報社印刷㈱